織込版
会社法関係法令全条文［全訂第2版］

法律・政令・省令3段対照表付

商事法務［編］

商事法務

全訂第2版はしがき

■会社法の改正

平成一八年五月一日に施行された会社法（平成一七年法律第八六号）は、本書全訂版の刊行（平成二七年三月三一日）後、①「農業協同組合法等の一部を改正する等の法律」（平成二七年九月四日公布・法律第六三号）、②「情報通信技術の進展等の環境変化に対応するための銀行法等の一部を改正する法律」（平成二八年六月三日公布・法律第六二号）、③「民法の一部を改正する法律の施行に伴う関係法律の整備等に関する法律」（平成二九年六月二日公布・法律第四五号）、④「漁業法等の一部を改正する等の法律」（平成三〇年一二月一四日公布・法律第九五号）、⑤「民事執行法及び国際的な子の奪取の民事上の側面に関する条約の実施に関する法律の一部を改正する法律」（令和元年五月一七日公布・法律第二号）、⑥「外国弁護士による法律事務の取扱いに関する特別措置法の一部を改正する法律」（令和二年五月二九日公布・法律第三三号）、⑦「労働者協同組合法」（令和二年一二月一一日公布・法律第七八号）により微細な改正がされました。⑥⑦は本書刊行時点で未施行のため、改正後の条文を破線囲みにて表示しています。

令和元年の第二〇〇回国会（臨時会）において成立した「会社法の一部を改正する法律」は、同年一二月一一日に令和元年法律第七〇号として公布され、令和三年三月一日に施行されます（令和二年政令第三二五号）。株主総会資料の電子提供制度の創設および会社の支店の所在地における登記の廃止に関する改正規定については、公布の日（令和元年一二月一一日）から起算して三年六月を超えない範囲内において政令で定める日から施行されますので、本書刊行時点で未施行のため、改正後の条文を破線囲みにて表示しています。

■法務省令の改正

会社法関係の法務省令のうち、会社法施行令は、本書全訂版の刊行後、「会社法の一部を改正する法律及び会社法の一部を改正する法律の施行に伴う関係法律の整備等に関する法律の施行に伴う法務省関係政令の整備に関する政令」（令和二年一一月二〇日公布・政令第三二七号）により微細な改正がされました。

会社法施行規則は、本書全訂版の刊行後、「商業登記規則等の一部を改正する省令」（平成二七年一二月二八日公布・法務省令第六一号）、「会社法施行規則及び会社計算規則の一部を改正する省令」（平成二八年一月八日公布・法務省令第一号、平成三〇年三月二六日公布・法務省令第五号、令和二年五月一五日公布・法務省令第三七号（失効））により微細な改正がされました。

会社計算規則は、本書全訂版の刊行後、「会社法施行規則及び会社計算規則の一部を改正する省令」（平成二八年一月八日公布・法務省令第一号、平成三〇年三月二六日公布・法務省令第五号）、「会社計算規則の一部を改正する省令」（平成三〇年一〇月一五日公布・法務省令第二七号、令和元年一二月二七日公布・法務省令第五四号、令和二年三月三一日公布・法務省令第二七号）、「会社法施行規則及び会社計算規則の一部を改正する省令」（令和二年五月一五日公布・法務省令第三七号（失効））、「会社計算規則の一部を改正する省令」（令和二年八月一二日公布・法務省令第四五号）により微細な改正がされました。

そして、「会社法の一部を改正する法律」（令和元年法律第七〇号）および「会社法の一部を改正する法律の施行に伴う関係法律の整備等に関する法律」（令和元年法律第七一号）の施行に伴い、令和二年一一月二七日に令和二年法務省令第五二号として公布された「会社法施行規則等の一部を改正する省令」により、会社法施行規則・会社計算規則が改正され、令和三年三月一日に施行されます。株主総会資料の電子提供制度の創設等に関する改正規定については、会社法の一部を改正する法律（令和元年法律第七〇号）附則第一条ただし書に規定する規定の施行の日から施行されますので、本書刊行時点で未施行のため、改正後の条文を破線囲みにて表示しています。

電子公告規則は、「商業登記規則等の一部を改正する省令」（平成二七年一二月二八日公布・法務省令第六一号）、「電子公告規則の一部を改正する省令」（令和元年六月二八日公布・法務省令第一四号、令和元年一二月一三日公布・法務省令第四九号、令和二年一二月二一日公布・法務省令第五七号〔別紙様式の改正のため略〕）により微細な改正がされました。

■本書の特長

全訂第２版では、全訂版刊行後、令和二年法律第七八号および令和二年法務省令第五七号までの改正を反映しました。全訂版と同様、全訂第２版においても、以下の特長を維持しています。

① 政省令の委任規定を条文の直後に織り込み、三段対照表も収録することで、法律と省令の対応関係をわかりやすく表示しています。

② 本書の各所に織り込まれている省令についても、巻末の索引により、条文番号で収録頁がわかるようにしています。

本書が会社の経営者、実務担当者、弁護士・会計士・税理士・司法書士等の専門家、学生など幅広い方々にご活用され、会社法制の理解の一助になれば幸いです。

令和三年三月

株式会社商事法務

全訂版はしがき

■会社法の改正

平成一八年五月一日に施行された会社法（平成一七年法律第八六号）は、本書旧版の第八版刊行（平成二四年三月二〇日）後、①「租税特別措置法等の一部を改正する法律」（平成二四年三月三一日公布・法律第一六号）、②「金融商品取引法等の一部を改正する法律」（平成二五年六月一九日公布・法律第四五号）、③「地方自治法の一部を改正する法律」（平成二六年五月三〇日公布・法律第四二号）により微細な改正がされました。③は本書刊行時点で未施行のため、改正後の条文を破線囲みにて表示しています。

平成二六年の第一八六回国会（常会）において成立した「会社法の一部を改正する法律」は、同年六月二七日に平成二六年法律第九〇号として公布され、平成二七年五月一日に施行されます（平成二七年政令第一六号）。

■法務省令の改正

会社法関係の法務省令のうち、会社法施行規則は、本書旧版の第八版刊行後、会社法施行規則の一部を改正する省令（平成二四年一二月二八日公布・法務省令第四七号）により微細な改正がされました。この改正は、非訟事件手続法及び家事事件手続法の施行に伴う関係法律の整備等に関する法律（平成二三年法律第五三号）の施行に伴うものです。

会社計算規則は、本書旧版の第八版刊行後、会社計算規則の一部を改正する省令（平成二五年五月二〇日公布・法務省令第一六号）により改正されました。この改正は、平成二四年五月、企業会計基準委員会（ＡＳＢＪ）が、「退職給付に関する会計基準」（企業会計基準第二六号）および「退職給付に関する会計基準の適用指針」（企業会計基準適用指針第二五号）を公表したことに伴い、所要の改正を行うものです。

そして、「会社法の一部を改正する法律」（平成二六年法律第九〇号）の施行に伴い、平成二七年二月六日に平成二七年法務省令第六号として公布された「会社法施行規則等の一部を改正する省令」により、会社法施行規則・会社計算規則・電子公告規則が改正され、平成二七年五月一日に施行されます。

■本書の特長

全訂版では、旧版第八版刊行後、平成二六年法律第九〇号および平成二七年法務省令第六号までの改正をすべて反映し、版を改めました。旧版と同様、全訂版においても、以下の特長を維持しています。

① 政省令の委任規定を条文の直後に織り込み、三段対照表も収録することで、法律と省令の対応関係をわかりやすく表示しています。

② 本書の各所に織り込まれている省令についても、巻末の索引により、条文番号で収録頁がわかるようにしています。

本書が会社の経営者、実務担当者、弁護士・会計士・税理士・司法書士等の専門家、学生など幅広い方々にご活用され、会社法制の理解の一助になれば幸いです。

平成二七年三月

株式会社商事法務

第８版の刊行にあたって

■会社法の改正

平成一八年五月一日に施行された会社法（平成一七年法律第八六号）は、本書第７版刊行（平成二三年四月二五日）後、「非訟事件手続法及び家事事件手続法の施行に伴う関係法律の整備等に関する法律」（平成二三年五月二五日公布・法律第五三号）第一五四条により微細な改正がされましたが、本書刊行時点で未施行のため波線囲みで表示しています。

■法務省令の改正

会社法関係の法務省令については、本書第７版刊行後、会社法施行規則等の一部を改正する省令（平成二三年一一月一六日公布・法務省令第三三号）により改正されました。

右の法務省令は、①平成二三年三月の企業会計基準委員会（ＡＳＢＪ）による「連結財務諸表に関する会計基準」の改正、②平成二三年九月の金融庁による「連結財務諸表の用語、様式及び作成方法に関する規則」の改正、および③資産の流動化に関する法律（平成一〇年法律第一〇五号）の改正――を踏まえ会社法施行規則（平成一八年法務省令第一二号）および会社計算規則（平成一八年法務省令第一三号）等の一部が改正されたものです。

本省令は、平成二三年一一月一六日から施行（資産の流動化に関する法律の改正に伴う整備に係る部分については同月二四日から施行）されているため、すべて条文に織り込みました。

本書が会社の経営者、実務担当者、弁護士・会計士・税理士・司法書士等の専門家、学生など幅広い方々にご活用され、会社法制の理解の一助になれば幸いです。

平成二四年三月

株式会社商事法務

第7版の刊行にあたって

会社法関係の法務省令については、本書第6版刊行（平成二二年四月二日）後、①会社計算規則の一部を改正する省令（平成二二年九月三〇日公布・法務省令第三三号）、②会社計算規則及び電子公告に関する登記事項を定める省令の一部を改正する省令（平成二二年一一月二五日公布・法務省令第三七号）、および③会社計算規則の一部を改正する省令（平成二三年三月三一日公布・法務省令第六号）により改正されました。

右の法務省令は、①については企業会計基準委員会（ＡＳＢＪ）が、平成二二年六月三〇日、国際財務報告基準（ＩＦＲＳ）とのコンバージェンスの一環として、「包括利益の表示に関する会計基準」（企業会計基準第二五号）および関連する他の改正会計基準を公表したことに伴い会社計算規則（平成一八年法務省令第一三号）について所要の改正が行われたもの、②については商品取引所法及び商品投資に係る事業の規制に関する法律（平成二一年法律第七四号）の施行に伴い会社計算規則について微細な改正が行われたもの、③については、①と同様にＡＳＢＪが、平成二一年一二月四日に公表した「会計上の変更及び誤謬の訂正に関する会計基準」（企業会計基準第二四号）およびその他の会計基準の改正等を踏まえ会社計算規則および会社法施行規則（平成一八年法務省令第一二号）の一部が改正されたものです。

右の改正については、①が平成二二年九月三〇日、②が平成二三年一月一日、③が平成二三年三月三一日にすでに施行されているため、すべて条文に織り込みました。

本書が会社の経営者、実務担当者、弁護士・会計士・税理士・司法書士等の専門家、学生など幅広い方々にご活用され、会社法制の理解の一助になれば幸いです。

平成二三年四月

株式会社商事法務

第6版の刊行にあたって

■会社法の改正

平成一八年五月一日に施行された会社法（平成一七年法律第八六号）は、本書第5版刊行後、①「我が国における産業活動の革新等を図るための産業活力再生特別措置法等の一部を改正する法律」（平成二一年四月三〇日公布・法律第二九号）附則第二四条、②「金融商品取引法等の一部を改正する法律」（平成二一年六月二四日公布・法律第五八号）附則第一五条、③「商品取引所法及び商品投資に係る事業の規制に関する法律の一部を改正する法律」（平成二一年七月一〇日公布・法律第七四号）附則第三六条により微細な改正がされました。

本書第6版では、右の改正について、本書刊行時点（平成二二年四月一日現在）で施行された①②については条文に織り込み、未施行の③（平成二二年七月一日施行）については波線囲みで表示しています。

■法務省令の改正

会社法関係の法務省令については、本書第5版刊行（平成二一年五月一四日）後、①会社計算規則の一部を改正する省令（平成二一年一二月一一日公布・法務省令第四六号）による改正および②会社法施行規則、会社計算規則等の一部を改正する省令（平成二二年三月二七日公布・法務省令第七号）等の若干の正誤を収録しました。

本書が会社の経営者、実務担当者、弁護士・会計士・税理士・司法書士等の専門家、学生など幅広い方々にご活用され、会社法制の理解の一助になれば幸いです。

平成二二年四月

株式会社商事法務

第5版の刊行にあたって

会社法関係の政令・法務省令については、本書第4版刊行後、①金融商品取引法の一部を改正する法律（平成二〇年六月一三日法律第六五号）、②会社法施行令の一部を改正する政令（平成二〇年三月三一日公布・政令第一〇〇号。第4版では追録でフォロー）③会社法施行規則の一部を改正する省令（平成二〇年九月二九日公布・法務省令第五三号）、④電子公告規則の一部を改正する省令（平成二一年一月二六日公布・法務省令第一号）、⑤商業登記規則等の一部を改正する省令（平成二一年三月一六日公布・法務省令第五号）、⑥会社法施行規則、会社計算規則等の一部を改正する省令（平成二一年三月二七日公布・法務省令第七号）⑦会社計算規則の一部を改正する省令（平成二一年四月二〇日公布・法務省令第二二号）により改正されました。

右の主な改正内容は、①は金融商品取引法の一部改正に伴う関連条文の整備、③については株式会社商工組合中央金庫法（平成一九年法律第七四号）の施行に伴う改正、④は「電子公告調査機関の登録及び登録の更新に係る基準」などを定めたもの、⑤は商業登記規則の改正に伴い会社法施行規則および電子公告規則が改正されたもので、⑥は、平成二〇年一二月二六日に企業会計基準委員会によって公表された企業結合に関する会計基準等を受けて会社計算規則が大幅に改正されるとともに、会社法施行規則についても、関係各方面からのさまざまな見直しの要望を受けて改正が行われています。なお、⑦は、「継続企業の前提に関する注記」について関係法令および実務の状況等を踏まえて、会社計算規則の改正を行ったものです。

本書第5版では、右の改正を全文収録しました。

本書が会社の経営者、実務担当者、弁護士・会計士・税理士・司法書士等の専門家、学生など幅広い方々にご活用され、会社法制の理解の一助になれば幸いです。

平成二一年四月

株式会社商事法務

第４版の刊行にあたって

■会社法の改正

平成一八年五月一日に施行された会社法（平成一七年法律第八六号）は、本書初版刊行後、①「一般社団法人及び一般財団法人に関する法律及び公益社団法人及び公益財団法人の認定等に関する法律の施行に伴う関係法律の整備等に関する法律」（平成一八年六月二日公布・法律第五〇号）第二四四条、②「証券取引法等の一部を改正する法律の施行に伴う関係法律の整備等に関する法律」（平成一八年六月一四日公布・法律第六六号）第二〇五条、③「信託法の施行に伴う関係法律の整備等に関する法律」（平成一八年一二月一五日公布・法律第一〇九号）第七七条、④「消費生活協同組合法の一部を改正する等の法律」（平成一九年五月一六日公布・法律第四七号）附則第四三条、⑤「公認会計士法等の一部を改正する法律」（平成一九年六月二七日公布・法律第九九号）附則第二五条により改正されました。

本書第４版では、右の改正について、本書刊行時点（平成二〇年四月一日現在）で施行された②～⑤については条文に織り込み、未施行の①（平成二〇年一二月一日施行）については波線囲みで表示しています。

■法務省令の改正

会社法関係の法務省令については、本書第３版刊行（平成一九年六月二〇日）後、①会社法施行規則及び電子公告規則の一部を改正する省令（平成一九年七月四日公布・法務省令第三八号）、②会社法施行規則及び会社計算規則の一部を改正する省令（平成一九年七月四日公布・法務省令第三九号）および③会社法施行規則及び会社計算規則の一部を改正する省令（平成二〇年三月一九日公布・法務省令第一二号）により改正されました。

右の法務省令は、①および②については信託法の施行に伴い諸規程の整備を行った改正であり、③については(i)事業報告における役員報酬等の開示の明確化（会社法施行規則関係）および(ii)関連当事者の範囲等の見直し等（会社計算規則関係）を――盛り込んだ改正であり、①および②については平成一九年九月三〇日に、③については平成二〇年四月一日に施行されているため、すべて条文に織り込みました。

本書が会社の経営者、実務担当者、弁護士・会計士・税理士・司法書士等の専門家、学生など幅広い方々にご活用され、会社法制の理解の一助になれば幸いです。

平成二〇年四月

株式会社商事法務

第3版の刊行にあたって

「会社法施行規則の一部を改正する省令」（平成一九年法務省令第三〇号。以下「本改正省令」という）が平成一九年四月二五日に公布され、同年五月一日から施行されました。

本改正省令は、いわゆる「合併等対価の柔軟化」が同日から実施されたことに伴い、会社法施行規則（平成一八年法務省令第一二号）の一部を改正したものです。

合併等対価の柔軟化は、国内外からの強い要望を受けて、会社法（平成一七年法律第八六号）においてその実現が図られました。しかしながら、わが国経済界の一部から、その実施がわが国の株式市場における敵対的買収、特に外資による敵対的買収を助長させるおそれがあるとの懸念の声が上がったため、その実施が会社法の本体の施行から一年延期されました（会社法附則四項）。

本改正省令は、これらの懸念に対して検討を行った各部会の提言の内容を踏まえたもので、合併等対価の柔軟化の実施により、さまざまな財産を交付されることとなりうる吸収合併消滅株式会社または株式交換完全子会社の株主の保護の観点から、それらの株主が当該吸収合併等に対する賛否等について的確に判断することを可能とするために、吸収合併消滅株式会社または株式交換完全子会社における株主総会参考書類および事前開示書類の記載事項の拡充および明確化を図ることを内容としています。

右の改正は、具体的には、会社法施行規則第一八二条（吸収合併消滅株式会社の事前開示事項）および第一八四条（株式交換完全子会社の事前開示事項）を全文改正した形となっています。

本書第3版では、実務における重要性に鑑み、本改正省令を全文収録しました。

平成一九年五月

株式会社商事法務

第2版の刊行にあたって

平成一八年五月一日に施行された会社法（平成一七年法律第八六号）は、本書初版刊行後、①「一般社団法人及び一般財団法人に関する法律及び公益社団法人及び公益財団法人の認定等に関する法律の施行に伴う関係法律の整備等に関する法律」（平成一八年六月二日公布・法律第五〇号）第二四四条、②「証券取引法等の一部を改正する法律の施行に伴う関係法律の整備等に関する法律」（平成一八年六月一四日公布・法律第六六号）第二〇五条および③「信託法の施行に伴う関係法律の整備等に関する法律」（平成一八年一二月一五日公布・法律第一〇九号）第七七条により、改正されました。

また、会社法施行規則（平成一八年法務省令第一二号）および会社計算規則（平成一八年法務省令第一三号）についても、④「会社法施行規則及び会社計算規則の一部を改正する省令」（右の③の施行に伴う改正：平成一八年一二月一五日公布・法務省令第八四号）、⑤「会社法施行規則及び会社計算規則の一部を改正する省令」（組織再編行為の計算規定の見直し等に係る改正：平成一八年一二月二二日公布・法務省令第八七号）により、改正されました。

本書第2版では、右の①～⑤について、本書刊行時点（平成一九年一月三一日現在）で施行されている改正事項については条文に織り込み、未施行部分については波線罫囲みで表示しています（ただし、①の改正については施行までの期間が二年六カ月とされていることと、改正点も少ないことから編集部注として表示）。

平成一八年一二月

株式会社商事法務

はしがき

■会社法五月一日施行

平成一七年の第一六二国会において成立した「会社法」（平成一七年法律第八六号）は、同年七月二六日に公布され、平成一八年五月一日に施行されます（平成一八年政令第七七号）。

会社法の公布に伴い、会社法関係の政令（「会社法施行令」（平成一七年政令第三六四号））が平成一七年一二月一四日に公布され、「会社法施行規則（平成一八年法務省令第一二号）、「会社計算規則」（平成一八年法務省令第一三号）および「電子公告規則」（平成一八年法務省令第一四号）の三本から成る法務省令が、平成一八年二月七日に公布されました。

■「法律・政令・省令3段対照表」を設け、対応関係がひと目でわかるように構成

会社法は、株式会社制度と有限会社制度の統合、最低資本金制度の撤廃、会計参与制度の創設など、会社実務に与える影響がきわめて大きいことに加えて、約三〇〇カ所にわたって政令・省令への委任規定が設けられており、その内容を正確に理解するためには、これら関係する政令・省令の内容を把握することが必要不可欠になります。

そこで、本書においては、会社法から委任された政令・省令を一カ所にまとめ、対応関係がひと目でわかるように構成しました。さらに、会社法と対応関係にある政令・省令を検索しやすいように掲載頁を付した「法律・政令・省令3段対照表」を目次の後に載せました。

■最新の法令を収録

さらに、会社法施行規則・会社計算規則については二月七日の公布後に、①「非訟事件手続法による財産管理の報告及び計算に関する書類並びに財産目録の謄本又は株主表の抄本の交付

に関する手数料の件の廃止等をする省令」(平成一八年三月二九日・法務省令第二八号)および②「会社法施行規則等の一部を改正する省令」(平成一八年四月一四日・法務省令第四九号)により、二度にわたる改正がなされました。

本書では、これらの改正を織り込み、最新の法務省令を収録しました。

本書が会社の経営者、実務担当者、弁護士・会計士・税理士・司法書士等の専門家、学生など幅広い方々にご活用され、会社法制の理解の一助になれば幸いです。

平成一八年四月

株式会社商事法務

目次

会社法

（平成17年法律第86号）

法律・政令・省令3段対照表 23

〔施行　会社法の一部を改正する法律（令和元年法律第七十号）の施行の日（令和元年十二月十一日から三年六月を超えない範囲内において政令で定める日）〕［傍線部分は改正部分］

第一編　（略）
第二編　（略）
第一章～第三章　（略）
第四章　（略）
第一節　株主総会及び種類株主総会等
第一款・第二款　（略）
第三款　電子提供措置（第三百二十五条の二―第三百二十五条の七）
第二節～第十二節　（略）
第五章～第九章　（略）
第三編　（略）
第四編　（略）
第五編　（略）
第六編　（略）
第七編　（略）
第一章～第三章　（略）
第四章　（略）
第一節　（略）
第二節　会社の登記（第九百十一条―第九百三十二条）
第三節・第四節　（略）
第五章　（略）
第八編　（略）
附則

法律・政令・省令３段対照表

◆本表では、政令または省令と対応関係がある法律条文のみを掲載した。

◆本表下段の「掲載頁」は省令の掲載頁とした（対応関係にある省令がない場合は政令の掲載頁）。

◆本表の省令の略語は以下のとおり。

施……会社法施行規則

計……会社計算規則

公……電子公告規則

法律の条数・条見出し	政令の条数・条見出し	省令の条数・条見出し	掲載頁
第一編　総則			
第一章　通則			
第二条　定義		施第二条　定義	4
		施第三条　子会社及び親会社	11
		施第三条の二　子会社等及び親会社等	12
		施第四条　特別目的会社の特則	13
		施第四条の二　株式交付子会社	13
		施第二百二十二条　電磁的方法	14
		施第二百二十三条　電子公告を行うための電磁的方法	14
		計第二条　定義	14
		公第二条　定義	21
第二編　株式会社			
第一章　設立			
第二十六条　定款の作成		施第二百二十四条　電磁的記録	28
		施第二百二十五条　電子署名	28
第二十八条		施第五条　設立費用	29
第三十一条　定款の備置き及び閲覧等		施第二百三十四条　縦覧等の指定	30
		施第二百三十五条　縦覧等の方法	30
		施第二百三十六条　交付等の指定	30
		施第二百三十七条　交付等の方法	30
		施第二百三十八条　交付等の承諾	30
		施第二百二十六条　電磁的記録に記録された事項を表示する方法	30
		施第二百二十七条　電磁的記録の備置きに関する特則	31

第三十三条	定款の記載又は記録事項に関する検査役の選任			施第二百二十八条	検査役が提供する電磁的記録	32
				施第二百二十九条	検査役による電磁的記録に記録された事項の提供	33
				施第二百三十六条	交付等の指定	33
				施第六条	検査役の調査を要しない市場価格のある有価証券	33
第三十四条	出資の履行			施第七条	銀行等	33
第五十二条の二	出資の履行を仮装した場合の責任等			施第七条の二	出資の履行の仮装に関して責任をとるべき発起人等	39
第五十九条	設立時募集株式の申込み	第一条	書面に記載すべき事項等の電磁的方法による提供の承諾等	施第八条	申込みをしようとする者に対して通知すべき事項	40
				施第二百三十条	会社法施行令に係る電磁的方法	41
第六十七条	創立総会の招集の決定			施第九条	招集の決定事項	42
第六十八条	創立総会の招集の通知	第二条	電磁的方法による通知の承諾等	施第二百三十条	会社法施行令に係る電磁的方法	44
第七十条	創立総会参考書類及び議決権行使書面の交付等			施第十条	創立総会参考書類	45
				施第十一条	議決権行使書面	45
第七十一条				施第十条	創立総会参考書類	46
				施第十一条	議決権行使書面	46
第七十二条	議決権の数			施第十二条	実質的に支配することが可能となる関係	47
第七十四条	議決権の代理行使	第一条	書面に記載すべき事項等の電磁的方法による提供の承諾等	施第二百三十条	会社法施行令に係る電磁的方法	49
				施第二百三十一条	定義	49
				施第二百三十二条	保存の指定	49
				施第二百三十三条	保存の方法	49

法律の条数	法律の条見出し	政令の条数	政令の条見出し	省令の条数	省令の条見出し	掲載頁
第七十五条	書面による議決権の行使			施第二百三十四条	縦覧等の指定	49
				施第二百二十六条	電磁的記録に記録された事項を表示する方法	49
				施第十三条	書面による議決権行使の期限	50
				施第二百三十二条	保存の指定	50
				施第二百三十四条	縦覧等の指定	50
第七十六条	電磁的方法による議決権の行使	第一条	書面に記載すべき事項等の電磁的方法による提供の承諾等	施第二百三十条	会社法施行令に係る電磁的方法	51
				施第十四条	電磁的方法による議決権行使の期限	51
				施第二百二十六条	電磁的記録に記録された事項を表示する方法	51
第七十八条	発起人の説明義務			施第十五条	発起人の説明義務	52
第八十一条	議事録			施第十六条	創立総会の議事録	52
				施第二百三十二条	保存の指定	53
				施第二百三十四条	縦覧等の指定	53
				施第二百二十六条	電磁的記録に記録された事項を表示する方法	53
第八十二条	創立総会の決議の省略			施第二百三十二条	保存の指定	54
				施第二百三十四条	縦覧等の指定	54
				施第二百二十六条	電磁的記録に記録された事項を表示する方法	54
第八十六条	創立総会に関する規定の準用			施第十七条	種類創立総会	55
第八十九条	累積投票による設立時取締役の選任			施第十八条	累積投票による設立時取締役の選任	56

第百三条	発起人の責任等			施第十八条の二	払込みの仮装に関して責任をとるべき発起人等	59
第二章　株式						
第百八条	異なる種類の株式			施第十九条	種類株主総会における取締役又は監査役の選任	63
				施第二十条	種類株式の内容	63
第百二十条	株主等の権利の行使に関する利益の供与			施第二十一条	利益の供与に関して責任をとるべき取締役等	68
第百二十二条	株主名簿記載事項を記載した書面の交付等			施第二百二十五条	電子署名	69
第百二十五条	株主名簿の備置き及び閲覧等			施第二百三十四条	縦覧等の指定	70
				施第二百二十六条	電磁的記録に記録された事項を表示する方法	70
第百三十三条	株主の請求による株主名簿記載事項の記載又は記録			施第二十二条	株主名簿記載事項の記載等の請求	72
第百三十五条	親会社株式の取得の禁止			施第三条	子会社及び親会社	73
				施第二十三条	子会社による親会社株式の取得	73
第百三十七条	株式取得者からの承認の請求			施第二十四条	株式取得者からの承認の請求	74
第百四十一条	株式会社による買取りの通知			施第二十五条	一株当たり純資産額	77
第百四十五条	株式会社が承認をしたとみなされる場合			施第二十六条	承認したものとみなされる場合	79
第百四十九条	株主名簿の記載事項を記載した書面の交付等			施第二百二十五条	電子署名	80
第百五十五条				施第二十七条	自己の株式を取得することができる場合	82

法律の条数・条見出し		政令の条数・条見出し		省令の条数・条見出し		掲載頁
第百六十条	特定の株主からの取得			施第二十八条	特定の株主から自己の株式を取得する際の通知時期	84
				施第二十九条	議案の追加の請求の時期	84
第百六十一条	市場価格のある株式の取得の特則			施第三十条	市場価格を超えない額の対価による自己の株式の取得	84
第百六十七条	効力の発生			施第三十一条	取得請求権付株式の行使により株式の数に端数が生ずる場合	86
				施第三十二条	取得請求権付株式の行使により市場価格のある社債等に端数が生ずる場合	86
				施第三十三条	取得請求権付株式の行使により市場価格のない社債等に端数が生ずる場合	87
第百七十一条の二	全部取得条項付種類株式の取得対価等に関する書面等の備置き及び閲覧等			施第三十三条の二	全部取得条項付種類株式の取得に関する事前開示事項	89
				施第二百三十四条	縦覧等の指定	92
				施第二百三十六条	交付等の指定	92
				施第二百二十六条	電磁的記録に記録された事項を表示する方法	92
第百七十三条の二	全部取得条項付種類株式の取得に関する書面等の備置き及び閲覧等			施第三十三条の三	全部取得条項付種類株式の取得に関する事後開示事項	93
				施第二百三十二条	保存の指定	93
				施第二百三十四条	縦覧等の指定	93
				施第二百三十六条	交付等の指定	94
				施第二百二十六条	電磁的記録に記録された事項を表示する方法	94

第百七十九条	株式等売渡請求			施第三十三条の四	特別支配株主完全子法人	95
第百七十九条の二	株式等売渡請求の方法			施第三十三条の五	株式等売渡請求に際して特別支配株主が定めるべき事項	96
第百七十九条の四	売渡株主等に対する通知等			施第三十三条の六	売渡株主等に対して通知すべき事項	97
第百七十九条の五	株式等売渡請求に関する書面等の備置き及び閲覧等			施第三十三条の七	対象会社の事前開示事項	97
				施第二百三十四条	縦覧等の指定	98
				施第二百三十六条	交付等の指定	98
				施第二百二十六条	電磁的記録に記録された事項を表示する方法	98
第百七十九条の十	売渡株式等の取得に関する書面等の備置き及び閲覧等			施第三十三条の八	対象会社の事後開示事項	100
				施第二百三十二条	保存の指定	100
				施第二百三十四条	縦覧等の指定	100
				施第二百三十六条	交付等の指定	100
				施第二百二十六条	電磁的記録に記録された事項を表示する方法	100
第百八十二条の二	株式の併合に関する事項に関する書面等の備置き及び閲覧等			施第三十三条の九	株式の併合に関する事前開示事項	102
				施第二百三十四条	縦覧等の指定	102
				施第二百三十六条	交付等の指定	103
				施第二百二十六条	電磁的記録に記録された事項を表示する方法	103
第百八十二条の六	株式の併合に関する書面等の備置き及び閲覧等			施第三十三条の十	株式の併合に関する事後開示事項	104
				施第二百三十二条	保存の指定	104
				施第二百三十四条	縦覧等の指定	104
				施第二百三十六条	交付等の指定	104

法律の条数・条見出し		政令の条数・条見出し		省令の条数・条見出し		掲載頁
				施第二百二十六条	電磁的記録に記録された事項を表示する方法	105
第百八十八条	単元株式数			施第三十四条	単元株式数	106
第百八十九条	単元未満株式についての権利の制限等			施第三十五条	単元未満株式についての権利	106
第百九十三条	単元未満株式の価格の決定			施第三十六条	市場価格のある単元未満株式の買取りの価格	108
第百九十四条				施第三十七条	市場価格のある単元未満株式の売渡しの価格	109
第百九十七条	株式の競売			施第三十八条	市場価格のある株式の売却価格	110
第百九十八条	利害関係人の異議			施第三十九条	公告事項	111
第二百一条	公開会社における募集事項の決定の特則			施第四十条	募集事項の通知を要しない場合	112
第二百三条	募集株式の申込み	第一条	書面に記載すべき事項等の電磁的方法による提供の承諾等	施第四十一条	申込みをしようとする者に対して通知すべき事項	114
				施第二百三十条	会社法施行令に係る電磁的方法	115
				施第四十二条	申込みをしようとする者に対する通知を要しない場合	116
第二百六条の二	公開会社における募集株式の割当て等の特則			施第四十二条の二	株主に対して通知すべき事項	117
				施第四十二条の三	株主に対する通知を要しない場合	118
				施第四十二条の四	株主に対する反対通知を要しない場合における反対通知の期間の初日	118

第二百七条				施第二百二十八条 施第二百二十九条 施第二百三十六条 施第四十三条	検査役が提供する電磁的記録 検査役による電磁的記録に記録された事項の提供 交付等の指定 検査役の調査を要しない市場価格のある有価証券	119 119 119 120
第二百十三条	出資された財産等の価額が不足する場合の取締役等の責任			施第四十四条 施第四十五条 施第四十六条	出資された財産等の価額が不足する場合に責任をとるべき取締役等	122 122 122
第二百十三条の三	出資の履行を仮装した場合の取締役等の責任			施第四十六条の二	出資の履行の仮装に関して責任をとるべき取締役等	122
第二百二十三条	株券喪失登録の請求			施第四十七条	株券喪失登録請求	125
第二百二十五条	株券を所持する者による抹消の申請			施第四十八条	株券を所持する者による抹消の申請	126
第二百二十六条	株券喪失登録者による抹消の申請			施第四十九条	株券喪失登録者による抹消の申請	127
第二百三十一条	株券喪失登録簿の備置き及び閲覧等			施第二百三十四条 施第二百二十六条	縦覧等の指定 電磁的記録に記録された事項を表示する方法	128 128
第二百三十四条	一に満たない端数の処理			施第五十条 施第五十一条	株式の発行等により一に満たない株式の端数を処理する場合における市場価格 一に満たない社債等の端数を処理する場合における市場価格	129 129

法律の条数・条見出し	政令の条数・条見出し	省令の条数・条見出し	掲載頁
第二百三十五条		施第五十二条　株式の分割等により一に満たない株式の端数を処理する場合における市場価格	130
第三章　新株予約権			
第二百四十条　公開会社における募集事項の決定の特則		施第五十三条　募集事項の通知を要しない場合	133
第二百四十二条　募集新株予約権の申込み	第一条　書面に記載すべき事項等の電磁的方法による提供の承諾等	施第五十四条　申込みをしようとする者に対して通知すべき事項	135
		施第二百三十条　会社法施行令に係る電磁的方法	136
		施第五十五条　申込みをしようとする者に対する通知を要しない場合	136
第二百四十四条の二　公開会社における募集新株予約権の割当て等の特則		施第五十五条の二　株主に対して通知すべき事項	138
		施第五十五条の三　交付株式	138
		施第五十五条の四　株主に対する通知を要しない場合	138
		施第五十五条の五　株主に対する通知を要しない場合における反対通知の期間の初日	139
第二百五十条　新株予約権原簿記載事項を記載した書面の交付等		施第二百二十五条　電子署名	140
第二百五十二条　新株予約権原簿の備置き及び閲覧等		施第二百三十四条　縦覧等の指定	141
		施第二百二十六条　電磁的記録に記録された事項を表示する方法	141

第二百六十条	新株予約権者の請求による新株予約権原簿記載事項の記載又は記録			施第五十六条	新株予約権原簿記載事項の記載等の請求	143
第二百六十三条	新株予約権取得者からの承認の請求			施第五十七条	新株予約権取得者からの承認の請求	144
第二百七十条	新株予約権原簿の記載事項を記載した書面の交付等			施第二百二十五条	電子署名	146
第二百八十三条	一に満たない端数の処理			施第五十八条	新株予約権の行使により株式に端数が生じる場合	150
第二百八十四条				施第二百二十八条	検査役が提供する電磁的記録	152
				施第二百二十九条	検査役による電磁的記録に記録された事項の提供	152
				施第五十九条	検査役の調査を要しない市場価格のある有価証券	152
第二百八十六条	出資された財産等の価額が不足する場合の取締役等の責任			施第六十条	出資された財産等の価額が不足する場合に責任をとるべき取締役等	153
				施第六十一条		154
				施第六十二条		154
第二百八十六条の三	新株予約権に係る払込み等を仮装した場合の取締役等の責任			施第六十二条の二	新株予約権に係る払込み等の仮装に関して責任をとるべき取締役等	154

第四章　機関

第二百九十八条	株主総会の招集の決定			施第六十三条	招集の決定事項	158
				施第六十四条	書面による議決権の行使について定めることを要しない株式会社	160

法律の条数・条見出し		政令の条数・条見出し		省令の条数・条見出し		掲載頁
第二百九十九条	株主総会の招集の通知	第二条	電磁的方法による通知の承諾等	施第二百三十条	会社法施行令に係る電磁的方法	161
第三百一条	株主総会参考書類及び議決権行使書面の交付等			施第六十五条	株主総会参考書類	162
				施第六十六条	議決権行使書面	162
				施第七十三条		163
				施第七十四条	取締役の選任に関する議案	164
				施第七十四条の三	監査等委員である取締役の選任に関する議案	165
				施第七十五条	会計参与の選任に関する議案	167
				施第七十六条	監査役の選任に関する議案	168
				施第七十七条	会計監査人の選任に関する議案	169
				施第七十八条	取締役の解任に関する議案	170
				施第七十八条の二	監査等委員である取締役の解任に関する議案	170
				施第七十九条	会計参与の解任に関する議案	170
				施第八十条	監査役の解任に関する議案	170
				施第八十一条	会計監査人の解任又は不再任に関する議案	170
				施第八十二条	取締役の報酬等に関する議案	171
				施第八十二条の二	監査等委員である取締役の報酬等に関する議案	171
				施第八十三条	会計参与の報酬等に関する議案	171
				施第八十四条	監査役の報酬等に関する議案	172
				施第八十四条の二	責任免除を受けた役員等に対し退職慰労金等を与える議案等	172

法律の条数・条見出し		政令の条数・条見出し		省令の条数・条見出し		掲載頁
第三百八条	議決権の数			施第六十七条	実質的に支配することが可能となる関係	180
第三百九条	株主総会の決議			施第六十八条	欠損の額	182
第三百十条	議決権の代理行使	第一条	書面に記載すべき事項等の電磁的方法による提供の承諾等	施第二百三十条	会社法施行令に係る電磁的方法	183
				施第二百三十二条	保存の指定	184
				施第二百三十四条	縦覧等の指定	184
				施第二百二十六条	電磁的記録に記録された事項を表示する方法	184
第三百十一条	書面による議決権の行使			施第六十九条	書面による議決権行使の期限	184
				施第二百三十二条	保存の指定	184
				施第二百三十四条	縦覧等の指定	185
第三百十二条	電磁的方法による議決権の行使	第一条	書面に記載すべき事項等の電磁的方法による提供の承諾等	施第二百三十条	会社法施行令に係る電磁的方法	186
				施第七十条	電磁的方法による議決権行使の期限	186
				施第二百二十六条	電磁的記録に記録された事項を表示する方法	186
第三百十四条	取締役等の説明義務			施第七十一条	取締役等の説明義務	186
第三百十八条	議事録			施第七十二条	議事録	187
				施第二百三十二条	保存の指定	188
				施第二百二十七条	電磁的記録の備置きに関する特則	188
				施第二百三十四条	縦覧等の指定	189
				施第二百二十六条	電磁的記録に記録された事項を表示する方法	189

第三百十九条	株主総会の決議の省略			施第二百三十二条	保存の指定	189
				施第二百三十四条	縦覧等の指定	189
				施第二百二十六条	電磁的記録に記録された事項を表示する方法	189
第三百二十五条	株主総会に関する規定の準用			施第九十五条		191
第三百二十五条の二＊	電子提供措置をとる旨の定款の定め			施九十五条の二＊	電子提供措置	192
第三百二十五条の四＊	株主総会の招集の通知等の特則			施九十五条の三＊	電子提供措置をとる場合における招集通知の記載事項	193
第三百二十五条の五＊	書面交付請求			施第九十五条の四＊	電子提供措置事項記載書面に記載することを要しない事項	194
第三百二十九条	選任			施第九十六条	補欠の会社役員の選任	197
第三百四十二条	累積投票による取締役の選任			施第九十七条	累積投票による取締役の選任	201
第三百四十八条	業務の執行			施第九十八条	業務の適正を確保するための体制	204
第三百五十八条	業務の執行に関する検査役の選任			施第二百二十八条	検査役が提供する電磁的記録	207
				施第二百二十九条	検査役による電磁的記録に記録された事項の提供	207
				施第二百三十六条	交付等の指定	207
第三百六十一条	取締役の報酬等			施第九十八条の二	取締役の報酬等のうち株式会社の募集株式について定めるべき事項	209
				施第九十八条の三	取締役の報酬等のうち株式会社の募集新株予約権について定めるべき事項	209

法律の条数・条見出し	政令の条数・条見出し	省令の条数・条見出し	掲載頁
第三百六十二条　取締役会の権限等		施第九十八条の四　取締役の報酬等のうち株式等と引換えにする払込みに充てるための金銭について定めるべき事項	209
		施第九十八条の五　取締役の個人別の報酬等の内容についての決定に関する方針	210
		施第九十九条　社債を引き受ける者の募集に際して取締役会が定めるべき事項	211
		施第百条　業務の適正を確保するための体制	211
第三百六十九条　取締役会の決議		施第百一条　取締役会の議事録	213
		施第二百二十五条　電子署名	214
第三百七十一条　議事録等		施第二百三十二条　保存の指定	215
		施第二百三十四条　縦覧等の指定	215
		施第二百二十六条　電磁的記録に記録された事項を表示する方法	215
第三百七十四条　会計参与の権限		施第百二条　会計参与報告の内容	217
		施第二百三十四条　縦覧等の指定	217
		施第二百二十六条　電磁的記録に記録された事項を表示する方法	217
第三百七十八条　会計参与による計算書類等の備置き等		施第百三条　計算書類等の備置き	219
		施第二百三十二条　保存の指定	219
		施第百四条　計算書類の閲覧	219
		施第二百三十四条　縦覧等の指定	219
		施第二百三十六条　交付等の指定	219

				施第二百二十六条	電磁的記録に記録された事項を表示する方法	219
第三百八十一条	監査役の権限			施第百五条	監査報告の作成	220
第三百八十四条	株主総会に対する報告義務			施第百六条	監査役の調査の対象	221
第三百八十九条	定款の定めによる監査範囲の限定			施第百七条	監査報告の作成	223
				施第百八条	監査の範囲が限定されている監査役の調査の対象	223
				施第二百三十四条	縦覧等の指定	224
				施第二百二十六条	電磁的記録に記録された事項を表示する方法	224
第三百九十三条	監査役会の決議			施第百九条		225
				施第二百二十五条	電子署名	225
第三百九十四条	議事録			施第二百三十二条	保存の指定	226
				施第二百三十四条	縦覧等の指定	226
				施第二百二十六条	電磁的記録に記録された事項を表示する方法	226
第三百九十六条	会計監査人の権限等			施第百十条		227
				施第二百二十六条	電磁的記録に記録された事項を表示する方法	227
第三百九十九条の五	株主総会に対する報告義務			施第百十条の二	監査等委員の報告の対象	228
第三百九十九条の十	監査等委員会の決議			施第百十条の三	監査等委員会の議事録	230
				施第二百二十五条	電子署名	231
第三百九十九条の十一	議事録			施第二百三十二条	保存の指定	231
				施第二百三十四条	縦覧等の指定	232
				施第二百二十六条	電磁的記録に記録された事項を表示する方法	232

法律の条数・条見出し		政令の条数・条見出し	省令の条数・条見出し		掲載頁
第三百九十九条の十三	監査等委員会設置会社の取締役会の権限		施第百十条の四	業務の適正を確保するための体制	233
			施第百十条の五	社債を引き受ける者の募集に際して取締役会が定めるべき事項	234
第四百九条	報酬委員会による報酬の決定の方法等		施第百十一条	執行役等の報酬等のうち株式会社の募集株式について定めるべき事項	238
			施第百十一条の二	執行役等の報酬等のうち株式会社の募集新株予約権について定めるべき事項	238
			施第百十一条の三	執行役等の報酬等のうち株式等と引換えにする払込みに充てるための金銭について定めるべき事項	238
第四百十二条	指名委員会等の決議		施第百十一条の四	指名委員会等の議事録	239
			施第二百二十五条	電子署名	240
第四百十三条	議事録		施第二百三十二条	保存の指定	241
			施第二百三十四条	縦覧等の指定	241
			施第二百二十六条	電磁的記録に記録された事項を表示する方法	241
第四百十六条	指名委員会等設置会社の取締役会の権限		施第百十二条	業務の適正を確保するための体制	242
第四百二十五条	責任の一部免除		施第百十三条	報酬等の額の算定方法	246
			施第百十四条	特に有利な条件で引き受けた職務執行の対価以外の新株予約権	246

法律の条数・条見出し	政令の条数・条見出し	省令の条数・条見出し		掲載頁
		計第十八条	取得条項付新株予約権の取得をする場合	256
		計第十九条	単元未満株式売渡請求を受けた場合	257
		計第二十条	法第四百六十二条第一項に規定する義務を履行する株主に対して株式を交付すべき場合	257
		計第二十一条	設立時又は成立後の株式の交付に伴う義務が履行された場合	258
		計第二十二条	法第四百四十五条第四項の規定による準備金の計上	258
		計第二十三条	減少する剰余金の額	259
		計第二十四条		259
		計第二十五条	資本金の額	259
		計第二十六条	資本準備金の額	259
		計第二十七条	その他資本剰余金の額	260
		計第二十八条	利益準備金の額	260
		計第二十九条	その他利益剰余金の額	260
		計第三十三条	組織変更後持分会社の社員資本	261
		計第三十五条	吸収型再編対価の全部又は一部が吸収合併存続会社の株式又は持分である場合における吸収合併存続会社の株主資本等の変動額	261

法律の条数・条見出し	政令の条数・条見出し	省令の条数・条見出し		掲載頁
		計第四十三条	株式会社の設立時の株主資本	267
		計第四十五条	支配取得に該当する場合における新設合併設立会社の株主資本等	268
		計第四十六条	共通支配下関係にある場合における新設合併設立会社の株主資本等	268
		計第四十七条	株主資本等を引き継ぐ場合における新設合併設立会社の株主資本等	268
		計第四十八条	その他の場合における新設合併設立会社の株主資本等	269
		計第四十九条	単独新設分割の場合における新設分割設立会社の株主資本等	269
		計第五十条	株主資本等を引き継ぐ場合における新設分割設立会社の株主資本等	269
		計第五十一条	共同新設分割の場合における新設分割設立会社の株主資本等	269
		計第五十二条		269
		計第五十三条	評価・換算差額等又はその他の包括利益累計額	270
		計第五十四条	土地再評価差額金を計上している会社を当事者とする組織再編行為等における特則	270
		計第五十四条の二		271

法律の条数・条見出し	政令の条数・条見出し	省令の条数・条見出し	掲載頁
		計第七十五条　負債の部の区分	285
		計第七十六条　純資産の部の区分	286
		計第七十七条　たな卸資産及び工事損失引当金の表示	286
		計第七十八条　貸倒引当金等の表示	287
		計第七十九条　有形固定資産に対する減価償却累計額の表示	287
		計第八十条　有形固定資産に対する減損損失累計額の表示	287
		計第八十一条　無形固定資産の表示	287
		計第八十二条　関係会社株式等の表示	287
		計第八十三条　繰延税金資産等の表示	287
		計第八十四条　繰延資産の表示	287
		計第八十六条　新株予約権の表示	287
		計第八十七条　通則	288
		計第八十八条　損益計算書等の区分	288
		計第八十九条　売上総損益金額	288
		計第九十条　営業損益金額	288
		計第九十一条　経常損益金額	288
		計第九十二条　税引前当期純損益金額	288
		計第九十三条　税等	289
		計第九十四条　当期純損益金額	289
		計第九十六条	289
		計第九十七条　通則	290
		計第九十八条　注記表の区分	290
		計第九十九条　注記の方法	291
		計第百条　継続企業の前提に関する注記	291

法律の条数・条見出し	政令の条数・条見出し	省令の条数・条見出し	掲載頁
		計第百十八条　別記事業を営む会社の計算関係書類についての特例	297
		計第百十九条　会社法以外の法令の規定による準備金等	297
第四百三十六条　計算書類等の監査等		施第百十六条	298
		施第百十七条	298
		施第百二十九条　監査役の監査報告の内容	298
		施第百三十条　監査役会の監査報告の内容等	299
		施第百三十条の二　監査等委員会の監査報告の内容等	299
		施第百三十一条　監査委員会の監査報告の内容等	299
		施第百三十二条　監査役監査報告等の通知期限	300
		計第百二十一条	301
		計第百二十二条　監査役の監査報告の内容	301
		計第百二十三条　監査役会の監査報告の内容等	301
		計第百二十四条　監査報告の通知期限等	301
		計第百二十五条　計算関係書類の提供	302
		計第百二十六条　会計監査報告の内容	302
		計第百二十七条　会計監査人設置会社の監査役の監査報告の内容	303
		計第百二十八条　会計監査人設置会社の監査役会の監査報告の内容等	303
		計第百二十八条の二　監査等委員会の監査報告の内容	304
		計第百二十九条　監査委員会の監査報告の内容	304
		計第百三十条　会計監査報告の通知期限等	304

				計第百三十一条	会計監査人の職務の遂行に関する事項	305
				計第百三十二条	会計監査人設置会社の監査役等の監査報告の通知期限	305
第四百三十七条	計算書類等の株主への提供			施第百十六条		306
				施第百十七条		306
				施第百三十三条		306
				計第百三十三条	計算書類等の提供	307
第四百三十九条	会計監査人設置会社の特則			施第百十六条		309
				計第百三十五条		310
第四百四十条	計算書類の公告			施第百十六条		310
				計第百三十六条		310
				計第百三十七条		311
				計第百三十八条	貸借対照表の要旨の区分	311
				計第百三十九条	資産の部	311
				計第百四十条	負債の部	311
				計第百四十一条	純資産の部	311
				計第百四十二条	貸借対照表の要旨への付記事項	312
				計第百四十三条		312
				計第百四十四条	金額の表示の単位	313
				計第百四十五条	表示言語	313
				計第百四十六条	別記事業	313
				計第百四十七条	貸借対照表等の電磁的方法による公開の方法	313
				計第百四十八条	不適正意見がある場合等における公告事項	313
第四百四十一条	臨時計算書類			施第百十六条		314

法律の条数	法律の条見出し	政令の条数	政令の条見出し	省令の条数	省令の条見出し	掲載頁
				計第五十七条		314
				計第六十条	臨時計算書類	314
				計第七十四条	資産の部の区分	315
				計第九十二条	税引前当期純損益金額	315
				計第九十四条	当期純損益金額	315
				計第百二十四条	監査報告の通知期限等	315
				計第百三十条	会計監査報告の通知期限等	315
				計第百三十五条		316
第四百四十二条	計算書類等の備置き及び閲覧等			施第二百三十二条	保存の指定	317
				施第二百二十七条	電磁的記録の備置きに関する特則	317
				施第二百三十四条	縦覧等の指定	317
				施第二百三十六条	交付等の指定	317
				施第二百二十六条	電磁的記録に記録された事項を表示する方法	317
第四百四十四条				施第百十六条		318
				計第五十七条		318
				計第六十一条	連結計算書類	319
				計第六十二条	連結会計年度	319
				計第六十三条	連結の範囲	319
				計第六十四条	事業年度に係る期間の異なる子会社	319
				計第六十五条	連結貸借対照表	319
				計第六十六条	連結損益計算書	319
				計第六十七条	連結株主資本等変動計算書	320
				計第六十八条	連結子会社の資産及び負債の評価等	320

法律の条数・条見出し	政令の条数・条見出し	省令の条数・条見出し		掲載頁
		計第百三十二条	会計監査人設置会社の監査役等の監査報告の通知期限	327
		計第百三十四条	連結計算書類の提供	327
第四百四十五条　資本金の額及び準備金の額		施第百十六条		329
		計第二十二条	法第四百四十五条第四項の規定による準備金の計上	329
		計第三十五条	吸収型再編対価の全部又は一部が吸収合併存続会社の株式又は持分である場合における吸収合併存続会社の株主資本等の変動額	330
		計第三十六条	株主資本等を引き継ぐ場合における吸収合併存続会社の株主資本等の変動額	330
		計第三十七条	吸収型再編対価の全部又は一部が吸収分割承継会社の株式又は持分である場合における吸収分割承継会社の株主資本等の変動額	331
		計第三十八条	株主資本等を引き継ぐ場合における吸収分割承継会社の株主資本等の変動額	331
		計第三十九条		331
		計第三十九条の二		332
		計第四十条	吸収分割会社の自己株式の処分	333
		計第四十一条	株式交換完全子会社の自己株式の処分	333

法律の条数・条見出し	政令の条数・条見出し	省令の条数・条見出し	掲載頁
		計第五十条　株主資本等を引き継ぐ場合における新設分割設立会社の株主資本等	337
		計第五十一条　共同新設分割の場合における新設分割設立会社の株主資本等	338
		計第五十二条	338
第四百四十六条　剰余金の額		施第百十六条	339
		計第百四十九条　最終事業年度の末日における控除額	339
		計第百五十条　最終事業年度の末日後に生ずる控除額	339
第四百四十九条　債権者の異議		計第百五十一条　欠損の額	342
		計第百五十二条　計算書類に関する事項	342
第四百五十二条		施第百十六条	343
		計第百五十三条	343
第四百五十五条　金銭分配請求権の行使		計第百五十四条	344
第四百五十九条　剰余金の配当等を取締役会が決定する旨の定款の定め		施第百十六条	345
		計第百五十五条	346
第四百六十条　株主の権利の制限		施第百十六条	346
		計第百五十五条	346
第四百六十一条　配当等の制限		施第百十六条	347
		計第百五十六条　臨時計算書類の利益の額	347
		計第百五十七条　臨時計算書類の損失の額	347
		計第百五十八条　その他減ずるべき額	348
第四百六十二条　剰余金の配当等に関する責任		施第百十六条	351

				計第百五十九条	剰余金の配当等に関して責任をとるべき取締役等	351
				計第百六十条		354
				計第百六十一条		354
第七章　事業の譲渡等						
第四百六十七条	事業譲渡等の承認等			施第百三十四条	総資産額	356
				施第百三十五条	純資産額	357
第四百六十八条	事業譲渡等の承認を要しない場合			施第百三十六条	特別支配会社	358
				施第百三十七条	純資産額	358
				施第百三十八条	事業譲渡等につき株主総会の承認を要する場合	358
第八章　解散						
第四百七十二条	休眠会社のみなし解散			施第百三十九条		360
第九章　清算						
第四百八十二条	業務の執行			施第百四十条	清算株式会社の業務の適正を確保するための体制	363
第四百八十九条	清算人会の権限等			施第百四十一条	社債を引き受ける者の募集に際して清算人会が定めるべき事項	366
				施第百四十二条	清算人会設置会社の業務の適正を確保するための体制	366
第四百九十条	清算人会の運営			施第百四十三条	清算人会の議事録	367
第四百九十二条	財産目録等の作成等			施第百四十四条	財産目録	369
				施第百四十五条	清算開始時の貸借対照表	369
				施第二百三十二条	保存の指定	369

法律の条数・条見出し		政令の条数・条見出し		省令の条数・条見出し		掲載頁
第四百九十四条	貸借対照表等の作成及び保存			施第百四十六条	各清算事務年度に係る貸借対照表	369
				施第百四十七条	各清算事務年度に係る事務報告	370
				施第二百三十二条	保存の指定	370
第四百九十五条	貸借対照表等の監査等			施第百四十八条	清算株式会社の監査報告	370
第四百九十六条	貸借対照表等の備置き及び閲覧等			施第二百三十二条	保存の指定	372
				施第二百三十四条	縦覧等の指定	372
				施第二百三十六条	交付等の指定	372
				施第二百二十六条	電磁的記録に記録された事項を表示する方法	372
第五百五条	残余財産が金銭以外の財産である場合			施第百四十九条	金銭分配請求権が行使される場合における残余財産の価格	374
第五百七条				施第百五十条	決算報告	375
第五百八条				施第二百三十二条	保存の指定	375
第五百九条				施第百五十一条	清算株式会社が自己の株式を取得することができる場合	376
第五百三十六条	事業の譲渡の制限等			施第百五十二条	総資産額	382
第五百四十八条	債権者集会の招集等の決定			施第百五十三条	債権者集会の招集の決定事項	384
第五百四十九条	債権者集会の招集の通知	第二条	電磁的方法による通知の承諾等	施第二百三十条	会社法施行令に係る電磁的方法	385
第五百五十条	債権者集会参考書類及び議決権行使書面の交付等			施第百五十四条	債権者集会参考書類	386
				施第百五十五条	議決権行使書面	386
第五百五十一条				施第百五十五条	議決権行使書面	387

法律の条数・条見出し		政令の条数・条見出し		省令の条数・条見出し		掲載頁
				計第七十一条	各事業年度に係る計算書類	405
				計第七十六条	純資産の部の区分	405
				計第八十二条	関係会社株式等の表示	405
				計第九十六条		406
				計第九十八条	注記表の区分	406
第六百十八条	計算書類の閲覧等			施第二百三十四条	縦覧等の指定	407
				施第二百二十六条	電磁的記録に記録された事項を表示する方法	407
第六百二十条				施第百五十九条		408
				計第百六十二条	損失の額	408
第六百二十三条	有限責任社員の利益の配当に関する責任			施第百五十九条		408
				計第百六十三条	利益額	408
第六百二十五条				施第二百三十四条	縦覧等の指定	409
第六百二十六条	出資の払戻し又は持分の払戻しを行う場合の資本金の額の減少			施第百五十九条		410
				計第百六十四条	剰余金額	410
第六百三十一条	欠損が生じた場合の責任			施第百五十九条		411
				計第百六十五条	欠損額	411
第六百三十五条	債権者の異議			施第百五十九条		413
				計第百六十六条	純資産額	413
第八章　清算						
第六百五十八条	財産目録等の作成等			施第百六十条	財産目録	416
				施第百六十一条	清算開始時の貸借対照表	417
第六百五十九条	財産目録等の作成			施第百六十条	財産目録	419
				施第百六十一条	清算開始時の貸借対照表	419

第六百七十二条				施第二百三十二条	保存の指定	420
第四編　社債						
第一章　総則						
第六百七十六条	募集社債に関する事項の決定			施第百六十二条	募集事項	422
第六百七十七条	募集社債の申込み	第一条	書面に記載すべき事項等の電磁的方法による提供の承諾等	施第百六十三条	申込みをしようとする者に対して通知すべき事項	423
				施第二百三十条	会社法施行令に係る電磁的方法	423
				施第百六十四条	申込みをしようとする者に対する通知を要しない場合	424
第六百八十一条	社債原簿			施第百六十五条	社債の種類	425
				施第百六十六条	社債原簿記載事項	425
第六百八十二条	社債原簿記載事項を記載した書面の交付等			施第二百二十五条	電子署名	426
第六百八十四条	社債原簿の備置き及び閲覧等			施第百六十七条	閲覧権者	426
				施第二百三十四条	縦覧等の指定	426
				施第二百二十六条	電磁的記録に記録された事項を表示する方法	427
第六百九十一条	社債権者の請求による社債原簿記載事項の記載又は記録			施第百六十八条	社債原簿記載事項の記載等の請求	428
第六百九十五条	質権に関する社債原簿の記載事項を記載した書面の交付等			施第二百二十五条	電子署名	429
第二章　社債管理者						
第七百二条	社債管理者の設置			施第百六十九条	社債管理者を設置することを要しない場合	430
第七百三条	社債管理者の資格			施第百七十条	社債管理者の資格	430

法律の条数・条見出し		政令の条数・条見出し		省令の条数・条見出し		掲載頁
第七百十条	社債管理者の責任			施第百七十一条	特別の関係	432
第二章の二　社債管理補助者						
第七百十四条の三	社債管理補助者の資格			施第百七十一条の二	社債管理補助者の資格	433
第三章　社債権者集会						
第七百十九条	社債権者集会の招集の決定			施第百七十二条	社債権者集会の招集の決定事項	435
第七百二十条	社債権者集会の招集の通知	第二条	電磁的方法による通知の承諾等	施第二百三十条	会社法施行令に係る電磁的方法	436
第七百二十一条	社債権者集会参考書類及び議決権行使書面の交付等	第一条	書面に記載すべき事項等の電磁的方法による提供の承諾等	施第百七十三条	社債権者集会参考書類	437
				施第百七十四条	議決権行使書面	437
				施第二百三十条	会社法施行令に係る電磁的方法	438
第七百二十二条				施第百七十四条	議決権行使書面	438
第七百二十五条	議決権の代理行使	第一条	書面に記載すべき事項等の電磁的方法による提供の承諾等	施第二百三十条	会社法施行令に係る電磁的方法	440
第七百二十六条	書面による議決権の行使			施第百七十五条	書面による議決権行使の期限	440
第七百二十七条	電磁的方法による議決権の行使	第一条	書面に記載すべき事項等の電磁的方法による提供の承諾等	施第二百三十条	会社法施行令に係る電磁的方法	441
				施第百七十六条	電磁的方法による議決権行使の期限	441
第七百三十一条	議事録			施第百七十七条	社債権者集会の議事録	442
				施第二百三十二条	保存の指定	442

				施第二百三十四条	縦覧等の指定	443
				施第二百二十六条	電磁的記録に記録された事項を表示する方法	443
第七百三十五条の二	社債権者集会の決議の省略			施第二百二十六条	電磁的記録に記録された事項を表示する方法	444
				施第二百三十二条	保存の指定	444
				施第二百三十四条	縦覧等の指定	444
第七百三十九条	社債の利息の支払等を怠ったことによる期限の利益の喪失	第一条	書面に記載すべき事項等の電磁的方法による提供の承諾等	施第二百三十条	会社法施行令に係る電磁的方法	445
第五編　組織変更、合併、会社分割、株式交換、株式移転及び株式交付						
第三章　会社分割						
第七百五十八条	株式会社に権利義務を承継させる吸収分割契約			施第百七十八条		457
第七百六十条	持分会社に権利義務を承継させる吸収分割契約			施第百七十八条		459
第七百六十三条	株式会社を設立する新設分割計画			施第百七十九条		462
第七百六十五条	持分会社を設立する新設分割計画			施第百七十九条		464
第四章の二　株式交付						
第七百七十四条の四	株式交付子会社の株式の譲渡しの申込み	第一条	書面に記載すべき事項等の電磁的方法による提供の承諾等	施第百七十九条の二	申込みをしようとする者に対して通知すべき事項	473

法律の条数・条見出し		政令の条数・条見出し		省令の条数・条見出し		掲載頁
				施第百七十九条の三	申込みをしようとする者に対する通知を要しない場合	475
第五章　組織変更、合併、会社分割、株式交換、株式移転及び株式交付の手続						
第七百七十五条	組織変更計画に関する書面等の備置き及び閲覧等			施第百八十条	組織変更をする株式会社の事前開示事項	478
				施第二百三十四条	縦覧等の指定	478
				施第二百三十六条	交付等の指定	478
				施第二百二十六条	電磁的記録に記録された事項を表示する方法	478
第七百七十九条	債権者の異議			施第百八十一条	計算書類に関する事項	480
第七百八十二条	吸収合併契約等に関する書面等の備置き及び閲覧等			施第百八十二条	吸収合併消滅株式会社の事前開示事項	482
				施第百八十三条	吸収分割株式会社の事前開示事項	485
				施第百八十四条	株式交換完全子会社の事前開示事項	486
				施第二百三十四条	縦覧等の指定	489
				施第二百三十六条	交付等の指定	489
				施第二百二十六条	電磁的記録に記録された事項を表示する方法	489
第七百八十三条	吸収合併契約等の承認等			施第百八十五条	持分等	489
				施第百八十六条	譲渡制限株式等	490
第七百八十四条	吸収合併契約等の承認を要しない場合			施第百八十七条	総資産の額	490
第七百八十九条	債権者の異議			施第百八十八条	計算書類に関する事項	494

第七百九十一条	吸収分割又は株式交換に関する書面等の備置き及び閲覧等			施第百八十九条	吸収分割株式会社の事後開示事項	495
				施第百九十条	株式交換完全子会社の事後開示事項	496
				施第二百三十二条	保存の指定	496
				施第二百三十四条	縦覧等の指定	496
				施第二百三十六条	交付等の指定	496
				施第二百二十六条	電磁的記録に記録された事項を表示する方法	496
第七百九十四条	吸収合併契約等に関する書面等の備置き及び閲覧等			施第百九十一条	吸収合併存続株式会社の事前開示事項	498
				施第百九十二条	吸収分割承継株式会社の事前開示事項	498
				施第百九十三条	株式交換完全親株式会社の事前開示事項	499
				施第百九十四条	株式交換完全親株式会社の株式に準ずるもの	500
				施第二百三十四条	縦覧等の指定	500
				施第二百三十六条	交付等の指定	500
				施第二百二十六条	電磁的記録に記録された事項を表示する方法	501
第七百九十五条	吸収合併契約等の承認等			施第百九十五条	資産の額等	501
第七百九十六条	吸収合併契約等の承認を要しない場合等			施第百九十六条	純資産の額	503
				施第百九十七条	株式の数	503
第七百九十九条	債権者の異議			施第百九十八条	株式交換完全親株式会社の株式に準ずるもの	506
				施第百九十九条	計算書類に関する事項	506

法律の条数・条見出し		政令の条数・条見出し		省令の条数・条見出し		掲載頁
第八百一条	吸収合併等に関する書面等の備置き及び閲覧等			施第二百条	吸収合併存続株式会社の事後開示事項	507
				施第二百一条	吸収分割承継株式会社の事後開示事項	508
				施第二百三十二条	保存の指定	508
				施第二百三十四条	縦覧等の指定	508
				施第二百三十六条	交付等の指定	508
				施第二百二十六条	電磁的記録に記録された事項を表示する方法	508
第八百二条				施第二百二条	株式交換完全親株式会社の株式に準ずるもの	508
				施第二百三条	株式交換完全親合同会社の持分に準ずるもの	509
第八百三条	新設合併契約等に関する書面等の備置き及び閲覧等			施第二百四条	新設合併消滅株式会社の事前開示事項	510
				施第二百五条	新設分割株式会社の事前開示事項	511
				施第二百六条	株式移転完全子会社の事前開示事項	512
				施第二百三十四条	縦覧等の指定	513
				施第二百三十六条	交付等の指定	513
				施第二百二十六条	電磁的記録に記録された事項を表示する方法	513
第八百五条	新設分割計画の承認を要しない場合			施第二百七条	総資産の額	514
第八百十条	債権者の異議			施第二百八条	計算書類に関する事項	518

第八百十一条	新設分割又は株式移転に関する書面等の備置き及び閲覧等			施第二百九条	新設分割株式会社の事後開示事項	519
				施第二百十条	株式移転完全子会社の事後開示事項	519
				施第二百三十二条	保存の指定	519
				施第二百三十四条	縦覧等の指定	519
				施第二百三十六条	交付等の指定	519
				施第二百二十六条	電磁的記録に記録された事項を表示する方法	520
第八百十五条	新設合併契約等に関する書面等の備置き及び閲覧等			施第二百十一条	新設合併設立株式会社の事後開示事項	521
				施第二百十二条	新設分割設立株式会社の事後開示事項	521
				施第二百十三条	新設合併設立株式会社の事後開示事項	521
				施第二百三十二条	保存の指定	521
				施第二百三十四条	縦覧等の指定	522
				施第二百三十六条	交付等の指定	522
				施第二百二十六条	電磁的記録に記録された事項を表示する方法	522
第八百十六条の二	株式交付計画に関する書面等の備置き及び閲覧等			施第二百十三条の二	株式交付親会社の事前開示事項	523
				施第二百十三条の三	株式交付親会社の株式に準ずるもの	524
				施第二百二十六条	電磁的記録に記録された事項を表示する方法	524
				施第二百三十四条	縦覧等の指定	524
				施第二百三十六条	交付等の指定	524

法律の条数・条見出し		政令の条数・条見出し		省令の条数・条見出し		掲載頁
第八百十六条の三	株式交付計画の承認等			施第二百十三条の四	株式交付親会社が譲り受ける株式交付子会社の株式等の額	524
第八百十六条の四	株式交付計画の承認を要しない場合等			施第二百十三条の五	純資産の額	525
				施第二百十三条の六	株式の数	525
第八百十六条の八	債権者の異議			施第二百十三条の七	株式交付親会社の株式に準ずるもの	528
				施第二百十三条の八	計算書類に関する事項	528
第八百十六条の十	株式交付に関する書面等の備置き及び閲覧等			施第二百十三条の九	株式交付親会社の事後開示事項	529
				施第二百十三条の十	株式交付親会社の株式に準ずるもの	529
				施第二百二十六条	電磁的記録に記録された事項を表示する方法	530
				施第二百三十二条	保存の指定	530
				施第二百三十四条	縦覧等の指定	530
				施第二百三十六条	交付等の指定	530
第六編　外国会社						
第八百十九条	貸借対照表に相当するものの公告			施第二百十四条	計算書類の公告	532
				施第二百十五条	法第八百十九条第三項の規定による措置	533
第八百二十二条	日本にある外国会社の財産についての清算			施第二百十六条	日本にある外国会社の財産についての清算に関する事項	533
第七編　雑則						

第二章　訴訟						
第八百四十七条	株主による責任追及等の訴え			施第二百十七条	株主による責任追及等の訴えの提起の請求方法	544
				施第二百十八条	株式会社が責任追及等の訴えを提起しない理由の通知方法	544
第八百四十七条の二	旧株主による責任追及等の訴え			施第二百十八条の二	旧株主による責任追及等の訴えの提起の請求方法	546
				施第二百十八条の三	完全親会社	546
				施第二百十八条の四	株式交換等完全子会社が責任追及等の訴えを提起しない理由の通知方法	546
第八百四十七条の三	最終完全親会社等の株主による特定責任追及の訴え			施第二百十八条の五	特定責任追及の訴えの提起の請求方法	547
				施第二百十八条の六	総資産額	547
				施第二百十八条の七	株式会社が特定責任追及の訴えを提起しない理由の通知方法	548
第四章　登記						
第九百十一条	株式会社の設立の登記			施第二百二十条		565
第九百十二条	合名会社の設立の登記			施第二百二十条		566
第九百十三条	合資会社の設立の登記			施第二百二十条		566
第九百十四条	合同会社の設立の登記			施第二百二十条		567
第九百三十三条	外国会社の登記			施第二百二十条		573
第五章　公告						

法律の条数・条見出し		政令の条数・条見出し		省令の条数・条見出し		掲載頁
第九百四十一条	電子公告調査			施第二百二十一条		577
				公第三条	電子公告調査を求める方法	578
第九百四十二条	登録	第三条	電子公告調査機関の登録及びその更新の申請に係る手数料の額			578
第九百四十四条	登録基準			施第二百二十一条		581
				公第四条	登録手続	581
第九百四十五条	登録の更新	第四条	電子公告調査機関の登録の有効期間	公第四条	登録手続	582
第九百四十六条	調査の義務等			施第二百二十一条		582
				公第五条	電子公告調査を行う方法	583
				公第六条	法務大臣への報告事項及び報告方法	584
				公第七条	調査結果通知の方法等	584
第九百四十七条	電子公告調査を行うことができない場合			施第二百二十一条		585
				公第八条	電子公告調査を行うことができない場合	585
第九百四十八条	事業所の変更の届出			公第九条	事業所の変更の届出	586
第九百四十九条	業務規程			施第二百二十一条		586
				公第十条	業務規程	586
第九百五十条	業務の休廃止			施第二百二十一条		587
				公第十一条	電子公告調査の業務の休廃止の届出	587

第九百五十一条	財務諸表等の備置き及び閲覧等			施第二百二十一条		588
				公第十二条	財務諸表等の開示の方法	588
第九百五十五条	調査記録簿等の記載等			施第二百二十一条		589
				公第十三条	調査記録簿等の記載等	589
第九百五十六条	調査記録簿等の引継ぎ			施第二百二十一条		590
				公第十三条	調査記録簿等の記載等	590
第九百五十七条	法務大臣による電子公告調査の業務の実施			施第二百二十一条		590
第九百五十八条	報告及び検査			公第十四条	立入検査の証明書	590

（注）＊印は未施行

第一編

総　則

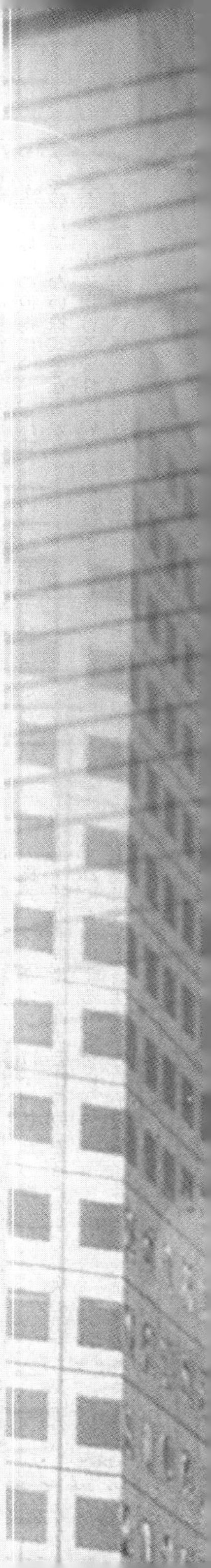

第一章　通則

（趣旨）

第一条　会社の設立、組織、運営及び管理については、他の法律に特別の定めがある場合を除くほか、この法律の定めるところによる。

（定義）

第二条　この法律において、次の各号に掲げる用語の意義は、当該各号に定めるところによる。

一　会社　株式会社、合名会社、合資会社又は合同会社をいう。

二　外国会社　外国の法令に準拠して設立された法人その他の外国の団体であって、会社と同種のもの又は会社に類似するものをいう。

三　子会社　会社がその総株主の議決権の過半数を有する株式会社その他の当該会社がその経営を支配している法人として法務省令で定めるものをいう。

三の二　子会社等　次のいずれかに該当する者をいう。

イ　子会社

ロ　会社以外の者がその経営を支配している法人として法務省令で定めるもの

四　親会社　株式会社を子会社とする会社その他の当該株式会社の経営を支配している法人として法務省令で定めるものをいう。

四の二　親会社等　次のいずれかに該当する者をいう。

イ　親会社

ロ　株式会社の経営を支配している者（法人であるものを除く。）として法務省令で定めるもの

五　公開会社　その発行する全部又は一部の株式の内容として譲渡による当該株式の取得について株式会社の承認を要する旨の定款の定めを設けていない株式会社をいう。

六　大会社　次に掲げる要件のいずれかに該当する株式会社をいう。

イ　最終事業年度に係る貸借対照表（第四百三十九条前段に規定する場合にあっては、同条の規定により定時株主総会に報告された貸借対照表をいい、株式会社の成立後最初の定時株主総会までの間においては、第四百三十五条第一項の貸借対照表をいう。ロにおいて同じ。）に資本金として計上した額が五億円以上であること。

ロ　最終事業年度に係る貸借対照表の負債の部に計上した額の合計額が二百億円以上であること。

七　取締役会設置会社　取締役会を置く株式会社又はこの法律の規定により取締役会を置かなければならない株式会社をいう。

八　会計参与設置会社　会計参与を置く株式会社をいう。

九　監査役設置会社　監査役を置く株式会社（その監査役の監査の範囲を会計に関するものに限定する旨の定款の定めがあるものを除く。）又はこの法律の規定により監査役を置かなければならない株式会社をいう。

十　監査役会設置会社　監査役会を置く株式会社又はこの法律の規定により監査役会を置かなければならない株式会社をいう。

十一　会計監査人設置会社　会計監査人を置く株式会社又はこの法律の規定により会計監査人を置かなければならない株式会社をいう。

十一の二　監査等委員会設置会社　監査等委員会を置く株式会社をいう。

十二　指名委員会等設置会社　指名委員会、監査委員会及び報酬委員会（以下「指名委員会等」という。）を置く株式会社をいう。

十三　種類株式発行会社　剰余金の配当その他の第百八条第一項各号に掲げる事項について内容の異なる二以上の種類の株式を発行する株式会社をいう。

十四　種類株主総会　種類株主（種類株式発行会社におけるある種類の株式の株主をいう。以下同じ。）の総会をいう。

十五　社外取締役　株式会社の取締役であって、次に掲げる要件のいずれにも該当するものをいう。

イ　当該株式会社又はその子会社の業務執行取締役（株式会社の第

三百六十三条第一項各号に掲げる取締役及び当該株式会社の業務を執行したその他の取締役をいう。以下同じ。）若しくは執行役又は支配人その他の使用人（以下「業務執行取締役等」という。）でなく、かつ、その就任の前十年間当該株式会社又はその子会社の業務執行取締役等であったことがないこと。

ロ　その就任の前十年内のいずれかの時において当該株式会社又はその子会社の取締役、会計参与（会計参与が法人であるときは、その職務を行うべき社員）又は監査役であったことがある者（業務執行取締役等であったことがあるものを除く。）にあっては、当該取締役、会計参与又は監査役への就任の前十年間当該株式会社又はその子会社の業務執行取締役等であったことがないこと。

ハ　当該株式会社の親会社等（自然人であるものに限る。）又は親会社等の取締役若しくは執行役若しくは支配人その他の使用人でないこと。

ニ　当該株式会社の親会社等の子会社等（当該株式会社及びその子会社を除く。）の業務執行取締役等でないこと。

ホ　当該株式会社の取締役若しくは執行役若しくは支配人その他の重要な使用人又は親会社等（自然人であるものに限る。）の配偶者又は二親等内の親族でないこと。

十六　社外監査役　株式会社の監査役であって、次に掲げる要件のいずれにも該当するものをいう。

イ　その就任の前十年間当該株式会社又はその子会社の取締役、会計参与（会計参与が法人であるときは、その職務を行うべき社員。ロにおいて同じ。）若しくは執行役又は支配人その他の使用人であったことがないこと。

ロ　その就任の前十年内のいずれかの時において当該株式会社又はその子会社の監査役であったことがある者にあっては、当該監査役への就任の前十年間当該株式会社又はその子会社の取締役、会計参与若しくは執行役又は支配人その他の使用人であったことがないこと。

ハ　当該株式会社の親会社等（自然人であるものに限る。）又は親会社等の取締役、監査役若しくは執行役若しくは支配人その他の使用人でないこと。

ニ　当該株式会社の親会社等の子会社等（当該株式会社及びその子会社を除く。）の業務執行取締役等でないこと。

ホ　当該株式会社の取締役若しくは支配人その他の重要な使用人又は親会社等（自然人であるものに限る。）の配偶者又は二親等内の親族でないこと。

十七　譲渡制限株式　株式会社がその発行する全部又は一部の株式の内容として譲渡による当該株式の取得について当該株式会社の承認を要する旨の定めを設けている場合における当該株式をいう。

十八　取得請求権付株式　株式会社がその発行する全部又は一部の株式の内容として株主が当該株式会社に対して当該株式の取得を請求することができる旨の定めを設けている場合における当該株式をいう。

十九　取得条項付株式　株式会社がその発行する全部又は一部の株式の内容として当該株式会社が一定の事由が生じたことを条件として当該株式を取得することができる旨の定めを設けている場合における当該株式をいう。

二十　単元株式数　株式会社がその発行する株式について、一定の数の株式をもって株主が株主総会又は種類株主総会において一個の議決権を行使することができる一単元の株式とする旨の定款の定めを設けている場合における当該一定の数をいう。

二十一　新株予約権　株式会社に対して行使することにより当該株式会社の株式の交付を受けることができる権利をいう。

二十二　新株予約権付社債　新株予約権を付した社債をいう。

二十三　社債　この法律の規定により会社が行う割当てにより発生する当該会社を債務者とする金銭債権であって、第六百七十六条各号に掲げる事項についての定めに従い償還されるものをいう。

二十四　最終事業年度　各事業年度に係る第四百三十五条第二項に規

定する計算書類につき第四百三十八条第二項の承認（第四百三十九条前段に規定する場合にあっては、第四百三十六条第三項の承認）を受けた場合における当該各事業年度のうち最も遅いものをいう。
二十五　配当財産　株式会社が剰余金の配当をする場合における配当する財産をいう。
二十六　組織変更　次のイ又はロに掲げる会社がその組織を変更することにより当該イ又はロに定める会社となることをいう。
イ　株式会社　合名会社、合資会社又は合同会社
ロ　合名会社、合資会社又は合同会社　株式会社
二十七　吸収合併　会社が他の会社とする合併であって、合併により消滅する会社の権利義務の全部を合併後存続する会社に承継させるものをいう。
二十八　新設合併　二以上の会社がする合併であって、合併により消滅する会社の権利義務の全部を合併により設立する会社に承継させるものをいう。
二十九　吸収分割　株式会社又は合同会社がその事業に関して有する権利義務の全部又は一部を分割後他の会社に承継させることをいう。
三十　新設分割　一又は二以上の株式会社又は合同会社がその事業に関して有する権利義務の全部又は一部を分割により設立する会社に承継させることをいう。
三十一　株式交換　株式会社がその発行済株式（株式会社が発行している株式をいう。以下同じ。）の全部を他の株式会社又は合同会社に取得させることをいう。
三十二　株式移転　一又は二以上の株式会社がその発行済株式の全部を新たに設立する株式会社に取得させることをいう。
三十二の二　株式交付　株式会社が他の株式会社をその子会社（法務省令で定めるものに限る。第七百七十四条の三第二項において同じ。）とするために当該他の株式会社の株式を譲り受け、当該株式の譲渡人に対して当該株式の対価として当該株式会社の株式を交付することをいう。
三十三　公告方法　会社（外国会社を含む。）が公告（この法律又は他の法律の規定により官報に掲載する方法によりしなければならないものとされているものを除く。）をする方法をいう。
三十四　電子公告　公告方法のうち、電磁的方法（電子情報処理組織を使用する方法その他の情報通信の技術を利用する方法であって法務省令で定めるものをいう。以下同じ。）により不特定多数の者が公告すべき内容である情報の提供を受けることができる状態に置く措置であって法務省令で定めるものをとる方法をいう。

【会社法施行規則】

（定義）

第二条　この省令において、「会社」、「外国会社」、「子会社」、「子会社等」、「親会社」、「親会社等」、「公開会社」、「取締役会設置会社」、「会計参与設置会社」、「監査役設置会社」、「監査役会設置会社」、「会計監査人設置会社」、「監査等委員会設置会社」、「指名委員会等設置会社」、「種類株式発行会社」、「種類株主総会」、「社外取締役」、「社外監査役」、「譲渡制限株式」、「取得条項付株式」、「単元株式数」、「新株予約権」、「新株予約権付社債」、「社債」、「配当財産」、「組織変更」、「吸収合併」、「新設合併」、「吸収分割」、「新設分割」、「株式交換」、「株式移転」、「株式交付」又は「電子公告」とは、それぞれ法第二条に規定する会社、外国会社、子会社、子会社等、親会社、親会社等、公開会社、取締役会設置会社、会計参与設置会社、監査役設置会社、監査役会設置会社、会計監査人設置会社、監査等委員会設置会社、指名委員会等設置会社、種類株式発行会社、種類株主総会、社外取締役、社外監査役、譲渡制限株式、取得条項付株式、単元株式数、新株予約権、新株予約権付社債、社債、配当財産、組織変更、吸収合併、新設合併、吸収分割、新設分割、株式交換、株式移転、株式交付又は電子公告をいう。

2　この省令において、次の各号に掲げる用語の意義は、当該各号に定めるところによる。
一　指名委員会等　法第二条第十二号に規定する指名委員会等をいう。
二　種類株主　法第二条第十四号に規定する種類株主をいう。
三　業務執行取締役　法第二条第十五号イに規定する業務執行取締役をいう。
四　業務執行取締役等　法第二条第十五号イに規定する業務執行取締役等をいう。
五　発行済株式　法第二条第三十一号に規定する発行済株式をいう。
六　電磁的方法　法第二条第三十四号に規定する電磁的方法をいう。
七　設立時発行株式　法第二十五条第一項第一号に規定する設立時発行株式をいう。
八　有価証券　法第三十三条第十項第二号に規定する有価証券をいう。
九　銀行等　法第三十四条第二項に規定する銀行等をいう。
十　発行可能株式総数　法第三十七条第一項に規定する発行可能株式総数をいう。
十一　設立時取締役　法第三十八条第一項に規定する設立時取締役をいう。
十二　設立時監査等委員　法第三十八条第二項に規定する設立時監査等委員をいう。
十三　監査等委員　法第三十八条第二項に規定する監査等委員をいう。
十四　設立時会計参与　法第三十八条第三項第一号に規定する設立時会計参与をいう。
十五　設立時監査役　法第三十八条第三項第二号に規定する設立時監査役をいう。
十六　設立時会計監査人　法第三十八条第三項第三号に規定する設立時会計監査人をいう。
十七　代表取締役　法第四十七条第一項に規定する代表取締役をいう。
十八　設立時執行役　法第四十八条第一項第二号に規定する設立時執行役をいう。
十九　設立時募集株式　法第五十八条第一項に規定する設立時募集株式をいう。
二十　設立時株主　法第六十五条第一項に規定する設立時株主をいう。
二十一　創立総会　法第六十五条第一項に規定する創立総会をいう。
二十二　創立総会参考書類　法第七十条第一項に規定する創立総会参考書類をいう。
二十三　種類創立総会　法第八十四条に規定する種類創立総会をいう。
二十四　発行可能種類株式総数　法第百一条第一項第三号に規定する発行可能種類株式総数をいう。
二十五　株式等　法第百七条第二項第二号ホに規定する株式等をいう。
二十六　自己株式　法第百十三条第四項に規定する自己株式をいう。
二十七　株券発行会社　法第百十七条第七項に規定する株券発行会社をいう。
二十八　株主名簿記載事項　法第百二十一条に規定する株主名簿記載事項をいう。
二十九　株主名簿管理人　法第百二十三条に規定する株主名簿管理人をいう。
三十　株式取得者　法第百三十三条第一項に規定する株式取得者をいう。

三十一　親会社株式　法第百三十五条第一項に規定する親会社株式をいう。
三十二　譲渡等承認請求者　法第百三十九条第二項に規定する譲渡等承認請求者をいう。
三十三　対象株式　法第百四十条第一項に規定する対象株式をいう。
三十四　指定買取人　法第百四十条第四項に規定する指定買取人をいう。
三十五　一株当たり純資産額　法第百四十一条第二項に規定する一株当たり純資産額をいう。
三十六　登録株式質権者　法第百四十九条第一項に規定する登録株式質権者をいう。
三十七　金銭等　法第百五十一条第一項に規定する金銭等をいう。
三十八　全部取得条項付種類株式　法第百七十一条第一項に規定する全部取得条項付種類株式をいう。
三十九　特別支配株主　法第百七十九条第一項に規定する特別支配株主をいう。
四十　株式売渡請求　法第百七十九条第二項に規定する株式売渡請求をいう。
四十一　対象会社　法第百七十九条第二項に規定する対象会社をいう。
四十二　新株予約権売渡請求　法第百七十九条第三項に規定する新株予約権売渡請求をいう。
四十三　売渡株式　法第百七十九条の二第一項第二号に規定する売渡株式をいう。
四十四　売渡新株予約権　法第百七十九条の二第一項第四号ロに規定する売渡新株予約権をいう。
四十五　売渡株式等　法第百七十九条の二第一項第五号に規定する売渡株式等をいう。
四十六　株式等売渡請求　法第百七十九条の三第一項に規定する株式等売渡請求をいう。
四十七　売渡株主等　法第百七十九条の四第一項第一号に規定する売渡株主等をいう。
四十八　単元未満株式売渡請求　法第百九十四条第一項に規定する単元未満株式売渡請求をいう。
四十九　募集株式　法第百九十九条第一項に規定する募集株式をいう。
五十　株券喪失登録日　法第二百二十一条第四号に規定する株券喪失登録日をいう。
五十一　株券喪失登録　法第二百二十三条に規定する株券喪失登録をいう。
五十二　株券喪失登録者　法第二百二十四条第一項に規定する株券喪失登録者をいう。
五十三　募集新株予約権　法第二百三十八条第一項に規定する募集新株予約権をいう。
五十四　新株予約権付社債券　法第二百四十九条第二号に規定する新株予約権付社債券をいう。
五十五　証券発行新株予約権付社債　法第二百四十九条第二号に規定する証券発行新株予約権付社債をいう。
五十六　証券発行新株予約権　法第二百四十九条第三号ニに規定する証券発行新株予約権をいう。
五十七　自己新株予約権　法第二百五十五条第一項に規定する自己新株予約権をいう。
五十八　新株予約権取得者　法第二百六十条第一項に規定する新株予約権取得者をいう。
五十九　取得条項付新株予約権　法第二百七十三条第一項に規定する取得条項付新株予約権をいう。
六十　新株予約権無償割当て　法第二百七十七条に規定する新株予約権無償割当てをいう。

六十一　株主総会参考書類　法第三百一条第一項に規定する株主総会参考書類をいう。
六十二　報酬等　法第三百六十一条第一項に規定する報酬等をいう。
六十三　議事録等　法第三百七十一条第一項に規定する議事録等をいう。
六十四　執行役等　法第四百四条第二項第一号に規定する執行役等をいう。
六十五　役員等　法第四百二十三条第一項に規定する役員等をいう。
六十六　補償契約　法第四百三十条の二第一項に規定する補償契約をいう。
六十七　役員等賠償責任保険契約　法第四百三十条の三第一項に規定する役員等賠償責任保険契約をいう。
六十八　臨時決算日　法第四百四十一条第一項に規定する臨時決算日をいう。
六十九　臨時計算書類　法第四百四十一条第一項に規定する臨時計算書類をいう。
七十　連結計算書類　法第四百四十四条第一項に規定する連結計算書類をいう。
七十一　分配可能額　法第四百六十一条第二項に規定する分配可能額をいう。
七十二　事業譲渡等　法第四百六十八条第一項に規定する事業譲渡等をいう。
七十三　清算株式会社　法第四百七十六条に規定する清算株式会社をいう。
七十四　清算人会設置会社　法第四百七十八条第八項に規定する清算人会設置会社をいう。
七十五　財産目録等　法第四百九十二条第一項に規定する財産目録等をいう。
七十六　各清算事務年度　法第四百九十四条第一項に規定する各清算事務年度をいう。
七十七　貸借対照表等　法第四百九十六条第一項に規定する貸借対照表等をいう。
七十八　協定債権　法第五百十五条第三項に規定する協定債権をいう。
七十九　協定債権者　法第五百十七条第一項に規定する協定債権者をいう。
八十　債権者集会参考書類　法第五百五十条第一項に規定する債権者集会参考書類をいう。
八十一　持分会社　法第五百七十五条第一項に規定する持分会社をいう。
八十二　清算持分会社　法第六百四十五条に規定する清算持分会社をいう。
八十三　募集社債　法第六百七十六条に規定する募集社債をいう。
八十四　社債発行会社　法第六百八十二条第一項に規定する社債発行会社をいう。
八十五　社債原簿管理人　法第六百八十三条に規定する社債原簿管理人をいう。
八十六　社債権者集会参考書類　法第七百二十一条第一項に規定する社債権者集会参考書類をいう。
八十七　組織変更後持分会社　法第七百四十四条第一項第一号に規定する組織変更後持分会社をいう。
八十八　社債等　法第七百四十六条第一項第七号ニに規定する社債等をいう。
八十九　吸収合併消滅会社　法第七百四十九条第一項第一号に規定する吸収合併消滅会社をいう。
九十　吸収合併存続会社　法第七百四十九条第一項に規定する吸収合併存続会社をいう。

九十一　吸収合併存続株式会社　法第七百四十九条第一項第一号に規定する吸収合併存続株式会社をいう。
九十二　吸収合併消滅株式会社　法第七百四十九条第一項第二号に規定する吸収合併消滅株式会社をいう。
九十三　吸収合併存続持分会社　法第七百五十一条第一項第一号に規定する吸収合併存続持分会社をいう。
九十四　新設合併設立会社　法第七百五十三条第一項に規定する新設合併設立会社をいう。
九十五　新設合併消滅会社　法第七百五十三条第一項第一号に規定する新設合併消滅会社をいう。
九十六　新設合併設立株式会社　法第七百五十三条第一項第二号に規定する新設合併設立株式会社をいう。
九十七　新設合併消滅株式会社　法第七百五十三条第一項第六号に規定する新設合併消滅株式会社をいう。
九十八　吸収分割承継会社　法第七百五十七条に規定する吸収分割承継会社をいう。
九十九　吸収分割会社　法第七百五十八条第一号に規定する吸収分割会社をいう。
百　吸収分割承継株式会社　法第七百五十八条第一号に規定する吸収分割承継株式会社をいう。
百一　吸収分割株式会社　法第七百五十八条第二号に規定する吸収分割株式会社をいう。
百二　吸収分割承継持分会社　法第七百六十条第一号に規定する吸収分割承継持分会社をいう。
百三　新設分割会社　法第七百六十三条第一項第五号に規定する新設分割会社をいう。
百四　新設分割株式会社　法第七百六十三条第一項第五号に規定する新設分割株式会社をいう。
百五　新設分割設立会社　法第七百六十三条第一項に規定する新設分割設立会社をいう。
百六　新設分割設立株式会社　法第七百六十三条第一項第一号に規定する新設分割設立株式会社をいう。
百七　新設分割設立持分会社　法第七百六十五条第一項第一号に規定する新設分割設立持分会社をいう。
百八　株式交換完全親会社　法第七百六十七条に規定する株式交換完全親会社をいう。
百九　株式交換完全子会社　法第七百六十八条第一項第一号に規定する株式交換完全子会社をいう。
百十　株式交換完全親株式会社　法第七百六十八条第一項第一号に規定する株式交換完全親株式会社をいう。
百十一　株式交換完全親合同会社　法第七百七十条第一項第一号に規定する株式交換完全親合同会社をいう。
百十二　株式移転設立完全親会社　法第七百七十三条第一項第一号に規定する株式移転設立完全親会社をいう。
百十三　株式移転完全子会社　法第七百七十三条第一項第五号に規定する株式移転完全子会社をいう。
百十四　株式交付親会社　法第七百七十四条の三第一項第一号に規定する株式交付親会社をいう。
百十五　株式交付子会社　法第七百七十四条の三第一項第一号に規定する株式交付子会社をいう。
百十六　吸収分割合同会社　法第七百九十三条第二項に規定する吸収分割合同会社をいう。
百十七　存続株式会社等　法第七百九十四条第一項に規定する存続株式会社等をいう。
百十八　新設分割合同会社　法第八百十三条第二項に規定する新設分割合同会社をいう。
百十九　責任追及等の訴え　法第八百四十七条第一項に規定する責任追及等の訴えをいう。
百二十　株式交換等完全子会社　法第八百四十七条の二第一項に規定する株式交換等完全子会社をいう。

百二十一　最終完全親会社等　法第八百四十七条の三第一項に規定する最終完全親会社等をいう。

百二十二　特定責任追及の訴え　法第八百四十七条の三第一項に規定する特定責任追及の訴えをいう。

百二十三　完全親会社等　法第八百四十七条の三第二項に規定する完全親会社等をいう。

百二十四　完全子会社等　法第八百四十七条の三第二項第二号に規定する完全子会社等をいう。

百二十五　特定責任　法第八百四十七条の三第四項に規定する特定責任をいう。

百二十六　株式交換等完全親会社　法第八百四十九条第二項第一号に規定する株式交換等完全親会社をいう。

3　この省令において、次の各号に掲げる用語の意義は、当該各号に定めるところによる。

一　法人等　法人その他の団体をいう。

二　会社等　会社（外国会社を含む。）、組合（外国における組合に相当するものを含む。）その他これらに準ずる事業体をいう。

三　役員　取締役、会計参与、監査役、執行役、理事、監事その他これらに準ずる者をいう。

四　会社役員　当該株式会社の取締役、会計参与、監査役及び執行役をいう。

五　社外役員　会社役員のうち、次のいずれにも該当するものをいう。

イ　当該会社役員が社外取締役又は社外監査役であること。

ロ　当該会社役員が次のいずれかの要件に該当すること。

(1)　当該会社役員が法第三百二十七条の二、第三百三十一条第六項、第三百七十三条第一項第二号、第三百九十九条の十三第五項又は第四百条第三項の社外取締役であること。

(2)　当該会社役員が法第三百三十五条第三項の社外監査役であること。

(3)　当該会社役員を当該株式会社の社外取締役又は社外監査役であるものとして計算関係書類、事業報告、株主総会参考書類その他当該株式会社が法令その他これに準ずるものの規定に基づき作成する資料に表示していること。

六　業務執行者　次に掲げる者をいう。

イ　業務執行取締役、執行役その他の法人等の業務を執行する役員（法第三百四十八条の二第一項及び第二項の規定による委託を受けた社外取締役を除く。）

ロ　業務を執行する社員、法第五百九十八条第一項の職務を行うべき者その他これに相当する者

ハ　使用人

七　社外取締役候補者　次に掲げるいずれにも該当する候補者をいう。

イ　当該候補者が当該株式会社の取締役に就任した場合には、社外取締役となる見込みであること。

ロ　次のいずれかの要件に該当すること。

(1)　当該候補者を法第三百二十七条の二、第三百三十一条第六項、第三百七十三条第一項第二号、第三百九十九条の十三第五項又は第四百条第三項の社外取締役であるものとする予定があること。

(2)　当該候補者を当該株式会社の社外取締役であるものとして計算関係書類、事業報告、株主総会参考書類その他株式会社が法令その他これに準ずるものの規定に基づき作成する資料に表示する予定があること。

八　社外監査役候補者　次に掲げるいずれにも該当する候補者をいう。

イ　当該候補者が当該株式会社の監査役に就任した場合には、社外監査役となる見込みであること。

ロ　次のいずれかの要件に該当すること。

(1)　当該候補者を法第三百三十五条第三項の社外監査役であ

るものとする予定があること。

(2) 当該候補者を当該株式会社の社外監査役であるものとして計算関係書類、事業報告、株主総会参考書類その他株式会社が法令その他これに準ずるものの規定に基づき作成する資料に表示する予定があること。

九 最終事業年度 次のイ又はロに掲げる会社の区分に応じ、当該イ又はロに定めるものをいう。

イ 株式会社 法第二条第二十四号に規定する最終事業年度

ロ 持分会社 各事業年度に係る法第六百十七条第二項に規定する計算書類を作成した場合における当該各事業年度のうち最も遅いもの

十 計算書類 次のイ又はロに掲げる会社の区分に応じ、当該イ又はロに定めるものをいう。

イ 株式会社 法第四百三十五条第二項に規定する計算書類

ロ 持分会社 法第六百十七条第二項に規定する計算書類

十一 計算関係書類 株式会社についての次に掲げるものをいう。

イ 成立の日における貸借対照表

ロ 各事業年度に係る計算書類及びその附属明細書

ハ 臨時計算書類

ニ 連結計算書類

十二 計算書類等 次のイ又はロに掲げる会社の区分に応じ、当該イ又はロに定めるものをいう。

イ 株式会社 各事業年度に係る計算書類及び事業報告（法第四百三十六条第一項又は第二項の規定の適用がある場合にあっては、監査報告又は会計監査報告を含む。）

ロ 持分会社 法第六百十七条第二項に規定する計算書類

十三 臨時計算書類等 法第四百四十一条第一項に規定する臨時計算書類（同条第二項の規定の適用がある場合にあっては、監査報告又は会計監査報告を含む。）をいう。

十四 新株予約権等 新株予約権その他当該法人等に対して行使することにより当該法人等の株式その他の持分の交付を受けることができる権利（株式引受権（会社計算規則第二条第三項第三十四号に規定する株式引受権をいう。以下同じ。）を除く。）をいう。

十五 公開買付け等 金融商品取引法（昭和二十三年法律第二十五号）第二十七条の二第六項（同法第二十七条の二十二の二第二項において準用する場合を含む。）に規定する公開買付け及びこれに相当する外国の法令に基づく制度をいう。

十六 社債取得者 社債を社債発行会社以外の者から取得した者（当該社債発行会社を除く。）をいう。

十七 信託社債 信託の受託者が発行する社債であって、信託財産（信託法（平成十八年法律第百八号）第二条第三項に規定する信託財産をいう。以下同じ。）のために発行するものをいう。

十八 設立時役員等 設立時取締役、設立時会計参与、設立時監査役及び設立時会計監査人をいう。

十九 特定関係事業者 次に掲げるものをいう。

イ 次の(1)又は(2)に掲げる場合の区分に応じ、当該(1)又は(2)に定めるもの

(1) 当該株式会社に親会社等がある場合 当該親会社等並びに当該親会社等の子会社等（当該株式会社を除く。）及び関連会社（当該親会社等が会社でない場合におけるその関連会社に相当するものを含む。）

(2) 当該株式会社に親会社等がない場合 当該株式会社の子会社及び関連会社

ロ 当該株式会社の主要な取引先である者（法人以外の団体を含む。）

二十 関連会社 会社計算規則（平成十八年法務省令第十三号）第二条第三項第二十一号に規定する関連会社をいう。

二十一 連結配当規制適用会社 会社計算規則第二条第三項第五

十五号に規定する連結配当規制適用会社をいう。

二十二　組織変更株式交換　保険業法（平成七年法律第百五号）第九十六条の五第一項に規定する組織変更株式交換をいう。

二十三　組織変更株式移転　保険業法第九十六条の八第一項に規定する組織変更株式移転をいう。

〔施行　会社法の一部を改正する法律（令和元年法律第七十号）附則第一条ただし書に規定する規定の施行の日〕〔第二項に第六十二号を加える〕

（定義）

第二条　（省略）

2　この省令において、次の各号に掲げる用語の意義は、当該各号に定めるところによる。

一〜六十一　（省略）

六十二　電子提供措置　法第三百二十五条の二に規定する電子提供措置をいう。

六十三〜百二十七　（省略）

3　（省略）

（子会社及び親会社）

第三条　法第二条第三号に規定する法務省令で定めるものは、同号に規定する会社が他の会社等の財務及び事業の方針の決定を支配している場合における当該他の会社等とする。

2　法第二条第四号に規定する法務省令で定めるものは、会社等が同号に規定する株式会社の財務及び事業の方針の決定を支配している場合における当該会社等とする。

3　前二項に規定する「財務及び事業の方針の決定を支配している場合」とは、次に掲げる場合（財務上又は事業上の関係からみて他の会社等の財務又は事業の方針の決定を支配していないことが明らかであると認められる場合を除く。）をいう（以下この項において同じ。）。

一　他の会社等（次に掲げる会社等であって、有効な支配従属関係が存在しないと認められるものを除く。以下この項において同じ。）の議決権の総数に対する自己（その子会社及び子法人等（会社以外の会社等が他の会社等の財務及び事業の方針の決定を支配している場合における当該他の会社等をいう。）を含む。以下この項において同じ。）の計算において所有している議決権の数の割合が百分の五十を超えている場合

イ　民事再生法（平成十一年法律第二百二十五号）の規定による再生手続開始の決定を受けた会社等

ロ　会社更生法（平成十四年法律第百五十四号）の規定による更生手続開始の決定を受けた株式会社

ハ　破産法（平成十六年法律第七十五号）の規定による破産手続開始の決定を受けた会社等

ニ　その他イからハまでに掲げる会社等に準ずる会社等

二　他の会社等の議決権の総数に対する自己の計算において所有している議決権の数の割合が百分の四十以上である場合（前号に掲げる場合を除く。）であって、次に掲げるいずれかの要件に該当する場合

イ　他の会社等の議決権の総数に対する自己所有等議決権数（次に掲げる議決権の数の合計数をいう。次号において同じ。）の割合が百分の五十を超えていること。

(1)　自己の計算において所有している議決権

(2)　自己と出資、人事、資金、技術、取引等において緊密な関係があることにより自己の意思と同一の内容の議決権を行使すると認められる者が所有している議決権

(3)　自己の意思と同一の内容の議決権を行使することに同意している者が所有している議決権

ロ　他の会社等の取締役会その他これに準ずる機関の構成員の総数に対する次に掲げる者（当該他の会社等の財務及び事業の方針の決定に関して影響を与えることができるものに限る。）の数の割合が百分の五十を超えていること。

(1) 自己の役員
(2) 自己の業務を執行する社員
(3) 自己の使用人
(4) (1)から(3)までに掲げる者であった者

ハ　自己が他の会社等の重要な財務及び事業の方針の決定を支配する契約等が存在すること。

ニ　他の会社等の資金調達額（貸借対照表の負債の部に計上されているものに限る。）の総額に対する自己が行う融資（債務の保証及び担保の提供を含む。ニにおいて同じ。）の額（自己と出資、人事、資金、技術、取引等において緊密な関係のある者が行う融資の額を含む。）の割合が百分の五十を超えていること。

ホ　その他自己が他の会社等の財務及び事業の方針の決定を支配していることが推測される事実が存在すること。

三　他の会社等の議決権の総数に対する自己所有等議決権数の割合が百分の五十を超えている場合（自己の計算において議決権を所有していない場合を含み、前二号に掲げる場合を除く。）であって、前号ロからホまでに掲げるいずれかの要件に該当する場合

4　法第百三十五条第一項の親会社についての第二項の規定の適用については、同条第一項の子会社を第二項の法第二条第四号に規定する株式会社とみなす。

（子会社等及び親会社等）

第三条の二　法第二条第三号の二ロに規定する法務省令で定めるものは、同号ロに規定する者が他の会社等の財務及び事業の方針の決定を支配している場合における当該他の会社等とする。

2　法第二条第四号の二ロに規定する法務省令で定めるものは、ある者（会社等であるものを除く。）が同号ロに規定する株式会社の財務及び事業の方針の決定を支配している場合における当該ある者とする。

3　前二項に規定する「財務及び事業の方針の決定を支配している場合」とは、次に掲げる場合（財務上又は事業上の関係からみて他の会社等の財務又は事業の方針の決定を支配していないことが明らかであると認められる場合を除く。）をいう（以下この項において同じ。）。

一　他の会社等（次に掲げる会社等であって、有効な支配従属関係が存在しないと認められるものを除く。以下この項において同じ。）の議決権の総数に対する自己（その子会社等を含む。以下この項において同じ。）の計算において所有している議決権の数の割合が百分の五十を超えている場合

イ　民事再生法の規定による再生手続開始の決定を受けた会社等

ロ　会社更生法の規定による更生手続開始の決定を受けた株式会社

ハ　破産法の規定による破産手続開始の決定を受けた会社等

ニ　その他イからハまでに掲げる会社等に準ずる会社等

二　他の会社等の議決権の総数に対する自己の計算において所有している議決権の数の割合が百分の四十以上である場合（前号に掲げる場合を除く。）であって、次に掲げるいずれかの要件に該当する場合

イ　他の会社等の議決権の総数に対する自己所有等議決権数（次に掲げる議決権の数の合計数をいう。次号において同じ。）の割合が百分の五十を超えていること。

(1) 自己の計算において所有している議決権
(2) 自己と出資、人事、資金、技術、取引等において緊密な関係があることにより自己の意思と同一の内容の議決権を行使すると認められる者が所有している議決権
(3) 自己の意思と同一の内容の議決権を行使することに同意している者が所有している議決権
(4) 自己（自然人であるものに限る。）の配偶者又は二親等内

ロ　他の会社等の取締役会その他これに準ずる機関の構成員の総数に対する次に掲げる者（当該他の会社等の財務及び事業の方針の決定に関して影響を与えることができるものに限る。）の数の割合が百分の五十を超えていること。
(1)　自己（自然人であるものに限る。）
(2)　自己の役員
(3)　自己の業務を執行する社員
(4)　自己の使用人
(5)　(2)から(4)までに掲げる者であった者
(6)　自己（自然人であるものに限る。）の配偶者又は二親等内の親族
ハ　自己が他の会社等の重要な財務及び事業の方針の決定を支配する契約等が存在すること。
ニ　他の会社等の資金調達額（貸借対照表の負債の部に計上されているものに限る。）の総額に対する自己が行う融資（債務の保証及び担保の提供を含む。ニにおいて同じ。）の額（自己と出資、人事、資金、技術、取引等において緊密な関係のある者及び自己（自然人であるものに限る。）の配偶者又は二親等内の親族が行う融資の額を含む。）の割合が百分の五十を超えていること。
ホ　その他自己が他の会社等の財務及び事業の方針の決定を支配していることが推測される事実が存在すること。
三　他の会社等の議決権の総数に対する自己所有等議決権数の割合が百分の五十を超えている場合（自己の計算において議決権を所有していない場合を含み、前二号に掲げる場合を除く。）であって、前号ロからホまでに掲げるいずれかの要件に該当する場合

会社法施行規則附則

（会社法施行規則の一部改正に伴う経過措置）
第二条　（略）
2～4　（略）
5　社外取締役及び社外監査役についての第三条第一項の規定の適用については、同項中「当該他の会社等」とあるのは、「当該他の会社等（法第二条第十五号イ及びロ並びに第十六号イ及びロに規定する子会社並びに法第四百七十八条第七項第一号及び第二号に規定する子会社のうち、この省令の施行前のものについては、旧子会社（附則第二条第三項に規定する旧子会社をいう。））」とする。

（特別目的会社の特則）
第四条　第三条の規定にかかわらず、特別目的会社（資産の流動化に関する法律（平成十年法律第百五号）第二条第三項に規定する特定目的会社及び事業の内容の変更が制限されているこれと同様の事業を営む事業体をいう。以下この条において同じ。）については、次に掲げる要件のいずれにも該当する場合には、当該特別目的会社に資産を譲渡した会社の子会社に該当しないものと推定する。
一　当該特別目的会社が適正な価額で譲り受けた資産から生ずる収益をその発行する証券（当該証券に表示されるべき権利を含む。）の所有者（資産の流動化に関する法律第二条第十二項に規定する特定借入れに係る債権者及びこれと同様の借入れに係る債権者を含む。）に享受させることを目的として設立されていること。
二　当該特別目的会社の事業がその目的に従って適切に遂行されていること。

（株式交付子会社）
第四条の二　法第二条第三十二号の二に規定する法務省令で定めるものは、同条第三号に規定する会社が他の会社等の財務及び事業

の方針の決定を支配している場合（第三条第三項第一号に掲げる場合に限る。）における当該他の会社等とする。

（電磁的方法）

第二百二十二条　法第二条第三十四号に規定する電子情報処理組織を使用する方法その他の情報通信の技術を利用する方法であって法務省令で定めるものは、次に掲げる方法とする。

一　電子情報処理組織を使用する方法のうちイ又はロに掲げるもの

イ　送信者の使用に係る電子計算機と受信者の使用に係る電子計算機とを接続する電気通信回線を通じて送信し、受信者の使用に係る電子計算機に備えられたファイルに記録する方法

ロ　送信者の使用に係る電子計算機に備えられたファイルに記録された情報の内容を電気通信回線を通じて情報の提供を受ける者の閲覧に供し、当該情報の提供を受ける者の使用に係る電子計算機に備えられたファイルに当該情報を記録する方法

二　磁気ディスクその他これに準ずる方法により一定の情報を確実に記録しておくことができる物をもって調製するファイルに情報を記録したものを交付する方法

2　前項各号に掲げる方法は、受信者がファイルへの記録を出力することにより書面を作成することができるものでなければならない。

（電子公告を行うための電磁的方法）

第二百二十三条　法第二条第三十四号に規定する措置であって法務省令で定めるものは、前条第一項第一号ロに掲げる方法のうち、インターネットに接続された自動公衆送信装置を使用するものによる措置とする。

【会社計算規則】

（定義）

第二条　この省令において「会社」、「外国会社」、「子会社」、「親会社」、「公開会社」、「取締役会設置会社」、「会計参与設置会社」、「監査役設置会社」、「監査役会設置会社」、「会計監査人設置会社」、「監査等委員会設置会社」、「指名委員会等設置会社」、「種類株式発行会社」、「取得請求権付株式」、「取得条項付株式」、「新株予約権」、「新株予約権付社債」、「社債」、「配当財産」、「組織変更」、「吸収分割」、「新設分割」又は「電子公告」とは、それぞれ法第二条に規定する会社、外国会社、子会社、親会社、公開会社、取締役会設置会社、会計参与設置会社、監査役設置会社、監査役会設置会社、会計監査人設置会社、監査等委員会設置会社、指名委員会等設置会社、種類株式発行会社、取得請求権付株式、取得条項付株式、新株予約権、新株予約権付社債、社債、配当財産、組織変更、吸収分割、新設分割又は電子公告をいう。

2　この省令において、次の各号に掲げる用語の意義は、当該各号に定めるところによる。

一　発行済株式　法第二条第三十一号に規定する発行済株式をいう。

二　電磁的方法　法第二条第三十四号に規定する電磁的方法をいう。

三　設立時発行株式　法第二十五条第一項第一号に規定する設立時発行株式をいう。

四　電磁的記録　法第二十六条第二項に規定する電磁的記録をいう。

五　自己株式　法第百十三条第四項に規定する自己株式をいう。

六　親会社株式　法第百三十五条第一項に規定する親会社株式をいう。

七　金銭等　法第百五十一条第一項に規定する金銭等をいう。

八　全部取得条項付種類株式　法第百七十一条第一項に規定する全部取得条項付種類株式をいう。
九　株式無償割当て　法第百八十五条に規定する株式無償割当てをいう。
十　単元未満株式売渡請求　法第百九十四条第一項に規定する単元未満株式売渡請求をいう。
十一　募集株式　法第百九十九条第一項に規定する募集株式をいう。
十二　募集新株予約権　法第二百三十八条第一項に規定する募集新株予約権をいう。
十三　自己新株予約権　法第二百五十五条第一項に規定する自己新株予約権をいう。
十四　取得条項付新株予約権　法第二百七十三条第一項に規定する取得条項付新株予約権をいう。
十五　新株予約権無償割当て　法第二百七十七条に規定する新株予約権無償割当てをいう。
十六　報酬等　法第三百六十一条第一項に規定する報酬等をいう。
十七　臨時計算書類　法第四百四十一条第一項に規定する臨時計算書類をいう。
十八　臨時決算日　法第四百四十一条第一項に規定する臨時決算日をいう。
十九　連結計算書類　法第四百四十四条第一項に規定する連結計算書類をいう。
二十　準備金　法第四百四十五条第四項に規定する準備金をいう。
二十一　分配可能額　法第四百六十一条第二項に規定する分配可能額をいう。
二十二　持分会社　法第五百七十五条第一項に規定する持分会社をいう。
二十三　持分払戻額　法第六百三十五条第一項に規定する持分払戻額をいう。
二十四　組織変更後持分会社　法第七百四十四条第一項第一号に規定する組織変更後持分会社をいう。
二十五　組織変更後株式会社　法第七百四十六条第一項第一号に規定する組織変更後株式会社をいう。
二十六　社債等　法第七百四十六条第一項第七号ニに規定する社債等をいう。
二十七　吸収分割承継会社　法第七百五十七条に規定する吸収分割承継会社をいう。
二十八　吸収分割会社　法第七百五十八条第一号に規定する吸収分割会社をいう。
二十九　新設分割設立会社　法第七百六十三条第一項に規定する新設分割設立会社をいう。
三十　新設分割会社　法第七百六十三条第一項第五号に規定する新設分割会社をいう。
三十一　新株予約権等　法第七百七十四条の三第一項第七号に規定する新株予約権等をいう。

3　この省令において、次の各号に掲げる用語の意義は、当該各号に定めるところによる。
一　最終事業年度　次のイ又はロに掲げる会社の区分に応じ、当該イ又はロに定めるものをいう。
イ　株式会社　法第二条第二十四号に規定する最終事業年度
ロ　持分会社　各事業年度のうち最も遅いものに係る計算書類を作成した場合における当該事業年度
二　計算書類　次のイ又はロに掲げる会社の区分に応じ、当該イ又はロに定めるものをいう。
イ　株式会社　法第四百三十五条第二項に規定する計算書類
ロ　持分会社　法第六百十七条第二項に規定する計算書類
三　計算関係書類　次に掲げるものをいう。

イ　成立の日における貸借対照表
ロ　各事業年度に係る計算書類及びその附属明細書
ハ　臨時計算書類
ニ　連結計算書類
四　吸収合併　法第二条第二十七号に規定する吸収合併（会社が会社以外の法人とする合併であって、合併後会社が存続するものを含む。）をいう。
五　新設合併　法第二条第二十八号に規定する新設合併（会社が会社以外の法人とする合併であって、合併後会社が設立されるものを含む。）をいう。
六　株式交換　法第二条第三十一号に規定する株式交換（保険業法（平成七年法律第百五号）第九十六条の五第一項に規定する組織変更株式交換を含む。）をいう。
七　株式移転　法第二条第三十二号に規定する株式移転（保険業法第九十六条の八第一項に規定する組織変更株式移転を含む。）をいう。
八　株式交付　法第二条第三十二号の二に規定する株式交付（保険業法第九十六条の九の二第一項に規定する組織変更株式交付を含む。）をいう。
九　吸収合併存続会社　法第七百四十九条第一項に規定する吸収合併存続会社（会社以外の法人とする吸収合併後存続する会社を含む。）をいう。
十　吸収合併消滅会社　法第七百四十九条第一項第一号に規定する吸収合併消滅会社（会社以外の法人とする吸収合併により消滅する会社以外の法人を含む。）をいう。
十一　新設合併設立会社　法第七百五十三条第一項に規定する新設合併設立会社（会社以外の法人とする新設合併により設立される会社を含む。）をいう。
十二　新設合併消滅会社　法第七百五十三条第一項第一号に規定する新設合併消滅会社（会社以外の法人とする新設合併により消滅する会社以外の法人を含む。）をいう。
十三　株式交換完全親会社　法第七百六十七条に規定する株式交換完全親会社（保険業法第九十六条の五第二項に規定する組織変更株式交換完全親会社を含む。）をいう。
十四　株式交換完全子会社　法第七百六十八条第一項第一号に規定する株式交換完全子会社（保険業法第九十六条の五第二項に規定する組織変更株式交換完全親会社にその株式の全部を取得されることとなる株式会社を含む。）をいう。
十五　株式移転設立完全親会社　法第七百七十三条第一項第一号に規定する株式移転設立完全親会社（保険業法第九十六条の九第一項第一号に規定する組織変更株式移転設立完全親会社を含む。）をいう。
十六　株式移転完全子会社　法第七百七十三条第一項第五号に規定する株式移転完全子会社（保険業法第九十六条の九第一項第一号に規定する組織変更株式移転設立完全親会社にその発行する株式の全部を取得されることとなる株式会社を含む。）をいう。
十七　株式交付親会社　法第七百七十四条の三第一項第一号に規定する株式交付親会社（保険業法第九十六条の九の二第一項に規定する組織変更株式交付をする相互会社を含む。）をいう。
十八　株式交付子会社　法第七百七十四条の三第一項第一号に規定する株式交付子会社（保険業法第九十六条の九の二第二項に規定する組織変更株式交付子会社を含む。）をいう。
十九　会社等　会社（外国会社を含む。）、組合（外国における組合に相当するものを含む。）その他これらに準ずる事業体をいう。
二十　株主等　株主及び持分会社の社員その他これらに相当する者をいう。
二十一　関連会社　会社が他の会社等の財務及び事業の方針の決定に対して重要な影響を与えることができる場合における当該

他の会社等（子会社を除く。）をいう。
二十二　連結子会社　連結の範囲に含められる子会社をいう。
二十三　非連結子会社　連結の範囲から除かれる子会社をいう。
二十四　連結会社　当該株式会社及びその連結子会社をいう。
二十五　関係会社　当該株式会社の親会社、子会社及び関連会社並びに当該株式会社が他の会社等の関連会社である場合における当該他の会社等をいう。
二十六　持分法　投資会社が、被投資会社の純資産及び損益のうち当該投資会社に帰属する部分の変動に応じて、その投資の金額を各事業年度ごとに修正する方法をいう。
二十七　税効果会計　貸借対照表又は連結貸借対照表に計上されている資産及び負債の金額と課税所得の計算の結果算定された資産及び負債の金額との間に差異がある場合において、当該差異に係る法人税等（法人税、住民税及び事業税（利益に関連する金額を課税標準として課される事業税をいう。）をいう。以下同じ。）の金額を適切に期間配分することにより、法人税等を控除する前の当期純利益の金額と法人税等の金額を合理的に対応させるための会計処理をいう。
二十八　ヘッジ会計　ヘッジ手段（資産（将来の取引により確実に発生すると見込まれるものを含む。以下この号において同じ。）若しくは負債（将来の取引により確実に発生すると見込まれるものを含む。以下この号において同じ。）又はデリバティブ取引に係る価格変動、金利変動及び為替変動による損失の危険を減殺することを目的とし、かつ、当該損失の危険を減殺することが客観的に認められる取引をいう。以下同じ。）に係る損益とヘッジ対象（ヘッジ手段の対象である資産若しくは負債又はデリバティブ取引をいう。）に係る損益を同一の会計期間に認識するための会計処理をいう。
二十九　売買目的有価証券　時価の変動により利益を得ることを目的として保有する有価証券をいう。

三十　満期保有目的の債券　満期まで所有する意図をもって保有する債券（満期まで所有する意図をもって取得したものに限る。）をいう。
三十一　自己社債　会社が有する自己の社債をいう。
三十二　公開買付け等　金融商品取引法（昭和二十三年法律第二十五号）第二十七条の二第六項（同法第二十七条の二十二の二第二項において準用する場合を含む。）に規定する公開買付け及びこれに相当する外国の法令に基づく制度をいう。
三十三　株主資本等　株式会社及び持分会社の資本金、資本剰余金及び利益剰余金をいう。
三十四　株式引受権　取締役又は執行役がその職務の執行として株式会社に対して提供した役務の対価として当該株式会社の株式の交付を受けることができる権利（新株予約権を除く。）をいう。
三十五　支配取得　会社が他の会社（当該会社と当該他の会社が共通支配下関係にある場合における当該他の会社を除く。以下この号において同じ。）又は当該他の会社の事業に対する支配を得ることをいう。
三十六　共通支配下関係　二以上の者（人格のないものを含む。以下この号において同じ。）が同一の者に支配（一時的な支配を除く。以下この号において同じ。）をされている場合又は二以上の者のうちの一の者が他の全ての者を支配している場合における当該二以上の者に係る関係をいう。
三十七　吸収型再編　次に掲げる行為をいう。
イ　吸収合併
ロ　吸収分割
ハ　株式交換
ニ　株式交付
三十八　吸収型再編受入行為　次に掲げる行為をいう。
イ　吸収合併による吸収合併消滅会社の権利義務の全部の承継

ロ　吸収分割による吸収分割会社がその事業に関して有する権利義務の全部又は一部の承継
ハ　株式交換による株式交換完全子会社の発行済株式全部の取得
ニ　株式交付に際してする株式交付子会社の株式又は新株予約権等の譲受け
三十九　吸収型再編対象財産　次のイ又はロに掲げる吸収型再編の区分に応じ、当該イ又はロに定める財産をいう。
イ　吸収合併　吸収合併により吸収合併存続会社が承継する財産
ロ　吸収分割　吸収分割により吸収分割承継会社が承継する財産
四十　吸収型再編対価　次のイから二までに掲げる吸収型再編の区分に応じ、当該イから二までに定める財産をいう。
イ　吸収合併　吸収合併に際して吸収合併存続会社が吸収合併消滅会社の株主等に対して交付する財産
ロ　吸収分割　吸収分割に際して吸収分割承継会社が吸収分割会社に対して交付する財産
ハ　株式交換　株式交換に際して株式交換完全親会社が株式交換完全子会社の株主に対して交付する財産
ニ　株式交付　株式交付に際して株式交付親会社が株式交付子会社の株式又は新株予約権等の譲渡人に対して交付する財産
四十一　吸収型再編対価時価　吸収型再編対価の時価その他適切な方法により算定された吸収型再編対価の価額をいう。
四十二　対価自己株式　吸収型再編対価として処分される自己株式をいう。
四十三　先行取得分株式等　次のイ又はロに掲げる場合の区分に応じ、当該イ又はロに定めるものをいう。
イ　吸収合併の場合　吸収合併の直前に吸収合併存続会社が有する吸収合併消滅会社の株式若しくは持分又は吸収合併の直前に吸収合併消滅会社が有する当該吸収合併消滅会社の株式
ロ　新設合併の場合　各新設合併消滅会社が有する当該新設合併消滅会社の株式及び他の新設合併消滅会社の株式又は持分
四十四　分割型吸収分割　吸収分割のうち、吸収分割契約において法第七百五十八条第八号又は第七百六十条第七号に掲げる事項を定めたものであって、吸収分割会社が当該事項についての定めに従い吸収型再編対価の全部を当該吸収分割会社の株主に対して交付するものをいう。
四十五　新設型再編　次に掲げる行為をいう。
イ　新設合併
ロ　新設分割
ハ　株式移転
四十六　新設型再編対象財産　次のイ又はロに掲げる新設型再編の区分に応じ、当該イ又はロに定める財産をいう。
イ　新設合併　新設合併により新設合併設立会社が承継する財産
ロ　新設分割　新設分割により新設分割設立会社が承継する財産
四十七　新設型再編対価　次のイからハまでに掲げる新設型再編の区分に応じ、当該イからハまでに定める財産をいう。
イ　新設合併　新設合併に際して新設合併設立会社が新設合併消滅会社の株主等に対して交付する財産
ロ　新設分割　新設分割に際して新設分割設立会社が新設分割会社に対して交付する財産
ハ　株式移転　株式移転に際して株式移転設立完全親会社が株式移転完全子会社の株主に対して交付する財産
四十八　新設型再編対価時価　新設型再編対価の時価その他適切な方法により算定された新設型再編対価の価額をいう。
四十九　新設合併取得会社　新設合併消滅会社のうち、新設合併により支配取得をするものをいう。

五十　株主資本承継消滅会社　新設合併消滅会社の株主等に交付する新設型再編対価の全部が新設合併設立会社の株式又は持分である場合において、当該新設合併消滅会社がこの号に定める株主資本承継消滅会社となることを定めたときにおける当該新設合併消滅会社をいう。

五十一　非対価交付消滅会社　新設合併消滅会社の株主等に交付する新設型再編対価が存しない場合における当該新設合併消滅会社をいう。

五十二　非株式交付消滅会社　新設合併消滅会社の株主等に交付する新設型再編対価の全部が新設合併設立会社の社債等である場合における当該新設合併消滅会社及び非対価交付消滅会社をいう。

五十三　非株主資本承継消滅会社　株主資本承継消滅会社及び非株式交付消滅会社以外の新設合併消滅会社をいう。

五十四　分割型新設分割　新設分割のうち、新設分割計画において法第七百六十三条第一項第十二号又は第七百六十五条第一項第八号に掲げる事項を定めたものであって、新設分割会社が当該事項についての定めに従い新設型再編対価の全部を当該新設分割会社の株主に対して交付するものをいう。

五十五　連結配当規制適用会社　ある事業年度の末日が最終事業年度の末日となる時から当該ある事業年度の次の事業年度の末日が最終事業年度の末日となる時までの間における当該株式会社の分配可能額の算定につき第百五十八条第四号の規定を適用する旨を当該ある事業年度に係る計算書類の作成に際して定めた株式会社（ある事業年度に係る連結計算書類を作成しているものに限る。）をいう。

五十六　リース物件　リース契約により使用する物件をいう。

五十七　ファイナンス・リース取引　リース契約に基づく期間の中途において当該リース契約を解除することができないリース取引又はこれに準ずるリース取引で、リース物件の借主が、当該リース物件からもたらされる経済的利益を実質的に享受することができ、かつ、当該リース物件の使用に伴って生じる費用等を実質的に負担することとなるものをいう。

五十八　所有権移転ファイナンス・リース取引　ファイナンス・リース取引のうち、リース契約上の諸条件に照らしてリース物件の所有権が借主に移転すると認められるものをいう。

五十九　所有権移転外ファイナンス・リース取引　ファイナンス・リース取引のうち、所有権移転ファイナンス・リース取引以外のものをいう

六十　資産除去債務　有形固定資産の取得、建設、開発又は通常の使用によって生じる当該有形固定資産の除去に関する法律上の義務及びこれに準ずるものをいう。

六十一　工事契約　請負契約のうち、土木、建築、造船、機械装置の製造その他の仕事に係る基本的な仕様及び作業内容が注文者の指図に基づいているものをいう。

六十二　会計方針　計算書類又は連結計算書類の作成に当たって採用する会計処理の原則及び手続をいう。

六十三　遡及適用　新たな会計方針を当該事業年度より前の事業年度に係る計算書類又は連結計算書類に遡って適用したと仮定して会計処理をすることをいう。

六十四　表示方法　計算書類又は連結計算書類の作成に当たって採用する表示の方法をいう。

六十五　会計上の見積り　計算書類又は連結計算書類に表示すべき項目の金額に不確実性がある場合において、計算書類又は連結計算書類の作成時に入手可能な情報に基づき、それらの合理的な金額を算定することをいう。

六十六　会計上の見積りの変更　新たに入手可能となった情報に基づき、当該事業年度より前の事業年度に係る計算書類又は連結計算書類の作成に当たってした会計上の見積りを変更することをいう。

六十七　誤謬《びゅう》　意図的であるかどうかにかかわらず、計算書類又は連結計算書類の作成時に入手可能な情報を使用しなかったこと又は誤って使用したことにより生じた誤りをいう。

六十八　誤謬の訂正　当該事業年度より前の事業年度に係る計算書類又は連結計算書類における誤謬を訂正したと仮定して計算書類又は連結計算書類を作成することをいう。

六十九　金融商品　金融資産（金銭債権、有価証券及びデリバティブ取引により生じる債権（これらに準ずるものを含む。）をいう。）及び金融負債（金銭債務及びデリバティブ取引により生じる債務（これらに準ずるものを含む。）をいう。）をいう。

七十　賃貸等不動産　たな卸資産に分類される不動産以外の不動産であって、賃貸又は譲渡による収益又は利益を目的として所有する不動産をいう。

4　前項第二十一号に規定する「財務及び事業の方針の決定に対して重要な影響を与えることができる場合」とは、次に掲げる場合（財務上又は事業上の関係からみて他の会社等の財務又は事業の方針の決定に対して重要な影響を与えることができないことが明らかであると認められる場合を除く。）をいう。

一　他の会社等（次に掲げる会社等であって、当該会社等の財務又は事業の方針の決定に対して重要な影響を与えることができないと認められるものを除く。以下この項において同じ。）の議決権の総数に対する自己（その子会社を含む。以下この項において同じ。）の計算において所有している議決権の数の割合が百分の二十以上である場合

イ　民事再生法（平成十一年法律第二百二十五号）の規定による再生手続開始の決定を受けた会社等

ロ　会社更生法（平成十四年法律第百五十四号）の規定による更生手続開始の決定を受けた株式会社

ハ　破産法（平成十六年法律第七十五号）の規定による破産手続開始の決定を受けた会社等

ニ　その他イからハまでに掲げる会社等に準ずる会社等

二　他の会社等の議決権の総数に対する自己の計算において所有している議決権の数の割合が百分の十五以上である場合（前号に掲げる場合を除く。）であって、次に掲げるいずれかの要件に該当する場合

イ　次に掲げる者（他の会社等の財務及び事業の方針の決定に関して影響を与えることができるものに限る。）が他の会社等の代表取締役、取締役又はこれらに準ずる役職に就任していること。

(1)　自己の役員

(2)　自己の業務を執行する社員

(3)　自己の使用人

(4)　(1)から(3)までに掲げる者であった者

ロ　自己が他の会社等に対して重要な融資を行っていること。

ハ　自己が他の会社等に対して重要な技術を提供していること。

ニ　自己と他の会社等との間に重要な販売、仕入れその他の事業上の取引があること。

ホ　その他自己が他の会社等の財務及び事業の方針の決定に対して重要な影響を与えることができることが推測される事実が存在すること。

三　他の会社等の議決権の総数に対する自己所有等議決権数（次に掲げる議決権の数の合計数をいう。）の割合が百分の二十以上である場合（自己の計算において議決権を所有していない場合を含み、前二号に掲げる場合を除く。）であって、前号イからホまでに掲げるいずれかの要件に該当する場合

イ　自己の計算において所有している議決権

ロ　自己と出資、人事、資金、技術、取引等において緊密な関係があることにより自己の意思と同一の内容の議決権を行使すると認められる者が所有している議決権

ハ　自己の意思と同一の内容の議決権を行使することに同意している者が所有している議決権

四　自己と自己から独立した者との間の契約その他これに準ずるものに基づきこれらの者が他の会社等を共同で支配している場合

〔施行　会社法の一部を改正する法律（令和元年法律第七十号）附則第一条ただし書に規定する規定の施行の日〕［第二項に第十五号の二を加える］

（定義）

第二条　（省略）

2　この省令において、次の各号に掲げる用語の意義は、当該各号に定めるところによる。

一～十五　（省略）

十五の二　電子提供措置　法第三百二十五条の二に規定する電子提供措置をいう。

十六～三十一　（省略）

3・4　（省略）

【電子公告規則】

（定義）

第二条　この省令において、次の各号に掲げる用語の意義は、それぞれ当該各号に定めるところによる。

一　電子公告　法第二条第三十四号（電子公告関係規定を定める法律において引用する場合を含む。以下同じ。）に規定する電子公告をいう。

二　公告期間　法第九百四十条第三項（電子公告関係規定において準用する場合を含む。以下この条において同じ。）に規定する公告期間をいう。

三　公告の中断　法第九百四十条第三項に規定する公告の中断をいう。

四　追加公告　法第九百四十条第三項第三号の規定による公告をいう。

五　電磁的記録　法第二十六条第二項に規定する電磁的記録をいう。

六　電子計算機　法第九百四十四条第一項第一号に規定する電子計算機をいう。

七　プログラム　法第九百四十四条第一項第一号に規定するプログラムをいう。

八　サーバ　公衆の用に供する電気通信回線に接続することにより、その記録媒体のうち自動公衆送信の用に供する部分に記録され、又は当該装置に入力される情報を自動公衆送信する機能を有する装置をいう。

九　プロバイダ　インターネットへの接続を可能とする電気通信役務（電気通信事業法（昭和五十九年法律第八十六号）第二条第三号に規定する電気通信役務をいう。）を提供する同条第五号に規定する電気通信事業者をいう。

十　公告サーバ　公告を電子公告により行うために使用するサーバをいう。

十一　公告アドレス　公告サーバのうち電子公告による公告を行うための用に供する部分をインターネットにおいて識別するための文字、記号その他の符号又はこれらの結合であって、公告すべき内容である情報の提供を受ける者がその使用に係る電子計算機（入出力装置を含む。以下同じ。）に入力することのみによって当該情報の内容を閲覧し、当該電子計算機に備えられたファイルに公告情報を記録することができるものをいう。

十二　公告ページ　電子計算機に公告アドレスを入力することによって当該電子計算機の映像面に表示される内容をいう。

十三　登記アドレス　法又はその他の法律に基づき行う電子公告に関して登記された事項（法第九百十一条第三項第二十八号イ

に掲げる事項その他これに相当するものに限る。）をいう。

十四　調査機関　法第九百四十一条（電子公告関係規定において準用する場合を含む。以下同じ。）に規定する調査機関をいう。

十五　調査委託者　法第九百四十六条第三項（電子公告関係規定において準用する場合を含む。以下同じ。）に規定する調査委託者をいう。

十六　調査結果通知　法第九百四十六条第四項（電子公告関係規定において準用する場合を含む。）の規定による電子公告調査の結果の通知をいう。

十七　業務規程　法第九百四十九条第一項に規定する業務規程をいう。

十八　公告情報　次条第一項第三号ハに掲げる情報であって、調査委託者が調査機関に対して同条第二項の規定により示したものをいう。

十九　追加公告情報　追加公告において公告し、又は公告しようとする内容である情報であって、調査委託者が調査機関の業務規程に定めるところにより当該調査機関に対して示したものをいう。

二十　情報入手作業　公告サーバから情報を受信するための作業をいう。

二十一　受信情報　情報入手作業により公告サーバから受信した情報をいう。

二十二　公告情報内容　公告情報を調査機関の電子計算機の映像面に表示したものを閲読することにより認識することのできる内容をいう。

二十三　追加公告情報内容　追加公告情報を調査機関の電子計算機の映像面に表示したものを閲読することにより認識することのできる内容をいう。

二十四　受信情報内容　受信情報を調査機関の電子計算機の映像面に表示したものを閲読することにより認識することのできる内容をいう。

二十五　識別符号　不正アクセス行為の禁止等に関する法律（平成十一年法律第百二十八号）第二条第二項に規定する識別符号をいう。

二十六　財務諸表等　法第九百五十一条第一項に規定する財務諸表等をいう。

二十七　調査記録簿等　法第九百五十五条第一項（電子公告関係規定において準用する場合を含む。）に規定する調査記録簿等をいう。

（法人格）

第三条　会社は、法人とする。

（住所）

第四条　会社の住所は、その本店の所在地にあるものとする。

（商行為）

第五条　会社（外国会社を含む。次条第一項、第八条及び第九条において同じ。）がその事業としてする行為及びその事業のためにする行為は、商行為とする。

第二章　会社の商号

（商号）

第六条　会社は、その名称を商号とする。

2　会社は、株式会社、合名会社、合資会社又は合同会社の種類に従い、それぞれその商号中に株式会社、合名会社、合資会社又は合同会社という文字を用いなければならない。

3　会社は、その商号中に、他の種類の会社であると誤認されるおそれのある文字を用いてはならない。

（会社と誤認させる名称等の使用の禁止）

第七条　会社でない者は、その名称又は商号中に、会社であると誤認されるおそれのある文字を用いてはならない。

第八条　何人も、不正の目的をもって、他の会社であると誤認されるおそれのある名称又は商号を使用してはならない。

2　前項の規定に違反する名称又は商号の使用によって営業上の利益を侵害され、又は侵害されるおそれがある会社は、その営業上の利益を侵害する者又は侵害するおそれがある者に対し、その侵害の停止又は予防を請求することができる。

（自己の商号の使用を他人に許諾した会社の責任）

第九条　自己の商号を使用して事業又は営業を行うことを他人に許諾した会社は、当該会社が当該事業を行うものと誤認して当該他人と取引をした者に対し、当該他人と連帯して、当該取引によって生じた債務を弁済する責任を負う。

第三章　会社の使用人等

第一節　会社の使用人

（支配人）

第十条　会社（外国会社を含む。以下この編において同じ。）は、支配人を選任し、その本店又は支店において、その事業を行わせることができる。

（支配人の代理権）

第十一条　支配人は、会社に代わってその事業に関する一切の裁判上又は裁判外の行為をする権限を有する。

2　支配人は、他の使用人を選任し、又は解任することができる。

3　支配人の代理権に加えた制限は、善意の第三者に対抗することができない。

（支配人の競業の禁止）

第十二条　支配人は、会社の許可を受けなければ、次に掲げる行為をしてはならない。

一　自ら営業を行うこと。

二　自己又は第三者のために会社の事業の部類に属する取引をすること。

三　他の会社又は商人（会社を除く。第二十四条において同じ。）の使用人となること。

四　他の会社の取締役、執行役又は業務を執行する社員となること。

2　支配人が前項の規定に違反して同項第二号に掲げる行為をしたときは、当該行為によって支配人又は第三者が得た利益の額は、会社に生じた損害の額と推定する。

（表見支配人）

第十三条　会社の本店又は支店の事業の主任者であることを示す名称を付した使用人は、当該本店又は支店の事業に関し、一切の裁判外の行為をする権限を有するものとみなす。ただし、相手方が悪意であったときは、この限りでない。

（ある種類又は特定の事項の委任を受けた使用人）

第十四条　事業に関するある種類又は特定の事項の委任を受けた使用人は、当該事項に関する一切の裁判外の行為をする権限を有する。

2　前項に規定する使用人の代理権に加えた制限は、善意の第三者に対抗することができない。

（物品の販売等を目的とする店舗の使用人）

第十五条　物品の販売等（販売、賃貸その他これらに類する行為をいう。以下この条において同じ。）を目的とする店舗の使用人は、その店舗に在る物品の販売等をする権限を有するものとみなす。ただし、相手方が悪意であったときは、この限りでない。

第二節　会社の代理商

（通知義務）

第十六条　代理商（会社のためにその平常の事業の部類に属する取引の代理又は媒介をする者で、その会社の使用人でないものをいう。以下この節において同じ。）は、取引の代理又は媒介をしたときは、遅滞なく、会社に対して、その旨の通知を発しなければならない。

（代理商の競業の禁止）

第十七条　代理商は、会社の許可を受けなければ、次に掲げる行為をしてはならない。

一　自己又は第三者のために会社の事業の部類に属する取引をすること。

二　会社の事業と同種の事業を行う他の会社の取締役、執行役又は業務を執行する社員となること。

2　代理商が前項の規定に違反して同項第一号に掲げる行為をしたときは、当該行為によって代理商又は第三者が得た利益の額は、会社に生じた損害の額と推定する。

（通知を受ける権限）

第十八条　物品の販売又はその媒介の委託を受けた代理商は、商法（明治三十二年法律第四十八号）第五百二十六条第二項の通知その他の売買に関する通知を受ける権限を有する。

（契約の解除）

第十九条　会社及び代理商は、契約の期間を定めなかったときは、二箇月前までに予告し、その契約を解除することができる。

2　前項の規定にかかわらず、やむを得ない事由があるときは、会社及び代理商は、いつでもその契約を解除することができる。

（代理商の留置権）

第二十条　代理商は、取引の代理又は媒介をしたことによって生じた債権の弁済期が到来しているときは、その弁済を受けるまでは、会社のために当該代理商が占有する物又は有価証券を留置することができる。ただし、当事者が別段の意思表示をしたときは、この限りでない。

第四章　事業の譲渡をした場合の競業の禁止等

（譲渡会社の競業の禁止）

第二十一条　事業を譲渡した会社（以下この章において「譲渡会社」という。）は、当事者の別段の意思表示がない限り、同一の市町村（特別区を含むものとし、地方自治法（昭和二十二年法律第六十七号）第二百五十二条の十九第一項の指定都市にあっては、区又は総合区。以下この項において同じ。）の区域内及びこれに隣接する市町村の区域内においては、その事業を譲渡した日から二十年間は、同一の事業を行ってはならない。

2　譲渡会社が同一の事業を行わない旨の特約をした場合には、その特約は、その事業を譲渡した日から三十年の期間内に限り、その効力を有する。

3　前二項の規定にかかわらず、譲渡会社は、不正の競争の目的をもって同一の事業を行ってはならない。

（譲渡会社の商号を使用した譲受会社の責任等）

第二十二条　事業を譲り受けた会社（以下この章において「譲受会社」という。）が譲渡会社の商号を引き続き使用する場合には、その譲受会社も、譲渡会社の事業によって生じた債務を弁済する責任を負う。

2　前項の規定は、事業を譲り受けた後、遅滞なく、譲受会社がその本店の所在地において譲渡会社の債務を弁済する責任を負わない旨を登記した場合には、適用しない。事業を譲り受けた後、遅滞なく、譲受会社及び譲渡会社から第三者に対しその旨の通知をした場合において、その通知を受けた第三者についても、同様とする。

3　譲受会社が第一項の規定により譲渡会社の債務を弁済する責任を負う場合には、譲渡会社の責任は、事業を譲渡した日後二年以内に請求又は請求の予告をしない債権者に対しては、その期間を経過した時に消滅する。

4　第一項に規定する場合において、譲渡会社の事業によって生じた債権について、譲受会社にした弁済は、弁済者が善意でかつ重大な過失がないときは、その効力を有する。

（譲受会社による債務の引受け）

第二十三条　譲受会社が譲渡会社の商号を引き続き使用しない場合においても、譲渡会社の事業によって生じた債務を引き受ける旨の広告をしたときは、譲渡会社の債権者は、その譲受会社に対して弁済の請求をすることができる。

2　譲受会社が前項の規定により譲渡会社の債務を弁済する責任を負う場合には、譲渡会社の責任は、同項の広告があった日後二年以内に請求又は請求の予告をしない債権者に対しては、その期間を経過した時に消滅する。

（詐害事業譲渡に係る譲受会社に対する債務の履行の請求）

第二十三条の二　譲渡会社が譲受会社に承継されない債務の債権者（以下この条において「残存債権者」という。）を害することを知って事業を譲渡した場合には、残存債権者は、その譲受会社に対して、承継した財産の価額を限度として、当該債務の履行を請求することができる。ただし、その譲受会社が事業の譲渡の効力が生じた時において残存債権者を害することを知らなかったときは、この限りでない。

2　譲受会社が前項の規定により同項の債務を履行する責任を負う場合には、当該責任は、譲渡会社が残存債権者を害することを知って事業を譲渡したことを知った時から二年以内に請求又は請求の予告をしない残存債権者に対しては、その期間を経過した時に消滅する。事業の譲渡の効力が生じた日から十年を経過したときも、同様とする。

3　譲渡会社について破産手続開始の決定、再生手続開始の決定又は更生手続開始の決定があったときは、残存債権者は、譲受会社に対して第一項の規定による請求をする権利を行使することができない。

（商人との間での事業の譲渡又は譲受け）

第二十四条　会社が商人に対してその事業を譲渡した場合には、当該会社を商法第十六条第一項に規定する譲渡人とみなして、同法第十七条から第十八条の二までの規定を適用する。この場合において、同条第三項中「又は再生手続開始の決定」とあるのは、「、再生手続開始の決定又は更生手続開始の決定」とする。

2　会社が商人の営業を譲り受けた場合には、当該商人を譲渡会社とみなして、前三条の規定を適用する。この場合において、前条第三項中「、再生手続開始の決定又は更生手続開始の決定」とあるのは、「又は再生手続開始の決定」とする。

第二編

株式会社

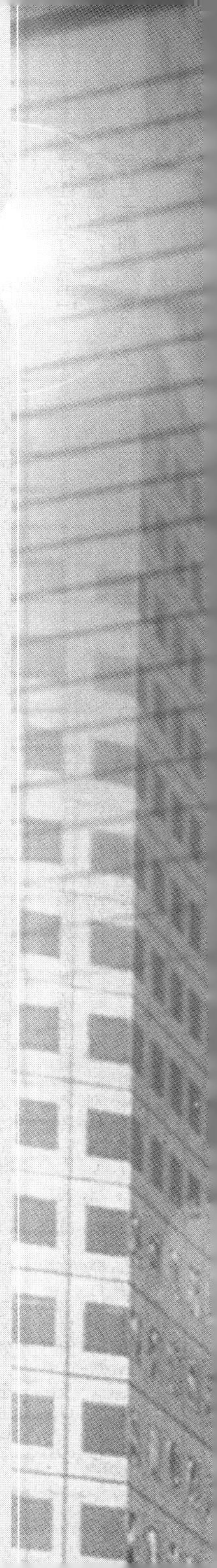

第一章　設立

第一節　総則

第二十五条　株式会社は、次に掲げるいずれかの方法により設立することができる。

一　次節から第八節までに規定するところにより、発起人が設立時発行株式（株式会社の設立に際して発行する株式をいう。以下同じ。）の全部を引き受ける方法

二　次節、第三節、第三十九条及び第六節から第九節までに規定するところにより、発起人が設立時発行株式を引き受けるほか、設立時発行株式を引き受ける者の募集をする方法

2　各発起人は、株式会社の設立に際し、設立時発行株式を一株以上引き受けなければならない。

第二節　定款の作成

（定款の作成）

第二十六条　株式会社を設立するには、発起人が定款を作成し、その全員がこれに署名し、又は記名押印しなければならない。

2　前項の定款は、電磁的記録（電子的方式、磁気的方式その他人の知覚によっては認識することができない方式で作られる記録であって、電子計算機による情報処理の用に供されるものとして法務省令で定めるものをいう。以下同じ。）をもって作成することができる。この場合において、当該電磁的記録に記録された情報については、法務省令で定める署名又は記名押印に代わる措置をとらなければならない。

【会社法施行規則】

（電磁的記録）

第二百二十四条　法第二十六条第二項に規定する法務省令で定めるものは、磁気ディスクその他これに準ずる方法により一定の情報を確実に記録しておくことができる物をもって調製するファイルに情報を記録したものとする。

（電子署名）

第二百二十五条　次に掲げる規定に規定する法務省令で定める署名又は記名押印に代わる措置は、電子署名とする。

一　法第二十六条第二項

二～十二　（略）

2　前項に規定する「電子署名」とは、電磁的記録に記録することができる情報について行われる措置であって、次の要件のいずれにも該当するものをいう。

一　当該情報が当該措置を行った者の作成に係るものであることを示すためのものであること。

二　当該情報について改変が行われていないかどうかを確認することができるものであること。

（定款の記載又は記録事項）

第二十七条　株式会社の定款には、次に掲げる事項を記載し、又は記録しなければならない。

一　目的

二　商号

三　本店の所在地

四　設立に際して出資される財産の価額又はその最低額

五　発起人の氏名又は名称及び住所

第二十八条　株式会社を設立する場合には、次に掲げる事項は、第二十六条第一項の定款に記載し、又は記録しなければ、その効力を生じない。

一　金銭以外の財産を出資する者の氏名又は名称、当該財産及びその価額並びにその者に対して割り当てる設立時発行株式の数（設立しようとする株式会社が種類株式発行会社である場合にあっては、設

立時発行株式の種類及び種類ごとの数。第三十二条第一項第一号において同じ。）
二　株式会社の成立後に譲り受けることを約した財産及びその価額並びにその譲渡人の氏名又は名称
三　株式会社の成立により発起人が受ける報酬その他の特別の利益及びその発起人の氏名又は名称
四　株式会社の負担する設立に関する費用（定款の認証の手数料その他株式会社に損害を与えるおそれがないものとして法務省令で定めるものを除く。）

【会社法施行規則】

（設立費用）

第五条　法第二十八条第四号に規定する法務省令で定めるものは、次に掲げるものとする。
一　定款に係る印紙税
二　設立時発行株式と引換えにする金銭の払込みの取扱いをした銀行等に支払うべき手数料及び報酬
三　法第三十三条第三項の規定により決定された検査役の報酬
四　株式会社の設立の登記の登録免許税

第二十九条　第二十七条各号及び前条各号に掲げる事項のほか、株式会社の定款には、この法律の規定により定款の定めがなければその効力を生じない事項及びその他の事項でこの法律の規定に違反しないものを記載し、又は記録することができる。

（定款の認証）
第三十条　第二十六条第一項の定款は、公証人の認証を受けなければ、その効力を生じない。
2　前項の公証人の認証を受けた定款は、株式会社の成立前は、第三十三条第七項若しくは第九項又は第三十七条第一項若しくは第二項の規定による場合を除き、これを変更することができない。

（定款の備置き及び閲覧等）
第三十一条　発起人（株式会社の成立後にあっては、当該株式会社）は、定款を発起人が定めた場所（株式会社の成立後にあっては、その本店及び支店）に備え置かなければならない。
2　発起人（株式会社の成立後にあっては、その株主及び債権者）は、発起人が定めた時間（株式会社の成立後にあっては、その営業時間）内は、いつでも、次に掲げる請求をすることができる。ただし、第二号又は第四号に掲げる請求をするには、発起人（株式会社の成立後にあっては、当該株式会社）の定めた費用を支払わなければならない。
一　定款が書面をもって作成されているときは、当該書面の閲覧の請求
二　前号の書面の謄本又は抄本の交付の請求
三　定款が電磁的記録をもって作成されているときは、当該電磁的記録に記録された事項を法務省令で定める方法により表示したものの閲覧の請求
四　前号の電磁的記録に記録された事項を電磁的方法であって発起人（株式会社の成立後にあっては、当該株式会社）の定めたものにより提供することの請求又はその事項を記載した書面の交付の請求
3　株式会社の成立後において、当該株式会社の親会社社員（親会社の株主その他の社員をいう。以下同じ。）がその権利を行使するため必要があるときは、当該親会社社員は、裁判所の許可を得て、当該株式会社の定款について前項各号に掲げる請求をすることができる。ただし、同項第二号又は第四号に掲げる請求をするには、当該株式会社の定めた費用を支払わなければならない。
4　定款が電磁的記録をもって作成されている場合であって、支店における第二項第三号及び第四号に掲げる請求に応じることを可能とするための措置として法務省令で定めるものをとっている株式会社についての第一項の規定の適用については、同項中「本店及び支店」とあるのは、「本店」とする。

【会社法施行規則】

（縦覧等の指定）

第二百三十四条　電子文書法第五条第一項の主務省令で定める縦覧等は、次に掲げる縦覧等とする。

一　法第三十一条第二項第一号の規定による定款の縦覧等

二　法第三十一条第三項の規定による定款の縦覧等

三～五十四　（略）

（縦覧等の方法）

第二百三十五条　民間事業者等が、電子文書法第五条第一項の規定に基づき、前条各号に掲げる縦覧等に代えて当該縦覧等をすべき書面に係る電磁的記録の縦覧等を行う場合は、民間事業者等の事務所に備え置く電子計算機の映像面に当該縦覧等に係る事項を表示する方法又は電磁的記録に記録されている当該事項を記載した書面を縦覧等に供する方法により行わなければならない。

（交付等の指定）

第二百三十六条　電子文書法第六条第一項の主務省令で定める交付等は、次に掲げる交付等とする。

一　法第三十一条第二項第二号の規定による定款の謄本又は抄本の交付等

二　法第三十一条第三項の規定による定款の謄本又は抄本の交付等

三～二十八　（略）

（交付等の方法）

第二百三十七条　民間事業者等が、電子文書法第六条第一項の規定に基づき、前条各号に掲げる交付等に代えて当該交付等をすべき書面に係る電磁的記録の交付等を行う場合は、次に掲げる方法により行わなければならない。

一　電子情報処理組織を使用する方法のうちイ又はロに掲げるもの

イ　民間事業者等の使用に係る電子計算機と交付等の相手方の使用に係る電子計算機とを接続する電気通信回線を通じて送信し、受信者の使用に係る電子計算機に備えられたファイルに記録する方法

ロ　民間事業者等の使用に係る電子計算機に備えられたファイルに記録された当該交付等に係る事項を電気通信回線を通じて交付等の相手方の閲覧に供し、当該相手方の使用に係る電子計算機に備えられたファイルに当該事項を記録する方法（電子文書法第六条第一項に規定する方法による交付等を受ける旨の承諾又は受けない旨の申出をする場合にあっては、民間事業者等の使用に係る電子計算機に備えられたファイルにその旨を記録する方法）

二　磁気ディスクその他これに準ずる方法により一定の事項を確実に記録しておくことができる物をもって調製するファイルに当該交付等に係る事項を記録したものを交付する方法

2　前項に掲げる方法は、交付等の相手方がファイルへの記録を出力することにより書面を作成することができるものでなければならない。

（交付等の承諾）

第二百三十八条　民間事業者等が行う書面の保存等における情報通信の技術の利用に関する法律施行令（平成十七年政令第八号）第二条第一項の規定により示すべき方法の種類及び内容は、次に掲げる事項とする。

一　前条第一項に規定する方法のうち民間事業者等が使用するもの

二　ファイルへの記録の方式

（電磁的記録に記録された事項を表示する方法）

第二百二十六条　次に掲げる規定に規定する法務省令で定める方法は、次に掲げる規定の電磁的記録に記録された事項を紙面又は映像面に表示する方法とする。

一　法第三十一条第二項第三号

二～四十三　（略）

（電磁的記録の備置きに関する特則）

第二百二十七条　次に掲げる規定に規定する法務省令で定めるものは、会社の使用に係る電子計算機を電気通信回線で接続した電子情報処理組織を使用する方法であって、当該電子計算機に備えられたファイルに記録された情報の内容を電気通信回線を通じて会社の支店において使用される電子計算機に備えられたファイルに当該情報を記録するものによる措置とする。

一　法第三十一条第四項

二・三　（略）

第三節　出資

（設立時発行株式に関する事項の決定）

第三十二条　発起人は、株式会社の設立に際して次に掲げる事項（定款に定めがある事項を除く。）を定めようとするときは、その全員の同意を得なければならない。

一　発起人が割当てを受ける設立時発行株式の数

二　前号の設立時発行株式と引換えに払い込む金銭の額

三　成立後の株式会社の資本金及び資本準備金の額に関する事項

2　設立しようとする株式会社が種類株式発行会社である場合において、前項第一号の設立時発行株式が第百八条第三項前段の規定による定款の定めがあるものであるときは、発起人は、その全員の同意を得て、当該設立時発行株式の内容を定めなければならない。

（定款の記載又は記録事項に関する検査役の選任）

第三十三条　発起人は、定款に第二十八条各号に掲げる事項についての記載又は記録があるときは、第三十条第一項の公証人の認証の後遅滞なく、当該事項を調査させるため、裁判所に対し、検査役の選任の申立てをしなければならない。

2　前項の申立てがあった場合には、裁判所は、これを不適法として却下する場合を除き、検査役を選任しなければならない。

3　裁判所は、前項の検査役を選任した場合には、成立後の株式会社が当該検査役に対して支払う報酬の額を定めることができる。

4　第二項の検査役は、必要な調査を行い、当該調査の結果を記載し、又は記録した書面又は電磁的記録（法務省令で定めるものに限る。）を裁判所に提供して報告をしなければならない。

5　裁判所は、前項の報告について、その内容を明瞭《りょう》にし、又はその根拠を確認するため必要があると認めるときは、第二項の検査役に対し、更に前項の報告を求めることができる。

6　第二項の検査役は、第四項の報告をしたときは、発起人に対し、同項の書面の写しを交付し、又は同項の電磁的記録に記録された事項を法務省令で定める方法により提供しなければならない。

7　裁判所は、第四項の報告を受けた場合において、第二十八条各号に掲げる事項（第二項の検査役の調査を経ていないものを除く。）を不当と認めたときは、これを変更する決定をしなければならない。

8　発起人は、前項の決定により第二十八条各号に掲げる事項の全部又は一部が変更された場合には、当該決定の確定後一週間以内に限り、その設立時発行株式の引受けに係る意思表示を取り消すことができる。

9　前項に規定する場合には、発起人は、その全員の同意によって、第七項の決定の確定後一週間以内に限り、当該決定により変更された事項についての定めを廃止する定款の変更をすることができる。

10　前各項の規定は、次の各号に掲げる場合には、当該各号に定める事項については、適用しない。

一　第二十八条第一号及び第二号の財産（以下この章において「現物出資財産等」という。）について定款に記載され、又は記録された価額の総額が五百万円を超えない場合　同条第一号及び第二号に掲げる事項

二　現物出資財産等のうち、市場価格のある有価証券（金融商品取引

法（昭和二十三年法律第二十五号）第二条第一項に規定する有価証券をいい、同条第二項の規定により有価証券とみなされる権利を含む。以下同じ。）について定款に記載され、又は記録された価額が当該有価証券の市場価格として法務省令で定める方法により算定されるものを超えない場合　当該有価証券についての第二十八条第一号又は第二号に掲げる事項

三　現物出資財産等について定款に記載され、又は記録された価額が相当であることについて弁護士、弁護士法人、公認会計士（外国公認会計士（公認会計士法（昭和二十三年法律第百三号）第十六条の二第五項に規定する外国公認会計士をいう。）を含む。以下同じ。）、監査法人、税理士又は税理士法人の証明（現物出資財産等が不動産である場合にあっては、当該証明及び不動産鑑定士の鑑定評価。以下この号において同じ。）を受けた場合　第二十八条第一号又は第二号に掲げる事項（当該証明を受けた現物出資財産等に係るものに限る。）

11　次に掲げる者は、前項第三号に規定する証明をすることができない。

一　発起人

二　第二十八条第二号の財産の譲渡人

三　設立時取締役（第三十八条第一項に規定する設立時取締役をいう。）又は設立時監査役（同条第三項第二号に規定する設立時監査役をいう。）

四　業務の停止の処分を受け、その停止の期間を経過しない者

五　弁護士法人、監査法人又は税理士法人であって、その社員の半数以上が第一号から第三号までに掲げる者のいずれかに該当するもの

〔施行　外国弁護士による法律事務の取扱いに関する特別措置法の一部を改正する法律（令和二年法律第三十三号）の施行の日（令和二年五月二十九日から二年六月を超えない範囲内において政令で定める日）〕〔傍線部分は改正部分〕

（定款の記載又は記録事項に関する検査役の選任）

第三十三条　（省略）

2～4　（省略）

5　裁判所は、前項の報告について、その内容を明瞭にし、又はその根拠を確認するため必要があると認めるときは、第二項の検査役に対し、更に前項の報告を求めることができる。

6～9　（省略）

10　前各項の規定は、次の各号に掲げる場合には、当該各号に定める事項については、適用しない。

一・二　（省略）

三　現物出資財産等について定款に記載され、又は記録された価額が相当であることについて弁護士、弁護士法人、弁護士・外国法事務弁護士共同法人、公認会計士（外国公認会計士（公認会計士法（昭和二十三年法律第百三号）第十六条の二第五項に規定する外国公認会計士をいう。）を含む。以下同じ。）、監査法人、税理士又は税理士法人の証明（現物出資財産等が不動産である場合にあっては、当該証明及び不動産鑑定士の鑑定評価。以下この号において同じ。）を受けた場合　第二十八条第一号又は第二号に掲げる事項（当該証明を受けた現物出資財産等に係るものに限る。）

11　次に掲げる者は、前項第三号に規定する証明をすることができない。

一～四　（省略）

五　弁護士法人、弁護士・外国法事務弁護士共同法人、監査法人又は税理士法人であって、その社員の半数以上が第一号から第三号までに掲げる者のいずれかに該当するもの

【会社法施行規則】

（検査役が提供する電磁的記録）

第二百二十八条　次に掲げる規定に規定する法務省令で定めるものは、商業登記規則（昭和三十九年法務省令第二十三号）第三十六条第一項に規定する電磁的記録媒体（電磁的記録に限る。）及び次に掲げる規定により電磁的記録の提供を受ける者が定める電磁的記録とする。

一　法第三十三条第四項

二～五　（略）

（検査役による電磁的記録に記録された事項の提供）

第二百二十九条　次に掲げる規定（以下この条において「検査役提供規定」という。）に規定する法務省令で定める方法は、電磁的方法のうち、検査役提供規定により当該検査役提供規定の電磁的記録に記録された事項の提供を受ける者が定めるものとする。

一　法第三十三条第六項

二～五　（略）

（交付等の指定）

第二百三十六条　電子文書法第六条第一項の主務省令で定める交付等は、次に掲げる交付等とする。

一・二　（略）

三　法第三十三条第六項の規定による同条第四項の書面の写しの交付等

四～二十八　（略）

（検査役の調査を要しない市場価格のある有価証券）

第六条　法第三十三条第十項第二号に規定する法務省令で定める方法は、次に掲げる額のうちいずれか高い額をもって同号に規定する有価証券の価格とする方法とする。

一　法第三十条第一項の認証の日における当該有価証券を取引する市場における最終の価格（当該日に売買取引がない場合又は当該日が当該市場の休業日に当たる場合にあっては、その後最初になされた売買取引の成立価格）

二　法第三十条第一項の認証の日において当該有価証券が公開買付け等の対象であるときは、当該日における当該公開買付け等に係る契約における当該有価証券の価格

（出資の履行）

第三十四条　発起人は、設立時発行株式の引受け後遅滞なく、その引き受けた設立時発行株式につき、その出資に係る金銭の全額を払い込み、又はその出資に係る金銭以外の財産の全部を給付しなければならない。ただし、発起人全員の同意があるときは、登記、登録その他権利の設定又は移転を第三者に対抗するために必要な行為は、株式会社の成立後にすることを妨げない。

2　前項の規定による払込みは、発起人が定めた銀行等（銀行（銀行法（昭和五十六年法律第五十九号）第二条第一項に規定する銀行をいう。第七百三条第一号において同じ。）、信託会社（信託業法（平成十六年法律第百五十四号）第二条第二項に規定する信託会社をいう。以下同じ。）その他これに準ずるものとして法務省令で定めるものをいう。以下同じ。）の払込みの取扱いの場所においてしなければならない。

【会社法施行規則】

（銀行等）

第七条　法第三十四条第二項に規定する法務省令で定めるものは、次に掲げるものとする。

一　株式会社商工組合中央金庫

二　農業協同組合法（昭和二十二年法律第百三十二号）第十条第一項第三号の事業を行う農業協同組合又は農業協同組合連合会

三　水産業協同組合法（昭和二十三年法律第二百四十二号）第十一条第一項第四号、第八十七条第一項第四号、第九十三条第一項第二号又は第九十七条第一項第二号の事業を行う漁業協同組合、漁業協同組合連合会、水産加工業協同組合又は水産加工業協同組合連合会

四　信用協同組合又は中小企業等協同組合法（昭和二十四年法律第百八十一号）第九条の九第一項第一号の事業を行う協同組合連合会

五　信用金庫又は信用金庫連合会

六　労働金庫又は労働金庫連合会

七　農林中央金庫

（設立時発行株式の株主となる権利の譲渡）

第三十五条　前条第一項の規定による払込み又は給付（以下この章において「出資の履行」という。）をすることにより設立時発行株式の株主となる権利の譲渡は、成立後の株式会社に対抗することができない。

（設立時発行株式の株主となる権利の喪失）

第三十六条　発起人のうち出資の履行をしていないものがある場合には、発起人は、当該出資の履行をしていない発起人に対して、期日を定め、その期日までに当該出資の履行をしなければならない旨を通知しなければならない。

2　前項の規定による通知は、同項に規定する期日の二週間前までにしなければならない。

3　第一項の規定による通知を受けた発起人は、同項に規定する期日までに出資の履行をしないときは、当該出資の履行をすることにより設立時発行株式の株主となる権利を失う。

（発行可能株式総数の定め等）

第三十七条　発起人は、株式会社が発行することができる株式の総数（以下「発行可能株式総数」という。）を定款で定めていない場合には、株式会社の成立の時までに、その全員の同意によって、定款を変更して発行可能株式総数の定めを設けなければならない。

2　発起人は、発行可能株式総数を定款で定めている場合には、株式会社の成立の時までに、その全員の同意によって、発行可能株式総数についての定款の変更をすることができる。

3　設立時発行株式の総数は、発行可能株式総数の四分の一を下ることができない。ただし、設立しようとする株式会社が公開会社でない場合は、この限りでない。

第四節　設立時役員等の選任及び解任

（設立時役員等の選任）

第三十八条　発起人は、出資の履行が完了した後、遅滞なく、設立時取締役（株式会社の設立に際して取締役となる者をいう。以下同じ。）を選任しなければならない。

2　設立しようとする株式会社が監査等委員会設置会社である場合には、前項の規定による設立時取締役の選任は、設立時監査等委員（株式会社の設立に際して監査等委員（監査等委員会の委員をいう。以下同じ。）となる者をいう。以下同じ。）である設立時取締役とそれ以外の設立時取締役とを区別してしなければならない。

3　次の各号に掲げる場合には、発起人は、出資の履行が完了した後、遅滞なく、当該各号に定める者を選任しなければならない。

一　設立しようとする株式会社が会計参与設置会社である場合　設立時会計参与（株式会社の設立に際して会計参与となる者をいう。以下同じ。）

二　設立しようとする株式会社が監査役設置会社（監査役の監査の範囲を会計に関するものに限定する旨の定款の定めがある株式会社を含む。）である場合　設立時監査役（株式会社の設立に際して監査役となる者をいう。以下同じ。）

三　設立しようとする株式会社が会計監査人設置会社である場合　設立時会計監査人（株式会社の設立に際して会計監査人となる者をいう。以下同じ。）

4　定款で設立時取締役（設立しようとする株式会社が監査等委員会設置会社である場合にあっては、設立時監査等委員である設立時取締役又はそれ以外の設立時取締役。以下この項において同じ。）、設立時会計参与、設立時監査役又は設立時会計監査人として定められた者は、出資の履行が完了した時に、それぞれ設立時取締役、設立時会計参与、設立時監査役又は設立時会計監査人に選任されたものとみなす。

第三十九条　設立しようとする株式会社が取締役会設置会社である場合には、設立時取締役は、三人以上でなければならない。

2　設立しようとする株式会社が監査役会設置会社である場合には、設立時監査役は、三人以上でなければならない。

3　設立しようとする株式会社が監査等委員会設置会社である場合には、設立時監査等委員である設立時取締役は、三人以上でなければならない。

4　第三百三十一条第一項（第三百三十五条第一項において準用する場合を含む。）、第三百三十三条第一項若しくは第三項又は第三百三十七条第一項若しくは第三項の規定により成立後の株式会社の取締役（監査等委員会設置会社にあっては、監査等委員である取締役又はそれ以外の取締役）、会計参与、監査役又は会計監査人となることができない者は、それぞれ設立時取締役（成立後の株式会社が監査等委員会設置会社である場合にあっては、設立時監査等委員である設立時取締役又はそれ以外の設立時取締役）、設立時会計参与、設立時監査役又は設立時会計監査人（以下この節において「設立時役員等」という。）となることができない。

5　第三百三十一条の二の規定は、設立時取締役及び設立時監査役について準用する。

（設立時役員等の選任の方法）

第四十条　設立時役員等の選任は、発起人の議決権の過半数をもって決定する。

2　前項の場合には、発起人は、出資の履行をした設立時発行株式一株につき一個の議決権を有する。ただし、単元株式数を定款で定めている場合には、一単元の設立時発行株式につき一個の議決権を有する。

3　前項の規定にかかわらず、設立しようとする株式会社が種類株式発行会社である場合において、取締役の全部又は一部の選任について議決権を行使することができないものと定められた種類の設立時発行株式を発行するときは、当該種類の設立時発行株式については、発起人は、当該取締役となる設立時取締役の選任についての議決権を行使することができない。

4　設立しようとする株式会社が監査等委員会設置会社である場合における前項の規定の適用については、同項中「、取締役」とあるのは「、監査等委員である取締役又はそれ以外の取締役」と、「当該取締役」とあるのは「これらの取締役」とする。

5　第三項の規定は、設立時会計参与、設立時監査役及び設立時会計監査人の選任について準用する。

（設立時役員等の選任の方法の特則）

第四十一条　前条第一項の規定にかかわらず、株式会社の設立に際して第百八条第一項第九号に掲げる事項（取締役（監査等委員会設置会社にあっては、監査等委員である取締役又はそれ以外の取締役）に関するものに限る。）についての定めがある種類の株式を発行する場合には、設立時取締役（設立しようとする株式会社が監査等委員会設置会社である場合にあっては、設立時監査等委員である設立時取締役又はそれ以外の設立時取締役）の選任は、同条第二項第九号に定める事項についての定款の定めの例に従い、当該種類の設立時発行株式を引き受けた発起人の議決権（当該種類の設立時発行株式についての議決権に限る。）の過半数をもって決定する。

2　前項の場合には、発起人は、出資の履行をした種類の設立時発行株式一株につき一個の議決権を有する。ただし、単元株式数を定款で定めている場合には、一単元の種類の設立時発行株式につき一個の議決権を有する。

3　前二項の規定は、株式会社の設立に際して第百八条第一項第九号に掲げる事項（監査役に関するものに限る。）についての定めがある種類の株式を発行する場合について準用する。

（設立時役員等の解任）

第四十二条　発起人は、株式会社の成立の時までの間、その選任した設立時役員等（第三十八条第四項の規定により設立時役員等に選任されたものとみなされたものを含む。）を解任することができる。

（設立時役員等の解任の方法）

第四十三条　設立時役員等の解任は、発起人の議決権の過半数（設立時監査等委員である設立時取締役又は設立時監査役を解任する場合にあっては、三分の二以上に当たる多数）をもって決定する。

2　前項の場合には、発起人は、出資の履行をした設立時発行株式一株につき一個の議決権を有する。ただし、単元株式数を定款で定めている場合には、一単元の設立時発行株式につき一個の議決権を有する。

3　前項の規定にかかわらず、設立しようとする株式会社が種類株式発行会社である場合において、取締役の全部又は一部の解任について議決権を行使することができないものと定められた種類の設立時発行株式を発行するときは、当該種類の設立時発行株式については、発起人は、当該取締役となる設立時取締役の解任についての議決権を行使することができない。

4　設立しようとする株式会社が監査等委員会設置会社である場合における前項の規定の適用については、同項中「、取締役」とあるのは「、監査等委員である取締役又はそれ以外の取締役」と、「当該取締役」とあるのは「これらの取締役」とする。

5　第三項の規定は、設立時会計参与、設立時監査役及び設立時会計監査人の解任について準用する。

（設立時取締役等の解任の方法の特則）

第四十四条　前条第一項の規定にかかわらず、第四十一条第一項の規定により選任された設立時取締役（設立時監査等委員である設立時取締役を除く。次項及び第四項において同じ。）の解任は、その選任に係る発起人の議決権の過半数をもって決定する。

2　前項の規定にかかわらず、第四十一条第一項の規定により又は種類創立総会（第八十四条に規定する種類創立総会をいう。）若しくは種類株主総会において選任された取締役（監査等委員である取締役を除く。第四項において同じ。）を株主総会の決議によって解任することができる旨の定款の定めがある場合には、第四十一条第一項の規定により選任された設立時取締役の解任は、発起人の議決権の過半数をもって決定する。

3　前二項の場合には、発起人は、出資の履行をした種類の設立時発行株式一株につき一個の議決権を有する。ただし、単元株式数を定款で定めている場合には、一単元の種類の設立時発行株式につき一個の議決権を有する。

4　前項の規定にかかわらず、第二項の規定により設立時取締役を解任する場合において、取締役の全部又は一部の解任について議決権を行使することができないものと定められた種類の設立時発行株式を発行するときは、当該種類の設立時発行株式については、発起人は、当該取締役となる設立時取締役の解任についての議決権を行使することができない。

5　前各項の規定は、第四十一条第一項の規定により選任された設立時監査等委員である設立時取締役及び同条第三項において準用する同条第一項の規定により選任された設立時監査役の解任について準用する。この場合において、第一項及び第二項中「過半数」とあるのは、「三分の二以上に当たる多数」と読み替えるものとする。

（設立時役員等の選任又は解任の効力についての特則）

第四十五条　株式会社の設立に際して第百八条第一項第八号に掲げる事項についての定めがある種類の株式を発行する場合において、当該種類の株式の内容として次の各号に掲げる事項について種類株主総会の決議があることを必要とする旨の定款の定めがあるときは、当該各号に定める事項は、定款の定めに従い、第四十条第一項又は第四十三条第一項の規定による決定のほか、当該種類の設立時発行株式を引き受けた発起人の議決権（当該種類の設立時発行株式についての議決権に限る。）の過半数をもってする決定がなければ、その効力を生じない。

一　取締役（監査等委員会設置会社の取締役を除く。）の全部又は一部の選任又は解任　当該取締役となる設立時取締役の選任又は解任

二　監査等委員である取締役又はそれ以外の取締役の全部又は一部の選任又は解任　これらの取締役となる設立時取締役の選任又は解任

三　会計参与の全部又は一部の選任又は解任　当該会計参与となる設立時会計参与の選任又は解任

四　監査役の全部又は一部の選任又は解任　当該監査役となる設立時監査役の選任又は解任

五　会計監査人の全部又は一部の選任又は解任　当該会計監査人となる設立時会計監査人の選任又は解任

2　前項の場合には、発起人は、出資の履行をした種類の設立時発行株式一株につき一個の議決権を有する。ただし、単元株式数を定款で定

めている場合には、一単元の種類の設立時発行株式につき一個の議決権を有する。

第五節　設立時取締役等による調査

第四十六条　設立時取締役（設立しようとする株式会社が監査役設置会社である場合にあっては、設立時取締役及び設立時監査役。以下この条において同じ。）は、その選任後遅滞なく、次に掲げる事項を調査しなければならない。

一　第三十三条第十項第一号又は第二号に掲げる場合における現物出資財産等（同号に掲げる場合にあっては、同号の有価証券に限る。）について定款に記載され、又は記録された価額が相当であること。

二　第三十三条第十項第三号に規定する証明が相当であること。

三　出資の履行が完了していること。

四　前三号に掲げる事項のほか、株式会社の設立の手続が法令又は定款に違反していないこと。

2　設立時取締役は、前項の規定による調査により、同項各号に掲げる事項について法令若しくは定款に違反し、又は不当な事項があると認めるときは、発起人にその旨を通知しなければならない。

3　設立しようとする株式会社が指名委員会等設置会社である場合には、設立時取締役は、第一項の規定による調査を終了したときはその旨を、前項の規定による通知をしたときはその旨及びその内容を、設立時代表執行役（第四十八条第一項第三号に規定する設立時代表執行役をいう。）に通知しなければならない。

第六節　設立時代表取締役等の選定等

（設立時代表取締役の選定等）

第四十七条　設立時取締役は、設立しようとする株式会社が取締役会設置会社（指名委員会等設置会社を除く。）である場合には、設立時取締役（設立しようとする株式会社が監査等委員会設置会社である場合にあっては、設立時監査等委員である設立時取締役を除く。）の中から株式会社の設立に際して代表取締役（株式会社を代表する取締役をいう。以下同じ。）となる者（以下「設立時代表取締役」という。）を選定しなければならない。

2　設立時取締役は、株式会社の成立の時までの間、設立時代表取締役を解職することができる。

3　前二項の規定による設立時代表取締役の選定及び解職は、設立時取締役の過半数をもって決定する。

（設立時委員の選定等）

第四十八条　設立しようとする株式会社が指名委員会等設置会社である場合には、設立時取締役は、次に掲げる措置をとらなければならない。

一　設立時取締役の中から次に掲げる者（次項において「設立時委員」という。）を選定すること。

イ　株式会社の設立に際して指名委員会の委員となる者

ロ　株式会社の設立に際して監査委員会の委員となる者

ハ　株式会社の設立に際して報酬委員会の委員となる者

二　株式会社の設立に際して執行役となる者（以下「設立時執行役」という。）を選任すること。

三　設立時執行役の中から株式会社の設立に際して代表執行役となる者（以下「設立時代表執行役」という。）を選定すること。ただし、設立時執行役が一人であるときは、その者が設立時代表執行役に選定されたものとする。

2　設立時取締役は、株式会社の成立の時までの間、設立時委員若しくは設立時代表執行役を解職し、又は設立時執行役を解任することができる。

3　前二項の規定による措置は、設立時取締役の過半数をもって決定する。

第七節　株式会社の成立

（株式会社の成立）

第四十九条　株式会社は、その本店の所在地において設立の登記をすることによって成立する。

（株式の引受人の権利）

第五十条　発起人は、株式会社の成立の時に、出資の履行をした設立時発行株式の株主となる。

2　前項の規定により株主となる権利の譲渡は、成立後の株式会社に対抗することができない。

※設立の際の株主資本は会社計算規則第四三条（二六七頁参照）

（引受けの無効又は取消しの制限）

第五十一条　民法（明治二十九年法律第八十九号）第九十三条第一項ただし書及び第九十四条第一項の規定は、設立時発行株式の引受けに係る意思表示については、適用しない。

2　発起人は、株式会社の成立後は、錯誤、詐欺又は強迫を理由として設立時発行株式の引受けの取消しをすることができない。

第八節　発起人等の責任等

（出資された財産等の価額が不足する場合の責任）

第五十二条　株式会社の成立の時における現物出資財産等の価額が当該現物出資財産等について定款に記載され、又は記録された価額（定款の変更があった場合にあっては、変更後の価額）に著しく不足するときは、発起人及び設立時取締役は、当該株式会社に対し、連帯して、当該不足額を支払う義務を負う。

2　前項の規定にかかわらず、次に掲げる場合には、発起人（第二十八条第一号の財産を給付した者又は同条第二号の財産の譲渡人を除く。第二号において同じ。）及び設立時取締役は、現物出資財産等について同項の義務を負わない。

一　第二十八条第一号又は第二号に掲げる事項について第三十三条第二項の検査役の調査を経た場合

二　当該発起人又は設立時取締役がその職務を行うについて注意を怠らなかったことを証明した場合

3　第一項に規定する場合には、第三十三条第十項第三号に規定する証明をした者（以下この項において「証明者」という。）は、第一項の義務を負う者と連帯して、同項の不足額を支払う義務を負う。ただし、当該証明者が当該証明をするについて注意を怠らなかったことを証明した場合は、この限りでない。

※法第五二条第一項の規定により同項に定める額を支払う義務が履行された場合の株主資本は会社計算規則第二一条（二五八頁参照）

（出資の履行を仮装した場合の責任等）

第五十二条の二　発起人は、次の各号に掲げる場合には、株式会社に対し、当該各号に定める行為をする義務を負う。

一　第三十四条第一項の規定による払込みを仮装した場合　払込みを仮装した出資に係る金銭の全額の支払

二　第三十四条第一項の規定による給付を仮装した場合　給付を仮装した出資に係る金銭以外の財産の全部の給付（株式会社が当該給付に代えて当該財産の価額に相当する金銭の支払を請求した場合にあっては、当該金銭の全額の支払）

2　前項各号に掲げる場合には、発起人がその出資の履行を仮装することに関与した発起人又は設立時取締役として法務省令で定める者は、株式会社に対し、当該各号に規定する支払をする義務を負う。ただし、その者（当該出資の履行を仮装したものを除く。）がその職務を行うについて注意を怠らなかったことを証明した場合は、この限りでない。

3　発起人が第一項各号に規定する支払をする義務を負う場合において、前項に規定する者が同項の義務を負うときは、これらの者は、連帯債務者とする。

4　発起人は、第一項各号に掲げる場合には、当該各号に定める支払若しくは給付又は第二項の規定による支払がされた後でなければ、出資の履行を仮装した設立時発行株式について、設立時株主（第六十五条第一項に規定する設立時株主をいう。次項において同じ。）及び株主の権利を行使することができない。

5　前項の設立時発行株式又はその株主となる権利を譲り受けた者は、当該設立時発行株式についての設立時株主及び株主の権利を行使することができる。ただし、その者に悪意又は重大な過失があるときは、この限りでない。

【会社法施行規則】
（出資の履行の仮装に関して責任をとるべき発起人等）
第七条の二　法第五十二条の二第二項に規定する法務省令で定める者は、次に掲げる者とする。
一　出資の履行（法第三十五条に規定する出資の履行をいう。次号において同じ。）の仮装に関する職務を行った発起人及び設立時取締役
二　出資の履行の仮装が創立総会の決議に基づいて行われたときは、次に掲げる者
イ　当該創立総会に当該出資の履行の仮装に関する議案を提案した発起人
ロ　イの議案の提案の決定に同意した発起人
ハ　当該創立総会において当該出資の履行の仮装に関する事項について説明をした発起人及び設立時取締役

※法第五二条の二第一項各号に掲げる場合において同項の規定により当該各号に定める義務が履行された際の株主資本は会社計算規則第二一条（二五八頁参照）

（発起人等の損害賠償責任）
第五十三条　発起人、設立時取締役又は設立時監査役は、株式会社の設立についてその任務を怠ったときは、当該株式会社に対し、これによって生じた損害を賠償する責任を負う。
2　発起人、設立時取締役又は設立時監査役がその職務を行うについて悪意又は重大な過失があったときは、当該発起人、設立時取締役又は設立時監査役は、これによって第三者に生じた損害を賠償する責任を負う。

（発起人等の連帯責任）
第五十四条　発起人、設立時取締役又は設立時監査役が株式会社又は第三者に生じた損害を賠償する責任を負う場合において、他の発起人、設立時取締役又は設立時監査役も当該損害を賠償する責任を負うときは、これらの者は、連帯債務者とする。

（責任の免除）
第五十五条　第五十二条第一項の規定により発起人又は設立時取締役の負う義務、第五十二条の二第一項の規定により発起人の負う義務、同条第二項の規定により発起人又は設立時取締役の負う義務及び第五十三条第一項の規定により発起人、設立時取締役又は設立時監査役の負う責任は、総株主の同意がなければ、免除することができない。

（株式会社不成立の場合の責任）
第五十六条　株式会社が成立しなかったときは、発起人は、連帯して、株式会社の設立に関してした行為についてその責任を負い、株式会社の設立に関して支出した費用を負担する。

第九節　募集による設立

第一款　設立時発行株式を引き受ける者の募集

（設立時発行株式を引き受ける者の募集）
第五十七条　発起人は、この款の定めるところにより、設立時発行株式を引き受ける者の募集をする旨を定めることができる。
2　発起人は、前項の募集をする旨を定めようとするときは、その全員の同意を得なければならない。

（設立時募集株式に関する事項の決定）
第五十八条　発起人は、前条第一項の募集をしようとするときは、その都度、設立時募集株式（同項の募集に応じて設立時発行株式の引受けの申込みをした者に対して割り当てる設立時発行株式をいう。以下この節において同じ。）について次に掲げる事項を定めなければならない。

一　設立時募集株式の数（設立しようとする株式会社が種類株式発行会社である場合にあっては、その種類及び種類ごとの数。以下この款において同じ。）
二　設立時募集株式の払込金額（設立時募集株式一株と引換えに払い込む金銭の額をいう。以下この款において同じ。）
三　設立時募集株式と引換えにする金銭の払込みの期日又はその期間
四　一定の日までに設立の登記がされない場合において、設立時募集株式の引受けの取消しをすることができることとするときは、その旨及びその一定の日

2　発起人は、前項各号に掲げる事項を定めようとするときは、その全員の同意を得なければならない。

3　設立時募集株式の払込金額その他の前条第一項の募集の条件は、当該募集（設立しようとする株式会社が種類株式発行会社である場合にあっては、種類及び当該募集）ごとに、均等に定めなければならない。

（設立時募集株式の申込み）
第五十九条　発起人は、第五十七条第一項の募集に応じて設立時募集株式の引受けの申込みをしようとする者に対し、次に掲げる事項を通知しなければならない。
一　定款の認証の年月日及びその認証をした公証人の氏名
二　第二十七条各号、第二十八条各号、第三十二条第一項各号及び前条第一項各号に掲げる事項
三　発起人が出資した財産の価額
四　第六十三条第一項の規定による払込みの取扱いの場所
五　前各号に掲げるもののほか、法務省令で定める事項

2　発起人のうち出資の履行をしていないものがある場合には、発起人は、第三十六条第一項に規定する期日後でなければ、前項の規定による通知をすることができない。

3　第五十七条第一項の募集に応じて設立時募集株式の引受けの申込みをする者は、次に掲げる事項を記載した書面を発起人に交付しなければならない。
一　申込みをする者の氏名又は名称及び住所
二　引き受けようとする設立時募集株式の数

4　前項の申込みをする者は、同項の書面の交付に代えて、政令で定めるところにより、発起人の承諾を得て、同項の書面に記載すべき事項を電磁的方法により提供することができる。この場合において、当該申込みをした者は、同項の書面を交付したものとみなす。

5　発起人は、第一項各号に掲げる事項について変更があったときは、直ちに、その旨及び当該変更があった事項を第三項の申込みをした者（以下この款において「申込者」という。）に通知しなければならない。

6　発起人が申込者に対してする通知又は催告は、第三項第一号の住所（当該申込者が別に通知又は催告を受ける場所又は連絡先を発起人に通知した場合にあっては、その場所又は連絡先）にあてて発すれば足りる。

7　前項の通知又は催告は、その通知又は催告が通常到達すべきであった時に、到達したものとみなす。

【会社法施行規則】

（申込みをしようとする者に対して通知すべき事項）

第八条　法第五十九条第一項第五号に規定する法務省令で定める事項は、次に掲げる事項とする。
一　発起人が法第三十二条第一項第一号の規定により割当てを受けた設立時発行株式（出資の履行をしたものに限る。）及び引き受けた設立時募集株式の数（設立しようとする株式会社が種類株式発行会社である場合にあっては、種類及び種類ごとの数）
二　法第三十二条第二項の規定による決定の定めがあるときは、その内容
三　株主名簿管理人を置く旨の定款の定めがあるときは、その氏名又は名称及び住所並びに営業所
四　定款に定められた事項（法第五十九条第一項第一号から第四号まで及び前号に掲げる事項を除く。）であって、発起人に対して設立時募集株式の引受けの申込みをしようとする者が当該者

に対して通知することを請求した事項

【会社法施行令】

（書面に記載すべき事項等の電磁的方法による提供の承諾等）

第一条　次に掲げる規定に規定する事項を電磁的方法（会社法（以下「法」という。）第二条第三十四号に規定する電磁的方法をいう。以下同じ。）により提供しようとする者（次項において「提供者」という。）は、法務省令で定めるところにより、あらかじめ、当該事項の提供の相手方に対し、その用いる電磁的方法の種類及び内容を示し、書面又は電磁的方法による承諾を得なければならない。

一　法第五十九条第四項

二〜十五　（略）

2　前項の規定による承諾を得た提供者は、同項の相手方から書面又は電磁的方法により電磁的方法による事項の提供を受けない旨の申出があったときは、当該相手方に対し、当該事項の提供を電磁的方法によってしてはならない。ただし、当該相手方が再び同項の規定による承諾をした場合は、この限りでない。

【会社法施行規則】

（会社法施行令に係る電磁的方法）

第二百三十条　会社法施行令（平成十七年政令第三百六十四号）第一条第一項又は第二条第一項の規定により示すべき電磁的方法の種類及び内容は、次に掲げるものとする。

一　次に掲げる方法のうち、送信者が使用するもの

イ　電子情報処理組織を使用する方法のうち次に掲げるもの

(1)　送信者の使用に係る電子計算機と受信者の使用に係る電子計算機とを接続する電気通信回線を通じて送信し、受信者の使用に係る電子計算機に備えられたファイルに記録する方法

(2)　送信者の使用に係る電子計算機に備えられたファイルに記録された情報の内容を電気通信回線を通じて情報の提供を受ける者の閲覧に供し、当該情報の提供を受ける者の使用に係る電子計算機に備えられたファイルに当該情報を記録する方法

ロ　磁気ディスクその他これに準ずる方法により一定の情報を確実に記録しておくことができる物をもって調製するファイルに情報を記録したものを交付する方法

二　ファイルへの記録の方式

（設立時募集株式の割当て）

第六十条　発起人は、申込者の中から設立時募集株式の割当てを受ける者を定め、かつ、その者に割り当てる設立時募集株式の数を定めなければならない。この場合において、発起人は、当該申込者に割り当てる設立時募集株式の数を、前条第三項第二号の数よりも減少することができる。

2　発起人は、第五十八条第一項第三号の期日（同号の期間を定めた場合にあっては、その期間の初日）の前日までに、申込者に対し、当該申込者に割り当てる設立時募集株式の数を通知しなければならない。

（設立時募集株式の申込み及び割当てに関する特則）

第六十一条　前二条の規定は、設立時募集株式を引き受けようとする者がその総数の引受けを行う契約を締結する場合には、適用しない。

（設立時募集株式の引受け）

第六十二条　次の各号に掲げる者は、当該各号に定める設立時募集株式の数について設立時募集株式の引受人となる。

一　申込者　発起人の割り当てた設立時募集株式の数

二　前条の契約により設立時募集株式の総数を引き受けた者　その者が引き受けた設立時募集株式の数

（設立時募集株式の払込金額の払込み）

第六十三条　設立時募集株式の引受人は、第五十八条第一項第三号の期日又は同号の期間内に、発起人が定めた銀行等の払込みの取扱いの場所において、それぞれの設立時募集株式の払込金額の全額の払込みを行わなければならない。

2　前項の規定による払込みをすることにより設立時発行株式の株主となる権利の譲渡は、成立後の株式会社に対抗することができない。

3　設立時募集株式の引受人は、第一項の規定による払込みをしないときは、当該払込みをすることにより設立時募集株式の株主となる権利を失う。

（払込金の保管証明）

第六十四条　第五十七条第一項の募集をした場合には、発起人は、第三十四条第一項及び前条第一項の規定による払込みの取扱いをした銀行等に対し、これらの規定により払い込まれた金額に相当する金銭の保管に関する証明書の交付を請求することができる。

2　前項の証明書を交付した銀行等は、当該証明書の記載が事実と異なること又は第三十四条第一項若しくは前条第一項の規定により払い込まれた金銭の返還に関する制限があることをもって成立後の株式会社に対抗することができない。

第二款　創立総会等

（創立総会の招集）

第六十五条　第五十七条第一項の募集をする場合には、発起人は、第五十八条第一項第三号の期日又は同号の期間の末日のうち最も遅い日以後、遅滞なく、設立時株主（第五十条第一項又は第百二条第二項の規定により株式会社の株主となる者をいう。以下同じ。）の総会（以下「創立総会」という。）を招集しなければならない。

2　発起人は、前項に規定する場合において、必要があると認めるときは、いつでも、創立総会を招集することができる。

（創立総会の権限）

第六十六条　創立総会は、この節に規定する事項及び株式会社の設立の廃止、創立総会の終結その他株式会社の設立に関する事項に限り、決議をすることができる。

（創立総会の招集の決定）

第六十七条　発起人は、創立総会を招集する場合には、次に掲げる事項を定めなければならない。

一　創立総会の日時及び場所

二　創立総会の目的である事項

三　創立総会に出席しない設立時株主が書面によって議決権を行使することができることとするときは、その旨

四　創立総会に出席しない設立時株主が電磁的方法によって議決権を行使することができることとするときは、その旨

五　前各号に掲げるもののほか、法務省令で定める事項

2　発起人は、設立時株主（創立総会において決議をすることができる事項の全部につき議決権を行使することができない設立時株主を除く。次条から第七十一条までにおいて同じ。）の数が千人以上である場合には、前項第三号に掲げる事項を定めなければならない。

【会社法施行規則】

（招集の決定事項）

第九条　法第六十七条第一項第五号に規定する法務省令で定める事項は、次に掲げる事項とする。

一　法第六十七条第一項第三号又は第四号に掲げる事項を定めたときは、次に掲げる事項

イ　次条第一項の規定により創立総会参考書類に記載すべき事項

ロ　法第六十七条第一項第三号に掲げる事項を定めたときは、書面による議決権の行使の期限（創立総会の日時以前の時であって、法第六十八条第一項の規定による通知を発した日か

ら二週間を経過した日以後の時に限る。）

ハ　法第六十七条第一項第四号に掲げる事項を定めたときは、電磁的方法による議決権の行使の期限（創立総会の日時以前の時であって、法第六十八条第一項の規定による通知を発した日から二週間を経過した日以後の時に限る。）

ニ　第十一条第一項第二号の取扱いを定めるときは、その取扱いの内容

ホ　一の設立時株主が同一の議案につき次に掲げる場合の区分に応じ、次に定める規定により重複して議決権を行使した場合において、当該同一の議案に対する議決権の行使の内容が異なるものであるときにおける当該設立時株主の議決権の行使の取扱いに関する事項を定めるとき（次号に規定する場合を除く。）は、その事項

(1)　法第六十七条第一項第三号に掲げる事項を定めた場合
法第七十五条第一項

(2)　法第六十七条第一項第四号に掲げる事項を定めた場合
法第七十六条第一項

二　法第六十七条第一項第三号及び第四号に掲げる事項を定めたときは、次に掲げる事項

イ　法第六十八条第三項の承諾をした設立時株主の請求があった時に当該設立時株主に対して法第七十条第一項の規定による議決権行使書面（同項に規定する議決権行使書面をいう。以下この節〔第八条―第一八条の二〕において同じ。）の交付（当該交付に代えて行う同条第二項の規定による電磁的方法による提供を含む。）をすることとするときは、その旨

ロ　一の設立時株主が同一の議案につき法第七十五条第一項又は第七十六条第一項の規定により重複して議決権を行使した場合において、当該同一の議案に対する議決権の行使の内容が異なるものであるときにおける当該設立時株主の議決権の行使の取扱いに関する事項を定めるときは、その事項

三　第一号に規定する場合以外の場合において、次に掲げる事項が創立総会の目的である事項であるときは、当該事項に係る議案の概要

イ　設立時役員等の選任

ロ　定款の変更

（創立総会の招集の通知）

第六十八条　創立総会を招集するには、発起人は、創立総会の日の二週間（前条第一項第三号又は第四号に掲げる事項を定めたときを除き、設立しようとする株式会社が公開会社でない場合にあっては、一週間（当該設立しようとする株式会社が取締役会設置会社以外の株式会社である場合において、これを下回る期間を定款で定めた場合にあっては、その期間））前までに、設立時株主に対してその通知を発しなければならない。

2　次に掲げる場合には、前項の通知は、書面でしなければならない。

一　前条第一項第三号又は第四号に掲げる事項を定めた場合

二　設立しようとする株式会社が取締役会設置会社である場合

3　発起人は、前項の書面による通知の発出に代えて、政令で定めるところにより、設立時株主の承諾を得て、電磁的方法により通知を発することができる。この場合において、当該発起人は、同項の書面による通知を発したものとみなす。

4　前二項の通知には、前条第一項各号に掲げる事項を記載し、又は記録しなければならない。

5　発起人が設立時株主に対してする通知又は催告は、第二十七条第五号又は第五十九条第三項第一号の住所（当該設立時株主が別に通知又は催告を受ける場所又は連絡先を発起人に通知した場合にあっては、その場所又は連絡先）にあてて発すれば足りる。

6　前項の通知又は催告は、その通知又は催告が通常到達すべきであった時に、到達したものとみなす。

7　前二項の規定は、第一項の通知に際して設立時株主に書面を交付し、

又は当該書面に記載すべき事項を電磁的方法により提供する場合について準用する。この場合において、前項中「到達したもの」とあるのは、「当該書面の交付又は当該事項の電磁的方法による提供があったもの」と読み替えるものとする。

【会社法施行令】

（電磁的方法による通知の承諾等）

第二条　次に掲げる規定により電磁的方法により通知を発しようとする者（次項において「通知発出者」という。）は、法務省令で定めるところにより、あらかじめ、当該通知の相手方に対し、その用いる電磁的方法の種類及び内容を示し、書面又は電磁的方法による承諾を得なければならない。

一　法第六十八条第三項（法第八十六条において準用する場合を含む。）

二～四　（略）

2　前項の規定による承諾を得た通知発出者は、同項の相手方から書面又は電磁的方法により電磁的方法による通知を受けない旨の申出があったときは、当該相手方に対し、当該通知を電磁的方法によって発してはならない。ただし、当該相手方が再び同項の規定による承諾をした場合は、この限りでない。

【会社法施行規則】

（会社法施行令に係る電磁的方法）

第二百三十条　会社法施行令（平成十七年政令第三百六十四号）第一条第一項又は第二条第一項の規定により示すべき電磁的方法の種類及び内容は、次に掲げるものとする。

一　次に掲げる方法のうち、送信者が使用するもの

イ　電子情報処理組織を使用する方法のうち次に掲げるもの

(1)　送信者の使用に係る電子計算機と受信者の使用に係る電子計算機とを接続する電気通信回線を通じて送信し、受信者の使用に係る電子計算機に備えられたファイルに記録する方法

(2)　送信者の使用に係る電子計算機に備えられたファイルに記録された情報の内容を電気通信回線を通じて情報の提供を受ける者の閲覧に供し、当該情報の提供を受ける者の使用に係る電子計算機に備えられたファイルに当該情報を記録する方法

ロ　磁気ディスクその他これに準ずる方法により一定の情報を確実に記録しておくことができる物をもって調製するファイルに情報を記録したものを交付する方法

二　ファイルへの記録の方式

（招集手続の省略）

第六十九条　前条の規定にかかわらず、創立総会は、設立時株主の全員の同意があるときは、招集の手続を経ることなく開催することができる。ただし、第六十七条第一項第三号又は第四号に掲げる事項を定めた場合は、この限りでない。

（創立総会参考書類及び議決権行使書面の交付等）

第七十条　発起人は、第六十七条第一項第三号に掲げる事項を定めた場合には、第六十八条第一項の通知に際して、法務省令で定めるところにより、設立時株主に対し、議決権の行使について参考となるべき事項を記載した書類（以下この款において「創立総会参考書類」という。）及び設立時株主が議決権を行使するための書面（以下この款において「議決権行使書面」という。）を交付しなければならない。

2　発起人は、第六十八条第三項の承諾をした設立時株主に対し同項の電磁的方法による通知を発するときは、前項の規定による創立総会参考書類及び議決権行使書面の交付に代えて、これらの書類に記載すべき事項を電磁的方法により提供することができる。ただし、設立時株主の請求があったときは、これらの書類を当該設立時株主に交付しな

ければならない。

【会社法施行規則】

（創立総会参考書類）

第十条　法第七十条第一項又は第七十一条第一項の規定により交付すべき創立総会参考書類に記載すべき事項は、次に掲げる事項とする。

一　議案及び提案の理由

二　議案が設立時取締役（設立しようとする株式会社が監査等委員会設置会社である場合にあっては、設立時監査等委員である設立時取締役を除く。）の選任に関する議案であるときは、当該設立時取締役についての第七十四条に規定する事項

三　議案が設立時監査等委員である設立時取締役の選任に関する議案であるときは、当該設立時監査等委員である設立時取締役についての第七十四条の三に規定する事項

四　議案が設立時会計参与の選任に関する議案であるときは、当該設立時会計参与についての第七十五条に規定する事項

五　議案が設立時監査役の選任に関する議案であるときは、当該設立時監査役についての第七十六条に規定する事項

六　議案が設立時会計監査人の選任に関する議案であるときは、当該設立時会計監査人についての第七十七条に規定する事項

七　議案が設立時役員等の解任に関する議案であるときは、解任の理由

八　前各号に掲げるもののほか、設立時株主の議決権の行使について参考となると認める事項

2　法第六十七条第一項第三号及び第四号に掲げる事項を定めた発起人が行った創立総会参考書類の交付（当該交付に代えて行う電磁的方法による提供を含む。）は、法第七十条第一項及び第七十一条第一項の規定による創立総会参考書類の交付とする。

（議決権行使書面）

第十一条　法第七十条第一項の規定により交付すべき議決権行使書面に記載すべき事項又は法第七十一条第三項若しくは第四項の規定により電磁的方法により提供すべき議決権行使書面に記載すべき事項は、次に掲げる事項とする。

一　各議案（次のイ又はロに掲げる場合にあっては、当該イ又はロに定めるもの）についての賛否（棄権の欄を設ける場合にあっては、棄権を含む。）を記載する欄

イ　二以上の設立時役員等の選任に関する議案である場合　各候補者の選任

ロ　二以上の設立時役員等の解任に関する議案である場合　各設立時役員等の解任

二　第九条第一号ニに掲げる事項を定めたときは、前号の欄に記載がない議決権行使書面が発起人に提出された場合における各議案についての賛成、反対又は棄権のいずれかの意思の表示があったものとする取扱いの内容

三　第九条第一号ホ又は第二号ロに掲げる事項を定めたときは、当該事項

四　議決権の行使の期限

五　議決権を行使すべき設立時株主の氏名又は名称及び行使することができる議決権の数（次のイ又はロに掲げる場合にあっては、当該イ又はロに定める事項を含む。）

イ　議案ごとに行使することができる議決権の数が異なる場合　議案ごとの議決権の数

ロ　一部の議案につき議決権を行使することができない場合　議決権を行使することができる議案又は議決権を行使することができない議案

2　第九条第二号イに掲げる事項を定めた場合には、発起人は、法第六十八条第三項の承諾をした設立時株主の請求があった時に、当該設立時株主に対して、法第七十条第一項の規定による議決権行使書面の交付（当該交付に代えて行う同条第二項の規定による

電磁的方法による提供を含む。）をしなければならない。

第七十一条　発起人は、第六十七条第一項第四号に掲げる事項を定めた場合には、第六十八条第一項の通知に際して、法務省令で定めるところにより、設立時株主に対し、創立総会参考書類を交付しなければならない。

2　発起人は、第六十八条第三項の承諾をした設立時株主に対し同項の電磁的方法による通知を発するときは、前項の規定による創立総会参考書類の交付に代えて、当該創立総会参考書類に記載すべき事項を電磁的方法により提供することができる。ただし、設立時株主の請求があったときは、創立総会参考書類を当該設立時株主に交付しなければならない。

3　発起人は、第一項に規定する場合には、第六十八条第三項の承諾をした設立時株主に対する同項の電磁的方法による通知に際して、法務省令で定めるところにより、設立時株主に対し、議決権行使書面に記載すべき事項を当該電磁的方法により提供しなければならない。

4　発起人は、第一項に規定する場合において、第六十八条第三項の承諾をしていない設立時株主から創立総会の日の一週間前までに議決権行使書面に記載すべき事項の電磁的方法による提供の請求があったときは、法務省令で定めるところにより、直ちに、当該設立時株主に対し、当該事項を電磁的方法により提供しなければならない。

【会社法施行規則】

（創立総会参考書類）

第十条　法第七十条第一項又は第七十一条第一項の規定により交付すべき創立総会参考書類に記載すべき事項は、次に掲げる事項とする。

一　議案及び提案の理由

二　議案が設立時取締役（設立しようとする株式会社が監査等委員会設置会社である場合にあっては、設立時監査等委員である設立時取締役を除く。）の選任に関する議案であるときは、当該設立時取締役についての第七十四条に規定する事項

三　議案が設立時監査等委員である設立時取締役の選任に関する議案であるときは、当該設立時監査等委員である設立時取締役についての第七十四条の三に規定する事項

四　議案が設立時会計参与の選任に関する議案であるときは、当該設立時会計参与についての第七十五条に規定する事項

五　議案が設立時監査役の選任に関する議案であるときは、当該設立時監査役についての第七十六条に規定する事項

六　議案が設立時会計監査人の選任に関する議案であるときは、当該設立時会計監査人についての第七十七条に規定する事項

七　議案が設立時役員等の解任に関する議案であるときは、解任の理由

八　前各号に掲げるもののほか、設立時株主の議決権の行使について参考となると認める事項

2　法第六十七条第一項第三号及び第四号に掲げる事項を定めた発起人が行った創立総会参考書類の交付（当該交付に代えて行う電磁的方法による提供を含む。）は、法第七十条第一項及び第七十一条第一項の規定による創立総会参考書類の交付とする。

（議決権行使書面）

第十一条　法第七十条第一項の規定により交付すべき議決権行使書面に記載すべき事項又は法第七十一条第三項若しくは第四項の規定により電磁的方法により提供すべき議決権行使書面に記載すべき事項は、次に掲げる事項とする。

一　各議案（次のイ又はロに掲げる場合にあっては、当該イ又はロに定めるもの）についての賛否（棄権の欄を設ける場合にあっては、棄権を含む。）を記載する欄

イ　二以上の設立時役員等の選任に関する議案である場合　各候補者の選任

ロ　二以上の設立時役員等の解任に関する議案である場合　各

六　設立時役員等の解任
二　第九条第一号ニに掲げる事項を定めたときは、前号の欄に記載がない議決権行使書面が発起人に提出された場合における各議案についての賛成、反対又は棄権のいずれかの意思の表示があったものとする取扱いの内容
三　第九条第一号ホ又は第二号ロに掲げる事項を定めたときは、当該事項
四　議決権の行使の期限
五　議決権を行使すべき設立時株主の氏名又は名称及び行使することができる議決権の数（次のイ又はロに掲げる場合にあっては、当該イ又はロに定める事項を含む。）
イ　議案ごとに行使することができる議決権の数が異なる場合　議案ごとの議決権の数
ロ　一部の議案につき議決権を行使することができない場合　議決権を行使することができる議案又は議決権を行使することができない議案
2　第九条第二号イに掲げる事項を定めた場合には、発起人は、法第六十八条第三項の承諾をした設立時株主の請求があった時に、当該設立時株主に対して、法第七十条第一項の規定による議決権行使書面の交付（当該交付に代えて行う同条第二項の規定による電磁的方法による提供を含む。）をしなければならない。

（議決権の数）
第七十二条　設立時株主（成立後の株式会社がその総株主の議決権の四分の一以上を有することその他の事由を通じて成立後の株式会社がその経営を実質的に支配することが可能となる関係にあるものとして法務省令で定める設立時株主を除く。）は、創立総会において、その引き受けた設立時発行株式一株につき一個の議決権を有する。ただし、単元株式数を定款で定めている場合には、一単元の設立時発行株式につき一個の議決権を有する。
2　設立しようとする株式会社が種類株式発行会社である場合において、株主総会において議決権を行使することができる事項について制限がある種類の設立時発行株式を発行するときは、創立総会において、設立時株主は、株主総会において議決権を行使することができる事項に相当する事項に限り、当該設立時発行株式について議決権を行使することができる。
3　前項の規定にかかわらず、株式会社の設立の廃止については、設立時株主は、その引き受けた設立時発行株式について議決権を行使することができる。

【会社法施行規則】

（実質的に支配することが可能となる関係）

第十二条　法第七十二条第一項に規定する法務省令で定める設立時株主は、成立後の株式会社（当該株式会社の子会社を含む。）が、当該成立後の株式会社の株主となる設立時株主である会社等の議決権（法第三百八条第一項その他これに準ずる法以外の法令（外国の法令を含む。）の規定により行使することができないとされる議決権を含み、役員等（会計監査人を除く。）の選任及び定款の変更に関する議案（これらの議案に相当するものを含む。）の全部につき株主総会（これに相当するものを含む。）において議決権を行使することができない株式（これに相当するものを含む。）に係る議決権を除く。）の総数の四分の一以上を有することとなる場合における当該設立時株主であるもの以外の者が当該創立総会の議案につき議決権を行使することができない場合（当該議案を決議する場合に限る。）における当該設立時株主を除く。）とする。

（創立総会の決議）
第七十三条　創立総会の決議は、当該創立総会において議決権を行使することができる設立時株主の議決権の過半数であって、出席した当該

設立時株主の議決権の三分の二以上に当たる多数をもって行う。

2　前項の規定にかかわらず、その発行する全部の株式の内容として譲渡による当該株式の取得について当該株式会社の承認を要する旨の定款の定めを設ける当該定款の変更を行う場合（設立しようとする株式会社が種類株式発行会社である場合を除く。）には、当該定款の変更についての創立総会の決議は、当該創立総会において議決権を行使することができる設立時株主の半数以上であって、当該設立時株主の議決権の三分の二以上に当たる多数をもって行わなければならない。

3　定款を変更してその発行する全部の株式の内容として第百七条第一項第三号に掲げる事項についての定款の定めを設け、又は当該事項についての定款の変更（当該事項についての定款の定めを廃止するものを除く。）をしようとする場合（設立しようとする株式会社が種類株式発行会社である場合を除く。）には、設立時株主全員の同意を得なければならない。

4　創立総会は、第六十七条第一項第二号に掲げる事項以外の事項については、決議をすることができない。ただし、定款の変更又は株式会社の設立の廃止については、この限りでない。

（議決権の代理行使）

第七十四条　設立時株主は、代理人によってその議決権を行使することができる。この場合においては、当該設立時株主又は代理人は、代理権を証明する書面を発起人に提出しなければならない。

2　前項の代理権の授与は、創立総会ごとにしなければならない。

3　第一項の設立時株主又は代理人は、代理権を証明する書面の提出に代えて、政令で定めるところにより、発起人の承諾を得て、当該書面に記載すべき事項を電磁的方法により提供することができる。この場合において、当該設立時株主又は代理人は、当該書面を提出したものとみなす。

4　設立時株主が第六十八条第三項の承諾をした者である場合には、発起人は、正当な理由がなければ、前項の承諾をすることを拒んではならない。

5　発起人は、創立総会に出席することができる代理人の数を制限することができる。

6　発起人（株式会社の成立後にあっては、当該株式会社。次条第三項及び第七十六条第四項において同じ。）は、創立総会の日から三箇月間、代理権を証明する書面及び第三項の電磁的方法により提供された事項が記録された電磁的記録を発起人が定めた場所（株式会社の成立後にあっては、その本店。次条第三項及び第七十六条第四項において同じ。）に備え置かなければならない。

7　設立時株主（株式会社の成立後にあっては、その株主。次条第四項及び第七十六条第五項において同じ。）は、発起人が定めた時間（株式会社の成立後にあっては、その営業時間。次条第四項及び第七十六条第五項において同じ。）内は、いつでも、次に掲げる請求をすることができる。

一　代理権を証明する書面の閲覧又は謄写の請求

二　前項の電磁的記録に記録された事項を法務省令で定める方法により表示したものの閲覧又は謄写の請求

【会社法施行令】

（書面に記載すべき事項等の電磁的方法による提供の承諾等）

第一条　次に掲げる規定に規定する事項を電磁的方法（会社法（以下「法」という。）第二条第三十四号に規定する電磁的方法をいう。以下同じ。）により提供しようとする者（次項において「提供者」という。）は、法務省令で定めるところにより、あらかじめ、当該事項の提供の相手方に対し、その用いる電磁的方法の種類及び内容を示し、書面又は電磁的方法による承諾を得なければならない。

一　（略）

二　法第七十四条第三項（法第八十六条において準用する場合を含む。）

三～十五　（略）

2　前項の規定による承諾を得た提供者は、同項の相手方から書面又は電磁的方法により電磁的方法による事項の提供を受けない旨の申出があったときは、当該相手方に対し、当該事項の提供を電磁的方法によってしてはならない。ただし、当該相手方が再び同項の規定による承諾をした場合は、この限りでない。

【会社法施行規則】

（会社法施行令に係る電磁的方法）

第二百三十条　会社法施行令（平成十七年政令第三百六十四号）第一条第一項又は第二条第一項の規定により示すべき電磁的方法の種類及び内容は、次に掲げるものとする。

一　次に掲げる方法のうち、送信者が使用するもの

イ　電子情報処理組織を使用する方法のうち次に掲げるもの

(1)　送信者の使用に係る電子計算機と受信者の使用に係る電子計算機とを接続する電気通信回線を通じて送信し、受信者の使用に係る電子計算機に備えられたファイルに記録する方法

(2)　送信者の使用に係る電子計算機に備えられたファイルに記録された情報の内容を電気通信回線を通じて情報の提供を受ける者の閲覧に供し、当該情報の提供を受ける者の使用に係る電子計算機に備えられたファイルに当該情報を記録する方法

ロ　磁気ディスクその他これに準ずる方法により一定の情報を確実に記録しておくことができる物をもって調製するファイルに情報を記録したものを交付する方法

二　ファイルへの記録の方式

（定義）

第二百三十一条　この節において使用する用語は、民間事業者等が行う書面の保存等における情報通信の技術の利用に関する法律（平成十六年法律第百四十九号。以下この節において「電子文書法」という。）において使用する用語の例による。

（保存の指定）

第二百三十二条　電子文書法第三条第一項の主務省令で定める保存は、次に掲げる保存とする。

一　法第七十四条第六項（法第八十六条において準用する場合を含む。）の規定による代理権を証明する書面の保存

二〜三十六　（略）

（保存の方法）

第二百三十三条　民間事業者等が電子文書法第三条第一項の規定に基づき、前条各号に掲げる保存に代えて当該保存すべき書面に係る電磁的記録の保存を行う場合には、当該書面に記載されている事項をスキャナ（これに準ずる画像読取装置を含む。）により読み取ってできた電磁的記録を民間事業者等の使用に係る電子計算機に備えられたファイル又は磁気ディスクその他これに準ずる方法により一定の事項を確実に記録しておくことができる物をもって調製するファイルにより保存する方法により行わなければならない。

2　民間事業者等が前項の規定による電磁的記録の保存を行う場合には、必要に応じ電磁的記録に記録された事項を出力することにより、直ちに明瞭かつ整然とした形式で、その使用に係る電子計算機その他の機器に表示することができるための措置及び書面を作成することができるための措置を講じなければならない。

（縦覧等の指定）

第二百三十四条　電子文書法第五条第一項の主務省令で定める縦覧等は、次に掲げる縦覧等とする。

一・二　（略）

三　法第七十四条第七項第一号（法第八十六条において準用する場合を含む。）の規定による代理権を証する書面の縦覧等

四〜五十四　（略）

（電磁的記録に記録された事項を表示する方法）

第二百二十六条　次に掲げる規定に規定する法務省令で定める方法は、次に掲げる規定の電磁的記録に記録された事項を紙面又は映像面に表示する方法とする。
一　（略）
二　法第七十四条第七項第二号（法第八十六条において準用する場合を含む。）
三～四十三　（略）

（書面による議決権の行使）
第七十五条　書面による議決権の行使は、議決権行使書面に必要な事項を記載し、法務省令で定める時までに当該議決権行使書面を発起人に提出して行う。
2　前項の規定により書面によって行使した議決権の数は、出席した設立時株主の議決権の数に算入する。
3　発起人は、創立総会の日から三箇月間、第一項の規定により提出された議決権行使書面を発起人が定めた場所に備え置かなければならない。
4　設立時株主は、発起人が定めた時間内は、いつでも、第一項の規定により提出された議決権行使書面の閲覧又は謄写の請求をすることができる。

【会社法施行規則】

（書面による議決権行使の期限）

第十三条　法第七十五条第一項に規定する法務省令で定める時は、第九条第一号ロの行使の期限とする。

（保存の指定）

第二百三十二条　電子文書法第三条第一項の主務省令で定める保存は、次に掲げる保存とする。
一　（略）
二　法第七十五条第三項（法第八十六条において準用する場合を含む。）の規定による議決権行使書面（法第七十条第一項に規定する議決権行使書面をいう。）の保存
三～三十六　（略）
（縦覧等の指定）
第二百三十四条　電子文書法第五条第一項の主務省令で定める縦覧等は、次に掲げる縦覧等とする。
一～三　（略）
四　法第七十五条第四項（法第八十六条において準用する場合を含む。）の規定による議決権行使書面（法第七十条第一項に規定する議決権行使書面をいう。）の縦覧等
五～五十四　（略）

（電磁的方法による議決権の行使）
第七十六条　電磁的方法による議決権の行使は、政令で定めるところにより、発起人の承諾を得て、法務省令で定める時までに議決権行使書面に記載すべき事項を、電磁的方法により当該発起人に提供して行う。
2　設立時株主が第六十八条第三項の承諾をした者である場合には、発起人は、正当な理由がなければ、前項の承諾をすることを拒んではならない。
3　第一項の規定により電磁的方法によって行使した議決権の数は、出席した設立時株主の議決権の数に算入する。
4　発起人は、創立総会の日から三箇月間、第一項の規定により提供された事項を記録した電磁的記録を発起人が定めた場所に備え置かなければならない。
5　設立時株主は、発起人が定めた時間内は、いつでも、前項の電磁的記録に記録された事項を法務省令で定める方法により表示したものの閲覧又は謄写の請求をすることができる。

【会社法施行令】

（書面に記載すべき事項等の電磁的方法による提供の承諾等）

第一条　次に掲げる規定に規定する事項を電磁的方法（会社法（以下「法」という。）第二条第三十四号に規定する電磁的方法をいう。以下同じ。）により提供しようとする者（次項において「提供者」という。）は、法務省令で定めるところにより、あらかじめ、当該事項の提供の相手方に対し、その用いる電磁的方法の種類及び内容を示し、書面又は電磁的方法による承諾を得なければならない。

一・二　（略）

三　法第七十六条第一項（法第八十六条において準用する場合を含む。）

四～十五　（略）

2　前項の規定による承諾を得た提供者は、同項の相手方から書面又は電磁的方法により電磁的方法による事項の提供を受けない旨の申出があったときは、当該相手方に対し、当該事項の提供を電磁的方法によってしてはならない。ただし、当該相手方が再び同項の規定による承諾をした場合は、この限りでない。

【会社法施行規則】

（会社法施行令に係る電磁的方法）

第二百三十条　会社法施行令（平成十七年政令第三百六十四号）第一条第一項又は第二条第一項の規定により示すべき電磁的方法の種類及び内容は、次に掲げるものとする。

一　次に掲げる方法のうち、送信者が使用するもの

イ　電子情報処理組織を使用する方法のうち次に掲げるもの

(1)　送信者の使用に係る電子計算機と受信者の使用に係る電子計算機とを接続する電気通信回線を通じて送信し、受信者の使用に係る電子計算機に備えられたファイルに記録する方法

(2)　送信者の使用に係る電子計算機に備えられたファイルに記録された情報の内容を電気通信回線を通じて情報の提供を受ける者の閲覧に供し、当該情報の提供を受ける者の使用に係る電子計算機に備えられたファイルに当該情報を記録する方法

ロ　磁気ディスクその他これに準ずる方法により一定の情報を確実に記録しておくことができる物をもって調製するファイルに情報を記録したものを交付する方法

二　ファイルへの記録の方式

【会社法施行規則】

（電磁的方法による議決権行使の期限）

第十四条　法第七十六条第一項に規定する法務省令で定める時は、第九条第一号ハの行使の期限とする。

（電磁的記録に記録された事項を表示する方法）

第二百二十六条　次に掲げる規定に規定する法務省令で定める方法は、次に掲げる規定の電磁的記録に記録された事項を紙面又は映像面に表示する方法とする。

一・二　（略）

三　法第七十六条第五項（法第八十六条において準用する場合を含む。）

四～四十三　（略）

（議決権の不統一行使）

第七十七条　設立時株主は、その有する議決権を統一しないで行使することができる。この場合においては、創立総会の日の三日前までに、発起人に対してその旨及びその理由を通知しなければならない。

2　発起人は、前項の設立時株主が他人のために設立時発行株式を引き受けた者でないときは、当該設立時株主が同項の規定によりその有する議決権を統一しないで行使することを拒むことができる。

（発起人の説明義務）

第七十八条　発起人は、創立総会において、設立時株主から特定の事項について説明を求められた場合には、当該事項について必要な説明をしなければならない。ただし、当該事項が創立総会の目的である事項に関しないものである場合、その説明をすることにより設立時株主の共同の利益を著しく害する場合その他正当な理由がある場合として法務省令で定める場合は、この限りでない。

【会社法施行規則】

（発起人の説明義務）

第十五条　法第七十八条に規定する法務省令で定める場合は、次に掲げる場合とする。

一　設立時株主が説明を求めた事項について説明をするために調査をすることが必要である場合（次に掲げる場合を除く。）

イ　当該設立時株主が創立総会の日より相当の期間前に当該事項を発起人に対して通知した場合

ロ　当該事項について説明をするために必要な調査が著しく容易である場合

二　設立時株主が説明を求めた事項について説明をすることにより成立後の株式会社その他の者（当該設立時株主を除く。）の権利を侵害することとなる場合

三　設立時株主が当該創立総会において実質的に同一の事項について繰り返して説明を求める場合

四　前三号に掲げる場合のほか、設立時株主が説明を求めた事項について説明をしないことにつき正当な事由がある場合

（議長の権限）

第七十九条　創立総会の議長は、当該創立総会の秩序を維持し、議事を整理する。

2　創立総会の議長は、その命令に従わない者その他当該創立総会の秩序を乱す者を退場させることができる。

（延期又は続行の決議）

第八十条　創立総会においてその延期又は続行について決議があった場合には、第六十七条及び第六十八条の規定は、適用しない。

（議事録）

第八十一条　創立総会の議事については、法務省令で定めるところにより、議事録を作成しなければならない。

2　発起人（株式会社の成立後にあっては、当該株式会社。次条第二項において同じ。）は、創立総会の日から十年間、前項の議事録を発起人が定めた場所（株式会社の成立後にあっては、その本店。同条第二項において同じ。）に備え置かなければならない。

3　設立時株主（株式会社の成立後にあっては、その株主及び債権者。次条第三項において同じ。）は、発起人が定めた時間（株式会社の成立後にあっては、その営業時間。同項において同じ。）内は、いつでも、次に掲げる請求をすることができる。

一　第一項の議事録が書面をもって作成されているときは、当該書面の閲覧又は謄写の請求

二　第一項の議事録が電磁的記録をもって作成されているときは、当該電磁的記録に記録された事項を法務省令で定める方法により表示したものの閲覧又は謄写の請求

4　株式会社の成立後において、当該株式会社の親会社社員は、その権利を行使するため必要があるときは、裁判所の許可を得て、第一項の議事録について前項各号に掲げる請求をすることができる。

【会社法施行規則】

（創立総会の議事録）

第十六条　法第八十一条第一項の規定による創立総会の議事録の作成については、この条の定めるところによる。

2　創立総会の議事録は、書面又は電磁的記録（法第二十六条第二項に規定する電磁的記録をいう。第七編第四章第二節〔第二三一

条―第二三八条）を除き、以下同じ。）をもって作成しなければならない。

3　創立総会の議事録は、次に掲げる事項を内容とするものでなければならない。

一　創立総会が開催された日時及び場所

二　創立総会の議事の経過の要領及びその結果

三　創立総会に出席した発起人、設立時取締役（設立しようとする株式会社が監査等委員会設置会社である場合にあっては、設立時監査等委員である設立時取締役又はそれ以外の設立時取締役）、設立時執行役、設立時会計参与、設立時監査役又は設立時会計監査人の氏名又は名称

四　創立総会の議長が存するときは、議長の氏名

五　議事録の作成に係る職務を行った発起人の氏名又は名称

4　次の各号に掲げる場合には、創立総会の議事録は、当該各号に定める事項を内容とするものとする。

一　法第八十二条第一項の規定により創立総会の決議があったものとみなされた場合　次に掲げる事項

イ　創立総会の決議があったものとみなされた事項の内容

ロ　イの事項の提案をした者の氏名又は名称

ハ　創立総会の決議があったものとみなされた日

ニ　議事録の作成に係る職務を行った発起人の氏名又は名称

二　法第八十三条の規定により創立総会への報告があったものとみなされた場合　次に掲げる事項

イ　創立総会への報告があったものとみなされた事項の内容

ロ　創立総会への報告があったものとみなされた日

ハ　議事録の作成に係る職務を行った発起人の氏名又は名称

（保存の指定）

第二百三十二条　電子文書法第三条第一項の主務省令で定める保存は、次に掲げる保存とする。

一・二　（略）

三　法第八十一条第二項（法第八十六条において準用する場合を含む。）の規定による創立総会の議事録の保存

四～三十六　（略）

（縦覧等の指定）

第二百三十四条　電子文書法第五条第一項の主務省令で定める縦覧等は、次に掲げる縦覧等とする。

一～四　（略）

五　法第八十一条第三項第一号（法第八十六条において準用する場合を含む。）の規定による創立総会の議事録の縦覧等

六　法第八十一条第四項（法第八十六条において準用する場合を含む。）の規定による創立総会の議事録の縦覧等

七～五十四　（略）

（電磁的記録に記録された事項を表示する方法）

第二百二十六条　次に掲げる規定に規定する法務省令で定める方法は、次に掲げる規定の電磁的記録に記録された事項を紙面又は映像面に表示する方法とする。

一～三　（略）

四　法第八十一条第三項第二号（法第八十六条において準用する場合を含む。）

五～四十三　（略）

（創立総会の決議の省略）

第八十二条　発起人が創立総会の目的である事項について提案をした場合において、当該提案につき設立時株主（当該事項について議決権を行使することができるものに限る。）の全員が書面又は電磁的記録により同意の意思表示をしたときは、当該提案を可決する旨の創立総会の決議があったものとみなす。

2　発起人は、前項の規定により創立総会の決議があったものとみなされた日から十年間、同項の書面又は電磁的記録を発起人が定めた場所に備え置かなければならない。

3　設立時株主は、発起人が定めた時間内は、いつでも、次に掲げる請求をすることができる。
一　前項の書面の閲覧又は謄写の請求
二　前項の電磁的記録に記録された事項を法務省令で定める方法により表示したものの閲覧又は謄写の請求

4　株式会社の成立後において、当該株式会社の親会社社員は、その権利を行使するため必要があるときは、裁判所の許可を得て、第二項の書面又は電磁的記録について前項各号に掲げる請求をすることができる。

【会社法施行規則】

（保存の指定）

第二百三十二条　電子文書法第三条第一項の主務省令で定める保存は、次に掲げる保存とする。
一〜三　（略）
四　法第八十二条第二項（法第八十六条において準用する場合を含む。）の規定による法第八十二条第一項の書面の保存
五〜三十六　（略）

（縦覧等の指定）

第二百三十四条　電子文書法第五条第一項の主務省令で定める縦覧等は、次に掲げる縦覧等とする。
一〜六　（略）
七　法第八十二条第三項第一号（法第八十六条において準用する場合を含む。）の規定による法第八十二条第二項の書面の縦覧等
八　法第八十二条第四項（法第八十六条において準用する場合を含む。）の規定による法第八十二条第二項の書面の縦覧等
九〜五十四　（略）

（電磁的記録に記録された事項を表示する方法）

第二百二十六条　次に掲げる規定に規定する法務省令で定める方法は、次に掲げる規定の電磁的記録に記録された事項を紙面又は映像面に表示する方法とする。
一〜四　（略）
五　法第八十二条第三項第二号（法第八十六条において準用する場合を含む。）
六〜四十三　（略）

（創立総会への報告の省略）

第八十三条　発起人が設立時株主の全員に対して創立総会に報告すべき事項を通知した場合において、当該事項を創立総会に報告することを要しないことにつき設立時株主の全員が書面又は電磁的記録により同意の意思表示をしたときは、当該事項の創立総会への報告があったものとみなす。

（種類株主総会の決議を必要とする旨の定めがある場合）

第八十四条　設立しようとする株式会社が種類株式発行会社である場合において、その設立に際して発行するある種類の株式の内容として、株主総会において決議すべき事項について、当該決議のほか、当該種類の株式の種類株主を構成員とする種類株主総会の決議があることを必要とする旨の定めがあるときは、当該事項は、その定款の定めの例に従い、創立総会の決議のほか、当該種類の設立時発行株式の設立時種類株主（ある種類の設立時発行株式の設立時株主をいう。以下この節において同じ。）を構成員とする種類創立総会（ある種類の設立時発行株式の設立時種類株主の総会をいう。以下同じ。）の決議がなければ、その効力を生じない。ただし、当該種類創立総会において議決権を行使することができる設立時種類株主が存しない場合は、この限りでない。

（種類創立総会の招集及び決議）

第八十五条　前条、第九十条第一項（同条第二項において準用する場合を含む。）、第九十二条第一項（同条第四項において準用する場合を含む。）、第百条第一項又は第百一条第一項の規定により種類創立総会の決議をする場合には、発起人は、種類創立総会を招集しなければならない。

ない。

2　種類創立総会の決議は、当該種類創立総会において議決権を行使することができる設立時種類株主の議決権の過半数であって、出席した当該設立時種類株主の議決権の三分の二以上に当たる多数をもって行う。

3　前項の規定にかかわらず、第百条第一項の決議は、同項に規定する種類創立総会において議決権を行使することができる設立時種類株主の半数以上であって、当該設立時種類株主の議決権の三分の二以上に当たる多数をもって行わなければならない。

（創立総会に関する規定の準用）

第八十六条　第六十七条から第七十一条まで、第七十二条第一項及び第七十四条から第八十二条までの規定は、種類創立総会について準用する。この場合において、第六十七条第一項第三号及び第四号並びに第二項、第六十八条第一項及び第三項、第六十九条から第七十一条まで、第七十二条第一項、第七十四条第一項、第三項及び第四項、第七十五条第二項、第七十六条第二項及び第三項、第七十七条、第七十八条本文並びに第八十二条第一項中「設立時株主」とあるのは、「設立時種類株主（ある種類の設立時発行株式の設立時株主をいう。）」と読み替えるものとする。

【会社法施行規則】

（種類創立総会）

第十七条　次の各号に掲げる規定は、当該各号に定めるものについて準用する。

一　第九条　法第八十六条において準用する法第六十七条第一項第五号に規定する法務省令で定める事項

二　第十条　種類創立総会の創立総会参考書類

三　第十一条　種類創立総会の議決権行使書面

四　第十二条　法第八十六条において準用する法第七十二条第一項に規定する法務省令で定める設立時株主

五　第十三条　法第八十六条において準用する法第七十五条第一項に規定する法務省令で定める時

六　第十四条　法第八十六条において準用する法第七十六条第一項に規定する法務省令で定める時

七　第十五条　法第八十六条において準用する法第七十八条に規定する法務省令で定める場合

八　前条　法第八十六条において準用する法第八十一条第一項の規定による議事録の作成

第三款　設立に関する事項の報告

第八十七条　発起人は、株式会社の設立に関する事項を創立総会に報告しなければならない。

2　発起人は、次の各号に掲げる場合には、当該各号に定める事項を記載し、又は記録した書面又は電磁的記録を創立総会に提出し、又は提供しなければならない。

一　定款に第二十八条各号に掲げる事項（第三十三条第十項各号に掲げる場合における当該各号に定める事項を除く。）の定めがある場合　第三十三条第二項の検査役の同条第四項の報告の内容

二　第三十三条第十項第三号に掲げる場合　同号に規定する証明の内容

第四款　設立時取締役等の選任及び解任

（設立時取締役等の選任）

第八十八条　第五十七条第一項の募集をする場合には、設立時取締役、設立時会計参与、設立時監査役又は設立時会計監査人の選任は、創立総会の決議によって行わなければならない。

2　設立しようとする株式会社が監査等委員会設置会社である場合には、前項の規定による設立時取締役の選任は、設立時監査等委員である設立時取締役とそれ以外の設立時取締役とを区別してしなければな

らない。

（累積投票による設立時取締役の選任）

第八十九条　創立総会の目的である事項が二人以上の設立時取締役（設立しようとする株式会社が監査等委員会設置会社である場合にあっては、設立時監査等委員である設立時取締役又はそれ以外の設立時取締役。以下この条において同じ。）の選任である場合には、設立時株主（設立時取締役の選任について議決権を行使することができる設立時株主に限る。以下この条において同じ。）は、定款に別段の定めがあるときを除き、発起人に対し、第三項から第五項までに規定するところにより設立時取締役を選任すべきことを請求することができる。

2　前項の規定による請求は、同項の創立総会の日の五日前までにしなければならない。

3　第七十二条第一項の規定にかかわらず、第一項の規定による請求があった場合には、設立時取締役の選任の決議については、設立時株主は、その引き受けた設立時発行株式一株（単元株式数を定款で定めている場合にあっては、一単元の設立時発行株式）につき、当該創立総会において選任する設立時取締役の数と同数の議決権を有する。この場合においては、設立時株主は、一人のみに投票し、又は二人以上に投票して、その議決権を行使することができる。

4　前項の場合には、投票の最多数を得た者から順次設立時取締役に選任されたものとする。

5　前二項に定めるもののほか、第一項の規定による請求があった場合における設立時取締役の選任に関し必要な事項は、法務省令で定める。

【会社法施行規則】

（累積投票による設立時取締役の選任）

第十八条　法第八十九条第五項の規定により法務省令で定めるべき事項は、この条の定めるところによる。

2　法第八十九条第一項の規定による請求があった場合には、発起人（創立総会の議長が存する場合にあっては、議長）は、同項の創立総会における設立時取締役（設立しようとする株式会社が監査等委員会設置会社である場合にあっては、設立時取締役。以下この条において同じ。）の選任の決議に先立ち、法第八十九条第三項から第五項までに規定するところにより設立時取締役を選任することを明らかにしなければならない。

3　法第八十九条第四項の場合において、投票の同数を得た者が二人以上存することにより同条第一項の創立総会において選任する設立時取締役の数の設立時取締役について投票の最多数を得た者から順次設立時取締役に選任されたものとすることができないときは、当該創立総会において選任する設立時取締役の数以下の数であって投票の最多数を得た者から順次設立時取締役に選任されたものとすることができる数の範囲内で、投票の最多数を得た者から順次設立時取締役に選任されたものとする。

4　前項に規定する場合において、法第八十九条第一項の創立総会において選任する設立時取締役の数から前項の規定により設立時取締役に選任されたものとされた者の数を減じて得た数の設立時取締役は、同条第三項及び第四項に規定するところによらないで、創立総会の決議により選任する。

（種類創立総会の決議による設立時取締役等の選任）

第九十条　第八十八条の規定にかかわらず、株式会社の設立に際して第百八条第一項第九号に掲げる事項（取締役（設立しようとする株式会社が監査等委員会設置会社である場合にあっては、監査等委員である取締役又はそれ以外の取締役）に関するものに限る。）についての定めがある種類の株式を発行する場合には、設立時取締役（設立しようとする株式会社が監査等委員会設置会社である場合にあっては、設立時監査等委員である設立時取締役又はそれ以外の設立時取締役）は、同条第二項第九号に定める事項についての定款の定めの例に従い、当該種類の設立時発行株式の設立時種類株主を構成員とする種類創立総会の決議によって選任しなければならない。

2　前項の規定は、株式会社の設立に際して第百八条第一項第九号に掲げる事項（監査役に関するものに限る。）についての定めがある種類の株式を発行する場合について準用する。

（設立時取締役等の解任）

第九十一条　第八十八条の規定により選任された設立時取締役、設立時会計参与、設立時監査役又は設立時会計監査人は、株式会社の成立の時までの間、創立総会の決議によって解任することができる。

第九十二条　第九十条第一項の規定により選任された設立時取締役は、株式会社の成立の時までの間、その選任に係る種類の設立時発行株式の設立時種類株主を構成員とする種類創立総会の決議によって解任することができる。

2　前項の規定にかかわらず、第四十一条第一項の規定により又は種類創立総会若しくは種類株主総会において選任された取締役を株主総会の決議によって解任することができる旨の定款の定めがある場合には、第九十条第一項の規定により選任された設立時取締役は、株式会社の成立の時までの間、創立総会の決議によって解任することができる。

3　設立しようとする株式会社が監査等委員会設置会社である場合における前項の規定の適用については、同項中「取締役を」とあるのは「監査等委員である取締役又はそれ以外の取締役を」と、「設立時取締役」とあるのは「設立時監査等委員である設立時取締役又はそれ以外の設立時取締役」とする。

4　第一項及び第二項の規定は、第九十条第二項において準用する同条第一項の規定により選任された設立時監査役について準用する。

第五款　設立時取締役等による調査

（設立時取締役等による調査）

第九十三条　設立時取締役（設立しようとする株式会社が監査役設置会社である場合にあっては、設立時取締役及び設立時監査役。以下この条において同じ。）は、その選任後遅滞なく、次に掲げる事項を調査しなければならない。

一　第三十三条第十項第一号又は第二号に掲げる場合における現物出資財産等（同号に掲げる場合にあっては、同号の有価証券に限る。）について定款に記載され、又は記録された価額が相当であること。

二　第三十三条第十項第三号に規定する証明が相当であること。

三　発起人による出資の履行及び第六十三条第一項の規定による払込みが完了していること。

四　前三号に掲げる事項のほか、株式会社の設立の手続が法令又は定款に違反していないこと。

2　設立時取締役は、前項の規定による調査の結果を創立総会に報告しなければならない。

3　設立時取締役は、創立総会において、設立時株主から第一項の規定による調査に関する事項について説明を求められた場合には、当該事項について必要な説明をしなければならない。

（設立時取締役等が発起人である場合の特則）

第九十四条　設立時取締役（設立しようとする株式会社が監査役設置会社である場合にあっては、設立時取締役及び設立時監査役）の全部又は一部が発起人である場合には、創立総会においては、その決議によって、前条第一項各号に掲げる事項を調査する者を選任することができる。

2　前項の規定により選任された者は、必要な調査を行い、当該調査の結果を創立総会に報告しなければならない。

第六款　定款の変更

（発起人による定款の変更の禁止）

第九十五条　第五十七条第一項の募集をする場合には、発起人は、第五十八条第一項第三号の期日又は同号の期間の初日のうち最も早い日以後は、第三十三条第九項並びに第三十七条第一項及び第二項の規定にかかわらず、定款の変更をすることができない。

（創立総会における定款の変更）

第九十六条　第三十条第二項の規定にかかわらず、創立総会においては、その決議によって、定款の変更をすることができる。

（設立時発行株式の引受けの取消し）

第九十七条　創立総会において、第二十八条各号に掲げる事項を変更する定款の変更の決議をした場合には、当該創立総会においてその変更に反対した設立時株主は、当該決議後二週間以内に限り、その設立時発行株式の引受けに係る意思表示を取り消すことができる。

（創立総会の決議による発行可能株式総数の定め）

第九十八条　第五十七条第一項の募集をする場合において、発行可能株式総数を定款で定めていないときは、株式会社の成立の時までに、創立総会の決議によって、定款を変更して発行可能株式総数の定めを設けなければならない。

（定款の変更の手続の特則）

第九十九条　設立しようとする会社が種類株式発行会社である場合において、次の各号に掲げるときは、当該各号の種類の設立時発行株式の設立時種類株主全員の同意を得なければならない。

一　ある種類の株式の内容として第百八条第一項第六号に掲げる事項についての定款の定めを設け、又は当該事項についての定款の変更（当該事項についての定款の定めを廃止するものを除く。）をしようとするとき。

二　ある種類の株式について第三百二十二条第二項の規定による定款の定めを設けようとするとき。

第百条　設立しようとする株式会社が種類株式発行会社である場合において、定款を変更してある種類の株式の内容として第百八条第一項第四号又は第七号に掲げる事項についての定款の定めを設けるときは、当該定款の変更は、次に掲げる設立時種類株主を構成員とする種類創立総会（当該設立時種類株主に係る設立時発行株式の種類が二以上ある場合にあっては、当該二以上の設立時発行株式の種類別に区分された設立時種類株主を構成員とする各種類創立総会。以下この条において同じ。）の決議がなければ、その効力を生じない。ただし、当該種類創立総会において議決権を行使することができる設立時種類株主が存しない場合は、この限りでない。

一　当該種類の設立時発行株式の設立時種類株主

二　第百八条第二項第五号ロの他の株式を当該種類の株式とする定めがある取得請求権付株式の設立時種類株主

三　第百八条第二項第六号ロの他の株式を当該種類の株式とする定めがある取得条項付株式の設立時種類株主

2　前項に規定する種類創立総会において当該定款の変更に反対した設立時種類株主は、当該種類創立総会の決議後二週間以内に限り、その設立時発行株式の引受けに係る意思表示を取り消すことができる。

第百一条　設立しようとする株式会社が種類株式発行会社である場合において、次に掲げる事項についての定款の変更をすることにより、ある種類の設立時発行株式の設立時種類株主に損害を及ぼすおそれがあるときは、当該定款の変更は、当該種類の設立時発行株式の設立時種類株主を構成員とする種類創立総会（当該設立時種類株主に係る設立時発行株式の種類が二以上ある場合にあっては、当該二以上の設立時発行株式の種類別に区分された設立時種類株主を構成員とする各種類創立総会）の決議がなければ、その効力を生じない。ただし、当該種類創立総会において議決権を行使することができる設立時種類株主が存しない場合は、この限りでない。

一　株式の種類の追加

二　株式の内容の変更

三　発行可能株式総数又は発行可能種類株式総数（株式会社が発行することができる一の種類の株式の総数をいう。以下同じ。）の増加

2　前項の規定は、単元株式数についての定款の変更であって、当該定款の変更について第三百二十二条第二項の規定による定款の定めがある場合における当該種類の設立時発行株式の設立時種類株主を構成員とする種類創立総会については、適用しない。

第七款　設立手続等の特則等

（設立手続等の特則）

第百二条　設立時募集株式の引受人は、発起人が定めた時間内は、いつでも、第三十一条第二項各号に掲げる請求をすることができる。ただし、同項第二号又は第四号に掲げる請求をするには、発起人の定めた費用を支払わなければならない。

2　設立時募集株式の引受人は、株式会社の成立の時に、第六十三条第一項の規定による払込みを行った設立時発行株式の株主となる。

3　設立時募集株式の引受人は、第六十三条第一項又は第百三条第二項の規定による払込みを仮装した場合には、次条第一項又は第百三条第二項の規定による支払がされた後でなければ、払込みを仮装した設立時発行株式について、設立時株主及び株主の権利を行使することができない。

4　前項の設立時発行株式又はその株主となる権利を譲り受けた者は、当該設立時発行株式についての設立時株主及び株主の権利を行使することができる。ただし、その者に悪意又は重大な過失があるときは、この限りでない。

5　民法第九十三条第一項ただし書及び第九十四条第一項の規定は、設立時募集株式の引受けの申込み及び割当て並びに第六十一条の契約に係る意思表示については、適用しない。

6　設立時募集株式の引受人は、株式会社の成立後又は創立総会若しくは種類創立総会においてその議決権を行使した後は、錯誤、詐欺又は強迫を理由として設立時発行株式の引受けの取消しをすることができない。

（払込みを仮装した設立時募集株式の引受人の責任）

第百二条の二　設立時募集株式の引受人は、前条第三項に規定する場合には、株式会社に対し、払込みを仮装した払込金額の全額の支払をする義務を負う。

2　前項の規定により設立時募集株式の引受人の負う義務は、総株主の同意がなければ、免除することができない。

※法第一〇二条の二第一項の規定により同項に規定する支払をする義務が履行された際の株主資本は会社計算規則第二一条（二五八頁参照）

（発起人の責任等）

第百三条　第五十七条第一項の募集をした場合における第五十二条第二項の規定の適用については、同項中「次に」とあるのは、「第一号に」とする。

2　第百二条第三項に規定する場合には、払込みを仮装することに関与した発起人又は設立時取締役として法務省令で定める者は、株式会社に対し、前条第一項の引受人と連帯して、同項に規定する支払をする義務を負う。ただし、その者（当該払込みを仮装したものを除く。）がその職務を行うについて注意を怠らなかったことを証明した場合は、この限りでない。

3　前項の規定により発起人又は設立時取締役の負う義務は、総株主の同意がなければ、免除することができない。

4　第五十七条第一項の募集をした場合において、当該募集の広告その他当該募集に関する書面又は電磁的記録に自己の氏名又は名称及び株式会社の設立を賛助する旨を記載し、又は記録することを承諾した者（発起人を除く。）は、発起人とみなして、前節及び前三項の規定を適用する。

【会社法施行規則】

（払込みの仮装に関して責任をとるべき発起人等）

第十八条の二　法第百三条第二項に規定する法務省令で定める者は、次に掲げる者とする。

一　払込み（法第六十三条第一項の規定による払込みをいう。次号において同じ。）の仮装に関する職務を行った発起人及び設立時取締役

二　払込みの仮装が創立総会の決議に基づいて行われたときは、次に掲げる者

イ　当該創立総会に当該払込みの仮装に関する議案を提案した

発起人
ロ　イの議案の提案の決定に同意した発起人
ハ　当該創立総会において当該払込みの仮装に関する事項について説明をした発起人及び設立時取締役

第二章　株式

第一節　総則

（株主の責任）

第百四条　株主の責任は、その有する株式の引受価額を限度とする。

（株主の権利）

第百五条　株主は、その有する株式につき次に掲げる権利その他この法律の規定により認められた権利を有する。
一　剰余金の配当を受ける権利
二　残余財産の分配を受ける権利
三　株主総会における議決権

2　株主に前項第一号及び第二号に掲げる権利の全部を与えない旨の定款の定めは、その効力を有しない。

（共有者による権利の行使）

第百六条　株式が二以上の者の共有に属するときは、共有者は、当該株式についての権利を行使する者一人を定め、株式会社に対し、その者の氏名又は名称を通知しなければ、当該株式についての権利を行使することができない。ただし、株式会社が当該権利を行使することに同意した場合は、この限りでない。

（株式の内容についての特別の定め）

第百七条　株式会社は、その発行する全部の株式の内容として次に掲げる事項を定めることができる。
一　譲渡による当該株式の取得について当該株式会社の承認を要すること。
二　当該株式について、株主が当該株式会社に対してその取得を請求することができること。
三　当該株式について、当該株式会社が一定の事由が生じたことを条件としてこれを取得することができること。

2　株式会社は、全部の株式の内容として次の各号に掲げる事項を定めるときは、当該各号に定める事項を定款で定めなければならない。
一　譲渡による当該株式の取得について当該株式会社の承認を要すること　次に掲げる事項
イ　当該株式を譲渡により取得することについて当該株式会社の承認を要する旨
ロ　一定の場合においては株式会社が第百三十六条又は第百三十七条第一項の承認をしたものとみなすときは、その旨及び当該一定の場合
二　当該株式について、株主が当該株式会社に対してその取得を請求することができること　次に掲げる事項
イ　株主が当該株式会社に対して当該株主の有する株式を取得することを請求することができる旨
ロ　イの株式一株を取得するのと引換えに当該株主に対して当該株式会社の社債（新株予約権付社債についてのものを除く。）を交付するときは、当該社債の種類（第六百八十一条第一号に規定する社債の種類をいう。以下この編において同じ。）及び種類ごとの各社債の金額の合計額又はその算定方法
ハ　イの株式一株を取得するのと引換えに当該株主に対して当該株式会社の新株予約権（新株予約権付社債に付されたものを除く。）を交付するときは、当該新株予約権の内容及び数又はその算定方法
ニ　イの株式一株を取得するのと引換えに当該株主に対して当該株式会社の新株予約権付社債を交付するときは、当該新株予約権付社債についてのロに規定する事項及び当該新株予約権付社債に付

された新株予約権についてのハに規定する事項

ホ　イの株式一株を取得するのと引換えに当該株主に対して当該株式会社の株式等（株式、社債及び新株予約権をいう。以下同じ。）以外の財産を交付するときは、当該財産の内容及び数若しくは額又はこれらの算定方法

へ　株主が当該株式会社に対して当該株式を取得することを請求することができる期間

三　当該株式について、当該株式会社が一定の事由が生じたことを条件としてこれを取得することができること　次に掲げる事項

イ　一定の事由が生じた日に当該株式会社がその株式を取得する旨及びその事由

ロ　当該株式会社が別に定める日が到来することをもってイの事由とするときは、その旨

ハ　イの事由が生じた日にイの株式の一部を取得することとするときは、その旨及び取得する株式の一部の決定の方法

ニ　イの株式一株を取得するのと引換えに当該株主に対して当該株式会社の社債（新株予約権付社債についてのものを除く。）を交付するときは、当該社債の種類及び種類ごとの各社債の金額の合計額又はその算定方法

ホ　イの株式一株を取得するのと引換えに当該株主に対して当該株式会社の新株予約権（新株予約権付社債に付されたものを除く。）を交付するときは、当該新株予約権の内容及び数又はその算定方法

へ　イの株式一株を取得するのと引換えに当該株主に対して当該株式会社の新株予約権付社債を交付するときは、当該新株予約権付社債についてのニに規定する事項及び当該新株予約権付社債に付された新株予約権についてのホに規定する事項

ト　イの株式一株を取得するのと引換えに当該株主に対して当該株式会社の株式等以外の財産を交付するときは、当該財産の内容及び数若しくは額又はこれらの算定方法

（異なる種類の株式）

第百八条　株式会社は、次に掲げる事項について異なる定めをした内容の異なる二以上の種類の株式を発行することができる。ただし、指名委員会等設置会社及び公開会社は、第九号に掲げる事項についての定めがある種類の株式を発行することができない。

一　剰余金の配当

二　残余財産の分配

三　株主総会において議決権を行使することができる事項

四　譲渡による当該種類の株式の取得について当該株式会社の承認を要すること。

五　当該種類の株式について、株主が当該株式会社に対してその取得を請求することができること。

六　当該種類の株式について、当該株式会社が一定の事由が生じたことを条件としてこれを取得することができること。

七　当該種類の株式について、当該株式会社が株主総会の決議によってその全部を取得すること。

八　株主総会（取締役会設置会社にあっては株主総会又は取締役会、清算人会設置会社（第四百七十八条第八項に規定する清算人会設置会社をいう。以下この条において同じ。）にあっては株主総会又は清算人会）において決議すべき事項のうち、当該決議のほか、当該種類の株式の種類株主を構成員とする種類株主総会の決議があることを必要とするもの

九　当該種類の株式の種類株主を構成員とする種類株主総会において取締役（監査等委員会設置会社にあっては、監査等委員である取締役又はそれ以外の取締役。次項第九号及び第百十二条第一項において同じ。）又は監査役を選任すること。

2　株式会社は、次の各号に掲げる事項について内容の異なる二以上の種類の株式を発行する場合には、当該各号に定める事項及び発行可能種類株式総数を定款で定めなければならない。

一　剰余金の配当　当該種類の株主に交付する配当財産の価額の決定

の方法、剰余金の配当をする条件その他剰余金の配当に関する取扱いの内容

二　残余財産の分配　当該種類の株主に交付する残余財産の価額の決定の方法、当該残余財産の種類その他残余財産の分配に関する取扱いの内容

三　株主総会において議決権を行使することができる事項　次に掲げる事項

イ　株主総会において議決権を行使することができる事項

ロ　当該種類の株式につき議決権の行使の条件を定めるときは、その条件

四　譲渡による当該種類の株式の取得について当該株式会社の承認を要すること　当該種類の株式についての前条第二項第一号に定める事項

五　当該種類の株式について、株主が当該株式会社に対してその取得を請求することができること　次に掲げる事項

イ　当該種類の株式についての前条第二項第二号に定める事項

ロ　当該種類の株式一株を取得するのと引換えに当該株主に対して当該株式会社の他の株式を交付するときは、当該他の株式の種類及び種類ごとの数又はその算定方法

六　当該種類の株式について、当該株式会社が一定の事由が生じたことを条件としてこれを取得することができること　次に掲げる事項

イ　当該種類の株式についての前条第二項第三号に定める事項

ロ　当該種類の株式一株を取得するのと引換えに当該株主に対して当該株式会社の他の株式を交付するときは、当該他の株式の種類及び種類ごとの数又はその算定方法

七　当該種類の株式について、当該株式会社が株主総会の決議によってその全部を取得すること　次に掲げる事項

イ　第百七十一条第一項第一号に規定する取得対価の価額の決定の方法

ロ　当該株主総会の決議をすることができるか否かについての条件を定めるときは、その条件

八　株主総会（取締役会設置会社にあっては株主総会又は取締役会、清算人会設置会社にあっては株主総会又は清算人会）において決議すべき事項のうち、当該決議のほか、当該種類の株式の種類株主を構成員とする種類株主総会の決議があることを必要とするもの　次に掲げる事項

イ　当該種類株主総会の決議があることを必要とする事項

ロ　当該種類株主総会の決議を必要とする条件を定めるときは、その条件

九　当該種類の株式の種類株主を構成員とする種類株主総会において取締役又は監査役を選任すること　次に掲げる事項

イ　当該種類株主を構成員とする種類株主総会において取締役又は監査役を選任すること及び選任する取締役又は監査役の数

ロ　イの定めにより選任することができる取締役又は監査役の全部又は一部を他の種類株主と共同して選任することとするときは、当該他の種類株主の有する株式の種類及び共同して選任する取締役又は監査役の数

ハ　イ又はロに掲げる事項を変更する条件があるときは、その条件及びその条件が成就した場合における変更後のイ又はロに掲げる事項

ニ　イからハまでに掲げるもののほか、法務省令で定める事項

3　前項の規定にかかわらず、同項各号に定める事項（剰余金の配当について内容の異なる種類の種類株主が配当を受けることができる額その他法務省令で定める事項に限る。）の全部又は一部については、当該種類の株式を初めて発行する時までに、株主総会（取締役会設置会社にあっては株主総会又は取締役会、清算人会設置会社にあっては株主総会又は清算人会）の決議によって定める旨を定款で定めることができる。この場合においては、その内容の要綱を定款で定めなければならない。

【会社法施行規則】

（種類株主総会における取締役又は監査役の選任）

第十九条　法第百八条第二項第九号ニに規定する法務省令で定める事項は、次に掲げる事項とする。

一　当該種類の株式の種類株主を構成員とする種類株主総会において取締役（監査等委員会設置会社にあっては、監査等委員である取締役又はそれ以外の取締役）を選任することができる場合にあっては、次に掲げる事項

イ　当該種類株主総会において社外取締役（監査等委員会設置会社にあっては、監査等委員である社外取締役又はそれ以外の社外取締役。イ及びロにおいて同じ。）を選任しなければならないこととするときは、その旨及び選任しなければならない社外取締役の数

ロ　イの定めにより選任しなければならない社外取締役の全部又は一部を他の種類株主と共同して選任することとするときは、当該他の種類株主の有する株式の種類及び共同して選任する社外取締役の数

ハ　イ又はロに掲げる事項を変更する条件があるときは、その条件及びその条件が成就した場合における変更後のイ又はロに掲げる事項

二　当該種類の株式の種類株主を構成員とする種類株主総会において監査役を選任することができる場合にあっては、次に掲げる事項

イ　当該種類株主総会において社外監査役を選任しなければならないこととするときは、その旨及び選任しなければならない社外監査役の数

ロ　イの定めにより選任しなければならない社外監査役の全部又は一部を他の種類株主と共同して選任することとするときは、当該他の種類株主の有する株式の種類及び共同して選任する社外監査役の数

ハ　イ又はロに掲げる事項を変更する条件があるときは、その条件及びその条件が成就した場合における変更後のイ又はロに掲げる事項

（種類株式の内容）

第二十条　法第百八条第三項に規定する法務省令で定める事項は、次の各号に掲げる事項について内容の異なる種類の株式の内容のうち、当該各号に定める事項以外の事項とする。

一　剰余金の配当　配当財産の種類

二　残余財産の分配　残余財産の種類

三　株主総会において議決権を行使することができる事項　法第百八条第二項第三号イに掲げる事項

四　譲渡による当該種類の株式の取得について当該株式会社の承認を要すること　法第百七条第二項第一号イに掲げる事項

五　当該種類の株式について、株主が当該株式会社に対してその取得を請求することができること　次に掲げる事項

イ　法第百七条第二項第二号イに掲げる事項

ロ　当該種類の株式一株を取得するのと引換えに当該種類の株主に対して交付する財産の種類

六　当該種類の株式について、当該株式会社が一定の事由が生じたことを条件としてこれを取得することができること　次に掲げる事項

イ　一定の事由が生じた日に当該株式会社がその株式を取得する旨

ロ　法第百七条第二項第三号ロに規定する場合における同号イの事由

ハ　法第百七条第二項第三号ハに掲げる事項（当該種類の株式の株主の有する当該種類の株式の数に応じて定めるものを除く。）

ニ　当該種類の株式一株を取得するのと引換えに当該種類の株

主に対して交付する財産の種類

七　当該種類の株式について、当該株式会社が株主総会の決議によってその全部を取得すること　法第百八条第二項第七号イに掲げる事項

八　株主総会（取締役会設置会社にあっては株主総会又は取締役会、清算人会設置会社にあっては株主総会又は清算人会）において決議すべき事項のうち、当該決議のほか、当該種類の株式の種類株主を構成員とする種類株主総会の決議があることを必要とするもの　法第百八条第二項第八号イに掲げる事項

九　当該種類の株式の種類株主を構成員とする種類株主総会において取締役（監査等委員会設置会社にあっては、監査等委員である取締役又はそれ以外の取締役）又は監査役を選任すること　法第百八条第二項第九号イ及びロに掲げる事項

2　次に掲げる事項は、前項の株式の内容に含まれるものと解してはならない。

一　法第百六十四条第一項に規定する定款の定め

二　法第百六十七条第三項に規定する定款の定め

三　法第百六十八条第一項及び第百六十九条第二項に規定する定款の定め

四　法第百七十四条に規定する定款の定め

五　法第百八十九条第二項及び第百九十四条第一項に規定する定款の定め

六　法第百九十九条第四項及び第二百三十八条第四項に規定する定款の定め

（株主の平等）

第百九条　株式会社は、株主を、その有する株式の内容及び数に応じて、平等に取り扱わなければならない。

2　前項の規定にかかわらず、公開会社でない株式会社は、第百五条第一項各号に掲げる権利に関する事項について、株主ごとに異なる取扱いを行う旨を定款で定めることができる。

3　前項の規定による定款の定めがある場合には、同項の株主が有する株式を同項の権利に関する事項について内容の異なる種類の株式とみなして、この編及び第五編の規定を適用する。

（定款の変更の手続の特則）

第百十条　定款を変更してその発行する全部の株式の内容として第百七条第一項第三号に掲げる事項についての定款の定めを設け、又は当該事項についての定款の変更（当該事項についての定款の定めを廃止するものを除く。）をしようとする場合（株式会社が種類株式発行会社である場合を除く。）には、株主全員の同意を得なければならない。

第百十一条　種類株式発行会社がある種類の株式の発行後に定款を変更して当該種類の株式の内容として第百八条第一項第六号に掲げる事項についての定款の定めを設け、又は当該事項についての定款の変更（当該事項についての定款の定めを廃止するものを除く。）をしようとするときは、当該種類の株式を有する株主全員の同意を得なければならない。

2　種類株式発行会社がある種類の株式の内容として第百八条第一項第四号又は第七号に掲げる事項についての定款の定めを設ける場合には、当該定款の変更は、次に掲げる種類株主を構成員とする種類株主総会（当該種類株主に係る株式の種類が二以上ある場合にあっては、当該二以上の株式の種類別に区分された種類株主を構成員とする各種類株主総会。以下この条において同じ。）の決議がなければ、その効力を生じない。ただし、当該種類株主総会において議決権を行使することができる種類株主が存しない場合は、この限りでない。

一　当該種類の株式の種類株主

二　第百八条第二項第五号ロの他の株式を当該種類の株式とする定めがある取得請求権付株式の種類株主

三　第百八条第二項第六号ロの他の株式を当該種類の株式とする定めがある取得条項付株式の種類株主

（取締役の選任等に関する種類株式の定款の定めの廃止の特則）

第百十二条　第百八条第二項第九号に掲げる事項（取締役に関するものに限る。）についての定款の定めは、この法律又は定款で定めた取締役の員数を欠いた場合において、そのために当該員数に足りる数の取締役を選任することができないときは、廃止されたものとみなす。

2　前項の規定は、第百八条第二項第九号に掲げる事項（監査役に関するものに限る。）についての定款の定めについて準用する。

（発行可能株式総数）

第百十三条　株式会社は、定款を変更して発行可能株式総数についての定めを廃止することができない。

2　定款を変更して発行可能株式総数を減少するときは、変更後の発行可能株式総数は、当該定款の変更が効力を生じた時における発行済株式の総数を下ることができない。

3　次に掲げる場合には、当該定款の変更後の発行可能株式総数は、当該定款の変更が効力を生じた時における発行済株式の総数の四倍を超えることができない。

一　公開会社が定款を変更して発行可能株式総数を増加する場合

二　公開会社でない株式会社が定款を変更して公開会社となる場合

4　新株予約権（第二百三十六条第一項第四号の期間の初日が到来していないものを除く。）の新株予約権者が第二百八十二条第一項の規定により取得することとなる株式の数は、発行可能株式総数から発行済株式（自己株式（株式会社が有する自己の株式をいう。以下同じ。）を除く。）の総数を控除して得た数を超えてはならない。

（発行可能種類株式総数）

第百十四条　定款を変更してある種類の株式の発行可能種類株式総数を減少するときは、変更後の当該種類の株式の発行可能種類株式総数は、当該定款の変更が効力を生じた時における当該種類の発行済株式の総数を下ることができない。

2　ある種類の株式についての次に掲げる数の合計数は、当該種類の株式の発行可能種類株式総数から当該種類の発行済株式（自己株式を除く。）の総数を控除して得た数を超えてはならない。

一　取得請求権付株式（第百七条第二項第二号ヘの期間の初日が到来していないものを除く。）の株主（当該株式会社を除く。）が第百六十七条第二項の規定により取得することとなる同項第四号に規定する他の株式の数

二　取得条項付株式の株主（当該株式会社を除く。）が第百七十条第二項の規定により取得することとなる同項第四号に規定する他の株式の数

三　新株予約権（第二百三十六条第一項第四号の期間の初日が到来していないものを除く。）の新株予約権者が第二百八十二条第一項の規定により取得することとなる株式の数

（議決権制限株式の発行数）

第百十五条　種類株式発行会社が公開会社である場合において、株主総会において議決権を行使することができる事項について制限のある種類の株式（以下この条において「議決権制限株式」という。）の数が発行済株式の総数の二分の一を超えるに至ったときは、株式会社は、直ちに、議決権制限株式の数を発行済株式の総数の二分の一以下にするための必要な措置をとらなければならない。

（反対株主の株式買取請求）

第百十六条　次の各号に掲げる場合には、反対株主は、株式会社に対し、自己の有する当該各号に定める株式を公正な価格で買い取ることを請求することができる。

一　その発行する全部の株式の内容として第百七条第一項第一号に掲げる事項についての定めを設ける定款の変更をする場合　全部の株式

二　ある種類の株式の内容として第百八条第一項第四号又は第七号に掲げる事項についての定めを設ける定款の変更をする場合　第百十一条第二項各号に規定する株式

三　次に掲げる行為をする場合において、ある種類の株式（第三百二十二条第二項の規定による定款の定めがあるものに限る。）を有する

ト　種類株主に損害を及ぼすおそれがあるとき　当該種類の株式
イ　株式の併合又は株式の分割
ロ　第百八十五条に規定する株式無償割当て
ハ　単元株式数についての定款の変更
ニ　当該株式会社の株式を引き受ける者の募集（第二百二条第一項各号に掲げる事項を定めるものに限る。）
ホ　当該株式会社の新株予約権を引き受ける者の募集（第二百四十一条第一項各号に掲げる事項を定めるものに限る。）
ヘ　第二百七十七条に規定する新株予約権無償割当て

2　前項に規定する「反対株主」とは、次の各号に掲げる場合における当該各号に定める株主をいう。
一　前項各号の行為をするために株主総会（種類株主総会を含む。）の決議を要する場合　次に掲げる株主
イ　当該株主総会に先立って当該行為に反対する旨を当該株式会社に対し通知し、かつ、当該株主総会において当該行為に反対した株主（当該株主総会において議決権を行使することができるものに限る。）
ロ　当該株主総会において議決権を行使することができない株主
二　前号に規定する場合以外の場合　すべての株主

3　第一項各号の行為をしようとする株式会社は、当該行為が効力を生ずる日（以下この条及び次条において「効力発生日」という。）の二十日前までに、同項各号に定める株式の株主に対し、当該行為をする旨を通知しなければならない。

4　前項の規定による通知は、公告をもってこれに代えることができる。

5　第一項の規定による請求（以下この節において「株式買取請求」という。）は、効力発生日の二十日前の日から効力発生日の前日までの間に、その株式買取請求に係る株式の数（種類株式発行会社にあっては、株式の種類及び種類ごとの数）を明らかにしてしなければならない。

6　株券が発行されている株式について株式買取請求をしようとするときは、当該株式の株主は、株式会社に対し、当該株式に係る株券を提出しなければならない。ただし、当該株券について第二百二十三条の規定による請求をした者については、この限りでない。

7　株式買取請求をした株主は、株式会社の承諾を得た場合に限り、その株式買取請求を撤回することができる。

8　株式会社が第一項各号の行為を中止したときは、株式買取請求は、その効力を失う。

9　第百三十三条の規定は、株式買取請求に係る株式については、適用しない。

（株式の価格の決定等）

第百十七条　株式買取請求があった場合において、株式の価格の決定について、株主と株式会社との間に協議が調ったときは、株式会社は、効力発生日から六十日以内にその支払をしなければならない。

2　株式の価格の決定について、効力発生日から三十日以内に協議が調わないときは、株主又は株式会社は、その期間の満了の日後三十日以内に、裁判所に対し、価格の決定の申立てをすることができる。

3　前条第七項の規定にかかわらず、前項に規定する場合において、効力発生日から六十日以内に同項の申立てがないときは、その期間の満了後は、株主は、いつでも、株式買取請求を撤回することができる。

4　株式会社は、裁判所の決定した価格に対する第一項の期間の満了の日後の法定利率による利息をも支払わなければならない。

5　株式会社は、株式の価格の決定があるまでは、株主に対し、当該株式会社が公正な価格と認める額を支払うことができる。

6　株式買取請求に係る株式の買取りは、効力発生日に、その効力を生ずる。

7　株券発行会社（その株式（種類株式発行会社にあっては、全部の種類の株式）に係る株券を発行する旨の定款の定めがある株式会社をいう。以下同じ。）は、株券が発行されている株式について株式買取請求があったときは、株券と引換えに、その株式買取請求に係る株式の代金を支払わなければならない。

（新株予約権買取請求）

第百十八条　次の各号に掲げる定款の変更をする場合には、当該各号に定める新株予約権の新株予約権者は、株式会社に対し、自己の有する新株予約権を公正な価格で買い取ることを請求することができる。

一　その発行する全部の株式の内容として第百七条第一項第一号に掲げる事項についての定めを設ける定款の変更　全部の新株予約権

二　ある種類の株式の内容として第百八条第一項第四号又は第七号に掲げる事項についての定款の定めを設ける定款の変更　当該種類の株式を目的とする新株予約権

2　新株予約権付社債に付された新株予約権の新株予約権者は、前項の規定による請求（以下この節において「新株予約権買取請求」という。）をするときは、併せて、新株予約権付社債についての社債を買い取ることを請求しなければならない。ただし、当該新株予約権付社債に付された新株予約権について別段の定めがある場合は、この限りでない。

3　第一項各号に掲げる定款の変更をしようとする株式会社は、当該定款の変更が効力を生ずる日（以下この条及び次条において「定款変更日」という。）の二十日前までに、同項各号に定める新株予約権の新株予約権者に対し、当該定款の変更を行う旨を通知しなければならない。

4　前項の規定による通知は、公告をもってこれに代えることができる。

5　新株予約権買取請求は、定款変更日の二十日前の日から定款変更日の前日までの間に、その新株予約権買取請求に係る新株予約権の内容及び数を明らかにしてしなければならない。

6　新株予約権証券が発行されている新株予約権について新株予約権買取請求をしようとするときは、当該新株予約権の新株予約権者は、株式会社に対し、その新株予約権証券を提出しなければならない。ただし、当該新株予約権証券について非訟事件手続法（平成二十三年法律第五十一号）第百十四条に規定する公示催告の申立てをした者については、この限りでない。

7　新株予約権付社債券（第二百四十九条第二号に規定する新株予約権付社債券をいう。以下この項及び次条第八項において同じ。）が発行されている新株予約権付社債に付された新株予約権について新株予約権買取請求をしようとするときは、当該新株予約権の新株予約権者は、株式会社に対し、その新株予約権付社債券を提出しなければならない。ただし、当該新株予約権付社債券について非訟事件手続法第百十四条に規定する公示催告の申立てをした者については、この限りでない。

8　新株予約権買取請求をした新株予約権者は、株式会社の承諾を得た場合に限り、その新株予約権買取請求を撤回することができる。

9　株式会社が第一項各号に掲げる定款の変更を中止したときは、新株予約権買取請求は、その効力を失う。

10　第二百六十条の規定は、新株予約権買取請求に係る新株予約権については、適用しない。

（新株予約権の価格の決定等）

第百十九条　新株予約権買取請求があった場合において、新株予約権（当該新株予約権が新株予約権付社債に付されたものである場合において、当該新株予約権付社債についての社債の買取りの請求があったときは、当該社債を含む。以下この条において同じ。）の価格の決定について、新株予約権者と株式会社との間に協議が調ったときは、株式会社は、定款変更日から六十日以内にその支払をしなければならない。

2　新株予約権の価格の決定について、定款変更日から三十日以内に協議が調わないときは、新株予約権者又は株式会社は、その期間の満了の日後三十日以内に、裁判所に対し、価格の決定の申立てをすることができる。

3　前条第八項の規定にかかわらず、前項に規定する場合において、定款変更日から六十日以内に同項の申立てがないときは、その期間の満了後は、新株予約権者は、いつでも、新株予約権買取請求を撤回することができる。

4　株式会社は、裁判所の決定した価格に対する第一項の期間の満了の日後の法定利率による利息をも支払わなければならない。

5　株式会社は、新株予約権の価格の決定があるまでは、新株予約権者に対し、当該株式会社が公正な価格と認める額を支払うことができる。

6　新株予約権買取請求に係る新株予約権の買取りは、定款変更日に、その効力を生ずる。

7　株式会社は、新株予約権証券が発行されている新株予約権について新株予約権買取請求があったときは、新株予約権証券と引換えに、その新株予約権買取請求に係る新株予約権の代金を支払わなければならない。

8　株式会社は、新株予約権付社債券が発行されている新株予約権付社債に付された新株予約権について新株予約権買取請求があったときは、その新株予約権付社債券と引換えに、その新株予約権買取請求に係る新株予約権の代金を支払わなければならない。

（株主等の権利の行使に関する利益の供与）

第百二十条　株式会社は、何人に対しても、株主の権利、当該株式会社に係る適格旧株主（第八百四十七条の二第九項に規定する適格旧株主をいう。）の権利又は当該株式会社の最終完全親会社等（第八百四十七条の三第一項に規定する最終完全親会社等をいう。）の株主の権利の行使に関し、財産上の利益の供与（当該株式会社又はその子会社の計算においてするものに限る。以下この条において同じ。）をしてはならない。

2　株式会社が特定の株主に対して無償で財産上の利益の供与をしたときは、当該株式会社は、株主の権利の行使に関し、財産上の利益の供与をしたものと推定する。株式会社が特定の株主に対して有償で財産上の利益の供与をした場合において、当該株式会社又はその子会社の受けた利益が当該財産上の利益に比して著しく少ないときも、同様とする。

3　株式会社が第一項の規定に違反して財産上の利益の供与をしたときは、当該利益の供与を受けた者は、これを当該株式会社又はその子会社に返還しなければならない。この場合において、当該利益の供与を受けた者は、当該株式会社又はその子会社に対して当該利益と引換えに給付をしたものがあるときは、その返還を受けることができる。

4　株式会社が第一項の規定に違反して財産上の利益の供与をしたときは、当該利益の供与をすることに関与した取締役（指名委員会等設置会社にあっては、執行役を含む。以下この項において同じ。）として法務省令で定める者は、当該株式会社に対して、連帯して、供与した利益の価額に相当する額を支払う義務を負う。ただし、その者（当該利益の供与をした取締役を除く。）がその職務を行うについて注意を怠らなかったことを証明した場合は、この限りでない。

5　前項の義務は、総株主の同意がなければ、免除することができない。

【会社法施行規則】

（利益の供与に関して責任をとるべき取締役等）

第二十一条　法第百二十条第四項に規定する法務省令で定める者は、次に掲げる者とする。

一　利益の供与（法第百二十条第一項に規定する利益の供与をいう。以下この条において同じ。）に関する職務を行った取締役及び執行役

二　利益の供与が取締役会の決議に基づいて行われたときは、次に掲げる者

イ　当該取締役会の決議に賛成した取締役

ロ　当該取締役会に当該利益の供与に関する議案を提案した取締役及び執行役

三　利益の供与が株主総会の決議に基づいて行われたときは、次に掲げる者

イ　当該株主総会に当該利益の供与に関する議案を提案した取締役

ロ　イの議案の提案の決定に同意した取締役（取締役会設置会社の取締役を除く。）

ハ　イの議案の提案が取締役会の決議に基づいて行われたときは、当該取締役会の決議に賛成した取締役

ニ　当該株主総会において当該利益の供与に関する事項につい

て説明をした取締役及び執行役

第二節　株主名簿

（株主名簿）

第百二十一条　株式会社は、株主名簿を作成し、これに次に掲げる事項（以下「株主名簿記載事項」という。）を記載し、又は記録しなければならない。

一　株主の氏名又は名称及び住所

二　前号の株主の有する株式の数（種類株式発行会社にあっては、株式の種類及び種類ごとの数）

三　第一号の株主が株式を取得した日

四　株式会社が株券発行会社である場合には、第二号の株式（株券が発行されているものに限る。）に係る株券の番号

（株主名簿記載事項を記載した書面の交付等）

第百二十二条　前条第一号の株主は、株式会社に対し、当該株主についての株主名簿に記載され、若しくは記録された株主名簿記載事項を記載した書面の交付又は当該株主名簿記載事項を記録した電磁的記録の提供を請求することができる。

2　前項の書面には、株式会社の代表取締役（指名委員会等設置会社にあっては、代表執行役。次項において同じ。）が署名し、又は記名押印しなければならない。

3　第一項の電磁的記録には、株式会社の代表取締役が法務省令で定める署名又は記名押印に代わる措置をとらなければならない。

4　前三項の規定は、株券発行会社については、適用しない。

【会社法施行規則】

（電子署名）

第二百二十五条　次に掲げる規定に規定する法務省令で定める署名又は記名押印に代わる措置は、電子署名とする。

一　（略）

二　法第百二十二条第三項

三～十二　（略）

2　前項に規定する「電子署名」とは、電磁的記録に記録することができる情報について行われる措置であって、次の要件のいずれにも該当するものをいう。

一　当該情報が当該措置を行った者の作成に係るものであることを示すためのものであること。

二　当該情報について改変が行われていないかどうかを確認することができるものであること。

（株主名簿管理人）

第百二十三条　株式会社は、株主名簿管理人（株式会社に代わって株主名簿の作成及び備置きその他の株主名簿に関する事務を行う者をいう。以下同じ。）を置く旨を定款で定め、当該事務を行うことを委託することができる。

（基準日）

第百二十四条　株式会社は、一定の日（以下この章において「基準日」という。）を定めて、基準日において株主名簿に記載され、又は記録されている株主（以下この条において「基準日株主」という。）をその権利を行使することができる者と定めることができる。

2　基準日を定める場合には、株式会社は、基準日株主が行使することができる権利（基準日から三箇月以内に行使するものに限る。）の内容を定めなければならない。

3　株式会社は、基準日を定めたときは、当該基準日の二週間前までに、当該基準日及び前項の規定により定めた事項を公告しなければならない。ただし、定款に当該基準日及び当該事項について定めがあるときは、この限りでない。

4　基準日株主が行使することができる権利が株主総会又は種類株主総会における議決権である場合には、株式会社は、当該基準日後に株式

を取得した者の全部又は一部を当該権利を行使することができる者と定めることができる。ただし、当該株式の基準日株主の権利を害することができない。

5　第一項から第三項までの規定は、第百四十九条第一項に規定する登録株式質権者について準用する。

（株主名簿の備置き及び閲覧等）

第百二十五条　株式会社は、株主名簿をその本店（株主名簿管理人がある場合にあっては、その営業所）に備え置かなければならない。

2　株主及び債権者は、株式会社の営業時間内は、いつでも、次に掲げる請求をすることができる。この場合においては、当該請求の理由を明らかにしてしなければならない。

一　株主名簿が書面をもって作成されているときは、当該書面の閲覧又は謄写の請求

二　株主名簿が電磁的記録をもって作成されているときは、当該電磁的記録に記録された事項を法務省令で定める方法により表示したものの閲覧又は謄写の請求

3　株式会社は、前項の請求があったときは、次のいずれかに該当する場合を除き、これを拒むことができない。

一　当該請求を行う株主又は債権者（以下この項において「請求者」という。）がその権利の確保又は行使に関する調査以外の目的で請求を行ったとき。

二　請求者が当該株式会社の業務の遂行を妨げ、又は株主の共同の利益を害する目的で請求を行ったとき。

三　請求者が株主名簿の閲覧又は謄写によって知り得た事実を利益を得て第三者に通報するため請求を行ったとき。

四　請求者が、過去二年以内において、株主名簿の閲覧又は謄写によって知り得た事実を利益を得て第三者に通報したことがあるものであるとき。

4　株式会社の親会社社員は、その権利を行使するため必要があるときは、裁判所の許可を得て、当該株式会社の株主名簿について第二項各号に掲げる請求をすることができる。この場合においては、当該請求の理由を明らかにしてしなければならない。

5　前項の親会社社員について第三項各号のいずれかに規定する事由があるときは、裁判所は、前項の許可をすることができない。

【会社法施行規則】

（縦覧等の指定）

第二百三十四条　電子文書法第五条第一項の主務省令で定める縦覧等は、次に掲げる縦覧等とする。

一～八　（略）

九　法第百二十五条第二項第一号の規定による株主名簿の縦覧等

十　法第百二十五条第四項の規定による株主名簿の縦覧等

十一～五十四　（略）

（電磁的記録に記録された事項を表示する方法）

第二百二十六条　次に掲げる規定に規定する法務省令で定める方法は、次に掲げる規定の電磁的記録に記録された事項を紙面又は映像面に表示する方法とする。

一～五　（略）

六　法第百二十五条第二項第二号

七～四十三　（略）

（株主に対する通知等）

第百二十六条　株式会社が株主に対してする通知又は催告は、株主名簿に記載し、又は記録した当該株主の住所（当該株主が別に通知又は催告を受ける場所又は連絡先を当該株式会社に通知した場合にあっては、その場所又は連絡先）にあてて発すれば足りる。

2　前項の通知又は催告は、その通知又は催告が通常到達すべきであった時に、到達したものとみなす。

3　株式が二以上の者の共有に属するときは、共有者は、株式会社が株主に対してする通知又は催告を受領する者一人を定め、当該株式会社

に対し、その者の氏名又は名称を通知しなければならない。この場合においては、その者を株主とみなして、前二項の規定を適用する。

4　前項の規定による共有者の通知がない場合には、株式会社が株式の共有者に対してする通知又は催告は、そのうちの一人に対してすれば足りる。

5　前各項の規定は、第二百九十九条第一項（第三百二十五条において準用する場合を含む。）の通知に際して株主に書面を交付し、又は当該書面に記載すべき事項を電磁的方法により提供する場合について準用する。この場合において、第二項中「到達したもの」とあるのは、「当該書面の交付又は当該事項の電磁的方法による提供があったもの」と読み替えるものとする。

第三節　株式の譲渡等

第一款　株式の譲渡

（株式の譲渡）

第百二十七条　株主は、その有する株式を譲渡することができる。

（株券発行会社の株式の譲渡）

第百二十八条　株券発行会社の株式の譲渡は、当該株式に係る株券を交付しなければ、その効力を生じない。ただし、自己株式の処分による株式の譲渡については、この限りでない。

2　株券の発行前にした譲渡は、株券発行会社に対し、その効力を生じない。

（自己株式の処分に関する特則）

第百二十九条　株券発行会社は、自己株式を処分した日以後遅滞なく、当該自己株式を取得した者に対し、株券を交付しなければならない。

2　前項の規定にかかわらず、公開会社でない株券発行会社は、同項の者から請求がある時までは、同項の株券を交付しないことができる。

（株式の譲渡の対抗要件）

第百三十条　株式の譲渡は、その株式を取得した者の氏名又は名称及び住所を株主名簿に記載し、又は記録しなければ、株式会社その他の第三者に対抗することができない。

2　株券発行会社における前項の規定の適用については、同項中「株式会社その他の第三者」とあるのは、「株式会社」とする。

（権利の推定等）

第百三十一条　株券の占有者は、当該株券に係る株式についての権利を適法に有するものと推定する。

2　株券の交付を受けた者は、当該株券に係る株式についての権利を取得する。ただし、その者に悪意又は重大な過失があるときは、この限りでない。

（株主の請求によらない株主名簿記載事項の記載又は記録）

第百三十二条　株式会社は、次の各号に掲げる場合には、当該各号の株式の株主に係る株主名簿記載事項を株主名簿に記載し、又は記録しなければならない。

一　株式を発行した場合
二　当該株式会社の株式を取得した場合
三　自己株式を処分した場合

2　株式会社は、株式の併合をした場合には、併合した株式について、その株式の株主に係る株主名簿記載事項を株主名簿に記載し、又は記録しなければならない。

3　株式会社は、株式の分割をした場合には、分割した株式について、その株式の株主に係る株主名簿記載事項を株主名簿に記載し、又は記録しなければならない。

（株主の請求による株主名簿記載事項の記載又は記録）

第百三十三条　株式を当該株式会社以外の者から取得した者（当該株式会社を除く。以下この節において「株式取得者」という。）は、当該株式会社に対し、当該株式に係る株主名簿記載事項を株主名簿に記載し、又は記録することを請求することができる。

2　前項の規定による請求は、利害関係人の利益を害するおそれがないものとして法務省令で定める場合を除き、その取得した株式の株主として株主名簿に記載され、若しくは記録された者又はその相続人その他の一般承継人と共同してしなければならない。

【会社法施行規則】

（株主名簿記載事項の記載等の請求）

第二十二条　法第百三十三条第二項に規定する法務省令で定める場合は、次に掲げる場合とする。

一　株式取得者が、株主として株主名簿に記載若しくは記録がされた者又はその一般承継人に対して当該株式取得者の取得した株式に係る法第百三十三条第一項の規定による請求をすべきことを命ずる確定判決を得た場合において、当該確定判決の内容を証する書面その他の資料を提供して請求をしたとき。

二　株式取得者が前号の確定判決と同一の効力を有するものの内容を証する書面その他の資料を提供して請求をしたとき。

三　株式取得者が指定買取人である場合において、譲渡等承認請求者に対して売買代金の全部を支払ったことを証する書面その他の資料を提供して請求をしたとき。

四　株式取得者が一般承継により当該株式会社の株式を取得した者である場合において、当該一般承継を証する書面その他の資料を提供して請求をしたとき。

五　株式取得者が当該株式会社の株式を競売により取得した者である場合において、当該競売により取得したことを証する書面その他の資料を提供して請求をしたとき。

六　株式取得者が株式売渡請求により当該株式会社の発行する売渡株式の全部を取得した者である場合において、当該株式取得者が請求をしたとき。

七　株式取得者が株式交換（組織変更株式交換を含む。）により当該株式会社の発行済株式の全部を取得した会社である場合において、当該株式取得者が請求をしたとき。

八　株式取得者が株式移転（組織変更株式移転を含む。）により当該株式会社の発行済株式の全部を取得した株式会社である場合において、当該株式取得者が請求をしたとき。

九　株式取得者が法第百九十七条第一項の株式を取得した者である場合において、同条第二項の規定による売却に係る代金の全部を支払ったことを証する書面その他の資料を提供して請求をしたとき。

十　株式取得者が株券喪失登録者である場合において、当該株式取得者が株券喪失登録日の翌日から起算して一年を経過した日以降に、請求をしたとき（株券喪失登録が当該日前に抹消された場合を除く。）。

十一　株式取得者が法第二百三十四条第二項（法第二百三十五条第二項において準用する場合を含む。）の規定による売却に係る株式を取得した者である場合において、当該売却に係る代金の全部を支払ったことを証する書面その他の資料を提供して請求をしたとき。

2　前項の規定にかかわらず、株式会社が株券発行会社である場合には、法第百三十三条第二項に規定する法務省令で定める場合は、次に掲げる場合とする。

一　株式取得者が株券を提示して請求をした場合

二　株式取得者が株式売渡請求により当該株式会社の発行する売渡株式の全部を取得した者である場合において、当該株式取得者が請求をしたとき。

三　株式取得者が株式交換（組織変更株式交換を含む。）により当該株式会社の発行済株式の全部を取得した会社である場合において、当該株式取得者が請求をしたとき。

四　株式取得者が株式移転（組織変更株式移転を含む。）により当該株式会社の発行済株式の全部を取得した株式会社である場合において、当該株式取得者が請求をしたとき。

五　株式取得者が法第百九十七条第一項の株式を取得した者である場合において、同項の規定による競売又は同条第二項の規定による売却に係る代金の全部を支払ったことを証する書面その他の資料を提供して請求をしたとき。

六　株式取得者が法第二百三十四条第一項若しくは第二百三十五条第一項の規定による競売又は法第二百三十四条第二項（法第二百三十五条第二項において準用する場合を含む。）の規定による売却に係る株式を取得した者である場合において、当該競売又は当該売却に係る代金の全部を支払ったことを証する書面その他の資料を提供して請求をしたとき。

第百三十四条　前条の規定は、株式取得者が取得した株式が譲渡制限株式である場合には、適用しない。ただし、次のいずれかに該当する場合は、この限りでない。

一　当該株式取得者が当該譲渡制限株式を取得することについて第百三十六条の承認を受けていること。

二　当該株式取得者が当該譲渡制限株式を取得したことについて第百三十七条第一項の承認を受けていること。

三　当該株式取得者が第百四十条第四項に規定する指定買取人であること。

四　当該株式取得者が相続その他の一般承継により譲渡制限株式を取得した者であること。

（親会社株式の取得の禁止）

第百三十五条　子会社は、その親会社である株式会社の株式（以下この条において「親会社株式」という。）を取得してはならない。

2　前項の規定は、次に掲げる場合には、適用しない。

一　他の会社（外国会社を含む。）の事業の全部を譲り受ける場合において当該他の会社の有する親会社株式を譲り受ける場合

二　合併後消滅する会社から親会社株式を承継する場合

三　吸収分割により他の会社から親会社株式を承継する場合

四　新設分割により他の会社から親会社株式を承継する場合

五　前各号に掲げるもののほか、法務省令で定める場合

3　子会社は、相当の時期にその有する親会社株式を処分しなければならない。

【会社法施行規則】

（子会社及び親会社）

第三条　（略）

2・3　（略）

4　法第百三十五条第一項の親会社についての第二項の規定の適用については、同条第一項の子会社を第二項の法第二条第四号に規定する株式会社とみなす。

（子会社による親会社株式の取得）

第二十三条　法第百三十五条第二項第五号に規定する法務省令で定める場合は、次に掲げる場合とする。

一　吸収分割（法以外の法令（外国の法令を含む。以下この条において同じ。）に基づく吸収分割に相当する行為を含む。）に際して親会社株式の割当てを受ける場合

二　株式交換（法以外の法令に基づく株式交換に相当する行為を含む。）に際してその有する自己の株式（持分その他これに準ずるものを含む。以下この条において同じ。）と引換えに親会社株式の割当てを受ける場合

三　株式移転（法以外の法令に基づく株式移転に相当する行為を含む。）に際してその有する自己の株式と引換えに親会社株式の割当てを受ける場合

四　他の法人等が行う株式交付（法以外の法令に基づく株式交付に相当する行為を含む。）に際して親会社株式の割当てを受ける場合

五　親会社株式を無償で取得する場合

六　その有する他の法人等の株式につき当該他の法人等が行う剰余金の配当又は残余財産の分配（これらに相当する行為を含む。）により親会社株式の交付を受ける場合

七　その有する他の法人等の株式につき当該他の法人等が行う次に掲げる行為に際して当該株式と引換えに当該親会社株式の交付を受ける場合
イ　組織の変更
ロ　合併
ハ　株式交換（法以外の法令に基づく株式交換に相当する行為を含む。）
ニ　株式移転（法以外の法令に基づく株式移転に相当する行為を含む。）
ホ　取得条項付株式（これに相当する株式を含む。）の取得
ヘ　全部取得条項付種類株式（これに相当する株式を含む。）の取得
八　その有する他の法人等の新株予約権等を当該他の法人等が当該新株予約権等の定めに基づき取得することと引換えに親会社株式の交付をする場合において、当該親会社株式の交付を受けるとき。
九　法第百三十五条第一項の子会社である者（会社を除く。）が行う次に掲げる行為に際して当該者がその対価として親会社株式を交付するために、その対価として交付すべき当該親会社株式の総数を超えない範囲において当該親会社株式を取得する場合
イ　組織の変更
ロ　合併
ハ　法以外の法令に基づく吸収分割に相当する行為による他の法人等がその事業に関して有する権利義務の全部又は一部の承継
ニ　法以外の法令に基づく株式交換に相当する行為による他の法人等が発行している株式の全部の取得
十　他の法人等（会社及び外国会社を除く。）の事業の全部を譲り受ける場合において、当該他の法人等の有する親会社株式を譲り受けるとき。
十一　合併後消滅する法人等（会社を除く。）から親会社株式を承継する場合
十二　吸収分割又は新設分割に相当する行為により他の法人等（会社を除く。）から親会社株式を承継する場合
十三　親会社株式を発行している株式会社（連結配当規制適用会社に限る。）の他の子会社から当該親会社株式を譲り受ける場合
十四　その権利の実行に当たり目的を達成するために親会社株式を取得することが必要かつ不可欠である場合（前各号に掲げる場合を除く。）

第二款　株式の譲渡に係る承認手続

（株主からの承認の請求）

第百三十六条　譲渡制限株式の株主は、その有する譲渡制限株式を他人（当該譲渡制限株式を発行した株式会社を除く。）に譲り渡そうとするときは、当該株式会社に対し、当該他人が当該譲渡制限株式を取得することについて承認をするか否かの決定をすることを請求することができる。

（株式取得者からの承認の請求）

第百三十七条　譲渡制限株式を取得した株式取得者は、株式会社に対し、当該譲渡制限株式を取得したことについて承認をするか否かの決定をすることを請求することができる。

2　前項の規定による請求は、利害関係人の利益を害するおそれがないものとして法務省令で定める場合を除き、その取得した株式の株主として株主名簿に記載され、若しくは記録された者又はその相続人その他の一般承継人と共同してしなければならない。

【会社法施行規則】

（株式取得者からの承認の請求）

第二十四条　法第百三十七条第二項に規定する法務省令で定める場

合は、次に掲げる場合とする。
一　株式取得者が、株主として株主名簿に記載若しくは記録がされた者又はその一般承継人に対して当該株式取得者の取得した株式に係る法第百三十七条第一項の規定による請求をすべきことを命ずる確定判決を得た場合において、当該確定判決の内容を証する書面その他の資料を提供して請求をしたとき。
二　株式取得者が前号の確定判決と同一の効力を有するものの内容を証する書面その他の資料を提供して請求をしたとき。
三　株式取得者が当該株式会社の株式を競売により取得した者である場合において、当該競売により取得したことを証する書面その他の資料を提供して請求をしたとき。
四　株式取得者が組織変更株式交換により当該株式会社の株式の全部を取得した会社である場合において、当該株式取得者が請求をしたとき。
五　株式取得者が株式移転（組織変更株式移転を含む。）により当該株式会社の発行済株式の全部を取得した株式会社である場合において、当該株式取得者が請求をしたとき。
六　株式取得者が法第百九十七条第一項の株式を取得した者である場合において、同条第二項の規定による売却に係る代金の全部を支払ったことを証する書面その他の資料を提供して請求をしたとき。
七　株式取得者が株券喪失登録者である場合において、当該株式取得者が株券喪失登録日の翌日から起算して一年を経過した日以降に、請求をしたとき（株券喪失登録が当該日前に抹消された場合を除く。）。
八　株式取得者が法第二百三十四条第二項（法第二百三十五条第二項において準用する場合を含む。）の規定による売却に係る株式を取得した者である場合において、当該売却に係る代金の全部を支払ったことを証する書面その他の資料を提供して請求をしたとき。

2　前項の規定にかかわらず、株式会社が株券発行会社である場合には、法第百三十七条第二項に規定する法務省令で定める場合は、次に掲げる場合とする。
一　株式取得者が株券を提示して請求をした場合
二　株式取得者が組織変更株式交換により当該株式会社の株式の全部を取得した会社である場合において、当該株式取得者が請求をしたとき。
三　株式取得者が株式移転（組織変更株式移転を含む。）により当該株式会社の発行済株式の全部を取得した株式会社である場合において、当該株式取得者が請求をしたとき。
四　株式取得者が法第百九十七条第一項の株式を取得した者である場合において、同項の規定による競売又は同条第二項の規定による売却に係る代金の全部を支払ったことを証する書面その他の資料を提供して請求をしたとき。
五　株式取得者が法第二百三十四条第一項若しくは第二百三十五条第一項の規定による競売又は法第二百三十四条第二項（法第二百三十五条第二項において準用する場合を含む。）の規定による売却に係る株式を取得した者である場合において、当該競売又は当該売却に係る代金の全部を支払ったことを証する書面その他の資料を提供して請求をしたとき。

（譲渡等承認請求の方法）
第百三十八条　次の各号に掲げる請求（以下この款において「譲渡等承認請求」という。）は、当該各号に定める事項を明らかにしてしなければならない。
一　第百三十六条の規定による請求　次に掲げる事項
イ　当該請求をする株主が譲り渡そうとする譲渡制限株式の数（種類株式発行会社にあっては、譲渡制限株式の種類及び種類ごとの数）
ロ　イの譲渡制限株式を譲り受ける者の氏名又は名称

ハ　株式会社が第百三十六条の承認をしない旨の決定をする場合において、当該株式会社又は第百四十条第四項に規定する指定買取人がイの譲渡制限株式を買い取ることを請求するときは、その旨

二　前条第一項の規定による請求　次に掲げる事項

イ　当該請求をする株式取得者の取得した譲渡制限株式の数（種類株式発行会社にあっては、譲渡制限株式の種類及び種類ごとの数）

ロ　イの株式取得者の氏名又は名称

ハ　株式会社が前条第一項の承認をしない旨の決定をする場合において、当該株式会社又は第百四十条第四項に規定する指定買取人がイの譲渡制限株式を買い取ることを請求するときは、その旨

（譲渡等の承認の決定等）

第百三十九条　株式会社が第百三十六条又は第百三十七条第一項の承認をするか否かの決定をするには、株主総会（取締役会設置会社にあっては、取締役会）の決議によらなければならない。ただし、定款に別段の定めがある場合は、この限りでない。

2　株式会社は、前項の決定をしたときは、譲渡等承認請求をした者（以下この款において「譲渡等承認請求者」という。）に対し、当該決定の内容を通知しなければならない。

（株式会社又は指定買取人による買取り）

第百四十条　株式会社は、第百三十八条第一号ハ又は第二号ハの請求を受けた場合において、第百三十六条又は第百三十七条第一項の承認をしない旨の決定をしたときは、当該譲渡等承認請求に係る譲渡制限株式（以下この款において「対象株式」という。）を買い取らなければならない。この場合においては、次に掲げる事項を定めなければならない。

一　対象株式を買い取る旨

二　株式会社が買い取る対象株式の数（種類株式発行会社にあっては、対象株式の種類及び種類ごとの数）

2　前項各号に掲げる事項の決定は、株主総会の決議によらなければならない。

3　譲渡等承認請求者は、前項の株主総会において議決権を行使することができない。ただし、当該譲渡等承認請求者以外の株主の全部が同項の株主総会において議決権を行使することができない場合は、この限りでない。

4　第一項の規定にかかわらず、同項に規定する場合には、株式会社は、対象株式の全部又は一部を買い取る者（以下この款において「指定買取人」という。）を指定することができる。

5　前項の規定による指定は、株主総会（取締役会設置会社にあっては、取締役会）の決議によらなければならない。ただし、定款に別段の定めがある場合は、この限りでない。

（株式会社による買取りの通知）

第百四十一条　株式会社は、前条第一項各号に掲げる事項を決定したときは、譲渡等承認請求者に対し、これらの事項を通知しなければならない。

2　株式会社は、前項の規定による通知をしようとするときは、一株当たり純資産額（一株当たりの純資産額として法務省令で定める方法により算定される額をいう。以下同じ。）に前条第一項第二号の対象株式の数を乗じて得た額をその本店の所在地の供託所に供託し、かつ、当該供託を証する書面を譲渡等承認請求者に交付しなければならない。

3　対象株式が株券発行会社の株式である場合には、前項の書面の交付を受けた譲渡等承認請求者は、当該交付を受けた日から一週間以内に、前条第一項第二号の対象株式に係る株券を当該株券発行会社の本店の所在地の供託所に供託しなければならない。この場合においては、当該譲渡等承認請求者は、当該株券発行会社に対し、遅滞なく、当該供託をした旨を通知しなければならない。

4　前項の譲渡等承認請求者が同項の期間内に同項の規定による供託をしなかったときは、株券発行会社は、前条第一項第二号の対象株式の売買契約を解除することができる。

【会社法施行規則】

（一株当たり純資産額）

第二十五条　法第百四十一条第二項に規定する法務省令で定める方法は、基準純資産額を基準株式数で除して得た額に一株当たり純資産額を算定すべき株式についての株式係数を乗じて得た額をもって当該株式の一株当たりの純資産額とする方法とする。

2　当該株式会社が算定基準日において清算株式会社である場合における前項の規定の適用については、同項中「基準純資産額」とあるのは、「法第四百九十二条第一項の規定により作成した貸借対照表の資産の部に計上した額から負債の部に計上した額を減じて得た額（零未満である場合にあっては、零）」とする。

3　第一項に規定する「基準純資産額」とは、算定基準日における第一号から第七号までに掲げる額の合計額から第八号に掲げる額を減じて得た額（零未満である場合にあっては、零）をいう。

一　資本金の額

二　資本準備金の額

三　利益準備金の額

四　法第四百四十六条に規定する剰余金の額

五　最終事業年度（法第四百六十一条第二項第二号に規定する場合にあっては、法第四百四十一条第一項第二号の期間（当該期間が二以上ある場合にあっては、その末日が最も遅いもの））の末日（最終事業年度がない場合にあっては、株式会社の成立の日）における評価・換算差額等に係る額

六　株式引受権の帳簿価額

七　新株予約権の帳簿価額

八　自己株式及び自己新株予約権の帳簿価額の合計額

4　第一項に規定する「基準株式数」とは、次に掲げる場合の区分に応じ、当該各号に定める数をいう。

一　種類株式発行会社でない場合　発行済株式（自己株式を除く。）の総数

二　種類株式発行会社である場合　株式会社が発行している各種類の株式（自己株式を除く。）の数に当該種類の株式に係る株式係数を乗じて得た数の合計数

5　第一項及び前項第二号に規定する「株式係数」とは、一（種類株式発行会社において、定款である種類の株式についての第一項及び前項の適用に関して当該種類の株式一株を一とは異なる数の株式として取り扱うために一以外の数を定めた場合にあっては、当該数）をいう。

6　第二項及び第三項に規定する「算定基準日」とは、次の各号に掲げる規定に規定する一株当たり純資産額を算定する場合における当該各号に定める日をいう。

一　法第百四十一条第二項　同条第一項の規定による通知の日

二　法第百四十二条第二項　同条第一項の規定による通知の日

三　法第百四十四条第五項　法第百四十一条第一項の規定による通知の日

四　法第百四十四条第七項において準用する同条第五項　法第百四十二条第一項の規定による通知の日

五　法第百六十七条第三項第二号　法第百六十六条第一項本文の規定による請求の日

六　法第百九十三条第五項　法第百九十二条第一項の規定による請求の日

七　法第百九十四条第四項において準用する法第百九十三条第五項　単元未満株式売渡請求の日

八　法第二百八十三条第二号　新株予約権の行使の日

九　法第七百九十六条第二項第一号イ　吸収合併契約、吸収分割契約又は株式交換契約を締結した日（当該契約により当該契約を締結した日と異なる時（当該契約を締結した日後から当該吸収合併、吸収分割又は株式交換の効力が生ずる時の直前までの間の時に限る。）を定めた場合にあっては、当該時）

十　法第八百十六条の四第一項第一号イ　株式交付計画を作成した日（当該株式交付計画により当該株式交付計画を作成した日と異なる時（当該株式交付計画を作成した日後から当該株式交付の効力が生ずる時の直前までの間の時に限る。）を定めた場合にあっては、当該時）

十一　第三十三条第二号　法第百六十六条第一項本文の規定による請求の日

（指定買取人による買取りの通知）

第百四十二条　指定買取人は、第百四十条第四項の規定による指定を受けたときは、譲渡等承認請求者に対し、次に掲げる事項を通知しなければならない。

一　指定買取人として指定を受けた旨

二　指定買取人が買い取る対象株式の数（種類株式発行会社にあっては、対象株式の種類及び種類ごとの数）

2　指定買取人は、前項の規定による通知をしようとするときは、一株当たり純資産額に同項第二号の対象株式の数を乗じて得た額を株式会社の本店の所在地の供託所に供託し、かつ、当該供託を証する書面を譲渡等承認請求者に交付しなければならない。

3　対象株式が株券発行会社の株式である場合には、前項の書面の交付を受けた譲渡等承認請求者は、当該交付を受けた日から一週間以内に、第一項第二号の対象株式に係る株券を当該株券発行会社の本店の所在地の供託所に供託しなければならない。この場合においては、当該譲渡等承認請求者は、指定買取人に対し、遅滞なく、当該供託をした旨を通知しなければならない。

4　前項の譲渡等承認請求者が同項の期間内に同項の規定による供託をしなかったときは、指定買取人は、第一項第二号の対象株式の売買契約を解除することができる。

（譲渡等承認請求の撤回）

第百四十三条　第百三十八条第一号ハ又は第二号ハの請求をした譲渡等承認請求者は、第百四十一条第一項の規定による通知を受けた後は、株式会社の承諾を得た場合に限り、その請求を撤回することができる。

2　第百三十八条第一号ハ又は第二号ハの請求をした譲渡等承認請求者は、前条第一項の規定による通知を受けた後は、指定買取人の承諾を得た場合に限り、その請求を撤回することができる。

（売買価格の決定）

第百四十四条　第百四十一条第一項の規定による通知があった場合には、第百四十条第一項第二号の対象株式の売買価格は、株式会社と譲渡等承認請求者との協議によって定める。

2　株式会社又は譲渡等承認請求者は、第百四十一条第一項の規定による通知があった日から二十日以内に、裁判所に対し、売買価格の決定の申立てをすることができる。

3　裁判所は、前項の決定をするには、譲渡等承認請求の時における株式会社の資産状態その他一切の事情を考慮しなければならない。

4　第一項の規定にかかわらず、第二項の期間内に同項の申立てがあったときは、当該申立てにより裁判所が定めた額をもって第百四十条第一項第二号の対象株式の売買価格とする。

5　第一項の規定にかかわらず、第二項の期間内に同項の申立てがないとき（当該期間内に第一項の協議が調った場合を除く。）は、一株当たり純資産額に第百四十条第一項第二号の対象株式の数を乗じて得た額をもって当該対象株式の売買価格とする。

6　第百四十一条第二項の規定による供託をした場合において、第百四十条第一項第二号の対象株式の売買価格が確定したときは、株式会社は、供託した金銭に相当する額を限度として、売買代金の全部又は一部を支払ったものとみなす。

7　前各項の規定は、第百四十二条第一項の規定による通知があった場合について準用する。この場合において、第一項中「第百四十条第一項第二号」とあるのは「第百四十二条第一項第二号」と、「株式会社」とあるのは「指定買取人」と、第二項中「株式会社」とあるのは「指定買取人」と、第四項及び第五項中「第百四十条第一項第二号」とあるのは「第百四十二条第一項第二号」と、前項中「第百四十一条第二項」とあるのは「第百四十二条第二項」と、「第百四十条第一項第二号」とあるのは「同条第一項第二号」と、「株式会社」とあるのは「指定買取人」と読み替えるものとする。

第百四十五条（株式会社が承認をしたとみなされる場合）

第百四十五条　次に掲げる場合には、株式会社は、第百三十六条又は第百三十七条第一項の承認をする旨の決定をしたものとみなす。ただし、株式会社と譲渡等承認請求者との合意により別段の定めをしたときは、この限りでない。

一　株式会社が第百三十六条又は第百三十七条第一項の規定による請求の日から二週間（これを下回る期間を定款で定めた場合にあっては、その期間）以内に第百三十九条第二項の規定による通知をしなかった場合

二　株式会社が第百三十九条第二項の規定による通知の日から四十日（これを下回る期間を定款で定めた場合にあっては、その期間）以内に第百四十一条第一項の規定による通知をしなかった場合（指定買取人が第百三十九条第二項の規定による通知の日から十日（これを下回る期間を定款で定めた場合にあっては、その期間）以内に第百四十二条第一項の規定による通知をした場合を除く。）

三　前二号に掲げる場合のほか、法務省令で定める場合

【会社法施行規則】

（承認したものとみなされる場合）

第二十六条　法第百四十五条第三号に規定する法務省令で定める場合は、次に掲げる場合とする。

一　株式会社が法第百三十九条第二項の規定による通知の日から四十日（これを下回る期間を定款で定めた場合にあっては、その期間）以内に法第百四十一条第一項の規定による通知をした場合において、当該期間内に譲渡等承認請求者に対して同条第二項の書面を交付しなかったとき（指定買取人が法第百三十九条第二項の規定による通知の日から十日（これを下回る期間を定款で定めた場合にあっては、その期間）以内に法第百四十二条第一項の規定による通知をした場合を除く。）。

二　指定買取人が法第百三十九条第二項の規定による通知の日から十日（これを下回る期間を定款で定めた場合にあっては、その期間）以内に法第百四十二条第一項の規定による通知をした場合において、当該期間内に譲渡等承認請求者に対して同条第二項の書面を交付しなかったとき。

三　譲渡等承認請求者が当該株式会社又は指定買取人との間の対象株式に係る売買契約を解除した場合

第三款　株式の質入れ

（株式の質入れ）

第百四十六条　株主は、その有する株式に質権を設定することができる。

2　株券発行会社の株式の質入れは、当該株式に係る株券を交付しなければ、その効力を生じない。

（株式の質入れの対抗要件）

第百四十七条　株式の質入れは、その質権者の氏名又は名称及び住所を株主名簿に記載し、又は記録しなければ、株式会社その他の第三者に対抗することができない。

2　前項の規定にかかわらず、株券発行会社の株式の質権者は、継続して当該株式に係る株券を占有しなければ、その質権をもって株券発行会社その他の第三者に対抗することができない。

3　民法第三百六十四条の規定は、株式については、適用しない。

（株主名簿の記載等）

第百四十八条　株式に質権を設定した者は、株式会社に対し、次に掲げる事項を株主名簿に記載し、又は記録することを請求することができる。

一　質権者の氏名又は名称及び住所

二　質権の目的である株式

（株主名簿の記載事項を記載した書面の交付等）

第百四十九条　前条各号に掲げる事項が株主名簿に記載され、又は記録された質権者（以下「登録株式質権者」という。）は、株式会社に対し、当該登録株式質権者についての株主名簿に記載され、若しくは記録された同条各号に掲げる事項を記載した書面の交付又は当該事項を記録した電磁的記録の提供を請求することができる。

2　前項の書面には、株式会社の代表取締役（指名委員会等設置会社にあっては、代表執行役。次項において同じ。）が署名し、又は記名押印しなければならない。

3　第一項の電磁的記録には、株式会社の代表取締役が法務省令で定める署名又は記名押印に代わる措置をとらなければならない。

4　前三項の規定は、株券発行会社については、適用しない。

【会社法施行規則】

（電子署名）

第二百二十五条　次に掲げる規定に規定する法務省令で定める署名又は記名押印に代わる措置は、電子署名とする。

一・二　（略）

三　法第百四十九条第三項

四～十二　（略）

2　前項に規定する「電子署名」とは、電磁的記録に記録することができる情報について行われる措置であって、次の要件のいずれにも該当するものをいう。

一　当該情報が当該措置を行った者の作成に係るものであることを示すためのものであること。

二　当該情報について改変が行われていないかどうかを確認することができるものであること。

（登録株式質権者に対する通知等）

第百五十条　株式会社が登録株式質権者に対してする通知又は催告は、株主名簿に記載し、又は記録した当該登録株式質権者の住所（当該登録株式質権者が別に通知又は催告を受ける場所又は連絡先を当該株式会社に通知した場合にあっては、その場所又は連絡先）にあてて発すれば足りる。

2　前項の通知又は催告は、その通知又は催告が通常到達すべきであった時に、到達したものとみなす。

（株式の質入れの効果）

第百五十一条　株式会社が次に掲げる行為をした場合には、株式を目的とする質権は、当該行為によって当該株式の株主が受けることのできる金銭等（金銭その他の財産をいう。以下同じ。）について存在する。

一　第百六十七条第一項の規定による取得請求権付株式の取得

二　第百七十条第一項の規定による取得条項付株式の取得

三　第百七十三条第一項の規定による第百七十一条第一項に規定する全部取得条項付種類株式の取得

四　株式の併合

五　株式の分割

六　第百八十五条に規定する株式無償割当て

七　第二百七十七条に規定する新株予約権無償割当て

八　剰余金の配当

九　残余財産の分配

十　組織変更

十一　合併（合併により当該株式会社が消滅する場合に限る。）

十二　株式交換

十三　株式移転

十四　株式の取得（第一号から第三号までに掲げる行為を除く。）

2　特別支配株主（第百七十九条第一項に規定する特別支配株主をいう。）が株式売渡請求（第百七十九条第二項に規定する株式売渡請求をいう。）により売渡株式（第百七十九条の二第一項第二号に規定する売渡株式をいう。以下この項において同じ。）の取得をした場合には、売渡株式を目的とする質権は、当該取得によって当該売渡株式の株主が受けることのできる金銭について存在する。

第百五十二条　株式会社（株券発行会社を除く。以下この条において同じ。）は、前条第一項第一号から第三号までに掲げる行為をした場合（これらの行為に際して当該株式会社が株式を交付する場合に限る。）又は同項第六号に掲げる行為をした場合において、同項の質権の質権者が登録株式質権者（第二百十八条第五項の規定による請求により第百四十八条各号に掲げる事項が株主名簿に記載され、又は記録されたものを除く。以下この款において同じ。）であるときは、前条第一項の株主が受けることができる株式について、その質権者の氏名又は名称及び住所を株主名簿に記載し、又は記録しなければならない。

2　株式会社は、株式の併合をした場合において、前条第一項の質権の質権者が登録株式質権者であるときは、併合した株式について、その質権者の氏名又は名称及び住所を株主名簿に記載し、又は記録しなければならない。

3　株式会社は、株式の分割をした場合において、前条第一項の質権の質権者が登録株式質権者であるときは、分割した株式について、その質権者の氏名又は名称及び住所を株主名簿に記載し、又は記録しなければならない。

第百五十三条　株券発行会社は、前条第一項に規定する場合には、第百五十一条第一項の株主が受ける株式に係る株券を登録株式質権者に引き渡さなければならない。

2　株券発行会社は、前条第二項に規定する場合には、併合した株式に係る株券を登録株式質権者に引き渡さなければならない。

3　株券発行会社は、前条第三項に規定する場合には、分割した株式について新たに発行する株券を登録株式質権者に引き渡さなければならない。

第百五十四条　登録株式質権者は、第百五十一条第一項の金銭等（金銭に限る。）又は同条第二項の金銭を受領し、他の債権者に先立って自己の債権の弁済に充てることができる。

2　株式会社が次の各号に掲げる行為をした場合において、前項の債権の弁済期が到来していないときは、登録株式質権者は、当該各号に定める者に同項に規定する金銭等に相当する金額を供託させることができる。この場合において、質権は、その供託金について存在する。

一　第百五十一条第一項第一号から第六号まで、第八号、第九号又は第十四号に掲げる行為　当該株式会社

二　組織変更　第七百四十四条第一項第一号に規定する組織変更後持分会社

三　合併（合併により当該株式会社が消滅する場合に限る。）　第七百四十九条第一項に規定する吸収合併存続会社又は第七百五十三条第一項に規定する新設合併設立会社

四　株式交換　第七百六十七条に規定する株式交換完全親会社

五　株式移転　第七百七十三条第一項第一号に規定する株式移転設立完全親会社

3　第百五十一条第二項に規定する場合において、第一項の債権の弁済期が到来していないときは、登録株式質権者は、当該特別支配株主に同条第二項の金銭に相当する金額を供託させることができる。この場合において、質権は、その供託金について存在する。

第四款　信託財産に属する株式についての対抗要件等

第百五十四条の二　株式については、当該株式が信託財産に属する旨を株主名簿に記載し、又は記録しなければ、当該株式が信託財産に属することを株式会社その他の第三者に対抗することができない。

2　第百二十一条第一号の株主は、その有する株式が信託財産に属するときは、株式会社に対し、その旨を株主名簿に記載し、又は記録することを請求することができる。

3　株主名簿に前項の規定による記載又は記録がされた場合における第

百二十二条第一項及び第百三十二条の規定の適用については、第百二十二条第一項中「記録された株主名簿記載事項」とあるのは「記録された株主名簿記載事項（当該株主の有する株式が信託財産に属する旨を含む。）」と、第百三十二条中「株主名簿記載事項」とあるのは「株主名簿記載事項（当該株主の有する株式が信託財産に属する旨を含む。）」とする。

4　前三項の規定は、株券発行会社については、適用しない。

第四節　株式会社による自己の株式の取得

第一款　総則

第百五十五条　株式会社は、次に掲げる場合に限り、当該株式会社の株式を取得することができる。

一　第百七条第二項第三号イの事由が生じた場合

二　第百三十八条第一号ハ又は第二号ハの請求があった場合

三　次条第一項の決議があった場合

四　第百六十六条第一項の規定による請求があった場合

五　第百七十一条第一項の決議があった場合

六　第百七十六条第一項の規定による請求をした場合

七　第百九十二条第一項の規定による請求があった場合

八　第百九十七条第三項各号に掲げる事項を定めた場合

九　第二百三十四条第四項各号（第二百三十五条第二項において準用する場合を含む。）に掲げる事項を定めた場合

十　他の会社（外国会社を含む。）の事業の全部を譲り受ける場合において当該他の会社が有する当該株式会社の株式を取得する場合

十一　合併後消滅する会社から当該株式会社の株式を承継する場合

十二　吸収分割をする会社から当該株式会社の株式を承継する場合

十三　前各号に掲げる場合のほか、法務省令で定める場合

【会社法施行規則】

（自己の株式を取得することができる場合）

第二十七条　法第百五十五条第十三号に規定する法務省令で定める場合は、次に掲げる場合とする。

一　当該株式会社の株式を無償で取得する場合

二　当該株式会社が有する他の法人等の株式（持分その他これに準ずるものを含む。以下この条において同じ。）につき当該他の法人等が行う剰余金の配当又は残余財産の分配（これらに相当する行為を含む。）により当該株式会社の株式の交付を受ける場合

三　当該株式会社が有する他の法人等の株式につき当該他の法人等が行う次に掲げる行為に際して当該株式と引換えに当該株式会社の株式の交付を受ける場合

イ　組織の変更

ロ　合併

ハ　株式交換（法以外の法令（外国の法令を含む。）に基づく株式交換に相当する行為を含む。）

ニ　取得条項付株式（これに相当する株式を含む。）の取得

ホ　全部取得条項付種類株式（これに相当する株式を含む。）の取得

四　当該株式会社が有する他の法人等の新株予約権等を当該他の法人等が当該新株予約権等の定めに基づき取得することと引換えに当該株式会社の株式の交付をする場合において、当該株式会社の株式の交付を受けるとき。

五　当該株式会社が法第百十六条第五項、第百八十二条の四第四項、第四百六十九条第五項、第七百八十五条第五項、第七百九十七条第五項又は第八百六条第五項（これらの規定を株式会社について他の法令において準用する場合を含む。）に規定する株式買取請求に応じて当該株式会社の

株式を取得する場合

六　合併後消滅する法人等（会社を除く。）から当該株式会社の株式を承継する場合

七　他の法人等（会社及び外国会社を除く。）の事業の全部を譲り受ける場合において、当該他の法人等の有する当該株式会社の株式を譲り受けるとき。

八　その権利の実行に当たり目的を達成するために当該株式会社の株式を取得することが必要かつ不可欠である場合（前各号に掲げる場合を除く。）

※自己株式の取得をする場合の株主資本は会社計算規則第二四条第一項（二五九頁参照）

第二款　株主との合意による取得

第一目　総則

（株式の取得に関する事項の決定）

第百五十六条　株式会社が株主との合意により当該株式会社の株式を有償で取得するには、あらかじめ、株主総会の決議によって、次に掲げる事項を定めなければならない。ただし、第三号の期間は、一年を超えることができない。

一　取得する株式の数（種類株式発行会社にあっては、株式の種類及び種類ごとの数）

二　株式を取得するのと引換えに交付する金銭等（当該株式会社の株式等を除く。以下この款において同じ。）の内容及びその総額

三　株式を取得することができる期間

2　前項の規定は、前条第一号及び第二号並びに第四号から第十三号までに掲げる場合には、適用しない。

（取得価格等の決定）

第百五十七条　株式会社は、前条第一項の規定による決定に従い株式を取得しようとするときは、その都度、次に掲げる事項を定めなければならない。

一　取得する株式の数（種類株式発行会社にあっては、株式の種類及び数）

二　株式一株を取得するのと引換えに交付する金銭等の内容及び数若しくは額又はこれらの算定方法

三　株式を取得するのと引換えに交付する金銭等の総額

四　株式の譲渡しの申込みの期日

2　取締役会設置会社においては、前項各号に掲げる事項の決定は、取締役会の決議によらなければならない。

3　第一項の株式の取得の条件は、同項の規定による決定ごとに、均等に定めなければならない。

（株主に対する通知等）

第百五十八条　株式会社は、株主（種類株式発行会社にあっては、取得する株式の種類の種類株主）に対し、前条第一項各号に掲げる事項を通知しなければならない。

2　公開会社においては、前項の規定による通知は、公告をもってこれに代えることができる。

（譲渡しの申込み）

第百五十九条　前条第一項の規定による通知を受けた株主は、その有する株式の譲渡しの申込みをしようとするときは、株式会社に対し、その申込みに係る株式の数（種類株式発行会社にあっては、株式の種類及び数）を明らかにしなければならない。

2　株式会社は、第百五十七条第一項第四号の期日において、前項の株主が申込みをした株式の譲受けを承諾したものとみなす。ただし、同項の株主が申込みをした株式の総数（以下この項において「申込総数」という。）が同条第一項第一号の数（以下この項において「取得総数」という。）を超えるときは、取得総数を申込総数で除して得た数に前項の株主が申込みをした株式の数を乗じて得た数（その数に一に満たない端数がある場合にあっては、これを切り捨てるものとする。）の株式

の譲受けを承諾したものとみなす。

第二目　特定の株主からの取得

（特定の株主からの取得）

第百六十条　株式会社は、第百五十六条第一項各号に掲げる事項の決定に併せて、同項の株主総会の決議によって、第百五十八条第一項の規定による通知を特定の株主に対して行う旨を定めることができる。

2　株式会社は、前項の規定による決定をしようとするときは、法務省令で定める時までに、株主（種類株式発行会社にあっては、取得する株式の種類の種類株主）に対し、次項の規定による請求をすることができる旨を通知しなければならない。

3　前項の株主は、第一項の特定の株主に自己をも加えたものを同項の株主総会の議案とすることを、法務省令で定める時までに、請求することができる。

4　第一項の特定の株主は、第百五十六条第一項の株主総会において議決権を行使することができない。ただし、第一項の特定の株主以外の株主の全部が当該株主総会において議決権を行使することができない場合は、この限りでない。

5　第一項の特定の株主を定めた場合における第百五十八条第一項の規定の適用については、同項中「株主（種類株式発行会社にあっては、取得する株式の種類の種類株主）」とあるのは、「第百六十条第一項の特定の株主」とする。

【会社法施行規則】

（特定の株主から自己の株式を取得する際の通知時期）

第二十八条　法第百六十条第二項に規定する法務省令で定める時は、法第百五十六条第一項の株主総会の日の二週間前とする。ただし、次の各号に掲げる場合には、当該各号に定める時とする。

一　法第二百九十九条第一項の規定による通知を発すべき時が当該株主総会の日の二週間を下回る期間（一週間以上の期間に限る。）前である場合　当該通知を発すべき時

二　法第二百九十九条第一項の規定による通知を発すべき時が当該株主総会の日の一週間を下回る期間前である場合　当該株主総会の日の一週間前

三　法第三百条の規定により招集の手続を経ることなく当該株主総会を開催する場合　当該株主総会の日の一週間前

（議案の追加の請求の時期）

第二十九条　法第百六十条第三項に規定する法務省令で定める時は、法第百五十六条第一項の株主総会の日の五日（定款でこれを下回る期間を定めた場合にあっては、その期間）前とする。ただし、前条各号に掲げる場合には、三日（定款でこれを下回る期間を定めた場合にあっては、その期間）前とする。

（市場価格のある株式の取得の特則）

第百六十一条　前条第二項及び第三項の規定は、取得する株式が市場価格のある株式である場合において、当該株式一株を取得するのと引換えに交付する金銭等の額が当該株式一株の市場価格として法務省令で定める方法により算定されるものを超えないときは、適用しない。

【会社法施行規則】

（市場価格を超えない額の対価による自己の株式の取得）

第三十条　法第百六十一条に規定する法務省令で定める方法は、次に掲げる額のうちいずれか高い額をもって同条に規定する株式の価格とする方法とする。

一　法第百五十六条第一項の決議の日の前日における当該株式を取引する市場における最終の価格（当該日に売買取引がない場合又は当該日が当該市場の休業日に当たる場合にあっては、その後最初になされた売買取引の成立価格）

二　法第百五十六条第一項の決議の日の前日において当該株式が公開買付け等の対象であるときは、当該日における当該公開買

付け等に係る契約における当該株式の価格

（相続人等からの取得の特則）

第百六十二条　第百六十条第二項及び第三項の規定は、株式会社が株主の相続人その他の一般承継人からその相続その他の一般承継により取得した当該株式会社の株式を取得する場合には、適用しない。ただし、次のいずれかに該当する場合は、この限りでない。

一　株式会社が公開会社である場合

二　当該相続人その他の一般承継人が株主総会又は種類株主総会において当該株式について議決権を行使した場合

（子会社からの株式の取得）

第百六十三条　株式会社がその子会社の有する当該株式会社の株式を取得する場合における第百五十六条第一項の規定の適用については、同項中「株主総会」とあるのは、「株主総会（取締役会設置会社にあっては、取締役会）」とする。この場合においては、第百五十七条から第百六十条までの規定は、適用しない。

（特定の株主からの取得に関する定款の定め）

第百六十四条　株式会社は、株式（種類株式発行会社にあっては、ある種類の株式。次項において同じ。）の取得について第百六十条第一項の規定による決定をするときは同条第二項及び第三項の規定を適用しない旨を定款で定めることができる。

2　株式の発行後に定款を変更して当該株式について前項の規定による定款の定めを設け、又は当該定めについての定款の変更（同項の定款の定めを廃止するものを除く。）をしようとするときは、当該株式を有する株主全員の同意を得なければならない。

第三目　市場取引等による株式の取得

第百六十五条　第百五十七条から第百六十条までの規定は、株式会社が市場において行う取引又は金融商品取引法第二十七条の二第六項に規定する公開買付けの方法（以下この条において「市場取引等」という。）により当該株式会社の株式を取得する場合には、適用しない。

2　取締役会設置会社は、市場取引等により当該株式会社の株式を取得することを取締役会の決議によって定めることができる旨を定款で定めることができる。

3　前項の規定による定款の定めを設けた場合における第百五十六条第一項の規定の適用については、同項中「株主総会」とあるのは、「株主総会（第百六十五条第一項に規定する場合にあっては、株主総会又は取締役会）」とする。

第三款　取得請求権付株式及び取得条項付株式の取得

第一目　取得請求権付株式の取得の請求

（取得の請求）

第百六十六条　取得請求権付株式の株主は、株式会社に対して、当該株主の有する取得請求権付株式を取得することを請求することができる。ただし、当該取得請求権付株式を取得するのと引換えに第百七条第二項第二号ロからホまでに規定する財産を交付する場合において、これらの財産の帳簿価額が当該請求の日における第四百六十一条第二項の分配可能額を超えているときは、この限りでない。

2　前項の規定による請求は、その請求に係る取得請求権付株式の数（種類株式発行会社にあっては、取得請求権付株式の種類及び種類ごとの数）を明らかにしてしなければならない。

3　株券発行会社の株主がその有する取得請求権付株式について第一項の規定による請求をしようとするときは、当該取得請求権付株式に係る株券を株券発行会社に提出しなければならない。ただし、当該取得請求権付株式に係る株券が発行されていない場合は、この限りでない。

（効力の発生）

第百六十七条　株式会社は、前条第一項の規定による請求の日に、その請求に係る取得請求権付株式を取得する。

2　次の各号に掲げる場合には、前条第一項の規定による請求をした株主は、その請求の日に、第百七条第二項第二号（種類株式発行会社にあっては、第百八条第二項第五号）に定める事項についての定めに従い、当該各号に定める者となる。

一　第百七条第二項第二号ロに掲げる事項についての定めがある場合　同号ロの社債の社債権者

二　第百七条第二項第二号ハに掲げる事項についての定めがある場合　同号ハの新株予約権の新株予約権者

三　第百七条第二項第二号ニに掲げる事項についての定めがある場合　同号ニの新株予約権付社債についての社債の社債権者及び当該新株予約権付社債に付された新株予約権の新株予約権者

四　第百八条第二項第五号ロに掲げる事項についての定めがある場合　同号ロの他の株式の株主

3　前項第四号に掲げる場合において、同号に規定する他の株式の数に一株に満たない端数があるときは、これを切り捨てるものとする。この場合においては、株式会社は、定款に別段の定めがある場合を除き、次の各号に掲げる場合の区分に応じ、当該各号に定める額にその端数を乗じて得た額に相当する金銭を前条第一項の規定による請求をした株主に対して交付しなければならない。

一　当該株式が市場価格のある株式である場合　当該株式一株の市場価格として法務省令で定める方法により算定される額

二　前号に掲げる場合以外の場合　一株当たり純資産額

4　前項の規定は、当該株式会社の社債及び新株予約権について端数がある場合について準用する。この場合において、同項第二号中「一株当たり純資産額」とあるのは、「法務省令で定める額」と読み替えるものとする。

【会社法施行規則】

（取得請求権付株式の行使により株式の数に端数が生ずる場合）

第三十一条　法第百六十七条第三項第一号に規定する法務省令で定める方法は、次に掲げる額のうちいずれか高い額をもって同号に規定する株式の価格とする方法とする。

一　法第百六十六条第一項の規定による請求の日（以下この条において「請求日」という。）における当該株式を取引する市場における最終の価格（当該請求日に売買取引がない場合又は当該請求日が当該市場の休業日に当たる場合にあっては、その後最初になされた売買取引の成立価格）

二　請求日において当該株式が公開買付け等の対象であるときは、当該請求日における当該公開買付け等に係る契約における当該株式の価格

> **会社法施行規則附則**
>
> **（株式等に関する経過措置）**
>
> **第三条**　（略）
>
> 2　第三十一条第二号、第三十二条第二号ロ、第三十六条第二号、第三十七条第二号及び第五十八条第二号の規定は、当分の間、適用しない。

（取得請求権付株式の行使により市場価格のある社債等に端数が生ずる場合）

第三十二条　法第百六十七条第四項において準用する同条第三項第一号に規定する法務省令で定める方法は、次の各号に掲げる財産の区分に応じ、当該各号に定める額をもって当該財産の価格とする方法とする。

一　社債（新株予約権付社債についてのものを除く。以下この号において同じ。）　法第百六十六条第一項の規定による請求の日（以下この条において「請求日」という。）における当該社債を取引する市場における最終の価格（当該請求日に売買取引がない場合又は当該請求日が当該市場の休業日に当たる場合にあっては、その後最初になされた売買取引の成立価格）

二　新株予約権（当該新株予約権が新株予約権付社債に付されたものである場合にあっては、当該新株予約権付社債。以下この号において同じ。）　次に掲げる額のうちいずれか高い額

イ　請求日における当該新株予約権を取引する市場における最終の価格（当該請求日に売買取引がない場合又は当該請求日が当該市場の休業日に当たる場合にあっては、その後最初になされた売買取引の成立価格）

ロ　請求日において当該新株予約権が公開買付け等の対象であるときは、当該請求日における当該公開買付け等に係る契約における当該新株予約権の価格

会社法施行規則附則

（株式等に関する経過措置）

第三条　（略）

2　第三十一条第二号、第三十二条第二号ロ、第三十六条第二号、第三十七条第二号及び第五十八条第二号の規定は、当分の間、適用しない。

（取得請求権付株式の行使により市場価格のない社債等に端数が生ずる場合）

第三十三条　法第百六十七条第四項において準用する同条第三項第二号に規定する法務省令で定める額は、次の各号に掲げる場合の区分に応じ、当該各号に定める額とする。

一　社債について端数がある場合　当該社債の金額

二　新株予約権について端数がある場合　当該新株予約権につき会計帳簿に付すべき価額（当該価額を算定することができないときは、当該新株予約権の目的である各株式についての一株当たり純資産額の合計額から当該新株予約権の行使に際して出資される財産の価額を減じて得た額（零未満である場合にあっては、零））

※取得請求権付株式の取得をする場合の株主資本は会社計算規則第一五条（二五五頁参照）

第二目　取得条項付株式の取得

（取得する日の決定）

第百六十八条　第百七条第二項第三号ロに掲げる事項についての定めがある場合には、株式会社は、同号ロの日を株主総会（取締役会設置会社にあっては、取締役会）の決議によって定めなければならない。ただし、定款に別段の定めがある場合は、この限りでない。

2　第百七条第二項第三号ロの日を定めたときは、株式会社は、取得条項付株式の株主（同号ハに掲げる事項についての定めがある場合にあっては、次条第一項の規定により決定した取得条項付株式の株主）及びその登録株式質権者に対し、当該日の二週間前までに、当該日を通知しなければならない。

3　前項の規定による通知は、公告をもってこれに代えることができる。

（取得する株式の決定等）

第百六十九条　株式会社は、第百七条第二項第三号ハに掲げる事項についての定めがある場合において、取得条項付株式を取得しようとするときは、その取得する取得条項付株式を決定しなければならない。

2　前項の取得条項付株式は、株主総会（取締役会設置会社にあっては、取締役会）の決議によって定めなければならない。ただし、定款に別段の定めがある場合は、この限りでない。

3　第一項の規定による決定をしたときは、株式会社は、同項の規定により決定した取得条項付株式の株主及びその登録株式質権者に対し、直ちに、当該取得条項付株式を取得する旨を通知しなければならない。

4　前項の規定による通知は、公告をもってこれに代えることができる。

（効力の発生等）

第百七十条　株式会社は、第百七条第二項第三号イの事由が生じた日（同号ハに掲げる事項についての定めがある場合にあっては、第一号に掲げる日又は第二号に掲げる日のいずれか遅い日。次項及び第五項にお

いて同じ。）に、取得条項付株式（同条第二項第三号ハに掲げる事項についての定めがある場合にあっては、前条第一項の規定により決定したもの。次項において同じ。）を取得する。
一　第百七条第二項第三号イの事由が生じた日
二　前条第三項の規定による通知の日又は同条第四項の公告の日から二週間を経過した日
2　次の各号に掲げる場合には、取得条項付株式の株主（当該株式会社を除く。）は、第百七条第二項第三号イの事由が生じた日に、同号（種類株式発行会社にあっては、第百八条第二項第六号）に定める事項についての定めに従い、当該各号に定める者となる。
一　第百七条第二項第三号ニに掲げる事項についての定めがある場合　同号ニの社債の社債権者
二　第百七条第二項第三号ホに掲げる事項についての定めがある場合　同号ホの新株予約権の新株予約権者
三　第百七条第二項第三号へに掲げる事項についての定めがある場合　同号への新株予約権付社債についての社債の社債権者及び当該新株予約権付社債に付された新株予約権の新株予約権者
四　第百八条第二項第六号ロに掲げる事項についての定めがある場合　同号ロの他の株式の株主
3　株式会社は、第百七条第二項第三号イの事由が生じた後、遅滞なく、取得条項付株式の株主及びその登録株式質権者（同号ハに掲げる事項についての定めがある場合にあっては、前条第一項の規定により決定した取得条項付株式の株主及びその登録株式質権者）に対し、当該事由が生じた旨を通知しなければならない。ただし、第百六十八条第二項の規定による通知又は同条第三項の公告をしたときは、この限りでない。
4　前項本文の規定による通知は、公告をもってこれに代えることができる。
5　前各項の規定は、取得条項付株式を取得するのと引換えに第百七条第二項第三号ニからトまでに規定する財産を交付する場合において、これらの財産の帳簿価額が同号イの事由が生じた日における第四百六十一条第二項の分配可能額を超えているときは、適用しない。

※取得条項付株式の取得をする場合の株主資本は会社計算規則第一五条（二五五頁参照）

第四款　全部取得条項付種類株式の取得

（全部取得条項付種類株式の取得に関する決定）

第百七十一条　全部取得条項付種類株式（第百八条第一項第七号に掲げる事項についての定めがある種類の株式をいう。以下この款において同じ。）を発行した種類株式発行会社は、株主総会の決議によって、全部取得条項付種類株式の全部を取得することができる。この場合においては、当該株主総会の決議によって、次に掲げる事項を定めなければならない。
一　全部取得条項付種類株式を取得するのと引換えに金銭等を交付するときは、当該金銭等（以下この条において「取得対価」という。）についての次に掲げる事項
イ　当該取得対価が当該株式会社の株式であるときは、当該株式の種類及び種類ごとの数又はその数の算定方法
ロ　当該取得対価が当該株式会社の社債（新株予約権付社債についてのものを除く。）であるときは、当該社債の種類及び種類ごとの各社債の金額の合計額又はその算定方法
ハ　当該取得対価が当該株式会社の新株予約権（新株予約権付社債に付されたものを除く。）であるときは、当該新株予約権の内容及び数又はその算定方法
ニ　当該取得対価が当該株式会社の新株予約権付社債であるときは、当該新株予約権付社債についてのロに規定する事項及び当該新株予約権付社債に付された新株予約権についてのハに規定する事項
ホ　当該取得対価が当該株式会社の株式等以外の財産であるときは、当該財産の内容及び数若しくは額又はこれらの算定方法

二　前号に規定する場合には、全部取得条項付種類株式の株主に対する取得対価の割当てに関する事項

三　株式会社が全部取得条項付種類株式を取得する日（以下この款において「取得日」という。）

2　前項第二号に掲げる事項についての定めは、株主（当該株式会社を除く。）の有する全部取得条項付種類株式の数に応じて取得対価を割り当てることを内容とするものでなければならない。

3　取締役は、第一項の株主総会において、全部取得条項付種類株式の全部を取得することを必要とする理由を説明しなければならない。

（全部取得条項付種類株式の取得対価等に関する書面等の備置き及び閲覧等）

第百七十一条の二　全部取得条項付種類株式を取得する株式会社は、次に掲げる日のいずれか早い日から取得日後六箇月を経過する日までの間、前条第一項各号に掲げる事項その他法務省令で定める事項を記載し、又は記録した書面又は電磁的記録をその本店に備え置かなければならない。

一　前条第一項の株主総会の日の二週間前の日（第三百十九条第一項の場合にあっては、同項の提案があった日）

二　第百七十二条第二項の規定による通知の日又は同条第三項の公告の日のいずれか早い日

2　全部取得条項付種類株式を取得する株式会社の株主は、当該株式会社に対して、その営業時間内は、いつでも、次に掲げる請求をすることができる。ただし、第二号又は第四号に掲げる請求をするには、当該株式会社の定めた費用を支払わなければならない。

一　前項の書面の閲覧の請求

二　前項の書面の謄本又は抄本の交付の請求

三　前項の電磁的記録に記録された事項を法務省令で定める方法により表示したものの閲覧の請求

四　前項の電磁的記録に記録された事項を電磁的方法であって株式会社の定めたものにより提供することの請求又はその事項を記載した書面の交付の請求

【会社法施行規則】

（全部取得条項付種類株式の取得に関する事前開示事項）

第三十三条の二　法第百七十一条の二第一項に規定する法務省令で定める事項は、次に掲げる事項とする。

一　取得対価（法第百七十一条第一項第一号に規定する取得対価をいう。以下この条において同じ。）の相当性に関する事項

二　取得対価について参考となるべき事項

三　計算書類等に関する事項

四　備置開始日（法第百七十一条の二第一項各号に掲げる日のいずれか早い日をいう。第四項第一号において同じ。）後株式会社が全部取得条項付種類株式の全部を取得する日までの間に、前三号に掲げる事項に変更が生じたときは、変更後の当該事項

2　前項第一号に規定する「取得対価の相当性に関する事項」とは、次に掲げる事項その他の法第百七十一条第一項第一号及び第二号に掲げる事項についての定め（当該定めがない場合にあっては、当該定めがないこと）の相当性に関する事項とする。

一　取得対価の総数又は総額の相当性に関する事項

二　取得対価として当該種類の財産を選択した理由

三　全部取得条項付種類株式を取得する株式会社に親会社等がある場合には、当該株式会社の株主（当該親会社等を除く。）の利益を害さないように留意した事項（当該事項がない場合にあっては、その旨）

四　法第二百三十四条の規定により一に満たない端数の処理をすることが見込まれる場合における次に掲げる事項

イ　次に掲げる事項その他の当該処理の方法に関する事項

(1)　法第二百三十四条第一項又は第二項のいずれの規定による処理を予定しているかの別及びその理由

(2)　法第二百三十四条第一項の規定による処理を予定してい

る場合には、競売の申立てをする時期の見込み（当該見込みに関する取締役（取締役会設置会社にあっては、取締役会。(3)及び(4)において同じ。）の判断及びその理由を含む。）

(3) 法第二百三十四条第二項の規定による処理（市場において行う取引による売却に限る。）を予定している場合には、売却する時期及び売却により得られた代金を株主に交付する時期の見込み（当該見込みに関する取締役の判断及びその理由を含む。）

(4) 法第二百三十四条第二項の規定による処理（市場において行う取引による売却を除く。）を予定している場合には、売却に係る株式を買い取る者となると見込まれる者の氏名又は名称、当該者が売却に係る代金の支払のための資金を確保する方法及び当該方法の相当性並びに売却する時期及び売却により得られた代金を株主に交付する時期の見込み（当該見込みに関する取締役の判断及びその理由を含む。）

ロ　当該処理により株主に交付することが見込まれる金銭の額及び当該額の相当性に関する事項

3　第一項第二号に規定する「取得対価について参考となるべき事項」とは、次の各号に掲げる場合の区分に応じ、当該各号に定める事項その他これに準ずる事項（法第百七十一条の二第一項に規定する書面又は電磁的記録にこれらの事項の全部又は一部の記載又は記録をしないことにつき全部取得条項付種類株式を取得する株式会社の総株主の同意がある場合にあっては、当該同意があったものを除く。）とする。

一　取得対価の全部又は一部が当該株式会社の株式である場合　次に掲げる事項

イ　当該株式の内容

ロ　次に掲げる事項その他の取得対価の換価の方法に関する事項

(1) 取得対価を取引する市場

(2) 取得対価の取引の媒介、取次ぎ又は代理を行う者

(3) 取得対価の譲渡その他の処分に制限があるときは、その内容

ハ　取得対価に市場価格があるときは、その価格に関する事項

二　取得対価の全部又は一部が法人等の株式、持分その他これらに準ずるもの（当該株式会社の株式を除く。）である場合　次に掲げる事項（当該事項が日本語以外の言語で表示されている場合にあっては、当該事項（氏名又は名称を除く。）を日本語で表示した事項）

イ　当該法人等の定款その他これに相当するものの定める権利その他の取得対価に係る権利（重要でないものを除く。）の内容

ロ　当該法人等が会社でないときは、次に掲げる権利に相当する権利その他の取得対価に係る権利（重要でないものを除く。）の内容

(1) 剰余金の配当を受ける権利

(2) 残余財産の分配を受ける権利

(3) 株主総会における議決権

(4) 合併その他の行為がされる場合において、自己の有する株式を公正な価格で買い取ることを請求する権利

(5) 定款その他の資料（当該資料が電磁的記録をもって作成されている場合にあっては、当該電磁的記録に記録された事項を表示したもの）の閲覧又は謄写を請求する権利

ハ　当該法人等が、その株主、社員その他これらに相当する者（以下この号において「株主等」という。）に対し、日本語以外の言語を使用して情報の提供をすることとされているときは、当該言語

ニ　当該株式会社が全部取得条項付種類株式の全部を取得する日に当該法人等の株主総会その他これに相当するものの開催があるものとした場合における当該法人等の株主等が有すると見込まれる議決権その他これに相当する権利の総数

ホ　当該法人等について登記（当該法人等が外国の法令に準拠

して設立されたものである場合にあっては、法第九百三十三条第一項の外国会社の登記又は外国法人の登記及び夫婦財産契約の登記に関する法律（明治三十一年法律第十四号）第二条の外国法人の登記に限る。）がされていないときは、次に掲げる事項

(1) 当該法人等を代表する者の氏名又は名称及び住所

(2) 当該法人等の役員（(1)の者を除く。）の氏名又は名称

ヘ　当該法人等の最終事業年度（当該法人等が会社以外のものである場合にあっては、最終事業年度に相当するもの。以下この号において同じ。）に係る計算書類（最終事業年度がない場合にあっては、当該法人等の成立の日における貸借対照表）その他これに相当するものの内容（当該計算書類その他これに相当するものについて監査役、監査等委員会、監査委員会、会計監査人その他これらに相当するものの監査を受けている場合にあっては、監査報告その他これに相当するものの内容の概要を含む。）

ト　次に掲げる場合の区分に応じ、次に定める事項

(1) 当該法人等が株式会社である場合　当該法人等の最終事業年度に係る事業報告の内容（当該事業報告について監査役、監査等委員会又は監査委員会の監査を受けている場合にあっては、監査報告の内容を含む。）

(2) 当該法人等が株式会社以外のものである場合　当該法人等の最終事業年度に係る第百十八条各号及び第百十九条各号に掲げる事項に相当する事項の内容の概要（当該事項について監査役、監査等委員会、監査委員会その他これらに相当するものの監査を受けている場合にあっては、監査報告その他これに相当するものの内容の概要を含む。）

チ　当該法人等の過去五年間にその末日が到来した各事業年度（次に掲げる事業年度を除く。）に係る貸借対照表その他これに相当するものの内容

(1) 最終事業年度

(2) ある事業年度に係る貸借対照表その他これに相当するものの内容につき、法令の規定に基づく公告（法第四百四十条第三項の措置に相当するものを含む。）をしている場合における当該事業年度

(3) ある事業年度に係る貸借対照表その他これに相当するものの内容につき、金融商品取引法第二十四条第一項の規定により有価証券報告書を内閣総理大臣に提出している場合における当該事業年度

リ　前号ロ及びハに掲げる事項

ヌ　取得対価が自己株式の取得、持分の払戻しその他これらに相当する方法により払戻しを受けることができるものであるときは、その手続に関する事項

三　取得対価の全部又は一部が当該株式会社の社債、新株予約権又は新株予約権付社債である場合　第一号ロ及びハに掲げる事項

四　取得対価の全部又は一部が法人等の社債、新株予約権、新株予約権付社債その他これらに準ずるもの（当該株式会社の社債、新株予約権又は新株予約権付社債を除く。）である場合　次に掲げる事項（当該事項が日本語以外の言語で表示されている場合にあっては、当該事項（氏名又は名称を除く。）を日本語で表示した事項）

イ　第一号ロ及びハに掲げる事項

ロ　第二号イ及びホからチまでに掲げる事項

五　取得対価の全部又は一部が当該株式会社その他の法人等の株式、持分、社債、新株予約権、新株予約権付社債その他これらに準ずるもの及び金銭以外の財産である場合　第一号ロ及びハに掲げる事項

４　第一項第三号に規定する「計算書類等に関する事項」とは、次に掲げる事項とする。

一　全部取得条項付種類株式を取得する株式会社（清算株式会社を除く。以下この項において同じ。）において最終事業年度の末日（最終事業年度がない場合にあっては、当該株式会社の成立の日）後に重要な財産の処分、重大な債務の負担その他の会社財産の状況に重要な影響を与える事象が生じたときは、その内容（備置開始日後当該株式会社が全部取得条項付種類株式の全部を取得する日までの間に新たな最終事業年度が存することとなる場合にあっては、当該新たな最終事業年度の末日後に生じた事象の内容に限る。）

二　全部取得条項付種類株式を取得する株式会社において最終事業年度がないときは、当該株式会社の成立の日における貸借対照表

（縦覧等の指定）

第二百三十四条　電子文書法第五条第一項の主務省令で定める縦覧等は、次に掲げる縦覧等とする。

一～十　（略）

十一　法第百七十一条の二第二項第一号の規定による同条第一項の書面の縦覧等

十二～五十四　（略）

（交付等の指定）

第二百三十六条　電子文書法第六条第一項の主務省令で定める交付等は、次に掲げる交付等とする。

一～三　（略）

四　法第百七十一条の二第二項第二号の規定による同条第一項の書面の謄本又は抄本の交付等

五～二十八　（略）

（電磁的記録に記録された事項を表示する方法）

第二百二十六条　次に掲げる規定に規定する法務省令で定める方法は、次に掲げる規定の電磁的記録に記録された事項を紙面又は映像面に表示する方法とする。

一～六　（略）

七　法第百七十一条の二第二項第三号

八～四十三　（略）

（全部取得条項付種類株式の取得をやめることの請求）

第百七十一条の三　第百七十一条第一項の規定による全部取得条項付種類株式の取得が法令又は定款に違反する場合において、株主が不利益を受けるおそれがあるときは、株主は、株式会社に対し、当該全部取得条項付種類株式の取得をやめることを請求することができる。

（裁判所に対する価格の決定の申立て）

第百七十二条　第百七十一条第一項各号に掲げる事項を定めた場合には、次に掲げる株主は、取得日の二十日前の日から取得日の前日までの間に、裁判所に対し、株式会社による全部取得条項付種類株式の取得の価格の決定の申立てをすることができる。

一　当該株主総会に先立って当該株式会社による全部取得条項付種類株式の取得に反対する旨を当該株式会社に対し通知し、かつ、当該株主総会において当該取得に反対した株主（当該株主総会において議決権を行使することができるものに限る。）

二　当該株主総会において議決権を行使することができない株主

2　株式会社は、取得日の二十日前までに、全部取得条項付種類株式の株主に対し、当該全部取得条項付種類株式の全部を取得する旨を通知しなければならない。

3　前項の規定による通知は、公告をもってこれに代えることができる。

4　株式会社は、裁判所の決定した価格に対する取得日後の法定利率による利息をも支払わなければならない。

5　株式会社は、全部取得条項付種類株式の取得の価格の決定があるまでは、株主に対し、当該株式会社がその公正な価格と認める額を支払うことができる。

（効力の発生）

第百七十三条　株式会社は、取得日に、全部取得条項付種類株式の全部

を取得する。

2　次の各号に掲げる場合には、当該株式会社以外の全部取得条項付種類株式の株主（前条第一項の申立てをした株主を除く。）は、取得日に、第百七十一条第一項の株主総会の決議による定めに従い、当該各号に定める者となる。

一　第百七十一条第一項第一号イに掲げる事項についての定めがある場合　同号イの株式の株主

二　第百七十一条第一項第一号ロに掲げる事項についての定めがある場合　同号ロの社債の社債権者

三　第百七十一条第一項第一号ハに掲げる事項についての定めがある場合　同号ハの新株予約権の新株予約権者

四　第百七十一条第一項第一号ニに掲げる事項についての定めがある場合　同号ニの新株予約権付社債についての社債の社債権者及び当該新株予約権付社債に付された新株予約権の新株予約権者

※全部取得条項付種類株式の取得をする場合の株主資本は会社計算規則第一五条（二五五頁参照）

（全部取得条項付種類株式の取得に関する書面等の備置き及び閲覧等）

第百七十三条の二　株式会社は、取得日後遅滞なく、株式会社が取得した全部取得条項付種類株式の数その他の全部取得条項付種類株式の取得に関する事項として法務省令で定める事項を記載し、又は記録した書面又は電磁的記録を作成しなければならない。

2　株式会社は、取得日から六箇月間、前項の書面又は電磁的記録をその本店に備え置かなければならない。

3　全部取得条項付種類株式を取得した株式会社の株主又は取得日に全部取得条項付種類株式の株主であった者は、当該株式会社に対して、その営業時間内は、いつでも、次に掲げる請求をすることができる。ただし、第二号又は第四号に掲げる請求をするには、当該株式会社の定めた費用を支払わなければならない。

一　前項の書面の閲覧の請求

二　前項の書面の謄本又は抄本の交付の請求

三　前項の電磁的記録に記録された事項を法務省令で定める方法により表示したものの閲覧の請求

四　前項の電磁的記録に記録された事項を電磁的方法であって株式会社の定めたものにより提供することの請求又はその事項を記載した書面の交付の請求

【会社法施行規則】

（全部取得条項付種類株式の取得に関する事後開示事項）

第三十三条の三　法第百七十三条の二第一項に規定する法務省令で定める事項は、次に掲げる事項とする。

一　株式会社が全部取得条項付種類株式の全部を取得した日

二　法第百七十一条の三の規定による請求に係る手続の経過

三　法第百七十二条の規定による手続の経過

四　株式会社が取得した全部取得条項付種類株式の数

五　前各号に掲げるもののほか、全部取得条項付種類株式の取得に関する重要な事項

（保存の指定）

第二百三十二条　電子文書法第三条第一項の主務省令で定める保存は、次に掲げる保存とする。

一～四　（略）

五　法第百七十三条の二第二項の規定による同条第一項の書面の保存

六～三十六　（略）

（縦覧等の指定）

第二百三十四条　電子文書法第五条第一項の主務省令で定める縦覧等は、次に掲げる縦覧等とする。

一～十一　（略）

十二　法第百七十三条の二第三項第一号の規定による同条第二項の書面の縦覧等

十三～五十四　（略）

（交付等の指定）
第二百三十六条　電子文書法第六条第一項の主務省令で定める交付等は、次に掲げる交付等とする。
一～四　（略）
五　法第百七十三条の二第三項第二号の規定による同条第二項の書面の謄本又は抄本の交付等
六～二十八　（略）

（電磁的記録に記録された事項を表示する方法）
第二百二十六条　次に掲げる規定に規定する法務省令で定める方法は、次に掲げる規定の電磁的記録に記録された事項を紙面又は映像面に表示する方法とする。
一～七　（略）
八　法第百七十三条の二第三項第三号
九～四十三　（略）

第五款　相続人等に対する売渡しの請求

（相続人等に対する売渡しの請求に関する定款の定め）
第百七十四条　株式会社は、相続その他の一般承継により当該株式会社の株式（譲渡制限株式に限る。）を取得した者に対し、当該株式を当該株式会社に売り渡すことを請求することができる旨を定款で定めることができる。

（売渡しの請求の決定）
第百七十五条　株式会社は、前条の規定による定款の定めがある場合において、次条第一項の規定による請求をしようとするときは、その都度、株主総会の決議によって、次に掲げる事項を定めなければならない。
一　次条第一項の規定による請求をする株式の数（種類株式発行会社にあっては、株式の種類及び種類ごとの数）
二　前号の株式を有する者の氏名又は名称
2　前項第二号の者は、同項の株主総会において議決権を行使することができない。ただし、同号の者以外の株主の全部が当該株主総会において議決権を行使することができない場合は、この限りでない。

（売渡しの請求）
第百七十六条　株式会社は、前条第一項各号に掲げる事項を定めたときは、同項第二号の者に対し、同項第一号の株式を当該株式会社に売り渡すことを請求することができる。ただし、当該株式会社が相続その他の一般承継があったことを知った日から一年を経過したときは、この限りでない。
2　前項の規定による請求は、その請求に係る株式の数（種類株式発行会社にあっては、株式の種類及び種類ごとの数）を明らかにしてしなければならない。
3　株式会社は、いつでも、第一項の規定による請求を撤回することができる。

（売買価格の決定）
第百七十七条　前条第一項の規定による請求があった場合には、第百七十五条第一項第一号の株式の売買価格は、株式会社と同項第二号の者との協議によって定める。
2　株式会社又は第百七十五条第一項第二号の者は、前条第一項の規定による請求があった日から二十日以内に、裁判所に対し、売買価格の決定の申立てをすることができる。
3　裁判所は、前項の決定をするには、前条第一項の規定による請求の時における株式会社の資産状態その他一切の事情を考慮しなければならない。
4　第一項の規定にかかわらず、第二項の期間内に同項の申立てがあったときは、当該申立てにより裁判所が定めた額をもって第百七十五条第一項第一号の株式の売買価格とする。
5　第二項の期間内に同項の申立てがないとき（当該期間内に第一項の協議が調った場合を除く。）は、前条第一項の規定による請求は、その効力を失う。

第六款　株式の消却

第百七十八条　株式会社は、自己株式を消却することができる。この場合においては、消却する自己株式の数（種類株式発行会社にあっては、自己株式の種類及び種類ごとの数）を定めなければならない。

2　取締役会設置会社においては、前項後段の規定による決定は、取締役会の決議によらなければならない。

※自己株式の消却をする場合の株主資本は会社計算規則第二四条第二項・第三項（二五九頁参照）

第四節の二　特別支配株主の株式等売渡請求

（株式等売渡請求）

第百七十九条　株式会社の特別支配株主（株式会社の総株主の議決権の十分の九（これを上回る割合を当該株式会社の定款で定めた場合にあっては、その割合）以上を当該株式会社以外の者及び当該者が発行済株式の全部を有する株式会社その他これに準ずるものとして法務省令で定める法人（以下この条及び次条第一項において「特別支配株主完全子法人」という。）が有している場合における当該者をいう。以下同じ。）は、当該株式会社の株主（当該株式会社及び当該特別支配株主完全子法人を除く。）の全員に対し、その有する当該株式会社の株式の全部を当該特別支配株主に売り渡すことを請求することができる。ただし、特別支配株主完全子法人に対しては、その請求をしないことができる。

2　特別支配株主は、前項の規定による請求（以下この章及び第八百四十六条の二第二項第一号において「株式売渡請求」という。）をするときは、併せて、その株式売渡請求に係る株式を発行している株式会社（以下「対象会社」という。）の新株予約権の新株予約権者（対象会社及び当該特別支配株主を除く。）の全員に対し、その有する対象会社の新株予約権の全部を当該特別支配株主に売り渡すことを請求することができる。ただし、特別支配株主完全子法人に対しては、その請求をしないことができる。

3　特別支配株主は、新株予約権付社債に付された新株予約権について前項の規定による請求（以下「新株予約権売渡請求」という。）をするときは、併せて、新株予約権付社債についての社債の全部を当該特別支配株主に売り渡すことを請求しなければならない。ただし、当該新株予約権付社債に付された新株予約権について別段の定めがある場合は、この限りでない。

【会社法施行規則】

（特別支配株主完全子法人）

第三十三条の四　法第百七十九条第一項に規定する法務省令で定める法人は、次に掲げるものとする。

一　法第百七十九条第一項に規定する者がその持分の全部を有する法人（株式会社を除く。）

二　法第百七十九条第一項に規定する特定完全子法人（当該者が発行済株式の全部を有する株式会社及び前号に掲げる法人をいう。以下この項において同じ。）又は特定完全子法人がその持分の全部を有する法人

2　前項第二号の規定の適用については、同号に掲げる法人は、同号に規定する特定完全子法人とみなす。

（株式等売渡請求の方法）

第百七十九条の二　株式売渡請求は、次に掲げる事項を定めてしなければならない。

一　特別支配株主完全子法人に対して株式売渡請求をしないこととするときは、その旨及び当該特別支配株主完全子法人の名称

二　株式売渡請求によりその有する対象会社の株式を売り渡す株主（以下「売渡株主」という。）に対して当該株式（以下この章において「売渡株式」という。）の対価として交付する金銭の額又はその算定方法

三　売渡株主に対する前号の金銭の割当てに関する事項

四　株式売渡請求に併せて新株予約権売渡請求（その新株予約権が新株予約権付社債に付されたものである場合における前条第三項の規定による請求を含む。以下同じ。）をするときは、その旨及び次に掲げる事項

イ　特別支配株主完全子法人に対して新株予約権売渡請求をしないこととするときは、その旨及び当該特別支配株主完全子法人の名称

ロ　新株予約権売渡請求によりその有する対象会社の新株予約権を売り渡す新株予約権者（以下「売渡新株予約権者」という。）に対して当該新株予約権（当該新株予約権が新株予約権付社債に付されたものである場合において、前条第三項の規定による請求をするときは、当該新株予約権付社債についての社債を含む。以下この編において「売渡新株予約権」という。）の対価として交付する金銭の額又はその算定方法

ハ　売渡新株予約権者に対するロの金銭の割当てに関する事項

五　特別支配株主が売渡株式（株式売渡請求に併せて新株予約権売渡請求をする場合にあっては、売渡株式及び売渡新株予約権。以下「売渡株式等」という。）を取得する日（以下この節において「取得日」という。）

六　前各号に掲げるもののほか、法務省令で定める事項

2　対象会社が種類株式発行会社である場合には、特別支配株主は、対象会社の発行する種類の株式の内容に応じ、前項第三号に掲げる事項として、同項第二号の金銭の割当てについて売渡株式の種類ごとに異なる取扱いを行う旨及び当該異なる取扱いの内容を定めることができる。

3　第一項第三号に掲げる事項についての定めは、売渡株主の有する売渡株式の数（前項に規定する定めがある場合にあっては、各種類の売渡株式の数）に応じて金銭を交付することを内容とするものでなければならない。

【会社法施行規則】

（株式等売渡請求に際して特別支配株主が定めるべき事項）

第三十三条の五　法第百七十九条の二第一項第六号に規定する法務省令で定める事項は、次に掲げる事項とする。

一　株式売渡対価（株式売渡請求に併せて新株予約権売渡請求（その新株予約権が新株予約権付社債に付されたものである場合における法第百七十九条第三項の規定による請求を含む。以下同じ。）をする場合にあっては、株式売渡対価及び新株予約権売渡対価）の支払のための資金を確保する方法

二　法第百七十九条の二第一項第一号から第五号までに掲げる事項のほか、株式等売渡請求に係る取引条件を定めるときは、その取引条件

2　前項第一号に規定する「株式売渡対価」とは、法第百七十九条の二第一項第二号の金銭をいう（第三十三条の七第一号イ及び第二号において同じ。）。

3　第一項第一号に規定する「新株予約権売渡対価」とは、法第百七十九条の二第一項第四号ロの金銭をいう（第三十三条の七第一号イ及び第二号において同じ。）。

（対象会社の承認）

第百七十九条の三　特別支配株主は、株式売渡請求（株式売渡請求に併せて新株予約権売渡請求をする場合にあっては、株式売渡請求及び新株予約権売渡請求。以下「株式等売渡請求」という。）をしようとするときは、対象会社に対し、その旨及び前条第一項各号に掲げる事項を通知し、その承認を受けなければならない。

2　対象会社は、特別支配株主が株式売渡請求に併せて新株予約権売渡請求をしようとするときは、新株予約権売渡請求のみを承認することはできない。

3　取締役会設置会社が第一項の承認をするか否かの決定をするには、取締役会の決議によらなければならない。

4　対象会社は、第一項の承認をするか否かの決定をしたときは、特別支配株主に対し、当該決定の内容を通知しなければならない。

（売渡株主等に対する通知等）

第百七十九条の四　対象会社は、前条第一項の承認をしたときは、取得日の二十日前までに、次の各号に掲げる者に対し、当該各号に定める事項を通知しなければならない。

一　売渡株主（特別支配株主が株式売渡請求に併せて新株予約権売渡請求をする場合にあっては、売渡株主及び売渡新株予約権者。以下この節において「売渡株主等」という。）　当該承認をした旨、特別支配株主の氏名又は名称及び住所、第百七十九条の二第一項第一号から第五号までに掲げる事項その他法務省令で定める事項

二　売渡株式の登録株式質権者（特別支配株主が株式売渡請求に併せて新株予約権売渡請求をする場合にあっては、売渡株式の登録株式質権者及び売渡新株予約権の登録新株予約権質権者（第二百七十条第一項に規定する登録新株予約権質権者をいう。））　当該承認をした旨

2　前項の規定による通知（売渡株主に対してするものを除く。）は、公告をもってこれに代えることができる。

3　対象会社が第一項の規定による通知又は前項の公告をしたときは、特別支配株主から売渡株主等に対し、株式等売渡請求がされたものとみなす。

4　第一項の規定による通知又は第二項の公告の費用は、特別支配株主の負担とする。

【会社法施行規則】

（売渡株主等に対して通知すべき事項）

第三十三条の六　法第百七十九条の四第一項第一号に規定する法務省令で定める事項は、前条第一項第二号に掲げる事項とする。


（株式等売渡請求に関する書面等の備置き及び閲覧等）

第百七十九条の五　対象会社は、前条第一項第一号の規定による通知の日又は同条第二項の公告の日のいずれか早い日から取得日後六箇月（対象会社が公開会社でない場合にあっては、取得日後一年）を経過する日までの間、次に掲げる事項を記載し、又は記録した書面又は電磁的記録をその本店に備え置かなければならない。

一　特別支配株主の氏名又は名称及び住所

二　第百七十九条の二第一項各号に掲げる事項

三　第百七十九条の三第一項の承認をした旨

四　前三号に掲げるもののほか、法務省令で定める事項

2　売渡株主等は、対象会社に対して、その営業時間内は、いつでも、次に掲げる請求をすることができる。ただし、第二号又は第四号に掲げる請求をするには、当該対象会社の定めた費用を支払わなければならない。

一　前項の書面の閲覧の請求

二　前項の書面の謄本又は抄本の交付の請求

三　前項の電磁的記録に記録された事項を法務省令で定める方法により表示したものの閲覧の請求

四　前項の電磁的記録に記録された事項を電磁的方法であって対象会社の定めたものにより提供することの請求又はその事項を記載した書面の交付の請求

【会社法施行規則】

（対象会社の事前開示事項）

第三十三条の七　法第百七十九条の五第一項第四号に規定する法務省令で定める事項は、次に掲げる事項とする。
一　次に掲げる事項その他の法第百七十九条の二第一項第二号及び第三号に掲げる事項（株式売渡請求に併せて新株予約権売渡

請求をする場合にあっては、同項第二号及び第三号並びに第四号ロ及びハに掲げる事項）についての定めの相当性に関する事項（当該相当性に関する対象会社の取締役（取締役会設置会社にあっては、取締役会。次号及び第三号において同じ。）の判断及びその理由を含む。）

イ　株式売渡対価の総額（株式売渡請求に併せて新株予約権売渡請求をする場合にあっては、株式売渡対価の総額及び新株予約権売渡対価の総額）の相当性に関する事項

ロ　法第百七十九条の三第一項の承認に当たり売渡株主等の利益を害さないように留意した事項（当該事項がない場合にあっては、その旨）

二　第三十三条の五第一項第一号に掲げる事項についての定めの相当性その他の株式売渡対価（株式売渡請求に併せて新株予約権売渡請求をする場合にあっては、株式売渡対価及び新株予約権売渡対価）の交付の見込みに関する事項（当該見込みに関する対象会社の取締役の判断及びその理由を含む。）

三　第三十三条の五第一項第二号に掲げる事項についての定めがあるときは、当該定めの相当性に関する事項（当該相当性に関する対象会社の取締役の判断及びその理由を含む。）

四　対象会社についての次に掲げる事項

イ　対象会社において最終事業年度の末日（最終事業年度がない場合にあっては、対象会社の成立の日）後に重要な財産の処分、重大な債務の負担その他の会社財産の状況に重要な影響を与える事象が生じたときは、その内容（法第百七十九条の四第一項第一号の規定による通知の日又は同条第二項の公告の日のいずれか早い日（次号において「備置開始日」という。）後特別支配株主が売渡株式等の全部を取得する日までの間に新たな最終事業年度が存することとなる場合にあっては、当該新たな最終事業年度の末日後に生じた事象の内容に限る。）

ロ　対象会社において最終事業年度がないときは、対象会社の成立の日における貸借対照表

五　備置開始日後特別支配株主が売渡株式等の全部を取得する日までの間に、前各号に掲げる事項に変更が生じたときは、変更後の当該事項

（縦覧等の指定）

第二百三十四条　電子文書法第五条第一項の主務省令で定める縦覧等は、次に掲げる縦覧等とする。

一～十二　（略）

十三　法第百七十九条の五第二項第一号の規定による同条第一項の書面の縦覧等

十四～五十四　（略）

（交付等の指定）

第二百三十六条　電子文書法第六条第一項の主務省令で定める交付等は、次に掲げる交付等とする。

一～五　（略）

六　法第百七十九条の五第二項第二号の規定による同条第一項の書面の謄本又は抄本の交付等

七～二十八　（略）

（電磁的記録に記録された事項を表示する方法）

第二百二十六条　次に掲げる規定に規定する法務省令で定める方法は、次に掲げる規定の電磁的記録に記録された事項を紙面又は映像面に表示する方法とする。

一～八　（略）

九　法第百七十九条の五第二項第三号

十～四十三　（略）

（株式等売渡請求の撤回）

第百七十九条の六　特別支配株主は、第百七十九条の三第一項の承認を受けた後は、取得日の前日までに対象会社の承諾を得た場合に限り、

売渡株式等の全部について株式等売渡請求を撤回することができる。
2　取締役会設置会社が前項の承諾をするか否かの決定をするには、取締役会の決議によらなければならない。
3　対象会社は、第一項の承諾をするか否かの決定をしたときは、特別支配株主に対し、当該決定の内容を通知しなければならない。
4　対象会社は、第一項の承諾をしたときは、遅滞なく、売渡株主等に対し、当該承諾をした旨を通知しなければならない。
5　前項の規定による通知は、公告をもってこれに代えることができる。
6　対象会社が第四項の規定による通知又は前項の公告をしたときは、株式等売渡請求は、売渡株式等の全部について撤回されたものとみなす。
7　第四項の規定による通知又は第五項の公告の費用は、特別支配株主の負担とする。
8　前各項の規定は、新株予約権売渡請求のみを撤回する場合について準用する。この場合において、第四項中「売渡株主等」とあるのは、「売渡新株予約権者」と読み替えるものとする。

（売渡株式等の取得をやめることの請求）
第百七十九条の七　次に掲げる場合において、売渡株主が不利益を受けるおそれがあるときは、売渡株主は、特別支配株主に対し、株式等売渡請求に係る売渡株式等の全部の取得をやめることを請求することができる。
一　株式売渡請求が法令に違反する場合
二　対象会社が第百七十九条の四第一項第一号（売渡株主に対する通知に係る部分に限る。）又は第百七十九条の五の規定に違反した場合
三　第百七十九条の二第一項第二号又は第三号に掲げる事項が対象会社の財産の状況その他の事情に照らして著しく不当である場合
2　次に掲げる場合において、売渡新株予約権者が不利益を受けるおそれがあるときは、売渡新株予約権者は、特別支配株主に対し、株式等売渡請求に係る売渡株式等の全部の取得をやめることを請求することができる。
一　新株予約権売渡請求が法令に違反する場合
二　対象会社が第百七十九条の四第一項第一号（売渡新株予約権者に対する通知に係る部分に限る。）又は第百七十九条の五の規定に違反した場合
三　第百七十九条の二第一項第四号ロ又はハに掲げる事項が対象会社の財産の状況その他の事情に照らして著しく不当である場合

（売買価格の決定の申立て）
第百七十九条の八　株式等売渡請求があった場合には、売渡株主等は、取得日の二十日前の日から取得日の前日までの間に、裁判所に対し、その有する売渡株式等の売買価格の決定の申立てをすることができる。
2　特別支配株主は、裁判所の決定した売買価格に対する取得日後の法定利率による利息をも支払わなければならない。
3　特別支配株主は、売渡株式等の売買価格の決定があるまでは、売渡株主等に対し、当該特別支配株主が公正な売買価格と認める額を支払うことができる。

（売渡株式等の取得）
第百七十九条の九　株式等売渡請求をした特別支配株主は、取得日に、売渡株式等の全部を取得する。
2　前項の規定により特別支配株主が取得した売渡株式等が譲渡制限株式又は譲渡制限新株予約権（第二百四十三条第二項第二号に規定する譲渡制限新株予約権をいう。）であるときは、対象会社は、当該特別支配株主が当該売渡株式等を取得したことについて、第百三十七条第一項又は第二百六十三条第一項の承認をする旨の決定をしたものとみなす。

（売渡株式等の取得に関する書面等の備置き及び閲覧等）
第百七十九条の十　対象会社は、取得日後遅滞なく、株式等売渡請求により特別支配株主が取得した売渡株式等の数その他の株式等売渡請求に係る売渡株式等の取得に関する事項として法務省令で定める事項を記載し、又は記録した書面又は電磁的記録を作成しなければならない。

2　対象会社は、取得日から六箇月間（対象会社が公開会社でない場合にあっては、取得日から一年間）、前項の書面又は電磁的記録をその本店に備え置かなければならない。

3　取得日に売渡株主等であった者は、対象会社に対して、その営業時間内は、いつでも、次に掲げる請求をすることができる。ただし、第二号又は第四号に掲げる請求をするには、当該対象会社の定めた費用を支払わなければならない。

一　前項の書面の閲覧の請求

二　前項の書面の謄本又は抄本の交付の請求

三　前項の電磁的記録に記録された事項を法務省令で定める方法により表示したものの閲覧の請求

四　前項の電磁的記録に記録された事項を電磁的方法であって対象会社の定めたものにより提供することの請求又はその事項を記載した書面の交付の請求

【会社法施行規則】

（対象会社の事後開示事項）

第三十三条の八　法第百七十九条の十第一項に規定する法務省令で定める事項は、次に掲げる事項とする。

一　特別支配株主が売渡株式等の全部を取得した日

二　法第百七十九条の七第一項又は第二項の規定による請求に係る手続の経過

三　法第百七十九条の八の規定による手続の経過

四　株式売渡請求により特別支配株主が取得した売渡株式の数（対象会社が種類株式発行会社であるときは、売渡株式の種類及び種類ごとの数）

五　新株予約権売渡請求により特別支配株主が取得した売渡新株予約権の数

六　前号の売渡新株予約権が新株予約権付社債に付されたものである場合には、当該新株予約権付社債についての各社債（特別支配株主が新株予約権売渡請求により取得したものに限る。）の金額の合計額

七　前各号に掲げるもののほか、株式等売渡請求に係る売渡株式等の取得に関する重要な事項

（保存の指定）

第二百三十二条　電子文書法第三条第一項の主務省令で定める保存は、次に掲げる保存とする。

一～五　（略）

六　法第百七十九条の十第二項の規定による同条第一項の書面の保存

七～三十六　（略）

（縦覧等の指定）

第二百三十四条　電子文書法第五条第一項の主務省令で定める縦覧等は、次に掲げる縦覧等とする。

一～十三　（略）

十四　法第百七十九条の十第三項第一号の規定による同条第二項の書面の縦覧等

十五～五十四　（略）

（交付等の指定）

第二百三十六条　電子文書法第六条第一項の主務省令で定める交付等は、次に掲げる交付等とする。

一～六　（略）

七　法第百七十九条の十第三項第二号の規定による同条第二項の書面の謄本又は抄本の交付等

八～二十八　（略）

（電磁的記録に記録された事項を表示する方法）

第二百二十六条　次に掲げる規定に規定する法務省令で定める方法は、次に掲げる規定の電磁的記録に記録された事項を紙面又は映像面に表示する方法とする。

一～九　（略）

十　法第百七十九条の十第三項第三号
十一〜四十三　（略）

第五節　株式の併合等

第一款　株式の併合

（株式の併合）
第百八十条　株式会社は、株式の併合をすることができる。
２　株式会社は、株式の併合をしようとするときは、その都度、株主総会の決議によって、次に掲げる事項を定めなければならない。
一　併合の割合
二　株式の併合がその効力を生ずる日（以下この款において「効力発生日」という。）
三　株式会社が種類株式発行会社である場合には、併合する株式の種類
四　効力発生日における発行可能株式総数
３　前項第四号の発行可能株式総数は、効力発生日における発行済株式の総数の四倍を超えることができない。ただし、株式会社が公開会社でない場合は、この限りでない。
４　取締役は、第二項の株主総会において、株式の併合をすることを必要とする理由を説明しなければならない。

（株主に対する通知等）
第百八十一条　株式会社は、効力発生日の二週間前までに、株主（種類株式発行会社にあっては、前条第二項第三号の種類の種類株主。以下この款において同じ。）及びその登録株式質権者に対し、同項各号に掲げる事項を通知しなければならない。
２　前項の規定による通知は、公告をもってこれに代えることができる。

（効力の発生）
第百八十二条　株主は、効力発生日に、その日の前日に有する株式（種類株式発行会社にあっては、第百八十条第二項第三号の種類の株式。以下この項において同じ。）の数に同条第二項第一号の割合を乗じて得た数の株式の株主となる。
２　株式の併合をした株式会社は、効力発生日に、第百八十条第二項第四号に掲げる事項についての定めに従い、当該事項に係る定款の変更をしたものとみなす。

（株式の併合に関する事項に関する書面等の備置き及び閲覧等）
第百八十二条の二　株式の併合（単元株式数（種類株式発行会社にあっては、第百八十条第二項第三号の種類の株式の単元株式数。以下この項において同じ。）を定款で定めている場合にあっては、当該単元株式数に同条第二項第一号の割合を乗じて得た数に一に満たない端数が生ずるものに限る。以下この款において同じ。）をする株式会社は、次に掲げる日のいずれか早い日から効力発生日後六箇月を経過する日までの間、同項各号に掲げる事項その他法務省令で定める事項を記載し、又は記録した書面又は電磁的記録をその本店に備え置かなければならない。
一　第百八十条第二項の株主総会（株式の併合をするために種類株主総会の決議を要する場合にあっては、当該種類株主総会を含む。第百八十二条の四第二項において同じ。）の日の二週間前の日（第三百十九条第一項の場合にあっては、同項の提案があった日）
二　第百八十二条の四第三項の規定により読み替えて適用する第百八十一条第一項の規定による株主に対する通知の日又は第百八十一条第二項の公告の日のいずれか早い日
２　株式の併合をする株式会社の株主は、当該株式会社に対して、その営業時間内は、いつでも、次に掲げる請求をすることができる。ただし、第二号又は第四号に掲げる請求をするには、当該株式会社の定めた費用を支払わなければならない。
一　前項の書面の閲覧の請求
二　前項の書面の謄本又は抄本の交付の請求
三　前項の電磁的記録に記録された事項を法務省令で定める方法によ

り表示したものの閲覧の請求

四　前項の電磁的記録に記録された事項を電磁的方法であって株式会社の定めたものにより提供することの請求又はその事項を記載した書面の交付の請求

【会社法施行規則】

（株式の併合に関する事前開示事項）

第三十三条の九　法第百八十二条の二第一項に規定する法務省令で定める事項は、次に掲げる事項とする。

一　次に掲げる事項その他の法第百八十条第二項第一号及び第三号に掲げる事項についての定めの相当性に関する事項

イ　株式の併合をする株式会社に親会社等がある場合には、当該株式会社の株主（当該親会社等を除く。）の利益を害さないように留意した事項（当該事項がない場合にあっては、その旨）

ロ　法第二百三十五条の規定により一株に満たない端数の処理をすることが見込まれる場合における次に掲げる事項

(1)　次に掲げる事項その他の当該処理の方法に関する事項

(i)　法第二百三十五条第一項又は同条第二項において準用する法第二百三十四条第二項のいずれの規定による処理を予定しているかの別及びその理由

(ii)　法第二百三十五条第一項の規定による処理を予定している場合には、競売の申立てをする時期の見込み（当該見込みに関する取締役（取締役会設置会社にあっては、取締役会。(iii)及び(iv)において同じ。）の判断及びその理由を含む。）

(iii)　法第二百三十五条第二項において準用する法第二百三十四条第二項の規定による処理（市場において行う取引による売却に限る。）を予定している場合には、売却する時期及び売却により得られた代金を株主に交付する時期の見込み（当該見込みに関する取締役の判断及びその理由を含む。）

(iv)　法第二百三十五条第二項において準用する法第二百三十四条第二項の規定による処理（市場において行う取引による売却を除く。）を予定している場合には、売却に係る株式を買い取る者となると見込まれる者の氏名又は名称、当該者が売却に係る代金の支払のための資金を確保する方法及び当該方法の相当性並びに売却する時期及び売却により得られた代金を株主に交付する時期の見込み（当該見込みに関する取締役の判断及びその理由を含む。）

(2)　当該処理により株主に交付することが見込まれる金銭の額及び当該額の相当性に関する事項

二　株式の併合をする株式会社（清算株式会社を除く。以下この号において同じ。）についての次に掲げる事項

イ　当該株式会社において最終事業年度の末日（最終事業年度がない場合にあっては、当該株式会社の成立の日）後に重要な財産の処分、重大な債務の負担その他の会社財産の状況に重要な影響を与える事象が生じたときは、その内容（備置開始日（法第百八十二条の二第一項各号に掲げる日のいずれか早い日をいう。次号において同じ。）後株式の併合がその効力を生ずる日までの間に新たな最終事業年度が存することとなる場合にあっては、当該新たな最終事業年度の末日後に生じた事象の内容に限る。）

ロ　当該株式会社において最終事業年度がないときは、当該株式会社の成立の日における貸借対照表

三　備置開始日後株式の併合がその効力を生ずる日までの間に、前二号に掲げる事項に変更が生じたときは、変更後の当該事項

（縦覧等の指定）

第二百三十四条　電子文書法第五条第一項の主務省令で定める縦覧

等は、次に掲げる縦覧等とする。
一〜十四　（略）
十五　法第百八十二条の二第二項第一号の規定による同条第一項の書面の縦覧等
十六〜五十四　（略）

（交付等の指定）
第二百三十六条　電子文書法第六条第一項の主務省令で定める交付等は、次に掲げる交付等とする。
一〜七　（略）
八　法第百八十二条の二第二項第二号の規定による同条第一項の書面の謄本又は抄本の交付等
九〜二十八　（略）

（電磁的記録に記録された事項を表示する方法）
第二百二十六条　次に掲げる規定に規定する法務省令で定める方法は、次に掲げる規定の電磁的記録に記録された事項を紙面又は映像面に表示する方法とする。
一〜十　（略）
十一　法第百八十二条の二第二項第三号
十二〜四十三　（略）

（株式の併合をやめることの請求）
第百八十二条の三　株式の併合が法令又は定款に違反する場合において、株主が不利益を受けるおそれがあるときは、株主は、株式会社に対し、当該株式の併合をやめることを請求することができる。

（反対株主の株式買取請求）
第百八十二条の四　株式会社が株式の併合をすることにより株式の数に一株に満たない端数が生ずる場合には、反対株主は、当該株式会社に対し、自己の有する株式のうち一株に満たない端数となるものの全部を公正な価格で買い取ることを請求することができる。
2　前項に規定する「反対株主」とは、次に掲げる株主をいう。
一　第百八十条第二項の株主総会に先立って当該株式の併合に反対する旨を当該株式会社に対し通知し、かつ、当該株主総会において当該株式の併合に反対した株主（当該株主総会において議決権を行使することができるものに限る。）
二　当該株主総会において議決権を行使することができない株主
3　株式会社が株式の併合をする場合における株主に対する通知についての第百八十一条第一項の規定の適用については、同項中「二週間」とあるのは、「二十日」とする。
4　第一項の規定による請求（以下この款において「株式買取請求」という。）は、効力発生日の二十日前の日から効力発生日の前日までの間に、その株式買取請求に係る株式の数（種類株式発行会社にあっては、株式の種類及び種類ごとの数）を明らかにしてしなければならない。
5　株券が発行されている株式について株式買取請求をしようとするときは、当該株式の株主は、株式会社に対し、当該株式に係る株券を提出しなければならない。ただし、当該株券について第二百二十三条の規定による請求をした者については、この限りでない。
6　株式買取請求をした株主は、株式会社の承諾を得た場合に限り、その株式買取請求を撤回することができる。
7　第百三十三条の規定は、株式買取請求に係る株式については、適用しない。

（株式の価格の決定等）
第百八十二条の五　株式買取請求があった場合において、株式の価格の決定について、株主と株式会社との間に協議が調ったときは、株式会社は、効力発生日から六十日以内にその支払をしなければならない。
2　株式の価格の決定について、効力発生日から三十日以内に協議が調わないときは、株主又は株式会社は、その期間の満了の日後三十日以内に、裁判所に対し、価格の決定の申立てをすることができる。
3　前条第六項の規定にかかわらず、前項に規定する場合において、効力発生日から六十日以内に同項の申立てがないときは、その期間の満了後は、株主は、いつでも、株式買取請求を撤回することができる。

4　株式会社は、裁判所の決定した価格に対する第一項の期間の満了の日後の法定利率による利息をも支払わなければならない。
5　株式会社は、株式の価格の決定があるまでは、株主に対し、当該株式会社が公正な価格と認める額を支払うことができる。
6　株式買取請求に係る株式の買取りは、効力発生日に、その効力を生ずる。
7　株券発行会社は、株券が発行されている株式について株式買取請求があったときは、株券と引換えに、その株式買取請求に係る株式の代金を支払わなければならない。

（株式の併合に関する書面等の備置き及び閲覧等）

第百八十二条の六　株式の併合をした株式会社は、効力発生日後遅滞なく、株式の併合が効力を生じた時における発行済株式（種類株式発行会社にあっては、第百八十条第二項第三号の種類の発行済株式）の総数その他の株式の併合に関する事項として法務省令で定める事項を記載し、又は記録した書面又は電磁的記録を作成しなければならない。
2　株式会社は、効力発生日から六箇月間、前項の書面又は電磁的記録をその本店に備え置かなければならない。
3　株式の併合をした株式会社の株主又は効力発生日に当該株式会社の株主であった者は、当該株式会社に対して、その営業時間内は、いつでも、次に掲げる請求をすることができる。ただし、第二号又は第四号に掲げる請求をするには、当該株式会社の定めた費用を支払わなければならない。
一　前項の書面の閲覧の請求
二　前項の書面の謄本又は抄本の交付の請求
三　前項の電磁的記録に記録された事項を法務省令で定める方法により表示したものの閲覧の請求
四　前項の電磁的記録に記録された事項を電磁的方法であって株式会社の定めたものにより提供することの請求又はその事項を記載した書面の交付の請求

【会社法施行規則】

（株式の併合に関する事後開示事項）

第三十三条の十　法第百八十二条の六第一項に規定する法務省令で定める事項は、次に掲げる事項とする。
一　株式の併合が効力を生じた日
二　法第百八十二条の三の規定による請求に係る手続の経過
三　法第百八十二条の四の規定による手続の経過
四　株式の併合が効力を生じた時における発行済株式（種類株式発行会社にあっては、法第百八十条第二項第三号の種類の発行済株式）の総数
五　前各号に掲げるもののほか、株式の併合に関する重要な事項

（保存の指定）

第二百三十二条　電子文書法第三条第一項の主務省令で定める保存は、次に掲げる保存とする。
一～六　（略）
七　法第百八十二条の六第二項の規定による同条第一項の書面の保存
八～三十六　（略）

（縦覧等の指定）

第二百三十四条　電子文書法第五条第一項の主務省令で定める縦覧等は、次に掲げる縦覧等とする。
一～十五　（略）
十六　法第百八十二条の六第三項第一号の規定による同条第二項の書面の縦覧等
十七～五十四　（略）

（交付等の指定）

第二百三十六条　電子文書法第六条第一項の主務省令で定める交付等は、次に掲げる交付等とする。
一～八　（略）

九　法第百八十二条の六第三項第二号の規定による同条第二項の書面の謄本又は抄本の交付等

十～二十八　（略）

（電磁的記録に記録された事項を表示する方法）

第二百二十六条　次に掲げる規定に規定する法務省令で定める方法は、次に掲げる規定の電磁的記録に記録された事項を紙面又は映像面に表示する方法とする。

一～十一　（略）

十二　法第百八十二条の六第三項第三号

十三～四十三　（略）

第二款　株式の分割

（株式の分割）

第百八十三条　株式会社は、株式の分割をすることができる。

2　株式会社は、株式の分割をしようとするときは、その都度、株主総会（取締役会設置会社にあっては、取締役会）の決議によって、次に掲げる事項を定めなければならない。

一　株式の分割により増加する株式の総数の株式の分割前の発行済株式（種類株式発行会社にあっては、第三号の種類の発行済株式）の総数に対する割合及び当該株式の分割に係る基準日

二　株式の分割がその効力を生ずる日

三　株式会社が種類株式発行会社である場合には、分割する株式の種類

（効力の発生等）

第百八十四条　基準日において株主名簿に記載され、又は記録されている株主（種類株式発行会社にあっては、基準日において株主名簿に記載され、又は記録されている前条第二項第三号の種類の種類株主）は、同項第二号の日に、基準日に有する株式（種類株式発行会社にあっては、同項第三号の種類の株式。以下この項において同じ。）の数に同条第二項第一号の割合を乗じて得た数の株式を取得する。

2　株式会社（現に二以上の種類の株式を発行しているものを除く。）は、第四百六十六条の規定にかかわらず、株主総会の決議によらないで、前条第二項第二号の日における発行可能株式総数をその日の前日の発行可能株式総数に同項第一号の割合を乗じて得た数の範囲内で増加する定款の変更をすることができる。

第三款　株式無償割当て

（株式無償割当て）

第百八十五条　株式会社は、株主（種類株式発行会社にあっては、ある種類の種類株主）に対して新たに払込みをさせないで当該株式会社の株式の割当て（以下この款において「株式無償割当て」という。）をすることができる。

（株式無償割当てに関する事項の決定）

第百八十六条　株式会社は、株式無償割当てをしようとするときは、その都度、次に掲げる事項を定めなければならない。

一　株主に割り当てる株式の数（種類株式発行会社にあっては、株式の種類及び種類ごとの数）又はその数の算定方法

二　当該株式無償割当てがその効力を生ずる日

三　株式会社が種類株式発行会社である場合には、当該株式無償割当てを受ける株主の有する株式の種類

2　前項第一号に掲げる事項についての定めは、当該株式会社以外の株主（種類株式発行会社にあっては、同項第三号の種類の種類株主）の有する株式（種類株式発行会社にあっては、同項第三号の種類の株式）の数に応じて同項第一号の株式を割り当てることを内容とするものでなければならない。

3　第一項各号に掲げる事項の決定は、株主総会（取締役会設置会社にあっては、取締役会）の決議によらなければならない。ただし、定款に別段の定めがある場合は、この限りでない。

（株式無償割当ての効力の発生等）
第百八十七条　前条第一項第二号の株式の割当てを受けた株主は、同項第二号の日に、同項第一号の株式の株主となる。
2　株式会社は、前条第一項第二号の日後遅滞なく、株主（種類株式発行会社にあっては、同項第三号の種類の種類株主）及びその登録株式質権者に対し、当該株主が割当てを受けた株式の数（種類株式発行会社にあっては、株式の種類及び種類ごとの数）を通知しなければならない。
※株式無償割当てをする場合の株主資本は会社計算規則第一六条（二五五頁参照）

第六節　単元株式数

第一款　総則

（単元株式数）
第百八十八条　株式会社は、その発行する株式について、一定の数の株式をもって株主が株主総会又は種類株主総会において一個の議決権を行使することができる一単元の株式とする旨を定款で定めることができる。
2　前項の一定の数は、法務省令で定める数を超えることはできない。
3　種類株式発行会社においては、単元株式数は、株式の種類ごとに定めなければならない。

【会社法施行規則】

（単元株式数）

第三十四条　法第百八十八条第二項に規定する法務省令で定める数は、千及び発行済株式の総数の二百分の一に当たる数とする。

（単元未満株式についての権利の制限等）
第百八十九条　単元株式数に満たない数の株式（以下「単元未満株式」という。）を有する株主（以下「単元未満株主」という。）は、その有する単元未満株式について、株主総会及び種類株主総会において議決権を行使することができない。
2　株式会社は、単元未満株主が当該単元未満株式について次に掲げる権利以外の権利の全部又は一部を行使することができない旨を定款で定めることができる。
一　第百七十一条第一項第一号に規定する取得対価の交付を受ける権利
二　株式会社による取得条項付株式の取得と引換えに金銭等の交付を受ける権利
三　第百八十五条に規定する株式無償割当てを受ける権利
四　第百九十二条第一項の規定により単元未満株式を買い取ることを請求する権利
五　残余財産の分配を受ける権利
六　前各号に掲げるもののほか、法務省令で定める権利
3　株券発行会社は、単元未満株式に係る株券を発行しないことができる旨を定款で定めることができる。

【会社法施行規則】

（単元未満株式についての権利）

第三十五条　法第百八十九条第二項第六号に規定する法務省令で定める権利は、次に掲げるものとする。
一　法第三十一条第二項各号に掲げる請求をする権利
二　法第百二十二条第一項の規定による株主名簿記載事項（法第百五十四条の二第三項に規定する場合にあっては、当該株主の有する株式が信託財産に属する旨を含む。）を記載した書面の交付又は当該株主名簿記載事項を記録した電磁的記録の提供を請求する権利
三　法第百二十五条第二項各号に掲げる請求をする権利
四　法第百三十三条第一項の規定による請求（次に掲げる事由に

より取得した場合における請求に限る。）をする権利
イ　相続その他の一般承継
ロ　株式売渡請求による売渡株式の全部の取得
ハ　吸収分割又は新設分割による他の会社がその事業に関して有する権利義務の承継
ニ　株式交換又は株式移転による他の株式会社の発行済株式の全部の取得
ホ　法第百九十七条第二項の規定による売却
ヘ　法第二百三十四条第二項（法第二百三十五条第二項において準用する場合を含む。）の規定による売却
ト　競売
五　法第百三十七条第一項の規定による請求（前号イからトまでに掲げる事由により取得した場合における請求に限る。）をする権利
六　株式売渡請求により特別支配株主が売渡株式の取得の対価として交付する金銭の交付を受ける権利
七　株式会社が行う次に掲げる行為により金銭等の交付を受ける権利
イ　株式の併合
ロ　株式の分割
ハ　新株予約権無償割当て
ニ　剰余金の配当
ホ　組織変更
八　株式会社が行う次の各号に掲げる行為により当該各号に定める者が交付する金銭等の交付を受ける権利
イ　吸収合併（会社以外の者と行う合併を含み、合併により当該株式会社が消滅する場合に限る。）　当該吸収合併後存続するもの
ロ　新設合併（会社以外の者と行う合併を含む。）　当該新設合併により設立されるもの
ハ　株式交換　株式交換完全親会社
ニ　株式移転　株式移転設立完全親会社

2　前項の規定にかかわらず、株式会社が株券発行会社である場合には、法第百八十九条第二項第六号に規定する法務省令で定める権利は、次に掲げるものとする。
一　前項第一号、第三号及び第六号から第八号までに掲げる権利
二　法第百三十三条第一項の規定による請求をする権利
三　法第百三十七条第一項の規定による請求をする権利
四　法第百八十九条第三項の定款の定めがある場合以外の場合における法第二百十五条第四項及び第二百十七条第六項の規定による株券の発行を請求する権利
五　法第百八十九条第三項の定款の定めがある場合以外の場合における法第二百十七条第一項の規定による株券の所持を希望しない旨の申出をする権利

（理由の開示）
第百九十条　単元株式数を定める場合には、取締役は、当該単元株式数を定める定款の変更を目的とする株主総会において、当該単元株式数を定めることを必要とする理由を説明しなければならない。

（定款変更手続の特則）
第百九十一条　株式会社は、次のいずれにも該当する場合には、第四百六十六条の規定にかかわらず、株主総会の決議によらないで、単元株式数（種類株式発行会社にあっては、各種類の株式の単元株式数。以下この条において同じ。）を増加し、又は単元株式数についての定款の定めを設ける定款の変更をすることができる。
一　株式の分割と同時に単元株式数を増加し、又は単元株式数についての定款の定めを設けるものであること。
二　イに掲げる数がロに掲げる数を下回るものでないこと。
イ　当該定款の変更後において各株主がそれぞれ有する株式の数を単元株式数で除して得た数

ロ　当該定款の変更前において各株主がそれぞれ有する株式の数（単元株式数を定めている場合にあっては、当該株式の数を単元株式数で除して得た数）

第二款　単元未満株主の買取請求

（単元未満株式の買取りの請求）

第百九十二条　単元未満株主は、株式会社に対し、自己の有する単元未満株式を買い取ることを請求することができる。

2　前項の規定による請求は、その請求に係る単元未満株式の数（種類株式発行会社にあっては、単元未満株式の種類及び種類ごとの数）を明らかにしてしなければならない。

3　第一項の規定による請求をした単元未満株主は、株式会社の承諾を得た場合に限り、当該請求を撤回することができる。

（単元未満株式の価格の決定）

第百九十三条　前条第一項の規定による請求があった場合には、次の各号に掲げる場合の区分に応じ、当該各号に定める額をもって当該請求に係る単元未満株式の価格とする。

一　当該単元未満株式が市場価格のある株式である場合　当該単元未満株式の市場価格として法務省令で定める方法により算定される額

二　前号に掲げる場合以外の場合　株式会社と前条第一項の規定による請求をした単元未満株主との協議によって定める額

2　前項第二号に掲げる場合には、前条第一項の規定による請求をした単元未満株主又は株式会社は、当該請求をした日から二十日以内に、裁判所に対し、価格の決定の申立てをすることができる。

3　裁判所は、前項の決定をするには、前条第一項の規定による請求の時における株式会社の資産状態その他一切の事情を考慮しなければならない。

4　第一項の規定にかかわらず、第二項の期間内に同項の申立てがあったときは、当該申立てにより裁判所が定めた額をもって当該単元未満株式の価格とする。

5　第一項の規定にかかわらず、同項第二号に掲げる場合において、第二項の期間内に同項の申立てがないとき（当該期間内に第一項第二号の協議が調った場合を除く。）は、一株当たり純資産額に前条第一項の規定による請求に係る単元未満株式の数を乗じて得た額をもって当該単元未満株式の価格とする。

6　前条第一項の規定による請求に係る株式の買取りは、当該株式の代金の支払の時に、その効力を生ずる。

7　株券発行会社は、株券が発行されている株式につき前条第一項の規定による請求があったときは、株券と引換えに、その請求に係る株式の代金を支払わなければならない。

【会社法施行規則】

（市場価格のある単元未満株式の買取りの価格）

第三十六条　法第百九十三条第一項第一号に規定する法務省令で定める方法は、次に掲げる額のうちいずれか高い額をもって同号に規定する株式の価格とする方法とする。

一　法第百九十二条第一項の規定による請求の日（以下この条において「請求日」という。）における当該株式を取引する市場における最終の価格（当該請求日に売買取引がない場合又は当該請求日が当該市場の休業日に当たる場合にあっては、その後最初になされた売買取引の成立価格）

二　請求日において当該株式が公開買付け等の対象であるときは、当該請求日における当該公開買付け等に係る契約における当該株式の価格

会社法施行規則附則

（株式等に関する経過措置）

第三条　（略）

2　第三十一条第二号、第三十二条第二号ロ、第三十六条第二号、第三十七条第二号及び第五十八条第二号の規定は、当分

の間、適用しない。

第三款　単元未満株主の売渡請求

第百九十四条　株式会社は、単元未満株主が当該株式会社に対して単元未満株式売渡請求（単元未満株主が有する単元未満株式の数と併せて単元株式数となる数の株式を当該単元未満株主に売り渡すことを請求することをいう。以下この条において同じ。）をすることができる旨を定款で定めることができる。

2　単元未満株式売渡請求は、当該単元未満株主に売り渡す単元未満株式の数（種類株式発行会社にあっては、単元未満株式の種類及び種類ごとの数）を明らかにしてしなければならない。

3　単元未満株式売渡請求を受けた株式会社は、当該単元未満株式売渡請求を受けた時に前項の単元未満株式の数に相当する数の株式を有しない場合を除き、自己株式を当該単元未満株主に売り渡さなければならない。

4　第百九十二条第三項及び前条第一項から第六項までの規定は、単元未満株式売渡請求について準用する。

【会社法施行規則】

（市場価格のある単元未満株式の売渡しの価格）

第三十七条　法第百九十四条第四項において準用する法第百九十三条第一項第一号に規定する法務省令で定める方法は、次に掲げる額のうちいずれか高い額をもって単元未満株式売渡請求に係る株式の価格とする方法とする。

一　単元未満株式売渡請求の日（以下この条において「請求日」という。）における当該株式を取引する市場における最終の価格（当該請求日に売買取引がない場合又は当該請求日が当該市場の休業日に当たる場合にあっては、その後最初になされた売買取引の成立価格）

二　請求日において当該株式が公開買付け等の対象であるときは、当該請求日における当該公開買付け等に係る契約における当該株式の価格

会社法施行規則附則

（株式等に関する経過措置）

第三条　（略）

2　第三十一条第二号、第三十二条第二号ロ、第三十六条第二号、第三十七条第二号及び第五十八条第二号の規定は、当分の間、適用しない。

※単元未満株式売渡請求を受けた場合の株主資本は会社計算規則第一九条（二五七頁参照）

第四款　単元株式数の変更等

第百九十五条　株式会社は、第四百六十六条の規定にかかわらず、取締役の決定（取締役会設置会社にあっては、取締役会の決議）によって、定款を変更して単元株式数を減少し、又は単元株式数についての定款の定めを廃止することができる。

2　前項の規定により定款の変更をした場合には、株式会社は、当該定款の変更の効力が生じた日以後遅滞なく、その株主（種類株式発行会社にあっては、同項の規定により単元株式数を変更した種類の種類株主）に対し、当該定款の変更をした旨を通知しなければならない。

3　前項の規定による通知は、公告をもってこれに代えることができる。

第七節　株主に対する通知の省略等

（株主に対する通知の省略）

第百九十六条　株式会社が株主に対してする通知又は催告が五年以上継続して到達しない場合には、株式会社は、当該株主に対する通知又は

催告をすることを要しない。

2　前項の場合には、同項の株主に対する株式会社の義務の履行を行う場所は、株式会社の住所地とする。

3　前二項の規定は、登録株式質権者について準用する。

（株式の競売）

第百九十七条　株式会社は、次のいずれにも該当する株式を競売し、かつ、その代金をその株式の株主に交付することができる。

一　その株式の株主に対して前条第一項又は第二百九十四条第二項の規定により通知及び催告をすることを要しないもの

二　その株式の株主が継続して五年間剰余金の配当を受領しなかったもの

2　株式会社は、前項の規定による競売に代えて、市場価格のある同項の株式については市場価格として法務省令で定める方法により算定される額をもって、市場価格のない同項の株式については裁判所の許可を得て競売以外の方法により、これを売却することができる。この場合において、当該許可の申立ては、取締役が二人以上あるときは、その全員の同意によってしなければならない。

3　株式会社は、前項の規定により売却する株式の全部又は一部を買い取ることができる。この場合においては、次に掲げる事項を定めなければならない。

一　買い取る株式の数（種類株式発行会社にあっては、株式の種類及び種類ごとの数）

二　前号の株式の買取りをするのと引換えに交付する金銭の総額

4　取締役会設置会社においては、前項各号に掲げる事項の決定は、取締役会の決議によらなければならない。

5　第一項及び第二項の規定にかかわらず、登録株式質権者がある場合には、当該登録株式質権者が次のいずれにも該当する者であるときに限り、株式会社は、第一項の規定による競売又は第二項の規定による売却をすることができる。

一　前条第三項において準用する同条第一項の規定により通知又は催告をすることを要しない者

二　継続して五年間第百五十四条第一項の規定により受領することができる剰余金の配当を受領しなかった者

【会社法施行規則】

（市場価格のある株式の売却価格）

第三十八条　法第百九十七条第二項に規定する法務省令で定める方法は、次の各号に掲げる場合の区分に応じ、当該各号に定める額をもって同項に規定する株式の価格とする方法とする。

一　当該株式を市場において行う取引によって売却する場合　当該取引によって売却する価格

二　前号に掲げる場合以外の場合　次に掲げる額のうちいずれか高い額

イ　法第百九十七条第二項の規定により売却する日（以下この条において「売却日」という。）における当該株式を取引する市場における最終の価格（当該売却日に売買取引がない場合又は当該売却日が当該市場の休業日に当たる場合にあっては、その後最初になされた売買取引の成立価格）

ロ　売却日において当該株式が公開買付け等の対象であるときは、当該売却日における当該公開買付け等に係る契約における当該株式の価格

（利害関係人の異議）

第百九十八条　前条第一項の規定による競売又は同条第二項の規定による売却をする場合には、株式会社は、同条第一項の株式の株主その他の利害関係人が一定の期間内に異議を述べることができる旨その他法務省令で定める事項を公告し、かつ、当該株式の株主及びその登録株式質権者には、各別にこれを催告しなければならない。ただし、当該期間は、三箇月を下ることができない。

2　第百二十六条第一項及び第百五十条第一項の規定にかかわらず、前

項の規定による催告は、株主名簿に記載し、又は記録した当該株主及び登録株式質権者の住所（当該株主又は登録株式質権者が別に通知又は催告を受ける場所又は連絡先を当該株式会社に通知した場合にあっては、その場所又は連絡先を含む。）にあてて発しなければならない。

3　第百二十六条第三項及び第四項の規定にかかわらず、株式が二以上の者の共有に属するときは、第一項の規定による催告は、共有者に対し、株主名簿に記載し、又は記録した住所（当該共有者が別に通知又は催告を受ける場所又は連絡先を当該株式会社に通知した場合にあっては、その場所又は連絡先を含む。）にあてて発しなければならない。

4　第百九十六条第一項（同条第三項において準用する場合を含む。）の規定は、第一項の規定による催告については、適用しない。

5　第一項の規定による公告をした場合（前条第一項の株式に係る株券が発行されている場合に限る。）において、第一項の期間内に利害関係人が異議を述べなかったときは、当該株式に係る株券は、当該期間の末日に無効となる。

【会社法施行規則】

（公告事項）

第三十九条　法第百九十八条第一項に規定する法務省令で定める事項は、次に掲げるものとする。

一　法第百九十七条第一項の株式（以下この条において「競売対象株式」という。）の競売又は売却をする旨

二　競売対象株式の株主として株主名簿に記載又は記録がされた者の氏名又は名称及び住所

三　競売対象株式の数（種類株式発行会社にあっては、競売対象株式の種類及び種類ごとの数）

四　競売対象株式につき株券が発行されているときは、当該株券の番号

第八節　募集株式の発行等

第一款　募集事項の決定等

（募集事項の決定）

第百九十九条　株式会社は、その発行する株式又はその処分する自己株式を引き受ける者の募集をしようとするときは、その都度、募集株式（当該募集に応じてこれらの株式の引受けの申込みをした者に対して割り当てる株式をいう。以下この節において同じ。）について次に掲げる事項を定めなければならない。

一　募集株式の数（種類株式発行会社にあっては、募集株式の種類及び数。以下この節において同じ。）

二　募集株式の払込金額（募集株式一株と引換えに払い込む金銭又は給付する金銭以外の財産の額をいう。以下この節において同じ。）又はその算定方法

三　金銭以外の財産を出資の目的とするときは、その旨並びに当該財産の内容及び価額

四　募集株式と引換えにする金銭の払込み又は前号の財産の給付の期日又はその期間

五　株式を発行するときは、増加する資本金及び資本準備金に関する事項

2　前項各号に掲げる事項（以下この節において「募集事項」という。）の決定は、株主総会の決議によらなければならない。

3　第一項第二号の払込金額が募集株式を引き受ける者に特に有利な金額である場合には、取締役は、前項の株主総会において、当該払込金額でその者の募集をすることを必要とする理由を説明しなければならない。

4　種類株式発行会社において、第一項第一号の募集株式の種類が譲渡制限株式であるときは、当該種類の株式に関する募集事項の決定は、当該種類の株式を引き受ける者の募集について当該種類の株式の種類

株主を構成員とする種類株主総会の決議を要しない旨の定款の定めがある場合を除き、当該種類株主総会の決議がなければ、その効力を生じない。ただし、当該種類株主総会において議決権を行使することができる種類株主が存しない場合は、この限りでない。

5　募集事項は、第一項の募集ごとに、均等に定めなければならない。

（募集事項の決定の委任）

第二百条　前条第二項及び第四項の規定にかかわらず、株主総会においては、その決議によって、募集事項の決定を取締役（取締役会設置会社にあっては、取締役会）に委任することができる。この場合においては、その委任に基づいて募集事項の決定をすることができる募集株式の数の上限及び払込金額の下限を定めなければならない。

2　前項の払込金額の下限が募集株式を引き受ける者に特に有利な金額である場合には、取締役は、同項の株主総会において、当該払込金額でその者の募集をすることを必要とする理由を説明しなければならない。

3　第一項の決議は、前条第一項第四号の期日（同号の期間を定めた場合にあっては、その期間の末日）が当該決議の日から一年以内の日である同項の募集についてのみその効力を有する。

4　種類株式発行会社において、第一項の募集株式の種類が譲渡制限株式であるときは、当該種類の株式に関する募集事項の決定の委任は、当該種類の株式について前条第四項の定款の定めがある場合を除き、当該種類の株式の種類株主を構成員とする種類株主総会の決議がなければ、その効力を生じない。ただし、当該種類株主総会において議決権を行使することができる種類株主が存しない場合は、この限りでない。

（公開会社における募集事項の決定の特則）

第二百一条　第百九十九条第三項に規定する場合を除き、公開会社における同条第二項の規定の適用については、同項中「株主総会」とあるのは、「取締役会」とする。この場合においては、前条の規定は、適用しない。

2　前項の規定により読み替えて適用する第百九十九条第二項の取締役会の決議によって募集事項を定める場合において、市場価格のある株式を引き受ける者の募集をするときは、同条第一項第二号に掲げる事項に代えて、公正な価額による払込みを実現するために適当な払込金額の決定の方法を定めることができる。

3　公開会社は、第一項の規定により読み替えて適用する第百九十九条第二項の取締役会の決議によって募集事項を定めたときは、同条第一項第四号の期日（同号の期間を定めた場合にあっては、その期間の初日）の二週間前までに、株主に対し、当該募集事項（前項の規定により払込金額の決定の方法を定めた場合にあっては、その方法を含む。以下この節において同じ。）を通知しなければならない。

4　前項の規定による通知は、公告をもってこれに代えることができる。

5　第三項の規定は、株式会社が募集事項について同項に規定する期日の二週間前までに金融商品取引法第四条第一項から第三項までの届出をしている場合その他の株主の保護に欠けるおそれがないものとして法務省令で定める場合には、適用しない。

【会社法施行規則】

（募集事項の通知を要しない場合）

第四十条　法第二百一条第五項に規定する法務省令で定める場合は、株式会社が同条第三項に規定する期日の二週間前までに、金融商品取引法の規定に基づき次に掲げる書類（同項に規定する募集事項に相当する事項をその内容とするものに限る。）の届出又は提出をしている場合（当該書類に記載すべき事項を同法の規定に基づき電磁的方法により提供している場合を含む。）であって、内閣総理大臣が当該期日の二週間前の日から当該期日まで継続して同法の規定に基づき当該書類を公衆の縦覧に供しているときとする。

一　金融商品取引法第四条第一項から第三項までの届出をする場合における同法第五条第一項の届出書（訂正届出書を含む。）

二　金融商品取引法第二十三条の三第一項に規定する発行登録書及び同法第二十三条の八第一項に規定する発行登録追補書類（訂正発行登録書を含む。）
三　金融商品取引法第二十四条第一項に規定する有価証券報告書（訂正報告書を含む。）
四　金融商品取引法第二十四条の四の七第一項に規定する四半期報告書（訂正報告書を含む。）
五　金融商品取引法第二十四条の五第一項に規定する半期報告書（訂正報告書を含む。）
六　金融商品取引法第二十四条の五第四項に規定する臨時報告書（訂正報告書を含む。）

（株主に株式の割当てを受ける権利を与える場合）

第二百二条　株式会社は、第百九十九条第一項の募集において、株主に株式の割当てを受ける権利を与えることができる。この場合においては、募集事項のほか、次に掲げる事項を定めなければならない。
一　株主に対し、次条第二項の申込みをすることにより当該株式会社の募集株式（種類株式発行会社にあっては、当該株主の有する種類の株式と同一の種類のもの）の割当てを受ける権利を与える旨
二　前号の募集株式の引受けの申込みの期日
2　前項の場合には、同項第一号の株主（当該株式会社を除く。）は、その有する株式の数に応じて募集株式の割当てを受ける権利を有する。ただし、当該株主が割当てを受ける募集株式の数に一株に満たない端数があるときは、これを切り捨てるものとする。
3　第一項各号に掲げる事項を定める場合には、募集事項及び同項各号に掲げる事項は、次の各号に掲げる場合の区分に応じ、当該各号に定める方法によって定めなければならない。
一　当該募集事項及び第一項各号に掲げる事項を取締役の決定によって定めることができる旨の定款の定めがある場合（株式会社が取締役会設置会社である場合を除く。）　取締役の決定
二　当該募集事項及び第一項各号に掲げる事項を取締役会の決議によって定めることができる旨の定款の定めがある場合（次号に掲げる場合を除く。）　取締役会の決議
三　株式会社が公開会社である場合　取締役会の決議
四　前三号に掲げる場合以外の場合　株主総会の決議
4　株式会社は、第一項各号に掲げる事項を定めた場合には、同項第二号の期日の二週間前までに、同項第一号の株主（当該株式会社を除く。）に対し、次に掲げる事項を通知しなければならない。
一　募集事項
二　当該株主が割当てを受ける募集株式の数
三　第一項第二号の期日
5　第百九十九条第二項から第四項まで及び前二条の規定は、第一項から第三項までの規定により株主に株式の割当てを受ける権利を与える場合には、適用しない。

（取締役の報酬等に係る募集事項の決定の特則）

第二百二条の二　金融商品取引法第二条第十六項に規定する金融商品取引所に上場されている株式を発行している株式会社は、定款又は株主総会の決議による第三百六十一条第一項第三号に掲げる事項についての定めに従いその発行する株式又はその処分する自己株式を引き受ける者の募集をするときは、第百九十九条第一項第二号及び第四号に掲げる事項を定めることを要しない。この場合において、当該株式会社は、募集株式について次に掲げる事項を定めなければならない。
一　取締役の報酬等（第三百六十一条第一項に規定する報酬等をいう。第二百三十六条第三項第一号において同じ。）として当該募集に係る株式の発行又は自己株式の処分をするものであり、募集株式と引換えにする金銭の払込み又は第百九十九条第一項第三号の財産の給付を要しない旨
二　募集株式を割り当てる日（以下この節において「割当日」という。）
2　前項各号に掲げる事項を定めた場合における第百九十九条第二項の規定の適用については、同項中「前項各号」とあるのは、「前項各号（第

二号及び第四号を除く。）及び第二百二条の二第一項各号」とする。この場合においては、第二百条及び前条の規定は、適用しない。

3　指名委員会等設置会社における第一項の規定の適用については、同項中「定款又は株主総会の決議による第三百六十一条第一項第三号に掲げる事項についての定め」とあるのは「報酬委員会による第四百九条第三項第三号に定める事項についての決定」と、「取締役」とあるのは「執行役又は取締役」とする。

第二款　募集株式の割当て

（募集株式の申込み）

第二百三条　株式会社は、第百九十九条第一項の募集に応じて募集株式の引受けの申込みをしようとする者に対し、次に掲げる事項を通知しなければならない。

一　株式会社の商号

二　募集事項

三　金銭の払込みをすべきときは、払込みの取扱いの場所

四　前三号に掲げるもののほか、法務省令で定める事項

2　第百九十九条第一項の募集に応じて募集株式の引受けの申込みをする者は、次に掲げる事項を記載した書面を株式会社に交付しなければならない。

一　申込みをする者の氏名又は名称及び住所

二　引き受けようとする募集株式の数

3　前項の申込みをする者は、同項の書面の交付に代えて、政令で定めるところにより、株式会社の承諾を得て、同項の書面に記載すべき事項を電磁的方法により提供することができる。この場合において、当該申込みをした者は、同項の書面を交付したものとみなす。

4　第一項の規定は、株式会社が同項各号に掲げる事項を記載した金融商品取引法第二条第十項に規定する目論見書を第一項の申込みをしようとする者に対して交付している場合その他募集株式の引受けの申込みをしようとする者の保護に欠けるおそれがないものとして法務省令で定める場合には、適用しない。

5　株式会社は、第一項各号に掲げる事項について変更があったときは、直ちに、その旨及び当該変更があった事項を第二項の申込みをした者（以下この款において「申込者」という。）に通知しなければならない。

6　株式会社が申込者に対してする通知又は催告は、第二項第一号の住所（当該申込者が別に通知又は催告を受ける場所又は連絡先を当該株式会社に通知した場合にあっては、その場所又は連絡先）にあてて発すれば足りる。

7　前項の通知又は催告は、その通知又は催告が通常到達すべきであった時に、到達したものとみなす。

【会社法施行規則】

（申込みをしようとする者に対して通知すべき事項）

第四十一条　法第二百三条第一項第四号に規定する法務省令で定める事項は、次に掲げる事項とする。

一　発行可能株式総数（種類株式発行会社にあっては、各種類の株式の発行可能種類株式総数を含む。）

二　株式会社（種類株式発行会社を除く。）が発行する株式の内容として法第百七条第一項各号に掲げる事項を定めているときは、当該株式の内容

三　株式会社（種類株式発行会社に限る。）が法第百八条第一項各号に掲げる事項につき内容の異なる株式を発行することとしているときは、各種類の株式の内容（ある種類の株式につき同条第三項の定款の定めがある場合において、当該定款の定めにより株式会社が当該種類の株式の内容を定めていないときは、当該種類の株式の内容の要綱）

四　単元株式数についての定款の定めがあるときは、その単元株式数（種類株式発行会社にあっては、各種類の株式の単元株式数）

五　次に掲げる定款の定めがあるときは、その規定

イ　法第百三十九条第一項、第百四十条第五項又は第百四十五条第一号若しくは第二号に規定する定款の定め
ロ　法第百六十四条第一項に規定する定款の定め
ハ　法第百六十七条第三項に規定する定款の定め
ニ　法第百六十八条第一項又は第百六十九条第二項に規定する定款の定め
ホ　法第百七十四条に規定する定款の定め
ヘ　法第三百四十七条に規定する定款の定め
ト　第二十六条第一号又は第二号に規定する定款の定め
六　株主名簿管理人を置く旨の定款の定めがあるときは、その氏名又は名称及び住所並びに営業所
七　定款に定められた事項（法第二百三条第一項第一号から第三号まで及び前各号に掲げる事項を除く。）であって、当該株式会社に対して募集株式の引受けの申込みをしようとする者が当該者に対して通知することを請求した事項

〔施行　会社法の一部を改正する法律（令和元年法律第七十号）附則第一条ただし書に規定する規定の施行の日〕〔第七号を加える〕

（申込みをしようとする者に対して通知すべき事項）
第四十一条　法第二百三条第一項第四号に規定する法務省令で定める事項は、次に掲げる事項とする。
一～六　（省略）
七　電子提供措置をとる旨の定款の定めがあるときは、その規定
八　（省略）

【会社法施行令】
（書面に記載すべき事項等の電磁的方法による提供の承諾等）
第一条　次に掲げる規定に規定する事項を電磁的方法（会社法（以下「法」という。）第二条第三十四号に規定する電磁的方法をいう。以下同じ。）により提供しようとする者（次項において「提供者」という。）は、法務省令で定めるところにより、あらかじめ、当該事項の提供の相手方に対し、その用いる電磁的方法の種類及び内容を示し、書面又は電磁的方法による承諾を得なければならない。
一～三　（略）
四　法第二百三条第三項
五～十五　（略）
2　前項の規定による承諾を得た提供者は、同項の相手方から書面又は電磁的方法により電磁的方法による事項の提供を受けない旨の申出があったときは、当該相手方に対し、当該事項の提供を電磁的方法によってしてはならない。ただし、当該相手方が再び同項の規定による承諾をした場合は、この限りでない。

【会社法施行規則】

（会社法施行令に係る電磁的方法）

第二百三十条　会社法施行令（平成十七年政令第三百六十四号）第一条第一項又は第二条第一項の規定により示すべき電磁的方法の種類及び内容は、次に掲げるものとする。
一　次に掲げる方法のうち、送信者が使用するもの
イ　電子情報処理組織を使用する方法のうち次に掲げるもの
(1)　送信者の使用に係る電子計算機と受信者の使用に係る電子計算機とを接続する電気通信回線を通じて送信し、受信者の使用に係る電子計算機に備えられたファイルに記録する方法
(2)　送信者の使用に係る電子計算機に備えられたファイルに記録された情報の内容を電気通信回線を通じて情報の提供を受ける者の閲覧に供し、当該情報の提供を受ける者の使用に係る電子計算機に備えられたファイルに当該情報を記

録する方法

ロ　磁気ディスクその他これに準ずる方法により一定の情報を確実に記録しておくことができる物をもって調製するファイルに情報を記録したものを交付する方法

二　ファイルへの記録の方式

（申込みをしようとする者に対する通知を要しない場合）

第四十二条　法第二百三条第四項に規定する法務省令で定める場合は、次に掲げる場合であって、株式会社が同条第一項の申込みをしようとする者に対して同項各号に掲げる事項を提供している場合とする。

一　当該株式会社が金融商品取引法の規定に基づき目論見書に記載すべき事項を電磁的方法により提供している場合

二　当該株式会社が外国の法令に基づき目論見書その他これに相当する書面その他の資料を提供している場合

（募集株式の割当て）

第二百四条　株式会社は、申込者の中から募集株式の割当てを受ける者を定め、かつ、その者に割り当てる募集株式の数を定めなければならない。この場合において、株式会社は、当該申込者に割り当てる募集株式の数を、前条第二項第二号の数よりも減少することができる。

2　募集株式が譲渡制限株式である場合には、前項の規定による決定は、株主総会（取締役会設置会社にあっては、取締役会）の決議によらなければならない。ただし、定款に別段の定めがある場合は、この限りでない。

3　株式会社は、第百九十九条第一項第四号の期日（同号の期間を定めた場合にあっては、その期間の初日）の前日までに、申込者に対し、当該申込者に割り当てる募集株式の数を通知しなければならない。

4　第二百二条の規定により株主に株式の割当てを受ける権利を与えた場合において、株主が同条第一項第二号の期日までに前条第二項の申込みをしないときは、当該株主は、募集株式の割当てを受ける権利を失う。

（募集株式の申込み及び割当てに関する特則）

第二百五条　前二条の規定は、募集株式を引き受けようとする者がその総数の引受けを行う契約を締結する場合には、適用しない。

2　前項に規定する場合において、募集株式が譲渡制限株式であるときは、株式会社は、株主総会（取締役会設置会社にあっては、取締役会）の決議によって、同項の契約の承認を受けなければならない。ただし、定款に別段の定めがある場合は、この限りでない。

3　第二百二条の二第一項後段の規定による同項各号に掲げる事項についての定めがある場合には、定款又は株主総会の決議による第三百六十一条第一項第三号に掲げる事項についての定めに係る取締役（取締役であった者を含む。）以外の者は、第二百三条第二項の申込みをし、又は第一項の契約を締結することができない。

4　前項に規定する場合における前条第三項並びに第二百六条の二第一項、第三項及び第四項の規定の適用については、前条第三項及び第二百六条の二第一項中「第百九十九条第一項第四号の期日（同号の期間を定めた場合にあっては、その期間の初日）」とあり、同条第三項中「同項に規定する期日」とあり、並びに同条第四項中「第一項に規定する期日」とあるのは、「割当日」とする。

5　指名委員会等設置会社における第三項の規定の適用については、同項中「定款又は株主総会の決議による第三百六十一条第一項第三号に掲げる事項についての定め」とあるのは「報酬委員会による第四百九条第三項第三号に定める事項についての決定」と、「取締役」とあるのは「執行役又は取締役」とする。

（募集株式の引受け）

第二百六条　次の各号に掲げる者は、当該各号に定める募集株式の数について募集株式の引受人となる。

一　申込者　株式会社の割り当てた募集株式の数

二　前条第一項の契約により募集株式の総数を引き受けた者　その者が引き受けた募集株式の数

（公開会社における募集株式の割当て等の特則）

第二百六条の二　公開会社は、募集株式の引受人について、第一号に掲げる数の第二号に掲げる数に対する割合が二分の一を超える場合には、第百九十九条第一項第四号の期日（同号の期間を定めた場合にあっては、その期間の初日）の二週間前までに、株主に対し、当該引受人（以下この項及び第四項において「特定引受人」という。）の氏名又は名称及び住所、当該特定引受人についての第一号に掲げる数その他の法務省令で定める事項を通知しなければならない。ただし、当該特定引受人が当該公開会社の親会社等である場合又は第二百二条の規定により株主に株式の割当てを受ける権利を与えた場合は、この限りでない。

一　当該引受人（その子会社等を含む。）がその引き受けた募集株式の株主となった場合に有することとなる議決権の数

二　当該募集株式の引受人の全員がその引き受けた募集株式の株主となった場合における総株主の議決権の数

2　前項の規定による通知は、公告をもってこれに代えることができる。

3　第一項の規定にかかわらず、株式会社が同項の事項について同項に規定する期日の二週間前までに金融商品取引法第四条第一項から第三項までの届出をしている場合その他の株主の保護に欠けるおそれがないものとして法務省令で定める場合には、第一項の規定による通知は、することを要しない。

4　総株主（この項の株主総会において議決権を行使することができない株主を除く。）の議決権の十分の一（これを下回る割合を定款で定めた場合にあっては、その割合）以上の議決権を有する株主が第一項の規定による通知又は第二項の公告の日（前項の場合にあっては、法務省令で定める日）から二週間以内に特定引受人（その子会社等を含む。以下この項において同じ。）による募集株式の引受けに反対する旨を公開会社に対し通知したときは、当該公開会社は、第一項に規定する期日の前日までに、株主総会の決議によって、当該特定引受人に対する募集株式の割当て又は当該特定引受人との間の第二百五条第一項の契約の承認を受けなければならない。ただし、当該公開会社の財産の状況が著しく悪化している場合において、当該公開会社の事業の継続のため緊急の必要があるときは、この限りでない。

5　第三百九条第一項の規定にかかわらず、前項の株主総会の決議は、議決権を行使することができる株主の議決権の過半数（三分の一以上の割合を定款で定めた場合にあっては、その割合以上）を有する株主が出席し、出席した当該株主の議決権の過半数（これを上回る割合を定款で定めた場合にあっては、その割合以上）をもって行わなければならない。

【会社法施行規則】

（株主に対して通知すべき事項）

第四十二条の二　法第二百六条の二第一項に規定する法務省令で定める事項は、次に掲げる事項とする。

一　特定引受人（法第二百六条の二第一項に規定する特定引受人をいう。以下この条において同じ。）の氏名又は名称及び住所

二　特定引受人（その子会社等を含む。第五号及び第七号において同じ。）がその引き受けた募集株式の株主となった場合に有することとなる議決権の数

三　前号の募集株式に係る議決権の数

四　募集株式の引受人の全員がその引き受けた募集株式の株主となった場合における総株主の議決権の数

五　特定引受人に対する募集株式の割当て又は特定引受人との間の法第二百五条第一項の契約の締結に関する取締役会の判断及びその理由

六　社外取締役を置く株式会社において、前号の取締役会の判断が社外取締役の意見と異なる場合には、その意見

七　特定引受人に対する募集株式の割当て又は特定引受人との間の法第二百五条第一項の契約の締結に関する監査役、監査等委員会又は監査委員会の意見

（株主に対する通知を要しない場合）
第四十二条の三　法第二百六条の二第三項に規定する法務省令で定める場合は、株式会社が同条第一項に規定する期日の二週間前までに、金融商品取引法の規定に基づき第四十条各号に掲げる書類（前条各号に掲げる事項に相当する事項をその内容とするものに限る。）の届出又は提出をしている場合（当該書類に記載すべき事項を同法の規定に基づき電磁的方法により提供している場合を含む。）であって、内閣総理大臣が当該期日の二週間前の日から当該期日まで継続して同法の規定に基づき当該書類を公衆の縦覧に供しているときとする。

（株主に対する通知を要しない場合における反対通知の期間の初日）
第四十二条の四　法第二百六条の二第四項に規定する法務省令で定める日は、株式会社が金融商品取引法の規定に基づき前条の書類の届出又は提出（当該書類に記載すべき事項を同法の規定に基づき電磁的方法により提供した場合にあっては、その提供）をした日とする。

第三款　金銭以外の財産の出資

第二百七条　株式会社は、第百九十九条第一項第三号に掲げる事項を定めたときは、募集事項の決定の後遅滞なく、同号の財産（以下この節において「現物出資財産」という。）の価額を調査させるため、裁判所に対し、検査役の選任の申立てをしなければならない。
2　前項の申立てがあった場合には、裁判所は、これを不適法として却下する場合を除き、検査役を選任しなければならない。
3　裁判所は、前項の検査役を選任した場合には、株式会社が当該検査役に対して支払う報酬の額を定めることができる。
4　第二項の検査役は、必要な調査を行い、当該調査の結果を記載し、又は記録した書面又は電磁的記録（法務省令で定めるものに限る。）を裁判所に提供して報告をしなければならない。
5　裁判所は、前項の報告について、その内容を明瞭にし、又はその根拠を確認するため必要があると認めるときは、第二項の検査役に対し、更に前項の報告を求めることができる。
6　第二項の検査役は、第四項の報告をしたときは、株式会社に対し、同項の書面の写しを交付し、又は同項の電磁的記録に記録された事項を法務省令で定める方法により提供しなければならない。
7　裁判所は、第四項の報告を受けた場合において、現物出資財産について定められた第百九十九条第一項第三号の価額（第二項の検査役の調査を経ていないものを除く。）を不当と認めたときは、これを変更する決定をしなければならない。
8　募集株式の引受人（現物出資財産を給付する者に限る。以下この条において同じ。）は、前項の決定により現物出資財産の価額の全部又は一部が変更された場合には、当該決定の確定後一週間以内に限り、その募集株式の引受けの申込み又は第二百五条第一項の契約に係る意思表示を取り消すことができる。
9　前各項の規定は、次の各号に掲げる場合には、当該各号に定める事項については、適用しない。
一　募集株式の引受人に割り当てる株式の総数が発行済株式の総数の十分の一を超えない場合　当該募集株式の引受人が給付する現物出資財産の価額
二　現物出資財産について定められた第百九十九条第一項第三号の価額の総額が五百万円を超えない場合　当該現物出資財産の価額
三　現物出資財産のうち、市場価格のある有価証券について定められた第百九十九条第一項第三号の価額が当該有価証券の市場価格として法務省令で定める方法により算定されるものを超えない場合　当該有価証券についての現物出資財産の価額
四　現物出資財産について定められた第百九十九条第一項第三号の価額が相当であることについて弁護士、弁護士法人、公認会計士、監査法人、税理士又は税理士法人の証明（現物出資財産が不動産であ

る場合にあっては、当該証明及び不動産鑑定士の鑑定評価。以下この号において同じ。）を受けた場合　当該証明を受けた現物出資財産の価額

五　現物出資財産が株式会社に対する金銭債権（弁済期が到来しているものに限る。）であって、当該金銭債権について定められた第百九十九条第一項第三号の価額が当該金銭債権に係る負債の帳簿価額を超えない場合　当該金銭債権についての現物出資財産の価額

10　次に掲げる者は、前項第四号に規定する証明をすることができない。

一　取締役、会計参与、監査役若しくは執行役又は支配人その他の使用人

二　募集株式の引受人

三　業務の停止の処分を受け、その停止の期間を経過しない者

四　弁護士法人、監査法人又は税理士法人であって、その社員の半数以上が第一号又は第二号に掲げる者のいずれかに該当するもの

〔施行　**外国弁護士による法律事務の取扱いに関する特別措置法の一部を改正する法律**（令和二年法律第三十三号）**の施行の日**（令和二年五月二十九日から二年六月を超えない範囲内において政令で定める日）〕［傍線部分は改正部分］

第二〇七条　（省略）

2～8　（省略）

9　前各項の規定は、次の各号に掲げる場合には、当該各号に定める事項については、適用しない。

一～三　（省略）

四　現物出資財産について定められた第百九十九条第一項第三号の価額が相当であることについて弁護士、弁護士法人、弁護士・外国法事務弁護士共同法人、公認会計士、監査法人、税理士又は税理士法人の証明（現物出資財産が不動産である場合にあっては、当該証明及び不動産鑑定士の鑑定評価。以下この号において同じ。）を受けた場合　当該証明を受けた現物出資財産の価額

五　（省略）

10　次に掲げる者は、前項第四号に規定する証明をすることができない。

一～三　（省略）

四　弁護士法人、弁護士・外国法事務弁護士共同法人、監査法人又は税理士法人であって、その社員の半数以上が第一号又は第二号に掲げる者のいずれかに該当するもの

【会社法施行規則】

（検査役が提供する電磁的記録）

第二百二十八条　次に掲げる規定に規定する法務省令で定めるものは、商業登記規則（昭和三十九年法務省令第二十三号）第三十六条第一項に規定する電磁的記録媒体（電磁的記録に限る。）及び次に掲げる規定により電磁的記録の提供を受ける者が定める電磁的記録とする。

一　（略）

二　法第二百七条第四項

三～五　（略）

（検査役による電磁的記録に記録された事項の提供）

第二百二十九条　次に掲げる規定（以下この条において「検査役提供規定」という。）に規定する法務省令で定める方法は、電磁的方法のうち、検査役提供規定により当該検査役提供規定の電磁的記録に記録された事項の提供を受ける者が定めるものとする。

一　（略）

二　法第二百七条第六項

三～五　（略）

（交付等の指定）

第二百三十六条　電子文書法第六条第一項の主務省令で定める交付等は、次に掲げる交付等とする。

一～九　（略）

十　法第二百七条第六項の規定による同条第四項の書面の写しの交付等

十一〜二十八　（略）

（検査役の調査を要しない市場価格のある有価証券）

第四十三条　法第二百七条第九項第三号に規定する法務省令で定める方法は、次に掲げる額のうちいずれか高い額をもって同号に規定する有価証券の価格とする方法とする。

一　法第百九十九条第一項第三号の価額を定めた日（以下この条において「価額決定日」という。）における当該有価証券を取引する市場における最終の価格（当該価額決定日に売買取引がない場合又は当該価額決定日が当該市場の休業日に当たる場合にあっては、その後最初になされた売買取引の成立価格）

二　価額決定日において当該有価証券が公開買付け等の対象であるときは、当該価額決定日における当該公開買付け等に係る契約における当該有価証券の価格

第四款　出資の履行等

（出資の履行）

第二百八条　募集株式の引受人（現物出資財産を給付する者を除く。）は、第百九十九条第一項第四号の期日又は同号の期間内に、株式会社が定めた銀行等の払込みの取扱いの場所において、それぞれの募集株式の払込金額の全額を払い込まなければならない。

2　募集株式の引受人（現物出資財産を給付する者に限る。）は、第百九十九条第一項第四号の期日又は同号の期間内に、それぞれの募集株式の払込金額の全額に相当する現物出資財産を給付しなければならない。

3　募集株式の引受人は、第一項の規定による払込み又は前項の規定による給付（以下この款において「出資の履行」という。）をする債務と株式会社に対する債権とを相殺することができない。

4　出資の履行をすることにより募集株式の株主となる権利の譲渡は、株式会社に対抗することができない。

5　募集株式の引受人は、出資の履行をしないときは、当該出資の履行をすることにより募集株式の株主となる権利を失う。

（株主となる時期等）

第二百九条　募集株式の引受人は、次の各号に掲げる場合には、当該各号に定める日に、出資の履行をした募集株式の株主となる。

一　第百九十九条第一項第四号の期日を定めた場合　当該期日

二　第百九十九条第一項第四号の期間を定めた場合　出資の履行をした日

2　募集株式の引受人は、第二百十三条の二第一項各号に掲げる場合には、当該各号に定める支払若しくは給付又は第二百十三条の三第一項の規定による支払がされた後でなければ、出資の履行を仮装した募集株式について、株主の権利を行使することができない。

3　前項の募集株式を譲り受けた者は、当該募集株式についての株主の権利を行使することができる。ただし、その者に悪意又は重大な過失があるときは、この限りでない。

4　第一項の規定にかかわらず、第二百二条の二第一項後段の規定による同項各号に掲げる事項についての定めがある場合には、募集株式の引受人は、割当日に、その引き受けた募集株式の株主となる。

※募集株式の発行等を行う場合の株主資本は会社計算規則第一四条（二五四頁参照）

第五款　募集株式の発行等をやめることの請求

第二百十条　次に掲げる場合において、株主が不利益を受けるおそれがあるときは、株主は、株式会社に対し、第百九十九条第一項の募集に係る株式の発行又は自己株式の処分をやめることを請求することができる。

一　当該株式の発行又は自己株式の処分が法令又は定款に違反する場合

二　当該株式の発行又は自己株式の処分が著しく不公正な方法により行われる場合

第六款　募集に係る責任等

（引受けの無効又は取消しの制限）

第二百十一条　民法第九十三条第一項ただし書及び第九十四条第一項の規定は、募集株式の引受けの申込み及び割当て並びに第二百五条第一項の契約に係る意思表示については、適用しない。

2　募集株式の引受人は、第二百九条第一項の規定により株主となった日から一年を経過した後又はその株式について権利を行使した後は、錯誤、詐欺又は強迫を理由として募集株式の引受けの取消しをすることができない。

（不公正な払込金額で株式を引き受けた者等の責任）

第二百十二条　募集株式の引受人は、次の各号に掲げる場合には、株式会社に対し、当該各号に定める額を支払う義務を負う。

一　取締役（指名委員会等設置会社にあっては、取締役又は執行役）と通じて著しく不公正な払込金額で募集株式を引き受けた場合　当該払込金額と当該募集株式の公正な価額との差額に相当する金額

二　第二百九条第一項の規定により募集株式の株主となった時におけるその給付した現物出資財産の価額がこれについて定められた第百九十九条第一項第三号の価額に著しく不足する場合　当該不足額

2　前項第二号に掲げる場合において、現物出資財産を給付した募集株式の引受人が当該現物出資財産の価額がこれについて定められた第百九十九条第一項第三号の価額に著しく不足することにつき善意でかつ重大な過失がないときは、募集株式の引受けの申込み又は第二百五条第一項の契約に係る意思表示を取り消すことができる。

※法第二一二条第一項各号に掲げる場合において同項の規定により当該各号に定める額を支払う義務が履行された場合の株主資本は会社計算規則第二一条（二五八頁参照）

（出資された財産等の価額が不足する場合の取締役等の責任）

第二百十三条　前条第一項第二号に掲げる場合には、次に掲げる者（以下この条において「取締役等」という。）は、株式会社に対し、同号に定める額を支払う義務を負う。

一　当該募集株式の引受人の募集に関する職務を行った業務執行取締役（指名委員会等設置会社にあっては、執行役。以下この号において同じ。）その他当該業務執行取締役の行う業務の執行に職務上関与した者として法務省令で定めるもの

二　現物出資財産の価額の決定に関する株主総会の決議があったときは、当該株主総会に議案を提案した取締役として法務省令で定めるもの

三　現物出資財産の価額の決定に関する取締役会の決議があったときは、当該取締役会に議案を提案した取締役（指名委員会等設置会社にあっては、取締役又は執行役）として法務省令で定めるもの

2　前項の規定にかかわらず、次に掲げる場合には、取締役等は、現物出資財産について同項の義務を負わない。

一　現物出資財産の価額について第二百七条第二項の検査役の調査を経た場合

二　当該取締役等がその職務を行うについて注意を怠らなかったことを証明した場合

3　第一項に規定する場合には、第二百七条第九項第四号に規定する証明をした者（以下この条において「証明者」という。）は、株式会社に対し前条第一項第二号に定める額を支払う義務を負う。ただし、当該証明者が当該証明をするについて注意を怠らなかったことを証明したときは、この限りでない。

4　募集株式の引受人がその給付した現物出資財産についての前条第一項第二号に定める額を支払う義務を負う場合において、次の各号に掲げる者が当該現物出資財産について当該各号に定める義務を負うときは、これらの者は、連帯債務者とする。

一　取締役等　第一項の義務

二　証明者　前項本文の義務

【会社法施行規則】

（出資された財産等の価額が不足する場合に責任をとるべき取締役等）

第四十四条　法第二百十三条第一項第一号に規定する法務省令で定めるものは、次に掲げる者とする。

一　現物出資財産（法第二百七条第一項に規定する現物出資財産をいう。以下この条から第四十六条までにおいて同じ。）の価額の決定に関する職務を行った取締役及び執行役

二　現物出資財産の価額の決定に関する株主総会の決議があったときは、当該株主総会において当該現物出資財産の価額に関する事項について説明をした取締役及び執行役

三　現物出資財産の価額の決定に関する取締役会の決議があったときは、当該取締役会の決議に賛成した取締役

第四十五条　法第二百十三条第一項第二号に規定する法務省令で定めるものは、次に掲げる者とする。

一　株主総会に現物出資財産の価額の決定に関する議案を提案した取締役

二　前号の議案の提案の決定に同意した取締役（取締役会設置会社の取締役を除く。）

三　第一号の議案の提案が取締役会の決議に基づいて行われたときは、当該取締役会の決議に賛成した取締役

第四十六条　法第二百十三条第一項第三号に規定する法務省令で定めるものは、取締役会に現物出資財産の価額の決定に関する議案を提案した取締役及び執行役とする。

（出資の履行を仮装した募集株式の引受人の責任）

第二百十三条の二　募集株式の引受人は、次の各号に掲げる場合には、株式会社に対し、当該各号に定める行為をする義務を負う。

一　第二百八条第一項の規定による払込みを仮装した場合　払込みを仮装した払込金額の全額の支払

二　第二百八条第二項の規定による給付を仮装した場合　給付を仮装した現物出資財産の給付（株式会社が当該給付に代えて当該現物出資財産の価額に相当する金銭の支払を請求した場合にあっては、当該金銭の全額の支払）

2　前項の規定により募集株式の引受人の負う義務は、総株主の同意がなければ、免除することができない。

※法第二一三条の二第一項各号に掲げる場合において同項の規定により当該各号に定める行為をする義務が履行された際の株主資本は会社計算規則第二一条（二五八頁参照）

（出資の履行を仮装した場合の取締役等の責任）

第二百十三条の三　前条第一項各号に掲げる場合には、募集株式の引受人が出資の履行を仮装することに関与した取締役（指名委員会等設置会社にあっては、執行役を含む。）として法務省令で定める者は、株式会社に対し、当該各号に規定する支払をする義務を負う。ただし、その者（当該出資の履行を仮装したものを除く。）がその職務を行うについて注意を怠らなかったことを証明した場合は、この限りでない。

2　募集株式の引受人が前条第一項各号に規定する支払をする義務を負う場合において、前項に規定する者が同項の義務を負うときは、これらの者は、連帯債務者とする。

【会社法施行規則】

（出資の履行の仮装に関して責任をとるべき取締役等）

第四十六条の二　法第二百十三条の三第一項に規定する法務省令で定める者は、次に掲げる者とする。

一　出資の履行（法第二百八条第三項に規定する出資の履行をいう。以下この条において同じ。）の仮装に関する職務を行った取締役及び執行役

二　出資の履行の仮装が取締役会の決議に基づいて行われたときは、次に掲げる者

イ　当該取締役会の決議に賛成した取締役

ロ　当該取締役会に当該出資の履行の仮装に関する議案を提案

した取締役及び執行役
三　出資の履行の仮装が株主総会の決議に基づいて行われたときは、次に掲げる者
イ　当該株主総会に当該出資の履行の仮装に関する議案を提案した取締役
ロ　イの議案の提案の決定に同意した取締役（取締役会設置会社の取締役を除く。）
ハ　イの議案の提案が取締役会の決議に基づいて行われたときは、当該取締役会の決議に賛成した取締役
二　当該株主総会において当該出資の履行の仮装に関する事項について説明をした取締役及び執行役

第九節　株券

第一款　総則

（株券を発行する旨の定款の定め）
第二百十四条　株式会社は、その株式（種類株式発行会社にあっては、全部の種類の株式）に係る株券を発行する旨を定款で定めることができる。

（株券の発行）
第二百十五条　株券発行会社は、株式を発行した日以後遅滞なく、当該株式に係る株券を発行しなければならない。
2　株券発行会社は、株式の併合をしたときは、第百八十条第二項第二号の日以後遅滞なく、併合した株式に係る株券を発行しなければならない。
3　株券発行会社は、株式の分割をしたときは、第百八十三条第二項第二号の日以後遅滞なく、分割した株式に係る株券（既に発行されているものを除く。）を発行しなければならない。
4　前三項の規定にかかわらず、公開会社でない株券発行会社は、株主から請求がある時までは、これらの規定の株券を発行しないことができる。

（株券の記載事項）
第二百十六条　株券には、次に掲げる事項及びその番号を記載し、株券発行会社の代表取締役（指名委員会等設置会社にあっては、代表執行役）がこれに署名し、又は記名押印しなければならない。
一　株券発行会社の商号
二　当該株券に係る株式の数
三　譲渡による当該株券に係る株式の取得について株式会社の承認を要することを定めたときは、その旨
四　種類株式発行会社にあっては、当該株券に係る株式の種類及びその内容

（株券不所持の申出）
第二百十七条　株券発行会社の株主は、当該株券発行会社に対し、当該株主の有する株式に係る株券の所持を希望しない旨を申し出ることができる。
2　前項の規定による申出は、その申出に係る株式の数（種類株式発行会社にあっては、株式の種類及び種類ごとの数）を明らかにしてしなければならない。この場合において、当該株式に係る株券が発行されているときは、当該株主は、当該株券を株券発行会社に提出しなければならない。
3　第一項の規定による申出を受けた株券発行会社は、遅滞なく、前項前段の株式に係る株券を発行しない旨を株主名簿に記載し、又は記録しなければならない。
4　株券発行会社は、前項の規定による記載又は記録をしたときは、第二項前段の株式に係る株券を発行することができない。
5　第二項後段の規定により提出された株券は、第三項の規定による記載又は記録をした時において、無効となる。
6　第一項の規定による申出をした株主は、いつでも、株券発行会社に対し、第二項前段の株式に係る株券を発行することを請求することが

第二章　株式

できる。この場合において、第二項後段の規定により提出された株券があるときは、株券の発行に要する費用は、当該株主の負担とする。

（株券を発行する旨の定款の定めの廃止）

第二百十八条　株券発行会社は、その株式（種類株式発行会社にあっては、全部の種類の株式）に係る株券を発行する旨の定款の定めを廃止する定款の変更をしようとするときは、当該定款の変更の効力が生ずる日の二週間前までに、次に掲げる事項を公告し、かつ、株主及び登録株式質権者には、各別にこれを通知しなければならない。

一　その株式（種類株式発行会社にあっては、全部の種類の株式）に係る株券を発行する旨の定款の定めを廃止する旨

二　定款の変更がその効力を生ずる日

三　前号の日において当該株式会社の株券は無効となる旨

2　株券発行会社の株式に係る株券は、前項第二号の日に無効となる。

3　第一項の規定にかかわらず、株式の全部について株券を発行していない株券発行会社がその株式（種類株式発行会社にあっては、全部の種類の株式）に係る株券を発行する旨の定款の定めを廃止する定款の変更をしようとする場合には、同項第二号の日の二週間前までに、株主及び登録株式質権者に対し、同項第一号及び第二号に掲げる事項を通知すれば足りる。

4　前項の規定による通知は、公告をもってこれに代えることができる。

5　第一項に規定する場合には、株式の質権者（登録株式質権者を除く。）は、同項第二号の日の前日までに、株券発行会社に対し、第百四十八条各号に掲げる事項を株主名簿に記載し、又は記録することを請求することができる。

第二款　株券の提出等

（株券の提出に関する公告等）

第二百十九条　株券発行会社は、次の各号に掲げる行為をする場合には、当該行為の効力が生ずる日（第四号の二に掲げる行為をする場合にあっては、第百七十九条の二第一項第五号に規定する取得日。以下この条において「株券提出日」という。）までに当該株券発行会社に対し当該各号に定める株式に係る株券を提出しなければならない旨を株券提出日の一箇月前までに、公告し、かつ、当該株式の株主及びその登録株式質権者には、各別にこれを通知しなければならない。ただし、当該株式の全部について株券を発行していない場合は、この限りでない。

一　第百七条第一項第一号に掲げる事項についての定款の定めを設ける定款の変更　全部の株式（種類株式発行会社にあっては、当該事項についての定めを設ける種類の株式）

二　株式の併合　全部の株式（種類株式発行会社にあっては、第百八十条第二項第三号の種類の株式）

三　第百七十一条第一項に規定する全部取得条項付種類株式の取得　当該全部取得条項付種類株式

四　取得条項付株式の取得　当該取得条項付株式

四の二　第百七十九条の三第一項の承認　売渡株式

五　組織変更　全部の株式

六　合併（合併により当該株式会社が消滅する場合に限る。）　全部の株式

七　株式交換　全部の株式

八　株式移転　全部の株式

2　株券発行会社が次の各号に掲げる行為をする場合において、株券提出日までに当該株券発行会社に対して株券を提出しない者があるときは、当該各号に定める者は、当該株券の提出があるまでの間、当該行為（第二号に掲げる行為をする場合にあっては、株式売渡請求に係る売渡株式の取得）によって当該株券に係る株式の株主が受けることのできる金銭等の交付を拒むことができる。

一　前項第一号から第四号までに掲げる行為　当該株券発行会社

二　第百七十九条の三第一項の承認　特別支配株主

三　組織変更　第七百四十四条第一項第一号に規定する組織変更後持分会社

四　合併（合併により当該株式会社が消滅する場合に限る。）　第七百四十九条第一項に規定する吸収合併存続会社又は第七百五十三条第一項に規定する新設合併設立会社
五　株式交換　第七百六十七条に規定する株式交換完全親会社
六　株式移転　第七百七十三条第一項第一号に規定する株式移転設立完全親会社

3　第一項各号に定める株式に係る株券は、株券提出日に無効となる。

4　第一項第四号の二の規定による公告及び通知の費用は、特別支配株主の負担とする。

（株券の提出をすることができない場合）

第二百二十条　前条第一項各号に掲げる行為をした場合において、株券を提出することができない者があるときは、株券発行会社は、その者の請求により、利害関係人に対し異議があれば一定の期間内にこれを述べることができる旨を公告することができる。ただし、当該期間は、三箇月を下ることができない。

2　株券発行会社が前項の規定による公告をした場合において、同項の期間内に利害関係人が異議を述べなかったときは、前条第二項各号に定める者は、前項の請求をした者に対し、同条第二項の金銭等を交付することができる。

3　第一項の規定による公告の費用は、同項の請求をした者の負担とする。

第三款　株券喪失登録

（株券喪失登録簿）

第二百二十一条　株券発行会社（株式会社がその株式（種類株式発行会社にあっては、全部の種類の株式）に係る株券を発行する旨の定款の定めを廃止する定款の変更をした日の翌日から起算して一年を経過していない場合における当該株式会社を含む。以下この款（第二百二十三条、第二百二十七条及び第二百二十八条第二項を除く。）において同じ。）は、株券喪失登録簿を作成し、これに次に掲げる事項（以下この款において「株券喪失登録簿記載事項」という。）を記載し、又は記録しなければならない。
一　第二百二十三条の規定による請求に係る株券（第二百十八条第二項又は第二百十九条第三項の規定により無効となった株券及び株式の発行又は自己株式の処分の無効の訴えに係る請求を認容する判決が確定した場合における当該株式に係る株券を含む。以下この款（第二百二十八条を除く。）において同じ。）の番号
二　前号の株券を喪失した者の氏名又は名称及び住所
三　第一号の株券に係る株式の株主又は登録株式質権者として株主名簿に記載され、又は記録されている者（以下この款において「名義人」という。）の氏名又は名称及び住所
四　第一号の株券につき前三号に掲げる事項を記載し、又は記録した日（以下この款において「株券喪失登録日」という。）

（株券喪失登録簿に関する事務の委託）

第二百二十二条　株券発行会社における第百二十三条の規定の適用については、同条中「株主名簿の」とあるのは「株主名簿及び株券喪失登録簿の」と、「株主名簿に」とあるのは「株主名簿及び株券喪失登録簿に」とする。

（株券喪失登録の請求）

第二百二十三条　株券を喪失した者は、法務省令で定めるところにより、株券発行会社に対し、当該株券についての株券喪失登録簿記載事項を株券喪失登録簿に記載し、又は記録すること（以下「株券喪失登録」という。）を請求することができる。

【会社法施行規則】

（株券喪失登録請求）

第四十七条　法第二百二十三条の規定による請求（以下この条において「株券喪失登録請求」という。）は、この条に定めるところにより、行わなければならない。

2　株券喪失登録請求は、株券喪失登録請求をする者（次項におい

> て「株券喪失登録請求者」という。）の氏名又は名称及び住所並びに喪失した株券の番号を明らかにしてしなければならない。
> 3　株券喪失登録請求者が株券喪失登録請求をしようとするときは、次の各号に掲げる場合の区分に応じ、当該各号に定める資料を株式会社に提供しなければならない。
> 一　株券喪失登録請求者が当該株券に係る株式の株主又は登録株式質権者として株主名簿に記載又は記録がされている者である場合　株券の喪失の事実を証する資料
> 二　前号に掲げる場合以外の場合　次に掲げる資料
> イ　株券喪失登録請求者が株券喪失登録請求に係る株券を、当該株券に係る株式につき法第百二十一条第三号の取得の日として株主名簿に記載又は記録がされている日以後に所持していたことを証する資料
> ロ　株券の喪失の事実を証する資料
> 4　株券喪失登録に係る株券が会社法の施行に伴う関係法律の整備等に関する法律の施行に伴う経過措置を定める政令（平成十七年政令第三百六十七号）第二条の規定により法第百二十一条第三号の規定が適用されない株式に係るものである場合における前項第二号の規定の適用については、同号中「次に」とあるのは、「ロに」とする。

（名義人等に対する通知）

第二百二十四条　株券発行会社が前条の規定による請求に応じて株券喪失登録をした場合において、当該請求に係る株券を喪失した者として株券喪失登録簿に記載され、又は記録された者（以下この款において「株券喪失登録者」という。）が当該株券に係る株式の名義人でないときは、株券発行会社は、遅滞なく、当該名義人に対し、当該株券について株券喪失登録をした旨並びに第二百二十一条第一号、第二号及び第四号に掲げる事項を通知しなければならない。

2　株式についての権利を行使するために株券が株券発行会社に提出された場合において、当該株券について株券喪失登録がされているときは、株券発行会社は、遅滞なく、当該株券を提出した者に対し、当該株券について株券喪失登録がされている旨を通知しなければならない。

（株券を所持する者による抹消の申請）

第二百二十五条　株券喪失登録がされた株券を所持する者（その株券についての株券喪失登録者を除く。）は、法務省令で定めるところにより、株券発行会社に対し、当該株券喪失登録の抹消を申請することができる。ただし、株券喪失登録日の翌日から起算して一年を経過したときは、この限りでない。

2　前項の規定による申請をしようとする者は、株券発行会社に対し、同項の株券を提出しなければならない。

3　第一項の規定による申請を受けた株券発行会社は、遅滞なく、同項の株券喪失登録者に対し、同項の規定による申請をした者の氏名又は名称及び住所並びに同項の株券の番号を通知しなければならない。

4　株券発行会社は、前項の規定による通知の日から二週間を経過した日に、第二項の規定により提出された株券に係る株券喪失登録を抹消しなければならない。この場合においては、株券発行会社は、当該株券を第一項の規定による申請をした者に返還しなければならない。

> **【会社法施行規則】**
> （株券を所持する者による抹消の申請）
> **第四十八条**　法第二百二十五条第一項の規定による申請は、株券を提示し、当該申請をする者の氏名又は名称及び住所を明らかにしてしなければならない。

（株券喪失登録者による抹消の申請）

第二百二十六条　株券喪失登録者は、法務省令で定めるところにより、株券発行会社に対し、株券喪失登録（その株式（種類株式発行会社にあっては、全部の種類の株式）に係る株券を発行する旨の定款の定め

を廃止する定款の変更をした場合にあっては、前条第二項の規定により提出された株券についての株券喪失登録を除く。）の抹消を申請することができる。

2　前項の規定による申請を受けた株券発行会社は、当該申請を受けた日に、当該申請に係る株券喪失登録を抹消しなければならない。

【会社法施行規則】

（株券喪失登録者による抹消の申請）

第四十九条　法第二百二十六条第一項の規定による申請は、当該申請をする株券喪失登録者の氏名又は名称及び住所並びに当該申請に係る株券喪失登録がされた株券の番号を明らかにしてしなければならない。

（株券を発行する旨の定款の定めを廃止した場合における株券喪失登録の抹消）

第二百二十七条　その株式（種類株式発行会社にあっては、全部の種類の株式）に係る株券を発行する旨の定款の定めを廃止する定款の変更をする場合には、株券発行会社は、当該定款の変更の効力が生ずる日に、株券喪失登録（当該株券喪失登録がされた株券に係る株式の名義人が株券喪失登録者であるものに限り、第二百二十五条第二項の規定により提出された株券についてのものを除く。）を抹消しなければならない。

（株券の無効）

第二百二十八条　株券喪失登録（抹消されたものを除く。）がされた株券は、株券喪失登録日の翌日から起算して一年を経過した日に無効となる。

2　前項の規定により株券が無効となった場合には、株券発行会社は、当該株券についての株券喪失登録者に対し、株券を再発行しなければならない。

（異議催告手続との関係）

第二百二十九条　株券喪失登録者が第二百二十条第一項の請求をした場合には、株券発行会社は、同項の期間の末日が株券喪失登録日の翌日から起算して一年を経過する日前に到来するときに限り、同項の規定による公告をすることができる。

2　株券発行会社が第二百二十条第一項の規定による公告をするときは、当該株券発行会社は、当該公告をした日に、当該公告に係る株券についての株券喪失登録を抹消しなければならない。

（株券喪失登録の効力）

第二百三十条　株券発行会社は、次に掲げる日のいずれか早い日（以下この条において「登録抹消日」という。）までの間は、株券喪失登録がされた株券に係る株式を取得した者の氏名又は名称及び住所を株主名簿に記載し、又は記録することができない。

一　当該株券喪失登録が抹消された日

二　株券喪失登録日の翌日から起算して一年を経過した日

2　株券発行会社は、登録抹消日後でなければ、株券喪失登録がされた株券を再発行することができない。

3　株券喪失登録者が株券喪失登録をした株券に係る株式の名義人でないときは、当該株式の株主は、登録抹消日までの間は、株主総会又は種類株主総会において議決権を行使することができない。

4　株券喪失登録がされた株券に係る株式については、第百九十七条第一項の規定による競売又は同条第二項の規定による売却をすることができない。

（株券喪失登録簿の備置き及び閲覧等）

第二百三十一条　株券発行会社は、株券喪失登録簿をその本店（株主名簿管理人がある場合にあっては、その営業所）に備え置かなければならない。

2　何人も、株券発行会社の営業時間内は、いつでも、株券喪失登録簿（利害関係がある部分に限る。）について、次に掲げる請求をすることができる。この場合においては、当該請求の理由を明らかにしてしなければならない。

一　株券喪失登録簿が書面をもって作成されているときは、当該書面の閲覧又は謄写の請求

二　株券喪失登録簿が電磁的記録をもって作成されているときは、当該電磁的記録に記録された事項を法務省令で定める方法により表示したものの閲覧又は謄写の請求

【会社法施行規則】

（縦覧等の指定）

第二百三十四条　電子文書法第五条第一項の主務省令で定める縦覧等は、次に掲げる縦覧等とする。

一〜十六　（略）

十七　法第二百三十一条第二項第一号の規定による株券喪失登録簿の縦覧等

十八〜五十四　（略）

（電磁的記録に記録された事項を表示する方法）

第二百二十六条　次に掲げる規定に規定する法務省令で定める方法は、次に掲げる規定の電磁的記録に記録された事項を紙面又は映像面に表示する方法とする。

一〜十二　（略）

十三　法第二百三十一条第二項第二号

十四〜四十三　（略）

（株券喪失登録者に対する通知等）

第二百三十二条　株券発行会社が株券喪失登録者に対してする通知又は催告は、株券喪失登録簿に記載し、又は記録した当該株券喪失登録者の住所（当該株券喪失登録者が別に通知又は催告を受ける場所又は連絡先を株券発行会社に通知した場合にあっては、その場所又は連絡先）にあてて発すれば足りる。

2　前項の通知又は催告は、その通知又は催告が通常到達すべきであった時に、到達したものとみなす。

（適用除外）

第二百三十三条　非訟事件手続法第四編の規定は、株券については、適用しない。

第十節　雑則

（一に満たない端数の処理）

第二百三十四条　次の各号に掲げる行為に際して当該各号に定める者に当該株式会社の株式を交付する場合において、その者に対し交付しなければならない当該株式会社の株式の数に一株に満たない端数があるときは、その端数の合計数（その合計数に一に満たない端数がある場合にあっては、これを切り捨てるものとする。）に相当する数の株式を競売し、かつ、その端数に応じてその競売により得られた代金を当該者に交付しなければならない。

一　第百七十条第一項の規定による株式の取得　当該株式会社の株主

二　第百七十三条第一項の規定による株式の取得　当該株式会社の株主

三　第百八十五条に規定する株式無償割当て　当該株式会社の株主

四　第二百七十五条第一項の規定による新株予約権の取得　第二百三十六条第一項第七号イの新株予約権の新株予約権者

五　合併（合併により当該株式会社が存続する場合に限る。）　合併後消滅する会社の株主又は社員

六　合併契約に基づく設立時発行株式の発行　合併後消滅する会社の株主又は社員

七　株式交換による他の株式会社の発行済株式全部の取得　株式交換をする株式会社の株主

八　株式移転計画に基づく設立時発行株式の発行　株式移転をする株式会社の株主

九　株式交付　株式交付親会社（第七百七十四条の三第一項第一号に規定する株式交付親会社をいう。）に株式交付に際して株式交付子会社（同号に規定する株式交付子会社をいう。）の株式又は新株予約権

等（同項第七号に規定する新株予約権等をいう。）を譲り渡した者

2　株式会社は、前項の規定による競売に代えて、市場価格のある同項の株式については市場価格として法務省令で定める方法により算定される額をもって、市場価格のない同項の株式については裁判所の許可を得て競売以外の方法により、これを売却することができる。この場合において、当該許可の申立ては、取締役が二人以上あるときは、その全員の同意によってしなければならない。

3　前項の規定により第一項の株式を売却した場合における同項の規定の適用については、同項中「競売により」とあるのは、「売却により」とする。

4　株式会社は、第二項の規定により売却する株式の全部又は一部を買い取ることができる。この場合においては、次に掲げる事項を定めなければならない。

一　買い取る株式の数（種類株式発行会社にあっては、株式の種類及び種類ごとの数）

二　前号の株式の買取りをするのと引換えに交付する金銭の総額

5　取締役会設置会社においては、前項各号に掲げる事項の決定は、取締役会の決議によらなければならない。

6　第一項から第四項までの規定は、第一項各号に掲げる行為に際して当該各号に定める者に当該株式会社の社債又は新株予約権を交付するときについて準用する。

【会社法施行規則】

（株式の発行等により一に満たない株式の端数を処理する場合における市場価格）

第五十条　法第二百三十四条第二項に規定する法務省令で定める方法は、次の各号に掲げる場合の区分に応じ、当該各号に定める額をもって同項に規定する株式の価格とする方法とする。

一　当該株式を市場において行う取引によって売却する場合　当該取引によって売却する価格

二　前号に掲げる場合以外の場合　次に掲げる額のうちいずれか高い額

イ　法第二百三十四条第二項の規定により売却する日（以下この条において「売却日」という。）における当該株式を取引する市場における最終の価格（当該売却日に売買取引がない場合又は当該売却日が当該市場の休業日に当たる場合にあっては、その後最初になされた売買取引の成立価格）

ロ　売却日において当該株式が公開買付け等の対象であるときは、当該売却日における当該公開買付け等に係る契約における当該株式の価格

（一に満たない社債等の端数を処理する場合における市場価格）

第五十一条　法第二百三十四条第六項において準用する同条第二項に規定する法務省令で定める方法は、次の各号に掲げる場合の区分に応じ、当該各号に定める額をもって同条第六項において準用する同条第二項の規定により売却する財産の価格とする方法とする。

一　法第二百三十四条第六項に規定する社債又は新株予約権を市場において行う取引によって売却する場合　当該取引によって売却する価格

二　前号に掲げる場合以外の場合において、社債（新株予約権付社債についての社債を除く。以下この号において同じ。）を売却するとき　法第二百三十四条第六項において準用する同条第二項の規定により売却する日（以下この条において「売却日」という。）における当該社債を取引する市場における最終の価格（当該売却日に売買取引がない場合又は当該売却日が当該市場の休業日に当たる場合にあっては、その後最初になされた売買取引の成立価格）

三　第一号に掲げる場合以外の場合において、新株予約権（当該新株予約権が新株予約権付社債に付されたものである場合にあっては、当該新株予約権付社債。以下この号において同じ。）

を売却するとき　次に掲げる額のうちいずれか高い額
イ　売却日における当該新株予約権を取引する市場における最終の価格（当該売却日に売買取引がない場合又は当該売却日が当該市場の休業日に当たる場合にあっては、その後最初になされた売買取引の成立価格）
ロ　売却日において当該新株予約権が公開買付け等の対象であるときは、当該売却日における当該公開買付け等に係る契約における当該新株予約権の価格

第二百三十五条　株式会社が株式の分割又は株式の併合をすることにより株式の数に一株に満たない端数が生ずるときは、その端数の合計数（その合計数に一に満たない端数が生ずる場合にあっては、これを切り捨てるものとする。）に相当する数の株式を競売し、かつ、その端数に応じてその競売により得られた代金を株主に交付しなければならない。

２　前条第二項から第五項までの規定は、前項の場合について準用する。

【会社法施行規則】

（株式の分割等により一に満たない株式の端数を処理する場合における市場価格）

第五十二条　法第二百三十五条第二項において準用する法第二百三十四条第二項に規定する法務省令で定める方法は、次の各号に掲げる場合の区分に応じ、当該各号に定める額をもって法第二百三十五条第二項において準用する法第二百三十四条第二項に規定する株式の価格とする方法とする。
一　当該株式を市場において行う取引によって売却する場合　当該取引によって売却する価格
二　前号に掲げる場合以外の場合　次に掲げる額のうちいずれか高い額
イ　法第二百三十五条第二項において準用する法第二百三十四条第二項の規定により売却する日（以下この条において「売却日」という。）における当該株式を取引する市場における最終の価格（当該売却日に売買取引がない場合又は当該売却日が当該市場の休業日に当たる場合にあっては、その後最初になされた売買取引の成立価格）
ロ　売却日において当該株式が公開買付け等の対象であるときは、当該売却日における当該公開買付け等に係る契約における当該株式の価格

第三章　新株予約権

第一節　総則

（新株予約権の内容）
第二百三十六条　株式会社が新株予約権を発行するときは、次に掲げる事項を当該新株予約権の内容としなければならない。
一　当該新株予約権の目的である株式の数（種類株式発行会社にあっては、株式の種類及び種類ごとの数）又はその数の算定方法
二　当該新株予約権の行使に際して出資される財産の価額又はその算定方法
三　金銭以外の財産を当該新株予約権の行使に際してする出資の目的とするときは、その旨並びに当該財産の内容及び価額
四　当該新株予約権を行使することができる期間
五　当該新株予約権の行使により株式を発行する場合における増加する資本金及び資本準備金に関する事項
六　譲渡による当該新株予約権の取得について当該株式会社の承認を要することとするときは、その旨
七　当該新株予約権について、当該株式会社が一定の事由が生じたことを条件としてこれを取得することができることとするときは、次

に掲げる事項
イ　一定の事由が生じた日に当該株式会社がその新株予約権を取得する旨及びその事由
ロ　当該株式会社が別に定める日が到来することをもってイの事由とするときは、その旨
ハ　イの事由が生じた日にイの新株予約権の一部を取得することとするときは、その旨及び取得する新株予約権の一部の決定の方法
ニ　イの新株予約権を取得するのと引換えに当該新株予約権の新株予約権者に対して当該株式会社の株式を交付するときは、当該株式の数（種類株式発行会社にあっては、株式の種類及び種類ごとの数）又はその算定方法
ホ　イの新株予約権を取得するのと引換えに当該新株予約権の新株予約権者に対して当該株式会社の社債（新株予約権付社債についてのものを除く。）を交付するときは、当該社債の種類及び種類ごとの各社債の金額の合計額又はその算定方法
ヘ　イの新株予約権を取得するのと引換えに当該新株予約権の新株予約権者に対して当該株式会社の他の新株予約権（新株予約権付社債に付されたものを除く。）を交付するときは、当該他の新株予約権の内容及び数又はその算定方法
ト　イの新株予約権を取得するのと引換えに当該新株予約権の新株予約権者に対して当該株式会社の新株予約権付社債を交付するときは、当該新株予約権付社債についてのホに規定する事項及び当該新株予約権付社債に付された新株予約権についてのヘに規定する事項
チ　イの新株予約権を取得するのと引換えに当該新株予約権の新株予約権者に対して当該株式会社の株式等以外の財産を交付するときは、当該財産の内容及び数若しくは額又はこれらの算定方法
八　当該株式会社が次のイからホまでに掲げる行為をする場合において、当該新株予約権の新株予約権者に当該イからホまでに定める株式会社の新株予約権を交付することとするときは、その旨及びその条件
イ　合併（合併により当該株式会社が消滅する場合に限る。）　合併後存続する株式会社又は合併により設立する株式会社
ロ　吸収分割　吸収分割をする株式会社がその事業に関して有する権利義務の全部又は一部を承継する株式会社
ハ　新設分割　新設分割により設立する株式会社
ニ　株式交換　株式交換をする株式会社の発行済株式の全部を取得する株式会社
ホ　株式移転　株式移転により設立する株式会社
九　新株予約権を行使した新株予約権者に交付する株式の数に一株に満たない端数がある場合において、これを切り捨てるものとするときは、その旨
十　当該新株予約権（新株予約権付社債に付されたものを除く。）に係る新株予約権証券を発行することとするときは、その旨
十一　前号に規定する場合において、新株予約権者が第二百九十条の規定による請求の全部又は一部をすることができないこととするときは、その旨

2　新株予約権付社債に付された新株予約権の数は、当該新株予約権付社債についての社債の金額ごとに、均等に定めなければならない。

3　金融商品取引法第二条第十六項に規定する金融商品取引所に上場されている株式を発行している株式会社は、定款又は株主総会の決議による第三百六十一条第一項第四号又は第五号ロに掲げる事項についての定めに従い新株予約権を発行するときは、第一項第二号に掲げる事項を当該新株予約権の内容とすることを要しない。この場合において、当該株式会社は、次に掲げる事項を当該新株予約権の内容としなければならない。
一　取締役の報酬等として又は取締役の報酬等をもってする払込みと引換えに当該新株予約権を発行するものであり、当該新株予約権の行使に際してする金銭の払込み又は第一項第三号の財産の給付を要しない旨

二　定款又は株主総会の決議による第三百六十一条第一項第四号又は第五号ロに掲げる事項についての定めに係る取締役（取締役であった者を含む。）以外の者は、当該新株予約権を行使することができない旨

4　指名委員会等設置会社における前項の規定の適用については、同項中「定款又は株主総会の決議による第三百六十一条第一項第四号又は第五号ロに掲げる事項についての定め」とあるのは「報酬委員会による第四百九条第三項第四号又は第五号ロに定める事項についての決定」と、同項第二号中「取締役」とあるのは「執行役若しくは取締役」と、同項第二号中「取締役」とあるのは「執行役又は取締役」とする。

（共有者による権利の行使）

第二百三十七条　新株予約権が二以上の者の共有に属するときは、共有者は、当該新株予約権についての権利を行使する者一人を定め、株式会社に対し、その者の氏名又は名称を通知しなければ、当該新株予約権についての権利を行使することができない。ただし、株式会社が当該権利を行使することに同意した場合は、この限りでない。

第二節　新株予約権の発行

第一款　募集事項の決定等

（募集事項の決定）

第二百三十八条　株式会社は、その発行する新株予約権を引き受ける者の募集をしようとするときは、その都度、募集新株予約権（当該募集に応じて当該新株予約権の引受けの申込みをした者に対して割り当てる新株予約権をいう。以下この章において同じ。）について次に掲げる事項（以下この節において「募集事項」という。）を定めなければならない。

一　募集新株予約権の内容及び数

二　募集新株予約権と引換えに金銭の払込みを要しないこととする場合には、その旨

三　前号に規定する場合以外の場合には、募集新株予約権の払込金額（募集新株予約権一個と引換えに払い込む金銭の額をいう。以下この章において同じ。）又はその算定方法

四　募集新株予約権を割り当てる日（以下この節において「割当日」という。）

五　募集新株予約権と引換えにする金銭の払込みの期日を定めるときは、その期日

六　募集新株予約権が新株予約権付社債に付されたものである場合には、第六百七十六条各号に掲げる事項

七　前号に規定する場合において、同号の新株予約権付社債に付された募集新株予約権についての第百十八条第一項、第百七十九条第二項、第七百七十七条第一項、第七百八十七条第一項又は第八百八条第一項の規定による請求の方法につき別段の定めをするときは、その定め

2　募集事項の決定は、株主総会の決議によらなければならない。

3　次に掲げる場合には、取締役は、前項の株主総会において、第一項第二号の条件又は第三号の金額で募集新株予約権を引き受ける者の募集をすることを必要とする理由を説明しなければならない。

一　第一項第二号に規定する場合において、金銭の払込みを要しないこととすることが当該者に特に有利な条件であるとき。

二　第一項第三号に規定する場合において、同号の払込金額が当該者に特に有利な金額であるとき。

4　種類株式発行会社において、募集新株予約権の目的である株式の種類の全部又は一部が譲渡制限株式であるときは、当該募集新株予約権に関する募集事項の決定は、当該種類の株式を目的とする募集新株予約権を引き受ける者の募集について当該種類の株式の種類株主を構成員とする種類株主総会の決議を要しない旨の定款の定めがある場合を除き、当該種類株主総会の決議がなければ、その効力を生じない。ただし、当該種類株主総会において議決権を行使することができる種類株主が存しない場合は、この限りでない。

5　募集事項は、第一項の募集ごとに、均等に定めなければならない。

（募集事項の決定の委任）

第二百三十九条　前条第二項及び第四項の規定にかかわらず、株主総会においては、その決議によって、募集事項の決定を取締役（取締役会設置会社にあっては、取締役会）に委任することができる。この場合においては、次に掲げる事項を定めなければならない。

一　その委任に基づいて募集事項の決定をすることができる募集新株予約権の内容及び数の上限

二　前号の募集新株予約権につき金銭の払込みを要しないこととする場合には、その旨

三　前号に規定する場合以外の場合には、募集新株予約権の払込金額の下限

2　次に掲げる場合には、取締役は、前項の株主総会において、第一号の条件又は第二号の金額で募集新株予約権を引き受ける者の募集をすることを必要とする理由を説明しなければならない。

一　前項第二号に規定する場合において、金銭の払込みを要しないこととすることが当該者に特に有利な条件であるとき。

二　前項第三号に規定する場合において、同号の払込金額の下限が当該者に特に有利な金額であるとき。

3　第一項の決議は、割当日が当該決議の日から一年以内の日である前条第一項の募集についてのみその効力を有する。

4　種類株式発行会社において、募集新株予約権の目的である株式の種類の全部又は一部が譲渡制限株式であるときは、当該募集新株予約権に関する募集事項の決定の委任は、前条第四項の定款の定めがある場合を除き、当該種類株式の種類株主総会の決議がなければ、その効力を生じない。ただし、当該種類株主総会において議決権を行使することができる種類株主が存しない場合は、この限りでない。

（公開会社における募集事項の決定の特則）

第二百四十条　第二百三十八条第三項各号に掲げる場合を除き、公開会社における同条第二項の規定の適用については、同項中「株主総会」とあるのは、「取締役会」とする。この場合においては、前条の規定は、適用しない。

2　公開会社は、前項の規定により読み替えて適用する第二百三十八条第二項の取締役会の決議によって募集事項を定めた場合には、割当日の二週間前までに、株主に対し、当該募集事項を通知しなければならない。

3　前項の規定による通知は、公告をもってこれに代えることができる。

4　第二項の規定は、株式会社が募集事項について割当日の二週間前までに金融商品取引法第四条第一項から第三項までの届出をしている場合その他の株主の保護に欠けるおそれがないものとして法務省令で定める場合には、適用しない。

【会社法施行規則】

（募集事項の通知を要しない場合）

第五十三条　法第二百四十条第四項に規定する法務省令で定める場合は、株式会社が割当日（法第二百三十八条第一項第四号に規定する割当日をいう。第五十五条の四において同じ。）の二週間前までに、金融商品取引法の規定に基づき次に掲げる書類（法第二百三十八条第一項に規定する募集事項に相当する事項をその内容とするものに限る。）の届出又は提出をしている場合（当該書類に記載すべき事項を同法の規定に基づき電磁的方法により提供している場合を含む。）であって内閣総理大臣が当該割当日の二週間前の日から当該割当日まで継続して同法の規定に基づき当該書類を公衆の縦覧に供しているときとする。

一　金融商品取引法第四条第一項から第三項までの届出をする場合における同法第五条第一項の届出書（訂正届出書を含む。）

二　金融商品取引法第二十三条の三第一項に規定する発行登録書及び同法第二十三条の八第一項に規定する発行登録追補書類（訂正発行登録書を含む。）

三　金融商品取引法第二十四条第一項に規定する有価証券報告書

（訂正報告書を含む。）
四　金融商品取引法第二十四条の四の七第一項に規定する四半期報告書（訂正報告書を含む。）
五　金融商品取引法第二十四条の五第一項に規定する半期報告書（訂正報告書を含む。）
六　金融商品取引法第二十四条の五第四項に規定する臨時報告書（訂正報告書を含む。）

（株主に新株予約権の割当てを受ける権利を与える場合）
第二百四十一条　株式会社は、第二百三十八条第一項の募集において、株主に新株予約権の割当てを受ける権利を与えることができる。この場合においては、募集事項のほか、次に掲げる事項を定めなければならない。
一　株主に対し、次条第二項の申込みをすることにより当該株式会社の募集新株予約権（種類株式発行会社にあっては、その目的である株式の種類が当該株主の有する種類の株式と同一の種類のもの）の割当てを受ける権利を与える旨
二　前号の募集新株予約権の引受けの申込みの期日
2　前項の場合には、同項第一号の株主（当該株式会社を除く。）は、その有する株式の数に応じて募集新株予約権の割当てを受ける権利を有する。ただし、当該株主が割当てを受ける募集新株予約権の数に一に満たない端数があるときは、これを切り捨てるものとする。
3　第一項各号に掲げる事項を定める場合には、募集事項及び同項各号に掲げる事項は、次の各号に掲げる場合の区分に応じ、当該各号に定める方法によって定めなければならない。
一　当該募集事項及び第一項各号に掲げる事項を取締役の決定によって定めることができる旨の定款の定めがある場合（株式会社が取締役会設置会社である場合を除く。）　取締役の決定
二　当該募集事項及び第一項各号に掲げる事項を取締役会の決議によって定めることができる旨の定款の定めがある場合（次号に掲げる場合を除く。）　取締役会の決議
三　株式会社が公開会社である場合　取締役会の決議
四　前三号に掲げる場合以外の場合　株主総会の決議
4　株式会社は、第一項各号に掲げる事項を定めた場合には、同項第二号の期日の二週間前までに、同項第一号の株主（当該株式会社を除く。）に対し、次に掲げる事項を通知しなければならない。
一　募集事項
二　当該株主が割当てを受ける募集新株予約権の内容及び数
三　第一項第二号の期日
5　第二百三十八条第二項から第四項まで及び前二条の規定は、第一項から第三項までの規定により株主に新株予約権の割当てを受ける権利を与える場合には、適用しない。

第二款　募集新株予約権の割当て

（募集新株予約権の申込み）
第二百四十二条　株式会社は、第二百三十八条第一項の募集に応じて募集新株予約権の引受けの申込みをしようとする者に対し、次に掲げる事項を通知しなければならない。
一　株式会社の商号
二　募集事項
三　新株予約権の行使に際して金銭の払込みをすべきときは、払込みの取扱いの場所
四　前三号に掲げるもののほか、法務省令で定める事項
2　第二百三十八条第一項の募集に応じて募集新株予約権の引受けの申込みをする者は、次に掲げる事項を記載した書面を株式会社に交付しなければならない。
一　申込みをする者の氏名又は名称及び住所
二　引き受けようとする募集新株予約権の数
3　前項の申込みをする者は、同項の書面の交付に代えて、政令で定めるところにより、株式会社の承諾を得て、同項の書面に記載すべき事

項を電磁的方法により提供することができる。この場合において、当該申込みをした者は、同項の書面を交付したものとみなす。

4　第一項の規定は、株式会社が同項各号に掲げる事項を記載した金融商品取引法第二条第十項に規定する目論見書を第一項の申込みをしようとする者に対して交付している場合その他募集新株予約権の引受けの申込みをしようとする者の保護に欠けるおそれがないものとして法務省令で定める場合には、適用しない。

5　株式会社は、第一項各号に掲げる事項について変更があったときは、直ちに、その旨及び当該変更があった事項を第二項の申込みをした者（以下この款において「申込者」という。）に通知しなければならない。

6　募集新株予約権が新株予約権付社債に付されたものである場合には、申込者（募集新株予約権のみの申込みをした者に限る。）は、その申込みに係る募集新株予約権を付した新株予約権付社債の引受けの申込みをしたものとみなす。

7　株式会社が申込者に対してする通知又は催告は、第二項第一号の住所（当該申込者が別に通知又は催告を受ける場所又は連絡先を当該株式会社に通知した場合にあっては、その場所又は連絡先）にあてて発すれば足りる。

8　前項の通知又は催告は、その通知又は催告が通常到達すべきであった時に、到達したものとみなす。

【会社法施行規則】

（申込みをしようとする者に対して通知すべき事項）

第五十四条　法第二百四十二条第一項第四号に規定する法務省令で定める事項は、次に掲げる事項とする。

一　発行可能株式総数（種類株式発行会社にあっては、各種類の株式の発行可能種類株式総数を含む。）

二　株式会社（種類株式発行会社を除く。）が発行する株式の内容として法第百七条第一項各号に掲げる事項を定めているときは、当該株式の内容

三　株式会社（種類株式発行会社に限る。）が法第百八条第一項各号に掲げる事項につき内容の異なる株式を発行することとしているときは、各種類の株式の内容（ある種類の株式につき同条第三項の定款の定めがある場合において、当該定款の定めにより株式会社が当該種類の株式の内容を定めていないときは、当該種類の株式の内容の要綱）

四　単元株式数についての定款の定めがあるときは、その単元株式数（種類株式発行会社にあっては、各種類の株式の単元株式数）

五　次に掲げる定款の定めがあるときは、その規定

イ　法第百三十九条第一項、第百四十条第五項又は第百四十五条第一号若しくは第二号に規定する定款の定め

ロ　法第百六十四条第一項に規定する定款の定め

ハ　法第百六十七条第三項に規定する定款の定め

ニ　法第百六十八条第一項又は第百六十九条第二項に規定する定款の定め

ホ　法第百七十四条に規定する定款の定め

ヘ　法第三百四十七条に規定する定款の定め

ト　第二十六条第一号又は第二号に規定する定款の定め

六　株主名簿管理人を置く旨の定款の定めがあるときは、その氏名又は名称及び住所並びに営業所

七　定款に定められた事項（法第二百四十二条第一項第一号から第三号まで及び前各号に掲げる事項を除く。）であって、当該株式会社に対して募集新株予約権の引受けの申込みをしようとする者が当該者に対して通知することを請求した事項

〔施行　会社法の一部を改正する法律（令和元年法律第七十号）附則第一条ただし書に規定する規定の施行の日〕〔第七号を加える〕

（申込みをしようとする者に対して通知すべき事項）

第五十四条　法第二百四十二条第一項第四号に規定する法務省令で定める事項は、次に掲げる事項とする。
一～六　（省略）
七　電子提供措置をとる旨の定款の定めがあるときは、その規定
八　（省略）

【会社法施行令】
（書面に記載すべき事項等の電磁的方法による提供の承諾等）
第一条　次に掲げる規定に規定する事項を電磁的方法（会社法（以下「法」という。）第二条第三十四号に規定する電磁的方法をいう。以下同じ。）により提供しようとする者（次項において「提供者」という。）は、法務省令で定めるところにより、あらかじめ、当該事項の提供の相手方に対し、その用いる電磁的方法の種類及び内容を示し、書面又は電磁的方法による承諾を得なければならない。
一～四　（略）
五　法第二百四十二条第三項
六～十五　（略）

【会社法施行規則】

（会社法施行令に係る電磁的方法）

第二百三十条　会社法施行令（平成十七年政令第三百六十四号）第一条第一項又は第二条第一項の規定により示すべき電磁的方法の種類及び内容は、次に掲げるものとする。
一　次に掲げる方法のうち、送信者が使用するもの
イ　電子情報処理組織を使用する方法のうち次に掲げるもの
(1)　送信者の使用に係る電子計算機と受信者の使用に係る電子計算機とを接続する電気通信回線を通じて送信し、受信者の使用に係る電子計算機に備えられたファイルに記録する方法
(2)　送信者の使用に係る電子計算機に備えられたファイルに記録された情報の内容を電気通信回線を通じて情報の提供を受ける者の閲覧に供し、当該情報の提供を受ける者の使用に係る電子計算機に備えられたファイルに当該情報を記録する方法
ロ　磁気ディスクその他これに準ずる方法により一定の情報を確実に記録しておくことができる物をもって調製するファイルに情報を記録したものを交付する方法
二　ファイルへの記録の方式

（申込みをしようとする者に対する通知を要しない場合）
第五十五条　法第二百四十二条第四項に規定する法務省令で定める場合は、次に掲げる場合であって、株式会社が同条第一項の申込みをしようとする者に対して同項各号に掲げる事項を提供している場合とする。
一　当該株式会社が金融商品取引法の規定に基づき目論見書に記載すべき事項を電磁的方法により提供している場合
二　当該株式会社が外国の法令に基づき目論見書その他これに相当する書面その他の資料を提供している場合

（募集新株予約権の割当て）
第二百四十三条　株式会社は、申込者の中から募集新株予約権の割当てを受ける者を定め、かつ、その者に割り当てる募集新株予約権の数を定めなければならない。この場合において、株式会社は、当該申込者に割り当てる募集新株予約権の数を、前条第二項第二号の数よりも減少することができる。
2　次に掲げる場合には、前項の規定による決定は、株主総会（取締役会設置会社にあっては、取締役会）の決議によらなければならない。ただし、定款に別段の定めがある場合は、この限りでない。
一　募集新株予約権の目的である株式の全部又は一部が譲渡制限株式

である場合

二　募集新株予約権が譲渡制限新株予約権（新株予約権であって、譲渡による当該新株予約権の取得について株式会社の承認を要する旨の定めがあるものをいう。以下この章において同じ。）である場合

3　株式会社は、割当日の前日までに、申込者に対し、当該申込者に割り当てる募集新株予約権の数（当該募集新株予約権が新株予約権付社債に付されたものである場合にあっては、当該新株予約権付社債についての社債の種類及び各社債の金額の合計額を含む。）を通知しなければならない。

4　第二百四十一条の規定により株主に新株予約権の割当てを受ける権利を与えた場合において、株主が同条第一項第二号の期日までに前条第二項の申込みをしないときは、当該株主は、募集新株予約権の割当てを受ける権利を失う。

（募集新株予約権の申込み及び割当てに関する特則）

第二百四十四条　前二条の規定は、募集新株予約権を引き受けようとする者がその総数の引受けを行う契約を締結する場合には、適用しない。

2　募集新株予約権が新株予約権付社債に付されたものである場合における前項の規定の適用については、同項中「の引受け」とあるのは、「及び当該募集新株予約権を付した社債の総額の引受け」とする。

3　第一項に規定する場合において、次に掲げるときは、株式会社は、株主総会（取締役会設置会社にあっては、取締役会）の決議によって、同項の契約の承認を受けなければならない。ただし、定款に別段の定めがある場合は、この限りでない。

一　募集新株予約権の目的である株式の全部又は一部が譲渡制限株式であるとき。

二　募集新株予約権が譲渡制限新株予約権であるとき。

（公開会社における募集新株予約権の割当て等の特則）

第二百四十四条の二　公開会社は、募集新株予約権の割当てを受けた申込者又は前条第一項の契約により募集新株予約権の総数を引き受けた者（以下この項において「引受人」と総称する。）について、第一号に掲げる数の第二号に掲げる数に対する割合が二分の一を超える場合には、割当日の二週間前までに、株主に対し、当該引受人（以下この項及び第五項において「特定引受人」という。）の氏名又は名称及び住所、当該特定引受人についての第一号に掲げる数その他の法務省令で定める事項を通知しなければならない。ただし、当該特定引受人が当該公開会社の親会社等である場合又は第二百四十一条の規定により株主に新株予約権の割当てを受ける権利を与えた場合は、この限りでない。

一　当該引受人（その子会社等を含む。）がその引き受けた募集新株予約権に係る交付株式の株主となった場合に有することとなる最も多い議決権の数

二　前号に規定する場合における最も多い総株主の議決権の数

2　前項第一号に規定する「交付株式」とは、募集新株予約権の目的である株式、募集新株予約権の内容として第二百三十六条第一項第七号ニに掲げる事項についての定めがある場合における同号ニの株式その他募集新株予約権の新株予約権者が交付を受ける株式として法務省令で定める株式をいう。

3　第一項の規定による通知は、公告をもってこれに代えることができる。

4　第一項の規定にかかわらず、株式会社が同項の事項について割当日の二週間前までに金融商品取引法第四条第一項から第三項までの届出をしている場合その他の株主の保護に欠けるおそれがないものとして法務省令で定める場合には、第一項の規定による通知は、することを要しない。

5　総株主（この項の株主総会において議決権を行使することができない株主を除く。）の議決権の十分の一（これを下回る割合を定款で定めた場合にあっては、その割合）以上の議決権を有する株主が第一項の規定による通知又は第三項の公告の日（前項の場合にあっては、法務省令で定める日）から二週間以内に特定引受人（その子会社等を含む。以下この項において同じ。）による募集新株予約権の引受けに反対する旨を公開会社に対し通知したときは、当該公開会社は、割当日の前日

までに、株主総会の決議によって、当該特定引受人に対する募集新株予約権の割当て又は当該特定引受人との間の前条第一項の契約の承認を受けなければならない。ただし、当該公開会社の財産の状況が著しく悪化している場合において、当該公開会社の事業の継続のため緊急の必要があるときは、この限りでない。

6　第三百九条第一項の規定にかかわらず、前項の株主総会の決議は、議決権を行使することができる株主の議決権の過半数（三分の一以上の割合を定款で定めた場合にあっては、その割合以上）を有する株主が出席し、出席した当該株主の議決権の過半数（これを上回る割合を定款で定めた場合にあっては、その割合以上）をもって行わなければならない。

【会社法施行規則】

（株主に対して通知すべき事項）

第五十五条の二　法第二百四十四条の二第一項に規定する法務省令で定める事項は、次に掲げる事項とする。

一　特定引受人（法第二百四十四条の二第一項に規定する特定引受人をいう。以下この条及び次条第三項において同じ。）の氏名又は名称及び住所

二　特定引受人（その子会社等を含む。以下この条及び次条第三項において同じ。）がその引き受けた募集新株予約権に係る交付株式（法第二百四十四条の二第二項に規定する交付株式をいう。次号及び次条第三項において同じ。）の株主となった場合に有することとなる最も多い議決権の数

三　前号の交付株式に係る最も多い議決権の数

四　第二号に規定する場合における最も多い総株主の議決権の数

五　特定引受人に対する募集新株予約権の割当て又は特定引受人との間の法第二百四十四条第一項の契約の締結に関する取締役会の判断及びその理由

六　社外取締役を置く株式会社において、前号の取締役会の判断が社外取締役の意見と異なる場合には、その意見

七　特定引受人に対する募集新株予約権の割当て又は特定引受人との間の法第二百四十四条第一項の契約の締結に関する監査役、監査等委員会又は監査委員会の意見

（交付株式）

第五十五条の三　法第二百四十四条の二第二項に規定する法務省令で定める株式は、次に掲げる株式とする。

一　募集新株予約権の内容として次のイ又はロに掲げる事項についての定めがある場合における当該イ又はロに定める新株予約権（次号及び次項において「取得対価新株予約権」という。）の目的である株式

イ　法第二百三十六条第一項第七号ヘに掲げる事項　同号ヘの他の新株予約権

ロ　法第二百三十六条第一項第七号トに掲げる事項　同号トの新株予約権付社債に付された新株予約権

二　取得対価新株予約権の内容として法第二百三十六条第一項第七号ニに掲げる事項についての定めがある場合における同号ニの株式

2　前項の規定の適用については、取得対価新株予約権の内容として同項第一号イ又はロに掲げる事項についての定めがある場合における当該イ又はロに定める新株予約権は、取得対価新株予約権とみなす。

3　交付株式の数が特定引受人に対する募集新株予約権の割当ての決定又は特定引受人との間の法第二百四十四条第一項の契約の締結の日（以下この項において「割当等決定日」という。）後のいずれか一の日の市場価額その他の指標に基づき決定する方法その他の算定方法により決定される場合における当該交付株式の数は、割当等決定日の前日に当該交付株式が交付されたものとみなして計算した数とする。

（株主に対する通知を要しない場合）

第五十五条の四　法第二百四十四条の二第四項に規定する法務省令で定める場合は、株式会社が割当日の二週間前までに、金融商品取引法の規定に基づき第五十三条各号に掲げる書類（第五十五条の二各号に掲げる事項に相当する事項をその内容とするものに限る。）の届出又は提出をしている場合（当該書類に記載すべき事項を同法の規定に基づき電磁的方法により提供している場合を含む。）であって、内閣総理大臣が当該割当日の二週間前の日から当該割当日まで継続して同法の規定に基づき当該書類を公衆の縦覧に供しているときとする。

（株主に対する通知を要しない場合における反対通知の期間の初日）

第五十五条の五　法第二百四十四条の二第五項に規定する法務省令で定める日は、株式会社が金融商品取引法の規定に基づき前条の書類の届出又は提出（当該書類に記載すべき事項を同法の規定に基づき電磁的方法により提供した場合にあっては、その提供）をした日とする。

（新株予約権者となる日）

第二百四十五条　次の各号に掲げる者は、割当日に、当該各号に定める募集新株予約権の新株予約権者となる。

一　申込者　株式会社の割り当てた募集新株予約権

二　第二百四十四条第一項の契約により募集新株予約権の総数を引き受けた者　その者が引き受けた募集新株予約権

2　募集新株予約権が新株予約権付社債に付されたものである場合には、前項の規定により募集新株予約権の新株予約権者となる者は、当該募集新株予約権を付した新株予約権付社債についての社債の社債権者となる。

第三款　募集新株予約権に係る払込み

第二百四十六条　第二百三十八条第一項第三号に規定する場合には、新株予約権者は、募集新株予約権についての第二百三十六条第一項第四号の期間の初日の前日（第二百三十八条第一項第五号に規定する場合にあっては、同号の期日。第三項において「払込期日」という。）までに、株式会社が定めた銀行等の払込みの取扱いの場所において、それぞれの募集新株予約権の払込金額の全額を払い込まなければならない。

2　前項の規定にかかわらず、新株予約権者は、株式会社の承諾を得て、同項の規定による払込みに代えて、払込金額に相当する金銭以外の財産を給付し、又は当該株式会社に対する債権をもって相殺することができる。

3　第二百三十八条第一項第三号に規定する場合には、新株予約権者は、募集新株予約権についての払込期日までに、それぞれの募集新株予約権の払込金額の全額の払込み（当該払込みに代えてする金銭以外の財産の給付又は当該株式会社に対する債権をもってする相殺を含む。）をしないときは、当該募集新株予約権を行使することができない。

※募集新株予約権の発行等に際しての株主資本は会社計算規則第五五条（二七一頁参照）

第四款　募集新株予約権の発行をやめることの請求

第二百四十七条　次に掲げる場合において、株主が不利益を受けるおそれがあるときは、株主は、株式会社に対し、第二百三十八条第一項の募集に係る新株予約権の発行をやめることを請求することができる。

一　当該新株予約権の発行が法令又は定款に違反する場合

二　当該新株予約権の発行が著しく不公正な方法により行われる場合

第五款　雑則

第二百四十八条　第六百七十六条から第六百八十条までの規定は、新株予約権付社債についての社債を引き受ける者の募集については、適用しない。

第三章　新株予約権

第三節　新株予約権原簿

（新株予約権原簿）
第二百四十九条　株式会社は、新株予約権を発行した日以後遅滞なく、新株予約権原簿を作成し、次の各号に掲げる新株予約権の区分に応じ、当該各号に定める事項（以下「新株予約権原簿記載事項」という。）を記載し、又は記録しなければならない。
一　無記名式の新株予約権証券が発行されている新株予約権（以下この章において「無記名新株予約権」という。）　当該新株予約権証券の番号並びに当該無記名新株予約権の内容及び数
二　無記名式の新株予約権付社債券（証券発行新株予約権付社債（新株予約権付社債であって、当該新株予約権付社債についての社債につき社債券を発行する旨の定めがあるものをいう。以下この章において同じ。）に係る社債券をいう。以下同じ。）が発行されている新株予約権付社債（以下この章において「無記名新株予約権付社債」という。）に付された新株予約権　当該新株予約権付社債券の番号並びに当該新株予約権の内容及び数
三　前二号に掲げる新株予約権以外の新株予約権　次に掲げる事項
イ　新株予約権者の氏名又は名称及び住所
ロ　イの新株予約権者の有する新株予約権の内容及び数
ハ　イの新株予約権者が新株予約権を取得した日
ニ　ロの新株予約権が証券発行新株予約権（新株予約権（新株予約権付社債に付されたものを除く。）であって、当該新株予約権に係る新株予約権証券を発行する旨の定めがあるものをいう。以下この章において同じ。）であるときは、当該新株予約権（新株予約権証券が発行されているものに限る。）に係る新株予約権証券の番号
ホ　ロの新株予約権が証券発行新株予約権付社債に付されたものであるときは、当該新株予約権を付した新株予約権付社債（新株予約権付社債券が発行されているものに限る。）に係る新株予約権付社債券の番号

（新株予約権原簿記載事項を記載した書面の交付等）
第二百五十条　前条第三号イの新株予約権者は、株式会社に対し、当該新株予約権者についての新株予約権原簿に記載され、若しくは記録された新株予約権原簿記載事項を記載した書面の交付又は当該新株予約権原簿記載事項を記録した電磁的記録の提供を請求することができる。
2　前項の書面には、株式会社の代表取締役（指名委員会等設置会社にあっては、代表執行役。次項において同じ。）が署名し、又は記名押印しなければならない。
3　第一項の電磁的記録には、株式会社の代表取締役が法務省令で定める署名又は記名押印に代わる措置をとらなければならない。
4　前三項の規定は、証券発行新株予約権及び証券発行新株予約権付社債に付された新株予約権については、適用しない。

【会社法施行規則】
（電子署名）
第二百二十五条　次に掲げる規定に規定する法務省令で定める署名又は記名押印に代わる措置は、電子署名とする。
一～三　（略）
四　法第二百五十条第三項
五～十二　（略）
2　前項に規定する「電子署名」とは、電磁的記録に記録することができる情報について行われる措置であって、次の要件のいずれにも該当するものをいう。
一　当該情報が当該措置を行った者の作成に係るものであることを示すためのものであること。
二　当該情報について改変が行われていないかどうかを確認することができるものであること。

（新株予約権原簿の管理）
第二百五十一条　株式会社が新株予約権を発行している場合における第百二十三条の規定の適用については、同条中「株主名簿の」とあるのは「株主名簿及び新株予約権原簿の」と、「株主名簿に」とあるのは「株主名簿及び新株予約権原簿に」とする。

（新株予約権原簿の備置き及び閲覧等）
第二百五十二条　株式会社は、新株予約権原簿をその本店（株主名簿管理人がある場合にあっては、その営業所）に備え置かなければならない。
2　株主及び債権者は、株式会社の営業時間内は、いつでも、次に掲げる請求をすることができる。この場合においては、当該請求の理由を明らかにしてしなければならない。
一　新株予約権原簿が書面をもって作成されているときは、当該書面の閲覧又は謄写の請求
二　新株予約権原簿が電磁的記録をもって作成されているときは、当該電磁的記録に記録された事項を法務省令で定める方法により表示したものの閲覧又は謄写の請求
3　株式会社は、前項の請求があったときは、次のいずれかに該当する場合を除き、これを拒むことができない。
一　当該請求を行う株主又は債権者（以下この項において「請求者」という。）がその権利の確保又は行使に関する調査以外の目的で請求を行ったとき。
二　請求者が当該株式会社の業務の遂行を妨げ、又は株主の共同の利益を害する目的で請求を行ったとき。
三　請求者が新株予約権原簿の閲覧又は謄写によって知り得た事実を利益を得て第三者に通報するため請求を行ったとき。
四　請求者が、過去二年以内において、新株予約権原簿の閲覧又は謄写によって知り得た事実を利益を得て第三者に通報したことがあるものであるとき。
4　株式会社の親会社社員は、その権利を行使するため必要があるときは、裁判所の許可を得て、当該株式会社の新株予約権原簿について第二項各号に掲げる請求をすることができる。この場合においては、当該請求の理由を明らかにしてしなければならない。
5　前項の親会社社員について第三項各号のいずれかに規定する事由があるときは、裁判所は、前項の許可をすることができない。

【会社法施行規則】
（縦覧等の指定）
第二百三十四条　電子文書法第五条第一項の主務省令で定める縦覧等は、次に掲げる縦覧等とする。
一～十七　（略）
十八　法第二百五十二条第二項第一号の規定による新株予約権原簿の縦覧等
十九　法第二百五十二条第四項の規定による新株予約権原簿の縦覧等
二十～五十四　（略）
（電磁的記録に記録された事項を表示する方法）
第二百二十六条　次に掲げる規定に規定する法務省令で定める方法は、次に掲げる規定の電磁的記録に記録された事項を紙面又は映像面に表示する方法とする。
一～十三　（略）
十四　法第二百五十二条第二項第二号
十五～四十三　（略）

（新株予約権者に対する通知等）
第二百五十三条　株式会社が新株予約権者に対してする通知又は催告は、新株予約権原簿に記載し、又は記録した当該新株予約権者の住所（当該新株予約権者が別に通知又は催告を受ける場所又は連絡先を当該株式会社に通知した場合にあっては、その場所又は連絡先）にあてて発すれば足りる。

2　前項の通知又は催告は、その通知又は催告が通常到達すべきであった時に、到達したものとみなす。

3　新株予約権が二以上の者の共有に属するときは、共有者は、株式会社が新株予約権者に対してする通知又は催告を受領する者一人を定め、当該株式会社に対し、その者の氏名又は名称を通知しなければならない。この場合においては、その者を新株予約権者とみなして、前二項の規定を適用する。

4　前項の規定による共有者の通知がない場合には、株式会社が新株予約権の共有者に対してする通知又は催告は、そのうちの一人に対してすれば足りる。

第四節　新株予約権の譲渡等

第一款　新株予約権の譲渡

（新株予約権の譲渡）

第二百五十四条　新株予約権者は、その有する新株予約権を譲渡することができる。

2　前項の規定にかかわらず、新株予約権付社債に付された新株予約権のみを譲渡することはできない。ただし、当該新株予約権付社債についての社債が消滅したときは、この限りでない。

3　新株予約権付社債についての社債のみを譲渡することはできない。ただし、当該新株予約権付社債に付された新株予約権が消滅したときは、この限りでない。

（証券発行新株予約権の譲渡）

第二百五十五条　証券発行新株予約権の譲渡は、当該証券発行新株予約権に係る新株予約権証券を交付しなければ、その効力を生じない。ただし、自己新株予約権（株式会社が有する自己の新株予約権をいう。以下この章において同じ。）の処分による証券発行新株予約権の譲渡については、この限りでない。

2　証券発行新株予約権付社債に付された新株予約権の譲渡は、当該証券発行新株予約権付社債に係る新株予約権付社債券を交付しなければ、その効力を生じない。ただし、自己新株予約権付社債（株式会社が有する自己の新株予約権付社債をいう。以下この条及び次条において同じ。）の処分による当該自己新株予約権付社債に付された新株予約権の譲渡については、この限りでない。

（自己新株予約権の処分に関する特則）

第二百五十六条　株式会社は、自己新株予約権（証券発行新株予約権に限る。）を処分した日以後遅滞なく、当該自己新株予約権を取得した者に対し、新株予約権証券を交付しなければならない。

2　前項の規定にかかわらず、株式会社は、同項の者から請求がある時までは、同項の新株予約権証券を交付しないことができる。

3　株式会社は、自己新株予約権付社債（証券発行新株予約権付社債に限る。）を処分した日以後遅滞なく、当該自己新株予約権付社債を取得した者に対し、新株予約権付社債券を交付しなければならない。

4　第六百八十七条の規定は、自己新株予約権付社債の処分による当該自己新株予約権付社債についての社債の譲渡については、適用しない。

（新株予約権の譲渡の対抗要件）

第二百五十七条　新株予約権の譲渡は、その新株予約権を取得した者の氏名又は名称及び住所を新株予約権原簿に記載し、又は記録しなければ、株式会社その他の第三者に対抗することができない。

2　記名式の新株予約権証券が発行されている証券発行新株予約権及び記名式の新株予約権付社債券が発行されている証券発行新株予約権付社債に付された新株予約権についての前項の規定の適用については、同項中「株式会社その他の第三者」とあるのは、「株式会社」とする。

3　第一項の規定は、無記名新株予約権及び無記名新株予約権付社債に付された新株予約権については、適用しない。

（権利の推定等）

第二百五十八条　新株予約権証券の占有者は、当該新株予約権証券に係る証券発行新株予約権についての権利を適法に有するものと推定する。

2　新株予約権証券の交付を受けた者は、当該新株予約権証券に係る証券発行新株予約権についての権利を取得する。ただし、その者に悪意又は重大な過失があるときは、この限りでない。

3　新株予約権付社債券の占有者は、当該新株予約権付社債券に係る証券発行新株予約権付社債に付された新株予約権についての権利を適法に有するものと推定する。

4　新株予約権付社債券の交付を受けた者は、当該新株予約権付社債券に係る証券発行新株予約権付社債に付された新株予約権についての権利を取得する。ただし、その者に悪意又は重大な過失があるときは、この限りでない。

（新株予約権者の請求によらない新株予約権原簿記載事項の記載又は記録）

第二百五十九条　株式会社は、次の各号に掲げる場合には、当該各号の新株予約権の新株予約権者に係る新株予約権原簿記載事項を新株予約権原簿に記載し、又は記録しなければならない。

一　当該株式会社の新株予約権を取得した場合

二　自己新株予約権を処分した場合

2　前項の規定は、無記名新株予約権及び無記名新株予約権付社債に付された新株予約権については、適用しない。

（新株予約権者の請求による新株予約権原簿記載事項の記載又は記録）

第二百六十条　新株予約権を当該新株予約権を発行した株式会社以外の者から取得した者（当該株式会社を除く。以下この節において「新株予約権取得者」という。）は、当該株式会社に対し、当該新株予約権に係る新株予約権原簿記載事項を新株予約権原簿に記載し、又は記録することを請求することができる。

2　前項の規定による請求は、利害関係人の利益を害するおそれがないものとして法務省令で定める場合を除き、その取得した新株予約権の新株予約権者として新株予約権原簿に記載され、若しくは記録された者又はその相続人その他の一般承継人と共同してしなければならない。

3　前二項の規定は、無記名新株予約権及び無記名新株予約権付社債に付された新株予約権については、適用しない。

【会社法施行規則】

（新株予約権原簿記載事項の記載等の請求）

第五十六条　法第二百六十条第二項に規定する法務省令で定める場合は、次に掲げる場合とする。

一　新株予約権取得者が、新株予約権者として新株予約権原簿に記載若しくは記録がされた者又はその一般承継人に対して当該新株予約権取得者の取得した新株予約権に係る法第二百六十条第一項の規定による請求をすべきことを命ずる確定判決を得た場合において、当該確定判決の内容を証する書面その他の資料を提供して請求をしたとき。

二　新株予約権取得者が前号の確定判決と同一の効力を有するものの内容を証する書面その他の資料を提供して請求をしたとき。

三　新株予約権取得者が一般承継により当該株式会社の新株予約権を取得した者である場合において、当該一般承継を証する書面その他の資料を提供して請求をしたとき。

四　新株予約権取得者が当該株式会社の新株予約権を競売により取得した者である場合において、当該競売により取得したことを証する書面その他の資料を提供して請求をしたとき。

五　新株予約権取得者が新株予約権売渡請求により当該株式会社の発行する売渡新株予約権の全部を取得した者である場合において、当該新株予約権取得者が請求をしたとき。

2　前項の規定にかかわらず、新株予約権取得者が取得した新株予約権が証券発行新株予約権又は証券発行新株予約権付社債に付された新株予約権である場合には、法第二百六十条第二項に規定する法務省令で定める場合は、次に掲げる場合とする。

一　新株予約権取得者が新株予約権証券又は新株予約権付社債券

を提示して請求をした場合
二　新株予約権取得者が新株予約権売渡請求により当該株式会社の発行する売渡新株予約権の全部を取得した者である場合において、当該新株予約権取得者が請求をしたとき。

第二百六十一条　前条の規定は、新株予約権取得者が取得した新株予約権が譲渡制限新株予約権である場合には、適用しない。ただし、次のいずれかに該当する場合は、この限りでない。
一　当該新株予約権取得者が当該譲渡制限新株予約権を取得することについて次条の承認を受けていること。
二　当該新株予約権取得者が当該譲渡制限新株予約権を取得したことについて第二百六十三条第一項の承認を受けていること。
三　当該新株予約権取得者が相続その他の一般承継により譲渡制限新株予約権を取得した者であること。

第二款　新株予約権の譲渡の制限

（新株予約権者からの承認の請求）
第二百六十二条　譲渡制限新株予約権の新株予約権者は、その有する譲渡制限新株予約権を他人（当該譲渡制限新株予約権を発行した株式会社を除く。）に譲り渡そうとするときは、当該株式会社に対し、当該他人が当該譲渡制限新株予約権を取得することについて承認をするか否かの決定をすることを請求することができる。

（新株予約権取得者からの承認の請求）
第二百六十三条　譲渡制限新株予約権を取得した新株予約権取得者は、株式会社に対し、当該譲渡制限新株予約権を取得したことについて承認をするか否かの決定をすることを請求することができる。
2　前項の規定による請求は、利害関係人の利益を害するおそれがないものとして法務省令で定める場合を除き、その取得した新株予約権の新株予約権者として新株予約権原簿に記載され、若しくは記録された者又はその相続人その他の一般承継人と共同してしなければならない。

【会社法施行規則】

（新株予約権取得者からの承認の請求）

第五十七条　法第二百六十三条第二項に規定する法務省令で定める場合は、次に掲げる場合とする。
一　新株予約権取得者が、新株予約権者として新株予約権原簿に記載若しくは記録がされた者又はその一般承継人に対して当該新株予約権取得者の取得した新株予約権に係る法第二百六十三条第一項の規定による請求をすべきことを命ずる確定判決を得た場合において、当該確定判決の内容を証する書面その他の資料を提供して請求をしたとき。
二　新株予約権取得者が前号の確定判決と同一の効力を有するものの内容を証する書面その他の資料を提供して請求をしたとき。
三　新株予約権取得者が当該株式会社の新株予約権を競売により取得した者である場合において、当該競売により取得したことを証する書面その他の資料を提供して請求をしたとき。
2　前項の規定にかかわらず、新株予約権取得者が取得した新株予約権が証券発行新株予約権又は証券発行新株予約権付社債に付された新株予約権である場合には、法第二百六十三条第二項に規定する法務省令で定める場合は、新株予約権取得者が新株予約権証券又は新株予約権付社債券を提示して請求をした場合とする。

（譲渡等承認請求の方法）
第二百六十四条　次の各号に掲げる請求（以下この款において「譲渡等承認請求」という。）は、当該各号に定める事項を明らかにしてしなければならない。
一　第二百六十二条の規定による請求　次に掲げる事項
イ　当該請求をする新株予約権者が譲り渡そうとする譲渡制限新株

予約権の内容及び数
ロ　イの譲渡制限新株予約権を譲り受ける者の氏名又は名称
二　前条第一項の規定による請求　次に掲げる事項
イ　当該請求をする新株予約権取得者の取得した譲渡制限新株予約権の内容及び数
ロ　イの新株予約権取得者の氏名又は名称

（譲渡等の承認の決定等）

第二百六十五条　株式会社が第二百六十二条又は第二百六十三条第一項の承認をするか否かの決定をするには、株主総会（取締役会設置会社にあっては、取締役会）の決議によらなければならない。ただし、新株予約権の内容として別段の定めがある場合は、この限りでない。

2　株式会社は、前項の決定をしたときは、譲渡等承認請求をした者に対し、当該決定の内容を通知しなければならない。

（株式会社が承認をしたとみなされる場合）

第二百六十六条　株式会社が譲渡等承認請求の日から二週間（これを下回る期間を定款で定めた場合にあっては、その期間）以内に前条第二項の規定による通知をしなかった場合には、第二百六十二条又は第二百六十三条第一項の承認をしたものとみなす。ただし、当該株式会社と当該譲渡等承認請求をした者との合意により別段の定めをしたときは、この限りでない。

第三款　新株予約権の質入れ

（新株予約権の質入れ）

第二百六十七条　新株予約権者は、その有する新株予約権に質権を設定することができる。

2　前項の規定にかかわらず、新株予約権付社債に付された新株予約権のみに質権を設定することはできない。ただし、当該新株予約権付社債についての社債が消滅したときは、この限りでない。

3　新株予約権付社債についての社債のみに質権を設定することはできない。ただし、当該新株予約権付社債に付された新株予約権が消滅したときは、この限りでない。

4　証券発行新株予約権の質入れは、当該証券発行新株予約権に係る新株予約権証券を交付しなければ、その効力を生じない。

5　証券発行新株予約権付社債に付された新株予約権の質入れは、当該証券発行新株予約権付社債に係る新株予約権付社債券を交付しなければ、その効力を生じない。

（新株予約権の質入れの対抗要件）

第二百六十八条　新株予約権の質入れは、その質権者の氏名又は名称及び住所を新株予約権原簿に記載し、又は記録しなければ、株式会社その他の第三者に対抗することができない。

2　前項の規定にかかわらず、証券発行新株予約権の質権者は、継続して当該証券発行新株予約権に係る新株予約権証券を占有しなければ、その質権をもって株式会社その他の第三者に対抗することができない。

3　第一項の規定にかかわらず、証券発行新株予約権付社債に付された新株予約権の質権者は、継続して当該証券発行新株予約権付社債に係る新株予約権付社債券を占有しなければ、その質権をもって株式会社その他の第三者に対抗することができない。

（新株予約権原簿の記載等）

第二百六十九条　新株予約権に質権を設定した者は、株式会社に対し、次に掲げる事項を新株予約権原簿に記載し、又は記録することを請求することができる。
一　質権者の氏名又は名称及び住所
二　質権の目的である新株予約権

2　前項の規定は、無記名新株予約権及び無記名新株予約権付社債に付された新株予約権については、適用しない。

（新株予約権原簿の記載事項を記載した書面の交付等）

第二百七十条　前条第一項各号に掲げる事項が新株予約権原簿に記載され、又は記録された質権者（以下「登録新株予約権質権者」という。）は、株式会社に対し、当該登録新株予約権質権者についての新株予約権原簿に記載され、若しくは記録された同項各号に掲げる事項を記載した書面の交付又は当該事項を記録した電磁的記録の提供を請求することができる。

2　前項の書面には、株式会社の代表取締役（指名委員会等設置会社にあっては、代表執行役。次項において同じ。）が署名し、又は記名押印しなければならない。

3　第一項の電磁的記録には、株式会社の代表取締役が法務省令で定める署名又は記名押印に代わる措置をとらなければならない。

4　前三項の規定は、証券発行新株予約権及び証券発行新株予約権付社債に付された新株予約権については、適用しない。

【会社法施行規則】

（電子署名）

第二百二十五条　次に掲げる規定に規定する法務省令で定める署名又は記名押印に代わる措置は、電子署名とする。

一～四　（略）

五　法第二百七十条第三項

六～十二　（略）

2　前項に規定する「電子署名」とは、電磁的記録に記録することができる情報について行われる措置であって、次の要件のいずれにも該当するものをいう。

一　当該情報が当該措置を行った者の作成に係るものであることを示すためのものであること。

二　当該情報について改変が行われていないかどうかを確認することができるものであること。

（登録新株予約権質権者に対する通知等）

第二百七十一条　株式会社が登録新株予約権質権者に対してする通知又は催告は、新株予約権原簿に記載し、又は記録した当該登録新株予約権質権者の住所（当該登録新株予約権質権者が別に通知又は催告を受ける場所又は連絡先を当該株式会社に通知した場合にあっては、その場所又は連絡先）にあてて発すれば足りる。

2　前項の通知又は催告は、その通知又は催告が通常到達すべきであった時に、到達したものとみなす。

（新株予約権の質入れの効果）

第二百七十二条　株式会社が次に掲げる行為をした場合には、新株予約権を目的とする質権は、当該行為によって当該新株予約権の新株予約権者が受けることのできる金銭等について存在する。

一　新株予約権の取得

二　組織変更

三　合併（合併により当該株式会社が消滅する場合に限る。）

四　吸収分割

五　新設分割

六　株式交換

七　株式移転

2　登録新株予約権質権者は、前項の金銭等（金銭に限る。）を受領し、他の債権者に先立って自己の債権の弁済に充てることができる。

3　株式会社が次の各号に掲げる行為をした場合において、前項の債権の弁済期が到来していないときは、登録新株予約権質権者は、当該各号に定める者に同項に規定する金銭等に相当する金額を供託させることができる。この場合において、質権は、その供託金について存在する。

一　新株予約権の取得　当該株式会社

二　組織変更　第七百四十四条第一項第一号に規定する組織変更後持分会社

三　合併（合併により当該株式会社が消滅する場合に限る。）　第七百四十九条第一項に規定する吸収合併存続会社又は第七百五十三条第一項に規定する新設合併設立会社

4　前三項の規定は、特別支配株主が新株予約権売渡請求により売渡新株予約権の取得をした場合について準用する。この場合において、前

項中「当該各号に定める者」とあるのは、「当該特別支配株主」と読み替えるものとする。

５　新株予約権付社債に付された新株予約権（第二百三十六条第一項第三号の財産が当該新株予約権付社債についての社債であるものであって、当該社債の償還額が当該新株予約権についての同項第二号の価額以上であるものに限る。）を目的とする質権は、当該新株予約権の行使をすることにより当該新株予約権の新株予約権者が交付を受ける株式について存在する。

第四款　信託財産に属する新株予約権についての対抗要件等

第二百七十二条の二　新株予約権については、当該新株予約権が信託財産に属する旨を新株予約権原簿に記載し、又は記録しなければ、当該新株予約権が信託財産に属することを株式会社その他の第三者に対抗することができない。

２　第二百四十九条第三号イの新株予約権者は、その有する新株予約権が信託財産に属するときは、株式会社に対し、その旨を新株予約権原簿に記載し、又は記録することを請求することができる。

３　新株予約権原簿に前項の規定による記載又は記録がされた場合における第二百五十条第一項及び第二百五十九条第一項の規定の適用については、第二百五十条第一項中「記録された新株予約権原簿記載事項」とあるのは「記録された新株予約権原簿記載事項（当該新株予約権者の有する新株予約権が信託財産に属する旨を含む。）」と、第二百五十九条第一項中「新株予約権原簿記載事項」とあるのは「新株予約権原簿記載事項（当該新株予約権者の有する新株予約権が信託財産に属する旨を含む。）」とする。

４　前三項の規定は、証券発行新株予約権及び証券発行新株予約権付社債に付された新株予約権については、適用しない。

第五節　株式会社による自己の新株予約権の取得

第一款　募集事項の定めに基づく新株予約権の取得

（取得する日の決定）

第二百七十三条　取得条項付新株予約権（第二百三十六条第一項第七号イに掲げる事項についての定めがある新株予約権をいう。以下この章において同じ。）の内容として同号ロに掲げる事項についての定めがある場合には、株式会社は、同号ロの日を株主総会（取締役会設置会社にあっては、取締役会）の決議によって定めなければならない。ただし、当該取得条項付新株予約権の内容として別段の定めがある場合は、この限りでない。

２　第二百三十六条第一項第七号ロの日を定めたときは、株式会社は、取得条項付新株予約権の新株予約権者（同号ハに掲げる事項についての定めがある場合にあっては、次条第一項の規定により決定した取得条項付新株予約権の新株予約権者）及びその登録新株予約権質権者に対し、当該日の二週間前までに、当該日を通知しなければならない。

３　前項の規定による通知は、公告をもってこれに代えることができる。

（取得する新株予約権の決定等）

第二百七十四条　株式会社は、新株予約権の内容として第二百三十六条第一項第七号ハに掲げる事項についての定めがある場合において、取得条項付新株予約権を取得しようとするときは、その取得する取得条項付新株予約権を決定しなければならない。

２　前項の取得条項付新株予約権は、株主総会（取締役会設置会社にあっては、取締役会）の決議によって定めなければならない。ただし、当該取得条項付新株予約権の内容として別段の定めがある場合は、この限りでない。

３　第一項の規定による決定をしたときは、株式会社は、同項の規定により決定した取得条項付新株予約権の新株予約権者及びその登録新株予約権質権者に対し、直ちに、当該取得条項付新株予約権を取得する旨を通知しなければならない。

4　前項の規定による通知は、公告をもってこれに代えることができる。

（効力の発生等）

第二百七十五条　株式会社は、第二百三十六条第一項第七号イの事由が生じた日（同号ハに掲げる事項についての定めがある場合にあっては、第一号に掲げる日又は第二号に掲げる日のいずれか遅い日。次項及び第三項において同じ。）に、取得条項付新株予約権（同条第一項第七号ハに掲げる事項についての定めがある場合にあっては、前条第一項の規定により決定したもの。次項及び第三項において同じ。）を取得する。

一　第二百三十六条第一項第七号イの事由が生じた日

二　前条第三項の規定による通知の日又は同条第四項の公告の日から二週間を経過した日

2　前項の規定により株式会社が取得する取得条項付新株予約権が新株予約権付社債に付されたものである場合には、株式会社は、第二百三十六条第一項第七号イの事由が生じた日に、当該新株予約権付社債についての社債を取得する。

3　次の各号に掲げる場合には、取得条項付新株予約権の新株予約権者（当該株式会社を除く。）は、第二百三十六条第一項第七号イの事由が生じた日に、同号に定める事項についての定めに従い、当該各号に定める者となる。

一　第二百三十六条第一項第七号ニに掲げる事項についての定めがある場合　同号ニの株式の株主

二　第二百三十六条第一項第七号ホに掲げる事項についての定めがある場合　同号ホの社債の社債権者

三　第二百三十六条第一項第七号ヘに掲げる事項についての定めがある場合　同号ヘの他の新株予約権の新株予約権者

四　第二百三十六条第一項第七号トに掲げる事項についての定めがある場合　同号トの新株予約権付社債についての社債の社債権者及び当該新株予約権付社債に付された新株予約権の新株予約権者

4　株式会社は、第二百三十六条第一項第七号イの事由が生じた後、遅滞なく、取得条項付新株予約権の新株予約権者及びその登録新株予約権質権者（同号ハに掲げる事項についての定めがある場合にあっては、前条第一項の規定により決定した取得条項付新株予約権の新株予約権者及びその登録新株予約権質権者）に対し、当該事由が生じた旨を通知しなければならない。ただし、第二百七十三条第二項の規定による通知又は同条第三項の公告をしたときは、この限りでない。

5　前項本文の規定による通知は、公告をもってこれに代えることができる。

※取得条項付新株予約権の取得をする場合の株主資本は会社計算規則第一八条（二五六頁参照）

第二款　新株予約権の消却

第二百七十六条　株式会社は、自己新株予約権を消却することができる。この場合においては、消却する自己新株予約権の内容及び数を定めなければならない。

2　取締役会設置会社においては、前項後段の規定による決定は、取締役会の決議によらなければならない。

第六節　新株予約権無償割当て

（新株予約権無償割当て）

第二百七十七条　株式会社は、株主（種類株式発行会社にあっては、ある種類の種類株主）に対して新たに払込みをさせないで当該株式会社の新株予約権の割当て（以下この節において「新株予約権無償割当て」という。）をすることができる。

（新株予約権無償割当てに関する事項の決定）

第二百七十八条　株式会社は、新株予約権無償割当てをしようとするときは、その都度、次に掲げる事項を定めなければならない。

一　株主に割り当てる新株予約権の内容及び数又はその算定方法

二　前号の新株予約権が新株予約権付社債に付されたものであるときは、当該新株予約権付社債についての社債の種類及び各社債の金額の合計額又はその算定方法

三　当該新株予約権無償割当てがその効力を生ずる日
四　株式会社が種類株式発行会社である場合には、当該新株予約権無償割当てを受ける株主の有する株式の種類
2　前項第一号及び第二号に掲げる事項についての定めは、当該株式会社以外の株主（種類株式発行会社にあっては、同項第四号の種類の種類株主）の有する株式（種類株式発行会社にあっては、同項第四号の種類の株式）の数に応じて同項第一号の新株予約権及び同項第二号の社債を割り当てることを内容とするものでなければならない。
3　第一項各号に掲げる事項の決定は、株主総会（取締役会設置会社にあっては、取締役会）の決議によらなければならない。ただし、定款に別段の定めがある場合は、この限りでない。

（新株予約権無償割当ての効力の発生等）
第二百七十九条　前条第一項第一号の新株予約権の割当てを受けた株主は、同項第三号の日に、同項第一号の新株予約権の新株予約権者（同項第二号に規定する場合にあっては、同項第一号の新株予約権の新株予約権者及び同項第二号の社債の社債権者）となる。
2　株式会社は、前条第一項第三号の日後遅滞なく、株主（種類株式発行会社にあっては、同項第四号の種類の種類株主）及びその登録株式質権者に対し、当該株主が割当てを受けた新株予約権の内容及び数（同項第二号に規定する場合にあっては、当該株主が割当てを受けた社債の種類及び各社債の金額の合計額を含む。）を通知しなければならない。
3　前項の規定による通知がされた場合において、前条第一項第一号の新株予約権についての第二百三十六条第一項第四号の期間の末日が当該通知の日から二週間を経過する日前に到来するときは、同号の期間は、当該通知の日から二週間を経過する日まで延長されたものとみなす。

第七節　新株予約権の行使

第一款　総則

（新株予約権の行使）
第二百八十条　新株予約権の行使は、次に掲げる事項を明らかにしてしなければならない。
一　その行使に係る新株予約権の内容及び数
二　新株予約権を行使する日
2　証券発行新株予約権を行使しようとするときは、当該証券発行新株予約権の新株予約権者は、当該証券発行新株予約権に係る新株予約権証券を株式会社に提出しなければならない。ただし、当該新株予約権証券が発行されていないときは、この限りでない。
3　証券発行新株予約権付社債に付された新株予約権を行使しようとする場合には、当該新株予約権の新株予約権者は、当該新株予約権を付した新株予約権付社債に係る新株予約権付社債券を株式会社に提示しなければならない。この場合において、当該株式会社は、当該新株予約権付社債券に当該証券発行新株予約権付社債に付された新株予約権が消滅した旨を記載しなければならない。
4　前項の規定にかかわらず、証券発行新株予約権付社債に付された新株予約権を行使しようとする場合において、当該新株予約権の行使により当該証券発行新株予約権付社債についての社債が消滅するときは、当該新株予約権の新株予約権者は、当該新株予約権を付した新株予約権付社債に係る新株予約権付社債券を株式会社に提出しなければならない。
5　第三項の規定にかかわらず、証券発行新株予約権付社債についての社債の償還後に当該証券発行新株予約権付社債に付された新株予約権を行使しようとする場合には、当該新株予約権の新株予約権者は、当該新株予約権を付した新株予約権付社債に係る新株予約権付社債券を株式会社に提出しなければならない。
6　株式会社は、自己新株予約権を行使することができない。

（新株予約権の行使に際しての払込み）
第二百八十一条　金銭を新株予約権の行使に際してする出資の目的とするときは、新株予約権者は、前条第一項第二号の日に、株式会社が定めた銀行等の払込みの取扱いの場所において、その行使に係る新株予約権についての第二百三十六条第一項第二号の価額の全額を払い込まなければならない。
2　金銭以外の財産を新株予約権の行使に際してする出資の目的とするときは、新株予約権者は、前条第一項第二号の日に、その行使に係る新株予約権についての第二百三十六条第一項第三号の財産を給付しなければならない。この場合において、当該財産の価額が同項第二号の価額に足りないときは、前項の払込みの取扱いの場所においてその差額に相当する金銭を払い込まなければならない。
3　新株予約権者は、第一項の規定による払込み又は前項の規定による給付をする債務と株式会社に対する債権とを相殺することができない。

※新株予約権の行使があった場合の株主資本は会社計算規則第一七条（二五五頁参照）

（株主となる時期等）
第二百八十二条　新株予約権を行使した新株予約権者は、当該新株予約権を行使した日に、当該新株予約権の目的である株式の株主となる。
2　新株予約権を行使した新株予約権者であって第二百八十六条の二第一項各号に掲げる者に該当するものは、当該各号に定める支払若しくは給付又は第二百八十六条の三第一項の規定による支払がされた後でなければ、第二百八十六条の二第一項各号の払込み又は給付が仮装された新株予約権の目的である株式について、株主の権利を行使することができない。
3　前項の株式を譲り受けた者は、当該株式についての株主の権利を行使することができる。ただし、その者に悪意又は重大な過失があるときは、この限りでない。

（一に満たない端数の処理）
第二百八十三条　新株予約権を行使した場合において、当該新株予約権の新株予約権者に交付する株式の数に一株に満たない端数があるときは、株式会社は、当該新株予約権者に対し、次の各号に掲げる場合の区分に応じ、当該各号に定める額にその端数を乗じて得た額に相当する金銭を交付しなければならない。ただし、第二百三十六条第一項第九号に掲げる事項についての定めがある場合は、この限りでない。
一　当該株式が市場価格のある株式である場合　当該株式一株の市場価格として法務省令で定める方法により算定される額
二　前号に掲げる場合以外の場合　一株当たり純資産額

【会社法施行規則】

（新株予約権の行使により株式に端数が生じる場合）

第五十八条　法第二百八十三条第一号に規定する法務省令で定める方法は、次に掲げる額のうちいずれか高い額をもって同号に規定する株式の価格とする方法とする。
一　新株予約権の行使の日（以下この条において「行使日」という。）における当該株式を取引する市場における最終の価格（当該行使日に売買取引がない場合又は当該行使日が当該市場の休業日に当たる場合にあっては、その後最初になされた売買取引の成立価格）
二　行使日において当該株式が公開買付け等の対象であるときは、当該行使日における当該公開買付け等に係る契約における当該株式の価格

会社法施行規則附則
（株式等に関する経過措置）
第三条　（略）
2　第三十一条第二号、第三十二条第二号ロ、第三十六条第二号、第三十七条第二号及び第五十八条第二号の規定は、当分

の間、適用しない。

第二款　金銭以外の財産の出資

第二百八十四条　株式会社は、第二百三十六条第一項第三号に掲げる事項についての定めがある新株予約権が行使された場合には、第二百八十一条第二項の規定による給付があった後、遅滞なく、同号の財産（以下この節において「現物出資財産」という。）の価額を調査させるため、裁判所に対し、検査役の選任の申立てをしなければならない。

2　前項の申立てがあった場合には、裁判所は、これを不適法として却下する場合を除き、検査役を選任しなければならない。

3　裁判所は、前項の検査役を選任した場合には、株式会社が当該検査役に対して支払う報酬の額を定めることができる。

4　第二項の検査役は、必要な調査を行い、当該調査の結果を記載し、又は記録した書面又は電磁的記録（法務省令で定めるものに限る。）を裁判所に提供して報告をしなければならない。

5　裁判所は、前項の報告について、その内容を明瞭にし、又はその根拠を確認するため必要があると認めるときは、第二項の検査役に対し、更に前項の報告を求めることができる。

6　第二項の検査役は、第四項の報告をしたときは、株式会社に対し、同項の書面の写しを交付し、又は同項の電磁的記録に記録された事項を法務省令で定める方法により提供しなければならない。

7　裁判所は、第四項の報告を受けた場合において、現物出資財産について定められた第二百三十六条第一項第三号の価額（第二項の検査役の調査を経ていないものを除く。）を不当と認めたときは、これを変更する決定をしなければならない。

8　第一項の新株予約権の新株予約権者は、前項の決定により現物出資財産の価額の全部又は一部が変更された場合には、当該決定の確定後一週間以内に限り、その新株予約権の行使に係る意思表示を取り消すことができる。

9　前各項の規定は、次の各号に掲げる場合には、当該各号に定める事項については、適用しない。

一　行使された新株予約権の新株予約権者が交付を受ける株式の総数が発行済株式の総数の十分の一を超えない場合　当該新株予約権者が給付する現物出資財産の価額

二　現物出資財産について定められた第二百三十六条第一項第三号の価額の総額が五百万円を超えない場合　当該現物出資財産の価額

三　現物出資財産のうち、市場価格のある有価証券について定められた第二百三十六条第一項第三号の価額が当該有価証券の市場価格として法務省令で定める方法により算定されるものを超えない場合　当該有価証券についての現物出資財産の価額

四　現物出資財産について定められた第二百三十六条第一項第三号の価額が相当であることについて弁護士、弁護士法人、公認会計士、監査法人、税理士又は税理士法人の証明（現物出資財産が不動産である場合にあっては、当該証明及び不動産鑑定士の鑑定評価。以下この号において同じ。）を受けた場合　当該証明を受けた現物出資財産の価額

五　現物出資財産が株式会社に対する金銭債権（弁済期が到来しているものに限る。）であって、当該金銭債権について定められた第二百三十六条第一項第三号の価額が当該金銭債権に係る負債の帳簿価額を超えない場合　当該金銭債権についての現物出資財産の価額

10　次に掲げる者は、前項第四号に規定する証明をすることができない。

一　取締役、会計参与、監査役若しくは執行役又は支配人その他の使用人

二　新株予約権者

三　業務の停止の処分を受け、その停止の期間を経過しない者

四　弁護士法人、監査法人又は税理士法人であって、その社員の半数以上が第一号又は第二号に掲げる者のいずれかに該当するもの

〔施行　外国弁護士による法律事務の取扱いに関する特別措置法の一部を改正する法律（令和二年法律第三十三号）の施行の日（令和二年五月二十九日から二年六月を超えない範囲内において政令で定める日）〕［傍線部分は改正部分］

第二百八十四条　（省略）

2～8　（省略）

9　前各項の規定は、次の各号に掲げる場合には、当該各号に定める事項については、適用しない。

一～三　（省略）

四　現物出資財産について定められた第二百三十六条第一項第三号の価額が相当であることについて弁護士、弁護士法人、弁護士・外国法事務弁護士共同法人、公認会計士、監査法人、税理士又は税理士法人の証明（現物出資財産が不動産である場合にあっては、当該証明及び不動産鑑定士の鑑定評価。以下この号において同じ。）を受けた場合　当該証明を受けた現物出資財産の価額

五　（省略）

10　次に掲げる者は、前項第四号に規定する証明をすることができない。

一～三　（省略）

四　弁護士法人、弁護士・外国法事務弁護士共同法人、監査法人又は税理士法人であって、その社員の半数以上が第一号又は第二号に掲げる者のいずれかに該当するもの

【会社法施行規則】

（検査役が提供する電磁的記録）

第二百二十八条　次に掲げる規定に規定する法務省令で定めるものは、商業登記規則（昭和三十九年法務省令第二十三号）第三十六条第一項に規定する電磁的記録媒体（電磁的記録に限る。）及び次に掲げる規定により電磁的記録の提供を受ける者が定める電磁的記録とする。

一・二　（略）

三　法第二百八十四条第四項

四・五　（略）

（検査役による電磁的記録に記録された事項の提供）

第二百二十九条　次に掲げる規定（以下この条において「検査役提供規定」という。）に規定する法務省令で定める方法は、電磁的方法のうち、検査役提供規定により当該検査役提供規定の電磁的記録に記録された事項の提供を受ける者が定めるものとする。

一・二　（略）

三　法第二百八十四条第六項

四・五　（略）

（検査役の調査を要しない市場価格のある有価証券）

第五十九条　法第二百八十四条第九項第三号に規定する法務省令で定める方法は、次に掲げる額のうちいずれか高い額をもって同号に規定する有価証券の価格とする方法とする。

一　新株予約権の行使の日（以下この条において「行使日」という。）における当該有価証券を取引する市場における最終の価格（当該行使日に売買取引がない場合又は当該行使日が当該市場の休業日に当たる場合にあっては、その後最初になされた売買取引の成立価格）

二　行使日において当該有価証券が公開買付け等の対象であるときは、当該行使日における当該公開買付け等に係る契約における当該有価証券の価格

第三款　責任

（不公正な払込金額で新株予約権を引き受けた者等の責任）

第二百八十五条　新株予約権を行使した新株予約権者は、次の各号に掲げる場合には、株式会社に対し、当該各号に定める額を支払う義務を負う。

一　第二百三十八条第一項第二号に規定する場合において、募集新株

予約権につき金銭の払込みを要しないこととすることが著しく不公正な条件であるとき（取締役（指名委員会等設置会社にあっては、取締役又は執行役。次号において同じ。）と通じて新株予約権を引き受けた場合に限る。）　当該新株予約権の公正な価額

二　第二百三十八条第一項第三号に規定する場合において、取締役と通じて著しく不公正な払込金額で新株予約権を引き受けたとき　当該払込金額と当該新株予約権の公正な価額との差額に相当する金額

三　第二百八十二条第一項の規定により株主となった時におけるその給付した現物出資財産の価額がこれについて定められた第二百三十六条第一項第三号の価額に著しく不足する場合　当該不足額

2　前項第三号に掲げる場合において、現物出資財産を給付した新株予約権者が当該現物出資財産の価額がこれについて定められた第二百三十六条第一項第三号の価額に著しく不足することにつき善意でかつ重大な過失がないときは、新株予約権の行使に係る意思表示を取り消すことができる。

※法第二八五条第一項各号に掲げる場合において同項の規定により当該各号に定める額を支払う義務が履行された場合の株主資本は会社計算規則第二一条（二五八頁参照）

（出資された財産等の価額が不足する場合の取締役等の責任）

第二百八十六条　前条第一項第三号に掲げる場合には、次に掲げる者（以下この条において「取締役等」という。）は、株式会社に対し、同号に定める額を支払う義務を負う。

一　当該新株予約権者の募集に関する職務を行った業務執行取締役（指名委員会等設置会社にあっては、執行役。以下この号において同じ。）その他当該業務執行取締役の行う業務の執行に職務上関与した者として法務省令で定めるもの

二　現物出資財産の価額の決定に関する株主総会の決議があったときは、当該株主総会に議案を提案した取締役として法務省令で定めるもの

三　現物出資財産の価額の決定に関する取締役会の決議があったときは、当該取締役会に議案を提案した取締役（指名委員会等設置会社にあっては、取締役又は執行役）として法務省令で定めるもの

2　前項の規定にかかわらず、次に掲げる場合には、取締役等は、現物出資財産について同項の義務を負わない。

一　現物出資財産の価額について第二百八十四条第二項の検査役の調査を経た場合

二　当該取締役等がその職務を行うについて注意を怠らなかったことを証明した場合

3　第一項に規定する場合には、第二百八十四条第九項第四号に規定する証明をした者（以下この条において「証明者」という。）は、株式会社に対し前条第一項第三号に定める額を支払う義務を負う。ただし、当該証明者が当該証明をするについて注意を怠らなかったことを証明したときは、この限りでない。

4　新株予約権者がその給付した現物出資財産についての前条第一項第三号に定める額を支払う義務を負う場合において、次に掲げる者が当該現物出資財産について当該各号に定める義務を負うときは、これらの者は、連帯債務者とする。

一　取締役等　第一項の義務

二　証明者　前項本文の義務

【会社法施行規則】

（出資された財産等の価額が不足する場合に責任をとるべき取締役等）

第六十条　法第二百八十六条第一項第一号に規定する法務省令で定めるものは、次に掲げる者とする。

一　現物出資財産（法第二百八十四条第一項に規定する現物出資財産をいう。以下この条から第六十二条までにおいて同じ。）の価額の決定に関する職務を行った取締役及び執行役

二　現物出資財産の価額の決定に関する株主総会の決議があったときは、当該株主総会において当該現物出資財産の価額に関す

る事項について説明をした取締役及び執行役

三　現物出資財産の価額の決定に関する取締役会の決議があったときは、当該取締役会の決議に賛成した取締役

第六十一条　法第二百八十六条第一項第二号に規定する法務省令で定めるものは、次に掲げる者とする。

一　株主総会に現物出資財産の価額の決定に関する議案を提案した取締役

二　前号の議案の提案の決定に同意した取締役（取締役会設置会社の取締役を除く。）

三　第一号の議案の提案が取締役会の決議に基づいて行われたときは、当該取締役会の決議に賛成した取締役

第六十二条　法第二百八十六条第一項第三号に規定する法務省令で定めるものは、取締役会に現物出資財産の価額の決定に関する議案を提案した取締役及び執行役とする。

（新株予約権に係る払込み等を仮装した新株予約権者等の責任）

第二百八十六条の二　新株予約権を行使した新株予約権者であって次の各号に掲げる者に該当するものは、株式会社に対し、当該各号に定める行為をする義務を負う。

一　第二百四十六条第一項の規定による払込み（同条第二項の規定により当該払込みに代えてする金銭以外の財産の給付を含む。）を仮装した者又は当該払込みが仮装されたことを知って、若しくは重大な過失により知らないで募集新株予約権を譲り受けた者　払込みが仮装された払込金額の全額の支払（当該払込みに代えてする金銭以外の財産の給付が仮装された場合にあっては、当該財産の給付（株式会社が当該給付に代えて当該財産の価額に相当する金銭の支払を請求した場合にあっては、当該金銭の全額の支払））

二　第二百八十一条第一項又は第二項後段の規定による払込みを仮装した者　払込みを仮装した金銭の全額の支払

三　第二百八十一条第二項前段の規定による給付を仮装した者　給付を仮装した金銭以外の財産の給付（株式会社が当該給付に代えて当該財産の価額に相当する金銭の支払を請求した場合にあっては、当該金銭の全額の支払）

2　前項の規定により同項に規定する新株予約権者の負う義務は、総株主の同意がなければ、免除することができない。

※新株予約権を行使した新株予約権者であって法第二八六条の二第一項各号に掲げる者に該当するものが同項の規定により当該各号に定める行為をする義務が履行された際の株主資本は会社計算規則第二一条（二五八頁参照）

（新株予約権に係る払込み等を仮装した場合の取締役等の責任）

第二百八十六条の三　新株予約権を行使した新株予約権者であって前条第一項各号に掲げる者に該当するものが当該各号に定める行為をする義務を負う場合には、当該各号の払込み又は給付を仮装することに関与した取締役（指名委員会等設置会社にあっては、執行役を含む。）として法務省令で定める者は、株式会社に対し、当該各号に規定する支払をする義務を負う。ただし、その者（当該払込み又は当該給付を仮装したものを除く。）がその職務を行うについて注意を怠らなかったことを証明した場合は、この限りでない。

2　新株予約権を行使した新株予約権者であって前条第一項各号に掲げる者に該当するものが当該各号に規定する支払をする義務を負う場合において、前項に規定する者が同項の義務を負うときは、これらの者は、連帯債務者とする。

【会社法施行規則】

（新株予約権に係る払込み等の仮装に関して責任をとるべき取締役等）

第六十二条の二　法第二百八十六条の三第一項に規定する法務省令で定める者は、次に掲げる者とする。

一　払込み等（法第二百八十六条の二第一項各号の払込み又は給付をいう。以下この条において同じ。）の仮装に関する職務を

行った取締役及び執行役
二　払込み等の仮装が取締役会の決議に基づいて行われたときは、次に掲げる者
イ　当該取締役会の決議に賛成した取締役
ロ　当該取締役会に当該払込み等の仮装に関する議案を提案した取締役及び執行役
三　払込み等の仮装が株主総会の決議に基づいて行われたときは、次に掲げる者
イ　当該株主総会に当該払込み等の仮装に関する議案を提案した取締役
ロ　イの議案の提案の決定に同意した取締役（取締役会設置会社の取締役を除く。）
ハ　イの議案の提案が取締役会の決議に基づいて行われたときは、当該取締役会の決議に賛成した取締役
ニ　当該株主総会において当該払込み等の仮装に関する事項について説明をした取締役及び執行役

第四款　雑則

第二百八十七条　第二百七十六条第一項の場合のほか、新株予約権者がその有する新株予約権を行使することができなくなったときは、当該新株予約権は、消滅する。

第八節　新株予約権に係る証券

第一款　新株予約権証券

（新株予約権証券の発行）
第二百八十八条　株式会社は、証券発行新株予約権を発行した日以後遅滞なく、当該証券発行新株予約権に係る新株予約権証券を発行しなければならない。
2　前項の規定にかかわらず、株式会社は、新株予約権者から請求がある時までは、同項の新株予約権証券を発行しないことができる。

（新株予約権証券の記載事項）
第二百八十九条　新株予約権証券には、次に掲げる事項及びその番号を記載し、株式会社の代表取締役（指名委員会等設置会社にあっては、代表執行役）がこれに署名し、又は記名押印しなければならない。
一　株式会社の商号
二　当該新株予約権証券に係る証券発行新株予約権の内容及び数

（記名式と無記名式との間の転換）
第二百九十条　証券発行新株予約権の新株予約権者は、第二百三十六条第一項第十一号に掲げる事項についての定めによりすることができないこととされている場合を除き、いつでも、その記名式の新株予約権証券を無記名式とし、又はその無記名式の新株予約権証券を記名式とすることを請求することができる。

（新株予約権証券の喪失）
第二百九十一条　新株予約権証券は、非訟事件手続法第百条に規定する公示催告手続によって無効とすることができる。
2　新株予約権証券を喪失した者は、非訟事件手続法第百六条第一項に規定する除権決定を得た後でなければ、その再発行を請求することができない。

第二款　新株予約権付社債券

第二百九十二条　証券発行新株予約権付社債に係る新株予約権付社債券には、第六百九十七条第一項の規定により記載すべき事項のほか、当該証券発行新株予約権付社債に付された新株予約権の内容及び数を記載しなければならない。
2　証券発行新株予約権付社債についての社債の償還をする場合において、当該証券発行新株予約権付社債に付された新株予約権が消滅していないときは、株式会社は、当該証券発行新株予約権付社債に係る新株予約権付社債券と引換えに社債の償還をすることを請求することが

できない。この場合においては、株式会社は、社債の償還をするのと引換えに、当該新株予約権付社債券の提示を求め、当該新株予約権付社債券に社債の償還をした旨を記載することができる。

第三款　新株予約権証券等の提出

（新株予約権証券の提出に関する公告等）

第二百九十三条　株式会社が次の各号に掲げる行為をする場合において、当該各号に定める新株予約権に係る新株予約権証券（当該新株予約権が新株予約権付社債に付されたものである場合にあっては、当該新株予約権付社債に係る新株予約権付社債券。以下この款において同じ。）を発行しているときは、当該株式会社は、当該行為の効力が生ずる日（第一号に掲げる行為をする場合にあっては、第百七十九条の二第一項第五号に規定する取得日。以下この条において「新株予約権証券提出日」という。）までに当該株式会社に対し当該新株予約権証券を提出しなければならない旨を新株予約権証券提出日の一箇月前までに、公告し、かつ、当該新株予約権の新株予約権者及びその登録新株予約権質権者には、各別にこれを通知しなければならない。

一　第百七十九条の三第一項の承認　売渡新株予約権

一の二　取得条項付新株予約権の取得　当該取得条項付新株予約権

二　組織変更　全部の新株予約権

三　合併（合併により当該株式会社が消滅する場合に限る。）　全部の新株予約権

四　吸収分割　第七百五十八条第五号イに規定する吸収分割契約新株予約権

五　新設分割　第七百六十三条第一項第十号イに規定する新設分割計画新株予約権

六　株式交換　第七百六十八条第一項第四号イに規定する株式交換契約新株予約権

七　株式移転　第七百七十三条第一項第九号イに規定する株式移転計画新株予約権

2　株式会社が次の各号に掲げる行為をする場合において、新株予約権証券提出日までに当該株式会社に対して新株予約権証券を提出しない者があるときは、当該各号に定める者は、当該新株予約権証券の提出があるまでの間、当該行為（第一号に掲げる行為をする場合にあっては、新株予約権売渡請求に係る売渡新株予約権の取得）によって当該新株予約権証券に係る新株予約権の新株予約権者が交付を受けることができる金銭等の交付を拒むことができる。

一　第百七十九条の三第一項の承認　特別支配株主

二　取得条項付新株予約権の取得　当該株式会社

三　組織変更　第七百四十四条第一項第一号に規定する組織変更後持分会社

四　合併（合併により当該株式会社が消滅する場合に限る。）　第七百四十九条第一項に規定する吸収合併存続会社又は第七百五十三条第一項に規定する新設合併設立会社

五　吸収分割　第七百五十八条第一号に規定する吸収分割承継株式会社

六　新設分割　第七百六十三条第一項第一号に規定する新設分割設立株式会社

七　株式交換　第七百六十八条第一項第一号に規定する株式交換完全親株式会社

八　株式移転　第七百七十三条第一項第一号に規定する株式移転設立完全親会社

3　第一項各号に定める新株予約権に係る新株予約権証券は、新株予約権証券提出日に無効となる。

4　第一項第一号の規定による公告及び通知の費用は、特別支配株主の負担とする。

5　第二百二十条の規定は、第一項各号に掲げる行為をした場合において、新株予約権証券を提出することができない者があるときについて準用する。この場合において、同条第二項中「前条第二項各号」とあるのは、「第二百九十三条第二項各号」と読み替えるものとする。

（無記名式の新株予約権証券等が提出されない場合）

第二百九十四条　第百三十二条の規定にかかわらず、前条第一項第一号の二に掲げる行為をする場合（株式会社が新株予約権を取得するのと引換えに当該新株予約権の新株予約権者に対して当該株式会社の株式を交付する場合に限る。）において、同項の規定により新株予約権証券（無記名式のものに限る。以下この条において同じ。）が提出されないときは、株式会社は、当該新株予約権証券を有する者が交付を受けることができる株式に係る第百二十一条第一号に掲げる事項を株主名簿に記載し、又は記録することを要しない。

2　前項に規定する場合には、株式会社は、前条第一項の規定により提出しなければならない新株予約権証券を有する者が交付を受けることができる株式の株主に対する通知又は催告をすることを要しない。

3　第二百四十九条及び第二百五十九条第一項の規定にかかわらず、前条第一項第一号の二に掲げる行為をする場合（株式会社が新株予約権を取得するのと引換えに当該新株予約権の新株予約権者に対して当該株式会社の他の新株予約権（新株予約権付社債に付されたものを除く。）を交付する場合に限る。）において、同項の規定により新株予約権証券が提出されないときは、株式会社は、当該新株予約権証券を有する者が交付を受けることができる当該他の新株予約権（無記名新株予約権を除く。）に係る第二百四十九条第三号イに掲げる事項を新株予約権原簿に記載し、又は記録することを要しない。

4　前項に規定する場合には、株式会社は、前条第一項の規定により提出しなければならない新株予約権証券を有する者が交付を受けることができる新株予約権の新株予約権者に対する通知又は催告をすることを要しない。

5　第二百四十九条及び第二百五十九条第一項の規定にかかわらず、前条第一項第一号の二に掲げる行為をする場合（株式会社が新株予約権を取得するのと引換えに当該新株予約権の新株予約権者に対して当該株式会社の新株予約権付社債を交付する場合に限る。）において、同項の規定により新株予約権証券が提出されないときは、株式会社は、当該新株予約権証券を有する者が交付を受けることができる新株予約権付社債（無記名新株予約権付社債を除く。）に付された新株予約権に係る第二百四十九条第三号イに掲げる事項を新株予約権原簿に記載し、又は記録することを要しない。

6　前項に規定する場合には、株式会社は、前条第一項の規定により提出しなければならない新株予約権証券を有する者が交付を受けることができる新株予約権付社債に付された新株予約権の新株予約権者に対する通知又は催告をすることを要しない。

第四章　機関

第一節　株主総会及び種類株主総会

〔施行　会社法の一部を改正する法律（令和元年法律第七十号）の施行の日（令和元年十二月十一日から三年六月を超えない範囲内において政令で定める日）〕［節名を改める］

第一節　株主総会及び種類株主総会等

第一款　株主総会

（株主総会の権限）

第二百九十五条　株主総会は、この法律に規定する事項及び株式会社の組織、運営、管理その他株式会社に関する一切の事項について決議をすることができる。

2　前項の規定にかかわらず、取締役会設置会社においては、株主総会は、この法律に規定する事項及び定款で定めた事項に限り、決議をすることができる。

3　この法律の規定により株主総会の決議を必要とする事項について、取締役、執行役、取締役会その他の株主総会以外の機関が決定することができることを内容とする定款の定めは、その効力を有しない。

（株主総会の招集）

第二百九十六条　定時株主総会は、毎事業年度の終了後一定の時期に招集しなければならない。

2　株主総会は、必要がある場合には、いつでも、招集することができる。

3　株主総会は、次条第四項の規定により招集する場合を除き、取締役が招集する。

（株主による招集の請求）

第二百九十七条　総株主の議決権の百分の三（これを下回る割合を定款で定めた場合にあっては、その割合）以上の議決権を六箇月（これを下回る期間を定款で定めた場合にあっては、その期間）前から引き続き有する株主は、取締役に対し、株主総会の目的である事項（当該株主が議決権を行使することができる事項に限る。）及び招集の理由を示して、株主総会の招集を請求することができる。

2　公開会社でない株式会社における前項の規定の適用については、同項中「六箇月（これを下回る期間を定款で定めた場合にあっては、その期間）前から引き続き有する」とあるのは、「有する」とする。

3　第一項の株主総会の目的である事項について議決権を行使することができない株主が有する議決権の数は、同項の総株主の議決権の数に算入しない。

4　次に掲げる場合には、第一項の規定による請求をした株主は、裁判所の許可を得て、株主総会を招集することができる。

一　第一項の規定による請求の後遅滞なく招集の手続が行われない場合

二　第一項の規定による請求があった日から八週間（これを下回る期間を定款で定めた場合にあっては、その期間）以内の日を株主総会の日とする株主総会の招集の通知が発せられない場合

（株主総会の招集の決定）

第二百九十八条　取締役（前条第四項の規定により株主が株主総会を招集する場合にあっては、当該株主。次項本文及び次条から第三百二条までにおいて同じ。）は、株主総会を招集する場合には、次に掲げる事項を定めなければならない。

一　株主総会の日時及び場所

二　株主総会の目的である事項があるときは、当該事項

三　株主総会に出席しない株主が書面によって議決権を行使することができることとするときは、その旨

四　株主総会に出席しない株主が電磁的方法によって議決権を行使することができることとするときは、その旨

五　前各号に掲げるもののほか、法務省令で定める事項

2　取締役は、株主（株主総会において決議をすることができる事項の全部につき議決権を行使することができない株主を除く。次条から第三百二条までにおいて同じ。）の数が千人以上である場合には、前項第三号に掲げる事項を定めなければならない。ただし、当該株式会社が金融商品取引法第二条第十六項に規定する金融商品取引所に上場されている株式を発行している株式会社であって法務省令で定めるものである場合は、この限りでない。

3　取締役会設置会社における前項の規定の適用については、同項中「株主総会において決議をすることができる事項」とあるのは、「前項第二号に掲げる事項」とする。

4　取締役会設置会社においては、前条第四項の規定により株主が株主総会を招集するときを除き、第一項各号に掲げる事項の決定は、取締役会の決議によらなければならない。

【会社法施行規則】

（招集の決定事項）

第六十三条　法第二百九十八条第一項第五号に規定する法務省令で定める事項は、次に掲げる事項とする。

一　法第二百九十八条第一項第一号に規定する株主総会が定時株主総会である場合において、同号の日が次に掲げる要件のいず

れかに該当するときは、その日時を決定した理由（ロに該当する場合にあっては、その日時を決定したことにつき特に理由がある場合における当該理由に限る。）
イ　当該日が前事業年度に係る定時株主総会の日に応当する日と著しく離れた日であること。
ロ　株式会社が公開会社である場合において、当該日と同一の日において定時株主総会を開催する他の株式会社（公開会社に限る。）が著しく多いこと。
二　法第二百九十八条第一項第一号に規定する株主総会の場所が過去に開催した株主総会のいずれの場所とも著しく離れた場所であるとき（次に掲げる場合を除く。）は、その場所を決定した理由
イ　当該場所が定款で定められたものである場合
ロ　当該場所で開催することについて株主総会に出席しない株主全員の同意がある場合
三　法第二百九十八条第一項第三号又は第四号に掲げる事項を定めたときは、次に掲げる事項（定款にロから二まで及びヘに掲げる事項についての定めがある場合又はこれらの事項の決定を取締役に委任する旨を決定した場合における当該事項を除く。）
イ　次款（第七三条―第九四条）の規定により株主総会参考書類に記載すべき事項（第八十五条の二第三号、第八十五条の三第三号、第八十六条第三号及び第四号、第八十七条第三号及び第四号、第八十八条第三号及び第四号、第八十九条第三号、第九十条第三号、第九十一条第三号、第九十一条の二第三号並びに第九十二条第三号に掲げる事項を除く。）
ロ　特定の時（株主総会の日時以前の時であって、法第二百九十九条第一項の規定により通知を発した日から二週間を経過した日以後の時に限る。）をもって書面による議決権の行使の期限とする旨を定めるときは、その特定の時
ハ　特定の時（株主総会の日時以前の時であって、法第二百九十九条第一項の規定により通知を発した日から二週間を経過した日以後の時に限る。）をもって電磁的方法による議決権の行使の期限とする旨を定めるときは、その特定の時
二　第六十六条第一項第二号の取扱いを定めるときは、その取扱いの内容
ホ　第九十四条第一項の措置をとることにより株主に対して提供する株主総会参考書類に記載しないものとする事項
ヘ　一の株主が同一の議案につき次に掲げる場合の区分に応じ、次に定める規定により重複して議決権を行使した場合において、当該同一の議案に対する議決権の行使の内容が異なるものであるときにおける当該株主の議決権の行使の取扱いに関する事項を定めるとき（次号に規定する場合を除く。）は、その事項
(1)　法第二百九十八条第一項第三号に掲げる事項を定めた場合　法第三百十一条第一項
(2)　法第二百九十八条第一項第四号に掲げる事項を定めた場合　法第三百十二条第一項
四　法第二百九十八条第一項第三号及び第四号に掲げる事項を定めたときは、次に掲げる事項（定款にイ又はロに掲げる事項についての定めがある場合における当該事項を除く。）
イ　法第二百九十九条第三項の承諾をした株主の請求があった時に当該株主に対して法第三百一条第一項の規定による議決権行使書面（法第三百一条第一項に規定する議決権行使書面をいう。以下この節〔第六三条―第九五条〕において同じ。）の交付（当該交付に代えて行う同条第二項の規定による電磁的方法による提供を含む。）をすることとするときは、その旨
ロ　一の株主が同一の議案につき法第三百十一条第一項又は第三百十二条第一項の規定により重複して議決権を行使した場合において、当該同一の議案に対する議決権の行使の内容が異なるものであるときにおける当該株主の議決権の行使の取

扱いに関する事項を定めるときは、その事項

五　法第三百十条第一項の規定による代理人による議決権の行使について、代理権（代理人の資格を含む。）を証明する方法、代理人の数その他代理人による議決権の行使に関する事項を定めるとき（定款に当該事項についての定めがある場合を除く。）は、その事項

六　法第三百十三条第二項の規定による通知の方法を定めるとき（定款に当該通知の方法についての定めがある場合を除く。）は、その方法

七　第三号に規定する場合以外の場合において、次に掲げる事項が株主総会の目的である事項であるときは、当該事項に係る議案の概要（議案が確定していない場合にあっては、その旨）

イ　役員等の選任
ロ　役員等の報酬等
ハ　全部取得条項付種類株式の取得
ニ　株式の併合
ホ　法第百九十九条第三項又は第二百条第二項に規定する場合における募集株式を引き受ける者の募集
ヘ　法第二百三十八条第三項各号又は第二百三十九条第二項各号に掲げる場合における募集新株予約権を引き受ける者の募集
ト　事業譲渡等
チ　定款の変更
リ　合併
ヌ　吸収分割
ル　吸収分割による他の会社がその事業に関して有する権利義務の全部又は一部の承継
ヲ　新設分割
ワ　株式交換
カ　株式交換による他の株式会社の発行済株式全部の取得
ヨ　株式移転
タ　株式交付

〔施行　会社法の一部を改正する法律（令和元年法律第七十号）附則第一条ただし書に規定する規定の施行の日〕［第三号にトを、第四号にハを加える。傍線部分は改正部分］

（招集の決定事項）

第六十三条　法第二百九十八条第一項第五号に規定する法務省令で定める事項は、次に掲げる事項とする。

一・二　（省略）

三　法第二百九十八条第一項第三号又は第四号に掲げる事項を定めたときは、次に掲げる事項（定款にロからニまで及びヘに掲げる事項についての定めがある場合又はこれらの事項の決定を取締役に委任する旨を決定した場合における当該事項を除く。）

イ〜ヘ　（省略）

ト　株主総会参考書類に記載すべき事項のうち、法第三百二十五条の五第三項の規定による定款の定めに基づき同条第二項の規定により交付する書面（第九十五条の四において「電子提供措置事項記載書面」という。）に記載しないものとする事項

四　法第二百九十八条第一項第三号及び第四号に掲げる事項を定めたときは、次に掲げる事項（定款にイからハまでに掲げる事項についての定めがある場合における当該事項を除く。）

イ・ロ　（省略）

ハ　電子提供措置をとる旨の定款の定めがある場合において、法第二百九十九条第三項の承諾をした株主の請求があった時に議決権行使書面に記載すべき事項（当該株主に係る事項に限る。第六十六条第三項において同じ。）に係る情報について電子提供措置をとることとするときは、その旨

五〜七　（省略）

（書面による議決権の行使について定めることを要しない株式会社）

第六十四条　法第二百九十八条第二項に規定する法務省令で定める

ものは、株式会社の取締役（法第二百九十七条第四項の規定により株主が株主総会を招集する場合にあっては、当該株主）が法第二百九十八条第二項（同条第三項の規定により読み替えて適用する場合を含む。）に規定する株主の全部に対して金融商品取引法の規定に基づき株主総会の通知に際して委任状の用紙を交付することにより議決権の行使を第三者に代理させることを勧誘している場合における当該株式会社とする。

（株主総会の招集の通知）

第二百九十九条　株主総会を招集するには、取締役は、株主総会の日の二週間（前条第一項第三号又は第四号に掲げる事項を定めたときを除き、公開会社でない株式会社にあっては、一週間（当該株式会社が取締役会設置会社以外の株式会社である場合において、これを下回る期間を定款で定めた場合にあっては、その期間））前までに、株主に対してその通知を発しなければならない。

2　次に掲げる場合には、前項の通知は、書面でしなければならない。

一　前条第一項第三号又は第四号に掲げる事項を定めた場合

二　株式会社が取締役会設置会社である場合

3　取締役は、前項の書面による通知の発出に代えて、政令で定めるところにより、株主の承諾を得て、電磁的方法により通知を発することができる。この場合において、当該取締役は、同項の書面による通知を発したものとみなす。

4　前二項の通知には、前条第一項各号に掲げる事項を記載し、又は記録しなければならない。

【会社法施行令】

（電磁的方法による通知の承諾等）

第二条　次に掲げる規定により電磁的方法により通知を発しようとする者（次項において「通知発出者」という。）は、法務省令で定めるところにより、あらかじめ、当該通知の相手方に対し、その用いる電磁的方法の種類及び内容を示し、書面又は電磁的方法による承諾を得なければならない。

一　（略）

二　法第二百九十九条第三項（法第三百二十五条において準用する場合を含む。）

三・四　（略）

2　前項の規定による承諾を得た通知発出者は、同項の相手方から書面又は電磁的方法により電磁的方法による通知を受けない旨の申出があったときは、当該相手方に対し、当該通知を電磁的方法によって発してはならない。ただし、当該相手方が再び同項の規定による承諾をした場合は、この限りでない。

【会社法施行規則】

（会社法施行令に係る電磁的方法）

第二百三十条　会社法施行令（平成十七年政令第三百六十四号）第一条第一項又は第二条第一項の規定により示すべき電磁的方法の種類及び内容は、次に掲げるものとする。

一　次に掲げる方法のうち、送信者が使用するもの

イ　電子情報処理組織を使用する方法のうち次に掲げるもの

(1)　送信者の使用に係る電子計算機と受信者の使用に係る電子計算機とを接続する電気通信回線を通じて送信し、受信者の使用に係る電子計算機に備えられたファイルに記録する方法

(2)　送信者の使用に係る電子計算機に備えられたファイルに記録された情報の内容を電気通信回線を通じて情報の提供を受ける者の閲覧に供し、当該情報の提供を受ける者の使用に係る電子計算機に備えられたファイルに当該情報を記録する方法

ロ　磁気ディスクその他これに準ずる方法により一定の情報を

確実に記録しておくことができる物をもって調製するファイルに情報を記録したものを交付する方法
二 ファイルへの記録の方式

（招集手続の省略）
第三百条 前条の規定にかかわらず、株主総会は、株主の全員の同意があるときは、招集の手続を経ることなく開催することができる。ただし、第二百九十八条第一項第三号又は第四号に掲げる事項を定めた場合は、この限りでない。

（株主総会参考書類及び議決権行使書面の交付等）
第三百一条 取締役は、第二百九十八条第一項第三号に掲げる事項を定めた場合には、第二百九十九条第一項の通知に際して、法務省令で定めるところにより、株主に対し、議決権の行使について参考となるべき事項を記載した書類（以下この款において「株主総会参考書類」という。）及び株主が議決権を行使するための書面（以下この款において「議決権行使書面」という。）を交付しなければならない。
2 取締役は、第二百九十九条第三項の承諾をした株主に対し同項の電磁的方法による通知を発するときは、前項の規定による株主総会参考書類及び議決権行使書面の交付に代えて、これらの書類に記載すべき事項を電磁的方法により提供することができる。ただし、株主の請求があったときは、これらの書類を当該株主に交付しなければならない。

〔施行 会社法の一部を改正する法律（令和元年法律第七十号）の施行の日（令和元年十二月十一日から三年六月を超えない範囲内において政令で定める日）〕［傍線部分は改正部分］
（株主総会参考書類及び議決権行使書面の交付等）
第三百一条 取締役は、第二百九十八条第一項第三号に掲げる事項を定めた場合には、第二百九十九条第一項の通知に際して、法務省令で定めるところにより、株主に対し、議決権の行使について参考となるべき事項を記載した書類（以下この節において「株主総会参考書類」という。）及び株主が議決権を行使するための書面（以下この節において「議決権行使書面」という。）を交付しなければならない。
2 （省略）

【会社法施行規則】

（株主総会参考書類）

第六十五条 法第三百一条第一項又は第三百二条第一項の規定により交付すべき株主総会参考書類に記載すべき事項は、次款（第七十三条―第九十四条）の定めるところによる。
2 法第二百九十八条第一項第三号及び第四号に掲げる事項を定めた株式会社が行った株主総会参考書類の交付（当該交付に代えて行う電磁的方法による提供を含む。）は、法第三百一条第一項及び第三百二条第一項の規定による株主総会参考書類の交付とする。
3 取締役は、株主総会参考書類に記載すべき事項について、招集通知（法第二百九十九条第二項又は第三項の規定による通知をいう。以下この節（第六十三条―第九十五条）において同じ。）を発出した日から株主総会の前日までの間に修正をすべき事情が生じた場合における修正後の事項を株主に周知させる方法を、当該招集通知と併せて通知することができる。
（議決権行使書面）
第六十六条 法第三百一条第一項の規定により交付すべき議決権行使書面に記載すべき事項又は法第三百二条第三項若しくは第四項の規定により電磁的方法により提供すべき議決権行使書面に記載すべき事項は、次に掲げる事項とする。
一 各議案（次のイからハまでに掲げる場合にあっては、当該イからハまでに定めるもの）についての賛否（棄権の欄を設ける場合にあっては、棄権を含む。）を記載する欄
イ 二以上の役員等の選任に関する議案である場合 各候補者の選任
ロ 二以上の役員等の解任に関する議案である場合 各役員等

の解任

ハ　二以上の会計監査人の不再任に関する議案である場合　各会計監査人の不再任

二　第六十三条第三号ニに掲げる事項についての定めがあるときは、第一号の欄に記載がない議決権行使書面が株式会社に提出された場合における各議案についての賛成、反対又は棄権のいずれかの意思の表示があったものとする取扱いの内容

三　第六十三条第三号ヘ又は第四号ロに掲げる事項についての定めがあるときは、当該事項

四　議決権の行使の期限

五　議決権を行使すべき株主の氏名又は名称及び行使することができる議決権の数（次のイ又はロに掲げる場合にあっては、当該イ又はロに定める事項を含む。）

イ　議案ごとに当該株主が行使することができる議決権の数が異なる場合　議案ごとの議決権の数

ロ　一部の議案につき議決権を行使することができない場合　議決権を行使することができる議案又は議決権を行使することができない議案

2　第六十三条第四号イに掲げる事項についての定めがある場合には、株式会社は、法第二百九十九条第三項の承諾をした株主の請求があった時に、当該株主に対して、法第三百一条第一項の規定による議決権行使書面の交付（当該交付に代えて行う同条第二項の規定による電磁的方法による提供を含む。）をしなければならない。

3　同一の株主総会に関して株主に対して提供する招集通知の内容とすべき事項のうち、議決権行使書面に記載している事項がある場合には、当該事項は、招集通知の内容とすることを要しない。

4　同一の株主総会に関して株主に対して提供する議決権行使書面に記載すべき事項（第一項第二号から第四号までに掲げる事項に限る。）のうち、招集通知の内容としている事項がある場合には、当該事項は、議決権行使書面に記載することを要しない。

〔施行　会社法の一部を改正する法律（令和元年法律第七十号）附則第一条ただし書に規定する規定の施行の日〕〔第三項を加える〕

（議決権行使書面）

第六十六条　（省略）

2　（省略）

3　第六十三条第四号ハに掲げる事項についての定めがある場合には、株式会社は、法第二百九十九条第三項の承諾をした株主の請求があった時に、議決権行使書面に記載すべき事項に係る情報について電子提供措置をとらなければならない。ただし、当該株主に対して、法第三百二十五条の三第二項の規定による議決権行使書面の交付をする場合は、この限りでない。

4・5　（省略）

第七十三条　株主総会参考書類には、次に掲げる事項を記載しなければならない。

一　議案

二　提案の理由（議案が取締役の提出に係るものに限り、株主総会において一定の事項を説明しなければならない議案の場合における当該説明すべき内容を含む。）

三　議案につき法第三百八十四条、第三百八十九条第三項又は第三百九十九条の五の規定により株主総会に報告をすべきときは、その報告の内容の概要

2　株主総会参考書類には、この節〔第六三条—第九五条〕に定めるもののほか、株主の議決権の行使について参考となると認める事項を記載することができる。

3　同一の株主総会に関して株主に対して提供する株主総会参考書類に記載すべき事項のうち、他の書面に記載している事項又は電磁的方法により提供する事項がある場合には、これらの事項は、株主総会参考書類に記載することを要しな

い。この場合においては、他の書面に記載している事項又は電磁的方法により提供する事項があることを明らかにしなければならない。

4　同一の株主総会に関して株主に対して提供する招集通知又は法第四百三十七条の規定により株主に対して提供する事業報告の内容とすべき事項のうち、株主総会参考書類に記載している事項がある場合には、当該事項は、株主に対して提供する招集通知又は法第四百三十七条の規定により株主に対して提供する事業報告の内容とすることを要しない。

（取締役の選任に関する議案）

第七十四条　取締役が取締役（株式会社が監査等委員会設置会社である場合にあっては、監査等委員である取締役を除く。次項第二号において同じ。）の選任に関する議案を提出する場合には、株主総会参考書類には、次に掲げる事項を記載しなければならない。

一　候補者の氏名、生年月日及び略歴

二　就任の承諾を得ていないときは、その旨

三　株式会社が監査等委員会設置会社である場合において、法第三百四十二条の二第四項の規定による監査等委員会の意見があるときは、その意見の内容の概要

四　候補者と当該株式会社との間で法第四百二十七条第一項の契約を締結しているとき又は当該契約を締結する予定があるときは、その契約の内容の概要

五　候補者と当該株式会社との間で補償契約を締結しているとき又は補償契約を締結する予定があるときは、その補償契約の内容の概要

六　候補者を被保険者とする役員等賠償責任保険契約を締結しているとき又は当該役員等賠償責任保険契約を締結する予定があるときは、その役員等賠償責任保険契約の内容の概要

2　前項に規定する場合において、株式会社が公開会社であるときは、株主総会参考書類には、次に掲げる事項を記載しなければならない。

一　候補者の有する当該株式会社の株式の数（種類株式発行会社にあっては、株式の種類及び種類ごとの数）

二　候補者が当該株式会社の取締役に就任した場合において第百二十一条第八号に定める重要な兼職に該当する事実があることとなるときは、その事実

三　候補者と株式会社との間に特別の利害関係があるときは、その事実の概要

四　候補者が現に当該株式会社の取締役であるときは、当該株式会社における地位及び担当

3　第一項に規定する場合において、株式会社が公開会社であって、かつ、他の者の子会社等であるときは、株主総会参考書類には、次に掲げる事項を記載しなければならない。

一　候補者が現に当該他の者（自然人であるものに限る。）であるときは、その旨

二　候補者が現に当該他の者（当該他の者の子会社等（当該株式会社を除く。）を含む。以下この項において同じ。）の業務執行者であるときは、当該他の者における地位及び担当

三　候補者が過去十年間に当該他の者の業務執行者であったことを当該株式会社が知っているときは、当該他の者における地位及び担当

4　第一項に規定する場合において、候補者が社外取締役候補者であるときは、株主総会参考書類には、次に掲げる事項（株式会社が公開会社でない場合にあっては、第四号から第八号までに掲げる事項を除く。）を記載しなければならない。

一　当該候補者が社外取締役候補者である旨

二　当該候補者を社外取締役候補者とした理由

三　当該候補者が社外取締役（社外役員に限る。以下この項において同じ。）に選任された場合に果たすことが期待される役割の概要

四　当該候補者が現に当該株式会社の社外取締役である場合において、当該候補者が最後に選任された後在任中に当該株式会社において法令又は定款に違反する事実その他不当な業務の執行が行われた事実（重要でないものを除く。）があるときは、その事実並びに当該事実の発生の予防のために当該候補者が行った行為及び当該事実の発生後の対応として行った行為の概要

五　当該候補者が過去五年間に他の株式会社の取締役、執行役又は監査役に就任していた場合において、その在任中に当該他の株式会社において法令又は定款に違反する事実その他不当な業務の執行が行われた事実があることを当該株式会社が知っているときは、その事実（重要でないものを除き、当該候補者が当該他の株式会社における社外取締役又は監査役であったときは、当該事実の発生の予防のために当該候補者が行った行為及び当該事実の発生後の対応として行った行為の概要を含む。）

六　当該候補者が過去に社外取締役又は社外監査役（社外役員に限る。）となること以外の方法で会社（外国会社を含む。）の経営に関与していない者であるときは、当該経営に関与したことがない候補者であっても社外取締役としての職務を適切に遂行することができるものと当該株式会社が判断した理由

七　当該候補者が次のいずれかに該当することを当該株式会社が知っているときは、その旨

イ　過去に当該株式会社又はその子会社の業務執行者又は役員（業務執行者であるものを除く。ハ及びホ(2)において同じ。）であったことがあること。

ロ　当該株式会社の親会社等（自然人であるものに限る。ロ及びホ(1)において同じ。）であり、又は過去十年間に当該株式会社の親会社等であったことがあること。

ハ　当該株式会社の特定関係事業者の業務執行者若しくは役員であり、又は過去十年間に当該株式会社の特定関係事業者（当該株式会社の子会社を除く。）の業務執行者若しくは役員であったことがあること。

ニ　当該株式会社又は当該株式会社の特定関係事業者から多額の金銭その他の財産（これらの者の取締役、執行役、会計参与、監査役、執行役その他これらに類する者としての報酬等を除く。）を受ける予定があり、又は過去二年間に受けていたこと。

ホ　次に掲げる者の配偶者、三親等以内の親族その他これに準ずる者であること（重要でないものを除く。）。

(1)　当該株式会社の親会社等

(2)　当該株式会社又は当該株式会社の特定関係事業者の業務執行者又は役員

ヘ　過去二年間に合併、吸収分割、新設分割又は事業の譲受け（ヘ、第七十四条の三第四項第七号ヘ及び第七十六条第四項第六号ヘにおいて「合併等」という。）により他の株式会社がその事業に関して有する権利義務を当該株式会社が承継又は譲受けをした場合において、当該合併等の直前に当該株式会社の社外取締役又は監査役でなく、かつ、当該他の株式会社の業務執行者であったこと。

八　当該候補者が現に当該株式会社の社外取締役又は監査役であるときは、これらの役員に就任してからの年数

九　前各号に掲げる事項に関する記載についての当該候補者の意見があるときは、その意見の内容

（監査等委員である取締役の選任に関する議案）

第七十四条の三　取締役が監査等委員である取締役の選任に関する議案を提出する場合には、株主総会参考書類には、次に掲げる事項を記載しなければならない。

一　候補者の氏名、生年月日及び略歴

二　株式会社との間に特別の利害関係があるときは、その事実の概要

三　就任の承諾を得ていないときは、その旨

四　議案が法第三百四十四条の二第二項の規定による請求により

提出されたものであるときは、その旨
五 法第三百四十二条の二第一項の規定による監査等委員である取締役の意見があるときは、その意見の内容の概要
六 候補者と当該株式会社との間で法第四百二十七条第一項の契約を締結しているとき又は当該契約を締結する予定があるときは、その契約の内容の概要
七 候補者と当該株式会社との間で補償契約を締結しているとき又は補償契約を締結する予定があるときは、その補償契約の内容の概要
八 候補者を被保険者とする役員等賠償責任保険契約を締結しているとき又は当該役員等賠償責任保険契約を締結する予定があるときは、その役員等賠償責任保険契約の内容の概要
2 前項に規定する場合において、株式会社が公開会社であるときは、株主総会参考書類には、次に掲げる事項を記載しなければならない。
一 候補者の有する当該株式会社の株式の数（種類株式発行会社にあっては、株式の種類及び種類ごとの数）
二 候補者が当該株式会社の監査等委員である取締役に就任した場合において第百二十一条第八号に定める重要な兼職に該当する事実があることとなるときは、その事実
三 候補者が現に当該株式会社の監査等委員である取締役であるときは、当該株式会社における地位及び担当
3 第一項に規定する場合において、株式会社が公開会社であり、かつ、他の者の子会社等であるときは、株主総会参考書類には、次に掲げる事項を記載しなければならない。
一 候補者が現に当該他の者（自然人であるものに限る。）であるときは、その旨
二 候補者が現に当該他の者（当該他の者の子会社等（当該株式会社を除く。）を含む。以下この項において同じ。）の業務執行者であるときは、当該他の者における地位及び担当
三 候補者が過去十年間に当該他の者の業務執行者であったことを当該株式会社が知っているときは、当該他の者における地位及び担当
4 第一項に規定する場合において、候補者が社外取締役候補者であるときは、株主総会参考書類には、次に掲げる事項（株式会社が公開会社でない場合にあっては、第四号から第八号までに掲げる事項を除く。）を記載しなければならない。
一 当該候補者が社外取締役候補者である旨
二 当該候補者を社外取締役候補者とした理由
三 当該候補者が社外取締役（社外役員に限る。以下この項において同じ。）に選任された場合に果たすことが期待される役割の概要
四 当該候補者が現に当該株式会社の社外取締役である場合において、当該候補者が最後に選任された後在任中に当該株式会社において法令又は定款に違反する事実その他不当な業務の執行が行われた事実（重要でないものを除く。）があるときは、その事実並びに当該事実の発生の予防のために当該候補者が行った行為及び当該事実の発生後の対応として行った行為の概要
五 当該候補者が過去五年間に他の株式会社の取締役、執行役又は監査役に就任していた場合において、その在任中に当該他の株式会社において法令又は定款に違反する事実その他不当な業務の執行が行われた事実があることを当該株式会社が知っているときは、その事実（重要でないものを除き、当該候補者が当該他の株式会社における社外取締役又は監査役であったときは、当該事実の発生の予防のために当該候補者が行った行為及び当該事実の発生後の対応として行った行為の概要を含む。）
六 当該候補者が過去に社外取締役又は社外監査役（社外役員に限る。）となること以外の方法で会社（外国会社を含む。）の経営に関与していない者であるときは、当該経営に関与したことがない候補者であっても監査等委員である社外取締役としての

職務を適切に遂行することができるものと当該株式会社が判断した理由

七　当該候補者が次のいずれかに該当することを当該株式会社が知っているときは、その旨

イ　過去に当該株式会社又はその子会社の業務執行者又は役員（業務執行者であるものを除く。ハ及びホ(2)において同じ。）であったことがあること。

ロ　当該株式会社の親会社等（自然人であるものに限る。ロ及びホ(1)において同じ。）であり、又は過去十年間に当該株式会社の親会社等であったことがあること。

ハ　当該株式会社の特定関係事業者の業務執行者若しくは役員であり、又は過去十年間に当該株式会社の特定関係事業者（当該株式会社の子会社を除く。）の業務執行者若しくは役員であったことがあること。

ニ　当該株式会社又は当該株式会社の特定関係事業者から多額の金銭その他の財産（これらの者の取締役、会計参与、監査役、執行役その他これらに類する者としての報酬等を除く。）を受ける予定があり、又は過去二年間に受けていたこと。

ホ　次に掲げる者の配偶者、三親等以内の親族その他これに準ずる者であること（重要でないものを除く。）。

(1)　当該株式会社の親会社等

(2)　当該株式会社又は当該株式会社の特定関係事業者の業務執行者又は役員

ヘ　過去二年間に合併等により他の株式会社がその事業に関して有する権利義務を当該株式会社が承継又は譲受けをした場合において、当該合併等の直前に当該株式会社の社外取締役又は監査役でなく、かつ、当該他の株式会社の業務執行者であったこと。

八　当該候補者が現に当該株式会社の社外取締役又は監査等委員である取締役であるときは、これらの役員に就任してからの年数

九　前各号に掲げる事項に関する記載についての当該候補者の意見があるときは、その意見の内容

（会計参与の選任に関する議案）

第七十五条　取締役が会計参与の選任に関する議案を提出する場合には、株主総会参考書類には、次に掲げる事項を記載しなければならない。

一　次のイ又はロに掲げる場合の区分に応じ、当該イ又はロに定める事項

イ　候補者が公認会計士（公認会計士法（昭和二十三年法律第百三号）第十六条の二第五項に規定する外国公認会計士を含む。以下同じ。）又は税理士である場合　その氏名、事務所の所在場所、生年月日及び略歴

ロ　候補者が監査法人又は税理士法人である場合　その名称、主たる事務所の所在場所及び沿革

二　就任の承諾を得ていないときは、その旨

三　法第三百四十五条第一項の規定による会計参与の意見があるときは、その意見の内容の概要

四　候補者と当該株式会社との間で法第四百二十七条第一項の契約を締結しているとき又は当該契約を締結する予定があるときは、その契約の内容の概要

五　候補者と当該株式会社との間で補償契約を締結しているとき又は補償契約を締結する予定があるときは、その補償契約の内容の概要

六　候補者を被保険者とする役員等賠償責任保険契約を締結しているとき又は当該役員等賠償責任保険契約を締結する予定があるときは、その役員等賠償責任保険契約の内容の概要

七　当該候補者が過去二年間に業務の停止の処分を受けた者である場合における当該処分に係る事項のうち、当該株式会社が株主総会参考書類に記載することが適切であるものと判断した事

項

（監査役の選任に関する議案）

第七十六条　取締役が監査役の選任に関する議案を提出する場合には、株主総会参考書類には、次に掲げる事項を記載しなければならない。

一　候補者の氏名、生年月日及び略歴

二　株式会社との間に特別の利害関係があるときは、その事実の概要

三　就任の承諾を得ていないときは、その旨

四　議案が法第三百四十三条第二項の規定による請求により提出されたものであるときは、その旨

五　法第三百四十五条第四項において準用する同条第一項の規定による監査役の意見があるときは、その意見の内容の概要

六　候補者と当該株式会社との間で法第四百二十七条第一項の契約を締結しているとき又は当該契約を締結する予定があるときは、その契約の内容の概要

七　候補者と当該株式会社との間で補償契約を締結しているとき又は補償契約を締結する予定があるときは、その補償契約の内容の概要

八　候補者を被保険者とする役員等賠償責任保険契約を締結しているとき又は当該役員等賠償責任保険契約を締結する予定があるときは、その役員等賠償責任保険契約の内容の概要

2　前項に規定する場合において、株式会社が公開会社であるときは、株主総会参考書類には、次に掲げる事項を記載しなければならない。

一　候補者の有する当該株式会社の株式の数（種類株式発行会社にあっては、株式の種類及び種類ごとの数）

二　候補者が当該株式会社の監査役に就任した場合において第百二十一条第八号に定める重要な兼職に該当する事実があることとなるときは、その事実

三　候補者が現に当該株式会社の監査役であるときは、当該株式会社における地位

3　第一項に規定する場合において、株式会社が公開会社であり、かつ、他の者の子会社等であるときは、株主総会参考書類には、次に掲げる事項を記載しなければならない。

一　候補者が現に当該他の者（自然人であるものに限る。）であるときは、その旨

二　候補者が現に当該他の者（当該他の者の子会社等（当該株式会社を除く。）を含む。以下この項において同じ。）の業務執行者であるときは、当該他の者における地位及び担当

三　候補者が過去十年間に当該他の者の業務執行者であったことを当該株式会社が知っているときは、当該他の者における地位及び担当

4　第一項に規定する場合において、候補者が社外監査役候補者であるときは、株主総会参考書類には、次に掲げる事項（株式会社が公開会社でない場合にあっては、第三号から第七号までに掲げる事項を除く。）を記載しなければならない。

一　当該候補者が社外監査役候補者である旨

二　当該候補者を社外監査役候補者とした理由

三　当該候補者が現に当該株式会社の社外監査役（社外役員に限る。以下この項において同じ。）である場合において、当該候補者が最後に選任された後在任中に当該株式会社において法令又は定款に違反する事実その他不正な業務の執行が行われた事実（重要でないものを除く。）があるときは、その事実並びに当該事実の発生の予防のために当該候補者が行った行為及び当該事実の発生後の対応として行った行為の概要

四　当該候補者が過去五年間に他の株式会社の取締役、執行役又は監査役に就任していた場合において、その在任中に当該他の株式会社において法令又は定款に違反する事実その他不正な業務の執行が行われた事実があることを当該株式会社が知ってい

るときは、その事実（重要でないものを除き、当該候補者が当該他の株式会社における社外取締役（社外役員に限る。次号において同じ。）又は監査役であったときは、当該事実の発生の予防のために当該候補者が行った行為及び当該事実の発生後の対応として行った行為の概要を含む。）

五　当該候補者が過去に社外取締役又は社外監査役となること以外の方法で会社（外国会社を含む。）の経営に関与していない者であるときは、当該経営に関与したことがない候補者であっても社外監査役としての職務を適切に遂行することができるものと当該株式会社が判断した理由

六　当該候補者が次のいずれかに該当することを当該株式会社が知っているときは、その旨

イ　過去に当該株式会社又はその子会社の業務執行者又は役員（業務執行者であるものを除く。ハ及びホ(2)において同じ。）であったことがあること。

ロ　当該株式会社の親会社等（自然人であるものに限る。ロ及びホ(1)において同じ。）であり、又は過去十年間に当該株式会社の親会社等であったことがあること。

ハ　当該株式会社の特定関係事業者の業務執行者若しくは役員であり、又は過去十年間に当該株式会社の特定関係事業者（当該株式会社の子会社を除く。）の業務執行者若しくは役員であったことがあること。

ニ　当該株式会社又は当該株式会社の特定関係事業者から多額の金銭その他の財産（これらの者の監査役としての報酬等を除く。）を受ける予定があり、又は過去二年間に受けていたこと。

ホ　次に掲げる者の配偶者、三親等以内の親族その他これに準ずる者であること（重要でないものを除く。）。

(1)　当該株式会社の親会社等

(2)　当該株式会社又は当該株式会社の特定関係事業者の業務執行者又は役員

へ　過去二年間に合併等により他の株式会社がその事業に関して有する権利義務を当該株式会社が承継又は譲受けをした場合において、当該合併等の直前に当該株式会社の社外監査役でなく、かつ、当該他の株式会社の業務執行者であったこと。

七　当該候補者が現に当該株式会社の監査役であるときは、監査役に就任してからの年数

八　前各号に掲げる事項に関する記載についての当該候補者の意見があるときは、その意見の内容

（会計監査人の選任に関する議案）

第七十七条　取締役が会計監査人の選任に関する議案を提出する場合には、株主総会参考書類には、次に掲げる事項を記載しなければならない。

一　次のイ又はロに掲げる場合の区分に応じ、当該イ又はロに定める事項

イ　候補者が公認会計士である場合　その氏名、事務所の所在場所、生年月日及び略歴

ロ　候補者が監査法人である場合　その名称、主たる事務所の所在場所及び沿革

二　就任の承諾を得ていないときは、その旨

三　監査役（監査役会設置会社にあっては監査役会、監査等委員会設置会社にあっては監査等委員会、指名委員会等設置会社にあっては監査委員会）が当該候補者を会計監査人の候補者とした理由

四　法第三百四十五条第五項において準用する同条第一項の規定による会計監査人の意見があるときは、その意見の内容の概要

五　候補者と当該株式会社との間で法第四百二十七条第一項の契約を締結しているとき又は当該契約を締結する予定があるときは、その契約の内容の概要

六　候補者と当該株式会社との間で補償契約を締結しているとき

又は補償契約を締結する予定があるときは、その補償契約の内容の概要
七　候補者を被保険者とする役員等賠償責任保険契約を締結しているとき又は当該役員等賠償責任保険契約を締結する予定があるときは、その役員等賠償責任保険契約の内容の概要
八　当該候補者が現に業務の停止の処分を受け、その停止の期間を経過しない者であるときは、当該処分に係る事項
九　当該候補者が過去二年間に業務の停止の処分を受けた者である場合における当該処分に係る事項のうち、当該株式会社が株主総会参考書類に記載することが適切であるものと判断した事項
十　株式会社が公開会社である場合において、当該候補者が次のイ又はロに掲げる場合の区分に応じ、当該イ又はロに定めるものから多額の金銭その他の財産上の利益（これらの者から受ける会計監査人（法以外の法令の規定によるこれに相当するものを含む。）としての報酬等及び公認会計士法第二条第一項に規定する業務の対価を除く。）を受ける予定があるとき又は過去二年間に受けていたときは、その内容
イ　当該株式会社に親会社等がある場合　当該株式会社、当該親会社等又は当該親会社等の子会社等（当該株式会社を除く。）若しくは関連会社（当該親会社等が会社でない場合におけるその関連会社に相当するものを含む。）
ロ　当該株式会社に親会社等がない場合　当該株式会社又は当該株式会社の子会社若しくは関連会社

（取締役の解任に関する議案）
第七十八条　取締役が取締役（株式会社が監査等委員会設置会社である場合にあっては、監査等委員である取締役を除く。第一号において同じ。）の解任に関する議案を提出する場合には、株主総会参考書類には、次に掲げる事項を記載しなければならない。
一　取締役の氏名
二　解任の理由
三　株式会社が監査等委員会設置会社である場合において、法第三百四十二条の二第四項の規定による監査等委員会の意見があるときは、その意見の内容の概要

（監査等委員である取締役の解任に関する議案）
第七十八条の二　取締役が監査等委員である取締役の解任に関する議案を提出する場合には、株主総会参考書類には、次に掲げる事項を記載しなければならない。
一　監査等委員である取締役の氏名
二　解任の理由
三　法第三百四十二条の二第一項の規定による監査等委員である取締役の意見があるときは、その意見の内容の概要

（会計参与の解任に関する議案）
第七十九条　取締役が会計参与の解任に関する議案を提出する場合には、株主総会参考書類には、次に掲げる事項を記載しなければならない。
一　会計参与の氏名又は名称
二　解任の理由
三　法第三百四十五条第一項の規定による会計参与の意見があるときは、その意見の内容の概要

（監査役の解任に関する議案）
第八十条　取締役が監査役の解任に関する議案を提出する場合には、株主総会参考書類には、次に掲げる事項を記載しなければならない。
一　監査役の氏名
二　解任の理由
三　法第三百四十五条第四項において準用する同条第一項の規定による監査役の意見があるときは、その意見の内容の概要

（会計監査人の解任又は不再任に関する議案）
第八十一条　取締役が会計監査人の解任又は不再任に関する議案を

提出する場合には、株主総会参考書類には、次に掲げる事項を記載しなければならない。
一　会計監査人の氏名又は名称
二　監査役（監査役会設置会社にあっては監査役会、監査等委員会設置会社にあっては監査等委員会、指名委員会等設置会社にあっては監査委員会）が議案の内容を決定した理由
三　法第三百四十五条第五項において準用する同条第一項の規定による会計監査人の意見があるときは、その意見の内容の概要

（取締役の報酬等に関する議案）
第八十二条　取締役が取締役（株式会社が監査等委員会設置会社である場合にあっては、監査等委員である取締役を除く。以下この項及び第三項において同じ。）の報酬等に関する議案を提出する場合には、株主総会参考書類には、次に掲げる事項を記載しなければならない。
一　法第三百六十一条第一項各号に掲げる事項の算定の基準
二　議案が既に定められている法第三百六十一条第一項各号に掲げる事項を変更するものであるときは、変更の理由
三　議案が二以上の取締役についての定めであるときは、当該定めに係る取締役の員数
四　議案が退職慰労金に関するものであるときは、退職する各取締役の略歴
五　株式会社が監査等委員会設置会社である場合において、法第三百六十一条第六項の規定による監査等委員会の意見があるときは、その意見の内容の概要
2　前項第四号に規定する場合において、議案が一定の基準に従い退職慰労金の額を決定することを取締役、監査役その他の第三者に一任するものであるときは、株主総会参考書類には、当該一定の基準の内容を記載しなければならない。ただし、各株主が当該基準を知ることができるようにするための適切な措置を講じている場合は、この限りでない。
3　第一項に規定する場合において、株式会社が公開会社であり、かつ、取締役の一部が社外取締役（監査等委員であるものを除き、社外役員に限る。以下この項において同じ。）であるときは、株主総会参考書類には、第一項第一号から第三号までに掲げる事項のうち社外取締役に関するものは、社外取締役以外の取締役と区別して記載しなければならない。

（監査等委員である取締役の報酬等に関する議案）
第八十二条の二　取締役が監査等委員である取締役の報酬等に関する議案を提出する場合には、株主総会参考書類には、次に掲げる事項を記載しなければならない。
一　法第三百六十一条第一項各号に掲げる事項の算定の基準
二　議案が既に定められている法第三百六十一条第一項各号に掲げる事項を変更するものであるときは、変更の理由
三　議案が二以上の監査等委員である取締役についての定めであるときは、当該定めに係る監査等委員である取締役の員数
四　議案が退職慰労金に関するものであるときは、退職する各監査等委員である取締役の略歴
五　法第三百六十一条第五項の規定による監査等委員である取締役の意見があるときは、その意見の内容の概要
2　前項第四号に規定する場合において、議案が一定の基準に従い退職慰労金の額を決定することを取締役その他の第三者に一任するものであるときは、株主総会参考書類には、当該一定の基準の内容を記載しなければならない。ただし、各株主が当該基準を知ることができるようにするための適切な措置を講じている場合は、この限りでない。

（会計参与の報酬等に関する議案）
第八十三条　取締役が会計参与の報酬等に関する議案を提出する場合には、株主総会参考書類には、次に掲げる事項を記載しなければならない。
一　法第三百七十九条第一項に規定する事項の算定の基準

二　議案が既に定められている法第三百七十九条第一項に規定する事項を変更するものであるときは、変更の理由
三　議案が二以上の会計参与についての定めであるときは、当該定めに係る会計参与の員数
四　議案が退職慰労金に関するものであるときは、退職する各会計参与の略歴
五　法第三百七十九条第三項の規定による会計参与の意見があるときは、その意見の内容の概要

2　前項第四号に規定する場合において、議案が一定の基準に従い退職慰労金の額を決定することを取締役、監査役その他の第三者に一任するものであるときは、株主総会参考書類には、当該一定の基準の内容を記載しなければならない。ただし、各株主が当該基準を知ることができるようにするための適切な措置を講じている場合は、この限りでない。

（監査役の報酬等に関する議案）

第八十四条　取締役が監査役の報酬等に関する議案を提出する場合には、株主総会参考書類には、次に掲げる事項を記載しなければならない。
一　法第三百八十七条第一項に規定する事項の算定の基準
二　議案が既に定められている法第三百八十七条第一項に規定する事項を変更するものであるときは、変更の理由
三　議案が二以上の監査役についての定めであるときは、当該定めに係る監査役の員数
四　議案が退職慰労金に関するものであるときは、退職する各監査役の略歴
五　法第三百八十七条第三項の規定による監査役の意見があるときは、その意見の内容の概要

2　前項第四号に規定する場合において、議案が一定の基準に従い退職慰労金の額を決定することを取締役、監査役その他の第三者に一任するものであるときは、株主総会参考書類には、当該一定の基準の内容を記載しなければならない。ただし、各株主が当該基準を知ることができるようにするための適切な措置を講じている場合は、この限りでない。

（責任免除を受けた役員等に対し退職慰労金等を与える議案等）

第八十四条の二　次の各号に掲げる場合において、取締役が法第四百二十五条第四項（法第四百二十六条第八項及び第四百二十七条第五項において準用する場合を含む。）に規定する承認の決議に関する議案を提出するときは、株主総会参考書類には、責任を免除し、又は責任を負わないとされた役員等が得る第百十四条各号に規定する額及び当該役員等に与える第百十五条各号に規定するものの内容を記載しなければならない。
一　法第四百二十五条第一項に規定する決議に基づき役員等の責任を免除した場合
二　法第四百二十六条第一項の規定による定款の定めに基づき役員等の責任を免除した場合
三　法第四百二十七条第一項の契約によって同項に規定する限度を超える部分について同項に規定する非業務執行取締役等が損害を賠償する責任を負わないとされた場合

第八十五条　取締役が計算関係書類の承認に関する議案を提出する場合において、次の各号に掲げるときは、株主総会参考書類には、当該各号に定める事項を記載しなければならない。
一　法第三百九十八条第一項の規定による会計監査人の意見がある場合　その意見の内容
二　株式会社が取締役会設置会社である場合において、取締役会の意見があるとき　その意見の内容の概要

第八十五条の二　取締役が全部取得条項付種類株式の取得に関する議案を提出する場合には、株主総会参考書類には、次に掲げる事項を記載しなければならない。
一　当該全部取得条項付種類株式の取得を行う理由
二　法第百七十一条第一項各号に掲げる事項の内容

三　法第二百九十八条第一項の決定をした日における第三十三条の二第一項各号（第四号を除く。）に掲げる事項があるときは、当該事項の内容の概要

第八十五条の三　取締役が株式の併合（法第百八十二条の二第一項に規定する株式の併合をいう。第九十三条第一項第五号ロにおいて同じ。）に関する議案を提出する場合には、株主総会参考書類には、次に掲げる事項を記載しなければならない。

一　当該株式の併合を行う理由

二　法第百八十条第二項各号に掲げる事項の内容

三　法第二百九十八条第一項の決定をした日における第三十三条の九第一号及び第二号に掲げる事項があるときは、当該事項の内容の概要

（吸収合併契約の承認に関する議案）

第八十六条　取締役が吸収合併契約の承認に関する議案を提出する場合には、株主総会参考書類には、次に掲げる事項を記載しなければならない。

一　当該吸収合併を行う理由

二　吸収合併契約の内容の概要

三　当該株式会社が吸収合併消滅株式会社である場合において、法第二百九十八条第一項の決定をした日における第百八十二条第一項各号（第五号及び第六号を除く。）に掲げる事項があるときは、当該事項の内容の概要

四　当該株式会社が吸収合併存続株式会社である場合において、法第二百九十八条第一項の決定をした日における第百九十一条各号（第六号及び第七号を除く。）に掲げる事項があるときは、当該事項の内容の概要

（吸収分割契約の承認に関する議案）

第八十七条　取締役が吸収分割契約の承認に関する議案を提出する場合には、株主総会参考書類には、次に掲げる事項を記載しなければならない。

一　当該吸収分割を行う理由

二　吸収分割契約の内容の概要

三　当該株式会社が吸収分割株式会社である場合において、法第二百九十八条第一項の決定をした日における第百八十三条各号（第二号、第六号及び第七号を除く。）に掲げる事項があるときは、当該事項の内容の概要

四　当該株式会社が吸収分割承継株式会社である場合において、法第二百九十八条第一項の決定をした日における第百九十二条各号（第二号、第七号及び第八号を除く。）に掲げる事項があるときは、当該事項の内容の概要

（株式交換契約の承認に関する議案）

第八十八条　取締役が株式交換契約の承認に関する議案を提出する場合には、株主総会参考書類には、次に掲げる事項を記載しなければならない。

一　当該株式交換を行う理由

二　株式交換契約の内容の概要

三　当該株式会社が株式交換完全子会社である場合において、法第二百九十八条第一項の決定をした日における第百八十四条第一項各号（第五号及び第六号を除く。）に掲げる事項があるときは、当該事項の内容の概要

四　当該株式会社が株式交換完全親株式会社である場合において、法第二百九十八条第一項の決定をした日における第百九十三条各号（第五号及び第六号を除く。）に掲げる事項があるときは、当該事項の内容の概要

（新設合併契約の承認に関する議案）

第八十九条　取締役が新設合併契約の承認に関する議案を提出する場合には、株主総会参考書類には、次に掲げる事項を記載しなければならない。

一　当該新設合併を行う理由

二　新設合併契約の内容の概要

三　当該株式会社が新設合併消滅株式会社である場合において、法第二百九十八条第一項の決定をした日における第二百四条各号（第六号及び第七号を除く。）に掲げる事項があるときは、当該事項の内容の概要
四　新設合併設立株式会社の取締役となる者（新設合併設立株式会社が監査等委員会設置会社である場合にあっては、当該新設合併設立株式会社の監査等委員である取締役となる者を除く。）についての第七十四条に規定する事項
五　新設合併設立株式会社が監査等委員会設置会社であるときは、当該新設合併設立株式会社の監査等委員である取締役となる者についての第七十四条の三に規定する事項
六　新設合併設立株式会社が会計参与設置会社であるときは、当該新設合併設立株式会社の会計参与となる者についての第七十五条に規定する事項
七　新設合併設立株式会社が監査役設置会社（監査役の監査の範囲を会計に関するものに限定する旨の定款の定めがある株式会社を含む。）であるときは、当該新設合併設立株式会社の監査役となる者についての第七十六条に規定する事項
八　新設合併設立株式会社が会計監査人設置会社であるときは、当該新設合併設立株式会社の会計監査人となる者についての第七十七条に規定する事項

（新設分割計画の承認に関する議案）
第九十条　取締役が新設分割計画の承認に関する議案を提出する場合には、株主総会参考書類には、次に掲げる事項を記載しなければならない。
一　当該新設分割を行う理由
二　新設分割計画の内容の概要
三　当該株式会社が新設分割株式会社である場合において、法第二百九十八条第一項の決定をした日における第二百五条各号（第七号及び第八号を除く。）に掲げる事項があるときは、当該事項の内容の概要

（株式移転計画の承認に関する議案）
第九十一条　取締役が株式移転計画の承認に関する議案を提出する場合には、株主総会参考書類には、次に掲げる事項を記載しなければならない。
一　当該株式移転を行う理由
二　株式移転計画の内容の概要
三　当該株式会社が株式移転完全子会社である場合において、法第二百九十八条第一項の決定をした日における第二百六条各号（第五号及び第六号を除く。）に掲げる事項があるときは、当該事項の内容の概要
四　株式移転設立完全親会社の取締役となる者（株式移転設立完全親会社が監査等委員会設置会社である場合にあっては、当該株式移転設立完全親会社の監査等委員である取締役となる者を除く。）についての第七十四条に規定する事項
五　株式移転設立完全親会社が監査等委員会設置会社であるときは、当該株式移転設立完全親会社の監査等委員である取締役となる者についての第七十四条の三に規定する事項
六　株式移転設立完全親会社が会計参与設置会社であるときは、当該株式移転設立完全親会社の会計参与となる者についての第七十五条に規定する事項
七　株式移転設立完全親会社が監査役設置会社（監査役の監査の範囲を会計に関するものに限定する旨の定款の定めがある株式会社を含む。）であるときは、当該株式移転設立完全親会社の監査役となる者についての第七十六条に規定する事項
八　株式移転設立完全親会社が会計監査人設置会社であるときは、当該株式移転設立完全親会社の会計監査人となる者についての第七十七条に規定する事項

（株式交付計画の承認に関する議案）
第九十一条の二　取締役が株式交付計画の承認に関する議案を提出

する場合には、株主総会参考書類には、次に掲げる事項を記載しなければならない。

一　当該株式交付を行う理由

二　株式交付計画の内容の概要

三　当該株式会社が株式交付親会社である場合において、法第二百九十八条第一項の決定をした日における第二百十三条の二各号（第六号及び第七号を除く。）に掲げる事項があるときは、当該事項の内容の概要

（事業譲渡等に係る契約の承認に関する議案）

第九十二条　取締役が事業譲渡等に係る契約の承認に関する議案を提出する場合には、株主総会参考書類には、次に掲げる事項を記載しなければならない。

一　当該事業譲渡等を行う理由

二　当該事業譲渡等に係る契約の内容の概要

三　当該契約に基づき当該株式会社が受け取る対価又は契約の相手方に交付する対価の算定の相当性に関する事項の概要

第九十三条　議案が株主の提出に係るものである場合には、株主総会参考書類には、次に掲げる事項（第三号から第五号までに掲げる事項が株主総会参考書類にその全部を記載することが適切でない程度の多数の文字、記号その他のものをもって構成されている場合（株式会社がその全部を記載することが適切であるものとして定めた分量を超える場合を含む。）にあっては、当該事項の概要）を記載しなければならない。

一　議案が株主の提出に係るものである旨

二　議案に対する取締役（取締役会設置会社である場合にあっては、取締役会）の意見があるときは、その意見の内容

三　株主が法第三百五条第一項の規定による請求に際して提案の理由（当該提案の理由が明らかに虚偽である場合又は専ら人の名誉を侵害し、若しくは侮辱する目的によるものと認められる場合における当該提案の理由を除く。）を株式会社に対して通知したときは、その理由

四　議案が次のイからホまでに掲げる者の選任に関するものである場合において、株主が法第三百五条第一項の規定による請求に際して当該イからホまでに定める事項（当該事項が明らかに虚偽である場合における当該事項を除く。）を株式会社に対して通知したときは、その内容

イ　取締役（株式会社が監査等委員会設置会社である場合にあっては、監査等委員である取締役を除く。）　第七十四条に規定する事項

ロ　監査等委員である取締役　第七十四条の三に規定する事項

ハ　会計参与　第七十五条に規定する事項

ニ　監査役　第七十六条に規定する事項

ホ　会計監査人　第七十七条に規定する事項

五　議案が次のイ又はロに掲げる事項に関するものである場合において、株主が法第三百五条第一項の規定による請求に際して当該イ又はロに定める事項（当該事項が明らかに虚偽である場合における当該事項を除く。）を株式会社に対して通知したときは、その内容

イ　全部取得条項付種類株式の取得　第八十五条の二に規定する事項

ロ　株式の併合　第八十五条の三に規定する事項

2　二以上の株主から同一の趣旨の議案が提出されている場合には、株主総会参考書類には、その議案及びこれに対する取締役（取締役会設置会社である場合にあっては、取締役会）の意見の内容は、各別に記載することを要しない。ただし、二以上の株主から同一の趣旨の提案があった旨を記載しなければならない。

3　二以上の株主から同一の趣旨の提案が提出されている場合には、株主総会参考書類には、その提案の理由は、各別に記載することを要しない。

第九十四条　株主総会参考書類に記載すべき事項（次に掲げるもの

を除く。）に係る情報を、当該株主総会に係る招集通知を発出する時から当該株主総会の日から三箇月が経過する日までの間、継続して電磁的方法により株主が提供を受けることができる状態に置く措置（第二百二十二条第一項第一号ロに掲げる方法のうち、インターネットに接続された自動公衆送信装置（公衆の用に供する電気通信回線に接続することにより、その記録媒体のうち自動公衆送信の用に供する部分に記録され、又は当該装置に入力される情報を自動公衆送信する機能を有する装置をいう。以下同じ。）を使用する方法によって行われるものに限る。第三項において同じ。）をとる場合には、当該事項は、当該事項を記載した株主総会参考書類を株主に対して提供したものとみなす。ただし、この項の措置をとる旨の定款の定めがある場合に限る。

一　議案

二　第百三十三条第三項第一号に掲げる事項を株主総会参考書類に記載することとしている場合における当該事項

三　次項の規定により株主総会参考書類に記載すべき事項

四　株主総会参考書類に記載すべき事項（前各号に掲げるものを除く。）につきこの項の措置をとることについて監査役、監査等委員会又は監査委員会が異議を述べている場合における当該事項

2　前項の場合には、株主に対して提供する株主総会参考書類に、同項の措置をとるために使用する自動公衆送信装置のうち当該措置をとるための用に供する部分をインターネットにおいて識別するための文字、記号その他の符号又はこれらの結合であって、情報の提供を受ける者がその使用に係る電子計算機に入力することによって当該情報の内容を閲覧し、当該電子計算機に備えられたファイルに当該情報を記録することができるものを記載しなければならない。

3　第一項の規定は、同項各号に掲げる事項に係る情報についても、電磁的方法により株主が提供を受けることができる状態に置く措置をとることを妨げるものではない。

第三百二条　取締役は、第二百九十八条第一項第四号に掲げる事項を定めた場合には、第二百九十九条第一項の通知に際して、法務省令で定めるところにより、株主に対し、株主総会参考書類を交付しなければならない。

2　取締役は、第二百九十九条第三項の承諾をした株主に対し同項の電磁的方法による通知を発するときは、前項の規定による株主総会参考書類の交付に代えて、当該株主総会参考書類に記載すべき事項を電磁的方法により提供することができる。ただし、株主の請求があったときは、株主総会参考書類を当該株主に交付しなければならない。

3　取締役は、第一項に規定する場合には、第二百九十九条第三項の承諾をした株主に対する同項の電磁的方法による通知に際して、法務省令で定めるところにより、株主に対し、議決権行使書面に記載すべき事項を当該電磁的方法により提供しなければならない。

4　取締役は、第一項に規定する場合において、第二百九十九条第三項の承諾をしていない株主から株主総会の日の一週間前までに議決権行使書面に記載すべき事項の電磁的方法による提供の請求があったときは、法務省令で定めるところにより、直ちに、当該株主に対し、当該事項を電磁的方法により提供しなければならない。

【会社法施行規則】

※　株主総会参考書類の記載事項については、三〇一条参照

（株主総会参考書類）

第六十五条　法第三百一条第一項又は第三百二条第一項の規定により交付すべき株主総会参考書類に記載すべき事項は、次款〔第七三条―第九四条〕の定めるところによる。

2　法第二百九十八条第一項第三号及び第四号に掲げる事項を定めた株式会社が行った株主総会参考書類の交付（当該交付に代えて行う電磁的方法による提供を含む。）は、法第三百一条第一項及び

第三百二条第一項の規定による株主総会参考書類の交付とする。

3　取締役は、株主総会参考書類に記載すべき事項について、招集通知（法第二百九十九条第二項又は第三項の規定による通知をいう。以下この節〔第六三条―第九五条〕において同じ。）を発出した日から株主総会の前日までの間に修正をすべき事情が生じた場合における修正後の事項を株主に周知させる方法を、当該招集通知と併せて通知することができる。

（議決権行使書面）

第六十六条　法第三百一条第一項の規定により交付すべき議決権行使書面に記載すべき事項又は法第三百二条第三項若しくは第四項の規定により電磁的方法により提供すべき議決権行使書面に記載すべき事項は、次に掲げる事項とする。

一　各議案（次のイからハまでに掲げる場合にあっては、当該イからハまでに定めるもの）についての賛否（棄権の欄を設ける場合にあっては、棄権を含む。）を記載する欄

イ　二以上の役員等の選任に関する議案である場合　各候補者の選任

ロ　二以上の役員等の解任に関する議案である場合　各役員等の解任

ハ　二以上の会計監査人の不再任に関する議案である場合　各会計監査人の不再任

二　第六十三条第三号ニに掲げる事項についての定めがあるときは、第一号の欄に記載がない議決権行使書面が株式会社に提出された場合における各議案についての賛成、反対又は棄権のいずれかの意思の表示があったものとする取扱いの内容

三　第六十三条第三号ヘ又は第四号ロに掲げる事項についての定めがあるときは、当該事項

四　議決権の行使の期限

五　議決権を行使すべき株主の氏名又は名称及び行使することができる議決権の数（次のイ又はロに掲げる場合にあっては、当該イ又はロに定める事項を含む。）

イ　議案ごとに当該株主が行使することができる議決権の数が異なる場合　議案ごとの議決権の数

ロ　一部の議案につき議決権を行使することができない場合　議決権を行使することができる議案又は議決権を行使することができない議案

2　第六十三条第四号イに掲げる事項についての定めがある場合には、株式会社は、法第二百九十九条第三項の承諾をした株主の請求があった時に、当該株主に対して、法第三百一条第一項の規定による議決権行使書面の交付（当該交付に代えて行う同条第二項の規定による電磁的方法による提供を含む。）をしなければならない。

3　同一の株主総会に関して株主に対して提供する招集通知の内容とすべき事項のうち、議決権行使書面に記載している事項がある場合には、当該事項は、招集通知の内容とすることを要しない。

4　同一の株主総会に関して株主に対して提供する議決権行使書面に記載すべき事項（第一項第二号から第四号までに掲げる事項に限る。）のうち、招集通知の内容としている事項がある場合には、当該事項は、議決権行使書面に記載することを要しない。

〔施行　会社法の一部を改正する法律（令和元年法律第七十号）附則第一条ただし書に規定する規定の施行の日〕〔第三項を加える〕

（議決権行使書面）

第六十六条　（省略）

2　（省略）

3　第六十三条第四号ハに掲げる事項についての定めがある場合には、株式会社は、法第二百九十九条第三項の承諾をした株主の請求があった時に、議決権行使書面に記載すべき事項に係る情報について電子提供措置をとらなければならない。ただし、当該株主に対して、法第三百二十五条の三第二項の規定による議決権行使書面の交

付をする場合は、この限りでない。

4・5　（省略）

（株主提案権）

第三百三条　株主は、取締役に対し、一定の事項（当該株主が議決権を行使することができる事項に限る。次項において同じ。）を株主総会の目的とすることを請求することができる。

2　前項の規定にかかわらず、取締役会設置会社においては、総株主の議決権の百分の一（これを下回る割合を定款で定めた場合にあっては、その割合）以上の議決権又は三百個（これを下回る数を定款で定めた場合にあっては、その個数）以上の議決権を六箇月（これを下回る期間を定款で定めた場合にあっては、その期間）前から引き続き有する株主に限り、取締役に対し、一定の事項を株主総会の目的とすることを請求することができる。この場合において、その請求は、株主総会の日の八週間（これを下回る期間を定款で定めた場合にあっては、その期間）前までにしなければならない。

3　公開会社でない取締役会設置会社における前項の規定の適用については、同項中「六箇月（これを下回る期間を定款で定めた場合にあっては、その期間）前から引き続き有する」とあるのは、「有する」とする。

4　第二項の一定の事項について議決権を行使することができない株主が有する議決権の数は、同項の総株主の議決権の数に算入しない。

第三百四条　株主は、株主総会において、株主総会の目的である事項（当該株主が議決権を行使することができる事項に限る。次条第一項において同じ。）につき議案を提出することができる。ただし、当該議案が法令若しくは定款に違反する場合又は実質的に同一の議案につき株主総会において総株主（当該議案について議決権を行使することができない株主を除く。）の議決権の十分の一（これを下回る割合を定款で定めた場合にあっては、その割合）以上の賛成を得られなかった日から三年を経過していない場合は、この限りでない。

第三百五条　株主は、取締役に対し、株主総会の日の八週間（これを下回る期間を定款で定めた場合にあっては、その期間）前までに、株主総会の目的である事項につき当該株主が提出しようとする議案の要領を株主に通知すること（第二百九十九条第二項又は第三項の通知をする場合にあっては、その通知に記載し、又は記録すること）を請求することができる。ただし、取締役会設置会社においては、総株主の議決権の百分の一（これを下回る割合を定款で定めた場合にあっては、その割合）以上の議決権又は三百個（これを下回る数を定款で定めた場合にあっては、その個数）以上の議決権を六箇月（これを下回る期間を定款で定めた場合にあっては、その期間）前から引き続き有する株主に限り、当該請求をすることができる。

2　公開会社でない取締役会設置会社における前項ただし書の規定の適用については、同項ただし書中「六箇月（これを下回る期間を定款で定めた場合にあっては、その期間）前から引き続き有する」とあるのは、「有する」とする。

3　第一項の株主総会の目的である事項について議決権を行使することができない株主が有する議決権の数は、同項ただし書の総株主の議決権の数に算入しない。

4　取締役会設置会社の株主が第一項の規定による請求をする場合において、当該株主が提出しようとする議案の数が十を超えるときは、前三項の規定は、十を超える数に相当することとなる数の議案については、適用しない。この場合において、当該株主が提出しようとする次の各号に掲げる議案の数については、当該各号に定めるところによる。

一　取締役、会計参与、監査役又は会計監査人（次号において「役員等」という。）の選任に関する議案　当該議案の数にかかわらず、これを一の議案とみなす。

二　役員等の解任に関する議案　当該議案の数にかかわらず、これを一の議案とみなす。

三　会計監査人を再任しないことに関する議案　当該議案の数にかか

わらず、これを一の議案とみなす。

四　定款の変更に関する二以上の議案　当該二以上の議案について異なる議決がされたとすれば当該議決の内容が相互に矛盾する可能性がある場合には、これらを一の議案とみなす。

5　前項前段の十を超える数に相当することとなる数の議案は、取締役がこれを定める。ただし、第一項の規定による請求をした株主が当該請求と併せて当該株主が提出しようとする二以上の議案の全部又は一部につき議案相互間の優先順位を定めている場合には、取締役は、当該優先順位に従い、これを定めるものとする。

6　第一項から第三項までの規定は、第一項の議案が法令若しくは定款に違反する場合又は実質的に同一の議案につき株主総会において総株主（当該議案について議決権を行使することができない株主を除く。）の議決権の十分の一（これを下回る割合を定款で定めた場合にあっては、その割合）以上の賛成を得られなかった日から三年を経過していない場合には、適用しない。

（株主総会の招集手続等に関する検査役の選任）

第三百六条　株式会社又は総株主（株主総会において決議をすることができる事項の全部につき議決権を行使することができない株主を除く。）の議決権の百分の一（これを下回る割合を定款で定めた場合にあっては、その割合）以上の議決権を有する株主は、株主総会に係る招集の手続及び決議の方法を調査させるため、当該株主総会に先立ち、裁判所に対し、検査役の選任の申立てをすることができる。

2　公開会社である取締役会設置会社における前項の規定の適用については、同項中「株主総会において決議をすることができる事項」とあるのは「第二百九十八条第一項第二号に掲げる事項」と、「有する」とあるのは「六箇月（これを下回る期間を定款で定めた場合にあっては、その期間）前から引き続き有する」とし、公開会社でない取締役会設置会社における同項の規定の適用については、同項中「株主総会において決議をすることができる事項」とあるのは、「第二百九十八条第一項第二号に掲げる事項」とする。

3　前二項の規定による検査役の選任の申立てがあった場合には、裁判所は、これを不適法として却下する場合を除き、検査役を選任しなければならない。

4　裁判所は、前項の検査役を選任した場合には、株式会社が当該検査役に対して支払う報酬の額を定めることができる。

5　第三項の検査役は、必要な調査を行い、当該調査の結果を記載し、又は記録した書面又は電磁的記録（法務省令で定めるものに限る。）を裁判所に提供して報告をしなければならない。

6　裁判所は、前項の報告について、その内容を明瞭にし、又はその根拠を確認するため必要があると認めるときは、第三項の検査役に対し、更に前項の報告を求めることができる。

7　第三項の検査役は、第五項の報告をしたときは、株式会社（検査役の選任の申立てをした者が当該株式会社でない場合にあっては、当該株式会社及びその者）に対し、同項の書面の写しを交付し、又は同項の電磁的記録に記録された事項を法務省令で定める方法により提供しなければならない。

【会社法施行規則】

（検査役が提供する電磁的記録）

第二百二十八条　次に掲げる規定に規定する法務省令で定めるものは、商業登記規則（昭和三十九年法務省令第二十三号）第三十六条第一項に規定する電磁的記録媒体（電磁的記録に限る。）及び次に掲げる規定により電磁的記録の提供を受ける者が定める電磁的記録とする。

一～三　（略）

四　法第三百六条第五項（法第三百二十五条において準用する場合を含む。）

五　（略）

（検査役による電磁的記録に記録された事項の提供）

第二百二十九条　次に掲げる規定（以下この条において「検査役提

供規定」という。）に規定する法務省令で定める方法は、電磁的方法のうち、検査役提供規定により当該検査役提供規定の電磁的記録に記録された事項の提供を受ける者が定めるものとする。

一～三　（略）

四　法第三百六条第七項（法第三百二十五条において準用する場合を含む。）

五　（略）

（交付等の指定）

第二百三十六条　電子文書法第六条第一項の主務省令で定める交付等は、次に掲げる交付等とする。

一～十　（略）

十一　法第三百六条第七項（法第三百二十五条において準用する場合を含む。）の規定による法第三百六条第五項の書面の写しの交付等

十二～二十八　（略）

（裁判所による株主総会招集等の決定）

第三百七条　裁判所は、前条第五項の報告があった場合において、必要があると認めるときは、取締役に対し、次に掲げる措置の全部又は一部を命じなければならない。

一　一定の期間内に株主総会を招集すること。

二　前条第五項の調査の結果を株主に通知すること。

2　裁判所が前項第一号に掲げる措置を命じた場合には、取締役は、前条第五項の報告の内容を同号の株主総会において開示しなければならない。

3　前項に規定する場合には、取締役（監査役設置会社にあっては、取締役及び監査役）は、前条第五項の報告の内容を調査し、その結果を第一項第一号の株主総会に報告しなければならない。

（議決権の数）

第三百八条　株主（株式会社がその総株主の議決権の四分の一以上を有することその他の事由を通じて株式会社がその経営を実質的に支配することが可能な関係にあるものとして法務省令で定める株主を除く。）は、株主総会において、その有する株式一株につき一個の議決権を有する。ただし、単元株式数を定款で定めている場合には、一単元の株式につき一個の議決権を有する。

2　前項の規定にかかわらず、株式会社は、自己株式については、議決権を有しない。

【会社法施行規則】

（実質的に支配することが可能となる関係）

第六十七条　法第三百八条第一項に規定する法務省令で定める株主は、株式会社（当該株式会社の子会社を含む。）が、当該株式会社の株主である会社等の議決権（同項その他これに準ずる法以外の法令（外国の法令を含む。）の規定により行使することができないとされる議決権を含み、役員等（会計監査人を除く。）の選任及び定款の変更に関する議案（これらの議案に相当するものを含む。）の全部につき株主総会（これに相当するものを含む。）において議決権を行使することができない株式（これに相当するものを含む。）に係る議決権を除く。以下この条において「相互保有対象議決権」という。）の総数の四分の一以上を有する場合における当該株主であるもの（当該株主であるもの以外の者が当該株式会社の株主総会の議案につき議決権を行使することができない場合（当該議案を決議する場合に限る。）における当該株主を除く。）とする。

2　前項の場合には、株式会社及びその子会社の有する相互保有対象議決権の数並びに相互保有対象議決権の総数（以下この条において「対象議決権数」という。）は、当該株式会社の株主総会の日における対象議決権数とする。

3　前項の規定にかかわらず、特定基準日（当該株主総会において議決権を行使することができる者を定めるための法第百二十四条

> 第一項に規定する基準日をいう。以下この条において同じ。）を定めた場合には、対象議決権数は、当該特定基準日における対象議決権数とする。ただし、次の各号に掲げる場合には、当該各号に定める日における対象議決権数とする。
>
> 一　特定基準日後に当該株式会社又はその子会社が株式交換、株式移転その他の行為により相互保有対象議決権の全部を取得した場合　当該行為の効力が生じた日
>
> 二　対象議決権数の増加又は減少が生じた場合（前号に掲げる場合を除く。）において、当該増加又は減少により第一項の株主であるものが有する当該株式会社の株式につき議決権を行使できることとなること又は議決権を行使できないこととなることを特定基準日から当該株主総会についての法第二百九十八条第一項各号に掲げる事項の全部を決定した日（株式会社が当該日後の日を定めた場合にあっては、その日）までの間に当該株式会社が知ったとき　当該株式会社が知った日
>
> 4　前項第二号の規定にかかわらず、当該株式会社は、当該株主総会についての法第二百九十八条第一項各号に掲げる事項の全部を決定した日（株式会社が当該日後の日を定めた場合にあっては、その日）から当該株主総会の日までの間に生じた事項（当該株式会社が前項第二号の増加又は減少の事実を知ったことを含む。）を勘案して、対象議決権数を算定することができる。

（株主総会の決議）

第三百九条　株主総会の決議は、定款に別段の定めがある場合を除き、議決権を行使することができる株主の議決権の過半数を有する株主が出席し、出席した当該株主の議決権の過半数をもって行う。

2　前項の規定にかかわらず、次に掲げる株主総会の決議は、当該株主総会において議決権を行使することができる株主の議決権の過半数（三分の一以上の割合を定款で定めた場合にあっては、その割合以上）を有する株主が出席し、出席した当該株主の議決権の三分の二（これを上回る割合を定款で定めた場合にあっては、その割合）以上に当たる多数をもって行わなければならない。この場合においては、当該決議の要件に加えて、一定の数以上の株主の賛成を要する旨その他の要件を定款で定めることを妨げない。

一　第百四十条第二項及び第五項の株主総会

二　第百五十六条第一項の株主総会（第百六十条第一項の特定の株主を定める場合に限る。）

三　第百七十一条第一項及び第百七十五条第一項の株主総会

四　第百八十条第二項の株主総会

五　第百九十九条第二項、第二百条第一項、第二百二条第三項第四号、第二百四条第二項及び第二百五条第二項の株主総会

六　第二百三十八条第二項、第二百三十九条第一項、第二百四十一条第三項第四号、第二百四十三条第二項及び第二百四十四条第三項の株主総会

七　第三百三十九条第一項の株主総会（第三百四十二条第三項から第五項までの規定により選任された取締役（監査等委員である取締役を除く。）を解任する場合又は監査等委員である取締役若しくは監査役を解任する場合に限る。）

八　第四百二十五条第一項の株主総会

九　第四百四十七条第一項の株主総会（次のいずれにも該当する場合を除く。）

イ　定時株主総会において第四百四十七条第一項各号に掲げる事項を定めること。

ロ　第四百四十七条第一項第一号の額がイの定時株主総会の日（第四百三十九条前段に規定する場合にあっては、第四百三十六条第三項の承認があった日）における欠損の額として法務省令で定める方法により算定される額を超えないこと。

十　第四百五十四条第四項の株主総会（配当財産が金銭以外の財産であり、かつ、株主に対して同項第一号に規定する金銭分配請求権を与えないこととする場合に限る。）

十一　第六章から第八章までの規定により株主総会の決議を要する場合における当該株主総会

十二　第五編の規定により株主総会の決議を要する場合における当該株主総会

3　前二項の規定にかかわらず、次に掲げる株主総会（種類株式発行会社の株主総会を除く。）の決議は、当該株主総会において議決権を行使することができる株主の半数以上（これを上回る割合を定款で定めた場合にあっては、その割合以上）であって、当該株主の議決権の三分の二（これを上回る割合を定款で定めた場合にあっては、その割合）以上に当たる多数をもって行わなければならない。

一　その発行する全部の株式の内容として譲渡による当該株式の取得について当該株式会社の承認を要する旨の定款の定めを設ける定款の変更を行う株主総会

二　第七百八十三条第一項の株主総会（合併により消滅する株式会社又は株式交換をする株式会社が公開会社であり、かつ、当該株式会社の株主に対して交付する金銭等の全部又は一部が譲渡制限株式等（同条第三項に規定する譲渡制限株式等をいう。次号において同じ。）である場合における当該株主総会に限る。）

三　第八百四条第一項の株主総会（合併又は株式移転をする株式会社が公開会社であり、かつ、当該株式会社の株主に対して交付する金銭等の全部又は一部が譲渡制限株式等である場合における当該株主総会に限る。）

4　前三項の規定にかかわらず、第百九条第二項の規定による定款の定めについての定款の変更（当該定款の定めを廃止するものを除く。）を行う株主総会の決議は、総株主の半数以上（これを上回る割合を定款で定めた場合にあっては、その割合以上）であって、総株主の議決権の四分の三（これを上回る割合を定款で定めた場合にあっては、その割合）以上に当たる多数をもって行わなければならない。

5　取締役会設置会社においては、株主総会は、第二百九十八条第一項第二号に掲げる事項以外の事項については、決議をすることができない。ただし、第三百十六条第一項若しくは第二項に規定する者の選任又は第三百九十八条第二項の会計監査人の出席を求めることについては、この限りでない。

【会社法施行規則】

（欠損の額）

第六十八条　法第三百九条第二項第九号ロに規定する法務省令で定める方法は、次に掲げる額のうちいずれか高い額をもって欠損の額とする方法とする。

一　零

二　零から分配可能額を減じて得た額

（議決権の代理行使）

第三百十条　株主は、代理人によってその議決権を行使することができる。この場合においては、当該株主又は代理人は、代理権を証明する書面を株式会社に提出しなければならない。

2　前項の代理権の授与は、株主総会ごとにしなければならない。

3　第一項の株主又は代理人は、代理権を証明する書面の提出に代えて、政令で定めるところにより、株式会社の承諾を得て、当該書面に記載すべき事項を電磁的方法により提供することができる。この場合において、当該株主又は代理人は、当該書面を提出したものとみなす。

4　株主が第二百九十九条第三項の承諾をした者である場合には、株式会社は、正当な理由がなければ、前項の承諾をすることを拒んではならない。

5　株式会社は、株主総会に出席することができる代理人の数を制限することができる。

6　株式会社は、株主総会の日から三箇月間、代理権を証明する書面及び第三項の電磁的方法により提供された事項が記録された電磁的記録をその本店に備え置かなければならない。

7　株主（前項の株主総会において決議をした事項の全部につき議決権

を行使することができない株主を除く。次条第四項及び第三百十二条第五項において同じ。）は、株式会社の営業時間内は、いつでも、次に掲げる請求をすることができる。この場合においては、当該請求の理由を明らかにしてしなければならない。

一　代理権を証明する書面の閲覧又は謄写の請求

二　前項の電磁的記録に記録された事項を法務省令で定める方法により表示したものの閲覧又は謄写の請求

8　株式会社は、前項の請求があったときは、次のいずれかに該当する場合を除き、これを拒むことができない。

一　当該請求を行う株主（以下この項において「請求者」という。）がその権利の確保又は行使に関する調査以外の目的で請求を行ったとき。

二　請求者が当該株式会社の業務の遂行を妨げ、又は株主の共同の利益を害する目的で請求を行ったとき。

三　請求者が代理権を証明する書面の閲覧若しくは謄写又は前項第二号の電磁的記録に記録された事項を法務省令で定める方法により表示したものの閲覧若しくは謄写によって知り得た事実を利益を得て第三者に通報するため請求を行ったとき。

四　請求者が、過去二年以内において、代理権を証明する書面の閲覧若しくは謄写又は前項第二号の電磁的記録に記録された事項を法務省令で定める方法により表示したものの閲覧若しくは謄写によって知り得た事実を利益を得て第三者に通報したことがあるものであるとき。

【会社法施行令】

（書面に記載すべき事項等の電磁的方法による提供の承諾等）

第一条　次に掲げる規定に規定する事項を電磁的方法（会社法（以下「法」という。）第二条第三十四号に規定する電磁的方法をいう。以下同じ。）により提供しようとする者（次項において「提供者」という。）は、法務省令で定めるところにより、あらかじめ、当該事項の提供の相手方に対し、その用いる電磁的方法の種類及び内容を示し、書面又は電磁的方法による承諾を得なければならない。

一～五　（略）

六　法第三百十条第三項（法第三百二十五条において準用する場合を含む。）

七～十五　（略）

2　前項の規定による承諾を得た提供者は、同項の相手方から書面又は電磁的方法により電磁的方法による事項の提供を受けない旨の申出があったときは、当該相手方に対し、当該事項の提供を電磁的方法によってしてはならない。ただし、当該相手方が再び同項の規定による承諾をした場合は、この限りでない。

【会社法施行規則】

（会社法施行令に係る電磁的方法）

第二百三十条　会社法施行令（平成十七年政令第三百六十四号）第一条第一項又は第二条第一項の規定により示すべき電磁的方法の種類及び内容は、次に掲げるものとする。

一　次に掲げる方法のうち、送信者が使用するもの

イ　電子情報処理組織を使用する方法のうち次に掲げるもの

(1)　送信者の使用に係る電子計算機と受信者の使用に係る電子計算機とを接続する電気通信回線を通じて送信し、受信者の使用に係る電子計算機に備えられたファイルに記録する方法

(2)　送信者の使用に係る電子計算機に備えられたファイルに記録された情報の内容を電気通信回線を通じて情報の提供を受ける者の閲覧に供し、当該情報の提供を受ける者の使用に係る電子計算機に備えられたファイルに当該情報を記録する方法

ロ　磁気ディスクその他これに準ずる方法により一定の情報を

確実に記録しておくことができる物をもって調製するファイルに情報を記録したものを交付する方法

二　ファイルへの記録の方式

（保存の指定）

第二百三十二条　電子文書法第三条第一項の主務省令で定める保存は、次に掲げる保存とする。

一～七　（略）

八　法第三百十条第六項（法第三百二十五条において準用する場合を含む。）の規定による代理権を証明する書面の保存

九～三十六　（略）

（縦覧等の指定）

第二百三十四条　電子文書法第五条第一項の主務省令で定める縦覧等は、次に掲げる縦覧等とする。

一～十九　（略）

二十　法第三百十条第七項第一号（法第三百二十五条において準用する場合を含む。）の規定による代理権を証する書面の縦覧等

二十一～五十四　（略）

（電磁的記録に記録された事項を表示する方法）

第二百二十六条　次に掲げる規定に規定する法務省令で定める方法は、次に掲げる規定の電磁的記録に記録された事項を紙面又は映像面に表示する方法とする。

一～十四　（略）

十五　法第三百十条第七項第二号（法第三百二十五条において準用する場合を含む。）

十六～四十三　（略）

（書面による議決権の行使）

第三百十一条　書面による議決権の行使は、議決権行使書面に必要な事項を記載し、法務省令で定める時までに当該記載をした議決権行使書面を株式会社に提出して行う。

2　前項の規定により書面によって行使した議決権の数は、出席した株主の議決権の数に算入する。

3　株式会社は、株主総会の日から三箇月間、第一項の規定により提出された議決権行使書面をその本店に備え置かなければならない。

4　株主は、株式会社の営業時間内は、いつでも、第一項の規定により提出された議決権行使書面の閲覧又は謄写の請求をすることができる。この場合においては、当該請求の理由を明らかにしてしなければならない。

5　株式会社は、前項の請求があったときは、次のいずれかに該当する場合を除き、これを拒むことができない。

一　当該請求を行う株主（以下この項において「請求者」という。）がその権利の確保又は行使に関する調査以外の目的で請求を行ったとき。

二　請求者が当該株式会社の業務の遂行を妨げ、又は株主の共同の利益を害する目的で請求を行ったとき。

三　請求者が第一項の規定により提出された議決権行使書面の閲覧又は謄写によって知り得た事実を利益を得て第三者に通報するため請求を行ったとき。

四　請求者が、過去二年以内において、第一項の規定により提出された議決権行使書面の閲覧又は謄写によって知り得た事実を利益を得て第三者に通報したことがあるものであるとき。

【会社法施行規則】

（書面による議決権行使の期限）

第六十九条　法第三百十一条第一項に規定する法務省令で定める時は、株主総会の日時の直前の営業時間の終了時（第六十三条第三号ロに掲げる事項についての定めがある場合にあっては、同号ロの特定の時）とする。

（保存の指定）

第二百三十二条　電子文書法第三条第一項の主務省令で定める保存

は、次に掲げる保存とする。
一～八　（略）
九　法第三百十一条第三項（法第三百二十五条において準用する場合を含む。）の規定による議決権行使書面（法第三百一条第一項に規定する議決権行使書面をいう。）の保存
十～三十六　（略）

（縦覧等の指定）
第二百三十四条　電子文書法第五条第一項の主務省令で定める縦覧等は、次に掲げる縦覧等とする。
一～二十　（略）
二十一　法第三百十一条第四項（法第三百二十五条において準用する場合を含む。）の規定による議決権行使書面（法第三百一条第一項に規定する議決権行使書面をいう。）の縦覧等
二十二～五十四　（略）

（電磁的方法による議決権の行使）
第三百十二条　電磁的方法による議決権の行使は、政令で定めるところにより、株式会社の承諾を得て、法務省令で定める時までに議決権行使書面に記載すべき事項を、電磁的方法により当該株式会社に提供して行う。
2　株主が第二百九十九条第三項の承諾をした者である場合には、株式会社は、正当な理由がなければ、前項の承諾をすることを拒んではならない。
3　第一項の規定により電磁的方法によって行使した議決権の数は、出席した株主の議決権の数に算入する。
4　株式会社は、株主総会の日から三箇月間、第一項の規定により提供された事項を記録した電磁的記録をその本店に備え置かなければならない。
5　株主は、株式会社の営業時間内は、いつでも、前項の電磁的記録に記録された事項を法務省令で定める方法により表示したものの閲覧又は謄写の請求をすることができる。この場合においては、当該請求の理由を明らかにしてしなければならない。
6　株式会社は、前項の請求があったときは、次のいずれかに該当する場合を除き、これを拒むことができない。
一　当該請求を行う株主（以下この項において「請求者」という。）がその権利の確保又は行使に関する調査以外の目的で請求を行ったとき。
二　請求者が当該株式会社の業務の遂行を妨げ、又は株主の共同の利益を害する目的で請求を行ったとき。
三　請求者が前項の電磁的記録に記録された事項を法務省令で定める方法により表示したものの閲覧又は謄写によって知り得た事実を利益を得て第三者に通報するため請求を行ったとき。
四　請求者が、過去二年以内において、前項の電磁的記録に記録された事項を法務省令で定める方法により表示したものの閲覧又は謄写によって知り得た事実を利益を得て第三者に通報したことがあるものであるとき。

【会社法施行令】
（書面に記載すべき事項等の電磁的方法による提供の承諾等）
第一条　次に掲げる規定に規定する事項を電磁的方法（会社法（以下「法」という。）第二条第三十四号に規定する電磁的方法をいう。以下同じ。）により提供しようとする者（次項において「提供者」という。）は、法務省令で定めるところにより、あらかじめ、当該事項の提供の相手方に対し、その用いる電磁的方法の種類及び内容を示し、書面又は電磁的方法による承諾を得なければならない。
一～六　（略）
七　法第三百十二条第一項（法第三百二十五条において準用する場合を含む。）
八～十五（略）
2　前項の規定による承諾を得た提供者は、同項の相手方から書面

又は電磁的方法により電磁的方法による事項の提供を受けない旨の申出があったときは、当該相手方に対し、当該事項の提供を電磁的方法によってしてはならない。ただし、当該相手方が再び同項の規定による承諾をした場合は、この限りでない。

【会社法施行規則】

（会社法施行令に係る電磁的方法）

第二百三十条　会社法施行令（平成十七年政令第三百六十四号）第一条第一項又は第二条第一項の規定により示すべき電磁的方法の種類及び内容は、次に掲げるものとする。

一　次に掲げる方法のうち、送信者が使用するもの

イ　電子情報処理組織を使用する方法のうち次に掲げるもの

(1)　送信者の使用に係る電子計算機と受信者の使用に係る電子計算機とを接続する電気通信回線を通じて送信し、受信者の使用に係る電子計算機に備えられたファイルに記録する方法

(2)　送信者の使用に係る電子計算機に備えられたファイルに記録された情報の内容を電気通信回線を通じて情報の提供を受ける者の閲覧に供し、当該情報の提供を受ける者の使用に係る電子計算機に備えられたファイルに当該情報を記録する方法

ロ　磁気ディスクその他これに準ずる方法により一定の情報を確実に記録しておくことができる物をもって調製するファイルに情報を記録したものを交付する方法

二　ファイルへの記録の方式

（電磁的方法による議決権行使の期限）

第七十条　法第三百十二条第一項に規定する法務省令で定める時は、株主総会の日時の直前の営業時間の終了時（第六十三条第三号ハに掲げる事項についての定めがある場合にあっては、同号ハの特定の時）とする。

（電磁的記録に記録された事項を表示する方法）

第二百二十六条　次に掲げる規定に規定する法務省令で定める方法は、次に掲げる規定の電磁的記録に記録された事項を紙面又は映像面に表示する方法とする。

一～十五　（略）

十六　法第三百十二条第五項（法第三百二十五条において準用する場合を含む。）

十七～四十三　（略）

（議決権の不統一行使）

第三百十三条　株主は、その有する議決権を統一しないで行使することができる。

2　取締役会設置会社においては、前項の株主は、株主総会の日の三日前までに、取締役会設置会社に対してその有する議決権を統一しないで行使する旨及びその理由を通知しなければならない。

3　株式会社は、第一項の株主が他人のために株式を有する者でないときは、当該株主が同項の規定によりその有する議決権を統一しないで行使することを拒むことができる。

（取締役等の説明義務）

第三百十四条　取締役、会計参与、監査役及び執行役は、株主総会において、株主から特定の事項について説明を求められた場合には、当該事項について必要な説明をしなければならない。ただし、当該事項が株主総会の目的である事項に関しないものである場合、その説明をすることにより株主の共同の利益を著しく害する場合その他正当な理由がある場合として法務省令で定める場合は、この限りでない。

【会社法施行規則】

（取締役等の説明義務）

第七十一条　法第三百十四条に規定する法務省令で定める場合は、

次に掲げる場合とする。
一　株主が説明を求めた事項について説明をするために調査をすることが必要である場合（次に掲げる場合を除く。）
イ　当該株主が株主総会の日より相当の期間前に当該事項を株式会社に対して通知した場合
ロ　当該事項について説明をするために必要な調査が著しく容易である場合
二　株主が説明を求めた事項について説明をすることにより株式会社その他の者（当該株主を除く。）の権利を侵害することとなる場合
三　株主が当該株主総会において実質的に同一の事項について繰り返して説明を求める場合
四　前三号に掲げる場合のほか、株主が説明を求めた事項について説明をしないことにつき正当な理由がある場合

（議長の権限）
第三百十五条　株主総会の議長は、当該株主総会の秩序を維持し、議事を整理する。
2　株主総会の議長は、その命令に従わない者その他当該株主総会の秩序を乱す者を退場させることができる。

（株主総会に提出された資料等の調査）
第三百十六条　株主総会においては、その決議によって、取締役、会計参与、監査役、監査役会及び会計監査人が当該株主総会に提出し、又は提供した資料を調査する者を選任することができる。
2　第二百九十七条の規定により招集された株主総会においては、その決議によって、株式会社の業務及び財産の状況を調査する者を選任することができる。

（延期又は続行の決議）
第三百十七条　株主総会においてその延期又は続行について決議があった場合には、第二百九十八条及び第二百九十九条の規定は、適用しない。

（議事録）
第三百十八条　株主総会の議事については、法務省令で定めるところにより、議事録を作成しなければならない。
2　株式会社は、株主総会の日から十年間、前項の議事録をその本店に備え置かなければならない。
3　株式会社は、株主総会の日から五年間、第一項の議事録の写しをその支店に備え置かなければならない。ただし、当該議事録が電磁的記録をもって作成されている場合であって、支店における次項第二号に掲げる請求に応じることを可能とするための措置として法務省令で定めるものをとっているときは、この限りでない。
4　株主及び債権者は、株式会社の営業時間内は、いつでも、次に掲げる請求をすることができる。
一　第一項の議事録が書面をもって作成されているときは、当該書面又は当該書面の写しの閲覧又は謄写の請求
二　第一項の議事録が電磁的記録をもって作成されているときは、当該電磁的記録に記録された事項を法務省令で定める方法により表示したものの閲覧又は謄写の請求
5　株式会社の親会社社員は、その権利を行使するため必要があるときは、裁判所の許可を得て、第一項の議事録について前項各号に掲げる請求をすることができる。

【会社法施行規則】

（議事録）

第七十二条　法第三百十八条第一項の規定による株主総会の議事録の作成については、この条の定めるところによる。
2　株主総会の議事録は、書面又は電磁的記録をもって作成しなければならない。
3　株主総会の議事録は、次に掲げる事項を内容とするものでなければならない。

一　株主総会が開催された日時及び場所（当該場所に存しない取締役（監査等委員会設置会社にあっては、監査等委員である取締役又はそれ以外の取締役。第四号において同じ。）、執行役、会計参与、監査役、会計監査人又は株主が株主総会に出席をした場合における当該出席の方法を含む。）
二　株主総会の議事の経過の要領及びその結果
三　次に掲げる規定により株主総会において述べられた意見又は発言があるときは、その意見又は発言の内容の概要
イ　法第三百四十二条の二第一項
ロ　法第三百四十二条の二第二項
ハ　法第三百四十二条の二第四項
ニ　法第三百四十五条第一項（同条第四項及び第五項において準用する場合を含む。）
ホ　法第三百四十五条第二項（同条第四項及び第五項において準用する場合を含む。）
ヘ　法第三百六十一条第五項
ト　法第三百六十一条第六項
チ　法第三百七十七条第一項
リ　法第三百七十九条第三項
ヌ　法第三百八十四条
ル　法第三百八十七条第三項
ヲ　法第三百八十九条第三項
ワ　法第三百九十八条第一項
カ　法第三百九十八条第二項
ヨ　法第三百九十九条の五
四　株主総会に出席した取締役、執行役、会計参与、監査役又は会計監査人の氏名又は名称
五　株主総会の議長が存するときは、議長の氏名
六　議事録の作成に係る職務を行った取締役の氏名
4　次の各号に掲げる場合には、株主総会の議事録は、当該各号に定める事項を内容とするものとする。
一　法第三百十九条第一項の規定により株主総会の決議があったものとみなされた場合　次に掲げる事項
イ　株主総会の決議があったものとみなされた事項の内容
ロ　イの事項の提案をした者の氏名又は名称
ハ　株主総会の決議があったものとみなされた日
ニ　議事録の作成に係る職務を行った取締役の氏名
二　法第三百二十条の規定により株主総会への報告があったものとみなされた場合　次に掲げる事項
イ　株主総会への報告があったものとみなされた事項の内容
ロ　株主総会への報告があったものとみなされた日
ハ　議事録の作成に係る職務を行った取締役の氏名

（保存の指定）
第二百三十二条　電子文書法第三条第一項の主務省令で定める保存は、次に掲げる保存とする。
一～九　（略）
十　法第三百十八条第二項（法第三百二十五条において準用する場合を含む。）の規定による株主総会の議事録の保存
十一　法第三百十八条第三項（法第三百二十五条において準用する場合を含む。）の規定による株主総会の議事録の写しの保存
十二～三十六　（略）

（電磁的記録の備置きに関する特則）
第二百二十七条　次に掲げる規定に規定する法務省令で定めるものは、会社の使用に係る電子計算機を電気通信回線で接続した電子情報処理組織を使用する方法であって、当該電子計算機に備えられたファイルに記録された情報の内容を電気通信回線を通じて会社の支店において使用される電子計算機に備えられたファイルに当該情報を記録するものによる措置とする。
一　（略）
二　法第三百十八条第三項（法第三百二十五条において準用する

場合を含む。）
三　（略）
（縦覧等の指定）
第二百三十四条　電子文書法第五条第一項の主務省令で定める縦覧等は、次に掲げる縦覧等とする。
一～二十一　（略）
二十二　法第三百十八条第四項第一号（法第三百二十五条において準用する場合を含む。）の規定による株主総会の議事録又はその写しの縦覧等
二十三　法第三百十八条第五項（法第三百二十五条において準用する場合を含む。）の規定による株主総会の議事録の縦覧等
二十四～五十四　（略）
（電磁的記録に記録された事項を表示する方法）
第二百二十六条　次に掲げる規定に規定する法務省令で定める方法は、次に掲げる規定の電磁的記録に記録された事項を紙面又は映像面に表示する方法とする。
一～十六　（略）
十七　法第三百十八条第四項第二号（法第三百二十五条において準用する場合を含む。）
十八～四十三　（略）

（株主総会の決議の省略）
第三百十九条　取締役又は株主が株主総会の目的である事項について提案をした場合において、当該提案につき株主（当該事項について議決権を行使することができるものに限る。）の全員が書面又は電磁的記録により同意の意思表示をしたときは、当該提案を可決する旨の株主総会の決議があったものとみなす。
2　株式会社は、前項の規定により株主総会の決議があったものとみなされた日から十年間、同項の書面又は電磁的記録をその本店に備え置かなければならない。
3　株主及び債権者は、株式会社の営業時間内は、いつでも、次に掲げる請求をすることができる。
一　前項の書面の閲覧又は謄写の請求
二　前項の電磁的記録に記録された事項を法務省令で定める方法により表示したものの閲覧又は謄写の請求
4　株式会社の親会社社員は、その権利を行使するため必要があるときは、裁判所の許可を得て、第二項の書面又は電磁的記録について前項各号に掲げる請求をすることができる。
5　第一項の規定により定時株主総会の目的である事項のすべてについての提案を可決する旨の株主総会の決議があったものとみなされた場合には、その時に当該定時株主総会が終結したものとみなす。

【会社法施行規則】
（保存の指定）
第二百三十二条　電子文書法第三条第一項の主務省令で定める保存は、次に掲げる保存とする。
一～十一　（略）
十二　法第三百十九条第二項（法第三百二十五条において準用する場合を含む。）の規定による法第三百十九条第一項の書面の保存
十三～三十六　（略）
（縦覧等の指定）
第二百三十四条　電子文書法第五条第一項の主務省令で定める縦覧等は、次に掲げる縦覧等とする。
一～二十三　（略）
二十四　法第三百十九条第三項第一号（法第三百二十五条において準用する場合を含む。）の規定による法第三百十九条第二項の書面の縦覧等
二十五～五十四　（略）
（電磁的記録に記録された事項を表示する方法）

第二百二十六条　次に掲げる規定に規定する法務省令で定める方法は、次に掲げる規定の電磁的記録に記録された事項を紙面又は映像面に表示する方法とする。
一～十七　（略）
十八　法第三百十九条第三項第二号（法第三百二十五条において準用する場合を含む。）
十九～四十三　（略）

（株主総会への報告の省略）
第三百二十条　取締役が株主の全員に対して株主総会に報告すべき事項を通知した場合において、当該事項を株主総会に報告することを要しないことにつき株主の全員が書面又は電磁的記録により同意の意思表示をしたときは、当該事項の株主総会への報告があったものとみなす。

第二款　種類株主総会

（種類株主総会の権限）
第三百二十一条　種類株主総会は、この法律に規定する事項及び定款で定めた事項に限り、決議をすることができる。

（ある種類の種類株主に損害を及ぼすおそれがある場合の種類株主総会）
第三百二十二条　種類株式発行会社が次に掲げる行為をする場合において、ある種類の株式の種類株主に損害を及ぼすおそれがあるときは、当該行為は、当該種類の株式の種類株主を構成員とする種類株主総会（当該種類株主に係る株式の種類が二以上ある場合にあっては、当該二以上の株式の種類別に区分された種類株主を構成員とする各種類株主総会。以下この条において同じ。）の決議がなければ、その効力を生じない。ただし、当該種類株主総会において議決権を行使することができる種類株主が存しない場合は、この限りでない。
一　次に掲げる事項についての定款の変更（第百十一条第一項又は第二項に規定するものを除く。）
イ　株式の種類の追加
ロ　株式の内容の変更
ハ　発行可能株式総数又は発行可能種類株式総数の増加
一の二　第百七十九条の三第一項の承認
二　株式の併合又は株式の分割
三　第百八十五条に規定する株式無償割当て
四　当該株式会社の株式を引き受ける者の募集（第二百二条第一項各号に掲げる事項を定めるものに限る。）
五　当該株式会社の新株予約権を引き受ける者の募集（第二百四十一条第一項各号に掲げる事項を定めるものに限る。）
六　第二百七十七条に規定する新株予約権無償割当て
七　合併
八　吸収分割
九　吸収分割による他の会社がその事業に関して有する権利義務の全部又は一部の承継
十　新設分割
十一　株式交換
十二　株式交換による他の株式会社の発行済株式全部の取得
十三　株式移転
十四　株式交付
2　種類株式発行会社は、ある種類の株式の内容として、前項の規定による種類株主総会の決議を要しない旨を定款で定めることができる。
3　第一項の規定は、前項の規定による定款の定めがある種類の株式の種類株主を構成員とする種類株主総会については、適用しない。ただし、第一項第一号に規定する定款の変更（単元株式数についてのものを除く。）を行う場合は、この限りでない。
4　ある種類の株式の発行後に定款を変更して当該種類の株式について第二項の規定による定款の定めを設けようとするときは、当該種類の種類株主全員の同意を得なければならない。

（種類株主総会の決議を必要とする旨の定めがある場合）

第三百二十三条　種類株式発行会社において、ある種類の株式の内容として、株主総会（取締役会設置会社にあっては株主総会又は取締役会、第四百七十八条第八項に規定する清算人会設置会社にあっては株主総会又は清算人会）において決議すべき事項について、当該決議のほか、当該種類の株式の種類株主を構成員とする種類株主総会の決議があることを必要とする旨の定めがあるときは、当該事項は、その定款の定めに従い、株主総会、取締役会又は清算人会の決議のほか、当該種類の株式の種類株主を構成員とする種類株主総会の決議がなければ、その効力を生じない。ただし、当該種類株主総会において議決権を行使することができる種類株主が存しない場合は、この限りでない。

（種類株主総会の決議）

第三百二十四条　種類株主総会の決議は、定款に別段の定めがある場合を除き、その種類の株式の総株主の議決権の過半数を有する株主が出席し、出席した当該株主の議決権の過半数をもって行う。

2　前項の規定にかかわらず、次に掲げる種類株主総会の決議は、当該種類株主総会において議決権を行使することができる株主の議決権の過半数（三分の一以上の割合を定款で定めた場合にあっては、その割合以上）を有する株主が出席し、出席した当該株主の議決権の三分の二（これを上回る割合を定款で定めた場合にあっては、その割合）以上に当たる多数をもって行わなければならない。この場合においては、当該決議の要件に加えて、一定の数以上の株主の賛成を要する旨その他の要件を定款で定めることを妨げない。

一　第百十一条第二項の種類株主総会（ある種類の株式の内容として第百八条第一項第七号に掲げる事項についての定款の定めを設ける場合に限る。）

二　第百九十九条第四項及び第二百条第四項の種類株主総会

三　第二百三十八条第四項及び第二百三十九条第四項の種類株主総会

四　第三百二十二条第一項の種類株主総会

五　第三百四十七条第二項の規定により読み替えて適用する第三百三十九条第一項の種類株主総会

六　第七百九十五条第四項の種類株主総会

七　第八百十六条の三第三項の種類株主総会

3　前二項の規定にかかわらず、次に掲げる種類株主総会の決議は、当該種類株主総会において議決権を行使することができる株主の半数以上（これを上回る割合を定款で定めた場合にあっては、その割合以上）であって、当該株主の議決権の三分の二（これを上回る割合を定款で定めた場合にあっては、その割合）以上に当たる多数をもって行わなければならない。

一　第百十一条第二項の種類株主総会（ある種類の株式の内容として第百八条第一項第四号に掲げる事項についての定款の定めを設ける場合に限る。）

二　第七百八十三条第三項及び第八百四条第三項の種類株主総会

（株主総会に関する規定の準用）

第三百二十五条　前款（第二百九十五条第一項及び第二項、第二百九十六条第一項及び第二項並びに第三百九条を除く。）の規定は、種類株主総会について準用する。この場合において、第二百九十七条第一項中「総株主」とあるのは「総株主（ある種類の株式の株主に限る。以下この款（第三百八条第一項を除く。）において同じ。）」と、「株主は」とあるのは「株主（ある種類の株式の株主に限る。以下この款（第三百八条第四項及び第三百十九条第三項を除く。）において同じ。）は」と読み替えるものとする。

【会社法施行規則】

第九十五条　次の各号に掲げる規定は、当該各号に定めるものについて準用する。

一　第六十三条（第一号を除く。）　法第三百二十五条において準用する法第二百九十八条第一項第五号に規定する法務省令で定める事項

二　第六十四条　法第三百二十五条において準用する法第二百九十八条第二項に規定する法務省令で定めるもの

三　第六十五条及び前款〔第七三条―第九四条〕　種類株主総会の株主総会参考書類
四　第六十六条　種類株主総会の議決権行使書面
五　第六十七条　法第三百二十五条において準用する法第三百八条第一項に規定する法務省令で定める株主
六　第六十九条　法第三百二十五条において準用する法第三百十一条第一項に規定する法務省令で定める時
七　第七十条　法第三百二十五条において準用する法第三百十二条第一項に規定する法務省令で定める時
八　第七十一条　法第三百二十五条において準用する法第三百十四条に規定する法務省令で定める場合
九　第七十二条　法第三百二十五条において準用する法第三百十八条第一項の規定による議事録の作成

〔施行　会社法の一部を改正する法律（令和元年法律第七十号）の施行の日（令和元年十二月十一日から三年六月を超えない範囲内において政令で定める日）〕〔第三款を加える〕

第三款　電子提供措置

（電子提供措置をとる旨の定款の定め）

第三百二十五条の二　株式会社は、取締役が株主総会（種類株主総会を含む。）の招集の手続を行うときは、次に掲げる資料（以下この款において「株主総会参考書類等」という。）の内容である情報について、電子提供措置（電磁的方法により株主（種類株主総会を招集する場合にあっては、ある種類の株主に限る。）が情報の提供を受けることができる状態に置く措置であって、法務省令で定めるものをいう。以下この款、第九百十一条第三項第十二号の二及び第九百七十六条第十九号において同じ。）をとる旨を定款で定めることができる。この場合において、その定款には、電子提供措置をとる旨を定めれば足りる。
一　株主総会参考書類
二　議決権行使書面
三　第四百三十七条の計算書類及び事業報告
四　第四百四十四条第六項の連結計算書類

【会社法施行規則】
〔施行　会社法の一部を改正する法律（令和元年法律第七十号）附則第一条ただし書に規定する規定の施行の日〕〔第九十五条の二を加える〕

（電子提供措置）

第九十五条の二　法第三百二十五条の二に規定する法務省令で定めるものは、第二百二十二条第一項第一号ロに掲げる方法のうち、インターネットに接続された自動公衆送信装置を使用するものによる措置とする。

〔施行　会社法の一部を改正する法律（令和元年法律第七十号）の施行の日（令和元年十二月十一日から三年六月を超えない範囲内において政令で定める日）〕〔第三百二十五条の三・第三百二十五条の四を加える〕

（電子提供措置）

第三百二十五条の三　電子提供措置をとる旨の定款の定めがある株式会社の取締役は、第二百九十九条第二項各号に掲げる場合には、株主総会の日の三週間前の日又は同条第一項の通知を発した日のいずれか早い日（以下この款において「電子提供措置開始日」という。）から株主総会の日後三箇月を経過する日までの間（以下この款において「電子提供措置期間」という。）、次に掲げる事項に係る情報について継続して電子提供措置をとらなければならない。
一　第二百九十八条第一項各号に掲げる事項
二　第三百一条第一項に規定する場合には、株主総会参考書類及び議決権行使書面に記載すべき事項
三　第三百二条第一項に規定する場合には、株主総会参考書類に記載すべき事項
四　第三百五条第一項の規定による請求があった場合には、同項の議案

の要領
五　株式会社が取締役会設置会社である場合において、取締役が定時株主総会を招集するときは、第四百三十七条の計算書類及び事業報告に記載され、又は記録された事項
六　株式会社が会計監査人設置会社（取締役会設置会社に限る。）である場合において、取締役が定時株主総会を招集するときは、第四百四十四条第六項の連結計算書類に記載され、又は記録された事項
七　前各号に掲げる事項を修正したときは、その旨及び修正前の事項
2　前項の規定にかかわらず、取締役が第二百九十九条第一項の通知に際して株主に対し議決権行使書面を交付するときは、議決権行使書面に記載すべき事項に係る情報については、前項の規定により電子提供措置をとることを要しない。
3　第一項の規定にかかわらず、金融商品取引法第二十四条第一項の規定によりその発行する株式について有価証券報告書を内閣総理大臣に提出しなければならない株式会社が、電子提供措置開始日までに第一項各号に掲げる事項（定時株主総会に係るものに限り、議決権行使書面に記載すべき事項を除く。）を記載した有価証券報告書（添付書類及びこれらの訂正報告書を含む。）の提出の手続を同法第二十七条の三十の二に規定する開示用電子情報処理組織（以下この款において単に「開示用電子情報処理組織」という。）を使用して行う場合には、当該事項に係る情報については、同項の規定により電子提供措置をとることを要しない。

（株主総会の招集の通知等の特則）
第三百二十五条の四　前条第一項の規定により電子提供措置をとる場合における第二百九十九条第一項の規定の適用については、同項中「二週間（前条第一項第三号又は第四号に掲げる事項を定めたときを除き、公開会社でない株式会社にあっては、一週間（当該株式会社が取締役会設置会社以外の株式会社である場合において、これを下回る期間を定款で定めた場合にあっては、その期間））」とあるのは、「二週間」とする。
2　第二百九十九条第四項の規定にかかわらず、前条第一項の規定により電子提供措置をとる場合には、第二百九十九条第二項又は第三項の通知には、第二百九十八条第一項第五号に掲げる事項を記載し、又は記録することを要しない。この場合において、当該通知には、同項第一号から第四号までに掲げる事項のほか、次に掲げる事項を記載し、又は記録しなければならない。

一　電子提供措置をとっているときは、その旨
二　前条第三項の手続を開示用電子情報処理組織を使用して行ったときは、その旨
三　前二号に掲げるもののほか、法務省令で定める事項
3　第三百一条第一項、第三百二条第一項、第四百三十七条及び第四百四十四条第六項の規定にかかわらず、電子提供措置をとる旨の定款の定めがある株式会社においては、取締役は、第二百九十九条第一項の通知に際して、株主に対し、株主総会参考書類等を交付し、又は提供することを要しない。
4　電子提供措置をとる旨の定款の定めがある株式会社における第三百五条第一項の規定の適用については、同項中「その通知に記載し、又は記録する」とあるのは、「当該議案の要領について第三百二十五条の二に規定する電子提供措置をとる」とする。

【会社法施行規則】
〔施行　会社法の一部を改正する法律（令和元年法律第七十号）附則第一条ただし書に規定する規定の施行の日〕〔第九十五条の三を加える〕
（電子提供措置をとる場合における招集通知の記載事項）
第九十五条の三　法第三百二十五条の四第二項第三号に規定する法務省令で定める事項は、次に掲げる事項とする。
一　電子提供措置をとっているときは、電子提供措置をとるための使用する自動公衆送信装置のうち当該電子提供措置をとるための用に供する部分をインターネットにおいて識別するための文字、記号その他の符号又はこれらの結合であって、情報の提供を受ける者がその使用に係る電子計算機に入力することによって当該情報の内容を閲覧し、当該電子計算機に備えられたファイルに当該情報を記録することができるものその他の当該者が当該情報の内容を閲覧し、当該電子計算機に備えられたファイルに当該情報を記録するために必要な事項
二　法第三百二十五条の三第三項に規定する場合には、同項の手続であって、金融商品取引法施行令（昭和四十年政令第三百二十一

号）第十四条の十二の規定によりインターネットを利用して公衆の縦覧に供されるものをインターネットにおいて識別するための文字、記号その他の符号又はこれらの結合であって、情報の提供を受ける者がその使用に係る電子計算機に入力することによって当該情報の内容を閲覧することができるものその他の当該者が当該情報の内容を閲覧するために必要な事項

2　法第三百二十五条の七において読み替えて準用する法第三百二十五条の四第二項第三号に規定する法務省令で定める事項は、前項第一号に掲げる事項とする。

（施行　会社法の一部を改正する法律（令和元年法律第七十号）の施行の日（令和元年十二月十一日から三年六月を超えない範囲内において政令で定める日））［第三百二十五条の五を加える］

（書面交付請求）

第三百二十五条の五　電子提供措置をとる旨の定款の定めがある株式会社の株主（第二百九十九条第三項（第三百二十五条において準用する場合を含む。）の承諾をした株主を除く。）は、株式会社に対し、第三百二十五条の三第一項各号（第三百二十五条の七において準用する場合を含む。）に掲げる事項（以下この条において「電子提供措置事項」という。）を記載した書面の交付を請求することができる。

2　取締役は、第三百二十五条の三第一項の規定により電子提供措置をとる場合には、第二百九十九条第一項の通知に際して、前項の規定による請求（以下この条において「書面交付請求」という。）をした株主（当該株主総会において議決権を行使することができる者を定めるための基準日（第百二十四条第一項に規定する基準日をいう。）を定めた場合にあっては、当該基準日までに書面交付請求をした者に限る。）に対し、当該株主総会に係る電子提供措置事項を記載した書面を交付しなければならない。

3　株式会社は、電子提供措置事項のうち法務省令で定めるものの全部又は一部については、前項の規定により交付する書面に記載することを要しない旨を定款で定めることができる。

4　書面交付請求をした株主がある場合において、その書面交付請求の日（当該株主が次項ただし書の規定により異議を述べた場合にあっては、当該異議を述べた日）から一年を経過したときは、株式会社は、当該株主に対し、第二項の規定による書面の交付を終了する旨を通知し、かつ、これに異議のある場合には一定の期間（以下この条において「催告期間」という。）内に異議を述べるべき旨を催告することができる。ただし、催告期間は、一箇月を下ることができない。

5　前項の規定による通知及び催告を受けた株主がした書面交付請求は、催告期間を経過した時にその効力を失う。ただし、当該株主が催告期間内に異議を述べたときは、この限りでない。

【会社法施行規則】

（施行　会社法の一部を改正する法律（令和元年法律第七十号）附則第一条ただし書に規定する規定の施行の日）［第九十五条の四を加える］

（電子提供措置事項記載書面に記載することを要しない事項）

第九十五条の四　法第三百二十五条の五第三項に規定する法務省令で定めるものは、次に掲げるものとする。

一　株主総会参考書類に記載すべき事項（次に掲げるものを除く。）

イ　議案

ロ　株主総会参考書類に記載すべき事項（イに掲げるものを除く。）につき電子提供措置事項記載書面に記載しないことについて監査役、監査等委員会又は監査委員会が異議を述べている場合における当該事項

二　事業報告に記載され、又は記録された事項（次に掲げるものを除く。）

イ　第百二十条第一項第四号、第五号、第七号及び第八号、第百二十一条第一号から第六号の三まで、第百二十一条の二、第百二十五条並びに第百二十六条第七号から第七号の四までに掲げる事項

ロ　事業報告に記載され、又は記録された事項（イに掲げるものを除く。）につき電子提供措置事項記載書面に記載しないことについて監査役、監査等委員会又は監査委員会が異議を述べてい

る場合における当該事項

三　計算書類に記載され、又は記録された事項（株主資本等変動計算書又は個別注記表に係るものに限る。）

四　連結計算書類に記載され、又は記録された事項（会社計算規則第六十一条第一号ハの連結株主資本等変動計算書若しくは同号ニの連結注記表に係るもの又はこれらに相当するものに限る。）

2　次の各号に掲げる事項の全部又は一部を電子提供措置事項記載書面に記載しないときは、取締役は、当該各号に定める事項を株主（電子提供措置事項記載書面の交付を受ける株主に限る。以下この項において同じ。）に対して通知しなければならない。

一　前項第二号に掲げる事項　監査役、監査等委員会又は監査委員会が、電子提供措置事項記載書面に記載された事項（事業報告に記載され、又は記録された事項に限る。）が監査報告を作成するに際して監査をした事業報告に記載され、又は記録された事項の一部である旨を株主に対して通知すべきことを取締役に請求したときは、その旨

二　前項第三号に掲げる事項　監査役、会計監査人、監査等委員会又は監査委員会が、電子提供措置事項記載書面に記載された事項（計算書類に記載され、又は記録された事項に限る。）が監査報告又は会計監査報告を作成するに際して監査をした計算書類に記載され、又は記録された事項の一部である旨を株主に対して通知すべきことを取締役に請求したときは、その旨

三　前項第四号に掲げる事項　監査役、会計監査人、監査等委員会又は監査委員会が、電子提供措置事項記載書面に記載された事項（連結計算書類に記載され、又は記録された事項に限る。）が監査報告又は会計監査報告を作成するに際して監査をした連結計算書類に記載され、又は記録された事項の一部である旨を株主に対して通知すべきことを取締役に請求したときは、その旨

〔施行　会社法の一部を改正する法律（令和元年法律第七十号）の施行の日（令和元年十二月十一日から三年六月を超えない範囲内において政令で定める日）〕〔第三百二十五条の六・第三百二十五条の七を加える〕

（電子提供措置の中断）

第三百二十五条の六　第三百二十五条の三第一項の規定にかかわらず、電子提供措置期間中に電子提供措置の中断（株主が提供を受けることができる状態に置かれた情報がその状態に置かれないこととなったこと又は当該情報がその状態に置かれた後改変されたこと（同項第七号の規定により修正されたことを除く。）をいう。以下この条において同じ。）が生じた場合において、次の各号のいずれにも該当するときは、その電子提供措置の中断は、当該電子提供措置の効力に影響を及ぼさない。

一　電子提供措置の中断が生ずることにつき株式会社が善意でかつ重大な過失がないこと又は株式会社に正当な事由があること。

二　電子提供措置の中断が生じた時間の合計が電子提供措置期間の十分の一を超えないこと。

三　電子提供措置開始日から株主総会の日までの期間中に電子提供措置の中断が生じたときは、当該期間中に電子提供措置の中断が生じた時間の合計が当該期間の十分の一を超えないこと。

四　株式会社が電子提供措置の中断が生じたことを知った後速やかにその旨、電子提供措置の中断が生じた時間及び電子提供措置の中断の内容について当該電子提供措置に付して電子提供措置をとったこと。

（株主総会に関する規定の準用）

第三百二十五条の七　第三百二十五条の三から前条まで（第三百二十五条の三第一項（第五号及び第六号に係る部分に限る。）及び第三項並びに第三百二十五条の五第一項及び第三項から第五項までを除く。）の規定は、種類株主総会について準用する。この場合において、第三百二十五条の三第一項中「第二百九十九条第二項各号」とあるのは「第三百二十五条において準用する第二百九十九条第二項各号」と、「同条第一項」とあるのは「同条第一項（第三百二十五条において準用する場合に限る。次項、次条及び第三百二十五条の五において同じ。）」と、「第二百九十八条第一項各号」とあるのは「第二百九十八条第一項各号（第三百二十五条において準用する場合に限る。）」と、「第三百一条第一項」とあるのは「第三百二十五条において準用する第三百一条第一項」と、「第三百二条第一項」とあるのは「第三百二十五条において準用する第三百二条第一項」と、「第三百五条第一項」とあるのは「第三百五条第一項（第三百二十五条において準用する場合に限る。次条第四項において同じ。）」と、同条第

二項中「株主」とあるのは「株主（ある種類の株式の株主に限る。次条から第三百二十五条の六までにおいて同じ。）」と、第三百二十五条の四第二項中「第二百九十九条第四項」とあるのは「第三百二十五条において準用する第二百九十九条第四項」と、「第二百九十九条第二項」とあるのは「第三百二十五条において準用する第二百九十九条第二項」と、「第二百九十八条第一項第五号」とあるのは「第三百二十五条において準用する第二百九十八条第一項第五号」と、「同項第一号から第四号まで」とあるのは「第三百二十五条において準用する同項第一号から第四号まで」と、同条第三項中「第三百一条第一項、第三百二条第一項、第四百三十七条及び第四百四十四条第六項」とあるのは「第三百二十五条において準用する第三百一条第一項及び第三百二条第一項」と読み替えるものとする。

第二節　株主総会以外の機関の設置

（株主総会以外の機関の設置）

第三百二十六条　株式会社には、一人又は二人以上の取締役を置かなければならない。

2　株式会社は、定款の定めによって、取締役会、会計参与、監査役、監査役会、会計監査人、監査等委員会又は指名委員会等を置くことができる。

（取締役会等の設置義務等）

第三百二十七条　次に掲げる株式会社は、取締役会を置かなければならない。

一　公開会社
二　監査役会設置会社
三　監査等委員会設置会社
四　指名委員会等設置会社

2　取締役会設置会社（監査等委員会設置会社及び指名委員会等設置会社を除く。）は、監査役を置かなければならない。ただし、公開会社でない会計参与設置会社については、この限りでない。

3　会計監査人設置会社（監査等委員会設置会社及び指名委員会等設置会社を除く。）は、監査役を置かなければならない。

4　監査等委員会設置会社及び指名委員会等設置会社は、監査役を置いてはならない。

5　監査等委員会設置会社及び指名委員会等設置会社は、会計監査人を置かなければならない。

6　指名委員会等設置会社は、監査等委員会を置いてはならない。

（社外取締役の設置義務）

第三百二十七条の二　監査役会設置会社（公開会社であり、かつ、大会社であるものに限る。）であって金融商品取引法第二十四条第一項の規定によりその発行する株式について有価証券報告書を内閣総理大臣に提出しなければならないものは、社外取締役を置かなければならない。

（大会社における監査役会等の設置義務）

第三百二十八条　大会社（公開会社でないもの、監査等委員会設置会社及び指名委員会等設置会社を除く。）は、監査役会及び会計監査人を置かなければならない。

2　公開会社でない大会社は、会計監査人を置かなければならない。

第三節　役員及び会計監査人の選任及び解任

第一款　選任

（選任）

第三百二十九条　役員（取締役、会計参与及び監査役をいう。以下この節、第三百七十一条第四項及び第三百九十四条第三項において同じ。）及び会計監査人は、株主総会の決議によって選任する。

2　監査等委員会設置会社においては、前項の規定による取締役の選任は、監査等委員である取締役とそれ以外の取締役とを区別してしなければならない。

3　第一項の決議をする場合には、法務省令で定めるところにより、役員（監査等委員会設置会社にあっては、監査等委員である取締役若しくはそれ以外の取締役又は会計参与。以下この項において同じ。）が欠けた場合又はこの法律若しくは定款で定めた役員の員数を欠くこととなるときに備えて補欠の役員を選任することができる。

【会社法施行規則】

（補欠の会社役員の選任）

第九十六条　法第三百二十九条第三項の規定による補欠の会社役員（執行役を除き、監査等委員会設置会社にあっては、監査等委員である取締役若しくはそれ以外の取締役又は会計参与。以下この条において同じ。）の選任については、この条の定めるところによる。

2　法第三百二十九条第三項に規定する決議により補欠の会社役員を選任する場合には、次に掲げる事項も併せて決定しなければならない。

一　当該候補者が補欠の会社役員である旨

二　当該候補者を補欠の社外取締役として選任するときは、その旨

三　当該候補者を補欠の社外監査役として選任するときは、その旨

四　当該候補者を一人又は二人以上の特定の会社役員の補欠の会社役員として選任するときは、その旨及び当該特定の会社役員の氏名（会計参与である場合にあっては、氏名又は名称）

五　同一の会社役員（二以上の会社役員の補欠として選任した場合にあっては、当該二以上の会社役員）につき二人以上の補欠の会社役員を選任するときは、当該補欠の会社役員相互間の優先順位

六　補欠の会社役員について、就任前にその選任の取消しを行う場合があるときは、その旨及び取消しを行うための手続

3　補欠の会社役員の選任に係る決議が効力を有する期間は、定款に別段の定めがある場合を除き、当該決議後最初に開催する定時株主総会の開始の時までとする。ただし、株主総会（当該補欠の会社役員を法第百八条第一項第九号に掲げる事項についての定めに従い種類株主総会の決議によって選任する場合にあっては、当該種類株主総会）の決議によってその期間を短縮することを妨げない。

（株式会社と役員等との関係）

第三百三十条　株式会社と役員及び会計監査人との関係は、委任に関する規定に従う。

（取締役の資格等）

第三百三十一条　次に掲げる者は、取締役となることができない。

一　法人

二　削除

三　この法律若しくは一般社団法人及び一般財団法人に関する法律（平成十八年法律第四十八号）の規定に違反し、又は金融商品取引法第百九十七条、第百九十七条の二第一号から第十号の三まで若しくは第十三号から第十五号まで、第百九十八条第八号、第百九十九条、第二百条第一号から第十二号の二まで、第二十号若しくは第二十一号、第二百三条第三項若しくは第二百五条第一号から第六号まで、第十九号若しくは第二十号の罪、民事再生法（平成十一年法律第二百二十五号）第二百五十五条、第二百五十六条、第二百五十八条から第二百六十条まで若しくは第二百六十二条の罪、外国倒産処理手続の承認援助に関する法律（平成十二年法律第百二十九号）第六十五条、第六十六条、第六十八条若しくは第六十九条の罪、会社更生法（平成十四年法律第百五十四号）第二百六十六条、第二百六十七条、第二百六十九条から第二百七十一条まで若しくは第二百七十三条の罪若しくは破産法（平成十六年法律第七十五号）第二百六十五条、第二百六十六条、第二百六十八条から第二百七十二条まで若しくは第二百七十四条の罪を犯し、刑に処せられ、その執行を終わり、又はその執行を受けることがなくなった日から二年を経過しない者

四　前号に規定する法律の規定以外の法令の規定に違反し、禁錮以上

の刑に処せられ、その執行を終わるまで又はその執行を受けることがなくなるまでの者（刑の執行猶予中の者を除く。）

２　株式会社は、取締役が株主でなければならない旨を定款で定めることができない。ただし、公開会社でない株式会社においては、この限りでない。

３　監査等委員である取締役は、監査等委員会設置会社若しくはその子会社の業務執行取締役若しくは支配人その他の使用人又は当該子会社の会計参与（会計参与が法人であるときは、その職務を行うべき社員）若しくは執行役を兼ねることができない。

４　指名委員会等設置会社の取締役は、当該指名委員会等設置会社の支配人その他の使用人を兼ねることができない。

５　取締役会設置会社においては、取締役は、三人以上でなければならない。

６　監査等委員会設置会社においては、監査等委員である取締役は、三人以上で、その過半数は、社外取締役でなければならない。

第三百三十一条の二　成年被後見人が取締役に就任するには、その成年後見人が、成年被後見人の同意（後見監督人がある場合にあっては、成年被後見人及び後見監督人の同意）を得た上で、成年被後見人に代わって就任の承諾をしなければならない。

２　被保佐人が取締役に就任するには、その保佐人の同意を得なければならない。

３　第一項の規定は、保佐人が民法第八百七十六条の四第一項の代理権を付与する旨の審判に基づき被保佐人に代わって就任の承諾をする場合について準用する。この場合において、第一項中「成年被後見人の同意（後見監督人がある場合にあっては、成年被後見人及び後見監督人の同意）」とあるのは、「被保佐人の同意」と読み替えるものとする。

４　成年被後見人又は被保佐人がした取締役の資格に基づく行為は、行為能力の制限によっては取り消すことができない。

（取締役の任期）

第三百三十二条　取締役の任期は、選任後二年以内に終了する事業年度のうち最終のものに関する定時株主総会の終結の時までとする。ただし、定款又は株主総会の決議によって、その任期を短縮することを妨げない。

２　前項の規定は、公開会社でない株式会社（監査等委員会設置会社及び指名委員会等設置会社を除く。）において、定款によって、同項の任期を選任後十年以内に終了する事業年度のうち最終のものに関する定時株主総会の終結の時まで伸長することを妨げない。

３　監査等委員会設置会社の取締役（監査等委員であるものを除く。）についての第一項の規定の適用については、同項中「二年」とあるのは、「一年」とする。

４　監査等委員である取締役の任期については、第一項ただし書の規定は、適用しない。

５　第一項本文の規定は、定款によって、任期の満了前に退任した監査等委員である取締役の補欠として選任された監査等委員である取締役の任期を退任した監査等委員である取締役の任期の満了する時までとすることを妨げない。

６　指名委員会等設置会社の取締役についての第一項の規定の適用については、同項中「二年」とあるのは、「一年」とする。

７　前各項の規定にかかわらず、次に掲げる定款の変更をした場合には、取締役の任期は、当該定款の変更の効力が生じた時に満了する。

一　監査等委員会又は指名委員会等を置く旨の定款の変更

二　監査等委員会又は指名委員会等を置く旨の定款の定めを廃止する定款の変更

三　その発行する株式の全部の内容として譲渡による当該株式の取得について当該株式会社の承認を要する旨の定款の定めを廃止する定款の変更（監査等委員会設置会社及び指名委員会等設置会社がするものを除く。）

（会計参与の資格等）

第三百三十三条　会計参与は、公認会計士若しくは監査法人又は税理士若しくは税理士法人でなければならない。

2　会計参与に選任された監査法人又は税理士法人は、その社員の中から会計参与の職務を行うべき者を選定し、これを株式会社に通知しなければならない。この場合においては、次項各号に掲げる者を選定することはできない。

3　次に掲げる者は、会計参与となることができない。

一　株式会社又はその子会社の取締役、監査役若しくは執行役又は支配人その他の使用人

二　業務の停止の処分を受け、その停止の期間を経過しない者

三　税理士法（昭和二十六年法律第二百三十七号）第四十三条の規定により同法第二条第二項に規定する税理士業務を行うことができない者

（会計参与の任期）

第三百三十四条　第三百三十二条（第四項及び第五項を除く。次項において同じ。）の規定は、会計参与の任期について準用する。

2　前項において準用する第三百三十二条の規定にかかわらず、会計参与設置会社が会計参与を置く旨の定款の定めを廃止する定款の変更をした場合には、会計参与の任期は、当該定款の変更の効力が生じた時に満了する。

（監査役の資格等）

第三百三十五条　第三百三十一条第一項及び第二項並びに第三百三十一条の二の規定は、監査役について準用する。

2　監査役は、株式会社若しくはその子会社の取締役若しくは支配人その他の使用人又は当該子会社の会計参与（会計参与が法人であるときは、その職務を行うべき社員）若しくは執行役を兼ねることができない。

3　監査役会設置会社においては、監査役は、三人以上で、そのうち半数以上は、社外監査役でなければならない。

（監査役の任期）

第三百三十六条　監査役の任期は、選任後四年以内に終了する事業年度のうち最終のものに関する定時株主総会の終結の時までとする。

2　前項の規定は、公開会社でない株式会社において、定款によって、同項の任期を選任後十年以内に終了する事業年度のうち最終のものに関する定時株主総会の終結の時まで伸長することを妨げない。

3　第一項の規定は、定款によって、任期の満了前に退任した監査役の補欠として選任された監査役の任期を退任した監査役の任期の満了する時までとすることを妨げない。

4　前三項の規定にかかわらず、次に掲げる定款の変更をした場合には、監査役の任期は、当該定款の変更の効力が生じた時に満了する。

一　監査役を置く旨の定款の定めを廃止する定款の変更

二　監査等委員会又は指名委員会等を置く旨の定款の変更

三　監査役の監査の範囲を会計に関するものに限定する旨の定款の定めを廃止する定款の変更

四　その発行する全部の株式の内容として譲渡による当該株式の取得について当該株式会社の承認を要する旨の定款の定めを廃止する定款の変更

（会計監査人の資格等）

第三百三十七条　会計監査人は、公認会計士又は監査法人でなければならない。

2　会計監査人に選任された監査法人は、その社員の中から会計監査人の職務を行うべき者を選定し、これを株式会社に通知しなければならない。この場合においては、次項第二号に掲げる者を選定することはできない。

3　次に掲げる者は、会計監査人となることができない。

一　公認会計士法の規定により、第四百三十五条第二項に規定する計算書類について監査をすることができない者

二　株式会社の子会社若しくはその取締役、会計参与、監査役若しくは執行役から公認会計士若しくは監査法人の業務以外の業務により継続的な報酬を受けている者又はその配偶者

三　監査法人でその社員の半数以上が前号に掲げる者であるもの

（会計監査人の任期）
第三百三十八条　会計監査人の任期は、選任後一年以内に終了する事業年度のうち最終のものに関する定時株主総会の終結の時までとする。
2　会計監査人は、前項の定時株主総会において別段の決議がされなかったときは、当該定時株主総会において再任されたものとみなす。
3　前二項の規定にかかわらず、会計監査人設置会社が会計監査人を置く旨の定款の定めを廃止する定款の変更をした場合には、会計監査人の任期は、当該定款の変更の効力が生じた時に満了する。

第二款　解任

（解任）
第三百三十九条　役員及び会計監査人は、いつでも、株主総会の決議によって解任することができる。
2　前項の規定により解任された者は、その解任について正当な理由がある場合を除き、株式会社に対し、解任によって生じた損害の賠償を請求することができる。

（監査役等による会計監査人の解任）
第三百四十条　監査役は、会計監査人が次のいずれかに該当するときは、その会計監査人を解任することができる。
一　職務上の義務に違反し、又は職務を怠ったとき。
二　会計監査人としてふさわしくない非行があったとき。
三　心身の故障のため、職務の執行に支障があり、又はこれに堪えないとき。
2　前項の規定による解任は、監査役が二人以上ある場合には、監査役の全員の同意によって行わなければならない。
3　第一項の規定により会計監査人を解任したときは、監査役（監査役が二人以上ある場合にあっては、監査役の互選によって定めた監査役）は、その旨及び解任の理由を解任後最初に招集される株主総会に報告しなければならない。
4　監査役会設置会社における前三項の規定の適用については、第一項中「監査役」とあるのは「監査役会」と、第二項中「監査役が二人以上ある場合には、監査役」とあるのは「監査役」と、前項中「監査役（監査役が二人以上ある場合にあっては、監査役の互選によって定めた監査役）」とあるのは「監査役会が選定した監査役」とする。
5　監査等委員会設置会社における第一項から第三項までの規定の適用については、第一項中「監査役」とあるのは「監査等委員会」と、第二項中「監査役が二人以上ある場合には、監査役」とあるのは「監査等委員」と、第三項中「監査役（監査役が二人以上ある場合にあっては、監査役の互選によって定めた監査役）」とあるのは「監査等委員会が選定した監査等委員」とする。
6　指名委員会等設置会社における第一項から第三項までの規定の適用については、第一項中「監査役」とあるのは「監査委員会」と、第二項中「監査役が二人以上ある場合には、監査役」とあるのは「監査委員会の委員」と、第三項中「監査役（監査役が二人以上ある場合にあっては、監査役の互選によって定めた監査役）」とあるのは「監査委員会が選定した監査委員会の委員」とする。

第三款　選任及び解任の手続に関する特則

（役員の選任及び解任の株主総会の決議）
第三百四十一条　第三百九条第一項の規定にかかわらず、役員を選任し、又は解任する株主総会の決議は、議決権を行使することができる株主の議決権の過半数（三分の一以上の割合を定款で定めた場合にあっては、その割合以上）を有する株主が出席し、出席した当該株主の議決権の過半数（これを上回る割合を定款で定めた場合にあっては、その割合以上）をもって行わなければならない。

（累積投票による取締役の選任）
第三百四十二条　株主総会の目的である事項が二人以上の取締役（監査等委員会設置会社にあっては、監査等委員である取締役又はそれ以外の取締役。以下この条において同じ。）の選任である場合には、株主（取締役の選任について議決権を行使することができる株主に限る。以下この条において同じ。）は、定款に別段の定めがあるときを除き、株式会社に対し、第三項から第五項までに規定するところにより取締役を選任すべきことを請求することができる。

２　前項の規定による請求は、同項の株主総会の日の五日前までにしなければならない。

３　第三百八条第一項の規定にかかわらず、第一項の規定による請求があった場合には、取締役の選任の決議については、株主は、その有する株式一株（単元株式数を定款で定めている場合にあっては、一単元の株式）につき、当該株主総会において選任する取締役の数と同数の議決権を有する。この場合においては、株主は、一人のみに投票し、又は二人以上に投票して、その議決権を行使することができる。

４　前項の場合には、投票の最多数を得た者から順次取締役に選任されたものとする。

５　前二項に定めるもののほか、第一項の規定による請求があった場合における取締役の選任に関し必要な事項は、法務省令で定める。

６　前条の規定は、前三項に規定するところにより選任された取締役の解任の決議については、適用しない。

【会社法施行規則】

（累積投票による取締役の選任）

第九十七条　法第三百四十二条第五項の規定により法務省令で定めるべき事項は、この条の定めるところによる。

２　法第三百四十二条第一項の規定による請求があった場合には、取締役（株主総会の議長が存する場合にあっては議長、取締役及び議長が存しない場合にあっては当該請求をした株主）は、同項の株主総会における取締役（監査等委員会設置会社にあっては、監査等委員である取締役又はそれ以外の取締役。以下この条において同じ。）の選任の決議に先立ち、法第三百四十二条第三項から第五項までに規定するところにより取締役を選任することを明らかにしなければならない。

３　法第三百四十二条第四項の場合において、投票の同数を得た者が二人以上存することにより同条第一項の株主総会において選任する取締役の数の取締役について投票の最多数を得た者から順次取締役に選任されたものとすることができないときは、当該株主総会において選任する取締役の数以下の数であって投票の最多数を得た者から順次取締役に選任されたものとすることができる数の範囲内で、投票の最多数を得た者から順次取締役に選任されたものとする。

４　前項に規定する場合において、法第三百四十二条第一項の株主総会において選任する取締役の数から前項の規定により取締役に選任されたものとされた者の数を減じて得た数の取締役は、同条第三項及び第四項に規定するところによらないで、株主総会の決議により選任する。

（監査等委員である取締役等の選任等についての意見の陳述）

第三百四十二条の二　監査等委員である取締役は、株主総会において、監査等委員である取締役の選任若しくは解任又は辞任について意見を述べることができる。

２　監査等委員である取締役を辞任した者は、辞任後最初に招集される株主総会に出席して、辞任した旨及びその理由を述べることができる。

３　取締役は、前項の者に対し、同項の株主総会を招集する旨及び第二百九十八条第一項第一号に掲げる事項を通知しなければならない。

４　監査等委員会が選定する監査等委員は、株主総会において、監査等委員である取締役以外の取締役の選任若しくは解任又は辞任について監査等委員会の意見を述べることができる。

（監査役の選任に関する監査役の同意等）

第三百四十三条　取締役は、監査役がある場合において、監査役の選任に関する議案を株主総会に提出するには、監査役（監査役が二人以上ある場合にあっては、その過半数）の同意を得なければならない。

２　監査役は、取締役に対し、監査役の選任を株主総会の目的とすること又は監査役の選任に関する議案を株主総会に提出することを請求することができる。

3　監査役会設置会社における前二項の規定の適用については、第一項中「監査役（監査役が二人以上ある場合にあっては、その過半数）」とあるのは「監査役会」と、前項中「監査役は」とあるのは「監査役会は」とする。

4　第三百四十一条の規定は、監査役の解任の決議については、適用しない。

（会計監査人の選任等に関する議案の内容の決定）

第三百四十四条　監査役設置会社においては、株主総会に提出する会計監査人の選任及び解任並びに会計監査人を再任しないことに関する議案の内容は、監査役が決定する。

2　監査役が二人以上ある場合における前項の規定の適用については、同項中「監査役が」とあるのは、「監査役の過半数をもって」とする。

3　監査役会設置会社における第一項の規定の適用については、同項中「監査役」とあるのは、「監査役会」とする。

（監査等委員である取締役の選任に関する監査等委員会の同意等）

第三百四十四条の二　取締役は、監査等委員会がある場合において、監査等委員である取締役の選任に関する議案を株主総会に提出するには、監査等委員会の同意を得なければならない。

2　監査等委員会は、取締役に対し、監査等委員である取締役の選任を株主総会の目的とすること又は監査等委員である取締役の選任に関する議案を株主総会に提出することを請求することができる。

3　第三百四十一条の規定は、監査等委員である取締役の解任の決議については、適用しない。

（会計参与等の選任等についての意見の陳述）

第三百四十五条　会計参与は、株主総会において、会計参与の選任若しくは解任又は辞任について意見を述べることができる。

2　会計参与を辞任した者は、辞任後最初に招集される株主総会に出席して、辞任した旨及びその理由を述べることができる。

3　取締役は、前項の者に対し、同項の株主総会を招集する旨及び第二百九十八条第一項第一号に掲げる事項を通知しなければならない。

4　第一項の規定は監査役について、前三項の規定は監査役を辞任した者について、それぞれ準用する。この場合において、第一項中「会計参与の」とあるのは、「監査役の」と読み替えるものとする。

5　第一項の規定は会計監査人について、第二項及び第三項の規定は会計監査人を辞任した者及び第三百四十条第一項の規定により会計監査人を解任された者について、それぞれ準用する。この場合において、第一項中「株主総会において、会計参与の選任若しくは解任又は辞任について」とあるのは「会計監査人の選任、解任若しくは不再任又は辞任について、株主総会に出席して」と、第二項中「辞任後」とあるのは「解任後又は辞任後」と、「辞任した旨及びその理由」とあるのは「辞任した旨及びその理由又は解任についての意見」と読み替えるものとする。

（役員等に欠員を生じた場合の措置）

第三百四十六条　役員（監査等委員会設置会社にあっては、監査等委員である取締役若しくはそれ以外の取締役又は会計参与。以下この条において同じ。）が欠けた場合又はこの法律若しくは定款で定めた役員の員数が欠けた場合には、任期の満了又は辞任により退任した役員は、新たに選任された役員（次項の一時役員の職務を行うべき者を含む。）が就任するまで、なお役員としての権利義務を有する。

2　前項に規定する場合において、裁判所は、必要があると認めるときは、利害関係人の申立てにより、一時役員の職務を行うべき者を選任することができる。

3　裁判所は、前項の一時役員の職務を行うべき者を選任した場合には、株式会社がその者に対して支払う報酬の額を定めることができる。

4　会計監査人が欠けた場合又は定款で定めた会計監査人の員数が欠けた場合において、遅滞なく会計監査人が選任されないときは、監査役は、一時会計監査人の職務を行うべき者を選任しなければならない。

5　第三百三十七条及び第三百四十条の規定は、前項の一時会計監査人の職務を行うべき者について準用する。

6　監査役会設置会社における第四項の規定の適用については、同項中「監査役」とあるのは、「監査役会」とする。

7　監査等委員会設置会社における第四項の規定の適用については、同項中「監査役」とあるのは、「監査等委員会」とする。

8　指名委員会等設置会社における第四項の規定の適用については、同項中「監査役」とあるのは、「監査委員会」とする。

（種類株主総会における取締役又は監査役の選任等）

第三百四十七条　第百八条第一項第九号に掲げる事項（取締役（監査等委員会設置会社にあっては、監査等委員である取締役又はそれ以外の取締役）に関するものに限る。）についての定めがある種類の株式を発行している場合における第三百二十九条第一項、第三百三十二条第一項、第三百三十九条第一項、第三百四十一条並びに第三百四十四条の二第一項及び第二項の規定の適用については、第三百二十九条第一項中「株主総会」とあるのは「株主総会（取締役（監査等委員会設置会社にあっては、監査等委員である取締役又はそれ以外の取締役）については、第百八条第二項第九号に定める事項についての定款の定めに従い、各種類の株式の種類株主を構成員とする種類株主総会）」と、第三百三十二条第一項及び第三百三十九条第一項中「株主総会の決議」とあるのは「株主総会（第四十一条第一項の規定により又は第九十条第一項の種類創立総会若しくは第三百四十七条第一項の規定により読み替えて適用する第三百二十九条第一項の種類株主総会において選任された取締役（監査等委員会設置会社にあっては、監査等委員である取締役又はそれ以外の取締役。以下この項において同じ。）については、当該取締役の選任に係る種類の株式の種類株主を構成員とする種類株主総会（定款に別段の定めがある場合又は当該取締役の任期満了前に当該種類株主総会において議決権を行使することができる株主が存在しなくなった場合にあっては、株主総会））の決議」と、第三百四十一条中「第三百九条第一項」とあるのは「第三百九条第一項及び第三百二十四条」と、「株主総会」とあるのは「株主総会（第三百四十七条第一項の規定により読み替えて適用する第三百二十九条第一項及び第三百四十四条の二第一項及び第二項中「株主総会」とあるのは「第三百四十七条第一項の規定により読み替えて適用する第三百二十九条第一項の種類株主総会を含む。）」と、第三百四十四条の二第一項及び第二項中「株主総会」とあるのは「第三百四十七条第一項の規定により読み替えて適用する第三百二十九条第一項の種類株主総会」とする。

2　第百八条第一項第九号に掲げる事項（監査役に関するものに限る。）についての定めがある種類の株式を発行している場合における第三百二十九条第一項、第三百三十九条第一項、第三百四十一条並びに第三百四十三条第一項及び第二項の規定の適用については、第三百二十九条第一項中「株主総会」とあるのは「株主総会（監査役については、第百八条第二項第九号に定める事項についての定款の定めに従い、各種類の株式の種類株主を構成員とする種類株主総会）」と、第三百三十九条第一項中「株主総会」とあるのは「株主総会（第四十一条第三項において準用する同条第一項の規定により又は第九十条第二項において準用する同条第一項の種類創立総会若しくは第三百四十七条第二項の規定により読み替えて適用する第三百二十九条第一項の種類株主総会において選任された監査役については、当該監査役の選任に係る種類の株式の種類株主を構成員とする種類株主総会（定款に別段の定めがある場合又は当該監査役の任期満了前に当該種類株主総会において議決権を行使することができる株主が存在しなくなった場合にあっては、株主総会））」と、第三百四十一条中「第三百九条第一項」とあるのは「第三百九条第一項及び第三百二十四条」と、「株主総会」とあるのは「株主総会（第三百四十七条第二項の規定により読み替えて適用する第三百二十九条第一項の種類株主総会を含む。）」と、第三百四十三条第一項及び第二項中「株主総会」とあるのは「第三百四十七条第二項の規定により読み替えて適用する第三百二十九条第一項の種類株主総会」とする。

第四節　取締役

（業務の執行）

第三百四十八条　取締役は、定款に別段の定めがある場合を除き、株式会社（取締役会設置会社を除く。以下この条において同じ。）の業務を執行する。

2　取締役が二人以上ある場合には、株式会社の業務は、定款に別段の定めがある場合を除き、取締役の過半数をもって決定する。

3　前項の場合には、取締役は、次に掲げる事項についての決定を各取締役に委任することができない。

一　支配人の選任及び解任

二　支店の設置、移転及び廃止

三　第二百九十八条第一項各号（第三百二十五条において準用する場合を含む。）に掲げる事項

四　取締役の職務の執行が法令及び定款に適合することを確保するための体制その他株式会社の業務並びに当該株式会社及びその子会社から成る企業集団の業務の適正を確保するために必要なものとして法務省令で定める体制の整備

五　第四百二十六条第一項の規定による定款の定めに基づく第四百二十三条第一項の責任の免除

4　大会社においては、取締役は、前項第四号に掲げる事項を決定しなければならない。

【会社法施行規則】

（業務の適正を確保するための体制）

第九十八条　法第三百四十八条第三項第四号に規定する法務省令で定める体制は、当該株式会社における次に掲げる体制とする。

一　当該株式会社の取締役の職務の執行に係る情報の保存及び管理に関する体制

二　当該株式会社の損失の危険の管理に関する規程その他の体制

三　当該株式会社の取締役の職務の執行が効率的に行われることを確保するための体制

四　当該株式会社の使用人の職務の執行が法令及び定款に適合することを確保するための体制

五　次に掲げる体制その他の当該株式会社並びにその親会社及び子会社から成る企業集団における業務の適正を確保するための体制

イ　当該株式会社の子会社の取締役、執行役、業務を執行する社員、法第五百九十八条第一項の職務を行うべき者その他これらの者に相当する者（ハ及びニにおいて「取締役等」という。）の職務の執行に係る事項の当該株式会社への報告に関する体制

ロ　当該株式会社の子会社の損失の危険の管理に関する規程その他の体制

ハ　当該株式会社の子会社の取締役等の職務の執行が効率的に行われることを確保するための体制

ニ　当該株式会社の子会社の取締役等及び使用人の職務の執行が法令及び定款に適合することを確保するための体制

2　取締役が二人以上ある株式会社である場合には、前項に規定する体制には、業務の決定が適正に行われることを確保するための体制を含むものとする。

3　監査役設置会社以外の株式会社である場合には、第一項に規定する体制には、取締役が株主に報告すべき事項の報告をするための体制を含むものとする。

4　監査役設置会社（監査役の監査の範囲を会計に関するものに限定する旨の定款の定めがある株式会社を含む。）である場合には、第一項に規定する体制には、次に掲げる体制を含むものとする。

一　当該監査役設置会社の監査役がその職務を補助すべき使用人を置くことを求めた場合における当該使用人に関する事項

二　前号の使用人の当該監査役設置会社の取締役からの独立性に関する事項

三　当該監査役設置会社の監査役の第一号の使用人に対する指示

の実効性の確保に関する事項
四　次に掲げる体制その他の当該監査役設置会社の監査役への報告に関する体制
イ　当該監査役設置会社の取締役及び会計参与並びに使用人が当該監査役設置会社の監査役に報告をするための体制
ロ　当該監査役設置会社の子会社の取締役、会計参与、監査役、執行役、業務を執行する社員、法第五百九十八条第一項の職務を行うべき者その他これらの者に相当する者及び使用人又はこれらの者から報告を受けた者が当該監査役設置会社の監査役に報告をするための体制
五　前号の報告をした者が当該報告をしたことを理由として不利な取扱いを受けないことを確保するための体制
六　当該監査役設置会社の監査役の職務の執行について生ずる費用の前払又は償還の手続その他の当該職務の執行について生ずる費用又は債務の処理に係る方針に関する事項
七　その他当該監査役設置会社の監査役の監査が実効的に行われることを確保するための体制

（業務の執行の社外取締役への委託）
第三百四十八条の二　株式会社（指名委員会等設置会社を除く。）が社外取締役を置いている場合において、当該株式会社と取締役との利益が相反する状況にあるとき、その他取締役が当該株式会社の業務を執行することにより株主の利益を損なうおそれがあるときは、当該株式会社は、その都度、取締役の決定（取締役会設置会社にあっては、取締役会の決議）によって、当該株式会社の業務を執行することを社外取締役に委託することができる。
2　指名委員会等設置会社と執行役との利益が相反する状況にあるとき、その他執行役が指名委員会等設置会社の業務を執行することにより株主の利益を損なうおそれがあるときは、当該指名委員会等設置会社は、その都度、取締役会の決議によって、当該指名委員会等設置会社の業務を執行することを社外取締役に委託することができる。
3　前二項の規定により委託された業務の執行は、第二条第十五号イに規定する株式会社の業務の執行に該当しないものとする。ただし、社外取締役が業務執行取締役（指名委員会等設置会社にあっては、執行役）の指揮命令により当該委託された業務を執行したときは、この限りでない。

（株式会社の代表）
第三百四十九条　取締役は、株式会社を代表する。ただし、他に代表取締役その他株式会社を代表する者を定めた場合は、この限りでない。
2　前項本文の取締役が二人以上ある場合には、取締役は、各自、株式会社を代表する。
3　株式会社（取締役会設置会社を除く。）は、定款、定款の定めに基づく取締役の互選又は株主総会の決議によって、取締役の中から代表取締役を定めることができる。
4　代表取締役は、株式会社の業務に関する一切の裁判上又は裁判外の行為をする権限を有する。
5　前項の権限に加えた制限は、善意の第三者に対抗することができない。

（代表者の行為についての損害賠償責任）
第三百五十条　株式会社は、代表取締役その他の代表者がその職務を行うについて第三者に加えた損害を賠償する責任を負う。

（代表取締役に欠員を生じた場合の措置）
第三百五十一条　代表取締役が欠けた場合又は定款で定めた代表取締役の員数が欠けた場合には、任期の満了又は辞任により退任した代表取締役は、新たに選定された代表取締役（次項の一時代表取締役の職務を行うべき者を含む。）が就任するまで、なお代表取締役としての権利義務を有する。
2　前項に規定する場合において、裁判所は、必要があると認めるときは、利害関係人の申立てにより、一時代表取締役の職務を行うべき者を選任することができる。

３　裁判所は、前項の一時代表取締役の職務を行うべき者を選任した場合には、株式会社がその者に対して支払う報酬の額を定めることができる。

（取締役の職務を代行する者の権限）

第三百五十二条　民事保全法（平成元年法律第九十一号）第五十六条に規定する仮処分命令により選任された取締役又は代表取締役の職務を代行する者は、仮処分命令に別段の定めがある場合を除き、株式会社の常務に属しない行為をするには、裁判所の許可を得なければならない。

２　前項の規定に違反して行った取締役又は代表取締役の職務を代行する者の行為は、無効とする。ただし、株式会社は、これをもって善意の第三者に対抗することができない。

（株式会社と取締役との間の訴えにおける会社の代表）

第三百五十三条　第三百四十九条第四項の規定にかかわらず、株式会社が取締役（取締役であった者を含む。以下この条において同じ。）に対し、又は取締役が株式会社に対して訴えを提起する場合には、株主総会は、当該訴えについて株式会社を代表する者を定めることができる。

（表見代表取締役）

第三百五十四条　株式会社は、代表取締役以外の取締役に社長、副社長その他株式会社を代表する権限を有するものと認められる名称を付した場合には、当該取締役がした行為について、善意の第三者に対してその責任を負う。

（忠実義務）

第三百五十五条　取締役は、法令及び定款並びに株主総会の決議を遵守し、株式会社のため忠実にその職務を行わなければならない。

（競業及び利益相反取引の制限）

第三百五十六条　取締役は、次に掲げる場合には、株主総会において、当該取引につき重要な事実を開示し、その承認を受けなければならない。

一　取締役が自己又は第三者のために株式会社の事業の部類に属する取引をしようとするとき。

二　取締役が自己又は第三者のために株式会社と取引をしようとするとき。

三　株式会社が取締役の債務を保証することその他取締役以外の者との間において株式会社と当該取締役との利益が相反する取引をしようとするとき。

２　民法第百八条の規定は、前項の承認を受けた同項第二号又は第三号の取引については、適用しない。

（取締役の報告義務）

第三百五十七条　取締役は、株式会社に著しい損害を及ぼすおそれのある事実があることを発見したときは、直ちに、当該事実を株主（監査役設置会社にあっては、監査役）に報告しなければならない。

２　監査役会設置会社における前項の規定の適用については、同項中「株主（監査役設置会社にあっては、監査役）」とあるのは、「監査役会」とする。

３　監査等委員会設置会社における第一項の規定の適用については、同項中「株主（監査役設置会社にあっては、監査役）」とあるのは、「監査等委員会」とする。

（業務の執行に関する検査役の選任）

第三百五十八条　株式会社の業務の執行に関し、不正の行為又は法令若しくは定款に違反する重大な事実があることを疑うに足りる事由があるときは、次に掲げる株主は、当該株式会社の業務及び財産の状況を調査させるため、裁判所に対し、検査役の選任の申立てをすることができる。

一　総株主（株主総会において決議をすることができる事項の全部につき議決権を行使することができない株主を除く。）の議決権の百分の三（これを下回る割合を定款で定めた場合にあっては、その割合）以上の議決権を有する株主

二　発行済株式（自己株式を除く。）の百分の三（これを下回る割合を定款で定めた場合にあっては、その割合）以上の数の株式を有する

株主

2　前項の申立てがあった場合には、裁判所は、これを不適法として却下する場合を除き、検査役を選任しなければならない。

3　裁判所は、前項の検査役を選任した場合には、株式会社が当該検査役に対して支払う報酬の額を定めることができる。

4　第二項の検査役は、その職務を行うため必要があるときは、株式会社の子会社の業務及び財産の状況を調査することができる。

5　第二項の検査役は、必要な調査を行い、当該調査の結果を記載し、又は記録した書面又は電磁的記録（法務省令で定めるものに限る。）を裁判所に提供して報告をしなければならない。

6　裁判所は、前項の報告について、その内容を明瞭にし、又はその根拠を確認するため必要があると認めるときは、第二項の検査役に対し、更に前項の報告を求めることができる。

7　第二項の検査役は、第五項の報告をしたときは、株式会社及び検査役の選任の申立てをした株主に対し、同項の書面の写しを交付し、又は同項の電磁的記録に記録された事項を法務省令で定める方法により提供しなければならない。

【会社法施行規則】

（検査役が提供する電磁的記録）

第二百二十八条　次に掲げる規定に規定する法務省令で定めるものは、商業登記規則（昭和三十九年法務省令第二十三号）第三十六条第一項に規定する電磁的記録媒体（電磁的記録に限る。）及び次に掲げる規定により電磁的記録の提供を受ける者が定める電磁的記録とする。

一～四　（略）

五　法第三百五十八条第五項

（検査役による電磁的記録に記録された事項の提供）

第二百二十九条　次に掲げる規定（以下この条において「検査役提供規定」という。）に規定する法務省令で定める方法は、電磁的方法のうち、検査役提供規定により当該検査役提供規定の電磁的記録に記録された事項の提供を受ける者が定めるものとする。

一～四　（略）

五　法第三百五十八条第七項

（交付等の指定）

第二百三十六条　電子文書法第六条第一項の主務省令で定める交付等は、次に掲げる交付等とする。

一～十一　（略）

十二　法第三百五十八条第七項の規定による同条第五項の書面の写しの交付等

十三～二十八　（略）

（裁判所による株主総会招集等の決定）

第三百五十九条　裁判所は、前条第五項の報告があった場合において、必要があると認めるときは、取締役に対し、次に掲げる措置の全部又は一部を命じなければならない。

一　一定の期間内に株主総会を招集すること。

二　前条第五項の調査の結果を株主に通知すること。

2　裁判所が前項第一号に掲げる措置を命じた場合には、取締役は、前条第五項の報告の内容を同号の株主総会において開示しなければならない。

3　前項に規定する場合には、取締役（監査役設置会社にあっては、取締役及び監査役）は、前条第五項の報告の内容を調査し、その結果を第一項第一号の株主総会に報告しなければならない。

（株主による取締役の行為の差止め）

第三百六十条　六箇月（これを下回る期間を定款で定めた場合にあっては、その期間）前から引き続き株式を有する株主は、取締役が株式会社の目的の範囲外の行為その他法令若しくは定款に違反する行為をし、又はこれらの行為をするおそれがある場合において、当該行為によって当該株式会社に著しい損害が生ずるおそれがあるときは、当該取締役に対し、当該行為をやめることを請求することができる。
2 公開会社でない株式会社における前項の規定の適用については、同項中「六箇月（これを下回る期間を定款で定めた場合にあっては、その期間）前から引き続き株式を有する株主」とあるのは、「株主」とする。
3 監査役設置会社、監査等委員会設置会社又は指名委員会等設置会社における第一項の規定の適用については、同項中「著しい損害」とあるのは、「回復することができない損害」とする。

（取締役の報酬等）

第三百六十一条 取締役の報酬、賞与その他の職務執行の対価として株式会社から受ける財産上の利益（以下この章において「報酬等」という。）についての次に掲げる事項は、定款に当該事項を定めていないときは、株主総会の決議によって定める。
一 報酬等のうち額が確定しているものについては、その額
二 報酬等のうち額が確定していないものについては、その具体的な算定方法
三 報酬等のうち当該株式会社の募集株式（第百九十九条第一項に規定する募集株式をいう。以下この項及び第四百九条第三項において同じ。）については、当該募集株式の数（種類株式発行会社にあっては、募集株式の種類及び種類ごとの数）の上限その他法務省令で定める事項
四 報酬等のうち当該株式会社の募集新株予約権（第二百三十八条第一項に規定する募集新株予約権をいう。以下この項及び第四百九条第三項において同じ。）については、当該募集新株予約権の数の上限その他法務省令で定める事項
五 報酬等のうち次のイ又はロに掲げるものと引換えにする払込みに充てるための金銭については、当該イ又はロに定める事項
イ 当該株式会社の募集株式 取締役が引き受ける当該募集株式の数（種類株式発行会社にあっては、募集株式の種類及び種類ごとの数）の上限その他法務省令で定める事項
ロ 当該株式会社の募集新株予約権 取締役が引き受ける当該募集新株予約権の数の上限その他法務省令で定める事項
六 報酬等のうち金銭でないもの（当該株式会社の募集株式及び募集新株予約権を除く。）については、その具体的な内容
2 監査等委員会設置会社においては、前項各号に掲げる事項は、監査等委員である取締役とそれ以外の取締役とを区別して定めなければならない。
3 監査等委員である各取締役の報酬等について定款の定め又は株主総会の決議がないときは、当該報酬等は、第一項の報酬等の範囲内において、監査等委員である取締役の協議によって定める。
4 第一項各号に掲げる事項を定め、又はこれを改定する議案を株主総会に提出した取締役は、当該株主総会において、当該事項を相当とする理由を説明しなければならない。
5 監査等委員である取締役は、株主総会において、監査等委員である取締役の報酬等について意見を述べることができる。
6 監査等委員会が選定する監査等委員は、株主総会において、監査等委員である取締役以外の取締役の報酬等について監査等委員会の意見を述べることができる。
7 次に掲げる株式会社の取締役会は、取締役（監査等委員である取締役を除く。以下この項において同じ。）の報酬等の内容として定款又は株主総会の決議による第一項各号に掲げる事項についての定めがある場合には、当該定めに基づく取締役の個人別の報酬等の内容についての決定に関する方針として法務省令で定める事項を決定しなければならない。ただし、取締役の個人別の報酬等の内容が定款又は株主総会の決議により定められているときは、この限りでない。
一 監査役会設置会社（公開会社であり、かつ、大会社であるものに限る。）であって、金融商品取引法第二十四条第一項の規定によりその発行する株式について有価証券報告書を内閣総理大臣に提出しなければならないもの
二 監査等委員会設置会社

【会社法施行規則】

（取締役の報酬等のうち株式会社の募集株式について定めるべき事項）

第九十八条の二　法第三百六十一条第一項第三号に規定する法務省令で定める事項は、同号の募集株式に係る次に掲げる事項とする。

一　一定の事由が生ずるまで当該募集株式を他人に譲り渡さないことを取締役に約させることとするときは、その旨及び当該一定の事由の概要

二　一定の事由が生じたことを条件として当該募集株式を当該株式会社に無償で譲り渡すことを取締役に約させることとするときは、その旨及び当該一定の事由の概要

三　前二号に掲げる事項のほか、取締役に対して当該募集株式を割り当てる条件を定めるときは、その条件の概要

（取締役の報酬等のうち株式会社の募集新株予約権について定めるべき事項）

第九十八条の三　法第三百六十一条第一項第四号に規定する法務省令で定める事項は、同号の募集新株予約権に係る次に掲げる事項とする。

一　法第二百三十六条第一項第一号から第四号までに掲げる事項（同条第三項の場合には、同条第一項第一号、第三号及び第四号に掲げる事項並びに同条第三項各号に掲げる事項）

二　一定の資格を有する者が当該募集新株予約権を行使することができることとするときは、その旨及び当該一定の資格の内容の概要

三　前二号に掲げる事項のほか、当該募集新株予約権の行使の条件を定めるときは、その条件の概要

四　法第二百三十六条第一項第六号に掲げる事項

五　法第二百三十六条第一項第七号に掲げる事項の内容の概要

六　取締役に対して当該募集新株予約権を割り当てる条件を定めるときは、その条件の概要

（取締役の報酬等のうち株式等と引換えにする払込みに充てるための金銭について定めるべき事項）

第九十八条の四　法第三百六十一条第一項第五号イに規定する法務省令で定める事項は、同号イの募集株式に係る次に掲げる事項とする。

一　一定の事由が生ずるまで当該募集株式を他人に譲り渡さないことを取締役に約させることとするときは、その旨及び当該一定の事由の概要

二　一定の事由が生じたことを条件として当該募集株式を当該株式会社に無償で譲り渡すことを取締役に約させることとするときは、その旨及び当該一定の事由の概要

三　前二号に掲げる事項のほか、取締役に対して当該募集株式と引換えにする払込みに充てるための金銭を交付する条件又は取締役に対して当該募集株式を割り当てる条件を定めるときは、その条件の概要

2　法第三百六十一条第一項第五号ロに規定する法務省令で定める事項は、同号ロの募集新株予約権に係る次に掲げる事項とする。

一　法第二百三十六条第一項第一号から第四号までに掲げる事項（同条第三項の場合には、同条第一項第一号、第三号及び第四号に掲げる事項並びに同条第三項各号に掲げる事項）

二　一定の資格を有する者が当該募集新株予約権を行使することができることとするときは、その旨及び当該一定の資格の内容の概要

三　前二号に掲げる事項のほか、当該募集新株予約権の行使の条件を定めるときは、その条件の概要

四　法第二百三十六条第一項第六号に掲げる事項

五　法第二百三十六条第一項第七号に掲げる事項の内容の概要

六　取締役に対して当該募集新株予約権と引換えにする払込みに充てるための金銭を交付する条件又は取締役に対して当該募集

新株予約権を割り当てる条件を定めるときは、その条件の概要

（取締役の個人別の報酬等の内容についての決定に関する方針）

第九十八条の五　法第三百六十一条第七項に規定する法務省令で定める事項は、次に掲げる事項とする。

一　取締役（監査等委員である取締役を除く。以下この条において同じ。）の個人別の報酬等（次号に規定する業績連動報酬等及び第三号に規定する非金銭報酬等のいずれでもないものに限る。）の額又はその算定方法の決定に関する方針

二　取締役の個人別の報酬等のうち、利益の状況を示す指標、株式の市場価格の状況を示す指標その他の当該株式会社又はその関係会社（会社計算規則第二条第三項第二十五号に規定する関係会社をいう。）の業績を示す指標（以下この号及び第百二十一条第五号の二において「業績指標」という。）を基礎としてその額又は数が算定される報酬等（以下この条並びに第百二十一条第四号及び第五号の二において「業績連動報酬等」という。）がある場合には、当該業績連動報酬等に係る業績指標の内容及び当該業績連動報酬等の額又は数の算定方法の決定に関する方針

三　取締役の個人別の報酬等のうち、金銭でないもの（募集株式又は募集新株予約権と引換えにする払込みに充てるための金銭を取締役の報酬等とする場合における当該募集株式又は募集新株予約権を含む。以下この条並びに第百二十一条第四号及び第五号の三において「非金銭報酬等」という。）がある場合には、当該非金銭報酬等の内容及び当該非金銭報酬等の額若しくは数又はその算定方法の決定に関する方針

四　第一号の報酬等の額、業績連動報酬等の額又は非金銭報酬等の額の取締役の個人別の報酬等の額に対する割合の決定に関する方針

五　取締役に対し報酬等を与える時期又は条件の決定に関する方針

六　取締役の個人別の報酬等の内容についての決定の全部又は一部を取締役その他の第三者に委任することとするときは、次に掲げる事項

イ　当該委任を受ける者の氏名又は当該株式会社における地位及び担当

ロ　イの者に委任する権限の内容

ハ　イの者によりロの権限が適切に行使されるようにするための措置を講ずることとするときは、その内容

七　取締役の個人別の報酬等の内容についての決定の方法（前号に掲げる事項を除く。）

八　前各号に掲げる事項のほか、取締役の個人別の報酬等の内容についての決定に関する重要な事項

第五節　取締役会

第一款　権限等

（取締役会の権限等）

第三百六十二条　取締役会は、すべての取締役で組織する。

2　取締役会は、次に掲げる職務を行う。

一　取締役会設置会社の業務執行の決定

二　取締役の職務の執行の監督

三　代表取締役の選定及び解職

3　取締役会は、取締役の中から代表取締役を選定しなければならない。

4　取締役会は、次に掲げる事項その他の重要な業務執行の決定を取締役に委任することができない。

一　重要な財産の処分及び譲受け

二　多額の借財

三　支配人その他の重要な使用人の選任及び解任

四　支店その他の重要な組織の設置、変更及び廃止

五　第六百七十六条第一号に掲げる事項その他の社債を引き受ける者

の募集に関する重要な事項として法務省令で定める事項

六　取締役の職務の執行が法令及び定款に適合することを確保するための体制その他株式会社の業務並びに当該株式会社及びその子会社から成る企業集団の業務の適正を確保するために必要なものとして法務省令で定める体制の整備

七　第四百二十六条第一項の規定による定款の定めに基づく第四百二十三条第一項の責任の免除

5　大会社である取締役会設置会社においては、取締役会は、前項第六号に掲げる事項を決定しなければならない。

【会社法施行規則】

（社債を引き受ける者の募集に際して取締役会が定めるべき事項）

第九十九条　法第三百六十二条第四項第五号に規定する法務省令で定める事項は、次に掲げる事項とする。

一　二以上の募集（法第六百七十六条の募集をいう。以下この条において同じ。）に係る法第六百七十六条各号に掲げる事項の決定を委任するときは、その旨

二　募集社債の総額の上限（前号に規定する場合にあっては、各募集に係る募集社債の総額の上限の合計額）

三　募集社債の利率の上限その他の利率に関する事項の要綱

四　募集社債の払込金額（法第六百七十六条第九号に規定する払込金額をいう。以下この号において同じ。）の総額の最低金額その他の払込金額に関する事項の要綱

2　前項の規定にかかわらず、信託社債（当該信託社債について信託財産に属する財産のみをもってその履行の責任を負うものに限る。）の募集に係る法第六百七十六条各号に掲げる事項の決定を委任する場合には、法第三百六十二条第四項第五号に規定する法務省令で定める事項は、当該決定を委任する旨とする。

（業務の適正を確保するための体制）

第百条　法第三百六十二条第四項第六号に規定する法務省令で定める体制は、当該株式会社における次に掲げる体制とする。

一　当該株式会社の取締役の職務の執行に係る情報の保存及び管理に関する体制

二　当該株式会社の損失の危険の管理に関する規程その他の体制

三　当該株式会社の取締役の職務の執行が効率的に行われることを確保するための体制

四　当該株式会社の使用人の職務の執行が法令及び定款に適合することを確保するための体制

五　次に掲げる体制その他の当該株式会社並びにその親会社及び子会社から成る企業集団における業務の適正を確保するための体制

イ　当該株式会社の子会社の取締役、執行役、業務を執行する社員、法第五百九十八条第一項の職務を行うべき者その他これらの者に相当する者（ハ及びニにおいて「取締役等」という。）の職務の執行に係る事項の当該株式会社への報告に関する体制

ロ　当該株式会社の子会社の損失の危険の管理に関する規程その他の体制

ハ　当該株式会社の子会社の取締役等の職務の執行が効率的に行われることを確保するための体制

ニ　当該株式会社の子会社の取締役等及び使用人の職務の執行が法令及び定款に適合することを確保するための体制

2　監査役設置会社以外の株式会社である場合には、前項に規定する体制には、取締役が株主に報告すべき事項の報告をするための体制を含むものとする。

3　監査役設置会社（監査役の監査の範囲を会計に関するものに限定する旨の定款の定めがある株式会社を含む。）である場合には、第一項に規定する体制には、次に掲げる体制を含むものとする。

一　当該監査役設置会社の監査役がその職務を補助すべき使用人を置くことを求めた場合における当該使用人に関する事項

二　前号の使用人の当該監査役設置会社の取締役からの独立性に関する事項
三　当該監査役設置会社の監査役の第一号の使用人に対する指示の実効性の確保に関する事項
四　次に掲げる体制その他の当該監査役設置会社の監査役への報告に関する体制
イ　当該監査役設置会社の取締役及び会計参与並びに使用人が当該監査役設置会社の監査役に報告をするための体制
ロ　当該監査役設置会社の子会社の取締役、会計参与、監査役、執行役、業務を執行する社員、法第五百九十八条第一項の職務を行うべき者その他これらの者に相当する者及び使用人又はこれらの者から報告を受けた者が当該監査役設置会社の監査役に報告をするための体制
五　前号の報告をした者が当該報告をしたことを理由として不利な取扱いを受けないことを確保するための体制
六　当該監査役設置会社の監査役の職務の執行について生ずる費用の前払又は償還の手続その他の当該職務の執行について生ずる費用又は債務の処理に係る方針に関する事項
七　その他当該監査役設置会社の監査役の監査が実効的に行われることを確保するための体制

（取締役会設置会社の取締役の権限）
第三百六十三条　次に掲げる取締役は、取締役会設置会社の業務を執行する。
一　代表取締役
二　代表取締役以外の取締役であって、取締役会の決議によって取締役会設置会社の業務を執行する取締役として選定されたもの
2　前項各号に掲げる取締役は、三箇月に一回以上、自己の職務の執行の状況を取締役会に報告しなければならない。

（取締役会設置会社と取締役との間の訴えにおける会社の代表）
第三百六十四条　第三百五十三条に規定する場合には、取締役会は、同条の規定による株主総会の定めがある場合を除き、同条の訴えについて取締役会設置会社を代表する者を定めることができる。

（競業及び取締役会設置会社との取引等の制限）
第三百六十五条　取締役会設置会社における第三百五十六条の規定の適用については、同条第一項中「株主総会」とあるのは、「取締役会」とする。
2　取締役会設置会社においては、第三百五十六条第一項各号の取引をした取締役は、当該取引後、遅滞なく、当該取引についての重要な事実を取締役会に報告しなければならない。

第二款　運営

（招集権者）
第三百六十六条　取締役会は、各取締役が招集する。ただし、取締役会を招集する取締役を定款又は取締役会で定めたときは、その取締役が招集する。
2　前項ただし書に規定する場合には、同項ただし書の規定により定められた取締役（以下この章において「招集権者」という。）以外の取締役は、招集権者に対し、取締役会の目的である事項を示して、取締役会の招集を請求することができる。
3　前項の規定による請求があった日から五日以内に、その請求があった日から二週間以内の日を取締役会の日とする取締役会の招集の通知が発せられない場合には、その請求をした取締役は、取締役会を招集することができる。

（株主による招集の請求）
第三百六十七条　取締役会設置会社（監査役設置会社、監査等委員会設置会社及び指名委員会等設置会社を除く。）の株主は、取締役が取締役会設置会社の目的の範囲外の行為その他法令若しくは定款に違反する行為をし、又はこれらの行為をするおそれがあると認めるときは、取

締役会の招集を請求することができる。

2　前項の規定による請求は、取締役（前条第一項ただし書に規定する場合にあっては、招集権者）に対し、取締役会の目的である事項を示して行わなければならない。

3　前条第三項の規定は、第一項の規定による請求があった場合について準用する。

4　第一項の規定による請求を行った株主は、当該請求に基づき招集され、又は前項において準用する前条第三項の規定により招集した取締役会に出席し、意見を述べることができる。

（招集手続）

第三百六十八条　取締役会を招集する者は、取締役会の日の一週間（これを下回る期間を定款で定めた場合にあっては、その期間）前までに、各取締役（監査役設置会社にあっては、各取締役及び各監査役）に対してその通知を発しなければならない。

2　前項の規定にかかわらず、取締役会は、取締役（監査役設置会社にあっては、取締役及び監査役）の全員の同意があるときは、招集の手続を経ることなく開催することができる。

（取締役会の決議）

第三百六十九条　取締役会の決議は、議決に加わることができる取締役の過半数（これを上回る割合を定款で定めた場合にあっては、その割合以上）が出席し、その過半数（これを上回る割合を定款で定めた場合にあっては、その割合以上）をもって行う。

2　前項の決議について特別の利害関係を有する取締役は、議決に加わることができない。

3　取締役会の議事については、法務省令で定めるところにより、議事録を作成し、議事録が書面をもって作成されているときは、出席した取締役及び監査役は、これに署名し、又は記名押印しなければならない。

4　前項の議事録が電磁的記録をもって作成されている場合における当該電磁的記録に記録された事項については、法務省令で定める署名又は記名押印に代わる措置をとらなければならない。

5　取締役会の決議に参加した取締役であって第三項の議事録に異議をとどめないものは、その決議に賛成したものと推定する。

【会社法施行規則】

（取締役会の議事録）

第百一条　法第三百六十九条第三項の規定による取締役会の議事録の作成については、この条の定めるところによる。

2　取締役会の議事録は、書面又は電磁的記録をもって作成しなければならない。

3　取締役会の議事録は、次に掲げる事項を内容とするものでなければならない。

一　取締役会が開催された日時及び場所（当該場所に存しない取締役（監査等委員会設置会社にあっては、監査等委員である取締役又はそれ以外の取締役）、執行役、会計参与、監査役、会計監査人又は株主が取締役会に出席をした場合における当該出席の方法を含む。）

二　取締役会が法第三百七十三条第二項の取締役会であるときは、その旨

三　取締役会が次に掲げるいずれかのものに該当するときは、その旨

イ　法第三百六十六条第二項の規定による取締役の請求を受けて招集されたもの

ロ　法第三百六十六条第三項の規定により取締役が招集したもの

ハ　法第三百六十七条第一項の規定による株主の請求を受けて招集されたもの

ニ　法第三百六十七条第三項において準用する法第三百六十六条第三項の規定により株主が招集したもの

ホ　法第三百八十三条第二項の規定による監査役の請求を受け

て招集されたもの
へ　法第三百八十三条第三項の規定により監査役が招集したもの
ト　法第三百九十九条の十四の規定により監査等委員会が選定した監査等委員が招集したもの
チ　法第四百十七条第一項の規定により指名委員会等の委員の中から選定された者が招集したもの
リ　法第四百十七条第二項前段の規定による執行役の請求を受けて招集されたもの
ヌ　法第四百十七条第二項後段の規定により執行役が招集したもの
四　取締役会の議事の経過の要領及びその結果
五　決議を要する事項について特別の利害関係を有する取締役があるときは、当該取締役の氏名
六　次に掲げる規定により取締役会において述べられた意見又は発言があるときは、その意見又は発言の内容の概要
イ　法第三百六十五条第二項（法第四百十九条第二項において準用する場合を含む。）
ロ　法第三百六十七条第四項
ハ　法第三百七十六条第一項
ニ　法第三百八十二条
ホ　法第三百八十三条第一項
へ　法第三百九十九条の四
ト　法第四百六条
チ　法第四百三十条の二第四項
七　取締役会に出席した執行役、会計参与、会計監査人又は株主の氏名又は名称
八　取締役会の議長が存するときは、議長の氏名
4　次の各号に掲げる場合には、取締役会の議事録は、当該各号に定める事項を内容とするものとする。

一　法第三百七十条の規定により取締役会の決議があったものとみなされた場合　次に掲げる事項
イ　取締役会の決議があったものとみなされた事項の内容
ロ　イの事項の提案をした取締役の氏名
ハ　取締役会の決議があったものとみなされた日
ニ　議事録の作成に係る職務を行った取締役の氏名
二　法第三百七十二条第一項（同条第三項の規定により読み替えて適用する場合を含む。）の規定により取締役会への報告を要しないものとされた場合　次に掲げる事項
イ　取締役会への報告を要しないものとされた事項の内容
ロ　取締役会への報告を要しないものとされた日
ハ　議事録の作成に係る職務を行った取締役の氏名

（電子署名）
第二百二十五条　次に掲げる規定に規定する法務省令で定める署名又は記名押印に代わる措置は、電子署名とする。
一～五　（略）
六　法第三百六十九条第四項（法第四百九十条第五項において準用する場合を含む。）
七～十二　（略）
2　前項に規定する「電子署名」とは、電磁的記録に記録することができる情報について行われる措置であって、次の要件のいずれにも該当するものをいう。
一　当該情報が当該措置を行った者の作成に係るものであることを示すためのものであること。
二　当該情報について改変が行われていないかどうかを確認することができるものであること。

（取締役会の決議の省略）
第三百七十条　取締役会設置会社は、取締役が取締役会の決議の目的である事項について提案をした場合において、当該提案につき取締役（当

該事項について議決に加わることができるものに限る。）の全員が書面又は電磁的記録により同意の意思表示をしたとき（監査役設置会社にあっては、監査役が当該提案について異議を述べたときを除く。）は、当該提案を可決する旨の取締役会の決議があったものとみなす旨を定款で定めることができる。

（議事録等）

第三百七十一条　取締役会設置会社は、取締役会の日（前条の規定により取締役会の決議があったものとみなされた日を含む。）から十年間、第三百六十九条第三項の議事録又は前条の意思表示を記載し、若しくは記録した書面若しくは電磁的記録（以下この条において「議事録等」という。）をその本店に備え置かなければならない。

2　株主は、その権利を行使するため必要があるときは、株式会社の営業時間内は、いつでも、次に掲げる請求をすることができる。

一　前項の議事録等が書面をもって作成されているときは、当該書面の閲覧又は謄写の請求

二　前項の議事録等が電磁的記録をもって作成されているときは、当該電磁的記録に記録された事項を法務省令で定める方法により表示したものの閲覧又は謄写の請求

3　監査役設置会社、監査等委員会設置会社又は指名委員会等設置会社における前項の規定の適用については、同項中「株式会社の営業時間内は、いつでも」とあるのは、「裁判所の許可を得て」とする。

4　取締役会設置会社の債権者は、役員又は執行役の責任を追及するため必要があるときは、裁判所の許可を得て、当該取締役会設置会社の議事録等について第二項各号に掲げる請求をすることができる。

5　前項の規定は、取締役会設置会社の親会社社員がその権利を行使するため必要があるときについて準用する。

6　裁判所は、第三項において読み替えて適用する第二項各号に掲げる請求又は第四項（前項において準用する場合を含む。以下この項において同じ。）の請求に係る閲覧又は謄写をすることにより、当該取締役会設置会社又はその親会社若しくは子会社に著しい損害を及ぼすおそれがあると認めるときは、第三項において読み替えて適用する第二項の許可又は第四項の許可をすることができない。

【会社法施行規則】

（保存の指定）

第二百三十二条　電子文書法第三条第一項の主務省令で定める保存は、次に掲げる保存とする。

一～十二　（略）

十三　法第三百七十一条第一項（法第四百九十条第五項において準用する場合を含む。）の規定による議事録等の保存

十四～三十六　（略）

（縦覧等の指定）

第二百三十四条　電子文書法第五条第一項の主務省令で定める縦覧等は、次に掲げる縦覧等とする。

一～二十四　（略）

二十五　法第三百七十一条第二項第一号（法第四百九十条第五項において準用する場合を含む。）の規定による議事録等の縦覧等

二十六　法第三百七十一条第四項（同条第五項（法第四百九十条第五項において準用する場合を含む。）及び法第四百九十条第五項において準用する場合を含む。）の規定による議事録等の縦覧等

二十七～五十四　（略）

（電磁的記録に記録された事項を表示する方法）

第二百二十六条　次に掲げる規定に規定する法務省令で定める方法は、次に掲げる規定の電磁的記録に記録された事項を紙面又は映像面に表示する方法とする。

一～十八　（略）

十九　法第三百七十一条第二項第二号（法第四百九十条第五項において準用する場合を含む。）

二十〜四十三　（略）

（取締役会への報告の省略）

第三百七十二条　取締役、会計参与、監査役又は会計監査人が取締役（監査役設置会社にあっては、取締役及び監査役）の全員に対して取締役会に報告すべき事項を通知したときは、当該事項を取締役会へ報告することを要しない。

2　前項の規定は、第三百六十三条第二項の規定による報告については、適用しない。

3　指名委員会等設置会社についての前二項の規定の適用については、第一項中「監査役又は会計監査人」とあるのは「会計監査人又は執行役」と、「取締役（監査役設置会社にあっては、取締役及び監査役）」とあるのは「取締役」と、前項中「第三百六十三条第二項」とあるのは「第四百十七条第四項」とする。

（特別取締役による取締役会の決議）

第三百七十三条　第三百六十九条第一項の規定にかかわらず、取締役会設置会社（指名委員会等設置会社を除く。）が次に掲げる要件のいずれにも該当する場合（監査等委員会設置会社にあっては、第三百九十九条の十三第五項に規定する場合又は同条第六項の規定による定款の定めがある場合を除く。）には、取締役会は、第三百六十二条第四項第一号及び第二号又は第三百九十九条の十三第四項第一号及び第二号に掲げる事項についての取締役会の決議については、あらかじめ選定した三人以上の取締役（以下この章において「特別取締役」という。）のうち、議決に加わることができるものの過半数（これを上回る割合を取締役会で定めた場合にあっては、その割合以上）が出席し、その過半数（これを上回る割合を取締役会で定めた場合にあっては、その割合以上）をもって行うことができる旨を定めることができる。

一　取締役の数が六人以上であること。

二　取締役のうち一人以上が社外取締役であること。

2　前項の規定による特別取締役による議決の定めがある場合には、特別取締役以外の取締役は、第三百六十二条第四項第一号及び第二号又は第三百九十九条の十三第四項第一号及び第二号に掲げる事項の決定をする取締役会に出席することを要しない。この場合における第三百六十六条第一項本文及び第三百六十八条の規定の適用については、第三百六十六条第一項本文中「各取締役」とあるのは「各特別取締役（第三百七十三条第一項に規定する特別取締役をいう。第三百六十八条において同じ。）」と、第三百六十八条第一項中「定款」とあるのは「取締役会」と、「各取締役」とあるのは「各特別取締役」と、同条第二項中「取締役（」とあるのは「特別取締役（」と、「取締役及び」とあるのは「特別取締役及び」とする。

3　特別取締役の互選によって定められた者は、前項の取締役会の決議後、遅滞なく、当該決議の内容を特別取締役以外の取締役に報告しなければならない。

4　第三百六十六条（第一項本文を除く。）、第三百六十七条、第三百六十九条第一項、第三百七十条及び第三百九十九条の十四の規定は、第二項の取締役会については、適用しない。

第六節　会計参与

（会計参与の権限）

第三百七十四条　会計参与は、取締役と共同して、計算書類（第四百三十五条第二項に規定する計算書類をいう。以下この章において同じ。）及びその附属明細書、臨時計算書類（第四百四十一条第一項に規定する臨時計算書類をいう。以下この章において同じ。）並びに連結計算書類（第四百四十四条第一項に規定する連結計算書類をいう。第三百九十六条第一項において同じ。）を作成する。この場合において、会計参与は、法務省令で定めるところにより、会計参与報告を作成しなければならない。

2　会計参与は、いつでも、次に掲げるものの閲覧及び謄写をし、又は取締役及び支配人その他の使用人に対して会計に関する報告を求めることができる。

一　会計帳簿又はこれに関する資料が書面をもって作成されているときは、当該書面
二　会計帳簿又はこれに関する資料が電磁的記録をもって作成されているときは、当該電磁的記録に記録された事項を法務省令で定める方法により表示したもの

3　会計参与は、その職務を行うため必要があるときは、会計参与設置会社の子会社に対して会計に関する報告を求め、又は会計参与設置会社若しくはその子会社の業務及び財産の状況の調査をすることができる。

4　前項の子会社は、正当な理由があるときは、同項の報告又は調査を拒むことができる。

5　会計参与は、その職務を行うに当たっては、第三百三十三条第三項第二号又は第三号に掲げる者を使用してはならない。

6　指名委員会等設置会社における第一項及び第二項の規定の適用については、第一項中「取締役」とあるのは「執行役」と、第二項中「取締役及び」とあるのは「執行役及び取締役並びに」とする。

【会社法施行規則】

（会計参与報告の内容）

第百二条　法第三百七十四条第一項の規定により作成すべき会計参与報告は、次に掲げる事項を内容とするものでなければならない。

一　会計参与が職務を行うにつき会計参与設置会社と合意した事項のうち主なもの
二　計算関係書類のうち、取締役又は執行役と会計参与が共同して作成したものの種類
三　会計方針（会計計算規則第二条第三項第六十二号に規定する会計方針をいう。）に関する次に掲げる事項（重要性の乏しいものを除く。）
イ　資産の評価基準及び評価方法
ロ　固定資産の減価償却の方法
ハ　引当金の計上基準
ニ　収益及び費用の計上基準
ホ　その他計算関係書類の作成のための基本となる重要な事項
四　計算関係書類の作成に用いた資料の種類その他計算関係書類の作成の過程及び方法
五　前号に規定する資料が次に掲げる事由に該当するときは、その旨及びその理由
イ　当該資料が著しく遅滞して作成されたとき。
ロ　当該資料の重要な事項について虚偽の記載がされていたとき。
六　計算関係書類の作成に必要な資料が作成されていなかったとき又は適切に保存されていなかったときは、その旨及びその理由
七　会計参与が計算関係書類の作成のために行った報告の徴収及び調査の結果
八　会計参与が計算関係書類の作成に際して取締役又は執行役と協議した主な事項

（縦覧等の指定）

第二百三十四条　電子文書法第五条第一項の主務省令で定める縦覧等は、次に掲げる縦覧等とする。

一～二十六　（略）
二十七　法第三百七十四条第二項第一号の規定による会計帳簿又はこれに関する資料の縦覧等
二十八～五十四　（略）

（電磁的記録に記録された事項を表示する方法）

第二百二十六条　次に掲げる規定に規定する法務省令で定める方法は、次に掲げる規定の電磁的記録に記録された事項を紙面又は映像面に表示する方法とする。

一～十九　（略）
二十　法第三百七十四条第二項第二号

二十一〜四十三（略）

（会計参与の報告義務）

第三百七十五条　会計参与は、その職務を行うに際して取締役の職務の執行に関し不正の行為又は法令若しくは定款に違反する重大な事実があることを発見したときは、遅滞なく、これを株主（監査役設置会社にあっては、監査役）に報告しなければならない。

2　監査役会設置会社における前項の規定の適用については、同項中「株主（監査役設置会社にあっては、監査役）」とあるのは、「監査役会」とする。

3　監査等委員会設置会社における第一項の規定の適用については、同項中「株主（監査役設置会社にあっては、監査役）」とあるのは、「監査等委員会」とする。

4　指名委員会等設置会社における第一項の規定の適用については、同項中「取締役」とあるのは「執行役又は取締役」と、「株主（監査役設置会社にあっては、監査役）」とあるのは「監査委員会」とする。

（取締役会への出席）

第三百七十六条　取締役会設置会社の会計参与（会計参与が監査法人又は税理士法人である場合にあっては、その職務を行うべき社員。以下この条において同じ。）は、第四百三十六条第三項、第四百四十一条第三項又は第四百四十四条第五項の承認をする取締役会に出席しなければならない。この場合において、会計参与は、必要があると認めるときは、意見を述べなければならない。

2　会計参与設置会社において、前項の取締役会を招集する者は、当該取締役会の日の一週間（これを下回る期間を定款で定めた場合にあっては、その期間）前までに、各会計参与に対してその通知を発しなければならない。

3　会計参与設置会社において、第三百六十八条第二項の規定により第一項の取締役会を招集の手続を経ることなく開催するときは、会計参与の全員の同意を得なければならない。

（株主総会における意見の陳述）

第三百七十七条　第三百七十四条第一項に規定する書類の作成に関する事項について会計参与が取締役と意見を異にするときは、会計参与（会計参与が監査法人又は税理士法人である場合にあっては、その職務を行うべき社員）は、株主総会において意見を述べることができる。

2　指名委員会等設置会社における前項の規定の適用については、同項中「取締役」とあるのは、「執行役」とする。

（会計参与による計算書類等の備置き等）

第三百七十八条　会計参与は、次の各号に掲げるものを、当該各号に定める期間、法務省令で定めるところにより、当該会計参与が定めた場所に備え置かなければならない。

一　各事業年度に係る計算書類及びその附属明細書並びに会計参与報告　定時株主総会の日の一週間（取締役会設置会社にあっては、二週間）前の日（第三百十九条第一項の場合にあっては、同項の提案があった日）から五年間

二　臨時計算書類及び会計参与報告　臨時計算書類を作成した日から五年間

2　会計参与設置会社の株主及び債権者は、会計参与設置会社の営業時間内（会計参与が請求に応ずることが困難な場合として法務省令で定める場合を除く。）は、いつでも、会計参与に対し、次に掲げる請求をすることができる。ただし、第二号又は第四号に掲げる請求をするには、当該会計参与の定めた費用を支払わなければならない。

一　前項各号に掲げるものが書面をもって作成されているときは、当該書面の閲覧の請求

二　前号の書面の謄本又は抄本の交付の請求

三　前項各号に掲げるものが電磁的記録をもって作成されているときは、当該電磁的記録に記録された事項を法務省令で定める方法により表示したものの閲覧の請求

四　前号の電磁的記録に記録された事項を電磁的方法であって会計参与の定めたものにより提供することの請求又はその事項を記載した

書面の交付の請求

3　会計参与設置会社の親会社社員は、その権利を行使するため必要があるときは、裁判所の許可を得て、当該会計参与設置会社の第一項各号に掲げるものについて前項各号に掲げる請求をすることができる。ただし、同項第二号又は第四号に掲げる請求をするには、当該会計参与の定めた費用を支払わなければならない。

【会社法施行規則】

（計算書類等の備置き）

第百三条　法第三百七十八条第一項の規定により会計参与が同項各号に掲げるものを備え置く場所（以下この条において「会計参与報告等備置場所」という。）を定める場合には、この条の定めるところによる。

2　会計参与は、当該会計参与である公認会計士若しくは監査法人又は税理士若しくは税理士法人の事務所（会計参与が税理士法（昭和二十六年法律第二百三十七号）第二条第三項の規定により税理士又は税理士法人の補助者として当該税理士の税理士事務所に勤務し、又は当該税理士法人に所属し、同項に規定する業務に従事する者であるときは、その勤務する税理士事務所又は当該税理士法人の事務所）の場所の中から会計参与報告等備置場所を定めなければならない。

3　会計参与は、会計参与報告等備置場所として会計参与設置会社の本店又は支店と異なる場所を定めなければならない。

4　会計参与は、会計参与報告等備置場所を定めた場合には、遅滞なく、会計参与設置会社に対して、会計参与報告等備置場所を通知しなければならない。

（保存の指定）

第二百三十二条　電子文書法第三条第一項の主務省令で定める保存は、次に掲げる保存とする。

一～十三　（略）

十四　法第三百七十八条第一項第一号の規定による計算書類、その附属明細書又は会計参与報告の保存

十五　法第三百七十八条第一項第二号の規定による臨時計算書類及び会計参与報告の保存

十六～三十六　（略）

（計算書類の閲覧）

第百四条　法第三百七十八条第二項に規定する法務省令で定める場合とは、会計参与である公認会計士若しくは監査法人又は税理士若しくは税理士法人の業務時間外である場合とする。

（縦覧等の指定）

第二百三十四条　電子文書法第五条第一項の主務省令で定める縦覧等は、次に掲げる縦覧等とする。

一～二十七　（略）

二十八　法第三百七十八条第二項第一号の規定による計算書類及びその附属明細書、会計参与報告並びに臨時計算書類の縦覧等

二十九～五十四　（略）

（交付等の指定）

第二百三十六条　電子文書法第六条第一項の主務省令で定める交付等は、次に掲げる交付等とする。

一～十二　（略）

十三　法第三百七十八条第二項第二号の規定による同条第一項各号に掲げる書面の謄本又は抄本の交付等

十四　法第三百七十八条第三項の規定による同条第一項各号に掲げる書面の謄本又は抄本の交付等

十五～二十八　（略）

（電磁的記録に記録された事項を表示する方法）

第二百二十六条　次に掲げる規定に規定する法務省令で定める方法は、次に掲げる規定の電磁的記録に記録された事項を紙面又は映像面に表示する方法とする。

一～二十　（略）

二十一 法第三百七十八条第二項第三号

二十二～四十三（略）

（会計参与の報酬等）

第三百七十九条 会計参与の報酬等は、定款にその額を定めていないときは、株主総会の決議によって定める。

2 会計参与が二人以上ある場合において、各会計参与の報酬等について定款の定め又は株主総会の決議がないときは、当該報酬等は、前項の報酬等の範囲内において、会計参与の協議によって定める。

3 会計参与（会計参与が監査法人又は税理士法人である場合にあっては、その職務を行うべき社員）は、株主総会において、会計参与の報酬等について意見を述べることができる。

（費用等の請求）

第三百八十条 会計参与がその職務の執行について会計参与設置会社に対して次に掲げる請求をしたときは、当該会計参与設置会社は、当該請求に係る費用又は債務が当該会計参与の職務の執行に必要でないことを証明した場合を除き、これを拒むことができない。

一 費用の前払の請求

二 支出した費用及び支出の日以後におけるその利息の償還の請求

三 負担した債務の債権者に対する弁済（当該債務が弁済期にない場合にあっては、相当の担保の提供）の請求

第七節 監査役

（監査役の権限）

第三百八十一条 監査役は、取締役（会計参与設置会社にあっては、取締役及び会計参与）の職務の執行を監査する。この場合において、監査役は、法務省令で定めるところにより、監査報告を作成しなければならない。

2 監査役は、いつでも、取締役及び会計参与並びに支配人その他の使用人に対して事業の報告を求め、又は監査役設置会社の業務及び財産の状況の調査をすることができる。

3 監査役は、その職務を行うため必要があるときは、監査役設置会社の子会社に対して事業の報告を求め、又はその子会社の業務及び財産の状況の調査をすることができる。

4 前項の子会社は、正当な理由があるときは、同項の報告又は調査を拒むことができる。

【会社法施行規則】

（監査報告の作成）

第百五条 法第三百八十一条第一項の規定により法務省令で定める事項については、この条の定めるところによる。

2 監査役は、その職務を適切に遂行するため、次に掲げる者との意思疎通を図り、情報の収集及び監査の環境の整備に努めなければならない。この場合において、取締役又は取締役会は、監査役の職務の執行のための必要な体制の整備に留意しなければならない。

一 当該株式会社の取締役、会計参与及び使用人

二 当該株式会社の子会社の取締役、会計参与、執行役、業務を執行する社員、法第五百九十八条第一項の職務を行うべき者その他これらの者に相当する者及び使用人

三 その他監査役が適切に職務を遂行するに当たり意思疎通を図るべき者

3 前項の規定は、監査役が公正不偏の態度及び独立の立場を保持することができなくなるおそれのある関係の創設及び維持を認めるものと解してはならない。

4 監査役は、その職務の遂行に当たり、必要に応じ、当該株式会社の他の監査役、当該株式会社の親会社及び子会社の監査役その他これらに相当する者との意思疎通及び情報の交換を図るよう努めなければならない。

（取締役への報告義務）

第三百八十二条　監査役は、取締役が不正の行為をし、若しくは当該行為をするおそれがあると認めるとき、又は法令若しくは定款に違反する事実若しくは著しく不当な事実があると認めるときは、遅滞なく、その旨を取締役（取締役会設置会社にあっては、取締役会）に報告しなければならない。

（取締役会への出席義務等）

第三百八十三条　監査役は、取締役会に出席し、必要があると認めるときは、意見を述べなければならない。ただし、監査役が二人以上ある場合において、第三百七十三条第一項の規定による特別取締役による議決の定めがあるときは、監査役の互選によって、監査役の中から特に同条第二項の取締役会に出席する監査役を定めることができる。

2　監査役は、前条に規定する場合において、必要があると認めるときは、取締役（第三百六十六条第一項ただし書に規定する場合にあっては、招集権者）に対し、取締役会の招集を請求することができる。

3　前項の規定による請求があった日から五日以内に、その請求があった日から二週間以内の日を取締役会の日とする取締役会の招集の通知が発せられない場合は、その請求をした監査役は、取締役会を招集することができる。

4　前二項の規定は、第三百七十三条第二項の取締役会については、適用しない。

（株主総会に対する報告義務）

第三百八十四条　監査役は、取締役が株主総会に提出しようとする議案、書類その他法務省令で定めるものを調査しなければならない。この場合において、法令若しくは定款に違反し、又は著しく不当な事項があると認めるときは、その調査の結果を株主総会に報告しなければならない。

【会社法施行規則】
（監査役の調査の対象）

第百六条　法第三百八十四条に規定する法務省令で定めるものは、電磁的記録その他の資料とする。

（監査役による取締役の行為の差止め）

第三百八十五条　監査役は、取締役が監査役設置会社の目的の範囲外の行為その他法令若しくは定款に違反する行為をし、又はこれらの行為をするおそれがある場合において、当該行為によって当該監査役設置会社に著しい損害が生ずるおそれがあるときは、当該取締役に対し、当該行為をやめることを請求することができる。

2　前項の場合において、裁判所が仮処分をもって同項の取締役に対し、その行為をやめることを命ずるときは、担保を立てさせないものとする。

（監査役設置会社と取締役との間の訴えにおける会社の代表等）

第三百八十六条　第三百四十九条第四項、第三百五十三条及び第三百六十四条の規定にかかわらず、次の各号に掲げる場合には、当該各号の訴えについては、監査役が監査役設置会社を代表する。

一　監査役設置会社が取締役（取締役であった者を含む。以下この条において同じ。）に対し、又は取締役が監査役設置会社に対して訴えを提起する場合

二　株式交換等完全親会社（第八百四十九条第二項第一号に規定する株式交換等完全親会社をいう。次項第三号において同じ。）である監査役設置会社がその株式交換等完全子会社（第八百四十七条の二第一項に規定する株式交換等完全子会社をいう。次項第三号において同じ。）の取締役、執行役（執行役であった者を含む。以下この条において同じ。）又は清算人（清算人であった者を含む。以下この条において同じ。）の責任（第八百四十七条の二第一項各号に掲げる行為の効力が生じた時までにその原因となった事実が生じたものに限る。）を追及する訴えを提起する場合

三　最終完全親会社等（第八百四十七条の三第一項に規定する最終完全親会社等をいう。次項第四号において同じ。）である監査役設置会

社がその完全子会社等（同条第二項第二号に規定する完全子会社等をいい、同条第三項の規定により当該完全子会社等とみなされるものを含む。次項第四号において同じ。）である株式会社の取締役、執行役又は清算人に対して特定責任追及の訴え（同条第一項に規定する特定責任追及の訴えをいう。）を提起する場合

2　第三百四十九条第四項の規定にかかわらず、次に掲げる場合には、監査役が監査役設置会社を代表する。

一　監査役設置会社が第八百四十七条第一項、第八百四十七条の二第一項若しくは第三項（同条第四項及び第五項において準用する場合を含む。）又は第八百四十七条の三第一項の規定による請求（取締役の責任を追及する訴えの提起の請求に限る。）を受ける場合

二　監査役設置会社が第八百四十九条第四項の訴訟告知（取締役の責任を追及する訴えに係るものに限る。）並びに第八百五十条第二項の規定による通知及び催告（取締役の責任を追及する訴えに係る訴訟における和解に関するものに限る。）を受ける場合

三　株式交換等完全親会社である監査役設置会社が第八百四十七条第一項の規定による請求（前項第二号に規定する訴えの提起の請求に限る。）をする場合又は第八百四十九条第六項の規定による通知（その株式交換等完全子会社の取締役、執行役又は清算人の責任を追及する訴えに係るものに限る。）を受ける場合

四　最終完全親会社等である監査役設置会社が第八百四十七条第一項の規定による請求（前項第三号に規定する特定責任追及の訴えの提起の請求に限る。）をする場合又は第八百四十九条第七項の規定による通知（その完全子会社等である株式会社の取締役、執行役又は清算人の責任を追及する訴えに係るものに限る。）を受ける場合

（監査役の報酬等）

第三百八十七条　監査役の報酬等は、定款にその額を定めていないときは、株主総会の決議によって定める。

2　監査役が二人以上ある場合において、各監査役の報酬等について定款の定め又は株主総会の決議がないときは、当該報酬等は、前項の報酬等の範囲内において、監査役の協議によって定める。

3　監査役は、株主総会において、監査役の報酬等について意見を述べることができる。

（費用等の請求）

第三百八十八条　監査役がその職務の執行について監査役設置会社（監査役の監査の範囲を会計に関するものに限定する旨の定款の定めがある株式会社を含む。）に対して次に掲げる請求をしたときは、当該監査役設置会社は、当該請求に係る費用又は債務が当該監査役の職務の執行に必要でないことを証明した場合を除き、これを拒むことができない。

一　費用の前払の請求

二　支出した費用及び支出の日以後におけるその利息の償還の請求

三　負担した債務の債権者に対する弁済（当該債務が弁済期にない場合にあっては、相当の担保の提供）の請求

（定款の定めによる監査範囲の限定）

第三百八十九条　公開会社でない株式会社（監査役会設置会社及び会計監査人設置会社を除く。）は、第三百八十一条第一項の規定にかかわらず、その監査役の監査の範囲を会計に関するものに限定する旨を定款で定めることができる。

2　前項の規定による定款の定めがある株式会社の監査役は、法務省令で定めるところにより、監査報告を作成しなければならない。

3　前項の監査役は、取締役が株主総会に提出しようとする会計に関する議案、書類その他の法務省令で定めるものを調査し、その調査の結果を株主総会に報告しなければならない。

4　第二項の監査役は、いつでも、次に掲げるものの閲覧及び謄写をし、又は取締役及び会計参与並びに支配人その他の使用人に対して会計に関する報告を求めることができる。

一　会計帳簿又はこれに関する資料が書面をもって作成されているときは、当該書面

二　会計帳簿又はこれに関する資料が電磁的記録をもって作成されて

いるときは、当該電磁的記録に記録された事項を法務省令で定める方法により表示したもの

5　第二項の監査役は、その職務を行うため必要があるときは、株式会社の子会社に対して会計に関する報告を求め、又は株式会社若しくはその子会社の業務及び財産の状況の調査をすることができる。

6　前項の子会社は、正当な理由があるときは、同項の規定による報告又は調査を拒むことができる。

7　第三百八十一条から第三百八十六条までの規定は、第一項の規定による定款の定めがある株式会社については、適用しない。

【会社法施行規則】

（監査報告の作成）

第百七条　法第三百八十九条第二項の規定により法務省令で定める事項については、この条の定めるところによる。

2　監査役は、その職務を適切に遂行するため、次に掲げる者との意思疎通を図り、情報の収集及び監査の環境の整備に努めなければならない。この場合において、取締役又は取締役会は、監査役の職務の執行のための必要な体制の整備に留意しなければならない。

一　当該株式会社の取締役、会計参与及び使用人

二　当該株式会社の子会社の取締役、会計参与、執行役、業務を執行する社員、法第五百九十八条第一項の職務を行うべき者その他これらの者に相当する者及び使用人

三　その他監査役が適切に職務を遂行するに当たり意思疎通を図るべき者

3　前項の規定は、監査役が公正不偏の態度及び独立の立場を保持することができなくなるおそれのある関係の創設及び維持を認めるものと解してはならない。

4　監査役は、その職務の遂行に当たり、必要に応じ、当該株式会社の他の監査役、当該株式会社の親会社及び子会社の監査役その他これらに相当する者との意思疎通及び情報の交換を図るよう努めなければならない。

（監査の範囲が限定されている監査役の調査の対象）

第百八条　法第三百八十九条第三項に規定する法務省令で定めるものは、次に掲げるものとする。

一　計算関係書類

二　次に掲げる議案が株主総会に提出される場合における当該議案

イ　当該株式会社の株式の取得に関する議案（当該取得に際して交付する金銭等の合計額に係る部分に限る。）

ロ　剰余金の配当に関する議案（剰余金の配当に際して交付する金銭等の合計額に係る部分に限る。）

ハ　法第四百四十七条第一項の資本金の額の減少に関する議案

ニ　法第四百四十八条第一項の準備金の額の減少に関する議案

ホ　法第四百五十条第一項の資本金の額の増加に関する議案

ヘ　法第四百五十一条第一項の準備金の額の増加に関する議案

ト　法第四百五十二条に規定する剰余金の処分に関する議案

三　次に掲げる事項を含む議案が株主総会に提出される場合における当該事項

イ　法第百九十九条第一項第五号の増加する資本金及び資本準備金に関する事項

ロ　法第二百三十六条第一項第五号の増加する資本金及び資本準備金に関する事項

ハ　法第七百四十九条第一項第二号イの資本金及び準備金の額に関する事項

ニ　法第七百五十三条第一項第六号の資本金及び準備金の額に関する事項

ホ　法第七百五十八条第四号イの資本金及び準備金の額に関する事項

ヘ　法第七百六十三条第一項第六号の資本金及び準備金の額に

関する事項

ト　法第七百六十八条第一項第二号イの資本金及び準備金の額に関する事項

チ　法第七百七十三条第一項第五号の資本金及び準備金の額に関する事項

リ　法第七百七十四条の三第一項第三号の資本金及び準備金の額に関する事項

ヌ　法第七百七十四条の三第一項第八号イの資本金及び準備金の額に関する事項

四　前三号に掲げるもののほか、これらに準ずるもの

（縦覧等の指定）

第二百三十四条　電子文書法第五条第一項の主務省令で定める縦覧等は、次に掲げる縦覧等とする。

一～二十八　（略）

二十九　法第三百八十九条第四項第一号の規定による会計帳簿又はこれに関する資料の縦覧等

三十～五十四　（略）

（電磁的記録に記録された事項を表示する方法）

第二百二十六条　次に掲げる規定に規定する法務省令で定める方法は、次に掲げる規定の電磁的記録に記録された事項を紙面又は映像面に表示する方法とする。

一～二十一　（略）

二十二　法第三百八十九条第四項第二号

二十三～四十三　（略）

第八節　監査役会

第一款　権限等

第三百九十条　監査役会は、すべての監査役で組織する。

2　監査役会は、次に掲げる職務を行う。ただし、第三号の決定は、監査役の権限の行使を妨げることはできない。

一　監査報告の作成

二　常勤の監査役の選定及び解職

三　監査の方針、監査役会設置会社の業務及び財産の状況の調査の方法その他の監査役の職務の執行に関する事項の決定

3　監査役会は、監査役の中から常勤の監査役を選定しなければならない。

4　監査役は、監査役会の求めがあるときは、いつでもその職務の執行の状況を監査役会に報告しなければならない。

第二款　運営

（招集権者）

第三百九十一条　監査役会は、各監査役が招集する。

（招集手続）

第三百九十二条　監査役会を招集するには、監査役は、監査役会の日の一週間（これを下回る期間を定款で定めた場合にあっては、その期間）前までに、各監査役に対してその通知を発しなければならない。

2　前項の規定にかかわらず、監査役会は、監査役の全員の同意があるときは、招集の手続を経ることなく開催することができる。

（監査役会の決議）

第三百九十三条　監査役会の決議は、監査役の過半数をもって行う。

2　監査役会の議事については、法務省令で定めるところにより、議事録を作成し、議事録が書面をもって作成されているときは、出席した監査役は、これに署名し、又は記名押印しなければならない。

3　前項の議事録が電磁的記録をもって作成されている場合における当該電磁的記録に記録された事項については、法務省令で定める署名又は記名押印に代わる措置をとらなければならない。

4　監査役会の決議に参加した監査役であって第二項の議事録に異議をとどめないものは、その決議に賛成したものと推定する。

【会社法施行規則】

第百九条　法第三百九十三条第二項の規定による監査役会の議事録の作成については、この条の定めるところによる。

2　監査役会の議事録は、書面又は電磁的記録をもって作成しなければならない。

3　監査役会の議事録は、次に掲げる事項を内容とするものでなければならない。

一　監査役会が開催された日時及び場所（当該場所に存しない監査役、取締役、会計参与又は会計監査人が監査役会に出席をした場合における当該出席の方法を含む。）

二　監査役会の議事の経過の要領及びその結果

三　次に掲げる規定により監査役会において述べられた意見又は発言があるときは、その意見又は発言の内容の概要

イ　法第三百五十七条第二項の規定により読み替えて適用する同条第一項（法第四百八十二条第四項において準用する場合を含む。）

ロ　法第三百七十五条第二項の規定により読み替えて適用する同条第一項

ハ　法第三百九十七条第三項の規定により読み替えて適用する同条第一項

四　監査役会に出席した取締役、会計参与又は会計監査人の氏名又は名称

五　監査役会の議長が存するときは、議長の氏名

4　法第三百九十五条の規定により監査役会への報告を要しないものとされた場合には、監査役会の議事録は、次の各号に掲げる事項を内容とするものとする。

一　監査役会への報告を要しないものとされた事項の内容

二　監査役会への報告を要しないものとされた日

三　議事録の作成に係る職務を行った監査役の氏名

（電子署名）

第二百二十五条　次に掲げる規定に規定する法務省令で定める署名又は記名押印に代わる措置は、電子署名とする。

一～六　（略）

七　法第三百九十三条第三項

八～十二　（略）

2　前項に規定する「電子署名」とは、電磁的記録に記録することができる情報について行われる措置であって、次の要件のいずれにも該当するものをいう。

一　当該情報が当該措置を行った者の作成に係るものであることを示すためのものであること。

二　当該情報について改変が行われていないかどうかを確認することができるものであること。

（議事録）

第三百九十四条　監査役会設置会社は、監査役会の日から十年間、前条第二項の議事録をその本店に備え置かなければならない。

2　監査役会設置会社の株主は、その権利を行使するため必要があるときは、裁判所の許可を得て、次に掲げる請求をすることができる。

一　前項の議事録が書面をもって作成されているときは、当該書面の閲覧又は謄写の請求

二　前項の議事録が電磁的記録をもって作成されているときは、当該電磁的記録に記録された事項を法務省令で定める方法により表示したものの閲覧又は謄写の請求

3　前項の規定は、監査役会設置会社の債権者が役員の責任を追及するため必要があるとき及び親会社社員がその権利を行使するため必要があるときについて準用する。

4　裁判所は、第二項（前項において準用する場合を含む。以下この項において同じ。）の請求に係る閲覧又は謄写をすることにより、当該監査役会設置会社又はその親会社若しくは子会社に著しい損害を及ぼす

おそれがあると認めるときは、第二項の許可をすることができない。

【会社法施行規則】

（保存の指定）

第二百三十二条　電子文書法第三条第一項の主務省令で定める保存は、次に掲げる保存とする。

一～十五　（略）

十六　法第三百九十四条第一項の規定による監査役会の議事録の保存

十七～三十六　（略）

（縦覧等の指定）

第二百三十四条　電子文書法第五条第一項の主務省令で定める縦覧等は、次に掲げる縦覧等とする。

一～二十九　（略）

三十　法第三百九十四条第二項第一号（同条第三項において準用する場合を含む。）の規定による監査役会の議事録の縦覧等

三十一～五十四　（略）

（電磁的記録に記録された事項を表示する方法）

第二百二十六条　次に掲げる規定に規定する法務省令で定める方法は、次に掲げる規定の電磁的記録に記録された事項を紙面又は映像面に表示する方法とする。

一～二十二　（略）

二十三　法第三百九十四条第二項第二号（同条第三項において準用する場合を含む。）

二十四～四十三　（略）

（監査役会への報告の省略）

第三百九十五条　取締役、会計参与、監査役又は会計監査人が監査役の全員に対して監査役会に報告すべき事項を通知したときは、当該事項を監査役会へ報告することを要しない。

第九節　会計監査人

（会計監査人の権限等）

第三百九十六条　会計監査人は、次章の定めるところにより、株式会社の計算書類及びその附属明細書、臨時計算書類並びに連結計算書類を監査する。この場合において、会計監査人は、法務省令で定めるところにより、会計監査報告を作成しなければならない。

2　会計監査人は、いつでも、次に掲げるものの閲覧及び謄写をし、又は取締役及び会計参与並びに支配人その他の使用人に対し、会計に関する報告を求めることができる。

一　会計帳簿又はこれに関する資料が書面をもって作成されているときは、当該書面

二　会計帳簿又はこれに関する資料が電磁的記録をもって作成されているときは、当該電磁的記録に記録された事項を法務省令で定める方法により表示したもの

3　会計監査人は、その職務を行うため必要があるときは、会計監査人設置会社の子会社に対して会計に関する報告を求め、又は会計監査人設置会社若しくはその子会社の業務及び財産の状況の調査をすることができる。

4　前項の子会社は、正当な理由があるときは、同項の報告又は調査を拒むことができる。

5　会計監査人は、その職務を行うに当たっては、次のいずれかに該当する者を使用してはならない。

一　第三百三十七条第三項第一号又は第二号に掲げる者

二　会計監査人設置会社又はその子会社の取締役、会計参与、監査役若しくは執行役又は支配人その他の使用人である者

三　会計監査人設置会社又はその子会社から公認会計士又は監査法人の業務以外の業務により継続的な報酬を受けている者

6　指名委員会等設置会社における第二項の規定の適用については、同項中「取締役」とあるのは、「執行役、取締役」とする。

【会社法施行規則】

第百十条　法第三百九十六条第一項後段の規定により法務省令で定める事項については、この条の定めるところによる。

2　会計監査人は、その職務を適切に遂行するため、次に掲げる者との意思疎通を図り、情報の収集及び監査の環境の整備に努めなければならない。ただし、会計監査人が公正不偏の態度及び独立の立場を保持することができなくなるおそれのある関係の創設及び維持を認めるものと解してはならない。

一　当該株式会社の取締役、会計参与及び使用人

二　当該株式会社の子会社の取締役、会計参与、執行役、業務を執行する社員、法第五百九十八条第一項の職務を行うべき者その他これらの者に相当する者及び使用人

三　その他会計監査人が適切に職務を遂行するに当たり意思疎通を図るべき者

（電磁的記録に記録された事項を表示する方法）

第二百二十六条　次に掲げる規定に規定する法務省令で定める方法は、次に掲げる規定の電磁的記録に記録された事項を紙面又は映像面に表示する方法とする。

一〜二十三　（略）

二十四　法第三百九十六条第二項第二号

二十五〜四十三　（略）

（監査役に対する報告）

第三百九十七条　会計監査人は、その職務を行うに際して取締役の職務の執行に関し不正の行為又は法令若しくは定款に違反する重大な事実があることを発見したときは、遅滞なく、これを監査役に報告しなければならない。

2　監査役は、その職務を行うため必要があるときは、会計監査人に対し、その監査に関する報告を求めることができる。

3　監査役会設置会社における第一項の規定の適用については、同項中「監査役」とあるのは、「監査役会」とする。

4　監査等委員会設置会社における第一項及び第二項の規定の適用については、第一項中「監査役」とあるのは「監査等委員会」と、第二項中「監査役」とあるのは「監査等委員会が選定した監査等委員」とする。

5　指名委員会等設置会社における第一項及び第二項の規定の適用については、第一項中「取締役」とあるのは「執行役又は取締役」と、「監査役」とあるのは「監査委員会」と、第二項中「監査役」とあるのは「監査委員会が選定した監査委員会の委員」とする。

（定時株主総会における会計監査人の意見の陳述）

第三百九十八条　第三百九十六条第一項に規定する書類が法令又は定款に適合するかどうかについて会計監査人が監査役と意見を異にするときは、会計監査人（会計監査人が監査法人である場合にあっては、その職務を行うべき社員。次項において同じ。）は、定時株主総会に出席して意見を述べることができる。

2　定時株主総会において会計監査人の出席を求める決議があったときは、会計監査人は、定時株主総会に出席して意見を述べなければならない。

3　監査役会設置会社における第一項の規定の適用については、同項中「監査役」とあるのは、「監査役会又は監査役」とする。

4　監査等委員会設置会社における第一項の規定の適用については、同項中「監査役」とあるのは、「監査等委員会又は監査等委員」とする。

5　指名委員会等設置会社における第一項の規定の適用については、同項中「監査役」とあるのは、「監査委員会又はその委員」とする。

（会計監査人の報酬等の決定に関する監査役の関与）

第三百九十九条　取締役は、会計監査人又は一時会計監査人の職務を行うべき者の報酬等を定める場合には、監査役（監査役が二人以上ある場合にあっては、その過半数）の同意を得なければならない。

2　監査役会設置会社における前項の規定の適用については、同項中「監

査役（監査役が二人以上ある場合にあっては、その過半数）」とあるのは、「監査役会」とする。

３　監査等委員会設置会社における第一項の規定の適用については、同項中「監査役（監査役が二人以上ある場合にあっては、その過半数）」とあるのは、「監査等委員会」とする。

４　指名委員会等設置会社における第一項の規定の適用については、同項中「監査役（監査役が二人以上ある場合にあっては、その過半数）」とあるのは、「監査委員会」とする。

第九節の二　監査等委員会

第一款　権限等

（監査等委員会の権限等）

第三百九十九条の二　監査等委員会は、全ての監査等委員で組織する。

２　監査等委員は、取締役でなければならない。

３　監査等委員会は、次に掲げる職務を行う。

一　取締役（会計参与設置会社にあっては、取締役及び会計参与）の職務の執行の監査及び監査報告の作成

二　株主総会に提出する会計監査人の選任及び解任並びに会計監査人を再任しないことに関する議案の内容の決定

三　第三百四十二条の二第四項及び第三百六十一条第六項に規定する監査等委員会の意見の決定

４　監査等委員がその職務の執行（監査等委員会の職務の執行に関するものに限る。以下この項において同じ。）について監査等委員会設置会社に対して次に掲げる請求をしたときは、当該監査等委員会設置会社は、当該請求に係る費用又は債務が当該監査等委員の職務の執行に必要でないことを証明した場合を除き、これを拒むことができない。

一　費用の前払の請求

二　支出をした費用及び支出の日以後におけるその利息の償還の請求

三　負担した債務の債権者に対する弁済（当該債務が弁済期にない場合にあっては、相当の担保の提供）の請求

（監査等委員会による調査）

第三百九十九条の三　監査等委員会が選定する監査等委員は、いつでも、取締役（会計参与設置会社にあっては、取締役及び会計参与）及び支配人その他の使用人に対し、その職務の執行に関する事項の報告を求め、又は監査等委員会設置会社の業務及び財産の状況の調査をすることができる。

２　監査等委員会が選定する監査等委員は、監査等委員会の職務を執行するため必要があるときは、監査等委員会設置会社の子会社に対して事業の報告を求め、又はその子会社の業務及び財産の状況の調査をすることができる。

３　前項の子会社は、正当な理由があるときは、同項の報告又は調査を拒むことができる。

４　第一項及び第二項の監査等委員は、当該各項の報告の徴収又は調査に関する事項についての監査等委員会の決議があるときは、これに従わなければならない。

（取締役会への報告義務）

第三百九十九条の四　監査等委員は、取締役が不正の行為をし、若しくは当該行為をするおそれがあると認めるとき、又は法令若しくは定款に違反する事実若しくは著しく不当な事実があると認めるときは、遅滞なく、その旨を取締役会に報告しなければならない。

（株主総会に対する報告義務）

第三百九十九条の五　監査等委員は、取締役が株主総会に提出しようとする議案、書類その他法務省令で定めるものについて法令若しくは定款に違反し、又は著しく不当な事項があると認めるときは、その旨を株主総会に報告しなければならない。

【会社法施行規則】

（監査等委員の報告の対象）

第百十条の二　法第三百九十九条の五に規定する法務省令で定める

ものは、電磁的記録その他の資料とする。

（監査等委員による取締役の行為の差止め）

第三百九十九条の六　監査等委員は、取締役が監査等委員会設置会社の目的の範囲外の行為その他法令若しくは定款に違反する行為をし、又はこれらの行為をするおそれがある場合において、当該行為によって当該監査等委員会設置会社に著しい損害が生ずるおそれがあるときは、当該取締役に対し、当該行為をやめることを請求することができる。

2　前項の場合において、裁判所が仮処分をもって同項の取締役に対し、その行為をやめることを命ずるときは、担保を立てさせないものとする。

（監査等委員会設置会社と取締役との間の訴えにおける会社の代表等）

第三百九十九条の七　第三百四十九条第四項、第三百五十三条及び第三百六十四条の規定にかかわらず、監査等委員会設置会社が取締役（取締役であった者を含む。以下この条において同じ。）に対し、又は取締役が監査等委員会設置会社に対して訴えを提起する場合には、当該訴えについては、次の各号に掲げる場合の区分に応じ、当該各号に定める者が監査等委員会設置会社を代表する。

一　監査等委員が当該訴えに係る訴訟の当事者である場合　取締役会が定める者（株主総会が当該訴えについて監査等委員会設置会社を代表する者を定めた場合にあっては、その者）

二　前号に掲げる場合以外の場合　監査等委員会が選定する監査等委員

2　前項の規定にかかわらず、取締役が監査等委員会設置会社に対して訴えを提起する場合には、監査等委員（当該訴えを提起する者であるものを除く。）に対してされた訴状の送達は、当該監査等委員会設置会社に対して効力を有する。

3　第三百四十九条第四項、第三百五十三条及び第三百六十四条の規定にかかわらず、次の各号に掲げる株式会社が監査等委員会設置会社である場合において、当該各号に定める訴えを提起するときは、当該監査等委員会が選定する監査等委員が当該監査等委員会設置会社を代表する。

一　株式交換等完全親会社（第八百四十九条第二項第一号に規定する株式交換等完全親会社をいう。次項第一号及び第五項第三号において同じ。）　その株式交換等完全子会社（第八百四十七条の二第一項に規定する株式交換等完全子会社をいう。第五項第三号において同じ。）の取締役、執行役（執行役であった者を含む。以下この条において同じ。）又は清算人（清算人であった者を含む。以下この条において同じ。）の責任（第八百四十七条の二第一項各号に掲げる行為の効力が生じた時までにその原因となった事実が生じたものに限る。）を追及する訴え

二　最終完全親会社等（第八百四十七条の三第一項に規定する最終完全親会社等をいう。次項第二号及び第五項第四号において同じ。）　その完全子会社等（同条第二項第二号に規定する完全子会社等をいい、同条第三項の規定により当該完全子会社等とみなされるものを含む。第五項第四号において同じ。）である株式会社の取締役、執行役又は清算人に対する特定責任追及の訴え（同条第一項に規定する特定責任追及の訴えをいう。）

4　第三百四十九条第四項の規定にかかわらず、次の各号に掲げる株式会社が監査等委員会設置会社である場合において、当該各号に定める請求をするときは、監査等委員会が選定する監査等委員が当該監査等委員会設置会社を代表する。

一　株式交換等完全親会社　第八百四十七条第一項の規定による請求（前項第一号に規定する訴えの提起の請求に限る。）

二　最終完全親会社等　第八百四十七条第一項の規定による請求（前項第二号に規定する特定責任追及の訴えの提起の請求に限る。）

5　第三百四十九条第四項の規定にかかわらず、次に掲げる場合には、監査等委員が監査等委員会設置会社を代表する。

一　監査等委員会設置会社が第八百四十七条第一項、第八百四十七条

二の二第一項若しくは第三項（同条第四項及び第五項において準用する場合を含む。）又は第八百四十七条の三第一項の規定による請求（取締役の責任を追及する訴えの提起の請求に限る。）を受ける場合（当該監査等委員が当該訴えに係る訴訟の相手方となる場合を除く。）

二　監査等委員会設置会社が第八百四十九条第四項の訴訟告知（取締役の責任を追及する訴えに係るものに限る。）並びに第八百五十条第二項の規定による通知及び催告（取締役の責任を追及する訴えに係る訴訟における和解に関するものに限る。）を受ける場合（当該監査等委員がこれらの訴えに係る訴訟の当事者である場合を除く。）

三　株式交換等完全親会社である監査等委員会設置会社が第八百四十九条第六項の規定による通知（その株式交換等完全子会社の取締役、執行役又は清算人の責任を追及する訴えに係るものに限る。）を受ける場合

四　最終完全親会社等である監査等委員会設置会社が第八百四十九条第七項の規定による通知（その完全子会社等である株式会社の取締役、執行役又は清算人の責任を追及する訴えに係るものに限る。）を受ける場合

第二款　運営

（招集権者）

第三百九十九条の八　監査等委員会は、各監査等委員が招集する。

（招集手続等）

第三百九十九条の九　監査等委員会を招集するには、監査等委員は、監査等委員会の日の一週間（これを下回る期間を定款で定めた場合にあっては、その期間）前までに、各監査等委員に対してその通知を発しなければならない。

2　前項の規定にかかわらず、監査等委員会は、監査等委員の全員の同意があるときは、招集の手続を経ることなく開催することができる。

3　取締役（会計参与設置会社にあっては、取締役及び会計参与）は、監査等委員会の要求があったときは、監査等委員会に出席し、監査等委員会が求めた事項について説明をしなければならない。

（監査等委員会の決議）

第三百九十九条の十　監査等委員会の決議は、議決に加わることができる監査等委員の過半数が出席し、その過半数をもって行う。

2　前項の決議について特別の利害関係を有する監査等委員は、議決に加わることができない。

3　監査等委員会の議事については、法務省令で定めるところにより、議事録を作成し、議事録が書面をもって作成されているときは、出席した監査等委員は、これに署名し、又は記名押印しなければならない。

4　前項の議事録が電磁的記録をもって作成されている場合における当該電磁的記録に記録された事項については、法務省令で定める署名又は記名押印に代わる措置をとらなければならない。

5　監査等委員会の決議に参加した監査等委員であって第三項の議事録に異議をとどめないものは、その決議に賛成したものと推定する。

【会社法施行規則】

（監査等委員会の議事録）

第百十条の三　法第三百九十九条の十第三項の規定による監査等委員会の議事録の作成については、この条の定めるところによる。

2　監査等委員会の議事録は、書面又は電磁的記録をもって作成しなければならない。

3　監査等委員会の議事録は、次に掲げる事項を内容とするものでなければならない。

一　監査等委員会が開催された日時及び場所（当該場所に存しない監査等委員、取締役（監査等委員であるものを除く。）、会計参与又は会計監査人が監査等委員会に出席をした場合における当該出席の方法を含む。）

二　監査等委員会の議事の経過の要領及びその結果

三　決議を要する事項について特別の利害関係を有する監査等委

員があるときは、その氏名
四　次に掲げる規定により監査等委員会において述べられた意見又は発言があるときは、その意見又は発言の内容の概要
イ　法第三百五十七条第三項の規定により読み替えて適用する同条第一項
ロ　法第三百七十五条第三項の規定により読み替えて適用する同条第一項
ハ　法第三百九十七条第四項の規定により読み替えて適用する同条第一項
五　監査等委員会に出席した取締役（監査等委員であるものを除く。）、会計参与又は会計監査人の氏名又は名称
六　監査等委員会の議長が存するときは、議長の氏名
4　法第三百九十九条の十二の規定により監査等委員会への報告を要しないものとされた場合には、監査等委員会の議事録は、次の各号に掲げる事項を内容とするものとする。
一　監査等委員会への報告を要しないものとされた事項の内容
二　監査等委員会への報告を要しないものとされた日
三　議事録の作成に係る職務を行った監査等委員の氏名

（電子署名）
第二百二十五条　次に掲げる規定に規定する法務省令で定める署名又は記名押印に代わる措置は、電子署名とする。
一～七　（略）
八　法第三百九十九条の十第四項
九～十二　（略）
2　前項に規定する「電子署名」とは、電磁的記録に記録することができる情報について行われる措置であって、次の要件のいずれにも該当するものをいう。
一　当該情報が当該措置を行った者の作成に係るものであることを示すためのものであること。
二　当該情報について改変が行われていないかどうかを確認することができるものであること。

（議事録）
第三百九十九条の十一　監査等委員会設置会社は、監査等委員会の日から十年間、前条第三項の議事録をその本店に備え置かなければならない。
2　監査等委員会設置会社の株主は、その権利を行使するため必要があるときは、裁判所の許可を得て、次に掲げる請求をすることができる。
一　前項の議事録が書面をもって作成されているときは、当該書面の閲覧又は謄写の請求
二　前項の議事録が電磁的記録をもって作成されているときは、当該電磁的記録に記録された事項を法務省令で定める方法により表示したものの閲覧又は謄写の請求
3　前項の規定は、監査等委員会設置会社の債権者が取締役又は会計参与の責任を追及するため必要があるとき及び親会社社員がその権利を行使するため必要があるときについて準用する。
4　裁判所は、第二項（前項において準用する場合を含む。以下この項において同じ。）の請求に係る閲覧又は謄写をすることにより、当該監査等委員会設置会社又はその親会社若しくは子会社に著しい損害を及ぼすおそれがあると認めるときは、第二項の許可をすることができない。

【会社法施行規則】
（保存の指定）
第二百三十二条　電子文書法第三条第一項の主務省令で定める保存は、次に掲げる保存とする。
一～十六　（略）
十七　法第三百九十九条の十一第一項の規定による監査等委員会の議事録の保存
十八～三十六　（略）

（縦覧等の指定）

第二百三十四条 電子文書法第五条第一項の主務省令で定める縦覧等は、次に掲げる縦覧等とする。

一～三十（略）

三十一 法第三百九十九条の十一第二項第一号（同条第三項において準用する場合を含む。）の規定による監査等委員会の議事録の縦覧等

三十二～五十四（略）

（電磁的記録に記録された事項を表示する方法）

第二百二十六条 次に掲げる規定に規定する法務省令で定める方法は、次に掲げる規定の電磁的記録に記録された事項を紙面又は映像面に表示する方法とする。

一～二十四（略）

二十五 法第三百九十九条の十一第二項第二号（同条第三項において準用する場合を含む。）

二十六～四十三（略）

（監査等委員会への報告の省略）

第三百九十九条の十二 取締役、会計参与又は会計監査人が監査等委員の全員に対して監査等委員会に報告すべき事項を通知したときは、当該事項を監査等委員会へ報告することを要しない。

第三款 監査等委員会設置会社の取締役会の権限等

（監査等委員会設置会社の取締役会の権限）

第三百九十九条の十三 監査等委員会設置会社の取締役会は、第三百六十二条の規定にかかわらず、次に掲げる職務を行う。

一 次に掲げる事項その他監査等委員会設置会社の業務執行の決定

イ 経営の基本方針

ロ 監査等委員会の職務の執行のため必要なものとして法務省令で定める事項

ハ 取締役の職務の執行が法令及び定款に適合することを確保するための体制その他株式会社の業務並びに当該株式会社及びその子会社から成る企業集団の業務の適正を確保するために必要なものとして法務省令で定める体制の整備

二 取締役の職務の執行の監督

三 代表取締役の選定及び解職

2 監査等委員会設置会社の取締役会は、前項第一号イからハまでに掲げる事項を決定しなければならない。

3 監査等委員会設置会社の取締役会は、取締役（監査等委員である取締役を除く。）の中から代表取締役を選定しなければならない。

4 監査等委員会設置会社の取締役会は、次に掲げる事項その他の重要な業務執行の決定を取締役に委任することができない。

一 重要な財産の処分及び譲受け

二 多額の借財

三 支配人その他の重要な使用人の選任及び解任

四 支店その他の重要な組織の設置、変更及び廃止

五 第六百七十六条第一号に掲げる事項その他の社債を引き受ける者の募集に関する重要な事項として法務省令で定める事項

六 第四百二十六条第一項の規定による定款の定めに基づく第四百二十三条第一項の責任の免除

5 前項の規定にかかわらず、監査等委員会設置会社の取締役の過半数が社外取締役である場合には、当該監査等委員会設置会社の取締役会は、その決議によって、重要な業務執行の決定を取締役に委任することができる。ただし、次に掲げる事項については、この限りでない。

一 第百三十六条又は第百三十七条第一項の決定及び第百四十条第四項の規定による指定

二 第百六十五条第三項において読み替えて適用する第百五十六条第一項各号に掲げる事項の決定

三 第二百六十二条又は第二百六十三条第一項の決定

四 第二百九十八条第一項各号に掲げる事項の決定

五　株主総会に提出する議案（会計監査人の選任及び解任並びに会計監査人を再任しないことに関するものを除く。）の内容の決定
六　第三百四十八条の二第一項の規定による委託
七　第三百六十一条第七項の規定による同項の事項の決定
八　第三百六十五条第一項において読み替えて適用する第三百五十六条第一項の承認
九　第三百六十六条第一項ただし書の規定による取締役会を招集する取締役の決定
十　第三百九十九条の七第一項第一号の規定による監査等委員会設置会社を代表する者の決定
十一　前項第六号に掲げる事項
十二　補償契約（第四百三十条の二第一項に規定する補償契約をいう。第四百十六条第四項第十四号において同じ。）の内容の決定
十三　役員等賠償責任保険契約（第四百三十条の三第一項に規定する役員等賠償責任保険契約をいう。第四百十六条第四項第十五号において同じ。）の内容の決定
十四　第四百三十六条第三項、第四百四十一条第三項及び第四百四十四条第五項の承認
十五　第四百五十四条第五項において読み替えて適用する同条第一項の規定により定めなければならないとされる事項の決定
十六　第四百六十七条第一項各号に掲げる行為に係る契約（当該監査等委員会設置会社の株主総会の決議による承認を要しないものを除く。）の内容の決定
十七　合併契約（当該監査等委員会設置会社の株主総会の決議による承認を要しないものを除く。）の内容の決定
十八　吸収分割契約（当該監査等委員会設置会社の株主総会の決議による承認を要しないものを除く。）の内容の決定
十九　新設分割計画（当該監査等委員会設置会社の株主総会の決議による承認を要しないものを除く。）の内容の決定
二十　株式交換契約（当該監査等委員会設置会社の株主総会の決議による承認を要しないものを除く。）の内容の決定
二十一　株式移転計画の内容の決定
二十二　株式交付計画（当該監査等委員会設置会社の株主総会の決議による承認を要しないものを除く。）の内容の決定
6　前二項の規定にかかわらず、監査等委員会設置会社は、取締役会の決議によって重要な業務執行（前項各号に掲げる事項を除く。）の決定の全部又は一部を取締役に委任することができる旨を定款で定めることができる。

【会社法施行規則】

（業務の適正を確保するための体制）

第百十条の四　法第三百九十九条の十三第一項第一号ロに規定する法務省令で定めるものは、次に掲げるものとする。
一　当該株式会社の監査等委員会の職務を補助すべき取締役及び使用人に関する事項
二　前号の取締役及び使用人の当該株式会社の他の取締役（監査等委員である取締役を除く。）からの独立性に関する事項
三　当該株式会社の監査等委員会の第一号の取締役及び使用人に対する指示の実効性の確保に関する事項
四　次に掲げる体制その他の当該株式会社の監査等委員会への報告に関する体制
イ　当該株式会社の取締役（監査等委員である取締役を除く。）及び会計参与並びに使用人が当該株式会社の監査等委員会に報告をするための体制
ロ　当該株式会社の子会社の取締役、会計参与、監査役、執行役、業務を執行する社員、法第五百九十八条第一項の職務を行うべき者その他これらの者に相当する者及び使用人又はこれらの者から報告を受けた者が当該株式会社の監査等委員会に報告をするための体制
五　前号の報告をした者が当該報告をしたことを理由として不利

な取扱いを受けないことを確保するための体制

六　当該株式会社の監査等委員の職務の執行（監査等委員会の職務の執行に関するものに限る。）について生ずる費用の前払又は償還の手続その他の当該職務の執行について生ずる費用又は債務の処理に係る方針に関する事項

七　その他当該株式会社の監査等委員会の監査が実効的に行われることを確保するための体制

2　法第三百九十九条の十三第一項第一号ハに規定する法務省令で定める体制は、当該株式会社における次に掲げる体制とする。

一　当該株式会社の取締役の職務の執行に係る情報の保存及び管理に関する体制

二　当該株式会社の損失の危険の管理に関する規程その他の体制

三　当該株式会社の取締役の職務の執行が効率的に行われることを確保するための体制

四　当該株式会社の使用人の職務の執行が法令及び定款に適合することを確保するための体制

五　次に掲げる体制その他の当該株式会社並びにその親会社及び子会社から成る企業集団における業務の適正を確保するための体制

イ　当該株式会社の子会社の取締役、執行役、業務を執行する社員、法第五百九十八条第一項の職務を行うべき者その他これらの者に相当する者（ハ及びニにおいて「取締役等」という。）の職務の執行に係る事項の当該株式会社への報告に関する体制

ロ　当該株式会社の子会社の損失の危険の管理に関する規程その他の体制

ハ　当該株式会社の子会社の取締役等の職務の執行が効率的に行われることを確保するための体制

ニ　当該株式会社の子会社の取締役等及び使用人の職務の執行が法令及び定款に適合することを確保するための体制

（社債を引き受ける者の募集に際して取締役会が定めるべき事項）

第百十条の五　法第三百九十九条の十三第四項第五号に規定する法務省令で定める事項は、次に掲げる事項とする。

一　二以上の募集（法第六百七十六条の募集をいう。以下この条において同じ。）に係る法第六百七十六条各号に掲げる事項の決定を委任するときは、その旨

二　募集社債の総額の上限（前号に規定する場合にあっては、各募集に係る募集社債の総額の上限の合計額）

三　募集社債の利率の上限その他の利率に関する事項の要綱

四　募集社債の払込金額（法第六百七十六条第九号に規定する払込金額をいう。以下この号において同じ。）の総額の最低金額その他の払込金額に関する事項の要綱

2　前項の規定にかかわらず、信託社債（当該信託社債について信託財産に属する財産のみをもってその履行の責任を負うものに限る。）の募集に係る法第六百七十六条各号に掲げる事項の決定を委任する場合には、法第三百九十九条の十三第四項第五号に規定する法務省令で定める事項は、当該決定を委任する旨とする。

（監査等委員会による取締役会の招集）

第三百九十九条の十四　監査等委員会設置会社においては、招集権者の定めがある場合であっても、監査等委員会が選定する監査等委員は、取締役会を招集することができる。

第十節　指名委員会等及び執行役

第一款　委員の選定、執行役の選任等

（委員の選定等）

第四百条　指名委員会、監査委員会又は報酬委員会の各委員会（以下この条、次条及び第九百十一条第三項第二十三号ロにおいて単に「各委員会」という。）は、委員三人以上で組織する。

2　各委員会の委員は、取締役の中から、取締役会の決議によって選定する。
3　各委員会の委員の過半数は、社外取締役でなければならない。
4　監査委員会の委員（以下「監査委員」という。）は、指名委員会等設置会社若しくはその子会社の執行役若しくは業務執行取締役又は指名委員会等設置会社の子会社の会計参与（会計参与が法人であるときは、その職務を行うべき社員）若しくは支配人その他の使用人を兼ねることができない。

（委員の解職等）

第四百一条　各委員会の委員は、いつでも、取締役会の決議によって解職することができる。
2　前条第一項に規定する各委員会の委員の員数（定款で四人以上の員数を定めたときは、その員数）が欠けた場合には、任期の満了又は辞任により退任した委員は、新たに選定された委員（次項の一時委員の職務を行うべき者を含む。）が就任するまで、なお委員としての権利義務を有する。
3　前項に規定する場合において、裁判所は、必要があると認めるときは、利害関係人の申立てにより、一時委員の職務を行うべき者を選任することができる。
4　裁判所は、前項の一時委員の職務を行うべき者を選任した場合には、指名委員会等設置会社がその者に対して支払う報酬の額を定めることができる。

（執行役の選任等）

第四百二条　指名委員会等設置会社には、一人又は二人以上の執行役を置かなければならない。
2　執行役は、取締役会の決議によって選任する。
3　指名委員会等設置会社と執行役との関係は、委任に関する規定に従う。
4　第三百三十一条第一項及び第三百三十一条の二の規定は、執行役について準用する。
5　株式会社は、執行役が株主でなければならない旨を定款で定めることができない。ただし、公開会社でない指名委員会等設置会社については、この限りでない。
6　執行役は、取締役を兼ねることができる。
7　執行役の任期は、選任後一年以内に終了する事業年度のうち最終のものに関する定時株主総会の終結後最初に招集される取締役会の終結の時までとする。ただし、定款によって、その任期を短縮することを妨げない。
8　前項の規定にかかわらず、指名委員会等設置会社が指名委員会等を置く旨の定款の定めを廃止する定款の変更をした場合には、執行役の任期は、当該定款の変更の効力が生じた時に満了する。

（執行役の解任等）

第四百三条　執行役は、いつでも、取締役会の決議によって解任することができる。
2　前項の規定により解任された執行役は、その解任について正当な理由がある場合を除き、指名委員会等設置会社に対し、解任によって生じた損害の賠償を請求することができる。
3　第四百一条第二項から第四項までの規定は、執行役が欠けた場合又は定款で定めた執行役の員数が欠けた場合について準用する。

第二款　指名委員会等の権限等

（指名委員会等の権限等）

第四百四条　指名委員会は、株主総会に提出する取締役（会計参与設置会社にあっては、取締役及び会計参与）の選任及び解任に関する議案の内容を決定する。
2　監査委員会は、次に掲げる職務を行う。
一　執行役等（執行役及び取締役をいい、会計参与設置会社にあっては、執行役、取締役及び会計参与をいう。以下この節において同じ。）の職務の執行の監査及び監査報告の作成
二　株主総会に提出する会計監査人の選任及び解任並びに会計監査人

を再任しないことに関する議案の内容の決定

3 報酬委員会は、第三百六十一条第一項並びに第三百七十九条第一項及び第二項の規定にかかわらず、執行役等の個人別の報酬等の内容を決定する。執行役が指名委員会等設置会社の支配人その他の使用人を兼ねているときは、当該支配人その他の使用人の報酬等の内容についても、同様とする。

4 委員がその職務の執行（当該委員が所属する指名委員会等の職務の執行に関するものに限る。以下この項において同じ。）について指名委員会等設置会社に対して次に掲げる請求をしたときは、当該指名委員会等設置会社は、当該請求に係る費用又は債務が当該委員の職務の執行に必要でないことを証明した場合を除き、これを拒むことができない。

一 費用の前払の請求

二 支出をした費用及び支出の日以後におけるその利息の償還の請求

三 負担した債務の債権者に対する弁済（当該債務が弁済期にない場合にあっては、相当の担保の提供）の請求

（監査委員会による調査）

第四百五条 監査委員会が選定する監査委員は、いつでも、執行役等及び支配人その他の使用人に対し、その職務の執行に関する事項の報告を求め、又は指名委員会等設置会社の業務及び財産の状況の調査をすることができる。

2 監査委員会が選定する監査委員は、監査委員会の職務を執行するため必要があるときは、指名委員会等設置会社の子会社に対して事業の報告を求め、又はその子会社の業務及び財産の状況の調査をすることができる。

3 前項の子会社は、正当な理由があるときは、同項の報告又は調査を拒むことができる。

4 第一項及び第二項の監査委員は、当該各項の報告の徴収又は調査に関する事項についての監査委員会の決議があるときは、これに従わなければならない。

（取締役会への報告義務）

第四百六条 監査委員は、執行役又は取締役が不正の行為をし、若しくは当該行為をするおそれがあると認めるとき、又は法令若しくは定款に違反する事実若しくは著しく不当な事実があると認めるときは、遅滞なく、その旨を取締役会に報告しなければならない。

（監査委員による執行役等の行為の差止め）

第四百七条 監査委員は、執行役又は取締役が指名委員会等設置会社の目的の範囲外の行為その他法令若しくは定款に違反する行為をし、又はこれらの行為をするおそれがある場合において、当該行為によって当該指名委員会等設置会社に著しい損害が生ずるおそれがあるときは、当該執行役又は取締役に対し、当該行為をやめることを請求することができる。

2 前項の場合において、裁判所が仮処分をもって同項の執行役又は取締役に対し、その行為をやめることを命ずるときは、担保を立てさせないものとする。

（指名委員会等設置会社と執行役又は取締役との間の訴えにおける会社の代表等）

第四百八条 第四百二十条第三項において準用する第三百四十九条第四項の規定並びに第三百五十三条及び第三百六十四条の規定にかかわらず、指名委員会等設置会社が執行役（執行役であった者を含む。以下この条において同じ。）若しくは取締役（取締役であった者を含む。以下この条において同じ。）に対し、又は執行役若しくは取締役が指名委員会等設置会社に対して訴えを提起する場合には、当該訴えについては、次の各号に掲げる場合の区分に応じ、当該各号に定める者が指名委員会等設置会社を代表する。

一 監査委員が当該訴えに係る訴訟の当事者である場合　取締役会が定める者（株主総会が当該訴えについて指名委員会等設置会社を代表する者を定めた場合にあっては、その者）

二 前号に掲げる場合以外の場合　監査委員会が選定する監査委員

2 前項の規定にかかわらず、執行役又は取締役が指名委員会等設置会

社に対して訴えを提起する場合には、監査委員（当該訴えを提起する者であるものを除く。）に対してされた訴状の送達は、当該指名委員会等設置会社に対して効力を有する。

3　第四百二十条第三項において準用する第三百四十九条第四項の規定並びに第三百五十三条及び第三百六十四条の規定にかかわらず、次の各号に掲げる株式会社が指名委員会等設置会社である場合において、当該各号に定める訴えを提起するときは、当該訴えについては、監査委員会が選定する監査委員が当該指名委員会等設置会社を代表する。

一　株式交換等完全親会社（第八百四十九条第二項第一号に規定する株式交換等完全親会社をいう。次項第一号及び第五項第三号において同じ。）　その株式交換等完全子会社（第八百四十七条の二第一項に規定する株式交換等完全子会社をいう。第五項第三号において同じ。）の取締役、執行役又は清算人（清算人であった者を含む。以下この条において同じ。）の責任（第八百四十七条の二第一項各号に掲げる行為の効力が生じた時までにその原因となった事実が生じたものに限る。）を追及する訴え

二　最終完全親会社等（第八百四十七条の三第一項に規定する最終完全親会社等をいう。次項第二号及び第五項第四号において同じ。）　その完全子会社等（同条第二項第二号に規定する完全子会社等をいい、同条第三項の規定により当該完全子会社等とみなされるものを含む。第五項第四号において同じ。）である株式会社の取締役、執行役又は清算人に対する特定責任追及の訴え（同条第一項に規定する特定責任追及の訴えをいう。）

4　第四百二十条第三項において準用する第三百四十九条第四項の規定にかかわらず、次の各号に掲げる株式会社が指名委員会等設置会社である場合において、当該各号に定める請求をするときは、監査委員会が選定する監査委員が当該指名委員会等設置会社を代表する。

一　株式交換等完全親会社　第八百四十七条第一項の規定による請求（前項第一号に規定する訴えの提起の請求に限る。）

二　最終完全親会社等　第八百四十七条第一項の規定による請求（前項第二号に規定する特定責任追及の訴えの提起の請求に限る。）

5　第四百二十条第三項において準用する第三百四十九条第四項の規定にかかわらず、次に掲げる場合には、監査委員が指名委員会等設置会社を代表する。

一　指名委員会等設置会社が第八百四十七条第一項、第八百四十七条の二第一項若しくは第三項（同条第四項及び第五項において準用する場合を含む。）又は第八百四十七条の三第一項の規定による請求（執行役又は取締役の責任を追及する訴えの提起の請求に限る。）を受ける場合（当該監査委員が当該訴えに係る訴訟の相手方となる場合を除く。）

二　指名委員会等設置会社が第八百四十九条第四項の訴訟告知（執行役又は取締役の責任を追及する訴えに係るものに限る。）並びに第八百五十条第二項の規定による通知及び催告（執行役又は取締役の責任を追及する訴えに係る訴訟における和解に関するものに限る。）を受ける場合（当該監査委員がこれらの訴えに係る訴訟の当事者である場合を除く。）

三　株式交換等完全親会社である指名委員会等設置会社が第八百四十九条第六項の規定による通知（その株式交換等完全子会社の取締役、執行役又は清算人の責任を追及する訴えに係るものに限る。）を受ける場合

四　最終完全親会社等である指名委員会等設置会社が第八百四十九条第七項の規定による通知（その完全子会社等である株式会社の取締役、執行役又は清算人の責任を追及する訴えに係るものに限る。）を受ける場合

（報酬委員会による報酬の決定の方法等）

第四百九条　報酬委員会は、執行役等の個人別の報酬等の内容に係る決定に関する方針を定めなければならない。

2　報酬委員会は、第四百四条第三項の規定による決定をするには、前項の方針に従わなければならない。

3　報酬委員会は、次の各号に掲げるものを執行役等の個人別の報酬等

とする場合には、その内容として、当該各号に定める事項について決定しなければならない。ただし、会計参与の個人別の報酬等は、第一号に掲げるものでなければならない。
一　額が確定しているもの　個人別の額
二　額が確定していないもの　個人別の具体的な算定方法
三　当該株式会社の募集株式　当該募集株式の数（種類株式発行会社にあっては、募集株式の種類及び種類ごとの数）その他法務省令で定める事項
四　当該株式会社の募集新株予約権　当該募集新株予約権の数その他法務省令で定める事項
五　次のイ又はロに掲げるものと引換えにする払込みに充てるための金銭　当該イ又はロに定める事項
イ　当該株式会社の募集株式　執行役等が引き受ける当該募集株式の数（種類株式発行会社にあっては、募集株式の種類及び種類ごとの数）その他法務省令で定める事項
ロ　当該株式会社の募集新株予約権　執行役等が引き受ける当該募集新株予約権の数その他法務省令で定める事項
六　金銭でないもの（当該株式会社の募集株式及び募集新株予約権を除く。）　個人別の具体的な内容

【会社法施行規則】

（執行役等の報酬等のうち株式会社の募集株式について定めるべき事項）

第百十一条　法第四百九条第三項第三号に規定する法務省令で定める事項は、同号の募集株式に係る次に掲げる事項とする。
一　一定の事由が生ずるまで当該募集株式を他人に譲り渡さないことを執行役等に約させることとするときは、その旨及び当該一定の事由
二　一定の事由が生じたことを条件として当該募集株式を当該株式会社に無償で譲り渡すことを執行役等に約させることとするときは、その旨及び当該一定の事由
三　前二号に掲げる事項のほか、執行役等に対して当該募集株式を割り当てる条件を定めるときは、その条件

（執行役等の報酬等のうち株式会社の募集新株予約権について定めるべき事項）

第百十一条の二　法第四百九条第三項第四号に規定する法務省令で定める事項は、同号の募集新株予約権に係る次に掲げる事項とする。
一　法第二百三十六条第一項第一号から第四号までに掲げる事項（同条第三項（同条第四項の規定により読み替えて適用する場合に限る。以下この号において同じ。）の場合には、同条第一項第一号、第三号及び第四号に掲げる事項並びに同条第三項各号に掲げる事項）
二　一定の資格を有する者が当該募集新株予約権を行使することができることとするときは、その旨及び当該一定の資格の内容
三　前二号に掲げる事項のほか、当該募集新株予約権の行使の条件を定めるときは、その条件
四　法第二百三十六条第一項第六号に掲げる事項
五　法第二百三十六条第一項第七号に掲げる事項の内容
六　執行役等に対して当該募集新株予約権を割り当てる条件を定めるときは、その条件

（執行役等の報酬等のうち株式等と引換えにする払込みに充てるための金銭について定めるべき事項）

第百十一条の三　法第四百九条第三項第五号イに規定する法務省令で定める事項は、同号イの募集株式に係る次に掲げる事項とする。
一　一定の事由が生ずるまで当該募集株式を他人に譲り渡さないことを執行役等に約させることとするときは、その旨及び当該一定の事由
二　一定の事由が生じたことを条件として当該募集株式を当該株式会社に無償で譲り渡すことを執行役等に約させることとする

ときは、その旨及び当該一定の事由
三　前二号に掲げる事項のほか、執行役等に対して当該募集株式と引換えにする払込みに充てるための金銭を交付する条件又は執行役等に対して当該募集株式を割り当てる条件を定めるときは、その条件
2　法第四百九条第三項第五号ロに規定する法務省令で定める事項は、同号ロの募集新株予約権に係る次に掲げる事項とする。
一　法第二百三十六条第一項第一号から第四号までに掲げる事項（同条第三項（同条第四項の規定により読み替えて適用する場合に限る。以下この号において同じ。）の場合には、同条第一項第一号、第三号及び第四号に掲げる事項並びに同条第三項各号に掲げる事項）
二　一定の資格を有する者が当該募集新株予約権を行使することができることとするときは、その旨及び当該一定の資格の内容
三　前二号に掲げる事項のほか、当該募集新株予約権の行使の条件を定めるときは、その条件
四　法第二百三十六条第一項第六号に掲げる事項
五　法第二百三十六条第一項第七号に掲げる事項の内容
六　執行役等に対して当該募集新株予約権と引換えにする払込みに充てるための金銭を交付する条件又は執行役等に対して当該募集新株予約権を割り当てる条件を定めるときは、その条件

第三款　指名委員会等の運営

（招集権者）
第四百十条　指名委員会等は、当該委員会の各委員が招集する。

（招集手続等）
第四百十一条　指名委員会等を招集するには、その委員は、指名委員会等の日の一週間（これを下回る期間を取締役会で定めた場合にあっては、その期間）前までに、当該指名委員会等の各委員に対してその通知を発しなければならない。
2　前項の規定にかかわらず、指名委員会等は、当該指名委員会等の委員の全員の同意があるときは、招集の手続を経ることなく開催することができる。
3　執行役等は、指名委員会等の要求があったときは、当該指名委員会等に出席し、当該指名委員会等が求めた事項について説明をしなければならない。

（指名委員会等の決議）
第四百十二条　指名委員会等の決議は、議決に加わることができるその委員の過半数（これを上回る割合を取締役会で定めた場合にあっては、その割合以上）が出席し、その過半数（これを上回る割合を取締役会で定めた場合にあっては、その割合以上）をもって行う。
2　前項の決議について特別の利害関係を有する委員は、議決に加わることができない。
3　指名委員会等の議事については、法務省令で定めるところにより、議事録を作成し、議事録が書面をもって作成されているときは、出席した委員は、これに署名し、又は記名押印しなければならない。
4　前項の議事録が電磁的記録をもって作成されている場合における当該電磁的記録に記録された事項については、法務省令で定める署名又は記名押印に代わる措置をとらなければならない。
5　指名委員会等の決議に参加した委員であって第三項の議事録に異議をとどめないものは、その決議に賛成したものと推定する。

【会社法施行規則】

（指名委員会等の議事録）

第百十一条の四　法第四百十二条第三項の規定による指名委員会等の議事録の作成については、この条の定めるところによる。
2　指名委員会等の議事録は、書面又は電磁的記録をもって作成しなければならない。
3　指名委員会等の議事録は、次に掲げる事項を内容とするもので

なければならない。
一　指名委員会等が開催された日時及び場所（当該場所に存しない取締役、執行役、会計参与又は会計監査人が指名委員会等に出席をした場合における当該出席の方法を含む。）
二　指名委員会等の議事の経過の要領及びその結果
三　決議を要する事項について特別の利害関係を有する委員があるときは、その氏名
四　指名委員会等が監査委員会である場合において、次に掲げる意見又は発言があるときは、その意見又は発言の内容の概要
イ　法第三百七十五条第四項の規定により読み替えて適用する同条第一項の規定により監査委員会において述べられた意見又は発言
ロ　法第三百九十七条第五項の規定により読み替えて適用する同条第一項の規定により監査委員会において述べられた意見又は発言
ハ　法第四百十九条第一項の規定により行うべき監査委員に対する報告が監査委員会において行われた場合における当該報告に係る意見又は発言
五　指名委員会等に出席した取締役（当該指名委員会等の委員であるものを除く。）、執行役、会計参与又は会計監査人の氏名又は名称
六　指名委員会等の議長が存するときは、議長の氏名
4　法第四百十四条の規定により指名委員会等への報告を要しないものとされた場合には、指名委員会等の議事録は、次の各号に掲げる事項を内容とするものとする。
一　指名委員会等への報告を要しないものとされた事項の内容
二　指名委員会等への報告を要しないものとされた日
三　議事録の作成に係る職務を行った委員の氏名

（電子署名）
第二百二十五条　次に掲げる規定に規定する法務省令で定める署名又は記名押印に代わる措置は、電子署名とする。
一～八　（略）
九　法第四百十二条第四項
十～十二　（略）
2　前項に規定する「電子署名」とは、電磁的記録に記録することができる情報について行われる措置であって、次の要件のいずれにも該当するものをいう。
一　当該情報が当該措置を行った者の作成に係るものであることを示すためのものであること。
二　当該情報について改変が行われていないかどうかを確認することができるものであること。

（議事録）
第四百十三条　指名委員会等設置会社は、指名委員会等の日から十年間、前条第三項の議事録をその本店に備え置かなければならない。
2　指名委員会等設置会社の取締役は、次に掲げるものの閲覧及び謄写をすることができる。
一　前項の議事録が書面をもって作成されているときは、当該書面
二　前項の議事録が電磁的記録をもって作成されているときは、当該電磁的記録に記録された事項を法務省令で定める方法により表示したもの
3　指名委員会等設置会社の株主は、その権利を行使するため必要があるときは、裁判所の許可を得て、第一項の議事録について前項各号に掲げるものの閲覧又は謄写の請求をすることができる。
4　前項の規定は、指名委員会等設置会社の債権者が委員の責任を追及するため必要があるとき及び親会社社員がその権利を行使するため必要があるときについて準用する。
5　裁判所は、第三項（前項において準用する場合を含む。以下この項において同じ。）の請求に係る閲覧又は謄写をすることにより、当該指名委員会等設置会社又はその親会社若しくは子会社に著しい損害を及

ぼすおそれがあると認めるときは、第三項の許可をすることができない。

【会社法施行規則】

（保存の指定）

第二百三十二条　電子文書法第三条第一項の主務省令で定める保存は、次に掲げる保存とする。

一～十七　（略）

十八　法第四百十三条第一項の規定による指名委員会等の議事録の保存

十九～三十六　（略）

（縦覧等の指定）

第二百三十四条　電子文書法第五条第一項の主務省令で定める縦覧等は、次に掲げる縦覧等とする。

一～三十一　（略）

三十二　法第四百十三条第二項第一号の規定による指名委員会等の議事録の縦覧等

三十三　法第四百十三条第三項（同条第四項において準用する場合を含む。）の規定による指名委員会等の議事録の縦覧等

三十四～五十四　（略）

（電磁的記録に記録された事項を表示する方法）

第二百二十六条　次に掲げる規定に規定する法務省令で定める方法は、次に掲げる規定の電磁的記録に記録された事項を紙面又は映像面に表示する方法とする。

一～二十五　（略）

二十六　法第四百十三条第二項第二号

二十七～四十三　（略）

（指名委員会等への報告の省略）

第四百十四条　執行役、取締役、会計参与又は会計監査人が委員の全員に対して指名委員会等に報告すべき事項を通知したときは、当該事項を指名委員会等へ報告することを要しない。

第四款　指名委員会等設置会社の取締役の権限等

（指名委員会等設置会社の取締役の権限）

第四百十五条　指名委員会等設置会社の取締役は、この法律又はこの法律に基づく命令に別段の定めがある場合を除き、指名委員会等設置会社の業務を執行することができない。

（指名委員会等設置会社の取締役会の権限）

第四百十六条　指名委員会等設置会社の取締役会は、第三百六十二条の規定にかかわらず、次に掲げる職務を行う。

一　次に掲げる事項その他指名委員会等設置会社の業務執行の決定

イ　経営の基本方針

ロ　監査委員会の職務の執行のため必要なものとして法務省令で定める事項

ハ　執行役が二人以上ある場合における執行役の職務の分掌及び指揮命令の関係その他の執行役相互の関係に関する事項

ニ　次条第二項の規定による取締役会の招集の請求を受ける取締役

ホ　執行役の職務の執行が法令及び定款に適合することを確保するための体制その他株式会社の業務並びに当該株式会社及びその子会社から成る企業集団の業務の適正を確保するために必要なものとして法務省令で定める体制の整備

二　執行役等の職務の執行の監督

2　指名委員会等設置会社の取締役会は、前項第一号イからホまでに掲げる事項を決定しなければならない。

3　指名委員会等設置会社の取締役会は、第一項各号に掲げる職務の執行を取締役に委任することができない。

4　指名委員会等設置会社の取締役会は、その決議によって、指名委員会等設置会社の業務執行の決定を執行役に委任することができる。ただし、次に掲げる事項については、この限りでない。

一　第百三十六条又は第百三十七条第一項の決定及び第百四十条第四項の規定による指定
二　第百六十五条第三項において読み替えて適用する第百五十六条第一項各号に掲げる事項の決定
三　第二百六十二条又は第二百六十三条第一項の決定
四　第二百九十八条第一項各号に掲げる事項の決定
五　株主総会に提出する議案（取締役、会計参与及び会計監査人の選任及び解任並びに会計監査人を再任しないことに関するものを除く。）の内容の決定
六　第三百四十八条の二第二項の規定による委託
七　第三百六十五条第一項において読み替えて適用する第三百五十六条第一項（第四百十九条第二項において読み替えて準用する場合を含む。）の承認
八　第三百六十六条第一項ただし書の規定による取締役会を招集する取締役の決定
九　第四百条第二項の規定による委員の選定及び第四百一条第一項の規定による委員の解職
十　第四百二条第二項の規定による執行役の選任及び第四百三条第一項の規定による執行役の解任
十一　第四百八条第一項第一号の規定による指名委員会等設置会社を代表する者の決定
十二　第四百二十条第一項前段の規定による代表執行役の選定及び同条第二項の規定による代表執行役の解職
十三　第四百二十六条第一項の規定による定款の定めに基づく第四百二十三条第一項の責任の免除
十四　補償契約の内容の決定
十五　役員等賠償責任保険契約の内容の決定
十六　第四百三十六条第三項、第四百四十一条第三項及び第四百四十四条第五項の承認
十七　第四百五十四条第五項において読み替えて適用する同条第一項の規定により定めなければならないとされる事項の決定
十八　第四百六十七条第一項各号に掲げる行為に係る契約（当該指名委員会等設置会社の株主総会の決議による承認を要しないものを除く。）の内容の決定
十九　合併契約（当該指名委員会等設置会社の株主総会の決議による承認を要しないものを除く。）の内容の決定
二十　吸収分割契約（当該指名委員会等設置会社の株主総会の決議による承認を要しないものを除く。）の内容の決定
二十一　新設分割計画（当該指名委員会等設置会社の株主総会の決議による承認を要しないものを除く。）の内容の決定
二十二　株式交換契約（当該指名委員会等設置会社の株主総会の決議による承認を要しないものを除く。）の内容の決定
二十三　株式移転計画の内容の決定
二十四　株式交付計画（当該指名委員会等設置会社の株主総会の決議による承認を要しないものを除く。）の内容の決定

【会社法施行規則】

（業務の適正を確保するための体制）
第百十二条　法第四百十六条第一項第一号ロに規定する法務省令で定めるものは、次に掲げるものとする。
一　当該株式会社の監査委員会の職務を補助すべき取締役及び使用人に関する事項
二　前号の取締役及び使用人の当該株式会社の執行役からの独立性に関する事項
三　当該株式会社の監査委員会の第一号の取締役及び使用人に対する指示の実効性の確保に関する事項
四　次に掲げる体制その他の当該株式会社の監査委員会への報告に関する体制
イ　当該株式会社の取締役（監査委員である取締役を除く。）、執行役及び会計参与並びに使用人が当該株式会社の監査委員

会に報告をするための体制
ロ　当該株式会社の子会社の取締役、会計参与、監査役、執行役、業務を執行する社員、法第五百九十八条第一項の職務を行うべき者その他これらの者に相当する者及び使用人又はこれらの者から報告を受けた者が当該株式会社の監査委員会に報告をするための体制
五　前号の報告をした者が当該報告をしたことを理由として不利な取扱いを受けないことを確保するための体制
六　当該株式会社の監査委員の職務の執行（監査委員会の職務の執行に関するものに限る。）について生ずる費用の前払又は償還の手続その他の当該職務の執行について生ずる費用又は債務の処理に係る方針に関する事項
七　その他当該株式会社の監査委員会の監査が実効的に行われることを確保するための体制
2　法第四百十六条第一項第一号ホに規定する法務省令で定める体制は、当該株式会社における次に掲げる体制とする。
一　当該株式会社の執行役の職務の執行に係る情報の保存及び管理に関する体制
二　当該株式会社の損失の危険の管理に関する規程その他の体制
三　当該株式会社の執行役の職務の執行が効率的に行われることを確保するための体制
四　当該株式会社の使用人の職務の執行が法令及び定款に適合することを確保するための体制
五　次に掲げる体制その他の当該株式会社並びにその親会社及び子会社から成る企業集団における業務の適正を確保するための体制
イ　当該株式会社の子会社の取締役、執行役、業務を執行する社員、法第五百九十八条第一項の職務を行うべき者その他これらの者に相当する者（ハ及びニにおいて「取締役等」という。）の職務の執行に係る事項の当該株式会社への報告に関する体制
ロ　当該株式会社の子会社の損失の危険の管理に関する規程その他の体制
ハ　当該株式会社の子会社の取締役等の職務の執行が効率的に行われることを確保するための体制
ニ　当該株式会社の子会社の取締役等及び使用人の職務の執行が法令及び定款に適合することを確保するための体制

（指名委員会等設置会社の取締役会の運営）
第四百十七条　指名委員会等設置会社においては、招集権者の定めがある場合であっても、指名委員会等がその委員の中から選定する者は、取締役会を招集することができる。
2　執行役は、前条第一項第一号ニの取締役に対し、取締役会の目的である事項を示して、取締役会の招集を請求することができる。この場合において、当該請求があった日から五日以内に、当該請求があった日から二週間以内の日を取締役会の日とする取締役会の招集の通知が発せられないときは、当該執行役は、取締役会を招集することができる。
3　指名委員会等がその委員の中から選定する者は、遅滞なく、当該指名委員会等の職務の執行の状況を取締役会に報告しなければならない。
4　執行役は、三箇月に一回以上、自己の職務の執行の状況を取締役会に報告しなければならない。この場合において、執行役は、代理人（他の執行役に限る。）により当該報告をすることができる。
5　執行役は、取締役会の要求があったときは、取締役会に出席し、取締役会が求めた事項について説明をしなければならない。

第五款　執行役の権限等

（執行役の権限）
第四百十八条　執行役は、次に掲げる職務を行う。

一　第四百十六条第四項の規定による取締役会の決議によって委任を受けた指名委員会等設置会社の業務の執行の決定
二　指名委員会等設置会社の業務の執行

（執行役の監査委員に対する報告義務等）
第四百十九条　執行役は、指名委員会等設置会社に著しい損害を及ぼすおそれのある事実を発見したときは、直ちに、当該事実を監査委員に報告しなければならない。
2　第三百五十五条、第三百五十六条及び第三百六十五条第二項の規定は、執行役について準用する。この場合において、第三百五十六条第一項中「株主総会」とあるのは「取締役会」と、第三百六十五条第二項中「取締役会設置会社においては、第三百五十六条第一項各号」とあるのは「第三百五十六条第一項各号」と読み替えるものとする。
3　第三百五十七条の規定は、指名委員会等設置会社については、適用しない。

（代表執行役）
第四百二十条　取締役会は、執行役の中から代表執行役を選定しなければならない。この場合において、執行役が一人のときは、その者が代表執行役に選定されたものとする。
2　代表執行役は、いつでも、取締役会の決議によって解職することができる。
3　第三百四十九条第四項及び第五項の規定は代表執行役について、第三百五十二条の規定は民事保全法第五十六条に規定する仮処分命令により選任された執行役又は代表執行役の職務を代行する者について、第四百一条第二項から第四項までの規定は代表執行役が欠けた場合又は定款で定めた代表執行役の員数が欠けた場合について、それぞれ準用する。

（表見代表執行役）
第四百二十一条　指名委員会等設置会社は、代表執行役以外の執行役に社長、副社長その他指名委員会等設置会社を代表する権限を有するものと認められる名称を付した場合には、当該執行役がした行為について、善意の第三者に対してその責任を負う。

（株主による執行役の行為の差止め）
第四百二十二条　六箇月（これを下回る期間を定款で定めた場合にあっては、その期間）前から引き続き株式を有する株主は、執行役が指名委員会等設置会社の目的の範囲外の行為その他法令若しくは定款に違反する行為をし、又はこれらの行為をするおそれがある場合において、当該行為によって当該指名委員会等設置会社に回復することができない損害が生ずるおそれがあるときは、当該執行役に対し、当該行為をやめることを請求することができる。
2　公開会社でない指名委員会等設置会社における前項の規定の適用については、同項中「六箇月（これを下回る期間を定款で定めた場合にあっては、その期間）前から引き続き株式を有する株主」とあるのは、「株主」とする。

第十一節　役員等の損害賠償責任

（役員等の株式会社に対する損害賠償責任）
第四百二十三条　取締役、会計参与、監査役、執行役又は会計監査人（以下この章において「役員等」という。）は、その任務を怠ったときは、株式会社に対し、これによって生じた損害を賠償する責任を負う。
2　取締役又は執行役が第三百五十六条第一項（第四百十九条第二項において準用する場合を含む。以下この項において同じ。）の規定に違反して第三百五十六条第一項第一号の取引をしたときは、当該取引によって取締役、執行役又は第三者が得た利益の額は、前項の損害の額と推定する。
3　第三百五十六条第一項第二号又は第三号（これらの規定を第四百十九条第二項において準用する場合を含む。）の取引によって株式会社に損害が生じたときは、次に掲げる取締役又は執行役は、その任務を怠ったものと推定する。
一　第三百五十六条第一項（第四百十九条第二項において準用する場合を含む。）の取締役又は執行役

二　株式会社が当該取引をすることを決定した取締役又は執行役

三　当該取引に関する取締役会の承認の決議に賛成した取締役（指名委員会等設置会社においては、当該取引が指名委員会等設置会社と取締役との間の取引又は指名委員会等設置会社と取締役との利益が相反する取引である場合に限る。）

4　前項の規定は、第三百五十六条第一項第二号又は第三号に掲げる場合において、同項の取締役（監査等委員であるものを除く。）が当該取引につき監査等委員会の承認を受けたときは、適用しない。

（株式会社に対する損害賠償責任の免除）

第四百二十四条　前条第一項の責任は、総株主の同意がなければ、免除することができない。

（責任の一部免除）

第四百二十五条　前条の規定にかかわらず、第四百二十三条第一項の責任は、当該役員等が職務を行うにつき善意でかつ重大な過失がないときは、賠償の責任を負う額から次に掲げる額の合計額（第四百二十七条第一項において「最低責任限度額」という。）を控除して得た額を限度として、株主総会（株式会社に最終完全親会社等（第八百四十七条の三第一項に規定する最終完全親会社等をいう。以下この節において同じ。）がある場合において、当該責任が特定責任（第八百四十七条の三第四項に規定する特定責任をいう。以下この節において同じ。）であるときにあっては、当該株式会社及び当該最終完全親会社等の株主総会。以下この条において同じ。）の決議によって免除することができる。

一　当該役員等がその在職中に株式会社から職務執行の対価として受け、又は受けるべき財産上の利益の一年間当たりの額に相当する額として法務省令で定める方法により算定される額に、次のイからハまでに掲げる役員等の区分に応じ、当該イからハまでに定める数を乗じて得た額

イ　代表取締役又は代表執行役　六

ロ　代表取締役以外の取締役（業務執行取締役等であるものに限る。）又は代表執行役以外の執行役　四

ハ　取締役（イ及びロに掲げるものを除く。）、会計参与、監査役又は会計監査人　二

二　当該役員等が当該株式会社の新株予約権を引き受けた場合（第二百三十八条第三項各号に掲げる場合に限る。）における当該新株予約権に関する財産上の利益に相当する額として法務省令で定める方法により算定される額

2　前項の場合には、取締役（株式会社に最終完全親会社等がある場合において、同項の規定により免除しようとする責任が特定責任であるときにあっては、当該株式会社及び当該最終完全親会社等の取締役）は、同項の株主総会において次に掲げる事項を開示しなければならない。

一　責任の原因となった事実及び賠償の責任を負う額

二　前項の規定により免除することができる額の限度及びその算定の根拠

三　責任を免除すべき理由及び免除額

3　監査役設置会社、監査等委員会設置会社又は指名委員会等設置会社においては、取締役（これらの会社に最終完全親会社等がある場合において、第一項の規定により免除しようとする責任が特定責任であるときにあっては、当該会社及び当該最終完全親会社等の取締役）は、第四百二十三条第一項の責任の免除（取締役（監査等委員又は監査委員であるものを除く。）及び執行役の責任の免除に限る。）に関する議案を株主総会に提出するには、次の各号に掲げる株式会社の区分に応じ、当該各号に定める者の同意を得なければならない。

一　監査役設置会社　監査役（監査役が二人以上ある場合にあっては、各監査役）

二　監査等委員会設置会社　各監査等委員

三　指名委員会等設置会社　各監査委員

4　第一項の決議があった場合において、株式会社が当該決議後に同項の役員等に対し退職慰労金その他の法務省令で定める財産上の利益を与えるときは、株主総会の承認を受けなければならない。当該役員等

が同項第二号の新株予約権を当該決議後に行使し、又は譲渡するときも同様とする。

5　第一項の決議があった場合において、当該役員等が前項の新株予約権を表示する新株予約権証券を所持するときは、当該役員等は、遅滞なく、当該新株予約権証券を株式会社に対し預託しなければならない。この場合において、当該役員等は、同項の譲渡について同項の承認を受けた後でなければ、当該新株予約権証券の返還を求めることができない。

【会社法施行規則】

（報酬等の額の算定方法）

第百十三条　法第四百二十五条第一項第一号に規定する法務省令で定める方法により算定される額は、次に掲げる額の合計額とする。

一　役員等がその在職中に報酬、賞与その他の職務執行の対価（当該役員等が当該株式会社の取締役、執行役又は支配人その他の使用人を兼ねている場合における当該取締役、執行役又は支配人その他の使用人の報酬、賞与その他の職務執行の対価を含む。）として株式会社から受け、又は受けるべき財産上の利益（次号に定めるものを除く。）の額の事業年度（次のイからハまでに掲げる場合の区分に応じ、当該イからハまでに定める日を含む事業年度及びその前の各事業年度に限る。）ごとの合計額（当該事業年度の期間が一年でない場合にあっては、当該合計額を一年当たりの額に換算した額）のうち最も高い額

イ　法第四百二十五条第一項の株主総会の決議を行った場合　当該株主総会（株式会社に最終完全親会社等がある場合において、同項の規定により免除しようとする責任が特定責任であるときにあっては、当該株式会社の株主総会）の決議の日

ロ　法第四百二十六条第一項の規定による定款の定めに基づいて責任を免除する旨の同意（取締役会設置会社にあっては、取締役会の決議。ロにおいて同じ。）を行った場合　当該同意のあった日

ハ　法第四百二十七条第一項の契約を締結した場合　責任の原因となる事実が生じた日（二以上の日がある場合にあっては、最も遅い日）

二　イに掲げる額をロに掲げる数で除して得た額

イ　次に掲げる額の合計額

(1)　当該役員等が当該株式会社から受けた退職慰労金の額

(2)　当該役員等が当該株式会社の取締役、執行役又は支配人その他の使用人を兼ねていた場合における当該取締役若しくは執行役としての退職慰労金又は支配人その他の使用人としての退職手当のうち当該役員等を兼ねていた期間の職務執行の対価である部分の額

(3)　(1)又は(2)に掲げるものの性質を有する財産上の利益の額

ロ　当該役員等がその職に就いていた年数（当該役員等が次に掲げるものに該当する場合における次に定める数が当該年数を超えている場合にあっては、当該数）

(1)　代表取締役又は代表執行役　六

(2)　代表取締役以外の取締役（業務執行取締役等であるものに限る。）又は代表執行役以外の執行役　四

(3)　取締役（(1)及び(2)に掲げるものを除く。）、会計参与、監査役又は会計監査人　二

（特に有利な条件で引き受けた職務執行の対価以外の新株予約権）

第百十四条　法第四百二十五条第一項第二号に規定する法務省令で定める方法により算定される額は、次の各号に掲げる場合の区分に応じ、当該各号に定める額とする。

一　当該役員等が就任後に新株予約権（当該役員等が職務執行の対価として株式会社から受けたものを除く。以下この条において同じ。）を行使した場合　イに掲げる額からロに掲げる額を減じて得た額（零未満である場合にあっては、零）に当該新株予約権の行使により当該役員等が交付を受けた当該株式会社の株

式の数を乗じて得た額

イ　当該新株予約権の行使時における当該株式の一株当たりの時価

ロ　当該新株予約権についての法第二百三十六条第一項第二号の価額及び法第二百三十八条第一項第三号の払込金額の合計額の当該新株予約権の目的である株式一株当たりの額

二　当該役員等が就任後に新株予約権を譲渡した場合　当該新株予約権の譲渡価額から法第二百三十八条第一項第三号の払込金額を減じて得た額に当該新株予約権の数を乗じた額

（責任の免除の決議後に受ける退職慰労金等）

第百十五条　法第四百二十五条第四項（法第四百二十六条第八項及び第四百二十七条第五項において準用する場合を含む。）に規定する法務省令で定める財産上の利益とは、次に掲げるものとする。

一　退職慰労金

二　当該役員等が当該株式会社の取締役又は執行役を兼ねていたときは、当該取締役又は執行役としての退職慰労金

三　当該役員等が当該株式会社の支配人その他の使用人を兼ねていたときは、当該支配人その他の使用人としての退職手当のうち当該役員等を兼ねていた期間の職務執行の対価である部分

四　前三号に掲げるものの性質を有する財産上の利益

（取締役等による免除に関する定款の定め）

第四百二十六条　第四百二十四条の規定にかかわらず、監査役設置会社（取締役が二人以上ある場合に限る。）、監査等委員会設置会社又は指名委員会等設置会社は、第四百二十三条第一項の責任について、当該役員等が職務を行うにつき善意でかつ重大な過失がない場合において、責任の原因となった事実の内容、当該役員等の職務の執行の状況その他の事情を勘案して特に必要と認めるときは、前条第一項の規定により免除することができる額を限度として取締役（当該責任を負う取締役を除く。）の過半数の同意（取締役会設置会社にあっては、取締役会の決議）によって免除することができる旨を定款で定めることができる。

2　前条第三項の規定は、定款を変更して前項の規定による定款の定め（取締役（監査等委員又は監査委員であるものを除く。）及び執行役の責任を免除することができる旨の定めに限る。）を設ける議案を株主総会に提出する場合、同項の規定による定款の定めに基づく責任の免除（取締役（監査等委員又は監査委員であるものを除く。）及び執行役の責任の免除に限る。）についての取締役の同意を得る場合及び当該責任の免除に関する議案を取締役会に提出する場合について準用する。この場合において、同条第三項中「取締役（これらの会社に最終完全親会社等がある場合において、第一項の規定により免除しようとする責任が特定責任であるときにあっては、当該会社及び当該最終完全親会社等の取締役）」とあるのは、「取締役」と読み替えるものとする。

3　第一項の規定による定款の定めに基づいて役員等の責任を免除する旨の同意（取締役会設置会社にあっては、取締役会の決議）を行ったときは、取締役は、遅滞なく、前条第二項各号に掲げる事項及び責任を免除することに異議がある場合には一定の期間内に当該異議を述べるべき旨を公告し、又は株主に通知しなければならない。ただし、当該期間は、一箇月を下ることができない。

4　公開会社でない株式会社における前項の規定の適用については、同項中「公告し、又は株主に通知し」とあるのは、「株主に通知し」とする。

5　株式会社に最終完全親会社等がある場合において、第三項の規定による公告又は通知（特定責任の免除に係るものに限る。）がされたときは、当該最終完全親会社等の取締役は、遅滞なく、前条第二項各号に掲げる事項及び責任を免除することに異議がある場合には一定の期間内に当該異議を述べるべき旨を公告し、又は株主に通知しなければならない。ただし、当該期間は、一箇月を下ることができない。

6　公開会社でない最終完全親会社等における前項の規定の適用については、同項中「公告し、又は株主に通知し」とあるのは、「株主に通知

し」とする。

7　総株主（第三項の責任を負う役員等であるものを除く。）の議決権の百分の三（これを下回る割合を定款で定めた場合にあっては、その割合）以上の議決権を有する株主が同項の期間内に同項の異議を述べたとき（株式会社に最終完全親会社等がある場合において、第一項の規定による定款の定めに基づき免除しようとする責任が特定責任であるときにあっては、当該株式会社の総株主（第三項の責任を負う役員等であるものを除く。）の議決権の百分の三（これを下回る割合を定款で定めた場合にあっては、その割合）以上の議決権を有する株主又は当該最終完全親会社等の総株主（第三項の責任を負う役員等であるものを除く。）の議決権の百分の三（これを下回る割合を定款で定めた場合にあっては、その割合）以上の議決権を有する株主が第三項又は第五項の期間内に当該各項の異議を述べたとき）は、株式会社は、第一項の規定による定款の定めに基づく免除をしてはならない。

8　前条第四項及び第五項の規定は、第一項の規定による定款の定めに基づき責任を免除した場合について準用する。

（責任限定契約）

第四百二十七条　第四百二十四条の規定にかかわらず、株式会社は、取締役（業務執行取締役等であるものを除く。）、会計参与、監査役又は会計監査人（以下この条及び第九百十一条第三項第二十五号において「非業務執行取締役等」という。）の第四百二十三条第一項の責任について、当該非業務執行取締役等が職務を行うにつき善意でかつ重大な過失がないときは、定款で定めた額の範囲内であらかじめ株式会社が定めた額と最低責任限度額とのいずれか高い額を限度とする旨の契約を非業務執行取締役等と締結することができる旨を定款で定めることができる。

2　前項の契約を締結した非業務執行取締役等が当該株式会社の業務執行取締役等に就任したときは、当該契約は、将来に向かってその効力を失う。

3　第四百二十五条第三項の規定は、定款を変更して第一項の規定による定款の定め（同項に規定する取締役（監査等委員又は監査委員であるものを除く。）と契約を締結することができる旨の定めに限る。）を設ける議案を株主総会に提出する場合について準用する。この場合において、同条第三項中「取締役（これらの会社に最終完全親会社等がある場合において、第一項の規定により免除しようとする責任が特定責任であるときにあっては、当該会社及び当該最終完全親会社等の取締役）」とあるのは、「取締役」と読み替えるものとする。

4　第一項の契約を締結した株式会社が、当該契約の相手方である非業務執行取締役等が任務を怠ったことにより損害を受けたことを知ったときは、その後最初に招集される株主総会（当該株式会社に最終完全親会社等がある場合において、当該損害が特定責任に係るものであるときにあっては、当該株式会社及び当該最終完全親会社等の株主総会）において次に掲げる事項を開示しなければならない。

一　第四百二十五条第二項第一号及び第二号に掲げる事項

二　当該契約の内容及び当該契約を締結した理由

三　第四百二十三条第一項の損害のうち、当該非業務執行取締役等が賠償する責任を負わないとされた額

5　第四百二十五条第四項及び第五項の規定は、非業務執行取締役等が第一項の契約によって同項に規定する限度を超える部分について損害を賠償する責任を負わないとされた場合について準用する。

（取締役が自己のためにした取引に関する特則）

第四百二十八条　第三百五十六条第一項第二号（第四百十九条第二項において準用する場合を含む。）の取引（自己のためにした取引に限る。）をした取締役又は執行役の第四百二十三条第一項の責任は、任務を怠ったことが当該取締役又は執行役の責めに帰することができない事由によるものであることをもって免れることができない。

2　前三条の規定は、前項の責任については、適用しない。

（役員等の第三者に対する損害賠償責任）

第四百二十九条　役員等がその職務を行うについて悪意又は重大な過失があったときは、当該役員等は、これによって第三者に生じた損害を

賠償する責任を負う。

2　次の各号に掲げる者が、当該各号に定める行為をしたときも、前項と同様とする。ただし、その者が当該行為をすることについて注意を怠らなかったことを証明したときは、この限りでない。

一　取締役及び執行役　次に掲げる行為

イ　株式、新株予約権、社債若しくは新株予約権付社債を引き受ける者の募集をする際に通知しなければならない重要な事項についての虚偽の通知又は当該募集のための当該株式会社の事業その他の事項に関する説明に用いた資料についての虚偽の記載若しくは記録

ロ　計算書類及び事業報告並びにこれらの附属明細書並びに臨時計算書類に記載し、又は記録すべき重要な事項についての虚偽の記載又は記録

ハ　虚偽の登記

ニ　虚偽の公告（第四百四十条第三項に規定する措置を含む。）

二　会計参与　計算書類及びその附属明細書、臨時計算書類並びに会計参与報告に記載し、又は記録すべき重要な事項についての虚偽の記載又は記録

三　監査役、監査等委員及び監査委員　監査報告に記載し、又は記録すべき重要な事項についての虚偽の記載又は記録

四　会計監査人　会計監査報告に記載し、又は記録すべき重要な事項についての虚偽の記載又は記録

（役員等の連帯責任）

第四百三十条　役員等が株式会社又は第三者に生じた損害を賠償する責任を負う場合において、他の役員等も当該損害を賠償する責任を負うときは、これらの者は、連帯債務者とする。

第十二節　補償契約及び役員等のために締結される保険契約

（補償契約）

第四百三十条の二　株式会社が、役員等に対して次に掲げる費用等の全部又は一部を当該株式会社が補償することを約する契約（以下この条において「補償契約」という。）の内容の決定をするには、株主総会（取締役会設置会社にあっては、取締役会）の決議によらなければならない。

一　当該役員等が、その職務の執行に関し、法令の規定に違反したことが疑われ、又は責任の追及に係る請求を受けたことに対処するために支出する費用

二　当該役員等が、その職務の執行に関し、第三者に生じた損害を賠償する責任を負う場合における次に掲げる損失

イ　当該損害を当該役員等が賠償することにより生ずる損失

ロ　当該損害の賠償に関する紛争について当事者間に和解が成立したときは、当該役員等が当該和解に基づく金銭を支払うことにより生ずる損失

2　株式会社は、補償契約を締結している場合であっても、当該補償契約に基づき、次に掲げる費用等を補償することができない。

一　前項第一号に掲げる費用のうち通常要する費用の額を超える部分

二　当該株式会社が前項第二号の損害を賠償するとすれば当該役員等が当該株式会社に対して第四百二十三条第一項の責任を負う場合には、同号に掲げる損失のうち当該責任に係る部分

三　役員等がその職務を行うにつき悪意又は重大な過失があったことにより前項第二号の責任を負う場合には、同号に掲げる損失の全部

3　補償契約に基づき第一項第一号に掲げる費用を補償した株式会社が、当該役員等が自己若しくは第三者の不正な利益を図り、又は当該株式会社に損害を加える目的で同号の職務を執行したことを知ったときは、当該役員等に対し、補償した金額に相当する金銭を返還することを請求することができる。

4　取締役会設置会社においては、補償契約に基づく補償をした取締役及び当該補償を受けた取締役は、遅滞なく、当該補償についての重要

な事実を取締役会に報告しなければならない。

5　前項の規定は、執行役について準用する。この場合において、同項中「取締役会設置会社においては、補償契約」とあるのは、「補償契約」と読み替えるものとする。

6　第三百五十六条第一項及び第三百六十五条第二項（これらの規定を第四百十九条第二項において準用する場合を含む。）、第四百二十三条第三項並びに第四百二十八条第一項の規定は、株式会社と取締役又は執行役との間の補償契約については、適用しない。

7　民法第百八条の規定は、第一項の決議によってその内容が定められた前項の補償契約の締結については、適用しない。

（役員等のために締結される保険契約）

第四百三十条の三　株式会社が、保険者との間で締結する保険契約のうち役員等がその職務の執行に関し責任を負うこと又は当該責任の追及に係る請求を受けることによって生ずることのある損害を保険者が塡補することを約するものであって、役員等を被保険者とするもの（当該保険契約を締結することにより被保険者である役員等の職務の執行の適正性が著しく損なわれるおそれがないものとして法務省令で定めるものを除く。第三項ただし書において「役員等賠償責任保険契約」という。）の内容の決定をするには、株主総会（取締役会設置会社にあっては、取締役会）の決議によらなければならない。

2　第三百五十六条第一項及び第三百六十五条第二項（これらの規定を第四百十九条第二項において準用する場合を含む。）並びに第四百二十三条第三項の規定は、株式会社が保険者との間で締結する保険契約のうち役員等がその職務の執行に関し責任を負うこと又は当該責任の追及に係る請求を受けることによって生ずることのある損害を保険者が塡補することを約するものであって、取締役又は執行役を被保険者とするものの締結については、適用しない。

3　民法第百八条の規定は、前項の保険契約の締結については、適用しない。ただし、当該契約が役員等賠償責任保険契約である場合には、第一項の決議によってその内容が定められたときに限る。

【会社法施行規則】

第百十五条の二　法第四百三十条の三第一項に規定する法務省令で定めるものは、次に掲げるものとする。

一　被保険者に保険者との間で保険契約を締結する株式会社を含む保険契約であって、当該株式会社がその業務に関連し第三者に生じた損害を賠償する責任を負うこと又は当該責任の追及に係る請求を受けることによって当該株式会社に生ずることのある損害を保険者が塡補することを主たる目的として締結されるもの

二　役員等が第三者に生じた損害を賠償する責任を負うこと又は当該責任の追及に係る請求を受けることによって当該役員等に生ずることのある損害（役員等がその職務上の義務に違反し若しくは職務を怠ったことによって第三者に生じた損害を賠償する責任を負うこと又は当該責任の追及に係る請求を受けることによって当該役員等に生ずることのある損害を除く。）を保険者が塡補することを目的として締結されるもの

第五章　計算等

第一節　会計の原則

第四百三十一条　株式会社の会計は、一般に公正妥当と認められる企業会計の慣行に従うものとする。

【会社計算規則】

（会計慣行のしん酌）

第三条　この省令の用語の解釈及び規定の適用に関しては、一般に公正妥当と認められる企業会計の基準その他の企業会計の慣行を

しん酌しなければならない。

第二節　会計帳簿等

第一款　会計帳簿

（会計帳簿の作成及び保存）

第四百三十二条　株式会社は、法務省令で定めるところにより、適時に、正確な会計帳簿を作成しなければならない。

2　株式会社は、会計帳簿の閉鎖の時から十年間、その会計帳簿及びその事業に関する重要な資料を保存しなければならない。

【会社法施行規則】

第百十六条　次に掲げる規定に規定する法務省令で定めるべき事項（事業報告及びその附属明細書に係るものを除く。）は、会社計算規則の定めるところによる。

一　法第四百三十二条第一項

二～十五　（略）

【会社計算規則】（総則）

第二編　会計帳簿

第一章　総則

第四条　法第四百三十二条第一項及び第六百十五条第一項の規定により会社が作成すべき会計帳簿に付すべき資産、負債及び純資産の価額その他会計帳簿の作成に関する事項（法第四百四十五条第四項から第六項までの規定により法務省令で定めるべき事項を含む。）については、この編〔第四条―第五六条〕の定めるところによる。

2　会計帳簿は、書面又は電磁的記録をもって作成しなければならない。

【会社計算規則】（資産・負債関係）

第二編　会計帳簿

第二章　資産及び負債

第一節　資産及び負債の評価

第一款　通則

（資産の評価）

第五条　資産については、この省令又は法以外の法令に別段の定めがある場合を除き、会計帳簿にその取得価額を付さなければならない。

2　償却すべき資産については、事業年度の末日（事業年度の末日以外の日において評価すべき場合にあっては、その日。以下この条、次条第二項及び第五十五条第六項第一号において同じ。）において、相当の償却をしなければならない。

3　次の各号に掲げる資産については、事業年度の末日において当該各号に定める価格を付すべき場合には、当該各号に定める価格を付さなければならない。

一　事業年度の末日における時価がその時の取得原価より著しく低い資産（当該資産の時価がその時の取得原価まで回復すると認められるものを除く。）　事業年度の末日における時価

二　事業年度の末日において予測することができない減損が生じた資産又は減損損失を認識すべき資産　その時の取得原価から相当の減額をした額

4　取立不能のおそれのある債権については、事業年度の末日においてその時に取り立てることができないと見込まれる額を控除しなければならない。

5　債権については、その取得価額が債権金額と異なる場合その他相当の理由がある場合には、適正な価格を付すことができる。

6　次に掲げる資産については、事業年度の末日においてその時の時価又は適正な価格を付すことができる。
一　事業年度の末日における時価がその時の取得原価より低い資産
二　市場価格のある資産（子会社及び関連会社の株式並びに満期保有目的の債券を除く。）
三　前二号に掲げる資産のほか、事業年度の末日においてその時の時価又は適正な価格を付すことが適当な資産

（負債の評価）
第六条　負債については、この省令又は法以外の法令に別段の定めがある場合を除き、会計帳簿に債務額を付さなければならない。
2　次に掲げる負債については、事業年度の末日においてその時の時価又は適正な価格を付すことができる。
一　退職給付引当金（使用人が退職した後に当該使用人に退職一時金、退職年金その他これらに類する財産の支給をする場合における事業年度の末日において繰り入れるべき引当金をいう。）その他の将来の費用又は損失の発生に備えて、その合理的な見積額のうち当該事業年度の負担に属する金額を費用又は損失として繰り入れることにより計上すべき引当金（株主等に対して役務を提供する場合において計上すべき引当金を含む。）
二　払込みを受けた金額が債務額と異なる社債
三　前二号に掲げる負債のほか、事業年度の末日においてその時の時価又は適正な価格を付すことが適当な負債

第二款　組織変更等の際の資産及び負債の評価　（抄）

（組織変更の際の資産及び負債の評価替えの禁止）
第七条　会社が組織変更をする場合には、当該組織変更をすることを理由にその有する資産及び負債の帳簿価額を変更することはできない。

（組織再編行為の際の資産及び負債の評価）
第八条　次の各号に掲げる会社は、吸収合併又は吸収分割が当該会社による支配取得に該当する場合その他の吸収型再編対象財産に時価を付すべき場合を除き、吸収型再編対象財産には、当該各号に定める会社における当該吸収合併又は吸収分割の直前の帳簿価額を付さなければならない。
一　吸収合併存続会社　吸収合併消滅会社
二　吸収分割承継会社　吸収分割会社
2　前項の規定は、新設合併及び新設分割の場合について準用する。

（会社以外の法人が会社となる場合における資産及び負債の評価）
第十条　次に掲げる法律の規定により会社以外の法人が会社となる場合には、当該会社がその有する資産及び負債に付すべき帳簿価額は、他の法令に別段の定めがある場合を除き、当該会社となる直前に当該法人が当該資産及び負債に付していた帳簿価額とする。
一　農業協同組合法（昭和二十二年法律第百三十二号）
二　金融商品取引法
三　商品先物取引法（昭和二十五年法律第二百三十九号）
四　中小企業団体の組織に関する法律（昭和三十二年法律第百八十五号）
五　技術研究組合法（昭和三十六年法律第八十一号）
六　金融機関の合併及び転換に関する法律（昭和四十三年法律第八十六号）
七　保険業法

第二節　のれん

第十一条　会社は、吸収型再編、新設型再編又は事業の譲受けをする場合において、適正な額ののれんを資産又は負債として計上することができる。

第三節　株式及び持分に係る特別勘定

第十二条　会社は、吸収分割、株式交換、株式交付、新設分割、株式移転又は事業の譲渡の対価として株式又は持分を取得する場合

において、当該株式又は持分に係る適正な額の特別勘定を負債として計上することができる。

【会社計算規則】（純資産関係）

第二編　会計帳簿
第三章　純資産
第一節　株式会社の株主資本
第一款　株式の交付等

（通則）

第十三条　株式会社がその成立後に行う株式の交付（法第四百四十五条第五項に掲げる行為に際しての株式の交付を除く。）による株式会社の資本金等増加限度額（同条第一項に規定する株主となる者が当該株式会社に対して払込み又は給付をした財産の額をいう。以下この節〔第一三条―第二九条〕において同じ。）、その他資本剰余金及びその他利益剰余金の額並びに自己株式対価額（第百五十条第二項第八号及び第百五十八条第八号ハ並びに法第四百四十六条第二号並びに第四百六十一条第二項第二号ロ及び第四号に規定する自己株式の対価の額をいう。以下この章〔第一三条―第五五条〕において同じ。）については、この款〔第一三条―第二一条〕の定めるところによる。

2　前項に規定する「成立後に行う株式の交付」とは、株式会社がその成立後において行う次に掲げる場合における株式の発行及び自己株式の処分（第八号、第九号、第十二号、第十四号及び第十五号に掲げる場合にあっては、自己株式の処分）をいう。

一　法第二編第二章第八節〔第一九九条―第二一三条の三〕の定めるところにより募集株式を引き受ける者の募集を行う場合（法第二百二条の二第一項（同条第三項の規定により読み替えて適用する場合を含む。）の規定により募集株式を引き受ける者の募集を行う場合を除く。次条第一項において同じ。）

二　取得請求権付株式（法第百八条第二項第五号ロに掲げる事項についての定めがあるものに限る。以下この章〔第一三条―第五五条〕において同じ。）の取得をする場合

三　取得条項付株式（法第百八条第二項第六号ロに掲げる事項についての定めがあるものに限る。以下この章〔第一三条―第五五条〕において同じ。）の取得をする場合

四　全部取得条項付種類株式（当該全部取得条項付種類株式を取得するに際して法第百七十一条第一項第一号イに掲げる事項についての定めをした場合における当該全部取得条項付種類株式に限る。以下この章〔第一三条―第五五条〕において同じ。）の取得をする場合

五　株式無償割当てをする場合

六　新株予約権の行使があった場合

七　取得条項付新株予約権（法第二百三十六条第一項第七号ニに掲げる事項についての定めがあるものに限る。以下この章〔第一三条―第五五条〕において同じ。）の取得をする場合

八　単元未満株式売渡請求を受けた場合

九　株式会社が当該株式会社の株式を取得したことにより生ずる法第四百六十二条第一項に規定する義務を履行する株主（株主と連帯して義務を負う者を含む。）に対して当該株主から取得した株式に相当する株式を交付すべき場合

十　吸収合併後当該株式会社が存続する場合

十一　吸収分割による他の会社がその事業に関して有する権利義務の全部又は一部の承継をする場合

十二　吸収分割により吸収分割会社（株式会社に限る。）が自己株式を吸収分割承継会社に承継させる場合

十三　株式交換による他の株式会社の発行済株式の全部の取得をする場合

十四　株式交換に際して自己株式を株式交換完全親会社に取得される場合

十五　株式移転に際して自己株式を株式移転設立完全親会社に取得される場合

十六　株式交付に際して他の株式会社の株式又は新株予約権等の譲受けをする場合

（募集株式を引き受ける者の募集を行う場合）

第十四条　法第二編第二章第八節（第一九九条―第二一三条の三）の定めるところにより募集株式を引き受ける者の募集を行う場合には、資本金等増加限度額は、第一号及び第二号に掲げる額の合計額から第三号に掲げる額を減じて得た額に株式発行割合（当該募集に際して発行する株式の数を当該募集に際して発行する株式の数及び処分する自己株式の数の合計数で除して得た割合をいう。以下この条において同じ。）を乗じて得た額から第四号に掲げる額を減じて得た額（零未満である場合にあっては、零）とする。

一　法第二百八条第一項の規定により払込みを受けた金銭の額（次のイ又はロに掲げる場合における金銭にあっては、当該イ又はロに定める額）

イ　外国の通貨をもって金銭の払込みを受けた場合（ロに掲げる場合を除く。）　当該外国の通貨につき法第百九十九条第一項第四号の期日（同号の期間を定めた場合にあっては、法第二百八条第一項の規定により払込みを受けた日）の為替相場に基づき算出された額

ロ　当該払込みを受けた金銭の額（イに定める額を含む。）により資本金等増加限度額を計算することが適切でない場合　当該金銭の当該払込みをした者における当該払込みの直前の帳簿価額

二　法第二百八条第二項の規定により現物出資財産（法第二百七条第一項に規定する現物出資財産をいう。以下この条において同じ。）の給付を受けた場合にあっては、当該現物出資財産の法第百九十九条第一項第四号の期日（同号の期間を定めた場合にあっては、法第二百八条第二項の規定により給付を受けた日）における価額（次のイ又はロに掲げる場合における現物出資財産にあっては、当該イ又はロに定める額）

イ　当該株式会社と当該現物出資財産の給付をした者が共通支配下関係にある場合（当該現物出資財産に時価を付すべき場合を除く。）　当該現物出資財産の当該給付をした者における当該給付の直前の帳簿価額

ロ　イに掲げる場合以外の場合であって、当該給付を受けた現物出資財産の価額により資本金等増加限度額を計算することが適切でないとき　イに定める帳簿価額

三　法第百九十九条第一項第五号に掲げる事項として募集株式の交付に係る費用の額のうち、株式会社が資本金等増加限度額から減ずるべき額と定めた額

四　イに掲げる額からロに掲げる額を減じて得た額が零以上であるときは、当該額

イ　当該募集に際して処分する自己株式の帳簿価額

ロ　第一号及び第二号に掲げる額の合計額から前号に掲げる額を減じて得た額（零未満である場合にあっては、零）に自己株式処分割合（一から株式発行割合を減じて得た割合をいう。以下この条において同じ。）を乗じて得た額

2　前項に規定する場合には、同項の行為後の次の各号に掲げる額は、同項の行為の直前の当該各号に定める額を加えて得た額とする。

一　その他資本剰余金の額　イ及びロに掲げる額の合計額からハに掲げる額を減じて得た額

イ　前項第一号及び第二号に掲げる額の合計額から同項第三号に掲げる額を減じて得た額に自己株式処分割合を乗じて得た額

ロ　次に掲げる額のうちいずれか少ない額

(1)　前項第四号に掲げる額

(2)　前項第一号及び第二号に掲げる額の合計額から同項第三

号に掲げる額を減じて得た額に株式発行割合を乗じて得た額（零未満である場合にあっては、零）

ハ　当該募集に際して処分する自己株式の帳簿価額

二　その他利益剰余金の額　前項第一号及び第二号に掲げる額の合計額から同項第三号に掲げる額を減じて得た額が零未満である場合における当該額に株式発行割合を乗じて得た額

3　第一項に規定する場合には、自己株式対価額は、第一項第一号及び第二号に掲げる額の合計額から同項第三号に掲げる額を減じて得た額に自己株式処分割合を乗じて得た額とする。

4　第二項第一号ロに掲げる額は、第百五十条第二項第八号及び第百五十八条第八号ハ並びに法第四百四十六条第二号並びに第四百六十一条第二項第二号ロ及び第四号の規定の適用については、当該額も、自己株式対価額に含まれるものとみなす。

5　第一項第二号の規定の適用については、現物出資財産について法第百九十九条第一項第二号に掲げる額及び同項第三号に掲げる価額と、当該現物出資財産の帳簿価額（当該出資に係る資本金及び資本準備金の額を含む。）とが同一の額でなければならないと解してはならない。

（株式の取得に伴う株式の発行等をする場合）

第十五条　次に掲げる場合には、資本金等増加限度額は、零とする。

一　取得請求権付株式の取得をする場合

二　取得条項付株式の取得をする場合

三　全部取得条項付種類株式の取得をする場合

2　前項各号に掲げる場合には、自己株式対価額は、当該各号に掲げる場合において処分する自己株式の帳簿価額とする。

（株式無償割当てをする場合）

第十六条　株式無償割当てをする場合には、資本金等増加限度額は、零とする。

2　前項に規定する場合には、株式無償割当て後のその他資本剰余金の額は、株式無償割当ての直前の当該額から当該株式無償割当てに際して処分する自己株式の帳簿価額を減じて得た額とする。

3　第一項に規定する場合には、自己株式対価額は、零とする。

（新株予約権の行使があった場合）

第十七条　新株予約権の行使があった場合には、資本金等増加限度額は、第一号から第三号までに掲げる額の合計額から第四号に掲げる額を減じて得た額に株式発行割合（当該行使に際して発行する株式の数を当該行使に際して発行する株式の数及び処分する自己株式の数の合計数で除して得た割合をいう。以下この条において同じ。）を乗じて得た額から第五号に掲げる額を減じて得た額（零未満である場合にあっては、零）とする。

一　行使時における当該新株予約権の帳簿価額

二　法第二百八十一条第一項に規定する場合又は同条第二項後段に規定する場合におけるこれらの規定により払込みを受けた金銭の額（次のイ又はロに掲げる場合における金銭にあっては、当該イ又はロに定める額）

イ　外国の通貨をもって金銭の払込みを受けた場合（ロに掲げる場合を除く。）　当該外国の通貨につき行使時の為替相場に基づき算出された額

ロ　当該払込みを受けた金銭の額（イに定める額を含む。）により資本金等増加限度額を計算することが適切でない場合　当該金銭の当該払込みをした者における当該払込みの直前の帳簿価額

三　法第二百八十一条第二項前段の規定により現物出資財産（法第二百八十四条第一項に規定する現物出資財産をいう。以下この条において同じ。）の給付を受けた場合にあっては、当該現物出資財産の行使時における価額（次のイ又はロに掲げる場合における現物出資財産にあっては、当該イ又はロに定める額）

イ　当該株式会社と当該現物出資財産の給付をした者が共通支配下関係にある場合（当該現物出資財産に時価を付すべき場合を除く。）　当該現物出資財産の当該給付をした者における

当該給付の直前の帳簿価額
ロ　イに掲げる場合以外の場合であって、当該給付を受けた現物出資財産の価額により資本金等増加限度額を計算することが適切でないとき　イに定める帳簿価額
四　法第二百三十六条第一項第五号に掲げる事項として新株予約権の行使に応じて行う株式の交付に係る費用の額のうち、株式会社が資本金等増加限度額から減ずるべき額と定めた額
五　イに掲げる額からロに掲げる額を減じて得た額が零以上であるときは、当該額
イ　当該行使に際して処分する自己株式の帳簿価額
ロ　第一号から第三号までに掲げる額の合計額から前号に掲げる額を減じて得た額（零未満である場合にあっては、零）に自己株式処分割合（一から株式発行割合を減じて得た割合をいう。以下この条において同じ。）を乗じて得た額
2　前項に規定する場合には、当該行使の直前の当該額に、当該各号に定める額を加えて得た額とする。新株予約権の行使後の次の各号に掲げる額は、
一　その他資本剰余金の額　イ及びロに掲げる額の合計額からハに掲げる額を減じて得た額
イ　前項第一号から第三号までに掲げる額の合計額から同項第四号に掲げる額を減じて得た額に自己株式処分割合を乗じて得た額
ロ　次に掲げる額のうちいずれか少ない額
(1)　前項第五号に掲げる額
(2)　前項第一号から第三号までに掲げる額の合計額から同項第四号に掲げる額を減じて得た額に株式発行割合を乗じて得た額（零未満である場合にあっては、零）
ハ　当該行使に際して処分する自己株式の帳簿価額
二　その他利益剰余金の額　前項第一号から第三号までに掲げる額の合計額から同項第四号に掲げる額を減じて得た額が零未満である場合における当該額に株式発行割合を乗じて得た額
3　第一項に規定する場合には、自己株式対価額は、同項第一号から第三号までに掲げる額の合計額から同項第四号に掲げる額を減じて得た額に自己株式処分割合を乗じて得た額とする。
4　第二項第一号ロに掲げる額は、第百五十条第二項第八号及び第百五十八条第八号ハ並びに法第四百四十六条第二号並びに第四百六十一条第二項第二号ロ及び第四号の規定の適用については、当該額も、自己株式対価額に含まれるものとみなす。
5　第一項第一号の規定の適用については、新株予約権が募集新株予約権であった場合における当該募集新株予約権についての法第二百三十八条第一項第二号及び第三号に掲げる事項と、第一項第一号の帳簿価額とが同一のものでなければならないと解してはならない。
6　第一項第三号の規定の適用については、現物出資財産について法第二百三十六条第一項第二号及び第三号に掲げる価額と、当該現物出資財産の帳簿価額（当該出資に係る資本金及び資本準備金の額を含む。）とが同一の額でなければならないと解してはならない。

（取得条項付新株予約権の取得をする場合）
第十八条　取得条項付新株予約権の取得をする場合には、資本金等増加限度額は、第一号に掲げる額から第二号及び第三号に掲げる額の合計額を減じて得た額に株式発行割合（当該取得に際して発行する株式の数を当該取得に際して発行する株式の数及び処分する自己株式の数の合計数で除して得た割合をいう。以下この条において同じ。）を乗じて得た額から第四号に掲げる額を減じて得た額（零未満である場合にあっては、零）とする。
一　当該取得時における当該取得条項付新株予約権（当該取得条項付新株予約権が新株予約権付社債（これに準ずるものを含む。以下この号において同じ。）に付されたものである場合にあっては、当該新株予約権付社債についての社債（これに準ずるもの

を含む。）を含む。以下この項において同じ。）の価額
二　当該取得条項付新株予約権の取得と引換えに行う株式の交付に係る費用の額のうち、株式会社が資本金等増加限度額から減ずるべき額と定めた額
三　株式会社が当該取得条項付新株予約権を取得するのと引換えに交付する財産（当該株式会社の株式を除く。）の帳簿価額（当該財産が社債（自己社債を除く。）又は新株予約権（自己新株予約権を除く。）である場合にあっては、会計帳簿に付すべき額）の合計額
四　イに掲げる額からロに掲げる額を減じて得た額が零以上であるときは、当該額
イ　当該取得に際して処分する自己株式の帳簿価額
ロ　第一号に掲げる額から第二号及び前号に掲げる額の合計額を減じて得た額（零未満である場合にあっては、零）に自己株式処分割合（一から株式発行割合を減じて得た割合をいう。以下この条において同じ。）を乗じて得た額
2　前項に規定する場合には、取得条項付新株予約権の取得後の次の各号に掲げる額は、取得条項付新株予約権の取得の直前の当該額に、当該各号に定める額を加えて得た額とする。
一　その他資本剰余金の額　イ及びロに掲げる額の合計額からハに掲げる額を減じて得た額
イ　前項第一号に掲げる額から同項第二号及び第三号に掲げる額の合計額を減じて得た額に自己株式処分割合を乗じて得た額
ロ　次に掲げる額のうちいずれか少ない額
(1)　前項第四号に掲げる額
(2)　前項第一号に掲げる額から同項第二号及び第三号に掲げる額の合計額を減じて得た額に株式発行割合を乗じて得た額（零未満である場合にあっては、零）
ハ　当該取得に際して処分する自己株式の帳簿価額

二　その他利益剰余金の額　前項第一号に掲げる額から同項第二号及び第三号に掲げる額の合計額を減じて得た額が零未満である場合における当該額に株式発行割合を乗じて得た額
3　第一項に規定する場合には、自己株式対価額は、同項第一号に掲げる額から同項第二号及び第三号に掲げる額の合計額を減じて得た額に自己株式処分割合を乗じて得た額とする。
4　第二項第一号ロに掲げる額は、第百五十条第二項第八号及び第百五十八条第八号ハ並びに法第四百四十六条第二号並びに第四百六十一条第二項第二号ロ及び第四号の規定の適用については、当該額も、自己株式対価額に含まれるものとみなす。

（単元未満株式売渡請求を受けた場合）
第十九条　単元未満株式売渡請求を受けた場合には、資本金等増加限度額は、零とする。
2　前項に規定する場合には、単元未満株式売渡請求後のその他資本剰余金の額は、第一号及び第二号に掲げる額の合計額から第三号に掲げる額を減じて得た額とする。
一　単元未満株式売渡請求の直前のその他資本剰余金の額
二　当該単元未満株式売渡請求に係る代金の額
三　当該単元未満株式売渡請求に応じて処分する自己株式の帳簿価額
3　第一項に規定する場合には、自己株式対価額は、単元未満株式売渡請求に係る代金の額とする。

（法第四百六十二条第一項に規定する義務を履行する株主に対して株式を交付すべき場合）
第二十条　株式会社が当該株式会社の株式を取得したことにより生ずる法第四百六十二条第一項に規定する義務を履行する株主（株主と連帯して義務を負う者を含む。）に対して当該株主から取得した株式に相当する株式を交付すべき場合には、資本金等増加限度額は、零とする。
2　前項に規定する場合には、同項の行為後のその他資本剰余金の

額は、第一号及び第二号に掲げる額の合計額から第三号に掲げる額を減じて得た額とする。

一 前項の行為の直前のその他資本剰余金の額

二 前項の株主（株主と連帯して義務を負う者を含む。）が株式会社に対して支払った金銭の額

三 当該交付に際して処分する自己株式の帳簿価額

3 第一項に規定する場合には、自己株式対価額は、同項の株主（株主と連帯して義務を負う者を含む。）が株式会社に対して支払った金銭の額とする。

（設立時又は成立後の株式の交付に伴う義務が履行された場合）

第二十一条 次に掲げる義務が履行された場合には、株式会社のその他資本剰余金の額は、当該義務の履行により株式会社に対して支払われた金銭又は給付された金銭以外の財産の額が増加するものとする。

一 法第五十二条第一項の規定により同項に定める額を支払う義務（当該義務を履行した者が法第二十八条第一号の財産を給付した発起人である場合における当該義務に限る。）

二 法第五十二条の二第一項各号に掲げる場合において同項の規定により当該各号に定める行為をする義務

三 法第百二条の二第一項の規定により同項に規定する支払をする義務

四 法第二百十二条第一項各号に掲げる場合において同項の規定により当該各号に定める額を支払う義務

五 法第二百十三条の二第一項各号に掲げる場合において同項の規定により当該各号に定める行為をする義務

六 法第二百八十五条第一項各号に掲げる場合において同項の規定により当該各号に定める額を支払う義務

七 新株予約権を行使した新株予約権者であって法第二百八十六条の二第一項各号に掲げる者に該当するものが同項の規定により当該各号に定める行為をする義務

第二款 剰余金の配当

（法第四百四十五条第四項の規定による準備金の計上）

第二十二条 株式会社が剰余金の配当をする場合には、剰余金の配当後の資本準備金の額は、当該剰余金の配当の直前の資本準備金の額に、次の各号に掲げる場合の区分に応じ、当該各号に定める額を加えて得た額とする。

一 当該剰余金の配当をする日における準備金の額が当該日における基準資本金額（資本金の額に四分の一を乗じて得た額をいう。以下この条において同じ。）以上である場合 零

二 当該剰余金の配当をする日における準備金の額が当該日における基準資本金額未満である場合 イ又はロに掲げる額のうちいずれか少ない額に資本剰余金配当割合（次条第一号イに掲げる額を法第四百四十六条第六号に掲げる額で除して得た割合をいう。）を乗じて得た額

イ 当該剰余金の配当をする日における準備金計上限度額（基準資本金額から準備金の額を減じて得た額をいう。以下この条において同じ。）

ロ 法第四百四十六条第六号に掲げる額に十分の一を乗じて得た額

2 株式会社が剰余金の配当をする場合には、剰余金の配当後の利益準備金の額は、当該剰余金の配当の直前の利益準備金の額に、次の各号に掲げる場合の区分に応じ、当該各号に定める額を加えて得た額とする。

一 当該剰余金の配当をする日における準備金の額が当該日における基準資本金額以上である場合 零

二 当該剰余金の配当をする日における準備金の額が当該日における基準資本金額未満である場合 イ又はロに掲げる額のうちいずれか少ない額に利益剰余金配当割合（次条第二号イに掲げる額を法第四百四十六条第六号に掲げる額で除して得た割合をいう。）を乗じて得た額

イ　当該剰余金の配当をする日における準備金計上限度額

ロ　法第四百四十六条第六号に掲げる額に十分の一を乗じて得た額

（減少する剰余金の額）

第二十三条　株式会社が剰余金の配当をする場合には、剰余金の配当後の次の各号に掲げる額は、当該剰余金の配当の直前の当該額から、当該各号に定める額を減じて得た額とする。

一　その他資本剰余金の額　次に掲げる額の合計額

イ　法第四百四十六条第六号に掲げる額のうち、株式会社がその他資本剰余金から減ずるべき額と定めた額

ロ　前条第一項第二号に掲げるときは、同号に定める額

二　その他利益剰余金の額　次に掲げる額の合計額

イ　法第四百四十六条第六号に掲げる額のうち、株式会社がその他利益剰余金から減ずるべき額と定めた額

ロ　前条第二項第二号に掲げるときは、同号に定める額

第三款　自己株式

第二十四条　株式会社が当該株式会社の株式を取得する場合には、その取得価額を、増加すべき自己株式の額とする。

2　株式会社が自己株式の処分又は消却をする場合には、その帳簿価額を、減少すべき自己株式の額とする。

3　株式会社が自己株式の消却をする場合には、自己株式の消却後のその他資本剰余金の額は、当該自己株式の消却の直前の当該額から当該消却する自己株式の帳簿価額を減じて得た額とする。

第四款　株式会社の資本金等の額の増減

（資本金の額）

第二十五条　株式会社の資本金の額は、第一款（第一三条―第二二条）並びに第四節（第三五条―第三九条の二）及び第五節の二（第四二条の二・第四二条の三）に定めるところのほか、次の各号に掲げる場合に限り、当該各号に定める額が増加するものとする。

一　法第四百四十八条の規定により準備金の額を減少する場合（同条第一項第二号に掲げる事項を定めた場合に限る。）　同号の資本金とする額に相当する額

二　法第四百五十条の規定により剰余金の額を減少する場合　同条第一項第一号の減少する剰余金の額に相当する額

2　株式会社の資本金の額は、法第四百四十七条の規定による場合に限り、同条第一項第一号の額に相当する額が減少するものとする。この場合において、次に掲げる場合には、資本金の額が減少するものと解してはならない。

一　新株の発行の無効の訴えに係る請求を認容する判決が確定した場合

二　自己株式の処分の無効の訴えに係る請求を認容する判決が確定した場合

三　会社の吸収合併、吸収分割、株式交換又は株式交付の無効の訴えに係る請求を認容する判決が確定した場合

四　設立時発行株式又は募集株式の引受けに係る意思表示その他の株式の発行又は自己株式の処分に係る意思表示が無効とされ、又は取り消された場合

五　株式交付子会社の株式又は新株予約権等の譲渡しに係る意思表示その他の株式交付に係る意思表示が無効とされ、又は取り消された場合

（資本準備金の額）

第二十六条　株式会社の資本準備金の額は、第一款（第一三条―第二一条）及び第二款（第二二条・第二三条）並びに第四節（第三五条―第三九条の二）及び第五節の二（第四二条の二・第四二条の三）に定めるところのほか、次の各号に掲げる場合に限り、当該各号に定める額が増加するものとする。

一　法第四百四十七条の規定により資本金の額を減少する場合（同条第一項第二号に掲げる事項を定めた場合に限る。）　同号の準備金とする額に相当する額

二　法第四百五十一条の規定により剰余金の額を減少する場合

同条第一項第一号の額（その他資本剰余金に係る額に限る。）に相当する額

2　株式会社の資本準備金の額は、法第四百四十八条の規定による場合に限り、同条第一項第一号の額（資本準備金に係る額に限る。）に相当する額が減少するものとする。この場合においては、前条第二項後段の規定を準用する。

（その他資本剰余金の額）

第二十七条　株式会社のその他資本剰余金の額は、第一款（第一三条―第二二条）並びに第四節（第三五条―第三九条の二）及び第五節の二（第四二条の二・第四二条の三）に定めるところのほか、次の各号に掲げる場合に限り、当該各号に定める額が増加するものとする。

一　法第四百四十七条の規定により資本金の額を減少する場合　同条第一項第一号の額（同項第二号に規定する場合にあっては、当該額から同号の額を減じて得た額）に相当する額

二　法第四百四十八条の規定により準備金の額を減少する場合　同条第一項第一号の額（資本準備金に係る額に限り、同項第二号に規定する場合にあっては、当該額から資本準備金についての同号の額を減じて得た額）に相当する額

三　前二号に掲げるもののほか、その他資本剰余金の額を増加すべき場合　その他資本剰余金の額を増加する額として適切な額

2　株式会社のその他資本剰余金の額は、前三款（第一三条―第二四条）並びに第四節（第三五条―第三九条の二）及び第五節の二（第四二条の二・第四二条の三）に定めるところのほか、次の各号に掲げる場合に限り、当該各号に定める額が減少するものとする。

一　法第四百五十条の規定により剰余金の額を減少する場合　同条第一項第一号の額（その他資本剰余金に係る額に限る。）に相当する額

二　法第四百五十一条の規定により剰余金の額を減少する場合　同条第一項第一号の額（その他資本剰余金に係る額に限る。）に相当する額

三　前二号に掲げるもののほか、その他資本剰余金の額を減少すべき場合　その他資本剰余金の額を減少する額として適切な額

3　前項、前三款（第一三条―第二四条）並びに第四節（第三五条―第三九条の二）及び第五節の二（第四二条の二・第四二条の三）の場合において、これらの規定により減少すべきその他資本剰余金の額の全部又は一部を減少させないこととすることが必要かつ適当であるときは、これらの規定にかかわらず、減少させないことが適当な額については、その他資本剰余金の額を減少させないことができる。

（利益準備金の額）

第二十八条　株式会社の利益準備金の額は、第二款（第二二条・第二三条）及び第四節（第三五条―第三九条の二）に定めるところのほか、法第四百五十一条の規定により剰余金の額を減少する場合に限り、同条第一項第一号の額（その他利益剰余金に係る額に限る。）に相当する額が増加するものとする。

2　株式会社の利益準備金の額は、法第四百四十八条の規定による場合に限り、同条第一項第一号の額（利益準備金に係る額に限る。）に相当する額が減少するものとする。

（その他利益剰余金の額）

第二十九条　株式会社のその他利益剰余金の額は、第四節（第三五条―第三九条の二）に定めるところのほか、次の各号に掲げる場合に限り、当該各号に定める額が増加するものとする。

一　法第四百四十八条の規定により準備金の額を減少する場合　同条第一項第一号の額（利益準備金に係る額に限り、同項第二号に規定する場合にあっては、当該額から利益準備金についての同号の額を減じて得た額）に相当する額

二　当期純利益金額が生じた場合　当該当期純利益金額

三　前二号に掲げるもののほか、その他利益剰余金の額を増加す

べき場合　その他利益剰余金の額を増加する額として適切な額

2　株式会社のその他利益剰余金の額は、次項、前三款（第一三条―第二四条）並びに第四節（第三五条―第三九条の二）及び第五節の二（第四二条の二・第四二条の三）に定めるところのほか、次の各号に掲げる場合に限り、当該各号に定める額が減少するものとする。

一　法第四百五十条の規定により剰余金の額を減少する場合　同条第一項第一号の額（その他利益剰余金に係る額に限る。）に相当する額

二　法第四百五十一条の規定により剰余金の額を減少する場合　同条第一項第一号の額（その他利益剰余金に係る額に限る。）に相当する額

三　当期純損失金額が生じた場合　当該当期純損失金額

四　前三号に掲げるもののほか、その他利益剰余金の額を減少すべき場合　その他利益剰余金の額を減少する額として適切な額

3　第二十七条第三項の規定により減少すべきその他資本剰余金の額を減少させない額がある場合には、当該減少させない額に対応する額をその他利益剰余金から減少させるものとする。

第三節　組織変更に際しての株主資本及び社員資本（抄）

（組織変更後持分会社の社員資本）

第三十三条　株式会社が組織変更をする場合には、組織変更後持分会社の次の各号に掲げる額は、当該各号に定める額とする。

一　資本金の額　組織変更の直前の株式会社の資本金の額

二　資本剰余金の額　イに掲げる額からロ及びハに掲げる額の合計額を減じて得た額

イ　組織変更の直前の株式会社の資本準備金の額及びその他資本剰余金の額の合計額

ロ　組織変更をする株式会社が有する自己株式の帳簿価額

ハ　組織変更をする株式会社の株主に対して交付する組織変更後持分会社の持分以外の財産の帳簿価額（組織変更後持分会社の社債（自己社債を除く。次号ロにおいて同じ。）にあっては、当該社債に付すべき帳簿価額）のうち、株式会社が資本剰余金の額から減ずるべき額と定めた額

三　利益剰余金の額　イに掲げる額からロに掲げる額を減じて得た額

イ　組織変更の直前の株式会社の利益準備金の額及びその他利益剰余金の額の合計額

ロ　組織変更をする株式会社の株主に対して交付する組織変更後持分会社の持分以外の財産の帳簿価額（組織変更後持分会社の社債にあっては、当該社債に付すべき帳簿価額）のうち、株式会社が利益剰余金の額から減ずるべき額と定めた額

第四節　吸収合併、吸収分割、株式交換及び株式交付に際しての株主資本及び社員資本

第一款　吸収合併

（吸収型再編対価の全部又は一部が吸収合併存続会社の株式又は持分である場合における吸収合併存続会社の株主資本等の変動額）

第三十五条　吸収型再編対価の全部又は一部が吸収合併存続会社の株式又は持分である場合には、吸収合併存続会社において変動する株主資本等の総額（次項において「株主資本等変動額」という。）は、次の各号に掲げる場合の区分に応じ、当該各号に定める方法に従い定まる額とする。

一　当該吸収合併が支配取得に該当する場合（吸収合併消滅会社による支配取得に該当する場合を除く。）　吸収型再編対価時価又は吸収型再編対象財産の時価を基礎として算定する方法

二　吸収合併存続会社と吸収合併消滅会社が共通支配下関係にある場合　吸収型再編対象財産の吸収合併の直前の帳簿価額を基礎として算定する方法（前号に定める方法によるべき部分にあっては、当該方法）

三　前二号に掲げる場合以外の場合　前号に定める方法

2　前項の場合には、吸収合併存続会社の資本金及び資本剰余金の増加額は、株主資本等変動額の範囲内で、吸収合併存続会社が吸収合併契約の定めに従いそれぞれ定めた額とし、利益剰余金の額は変動しないものとする。ただし、株主資本等変動額が零未満の場合には、当該株主資本等変動額のうち、対価自己株式の処分により生ずる差損の額をその他資本剰余金（当該吸収合併存続会社が持分会社の場合にあっては、資本剰余金。次条において同じ。）の減少額とし、その余の額をその他利益剰余金（当該吸収合併存続会社が持分会社の場合にあっては、利益剰余金。次条において同じ。）の減少額とし、資本金、資本準備金及び利益準備金の額は変動しないものとする。

（株主資本等を引き継ぐ場合における吸収合併存続会社の株主資本等の変動額）

第三十六条　前条の規定にかかわらず、吸収型再編対価の全部が吸収合併存続会社の株式又は持分である場合であって、吸収合併消滅会社における吸収合併の直前の株主資本等を引き継ぐものとして計算することが適切であるときには、吸収合併の直前の吸収合併消滅会社の資本金、資本剰余金及び利益剰余金の額をそれぞれ当該吸収合併存続会社の資本金、資本剰余金及び利益剰余金の変動額とすることができる。ただし、対価自己株式又は先行取得分株式等がある場合にあっては、当該対価自己株式又は当該先行取得分株式等の帳簿価額を吸収合併の直前の吸収合併消滅会社のその他資本剰余金の額から減じて得た額を吸収合併存続会社のその他資本剰余金の変動額とする。

2　吸収型再編対価が存しない場合であって、吸収合併消滅会社における吸収合併の直前の株主資本等を引き継ぐものとして計算することが適切であるときには、吸収合併の直前の吸収合併消滅会社の資本金及び資本剰余金の合計額を当該吸収合併存続会社のその他資本剰余金の変動額とし、吸収合併の直前の利益剰余金の額を当該吸収合併存続会社のその他利益剰余金の変動額とすることができる。ただし、先行取得分株式等がある場合にあっては、当該先行取得分株式等の帳簿価額を吸収合併の直前の吸収合併消滅会社の資本金及び資本剰余金の合計額から減じて得た額を吸収合併存続会社のその他資本剰余金の変動額とする。

第二款　吸収分割

（吸収型再編対価の全部又は一部が吸収分割承継会社の株式又は持分である場合における吸収分割承継会社の株主資本等の変動額）

第三十七条　吸収型再編対価の全部又は一部が吸収分割承継会社の株式又は持分である場合には、吸収分割承継会社において変動する株主資本等の総額（次項において「株主資本等変動額」という。）は、次の各号に掲げる場合の区分に応じ、当該各号に定める方法に従い定まる額とする。

一　当該吸収分割が支配取得に該当する場合（吸収分割会社による支配取得に該当する場合を除く。）　吸収型再編対価時価又は吸収型再編対象財産の時価を基礎として算定する方法

二　前号に掲げる場合以外の場合であって、吸収型再編対象財産に時価を付すべきとき　前号に定める方法

三　吸収分割承継会社と吸収分割会社が共通支配下関係にある場合（前号に掲げる場合を除く。）　吸収型再編対象財産の吸収分割の直前の帳簿価額を基礎として算定する方法（第一号に定める方法によるべき部分にあっては、当該方法）

四　前三号に掲げる場合以外の場合　前号に定める方法

2　前項の場合には、吸収分割承継会社の資本金及び資本剰余金の増加額は、株主資本等変動額の範囲内で、吸収分割承継会社が吸収分割契約の定めに従いそれぞれ定めた額とし、利益剰余金の額は変動しないものとする。ただし、株主資本等変動額が零未満の場合には、当該株主資本等変動額のうち、対価自己株式の処分により生ずる差損の額をその他資本剰余金（当該吸収分割承継会社が持分会社の場合にあっては、資本剰余金。次条において同じ。）

の減少額とし、その余の額をその他利益剰余金（当該吸収分割承継会社が持分会社の場合にあっては、利益剰余金。次条において同じ。）の減少額とし、資本金、資本準備金及び利益準備金の額は変動しないものとする。

（株主資本等を引き継ぐ場合における吸収分割承継会社の株主資本等の変動額）

第三十八条　前条の規定にかかわらず、分割型吸収分割における吸収型再編対価の全部が吸収分割承継会社の株式又は持分である場合であって、吸収分割会社における吸収分割の直前の株主資本等の全部又は一部を引き継ぐものとして計算することが適切であるときには、分割型吸収分割により変動する吸収分割会社の資本金、資本剰余金及び利益剰余金の額をそれぞれ当該吸収分割承継会社の資本金、資本剰余金及び利益剰余金の変動額とすることができる。ただし、対価自己株式がある場合にあっては、当該対価自己株式の帳簿価額を吸収分割により変動する吸収分割会社のその他資本剰余金の額から減じて得た額を吸収分割承継会社のその他資本剰余金の変動額とする。

2　吸収型再編対価が存しない場合であって、吸収分割会社における吸収分割の直前の株主資本等の全部又は一部を引き継ぐものとして計算することが適切であるときには、吸収分割により変動する吸収分割会社の資本金及び資本剰余金の合計額を当該吸収分割承継会社のその他資本剰余金の変動額とし、吸収分割により変動する吸収分割会社の利益剰余金の額を当該吸収分割承継会社のその他利益剰余金の変動額とすることができる。

3　前二項の場合の吸収分割会社における吸収分割に際しての資本金、資本剰余金又は利益剰余金の額の変更に関しては、法第二編第五章第三節第二款〔第四四七条―第四五二条〕の規定その他の法の規定に従うものとする。

第三款　株式交換

第三十九条　吸収型再編対価の全部又は一部が株式交換完全親会社の株式又は持分である場合には、株式交換完全親会社において変動する株主資本等の総額（以下この条において「株主資本等変動額」という。）は、次の各号に掲げる場合の区分に応じ、当該各号に定める方法に従い定まる額とする。

一　当該株式交換が支配取得に該当する場合（株式交換完全子会社による支配取得に該当する場合を除く。）　吸収型再編対価時価又は株式交換完全子会社の株式の時価を基礎として算定する方法

二　株式交換完全親会社と株式交換完全子会社が共通支配下関係にある場合　株式交換完全子会社の財産の株式交換の直前の帳簿価額を基礎として算定する方法（前号に定める方法によるべき部分にあっては、当該方法）

三　前二号に掲げる場合以外の場合　前号に定める方法

2　前項の場合には、株式交換完全親会社の資本金及び資本剰余金の増加額は、株主資本等変動額の範囲内で、株式交換完全親会社が株式交換契約の定めに従い定めた額とし、利益剰余金の額は変動しないものとする。ただし、法第七百九十九条（法第八百二条第二項において読み替えて準用する場合を含む。）の規定による手続をとっている場合以外の場合にあっては、株式交換完全親会社の資本金及び資本準備金の増加額は、株主資本等変動額に対価自己株式の帳簿価額を加えて得た額に株式発行割合（当該株式交換に際して発行する株式の数を当該株式の数及び対価自己株式の数の合計数で除して得た割合をいう。）を乗じて得た額から株主資本等変動額まで（株主資本等変動額に対価自己株式の帳簿価額を加えて得た額に株式発行割合を乗じて得た額が株主資本等変動額を上回る場合にあっては、株主資本等変動額）の範囲内で、株式交換完全親会社が株式交換契約の定めに従いそれぞれ定めた額（株式交換完全親会社が持分会社である場合にあっては、株主資本等変動額）とし、当該額の合計額を株主資本等変動額から減じて得た額をその他資本剰余金の変動額とする。

3　前項の規定にかかわらず、株主資本等変動額が零未満の場合には、当該株主資本等変動額のうち、対価自己株式の処分により生ずる差損の額をその他資本剰余金（当該株式交換完全親会社が持分会社の場合にあっては、資本剰余金）の減少額とし、その余の額をその他利益剰余金（当該株式交換完全親会社が持分会社の場合にあっては、利益剰余金）の減少額とし、資本金、資本準備金及び利益準備金の額は変動しないものとする。

第四款　株式交付

第三十九条の二　株式交付に際し、株式交付親会社において変動する株主資本等の総額（以下この条において「株主資本等変動額」という。）は、次の各号に掲げる場合の区分に応じ、当該各号に定める方法に従い定まる額とする。

一　当該株式交付が支配取得に該当する場合（株式交付子会社による支配取得に該当する場合を除く。）　吸収型再編対価時価又は株式交付子会社の株式及び新株予約権等の時価を基礎として算定する方法

二　株式交付親会社と株式交付子会社が共通支配下関係にある場合　株式交付子会社の財産の株式交付の直前の帳簿価額を基礎として算定する方法（前号に定める方法によるべき部分にあっては、当該方法）

三　前二号に掲げる場合以外の場合　前号に定める方法

2　前項の場合には、株式交付親会社の資本金及び資本剰余金の増加額は、株主資本等変動額の範囲内で、株式交付親会社が株式交付計画の定めに従い定めた額とし、利益剰余金の額は変動しないものとする。ただし、法第八百十六条の八の規定による手続をとっている場合以外の場合にあっては、株式交付親会社の資本金及び資本準備金の増加額は、株主資本等変動額に対価自己株式の帳簿価額を加えて得た額に株式発行割合（当該株式交付に際して発行する株式の数を当該株式の数及び対価自己株式の数の合計数で除して得た割合をいう。）を乗じて得た額から株主資本等変動額まで（株主資本等変動額に対価自己株式の帳簿価額を加えて得た額に株式発行割合を乗じて得た額が株主資本等変動額を上回る場合にあっては、株主資本等変動額）の範囲内で、株式交付親会社が株式交付計画の定めに従いそれぞれ定めた額とし、当該額の合計額を株主資本等変動額から減じて得た額をその他資本剰余金の変動額とする。

3　前項の規定にかかわらず、株主資本等変動額が零未満の場合には、当該株主資本等変動額のうち、対価自己株式の処分により生ずる差損の額をその他資本剰余金の減少額とし、その余の額をその他利益剰余金の減少額とし、資本金、資本準備金及び利益準備金の額は変動しないものとする。

第五節　吸収分割会社等の自己株式の処分

（吸収分割会社の自己株式の処分）

第四十条　吸収分割により吸収分割会社（株式会社に限る。）が自己株式を吸収分割承継会社に承継させる場合には、当該吸収分割後の吸収分割会社のその他資本剰余金の額は、第一号及び第二号に掲げる額の合計額から第三号に掲げる額を減じて得た額とする。

一　吸収分割の直前の吸収分割会社のその他資本剰余金の額

二　吸収分割会社が交付を受ける吸収型再編対価に付すべき帳簿価額のうち、次号の自己株式の対価となるべき部分に係る額

三　吸収分割承継会社に承継させる自己株式の帳簿価額

2　前項に規定する場合には、自己株式対価額は、同項第二号に掲げる額とする。

（株式交換完全子会社の自己株式の処分）

第四十一条　株式交換完全子会社が株式交換に際して自己株式を株式交換完全親会社に取得される場合には、当該株式交換後の株式交換完全子会社のその他資本剰余金の額は、第一号及び第二号に掲げる額の合計額から第三号に掲げる額を減じて得た額とする。

一　株式交換の直前の株式交換完全子会社のその他資本剰余金の額

二　株式交換完全子会社が交付を受ける吸収型再編対価に付すべき帳簿価額

三　株式交換完全親会社に取得させる自己株式の帳簿価額

2　前項に規定する場合には、自己株式対価額は、同項第二号に掲げる額とする。

（株式移転完全子会社の自己株式の処分）

第四十二条　株式移転完全子会社が株式移転に際して自己株式を株式移転設立完全親会社に取得される場合には、当該株式移転後の株式移転完全子会社のその他資本剰余金の額は、第一号及び第二号に掲げる額の合計額から第三号に掲げる額を減じて得た額とする。

一　株式移転の直前の株式移転完全子会社のその他資本剰余金の額

二　株式移転完全子会社が交付を受ける新設型再編対価に付すべき帳簿価額のうち、次号の自己株式の対価となるべき部分に係る額

三　株式移転設立完全親会社に取得させる自己株式の帳簿価額

2　前項に規定する場合には、自己株式対価額は、同項第二号に掲げる額とする。

第五節の二　取締役等の報酬等として株式を交付する場合の株主資本

（取締役等が株式会社に対し割当日後にその職務の執行として募集株式を対価とする役務を提供する場合における株主資本の変動額）

第四十二条の二　法第二百二条の二第一項（同条第三項の規定により読み替えて適用する場合を含む。）の規定により募集株式を引き受ける者の募集を行う場合において、当該募集株式を引き受ける取締役又は執行役（以下この節（第四十二条の二・第四十二条の三）及び第五十四条の二において「取締役等」という。）が株式会社に対し当該募集株式に係る割当日（法第二百二条の二第一項第二号に規定する割当日をいう。以下この節（第四十二条の二・第四十二条の三）及び第五十四条の二において同じ。）後にその職務の執行として当該募集株式を対価とする役務を提供するときは、当該募集に係る株式の発行により各事業年度の末日（臨時計算書類を作成しようとし、又は作成した場合にあっては、臨時決算日。以下この項及び第五項において「株主資本変動日」という。）において増加する資本金の額は、この省令に別段の定めがある場合を除き、第一号に掲げる額から第二号に掲げる額を減じて得た額に株式発行割合（当該募集に際して発行する株式の数を当該募集に際して発行する株式の数及び処分する自己株式の数の合計数で除して得た割合をいう。以下この条において同じ。）を乗じて得た額（零未満である場合にあっては、零。以下この条において「資本金等増加限度額」という。）とする。

一　イに掲げる額からロに掲げる額を減じて得た額（零未満である場合にあっては、零）

イ　取締役等が当該株主資本変動日までにその職務の執行として当該株式会社に提供した役務（当該募集株式を対価とするものに限る。ロにおいて同じ。）の公正な評価額

ロ　取締役等が当該株主資本変動日の直前の株主資本変動日までにその職務の執行として当該株式会社に提供した役務の公正な評価額

二　法第百九十九条第一項第五号に掲げる事項として募集株式の交付に係る費用の額のうち、株式会社が資本金等増加限度額から減ずるべき額と定めた額

2　資本金等増加限度額の二分の一を超えない額は、資本金として計上しないことができる。

3　前項の規定により資本金として計上しないこととした額は、資本準備金として計上しなければならない。

4　法第二百二条の二第一項（同条第三項の規定により読み替えて適用する場合を含む。）の規定により募集株式を引き受ける者の募

集を行う場合において、取締役等が株式会社に対し当該募集株式に係る割当日後にその職務の執行として当該募集株式を対価とする役務を提供するときは、当該割当日において、当該募集に際して処分する自己株式の帳簿価額をその他資本剰余金の額から減ずるものとする。

5　法第二百二条の二第一項（同条第三項の規定により読み替えて適用する場合を含む。）の規定により募集株式を引き受ける者の募集を行う場合において、取締役等が株式会社に対し当該募集株式に係る割当日後にその職務の執行として当該募集株式を対価とする役務を提供するときは、各株主資本変動日において変動する次の各号に掲げる額は、当該各号に定める額とする。

一　その他資本剰余金の額　第一項第一号に掲げる額から同項第二号に掲げる額を減じて得た額に自己株式処分割合（一から株式発行割合を減じて得た割合をいう。）を乗じて得た額

二　その他利益剰余金の額　第一項第一号に掲げる額から同項第二号に掲げる額を減じて得た額が零未満である場合における当該額に株式発行割合を乗じて得た額

6　法第二百二条の二第一項（同条第三項の規定により読み替えて適用する場合を含む。）の規定により募集株式を引き受ける者の募集を行う場合において、取締役等が株式会社に対し当該募集株式に係る割当日後にその職務の執行として当該募集株式を対価とする役務を提供するときは、自己株式対価額は、零とする。

7　第二十四条第一項の規定にかかわらず、当該株式会社が法第二百二条の二第一項（同条第三項の規定により読み替えて適用する場合を含む。）の規定による募集に際して自己株式の処分により取締役等に対して当該株式会社の株式を交付した場合において、当該取締役等が当該株式の割当てを受けた際に約したところに従って当該株式を当該株式会社に無償で譲り渡し、当該株式会社がこれを取得するときは、当該自己株式の処分に際して減少した自己株式の額を、増加すべき自己株式の額とする。

（取締役等が株式会社に対し割当日前にその職務の執行として募集株式を対価とする役務を提供する場合における株主資本の変動額）

第四十二条の三　法第二百二条の二第一項（同条第三項の規定により読み替えて適用する場合を含む。）の規定により募集株式を引き受ける者の募集を行う場合において、取締役等が株式会社に対し当該募集株式に係る割当日前にその職務の執行として当該募集株式を対価とする役務を提供するときは、当該募集に係る株式の発行により増加する資本金の額は、この省令に別段の定めがある場合を除き、第一号に掲げる額から第二号に掲げる額を減じて得た額に株式発行割合（当該募集に際して発行する株式の数を当該募集に際して発行する株式の数及び処分する自己株式の数の合計数で除して得た割合をいう。以下この条において同じ。）を乗じて得た額（零未満である場合にあっては、零。以下この条において「資本金等増加限度額」という。）とする。

一　第五十四条の二第二項の規定により減少する株式引受権の額

二　法第百九十九条第一項第五号に掲げる事項として募集株式の交付に係る費用の額のうち、株式会社が資本金等増加限度額から減ずるべき額と定めた額

2　資本金等増加限度額の二分の一を超えない額は、資本金として計上しないことができる。

3　前項の規定により資本金として計上しないこととした額は、資本準備金として計上しなければならない。

4　法第二百二条の二第一項（同条第三項の規定により読み替えて適用する場合を含む。）の規定により募集株式を引き受ける者の募集を行う場合において、取締役等が株式会社に対し当該募集株式に係る割当日前にその職務の執行として当該募集株式を対価とする役務を提供するときは、当該行為後の次の各号に掲げる額は、当該行為の直前の当該額に、当該各号に定める額を加えて得た額とする。

一　その他資本剰余金の額　イに掲げる額からロに掲げる額を減じて得た額

イ　第一項第一号に掲げる額から同項第二号に掲げる額を減じて得た額に自己株式処分割合（一から株式発行割合を減じて得た割合をいう。第五項において同じ。）を乗じて得た額

ロ　当該募集に際して処分する自己株式の帳簿価額

二　その他利益剰余金の額　第一項第一号に掲げる額から同項第二号に掲げる額を減じて得た額が零未満である場合における当該額に株式発行割合を乗じて得た額

5　法第二百二条の二第一項（同条第三項の規定により読み替えて適用する場合を含む。）の規定により募集株式を引き受ける者の募集を行う場合において、取締役等が株式会社に対し当該募集株式に係る割当日前にその職務の執行として当該募集株式を対価とする役務を提供するときは、自己株式対価額は、第一項第一号に掲げる額から同項第二号に掲げる額を減じて得た額に自己株式処分割合を乗じて得た額とする。

第六節　設立時の株主資本及び社員資本

第一款　通常の設立（抄）

（株式会社の設立時の株主資本）

第四十三条　法第二十五条第一項各号に掲げる方法により株式会社を設立する場合における株式会社の設立時に行う株式の発行に係る法第四百四十五条第一項に規定する株主となる者が当該株式会社に対して払込み又は給付をした財産の額とは、第一号及び第二号に掲げる額の合計額から第三号に掲げる額を減じて得た額（零未満である場合にあっては、零）とする。

一　法第三十四条第一項又は第六十三条第一項の規定により払込みを受けた金銭の額（次のイ又はロに掲げる場合における金銭にあっては、当該イ又はロに定める額）

イ　外国の通貨をもって金銭の払込みを受けた場合（ロに掲げる場合を除く。）　当該外国の通貨につき払込みがあった日の為替相場に基づき算出された金額

ロ　当該払込みを受けた金銭の額（イに定める額を含む。）により資本金又は資本準備金の額として計上すべき額を計算することが適切でない場合　当該金銭の当該払込みをした者における当該払込みの直前の帳簿価額

二　法第三十四条第一項の規定により金銭以外の財産（以下この条において「現物出資財産」という。）の給付を受けた場合にあっては、当該現物出資財産の給付があった日における価額（次のイ又はロに掲げる場合における現物出資財産にあっては、当該イ又はロに定める額）

イ　当該株式会社と当該現物出資財産の給付をした者が共通支配下関係となる場合（当該現物出資財産に時価を付すべき場合を除く。）　当該現物出資財産の当該給付をした者における当該給付の直前の帳簿価額

ロ　イに掲げる場合以外の場合であって、当該給付を受けた現物出資財産の価額により資本金又は資本準備金の額として計上すべき額を計算することが適切でないとき　イに定める帳簿価額

三　法第三十二条第一項第三号に掲げる事項として、設立に要した費用の額のうち設立に際して資本金又は資本準備金の額として計上すべき額から減ずるべき額と定めた額

2　設立（法第二十五条第一項各号に掲げる方法によるものに限る。以下この条において同じ。）時の株式会社のその他資本剰余金の額は、零とする。

3　設立時の株式会社の利益準備金の額は、零とする。

4　設立時の株式会社のその他利益剰余金の額は、零（第一項第一号及び第二号に掲げる額の合計額から同項第三号に掲げる額を減じて得た額が零未満である場合にあっては、当該額）とする。

5　第一項第二号の規定の適用については、現物出資財産について定款に定めた額と、当該現物出資財産の帳簿価額（当該出資に係

る資本金及び資本準備金の額を含む。）とが同一の額でなければならないと解してはならない。

第二款　新設合併

（支配取得に該当する場合における新設合併設立会社の株主資本等）

第四十五条　新設合併が支配取得に該当する場合には、新設合併設立会社の設立時の株主資本等の総額は、次の各号に掲げる部分の区分に応じ、当該各号に定める額の合計額（次項において「株主資本等変動額」という。）とする。

一　新設合併取得会社に係る部分　当該新設合併取得会社の財産の新設合併の直前の帳簿価額を基礎として算定する方法に従い定まる額

二　新設合併取得会社以外の新設合併消滅会社に係る部分　当該新設合併消滅会社の株主等に交付される新設型再編対価時価又は新設型再編対象財産の時価を基礎として算定する方法に従い定まる額

2　前項の場合には、当該新設合併設立会社の設立時の資本金及び資本剰余金の額は、株主資本等変動額の範囲内で、新設合併消滅会社が新設合併契約の定めに従いそれぞれ定めた額とし、利益剰余金の額は零とする。ただし、株主資本等変動額が零未満の場合には、当該額を設立時のその他利益剰余金（当該新設合併設立会社が持分会社の場合にあっては、利益剰余金。第四十七条第二項において同じ。）の額とし、資本金、資本剰余金及び利益準備金の額は零とする。

3　前二項の規定にかかわらず、第一項の場合であって、新設合併取得会社の株主等に交付する新設型再編対価の全部が新設合併設立会社の株式又は持分であるときは、新設合併設立会社の設立時の資本金、資本剰余金及び利益剰余金の額は、次の各号に掲げる部分の区分に応じ、当該各号に定める規定を準用してそれぞれ算定される額の合計額とすることができる。

一　新設合併取得会社に係る部分　第四十七条

二　新設合併取得会社以外の新設合併消滅会社に係る部分　第一項（同項第一号に係る部分を除く。）及び前項

（共通支配下関係にある場合における新設合併設立会社の株主資本等）

第四十六条　新設合併消滅会社の全部が共通支配下関係にある場合には、新設合併設立会社の設立時の株主資本等の総額は、新設型再編対象財産の新設合併の直前の帳簿価額を基礎として算定する方法（前条第一項第二号に規定する方法によるべき部分にあっては、当該方法）に従い定まる額とする。

2　前項の場合には、新設合併設立会社の設立時の資本金、資本剰余金及び利益剰余金の額は、次の各号に掲げる部分の区分に応じ、当該各号に定める規定を準用してそれぞれ算定される額の合計額とする。

一　株主資本承継消滅会社に係る部分　次条第一項

二　非株主資本承継消滅会社に係る部分　前条第二項

（株主資本等を引き継ぐ場合における新設合併設立会社の株主資本等）

第四十七条　前条第一項の場合であって、新設型再編対価の全部が新設合併設立会社の株式又は持分であり、かつ、新設合併消滅会社における新設合併の直前の株主資本等を引き継ぐものとして計算することが適切であるときには、新設合併の直前の各新設合併消滅会社の資本金、資本剰余金及び利益剰余金の額の各合計額をそれぞれ当該新設合併設立会社の設立時の資本金、資本剰余金及び利益剰余金の額とすることができる。ただし、先行取得分株式等がある場合にあっては、当該先行取得分株式等の帳簿価額を新設合併の直前の各新設合併消滅会社のその他資本剰余金（当該新設合併設立会社が持分会社の場合にあっては、資本剰余金。以下この条において同じ。）の合計額から減じて得た額を新設合併設立会社の設立時のその他資本剰余金の額とする。

2　前項の規定にかかわらず、同項の場合であって、非対価交付消滅会社があるときには、当該非対価交付消滅会社の資本金及び資本剰余金の合計額を当該非対価交付消滅会社のその他資本剰余金の額とみなし、当該非対価交付消滅会社の利益剰余金の額を当該非対価交付消滅会社のその他利益剰余金の額とみなして、同項の規定を適用する。

（その他の場合における新設合併設立会社の株主資本等）

第四十八条　第四十五条第一項及び第四十六条第一項に規定する場合以外の場合には、新設合併設立会社の設立時の資本金、資本剰余金及び利益剰余金の額は、同条及び前条の定めるところにより計算する。

第三款　新設分割

（単独新設分割の場合における新設分割設立会社の株主資本等）

第四十九条　新設分割設立会社（二以上の会社が新設分割する場合における新設分割設立会社を除く。以下この条及び次条において同じ。）の設立時における株主資本等の総額は、新設型再編対象財産の新設分割会社における新設分割の直前の帳簿価額を基礎として算定する方法（当該新設型再編対象財産に時価を付すべき場合にあっては、新設型再編対価時価又は新設型再編対象財産の時価を基礎として算定する方法）に従い定まる額（次項において「株主資本等変動額」という。）とする。

2　前項の場合には、新設分割設立会社の資本金及び資本剰余金の額は、株主資本等変動額の範囲内で、新設分割会社が新設分割計画の定めに従いそれぞれ定めた額とし、利益剰余金の額は零とする。ただし、株主資本等変動額が零未満の場合には、当該株主資本等変動額をその他利益剰余金（新設分割設立会社が持分会社である場合にあっては、利益剰余金）の額とし、資本金、資本剰余金及び利益準備金の額は零とする。

（株主資本等を引き継ぐ場合における新設分割設立会社の株主資本等）

第五十条　前条の規定にかかわらず、分割型新設分割の新設型再編対価の全部が新設分割設立会社の株式又は持分である場合であって、新設分割会社における新設分割の直前の株主資本等の全部又は一部を引き継ぐものとして計算することが適切であるときには、分割型新設分割により変動する新設分割会社の資本金、資本剰余金及び利益剰余金の額をそれぞれ新設分割設立会社の設立時の資本金、資本剰余金及び利益剰余金の額とすることができる。

2　前項の場合の新設分割会社における新設分割に際しての資本金、資本剰余金又は利益剰余金の額の変更に関しては、法第二編第五章第三節第二款（第四四七条―第四五二条）の規定その他の法の規定に従うものとする。

（共同新設分割の場合における新設分割設立会社の株主資本等）

第五十一条　二以上の会社が新設分割をする場合には、次に掲げるところに従い、新設分割設立会社の株主資本又は社員資本を計算するものとする。

一　仮に各新設分割会社が他の新設分割会社と共同しないで新設分割を行うことによって会社を設立するものとみなして、当該会社（以下この条において「仮会社」という。）の計算を行う。

二　各仮会社が新設合併をすることにより設立される会社が新設分割設立会社となるものとみなして、当該新設分割設立会社の計算を行う。

第四款　株式移転

第五十二条　株式移転設立完全親会社の設立時における株主資本の総額は、次の各号に掲げる部分の区分に応じ、当該各号に定める額の合計額（次項において「株主資本変動額」という。）とする。

一　当該株式移転が株式移転完全子会社による支配取得に該当する場合における他の株式移転完全子会社に係る部分　当該他の株式移転完全子会社の株主に対して交付する新設型再編対価時価又は当該他の株式移転完全子会社の株式の時価を基礎として算定する方法に従い定まる額

二　株式移転完全子会社の全部が共通支配下関係にある場合における当該株式移転完全子会社に係る部分　当該株式移転完全子会社における財産の帳簿価額を基礎として算定する方法（前号に規定する方法によるべき部分にあっては、当該方法）に従い定まる額

三　前二号に掲げる部分以外の部分　前号に規定する方法に従い定まる額

2　前項の場合には、当該株式移転設立完全親会社の設立時の資本金及び資本剰余金の額は、株主資本変動額の範囲内で、株式移転完全子会社が株式移転計画の定めに従い定めた額とし、利益剰余金の額は零とする。ただし、株主資本変動額が零未満の場合にあっては、当該額を設立時のその他利益剰余金の額とし、資本金、資本剰余金及び利益準備金の額は零とする。

第七節　評価・換算差額等又はその他の包括利益累計額

（評価・換算差額等又はその他の包括利益累計額）

第五十三条　次に掲げるものその他資産、負債又は株主資本若しくは社員資本以外のものであっても、純資産の部の項目として計上することが適当であると認められるものは、純資産として計上することができる。

一　資産又は負債（デリバティブ取引により生じる正味の資産又は負債を含む。以下この条において同じ。）につき時価を付すものとする場合における当該資産又は負債の評価差額（利益又は損失に計上するもの並びに次号及び第三号に掲げる評価差額を除く。）

二　ヘッジ会計を適用する場合におけるヘッジ手段に係る損益又は評価差額

三　土地の再評価に関する法律（平成十年法律第三十四号）第七条第一項に規定する再評価差額

（土地再評価差額金を計上している会社を当事者とする組織再編行為等における特則）

第五十四条　吸収合併若しくは吸収分割又は新設合併若しくは新設分割（以下この項において「合併分割」という。）に際して前条第三号に掲げる再評価差額を計上している土地が吸収型再編対象財産又は新設型再編対象財産（以下この項において「対象財産」という。）に含まれる場合において、当該対象財産につき吸収合併存続会社、吸収分割承継会社、新設合併設立会社又は新設分割設立会社が付すべき帳簿価額を当該合併分割の直前の帳簿価額とすべきときは、当該土地に係る土地の再評価に関する法律の規定による再評価前の帳簿価額を当該土地の帳簿価額とみなして、当該合併分割に係る株主資本等の計算に関する規定を適用する。

2　株式交換、株式交付又は株式移転（以下この項において「交換交付移転」という。）に際して前条第三号に掲げる再評価差額を計上している土地が株式交換完全子会社、株式交付子会社又は株式移転完全子会社（以下この項において「交換交付移転子会社」という。）の資産に含まれる場合において、当該交換交付移転子会社の株式につき株式交換完全親会社、株式交付親会社又は株式移転設立完全親会社が付すべき帳簿価額を算定の基礎となる交換交付移転子会社の財産の帳簿価額を評価すべき日における当該交換交付移転子会社の資産（自己新株予約権を含む。）に係る帳簿価額から負債（新株予約権に係る義務を含む。）に係る帳簿価額を減じて得た額をもって算定すべきときは、当該土地に係る土地の再評価に関する法律の規定による再評価前の帳簿価額を当該土地の帳簿価額とみなして、当該交換交付移転に係る株主資本等の計算に関する規定を適用する。

3　事業の譲渡若しくは譲受け又は金銭以外の財産と引換えにする株式又は持分の交付（以下この項において「現物出資等」という。）に際して前条第三号に掲げる再評価差額を計上している土地が現物出資等の対象となる財産（以下この項において「対象財産」という。）に含まれている場合において、当該対象財産につき当該対象財産を取得する者が付すべき帳簿価額を当該現物出資等の直前

の帳簿価額とすべきときは、当該土地に係る土地の再評価に関する法律の規定による再評価前の帳簿価額を当該土地の帳簿価額とみなして、当該現物出資等に係る株主資本等の計算に関する規定を適用する。

第七節の二　株式引受権

第五十四条の二　取締役等が株式会社に対し法第二百二条の二第一項（同条第三項の規定により読み替えて適用する場合を含む。）の募集株式に係る割当日前にその職務の執行として当該募集株式を対価とする役務を提供した場合には、当該役務の公正な評価額を、増加すべき株式引受権の額とする。

2　株式会社が前項の取締役等に対して同項の募集株式を割り当てる場合には、当該募集株式に係る割当日における同項の役務に対応する株式引受権の帳簿価額を、減少すべき株式引受権の額とする。

第八節　新株予約権

第五十五条　株式会社が新株予約権を発行する場合には、当該新株予約権と引換えにされた金銭の払込みの金額、金銭以外の財産の給付の額又は当該株式会社に対する債権をもってされた相殺の額その他適切な価格を、増加すべき新株予約権の額とする。

2　前項に規定する「株式会社が新株予約権を発行する場合」とは、次に掲げる場合において新株予約権を発行する場合をいう。

一　法第二編第三章第二節（第二三八条―第二四八条）の定めるところにより募集新株予約権を引き受ける者の募集を行う場合

二　取得請求権付株式（法第百七条第二項第二号ハ又はニに掲げる事項についての定めがあるものに限る。）の取得をする場合

三　取得条項付株式（法第百七条第二項第三号ホ又はヘに掲げる事項についての定めがあるものに限る。）の取得をする場合

四　全部取得条項付種類株式（当該全部取得条項付種類株式を取得するに際して法第百七十一条第一項第一号ハ又はニに掲げる事項についての定めをした場合における当該全部取得条項付種類株式に限る。）の取得をする場合

五　新株予約権無償割当てをする場合

六　取得条項付新株予約権（法第二百三十六条第一項第七号ヘ又はトに掲げる事項についての定めがあるものに限る。）の取得をする場合

七　吸収合併後当該株式会社が存続する場合

八　吸収分割による他の会社がその事業に関して有する権利義務の全部又は一部の承継をする場合

九　株式交換による他の株式会社の発行済株式の全部の取得をする場合

十　株式交付に際して他の株式会社の株式又は新株予約権等の譲受けをする場合

3　新設合併、新設分割又は株式移転により設立された株式会社が設立に際して新株予約権を発行する場合には、当該新株予約権についての適切な価格を設立時の新株予約権の額とする。

4　次の各号に掲げる場合には、当該各号に定める額を、減少すべき新株予約権の額とする。

一　株式会社が自己新株予約権の消却をする場合　当該自己新株予約権に対応する新株予約権の帳簿価額

二　新株予約権の行使又は消滅があった場合　当該新株予約権の帳簿価額

5　株式会社が当該株式会社の新株予約権を取得する場合には、その取得価額を、増加すべき自己新株予約権の額とする。

6　次の各号に掲げる自己新株予約権（当該新株予約権の帳簿価額を超える価額で取得するものに限る。）については、当該各号に定める価格を付さなければならない。

一　事業年度の末日における時価がその時の取得原価より著しく低い自己新株予約権（次号に掲げる自己新株予約権を除く。）　イ又はロに掲げる額のうちいずれか高い額

イ　当該事業年度の末日における時価

ロ　当該自己新株予約権に対応する新株予約権の帳簿価額
二　処分しないものと認められる自己新株予約権　当該自己新株予約権に対応する新株予約権の帳簿価額

7　株式会社が自己新株予約権の処分若しくは消却をする場合又は自己新株予約権の消滅があった場合には、その帳簿価額を、減少すべき自己新株予約権の額とする。

8　第一項及び第三項から前項までの規定は、株式等交付請求権（株式引受権及び新株予約権以外の権利であって、当該株式会社に対して行使することにより当該株式会社の株式の交付を受けることができる権利をいう。以下この条において同じ。）について準用する。

9　募集株式を引き受ける者の募集に際して発行する株式又は処分する自己株式が株式等交付請求権の行使によって発行する株式又は処分する自己株式であるときにおける第十四条第一項の規定の適用については、同項中「第一号及び第二号に掲げる額の合計額」とあるのは、「第一号及び第二号に掲げる額の合計額並びに第五十五条第八項に規定する株式等交付請求権の行使時における帳簿価額の合計額」とする。

第四章　更生計画に基づく行為に係る計算に関する特則

第五十六条　更生会社（会社更生法第二条第七項に規定する更生会社をいう。以下この項及び第三項において同じ。）が更生計画（同法第二条第二項に規定する更生計画をいう。以下この項において同じ。）に基づき行う行為についての当該更生会社が計上すべきのれん、純資産その他の計算に関する事項は、この省令の規定にかかわらず、更生計画の定めるところによる。

2　更生計画（会社更生法第二条第二項並びに金融機関等の更生手続の特例等に関する法律（平成八年法律第九十五号。以下この条において「更生特例法」という。）第四条第二項及び第百六十九条第二項に規定する更生計画をいう。以下この条において同じ。）において株式会社を設立することを定めた場合（新設合併、新設分割又は株式移転により株式会社を設立することを定めた場合を除く。）には、当該株式会社の設立時ののれん、純資産その他の計算に関する事項は、この省令の規定にかかわらず、更生計画の定めるところによる。

3　更生計画において会社（更生会社を除く。）が更生会社等（更生会社並びに更生特例法第四条第七項に規定する更生協同組織金融機関及び更生特例法第百六十九条第七項に規定する更生会社をいう。次項において同じ。）の更生債権者等（会社更生法第二条第十三項並びに更生特例法第四条第十三項及び第百六十九条第十三項に規定する更生債権者等をいう。以下この条において同じ。）に対して吸収合併又は株式交換に際して交付する金銭等を割り当てた場合には、当該更生債権者等に対して交付する金銭等の価格も当該吸収合併又は株式交換に係る吸収型再編対価として考慮するものとする。

4　更生計画において新設合併又は株式移転により設立される会社が更生会社等の更生債権者等に対して新設合併又は株式移転に際して交付する株式、持分又は社債等を割り当てた場合には、当該更生債権者等に対して交付する株式、持分又は社債等の価格も当該新設合併又は株式移転に係る新設型再編対価として考慮するものとする。

【会社法施行規則】

（保存の指定）

第二百三十二条　電子文書法第三条第一項の主務省令で定める保存は、次に掲げる保存とする。

一～十八　（略）

十九　法第四百三十二条第二項の規定による会計帳簿及び資料の保存

二十～三十六　（略）

3　株式会社の親会社社員は、その権利を行使するため必要があるときは、裁判所の許可を得て、会計帳簿又はこれに関する資料について第一項各号に掲げる請求をすることができる。この場合においては、当該請求の理由を明らかにしてしなければならない。

4　前項の親会社社員について第二項各号のいずれかに規定する事由があるときは、裁判所は、前項の許可をすることができない。

【会社法施行規則】

（縦覧等の指定）

第二百三十四条　電子文書法第五条第一項の主務省令で定める縦覧等は、次に掲げる縦覧等とする。

一～三十三　（略）

三十四　法第四百三十三条第一項第一号の規定による会計帳簿又はこれに関する資料の縦覧等

三十五～五十四　（略）

（電磁的記録に記録された事項を表示する方法）

第二百二十六条　次に掲げる規定に規定する法務省令で定める方法は、次に掲げる規定の電磁的記録に記録された事項を紙面又は映像面に表示する方法とする。

一～二十六　（略）

二十七　法第四百三十三条第一項第二号

二十八～四十三　（略）

（会計帳簿の閲覧等の請求）

第四百三十三条　総株主（株主総会において決議をすることができる事項の全部につき議決権を行使することができない株主を除く。）の議決権の百分の三（これを下回る割合を定款で定めた場合にあっては、その割合）以上の議決権を有する株主又は発行済株式（自己株式を除く。）の百分の三（これを下回る割合を定款で定めた場合にあっては、その割合）以上の数の株式を有する株主は、株式会社の営業時間内は、いつでも、次に掲げる請求をすることができる。この場合においては、当該請求の理由を明らかにしてしなければならない。

一　会計帳簿又はこれに関する資料が書面をもって作成されているときは、当該書面の閲覧又は謄写の請求

二　会計帳簿又はこれに関する資料が電磁的記録をもって作成されているときは、当該電磁的記録に記録された事項を法務省令で定める方法により表示したものの閲覧又は謄写の請求

2　前項の請求があったときは、株式会社は、次のいずれかに該当すると認められる場合を除き、これを拒むことができない。

一　当該請求を行う株主（以下この項において「請求者」という。）がその権利の確保又は行使に関する調査以外の目的で請求を行ったとき。

二　請求者が当該株式会社の業務の遂行を妨げ、株主の共同の利益を害する目的で請求を行ったとき。

三　請求者が当該株式会社の業務と実質的に競争関係にある事業を営み、又はこれに従事するものであるとき。

四　請求者が会計帳簿又はこれに関する資料の閲覧又は謄写によって知り得た事実を利益を得て第三者に通報するため請求したとき。

五　請求者が、過去二年以内において、会計帳簿又はこれに関する資料の閲覧又は謄写によって知り得た事実を利益を得て第三者に通報したことがあるものであるとき。

（会計帳簿の提出命令）

第四百三十四条　裁判所は、申立てにより又は職権で、訴訟の当事者に対し、会計帳簿の全部又は一部の提出を命ずることができる。

第二款　計算書類等

（計算書類等の作成及び保存）

第四百三十五条　株式会社は、法務省令で定めるところにより、その成

立の日における貸借対照表を作成しなければならない。

2　株式会社は、法務省令で定めるところにより、各事業年度に係る計算書類（貸借対照表、損益計算書その他株式会社の財産及び損益の状況を示すために必要かつ適当なものとして法務省令で定めるものをいう。以下この章において同じ。）及び事業報告並びにこれらの附属明細書を作成しなければならない。

3　計算書類及び事業報告並びにこれらの附属明細書は、電磁的記録をもって作成することができる。

4　株式会社は、計算書類を作成した時から十年間、当該計算書類及びその附属明細書を保存しなければならない。

【会社法施行規則】

第二編　株式会社

第五章　計算等

第一節　計算関係書類

第百十六条　次に掲げる規定に規定する法務省令で定めるべき事項（事業報告及びその附属明細書に係るものを除く。）は、会社計算規則の定めるところによる。

一　（略）

二　法第四百三十五条第一項及び第二項

三～十五　（略）

第二節　事業報告

第一款　通則

第百十七条　次の各号に掲げる規定に規定する法務省令で定めるべき事項（事業報告及びその附属明細書に係るものに限る。）は、当該各号に定める規定の定めるところによる。ただし、他の法令に別段の定めがある場合は、この限りでない。

一　法第四百三十五条第二項　次款〔第一一八条―第一二八条〕

二・三　（略）

第二款　事業報告等の内容

第一目　通則

第百十八条　事業報告は、次に掲げる事項をその内容としなければならない。

一　当該株式会社の状況に関する重要な事項（計算書類及びその附属明細書並びに連結計算書類の内容となる事項を除く。）

二　法第三百四十八条第三項第四号、第三百六十二条第四項第六号、第三百九十九条の十三第一項第一号ロ及びハ並びに第四百十六条第一項第一号ロ及びホに規定する体制の整備についての決定又は決議があるときは、その決定又は決議の内容の概要及び当該体制の運用状況の概要

三　株式会社が当該株式会社の財務及び事業の方針の決定を支配する者の在り方に関する基本方針（以下この号において「基本方針」という。）を定めているときは、次に掲げる事項

イ　基本方針の内容の概要

ロ　次に掲げる取組みの具体的な内容の概要

(1)　当該株式会社の財産の有効な活用、適切な企業集団の形成その他の基本方針の実現に資する特別な取組み

(2)　基本方針に照らして不適切な者によって当該株式会社の財務及び事業の方針の決定が支配されることを防止するための取組み

ハ　ロの取組みの次に掲げる要件への該当性に関する当該株式会社の取締役（取締役会設置会社にあっては、取締役会）の判断及びその理由（当該理由が社外役員の存否に関する事項のみである場合における当該事項を除く。）

(1)　当該取組みが基本方針に沿うものであること。

(2)　当該取組みが当該株式会社の株主の共同の利益を損なうものではないこと。

(3)　当該取組みが当該株式会社の会社役員の地位の維持を目的とするものではないこと。

四　当該株式会社（当該事業年度の末日において、その完全親会

社等があるものを除く。）に特定完全子会社（当該事業年度の末日において、当該株式会社及びその完全子会社等（法第八百四十七条の三第三項の規定により当該完全子会社等とみなされるものを含む。以下この号において同じ。）における当該株式会社のある完全子会社等（株式会社に限る。）の株式の帳簿価額が当該株式会社の当該事業年度に係る貸借対照表の資産の部に計上した額の合計額の五分の一（法第八百四十七条の三第四項の規定により五分の一を下回る割合を定款で定めた場合にあっては、その割合）を超える場合における当該ある完全子会社等をいう。以下この号において同じ。）がある場合には、次に掲げる事項

イ 当該特定完全子会社の名称及び住所

ロ 当該株式会社及びその完全子会社等における当該特定完全子会社の株式の当該事業年度の末日における帳簿価額の合計額

ハ 当該株式会社の当該事業年度に係る貸借対照表の資産の部に計上した額の合計額

五 当該株式会社とその親会社等との間の取引（当該株式会社と第三者との間の取引で当該株式会社とその親会社等との間の利益が相反するものを含む。）であって、当該株式会社の当該事業年度に係る個別注記表において会社計算規則第百十二条第一項に規定する注記を要するもの（同項ただし書の規定により同項第四号から第六号まで及び第八号に掲げる事項を省略するものを除く。）があるときは、当該取引に係る次に掲げる事項

イ 当該取引をするに当たり当該株式会社の利益を害さないように留意した事項（当該事項がない場合にあっては、その旨）

ロ 当該取引が当該株式会社の利益を害さないかどうかについての当該株式会社の取締役（取締役会設置会社にあっては、取締役会。ハにおいて同じ。）の判断及びその理由

ハ 社外取締役を置く株式会社において、ロの取締役の判断が社外取締役の意見と異なる場合には、その意見

第二目 公開会社における事業報告の内容

（公開会社の特則）

第百十九条 株式会社が当該事業年度の末日において公開会社である場合には、次に掲げる事項を事業報告の内容に含めなければならない。

一 株式会社の現況に関する事項

二 株式会社の会社役員に関する事項

二の二 株式会社の役員等賠償責任保険契約に関する事項

三 株式会社の株式に関する事項

四 株式会社の新株予約権等に関する事項

（株式会社の現況に関する事項）

第百二十条 前条第一号に規定する「株式会社の現況に関する事項」とは、次に掲げる事項（当該株式会社の事業が二以上の部門に分かれている場合にあっては、部門別に区別することが困難である場合を除き、その部門別に区別された事項）とする。

一 当該事業年度の末日における主要な事業内容

二 当該事業年度の末日における主要な営業所及び工場並びに使用人の状況

三 当該事業年度の末日において主要な借入先があるときは、その借入先及び借入額

四 当該事業年度における事業の経過及びその成果

五 当該事業年度における次に掲げる事項についての状況（重要なものに限る。）

イ 資金調達

ロ 設備投資

ハ 事業の譲渡、吸収分割又は新設分割

ニ 他の会社（外国会社を含む。）の事業の譲受け

ホ 吸収合併（会社以外の者との合併（当該合併後当該株式会社が存続するものに限る。）を含む。）又は吸収分割による他

の法人等の事業に関する権利義務の承継
へ　他の会社（外国会社を含む。）の株式その他の持分又は新株予約権等の取得又は処分
六　直前三事業年度（当該事業年度の末日において三事業年度が終了していない株式会社にあっては、成立後の各事業年度）の財産及び損益の状況
七　重要な親会社及び子会社の状況（当該親会社と当該株式会社との間に当該株式会社の重要な財務及び事業の方針に関する契約等が存在する場合には、その内容の概要を含む。）
八　対処すべき課題
九　前各号に掲げるもののほか、当該株式会社の現況に関する重要な事項

2　株式会社が当該事業年度に係る連結計算書類を作成している場合には、前項各号に掲げる事項については、当該株式会社及びその子会社から成る企業集団の現況に関する事項とすることができる。この場合において、当該事項に相当する事項が連結計算書類の内容となっているときは、当該事項を事業報告の内容としないことができる。

3　第一項第六号に掲げる事項については、当該事業年度における過年度事項（当該事業年度より前の事業年度に係る貸借対照表、損益計算書又は株主資本等変動計算書に表示すべき事項をいう。）が会計方針の変更その他の正当な理由により当該事業年度より前の事業年度に係る定時株主総会において承認又は報告をしたものと異なっているときは、修正後の過年度事項を反映した事項とすることを妨げない。

（株式会社の会社役員に関する事項）

第百二十一条　第百十九条第二号に規定する「株式会社の会社役員に関する事項」とは、次に掲げる事項とする。ただし、当該事業年度の末日において監査役会設置会社（公開会社であり、かつ、大会社であるものに限る。）であって金融商品取引法第二十四条第一項の規定によりその発行する株式について有価証券報告書を内閣総理大臣に提出しなければならないもの、監査等委員会設置会社又は指名委員会等設置会社でない株式会社にあっては、第六号の二に掲げる事項を省略することができる。
一　会社役員（直前の定時株主総会の終結の日の翌日以降に在任していた者に限る。次号から第三号の二まで、第八号及び第九号並びに第百二十八条第二項において同じ。）の氏名（会計参与にあっては、氏名又は名称）
二　会社役員の地位及び担当
三　会社役員（取締役又は監査役に限る。以下この号において同じ。）と当該株式会社との間で法第四百二十七条第一項の契約を締結しているときは、当該契約の内容の概要（当該契約によって当該会社役員の職務の執行の適正性が損なわれないようにするための措置を講じている場合にあっては、その内容を含む。）
三の二　会社役員（取締役、監査役又は執行役に限る。以下この号において同じ。）と当該株式会社との間で補償契約を締結しているときは、次に掲げる事項
イ　当該会社役員の氏名
ロ　当該補償契約の内容の概要（当該補償契約によって当該会社役員の職務の執行の適正性が損なわれないようにするための措置を講じている場合にあっては、その内容を含む。）
三の三　当該株式会社が会社役員（取締役、監査役又は執行役に限り、当該事業年度の前事業年度の末日までに退任した者を含む。以下この号及び次号において同じ。）に対して補償契約に基づき法第四百三十条の二第一項第一号に掲げる費用を補償した場合において、当該株式会社が、当該事業年度において、当該会社役員が同号の職務の執行に関し法令の規定に違反したこと又は責任を負うことを知ったときは、その旨
三の四　当該株式会社が会社役員に対して補償契約に基づき法第四百三十条の二第一項第二号に掲げる損失を補償したときは、

その旨及び補償した金額

四　当該事業年度に係る会社役員の報酬等について、次のイからハまでに掲げる場合の区分に応じ、当該イからハまでに定める事項

イ　会社役員の全部につき取締役（監査等委員会設置会社にあっては、監査等委員である取締役又はそれ以外の取締役。イ及びハにおいて同じ。）、会計参与、監査役又は執行役ごとの報酬等の総額（当該報酬等が業績連動報酬等又は非金銭報酬等を含む場合には、業績連動報酬等の総額、非金銭報酬等の総額及びそれら以外の報酬等の総額。イ及びハ並びに第百二十四条第五号イ及びハにおいて同じ。）を掲げることとする場合　取締役、会計参与、監査役又は執行役ごとの報酬等の総額及び員数

ロ　会社役員の全部につき当該会社役員ごとの報酬等の額（当該報酬等が業績連動報酬等又は非金銭報酬等を含む場合には、業績連動報酬等の額、非金銭報酬等の額及びそれら以外の報酬等の額。ロ及びハ並びに第百二十四条第五号ロ及びハにおいて同じ。）を掲げることとする場合　当該会社役員ごとの報酬等の額

ハ　会社役員の一部につき当該会社役員ごとの報酬等の額を掲げることとする場合　当該会社役員ごとの報酬等の額並びにその他の会社役員についての取締役、会計参与、監査役又は執行役ごとの報酬等の総額及び員数

五　当該事業年度において受け、又は受ける見込みの額が明らかとなった会社役員の報酬等（前号の規定により当該事業年度に係る事業報告の内容とする報酬等及び当該事業年度前の事業年度に係る事業報告の内容とした報酬等を除く。）について、同号イからハまでに掲げる場合の区分に応じ、当該イからハまでに定める事項

五の二　前二号の会社役員の報酬等の全部又は一部が業績連動報酬等である場合には、次に掲げる事項

イ　当該業績連動報酬等の額又は数の算定の基礎として選定した業績指標の内容及び当該業績指標を選定した理由

ロ　当該業績連動報酬等の額又は数の算定方法

ハ　当該業績連動報酬等の額又は数の算定に用いたイの業績指標に関する実績

五の三　第四号及び第五号の会社役員の報酬等の全部又は一部が非金銭報酬等である場合には、当該非金銭報酬等の内容

五の四　会社役員の報酬等についての定款の定め又は株主総会の決議による定めに関する次に掲げる事項

イ　当該定款の定めを設けた日又は当該株主総会の決議の日

ロ　当該定めの内容の概要

ハ　当該定めに係る会社役員の員数

六　法第三百六十一条第七項の方針又は法第四百九条第一項の方針を定めているときは、次に掲げる事項

イ　当該方針の決定の方法

ロ　当該方針の内容の概要

ハ　当該事業年度に係る取締役（監査等委員である取締役を除き、指名委員会等設置会社にあっては、執行役等）の個人別の報酬等の内容が当該方針に沿うものであると取締役会（指名委員会等設置会社にあっては、報酬委員会）が判断した理由

六の二　各会社役員の報酬等の額又はその算定方法に係る決定に関する方針（前号の方針を除く。）を定めているときは、当該方針の決定の方法及びその方針の内容の概要

六の三　株式会社が当該事業年度の末日において取締役会設置会社（指名委員会等設置会社を除く。）である場合において、取締役会から委任を受けた取締役その他の第三者が当該事業年度に係る取締役（監査等委員である取締役を除く。）の個人別の報酬等の内容の全部又は一部を決定したときは、その旨及び次に掲

げる事項
イ　当該委任を受けた者の氏名並びに当該内容を決定した日における当該株式会社における地位及び担当
ロ　イの者に委任された権限の内容
ハ　イの者にロの権限を委任した理由
ニ　イの者によりロの権限が適切に行使されるようにするための措置を講じた場合にあっては、その内容
七　辞任した会社役員又は解任された会社役員（株主総会又は種類株主総会の決議によって解任されたものを除く。）があるときは、次に掲げる事項（当該事業年度前の事業年度に係る事業報告の内容としたものを除く。）
イ　当該会社役員の氏名（会計参与にあっては、氏名又は名称）
ロ　法第三百四十二条の二第一項若しくは第四項又は第三百四十五条第一項（同条第四項において読み替えて準用する場合を含む。）の意見があるときは、その意見の内容
ハ　法第三百四十二条の二第二項又は第三百四十五条第二項（同条第四項において読み替えて準用する場合を含む。）の理由があるときは、その理由
八　当該事業年度に係る当該株式会社の会社役員（会計参与を除く。）の重要な兼職の状況
九　会社役員のうち監査役、監査等委員又は監査委員が財務及び会計に関する相当程度の知見を有しているものであるときは、その事実
十　次のイ又はロに掲げる場合の区分に応じ、当該イ又はロに定める事項
イ　株式会社が当該事業年度の末日において監査等委員会設置会社である場合　常勤の監査等委員の選定の有無及びその理由
ロ　株式会社が当該事業年度の末日において指名委員会等設置会社である場合　常勤の監査委員の選定の有無及びその理由

十一　前各号に掲げるもののほか、株式会社の会社役員に関する重要な事項

（株式会社の役員等賠償責任保険契約に関する事項）

第百二十一条の二　第百十九条第二号の二に規定する「株式会社の役員等賠償責任保険契約に関する事項」とは、当該株式会社が保険者との間で役員等賠償責任保険契約を締結しているときにおける次に掲げる事項とする。
一　当該役員等賠償責任保険契約の被保険者の範囲
二　当該役員等賠償責任保険契約の内容の概要（被保険者が実質的に保険料を負担している場合にあってはその負担割合、塡補の対象とされる保険事故の概要及び当該役員等賠償責任保険契約によって被保険者である役員等（当該株式会社の役員等に限る。）の職務の執行の適正性が損なわれないようにするための措置を講じている場合にあってはその内容を含む。）

（株式会社の株式に関する事項）

第百二十二条　第百十九条第三号に規定する「株式会社の株式に関する事項」とは、次に掲げる事項とする。
一　当該事業年度の末日において発行済株式（自己株式を除く。次項において同じ。）の総数に対するその有する株式の数の割合が高いことにおいて上位となる十名の株主の氏名又は名称、当該株主の有する株式の数（種類株式発行会社にあっては、株式の種類及び種類ごとの数を含む。）及び当該株主の有する株式に係る当該割合
二　当該事業年度中に当該株式会社の会社役員（会社役員であった者を含む。）に対して当該株式会社が交付した当該株式会社の株式（職務執行の対価として交付したものに限り、当該株式会社が会社役員に対して職務執行の対価として募集株式と引換えにする払込みに充てるための金銭を交付した場合において、当該金銭の払込みと引換えに当該株式会社の株式を交付したときにおける当該株式を含む。以下この号において同じ。）があると

きは、次に掲げる者（次に掲げる者であった者を含む。）の区分ごとの株式の数（種類株式発行会社にあっては、株式の種類及び種類ごとの数）及び株式の交付を受けた者の人数

イ　当該株式会社の取締役（監査等委員である取締役及び社外役員を除き、執行役を含む。）

ロ　当該株式会社の社外取締役（監査等委員である取締役を除き、社外役員に限る。）

ハ　当該株式会社の監査等委員である取締役

ニ　当該株式会社の取締役（執行役を含む。）以外の会社役員

三　前二号に掲げるもののほか、株式会社の株式に関する重要な事項

2　当該事業年度に関する定時株主総会において議決権を行使することができる者を定めるための法第百二十四条第一項に規定する基準日を定めた場合において、当該基準日が当該事業年度の末日後の日であるときは、前項第一号に掲げる事項については、当該基準日において発行済株式の総数に対するその有する株式の数の割合が高いことにおいて上位となる十名の株主の氏名又は名称、当該株主の有する株式の数（種類株式発行会社にあっては、株式の種類及び種類ごとの数を含む。）及び当該株主の有する株式に係る当該割合とすることができる。この場合においては、当該基準日を明らかにしなければならない。

（株式会社の新株予約権等に関する事項）

第百二十三条　第百十九条第四号に規定する「株式会社の新株予約権等に関する事項」とは、次に掲げる事項とする。

一　当該事業年度の末日において当該株式会社の会社役員（当該事業年度の末日において在任している者に限る。以下この条において同じ。）が当該株式会社の新株予約権等（職務執行の対価として当該株式会社が交付したものに限り、当該株式会社が会社役員に対して職務執行の対価として募集新株予約権と引換えにする払込みに充てるための金銭を交付した場合において、当該金銭の払込みと引換えに当該株式会社の新株予約権を交付したときにおける当該新株予約権を含む。以下この号及び次号において同じ。）を有しているときは、次に掲げる者の区分ごとの当該新株予約権等の内容の概要及び新株予約権等を有する者の人数

イ　当該株式会社の取締役（監査等委員であるもの及び社外役員を除き、執行役を含む。）

ロ　当該株式会社の社外取締役（監査等委員であるものを除き、社外役員に限る。）

ハ　当該株式会社の監査等委員である取締役

ニ　当該株式会社の取締役（執行役を含む。）以外の会社役員

二　当該事業年度中に次に掲げる者に対して当該株式会社が交付した新株予約権等があるときは、次に掲げる者の区分ごとの当該新株予約権等の内容の概要及び交付した者の人数

イ　当該株式会社の使用人（当該株式会社の会社役員を兼ねている者を除く。）

ロ　当該株式会社の子会社の役員及び使用人（当該株式会社の会社役員又はイに掲げる者を兼ねている者を除く。）

三　前二号に掲げるもののほか、当該株式会社の新株予約権等に関する重要な事項

（社外役員等に関する特則）

第百二十四条　会社役員のうち社外役員である者が存する場合には、株式会社の会社役員に関する事項には、第百二十一条に規定する事項のほか、次に掲げる事項を含むものとする。

一　社外役員（直前の定時株主総会の終結の日の翌日以降に在任していた者に限る。次号から第四号までにおいて同じ。）が他の法人等の業務執行者であることが第百二十一条第八号に定める重要な兼職に該当する場合は、当該株式会社と当該他の法人等との関係

二　社外役員が他の法人等の社外役員その他これに類する者を兼

任していることが第百二十一条第八号に定める重要な兼職に該当する場合は、当該株式会社と当該他の法人等との関係
三　社外役員が次に掲げる者の配偶者、三親等以内の親族その他これに準ずる者であることを当該株式会社が知っているときは、その事実（重要でないものを除く。）
イ　当該株式会社の親会社等（自然人であるものに限る。）
ロ　当該株式会社又は当該株式会社の特定関係事業者の業務執行者又は役員（業務執行者であるものを除く。）
四　各社外役員の当該事業年度における主な活動状況（次に掲げる事項を含む。）
イ　取締役会（当該社外役員が次に掲げる者である場合にあっては、次に定めるものを含む。ロにおいて同じ。）への出席の状況
(1)　監査役会設置会社の社外監査役　監査役会
(2)　監査等委員会設置会社の監査等委員　監査等委員会
(3)　指名委員会等設置会社の監査委員　監査委員会
ロ　取締役会における発言の状況
ハ　当該社外役員の意見により当該株式会社の事業の方針又は事業その他の事項に係る決定が変更されたときは、その内容（重要でないものを除く。）
ニ　当該事業年度中に当該株式会社において法令又は定款に違反する事実その他不当な業務の執行（当該社外役員が社外監査役である場合にあっては、不正な業務の執行）が行われた事実（重要でないものを除く。）があるときは、各社外役員が当該事実の発生の予防のために行った行為及び当該事実の発生後の対応として行った行為の概要
ホ　当該社外役員が社外取締役であるときは、当該社外役員が果たすことが期待される役割に関して行った職務の概要（イからニまでに掲げる事項を除く。）
五　当該事業年度に係る社外役員の報酬等について、次のイからハまでに掲げる場合の区分に応じ、当該イからハまでに定める事項
イ　社外役員の全部につき報酬等の総額を掲げることとする場合　社外役員の報酬等の総額及び員数
ロ　社外役員の全部につき当該社外役員ごとの報酬等の額を掲げることとする場合　当該社外役員ごとの報酬等の額
ハ　社外役員の一部につき当該社外役員ごとの報酬等の額を掲げることとする場合　当該社外役員ごとの報酬等の額並びにその他の社外役員についての報酬等の総額及び員数
六　当該事業年度において受け、又は受ける見込みの額が明らかとなった社外役員の報酬等（前号の規定により当該事業年度に係る事業報告の内容とする報酬等及び当該事業年度前の事業年度に係る事業報告の内容とした報酬等を除く。）について、同号イからハまでに掲げる場合の区分に応じ、当該イからハまでに定める事項
七　社外役員が次のイ又はロに掲げる場合の区分に応じ、当該イ又はロに定めるものから当該事業年度において役員としての報酬等を受けているときは、当該報酬等の総額（社外役員であった期間に受けたものに限る。）
イ　当該株式会社に親会社等がある場合　当該親会社等又は当該親会社等の子会社等（当該株式会社を除く。）
ロ　当該株式会社に親会社等がない場合　当該株式会社の子会社
八　社外役員についての前各号に掲げる事項の内容に対して当該社外役員の意見があるときは、その意見の内容

第三目　会計参与設置会社における事業報告の内容

第百二十五条　株式会社が当該事業年度の末日において会計参与設置会社である場合には、次に掲げる事項を事業報告の内容としなければならない。
一　会計参与と当該株式会社との間で法第四百二十七条第一項の

契約を締結しているときは、当該契約の内容の概要（当該契約によって当該会計参与の職務の執行の適正性が損なわれないようにするための措置を講じている場合にあっては、その内容を含む。）

二　会計参与と当該株式会社との間で補償契約を締結しているときは、次に掲げる事項

イ　当該会計参与の氏名又は名称

ロ　当該補償契約の内容の概要（当該補償契約によって当該会計参与の職務の執行の適正性が損なわれないようにするための措置を講じている場合にあっては、その内容を含む。）

三　当該株式会社が会計参与（当該事業年度の前事業年度の末日までに退任した者を含む。以下この号及び次号において同じ。）に対して補償契約に基づき法第四百三十条の二第一項第一号に掲げる費用を補償した場合において、当該株式会社が、当該事業年度において、当該会計参与が同号の職務の執行に関し法令の規定に違反したこと又は責任を負うことを知ったときは、その旨

四　当該株式会社が会計参与に対して補償契約に基づき法第四百三十条の二第一項第二号に掲げる損失を補償したときは、その旨及び補償した金額

第四目　会計監査人設置会社における事業報告の内容

第百二十六条　株式会社が当該事業年度の末日において会計監査人設置会社である場合には、次に掲げる事項（株式会社が当該事業年度の末日において公開会社でない場合にあっては、第二号から第四号までに掲げる事項を除く。）を事業報告の内容としなければならない。

一　会計監査人の氏名又は名称

二　当該事業年度に係る各会計監査人の報酬等の額及び当該報酬等について監査役（監査役会設置会社にあっては監査役会、監査等委員会設置会社にあっては監査等委員会、指名委員会等設置会社にあっては監査委員会）が法第三百九十九条第一項の同意をした理由

三　会計監査人に対して公認会計士法第二条第一項の業務以外の業務（以下この号において「非監査業務」という。）の対価を支払っているときは、その非監査業務の内容

四　会計監査人の解任又は不再任の決定の方針

五　会計監査人が現に業務の停止の処分を受け、その停止の期間を経過しない者であるときは、当該処分に係る事項

六　会計監査人が過去二年間に業務の停止の処分を受けた者である場合における当該処分に係る事項のうち、当該株式会社が事業報告の内容とすることが適切であるものと判断した事項

七　会計監査人と当該株式会社との間で法第四百二十七条第一項の契約を締結しているときは、当該契約の内容の概要（当該契約によって当該会計監査人の職務の執行の適正性が損なわれないようにするための措置を講じている場合にあっては、その内容を含む。）

七の二　会計監査人と当該株式会社との間で補償契約を締結しているときは、次に掲げる事項

イ　当該会計監査人の氏名又は名称

ロ　当該補償契約の内容の概要（当該補償契約によって当該会計監査人の職務の執行の適正性が損なわれないようにするための措置を講じている場合にあっては、その内容を含む。）

七の三　当該株式会社が会計監査人（当該事業年度の前事業年度の末日までに退任した者を含む。以下この号及び次号において同じ。）に対して補償契約に基づき法第四百三十条の二第一項第一号に掲げる費用を補償した場合において、当該株式会社が、当該事業年度において、当該会計監査人が同号の職務の執行に関し法令の規定に違反したこと又は責任を負うことを知ったときは、その旨

七の四　当該株式会社が会計監査人に対して補償契約に基づき法

第四百三十条の二第一項第二号に掲げる損失を補償したときは、その旨及び補償した金額

八　株式会社が法第四百四十四条第三項に規定する大会社であるときは、次に掲げる事項

イ　当該株式会社の会計監査人である公認会計士（公認会計士法第十六条の二第五項に規定する外国公認会計士を含む。以下この条において同じ。）又は監査法人に当該株式会社及びその子会社が支払うべき金銭その他の財産上の利益の合計額（当該事業年度に係る連結損益計算書に計上すべきものに限る。）

ロ　当該株式会社の会計監査人以外の公認会計士又は監査法人（外国におけるこれらの資格に相当する資格を有する者を含む。）が当該株式会社の子会社（重要なものに限る。）の計算関係書類（これに相当するものを含む。）の監査（法又は金融商品取引法（これらの法律に相当する外国の法令を含む。）の規定によるものに限る。）をしているときは、その事実

九　辞任した会計監査人又は解任された会計監査人（株主総会の決議によって解任されたものを除く。）があるときは、次に掲げる事項（当該事業年度前の事業年度に係る事業報告の内容としたものを除く。）

イ　当該会計監査人の氏名又は名称

ロ　法第三百四十条第三項の理由があるときは、その理由

ハ　法第三百四十五条第五項において読み替えて準用する同条第一項の意見があるときは、その意見の内容

ニ　法第三百四十五条第五項において読み替えて準用する同条第二項の理由又は意見があるときは、その理由又は意見

十　法第四百五十九条第一項の規定による定款の定めがあるときは、当該定款の定めにより取締役会に与えられた権限の行使に関する方針

第五目　事業報告の附属明細書の内容

第百二十八条　事業報告の附属明細書は、事業報告の内容を補足する重要な事項をその内容とするものでなければならない。

2　株式会社が当該事業年度の末日において公開会社であるときは、他の法人等の業務執行取締役、執行役、業務を執行する社員又は法第五百九十八条第一項の職務を行うべき者その他これに類する者を兼ねることが第百二十一条第八号の重要な兼職に該当する会社役員（会計参与を除く。）についての当該兼職の状況の明細（重要でないものを除く。）を事業報告の附属明細書の内容としなければならない。この場合において、当該他の法人等の事業が当該株式会社の事業と同一の部類のものであるときは、その旨を付記しなければならない。

3　当該株式会社とその親会社等との間の取引（当該株式会社と第三者との間の取引で当該株式会社とその親会社等との間の利益が相反するものを含む。）であって、当該株式会社の当該事業年度に係る個別注記表において会社計算規則第百十二条第一項に規定する注記を要するもの（同項ただし書の規定により同項第四号から第六号まで及び第八号に掲げる事項を省略するものに限る。）があるときは、当該取引に係る第百十八条第五号イからハまでに掲げる事項を事業報告の附属明細書の内容としなければならない。

（保存の指定）

第二百三十二条　電子文書法第三条第一項の主務省令で定める保存は、次に掲げる保存とする。

一～十九　（略）

二十　法第四百三十五条第四項の規定による計算書類及びその附属明細書の保存

二十一～三十六　（略）

【会社計算規則】（総則）

第三編　計算関係書類

第一章　総則

第一節　表示の原則

第五十七条　計算関係書類に係る事項の金額は、一円単位、千円単位又は百万円単位をもって表示するものとする。

2　計算関係書類は、日本語をもって表示するものとする。ただし、その他の言語をもって表示することが不当でない場合は、この限りでない。

3　計算関係書類（各事業年度に係る計算書類の附属明細書を除く。）の作成については、貸借対照表、損益計算書その他計算関係書類を構成するものごとに、一の書面その他の資料として作成をしなければならないものと解してはならない。

第二節　株式会社の計算書類（抄）

（成立の日の貸借対照表）

第五十八条　法第四百三十五条第一項の規定により作成すべき貸借対照表は、株式会社の成立の日における会計帳簿に基づき作成しなければならない。

（各事業年度に係る計算書類）

第五十九条　法第四百三十五条第二項に規定する法務省令で定めるものは、この編（第五七条―第一二〇条の三）の規定に従い作成される株主資本等変動計算書及び個別注記表とする。

2　各事業年度に係る計算書類及びその附属明細書の作成に係る期間は、当該事業年度の前事業年度の末日の翌日（当該事業年度の前事業年度がない場合にあっては、成立の日）から当該事業年度の末日までの期間とする。この場合において、当該期間は、一年（事業年度の末日を変更する場合における変更後の最初の事業年度については、一年六箇月）を超えることができない。

3　法第四百三十五条第二項の規定により作成すべき各事業年度に係る計算書類及びその附属明細書は、当該事業年度に係る会計帳簿に基づき作成しなければならない。

【会社計算規則】（計算書類の内容）

第三編　計算関係書類

第二章　貸借対照表等　（抄）

（通則）

第七十二条　貸借対照表等（貸借対照表及び連結貸借対照表をいう。以下この編（第五七条―第一二〇条の三）において同じ。）については、この章（第七二条―第八六条）に定めるところによる。

（貸借対照表等の区分）

第七十三条　貸借対照表等は、次に掲げる部に区分して表示しなければならない。

一　資産

二　負債

三　純資産

2　資産の部又は負債の部の各項目は、当該項目に係る資産又は負債を示す適当な名称を付さなければならない。

3　（略）

（資産の部の区分）

第七十四条　資産の部は、次に掲げる項目に区分しなければならない。この場合において、各項目（第二号に掲げる項目を除く。）は、適当な項目に細分しなければならない。

一　流動資産

二　固定資産

三　繰延資産

2　固定資産に係る項目は、次に掲げる項目に区分しなければならない。この場合において、各項目は、適当な項目に細分しなければならない。

一　有形固定資産

二　無形固定資産

三　投資その他の資産

3 次の各号に掲げる資産は、当該各号に定めるものに属するものとする。
一 次に掲げる資産 流動資産
イ 現金及び預金（一年内に期限の到来しない預金を除く。）
ロ 受取手形（通常の取引（当該会社の事業目的のための営業活動において、経常的に又は短期間に循環して発生する取引をいう。以下この章〔第七二条―第八六条〕において同じ。）に基づいて発生した手形債権（破産更生債権等（破産債権、再生債権、更生債権その他これらに準ずる債権をいう。以下この号において同じ。）で一年内に弁済を受けることができないことが明らかなものを除く。）をいう。）
ハ 売掛金（通常の取引に基づいて発生した事業上の未収金（当該未収金に係る債権が破産更生債権等で一年内に弁済を受けることができないことが明らかなものである場合における当該未収金を除く。）をいう。）
ニ 所有権移転ファイナンス・リース取引におけるリース債権のうち、通常の取引に基づいて発生したもの（破産更生債権等で一年内に回収されないことが明らかなものを除く。）及び通常の取引以外の取引に基づいて発生したもので一年内に期限が到来するもの
ホ 所有権移転外ファイナンス・リース取引におけるリース投資資産のうち、通常の取引に基づいて発生したもの（破産更生債権等で一年内に回収されないことが明らかなものを除く。）及び通常の取引以外の取引に基づいて発生したもので一年内に期限が到来するもの
ヘ 売買目的有価証券及び一年内に満期の到来する有価証券
ト 商品（販売の目的をもって所有する土地、建物その他の不動産を含む。）
チ 製品、副産物及び作業くず
リ 半製品（自製部品を含む。）

ヌ 原料及び材料（購入部分品を含む。）
ル 仕掛品及び半成工事
ヲ 消耗品、消耗工具、器具及び備品その他の貯蔵品であって、相当な価額以上のもの
ワ 前渡金（商品及び原材料（これらに準ずるものを含む。）の購入のための前渡金（当該前渡金に係る債権が破産更生債権等で一年内に弁済を受けることができないことが明らかなものである場合における当該前渡金を除く。）をいう。）
カ 前払費用であって、一年内に費用となるべきもの
ヨ 未収収益
タ その他の資産であって、一年内に現金化することができると認められるもの
二 次に掲げる資産（ただし、イからチまでに掲げる資産については、事業の用に供するものに限る。） 有形固定資産
イ 建物及び暖房、照明、通風等の付属設備
ロ 構築物（ドック、橋、岸壁、さん橋、軌道、貯水池、坑道、煙突その他土地に定着する土木設備又は工作物をいう。）
ハ 機械及び装置並びにホイスト、コンベヤー、起重機等の搬送設備その他の付属設備
ニ 船舶及び水上運搬具
ホ 鉄道車両、自動車その他の陸上運搬具
ヘ 工具、器具及び備品（耐用年数が一年以上のものに限る。）
ト 土地
チ リース資産（当該会社がファイナンス・リース取引におけるリース物件の借主である資産であって、当該リース物件がイからトまで及びヌに掲げるものである場合に限る。）
リ 建設仮勘定（イからトまでに掲げる資産で事業の用に供するものを建設した場合における支出及び当該建設の目的のために充当した材料をいう。）
ヌ その他の有形資産であって、有形固定資産に属する資産と

すべきもの
三　次に掲げる資産　無形固定資産
イ　特許権
ロ　借地権（地上権を含む。）
ハ　商標権
ニ　実用新案権
ホ　意匠権
ヘ　鉱業権
ト　漁業権（入漁権を含む。）
チ　ソフトウエア
リ　のれん
ヌ　リース資産（当該会社がファイナンス・リース取引におけるリース物件の借主である資産であって、当該リース物件がイからチまで及びルに掲げるものである場合に限る。）
ル　その他の無形資産であって、無形固定資産に属する資産とすべきもの
四　次に掲げる資産　投資その他の資産
イ　関係会社の株式（売買目的有価証券に該当する株式を除く。以下同じ。）その他流動資産に属しない有価証券
ロ　出資金
ハ　長期貸付金
ニ　前払年金費用（連結貸借対照表にあっては、退職給付に係る資産）
ホ　繰延税金資産
ヘ　所有権移転ファイナンス・リース取引におけるリース債権のうち第一号ニに掲げるもの以外のもの
ト　所有権移転外ファイナンス・リース取引におけるリース投資資産のうち第一号ホに掲げるもの以外のもの
チ　その他の資産であって、投資その他の資産に属する資産とすべきもの
リ　その他の資産であって、流動資産、有形固定資産、無形固定資産又は繰延資産に属しないもの
五　繰延資産として計上することが適当であると認められるもの　繰延資産
4　前項に規定する「一年内」とは、次の各号に掲げる貸借対照表等の区分に応じ、当該各号に定める日から起算して一年以内の日をいう（以下この編（第五七条―第一二〇条の三）において同じ。）。
一　成立の日における貸借対照表　会社の成立の日
二　事業年度に係る貸借対照表　事業年度の末日の翌日
三・四　（略）

（負債の部の区分）

第七十五条　負債の部は、次に掲げる項目に区分しなければならない。この場合において、各項目は、適当な項目に細分しなければならない。
一　流動負債
二　固定負債
2　次の各号に掲げる負債は、当該各号に定めるものに属するものとする。
一　次に掲げる負債　流動負債
イ　支払手形（通常の取引に基づいて発生した手形債務をいう。）
ロ　買掛金（通常の取引に基づいて発生した事業上の未払金をいう。）
ハ　前受金（受注工事、受注品等に対する前受金をいう。）
ニ　引当金（資産に係る引当金及び一年内に使用されないと認められるものを除く。）
ホ　通常の取引に関連して発生する未払金又は預り金で一般の取引慣行として発生後短期間に支払われるもの
ヘ　未払費用
ト　前受収益

チ　ファイナンス・リース取引におけるリース債務のうち、一年内に期限が到来するもの
リ　資産除去債務のうち、一年内に履行されると認められるもの
ヌ　その他の負債であって、一年内に支払われ、又は返済されると認められるもの
二　次に掲げる負債　固定負債
イ　社債
ロ　長期借入金
ハ　引当金（資産に係る引当金、前号ニに掲げる引当金及びニに掲げる退職給付引当金を除く。）
ニ　退職給付引当金（連結貸借対照表にあっては、退職給付に係る負債）
ホ　繰延税金負債
ヘ　のれん
ト　ファイナンス・リース取引におけるリース債務のうち、前号チに掲げるもの以外のもの
チ　資産除去債務のうち、前号リに掲げるもの以外のもの
リ　その他の負債であって、流動負債に属しないもの

（純資産の部の区分）
第七十六条　純資産の部は、次の各号に掲げる貸借対照表等の区分に応じ、当該各号に定める項目に区分しなければならない。
一　株式会社の貸借対照表　次に掲げる項目
イ　株主資本
ロ　評価・換算差額等
ハ　株式引受権
ニ　新株予約権
二・三　（略）
2　株主資本に係る項目は、次に掲げる項目に区分しなければならない。この場合において、第五号に掲げる項目は、控除項目とする。
一　資本金
二　新株式申込証拠金
三　資本剰余金
四　利益剰余金
五　自己株式
六　自己株式申込証拠金
3　（略）
4　株式会社の貸借対照表の資本剰余金に係る項目は、次に掲げる項目に区分しなければならない。
一　資本準備金
二　その他資本剰余金
5　株式会社の貸借対照表の利益剰余金に係る項目は、次に掲げる項目に区分しなければならない。
一　利益準備金
二　その他利益剰余金
6　第四項第二号及び前項第二号に掲げる項目は、適当な名称を付した項目に細分することができる。
7　評価・換算差額等又はその他の包括利益累計額に係る項目は、次に掲げる項目その他適当な名称を付した項目に細分しなければならない。ただし、第四号及び第五号に掲げる項目は、連結貸借対照表に限る。
一　その他有価証券評価差額金
二　繰延ヘッジ損益
三　土地再評価差額金
四・五　（略）
8　新株予約権に係る項目は、自己新株予約権に係る項目を控除項目として区分することができる。
9　（略）

（たな卸資産及び工事損失引当金の表示）

第七十七条　同一の工事契約に係るたな卸資産及び工事損失引当金がある場合には、両者を相殺した差額をたな卸資産又は工事損失引当金として流動資産又は流動負債に表示することができる。

（貸倒引当金等の表示）

第七十八条　各資産に係る引当金は、次項の規定による場合のほか、当該各資産の項目に対する控除項目として、貸倒引当金その他当該引当金の設定目的を示す名称を付した項目をもって表示しなければならない。ただし、流動資産、有形固定資産、無形固定資産、投資その他の資産又は繰延資産の区分に応じ、これらの資産に対する控除項目として一括して表示することを妨げない。

2　各資産に係る引当金は、当該各資産の金額から直接控除し、その控除残高を当該各資産の金額として表示することができる。

（有形固定資産に対する減価償却累計額の表示）

第七十九条　各有形固定資産に対する減価償却累計額は、次項の規定による場合のほか、当該各有形固定資産の項目に対する控除項目として、減価償却累計額の項目をもって表示しなければならない。ただし、これらの有形固定資産に対する控除項目として一括して表示することを妨げない。

2　各有形固定資産に対する減価償却累計額は、当該各有形固定資産の金額から直接控除し、その控除残高を当該各有形固定資産の金額として表示することができる。

（有形固定資産に対する減損損失累計額の表示）

第八十条　各有形固定資産に対する減損損失累計額は、次項及び第三項の規定による場合のほか、当該各有形固定資産の金額（前条第二項の規定により有形固定資産に対する減価償却累計額を当該有形固定資産の金額から直接控除しているときは、その控除後の金額）から直接控除し、その控除残高を当該各有形固定資産の金額として表示しなければならない。

2　減価償却を行う各有形固定資産に対する減損損失累計額は、当該各有形固定資産の項目に対する控除項目として、減損損失累計額の項目をもって表示することができる。ただし、これらの有形固定資産に対する控除項目として一括して表示することを妨げない。

3　前条第一項及び前項の規定により減価償却累計額及び減損損失累計額を控除項目として表示する場合には、減損損失累計額を減価償却累計額に合算して、減価償却累計額の項目をもって表示することができる。

（無形固定資産の表示）

第八十一条　各無形固定資産に対する減価償却累計額及び減損損失累計額は、当該各無形固定資産の金額から直接控除し、その控除残高を当該各無形固定資産の金額として表示しなければならない。

（関係会社株式等の表示）

第八十二条　関係会社の株式又は出資金は、関係会社株式又は関係会社出資金の項目をもって別に表示しなければならない。

2　（略）

（繰延税金資産等の表示）

第八十三条　繰延税金資産の金額及び繰延税金負債の金額については、その差額のみを繰延税金資産又は繰延税金負債として投資その他の資産又は固定負債に表示しなければならない。

2　（略）

（繰延資産の表示）

第八十四条　各繰延資産に対する償却累計額は、当該各繰延資産の金額から直接控除し、その控除残高を各繰延資産の金額として表示しなければならない。

（新株予約権の表示）

第八十六条　自己新株予約権の額は、新株予約権の金額から直接控除し、その控除残高を新株予約権の金額として表示しなければならない。ただし、自己新株予約権を控除項目として表示することを妨げない。

第三章　損益計算書等（抄）

（通則）

第八十七条　損益計算書等（損益計算書及び連結損益計算書をいう。以下この編（第五七条―第一二〇条の三）において同じ。）については、この章（第八七条―第九五条）の定めるところによる。

（損益計算書等の区分）

第八十八条　損益計算書等は、次に掲げる項目に区分して表示しなければならない。この場合において、各項目について細分することが適当な場合には、適当な項目に細分することができる。

一　売上高（売上高以外の名称を付すことが適当な場合には、当該名称を付した項目。以下同じ。）

二　売上原価

三　販売費及び一般管理費

四　営業外収益

五　営業外費用

六　特別利益

七　特別損失

2　特別利益に属する利益は、固定資産売却益、前期損益修正益、負ののれん発生益その他の項目の区分に従い、細分しなければならない。

3　特別損失に属する損失は、固定資産売却損、減損損失、災害による損失、前期損益修正損その他の項目の区分に従い、細分しなければならない。

4　前二項の規定にかかわらず、前二項の各利益又は各損失のうち、その金額が重要でないものについては、当該利益又は損失を細分しないこととすることができる。

5・6（略）

7　損益計算書等の各項目は、当該項目に係る収益若しくは費用又は利益若しくは損失を示す適当な名称を付さなければならない。

（売上総損益金額）

第八十九条　売上高から売上原価を減じて得た額（以下「売上総損益金額」という。）は、売上総利益金額として表示しなければならない。

2　前項の規定にかかわらず、売上総損益金額が零未満である場合には、零から売上総損益金額を減じて得た額を売上総損失金額として表示しなければならない。

（営業損益金額）

第九十条　売上総損益金額から販売費及び一般管理費の合計額を減じて得た額（以下「営業損益金額」という。）は、営業利益金額として表示しなければならない。

2　前項の規定にかかわらず、営業損益金額が零未満である場合には、零から営業損益金額を減じて得た額を営業損失金額として表示しなければならない。

（経常損益金額）

第九十一条　営業損益金額に営業外収益を加えて得た額から営業外費用を減じて得た額（以下「経常損益金額」という。）は、経常利益金額として表示しなければならない。

2　前項の規定にかかわらず、経常損益金額が零未満である場合には、零から経常損益金額を減じて得た額を経常損失金額として表示しなければならない。

（税引前当期純損益金額）

第九十二条　経常損益金額に特別利益を加えて得た額から特別損失を減じて得た額（以下「税引前当期純損益金額」という。）は、税引前当期純利益金額（連結損益計算書にあっては、税金等調整前当期純利益金額）として表示しなければならない。

2　前項の規定にかかわらず、税引前当期純損益金額が零未満である場合には、零から税引前当期純損益金額を減じて得た額を税引前当期純損失金額（連結損益計算書にあっては、税金等調整前当期純損失金額）として表示しなければならない。

3（略）

（税等）

第九十三条　次に掲げる項目の金額は、その内容を示す名称を付した項目をもって、税引前当期純利益金額又は税引前当期純損失金額（連結損益計算書にあっては、税金等調整前当期純利益金額又は税金等調整前当期純損失金額）の次に表示しなければならない。

一　当該事業年度（連結損益計算書にあっては、連結会計年度）に係る法人税等

二　法人税等調整額（税効果会計の適用により計上される前号に掲げる法人税等の調整額をいう。）

2　法人税等の更正、決定等による納付税額又は還付税額がある場合には、前項第一号に掲げる項目の次に、その内容を示す名称を付した項目をもって表示するものとする。ただし、これらの金額の重要性が乏しい場合は、同号に掲げる項目の金額に含めて表示することができる。

（当期純損益金額）

第九十四条　第一号及び第二号に掲げる額の合計額から第三号及び第四号に掲げる額の合計額を減じて得た額（以下「当期純損益金額」という。）は、当期純利益金額として表示しなければならない。

一　税引前当期純損益金額

二　前条第二項に規定する場合（同項ただし書の場合を除く。）において、還付税額があるときは、当該還付税額

三　前条第一項各号に掲げる項目の金額

四　前条第二項に規定する場合（同項ただし書の場合を除く。）において、納付税額があるときは、当該納付税額

2　前項の規定にかかわらず、当期純損益金額が零未満である場合には、零から当期純損益金額を減じて得た額を当期純損失金額として表示しなければならない。

3～5　（略）

第四章　株主資本等変動計算書等

第九十六条　株主資本等変動計算書等（株主資本等変動計算書、連結株主資本等変動計算書及び社員資本等変動計算書をいう。以下この編〔第五七条－第一二〇条の三〕において同じ。）については、この条に定めるところによる。

2　株主資本等変動計算書等は、次の各号に掲げる株主資本等変動計算書等の区分に応じ、当該各号に定める項目に区分して表示しなければならない。

一　株主資本等変動計算書　次に掲げる項目

イ　株主資本

ロ　評価・換算差額等

ハ　株式引受権

ニ　新株予約権

二・三　（略）

3　次の各号に掲げる項目は、当該各号に定める項目に区分しなければならない。

一　株主資本等変動計算書の株主資本　次に掲げる項目

イ　資本金

ロ　新株式申込証拠金

ハ　資本剰余金

ニ　利益剰余金

ホ　自己株式

ヘ　自己株式申込証拠金

二・三　（略）

4　株主資本等変動計算書の次の各号に掲げる項目は、当該各号に定める項目に区分しなければならない。この場合において、第一号ロ及び第二号ロに掲げる項目は、適当な名称を付した項目に細分することができる。

一　資本剰余金　次に掲げる項目

イ　資本準備金

ロ　その他資本剰余金

二　利益剰余金　次に掲げる項目

イ　利益準備金
ロ　その他利益剰余金
5　評価・換算差額等又はその他の包括利益累計額に係る項目は、次に掲げる項目その他適当な名称を付した項目に細分することができる。
一　その他有価証券評価差額金
二　繰延ヘッジ損益
三　土地再評価差額金
四　為替換算調整勘定
五　退職給付に係る調整累計額
6　新株予約権に係る項目は、自己新株予約権に係る項目を控除項目として区分することができる。
7　資本金、資本剰余金、利益剰余金及び自己株式に係る項目は、それぞれ次に掲げるものについて明らかにしなければならない。この場合において、第二号に掲げるものは、各変動事由ごとに当期変動額及び変動事由を明らかにしなければならない。
一　当期首残高（遡及適用、誤謬の訂正又は当該事業年度の前事業年度における企業結合に係る暫定的な会計処理の確定をした場合にあっては、当期首残高及びこれに対する影響額。次項において同じ。）
二　当期変動額
三　当期末残高
8　評価・換算差額等又はその他の包括利益累計額、株式引受権、新株予約権及び非支配株主持分に係る項目は、それぞれ次に掲げるものについて明らかにしなければならない。この場合において、第二号に掲げるものについては、その主要なものを変動事由とともに明らかにすることを妨げない。
一　当期首残高
二　当期変動額
三　当期末残高

9（略）

第五章　注記表（抄）

（通則）

第九十七条　注記表（個別注記表及び連結注記表をいう。以下この編〔第五七条―第一二〇条の三〕において同じ。）については、この章〔第九七条―第一一六条〕の定めるところによる。

（注記表の区分）

第九十八条　注記表は、次に掲げる項目に区分して表示しなければならない。
一　継続企業の前提に関する注記
二　重要な会計方針に係る事項（連結注記表にあっては、連結計算書類の作成のための基本となる重要な事項及び連結の範囲又は持分法の適用の範囲の変更）に関する注記
三　会計方針の変更に関する注記
四　表示方法の変更に関する注記
四の二　会計上の見積りに関する注記
五　会計上の見積りの変更に関する注記
六　誤謬の訂正に関する注記
七　貸借対照表等に関する注記
八　損益計算書に関する注記
九　株主資本等変動計算書（連結注記表にあっては、連結株主資本等変動計算書）に関する注記
十　税効果会計に関する注記
十一　リースにより使用する固定資産に関する注記
十二　金融商品に関する注記
十三　賃貸等不動産に関する注記
十四　持分法損益等に関する注記
十五　関連当事者との取引に関する注記
十六　一株当たり情報に関する注記
十七　重要な後発事象に関する注記

十八　連結配当規制適用会社に関する注記
十八の二　収益認識に関する注記
十九　その他の注記

2　次の各号に掲げる注記表には、当該各号に定める項目を表示することを要しない。
一　会計監査人設置会社以外の株式会社（公開会社を除く。）の個別注記表　前項第一号、第四号の二、第五号、第七号、第八号及び第十号から第十八号までに掲げる項目
二　会計監査人設置会社以外の公開会社の個別注記表　前項第一号、第四号の二、第五号、第十四号及び第十八号に掲げる項目
三　会計監査人設置会社であって、法第四百四十四条第三項に規定するもの以外の株式会社の個別注記表　前項第十四号に掲げる項目
四・五　（略）

（注記の方法）
第九十九条　貸借対照表等、損益計算書等又は株主資本等変動計算書等の特定の項目に関連する注記については、その関連を明らかにしなければならない。

（継続企業の前提に関する注記）
第百条　継続企業の前提に関する注記は、事業年度の末日において、当該株式会社が将来にわたって事業を継続するとの前提（以下この条において「継続企業の前提」という。）に重要な疑義を生じさせるような事象又は状況が存在する場合であって、当該事象又は状況を解消し、又は改善するための対応をしてもなお継続企業の前提に関する重要な不確実性が認められるとき（当該事業年度の末日後に当該重要な不確実性が認められなくなった場合を除く。）における次に掲げる事項とする。
一　当該事象又は状況が存在する旨及びその内容
二　当該事象又は状況を解消し、又は改善するための対応策
三　当該重要な不確実性が認められる旨及びその理由
四　当該重要な不確実性の影響を計算書類（連結注記表にあっては、連結計算書類）に反映しているか否かの別

（重要な会計方針に係る事項に関する注記）
第百一条　重要な会計方針に係る事項に関する注記は、会計方針に関する次に掲げる事項（重要性の乏しいものを除く。）とする。
一　資産の評価基準及び評価方法
二　固定資産の減価償却の方法
三　引当金の計上基準
四　収益及び費用の計上基準
五　その他計算書類の作成のための基本となる重要な事項

2　会社が顧客との契約に基づく義務の履行の状況に応じて当該契約から生ずる収益を認識するときは、前項第四号に掲げる事項には、次に掲げる事項を含むものとする。
一　当該会社の主要な事業における顧客との契約に基づく主な義務の内容
二　前号に規定する義務に係る収益を認識する通常の時点
三　前二号に掲げるもののほか、当該会社が重要な会計方針に含まれると判断したもの

（会計方針の変更に関する注記）
第百二条の二　会計方針の変更に関する注記は、一般に公正妥当と認められる会計方針を他の一般に公正妥当と認められる会計方針に変更した場合における次に掲げる事項（重要性の乏しいものを除く。）とする。ただし、会計監査人設置会社以外の株式会社及び持分会社にあっては、第四号ロ及びハに掲げる事項を省略することができる。
一　当該会計方針の変更の内容
二　当該会計方針の変更の理由
三　遡及適用をした場合には、当該事業年度の期首における純資産額に対する影響額
四　当該事業年度より前の事業年度の全部又は一部について遡及

適用をしなかった場合には、次に掲げる事項（当該会計方針の変更を会計上の見積りの変更と区別することが困難なときは、ロに掲げる事項を除く。）
イ　計算書類又は連結計算書類の主な項目に対する影響額
ロ　当該事業年度より前の事業年度の全部又は一部について遡及適用をしなかった理由並びに当該会計方針の変更の適用方法及び適用開始時期
ハ　当該会計方針の変更が当該事業年度の翌事業年度以降の財産又は損益に影響を及ぼす可能性がある場合であって、当該影響に関する事項を注記することが適切であるときは、当該事項

2　個別注記表に注記すべき事項（前項第三号並びに第四号ロ及びハに掲げる事項に限る。）が連結注記表に注記すべき事項と同一である場合において、個別注記表にその旨を注記するときは、個別注記表における当該事項の注記を要しない。

会社法施行規則附則

（会社法施行規則の一部改正に伴う経過措置）

第二条　（略）

2　（略）

3　旧会社法施行規則第四条の規定により子会社に該当しないものとされた特別目的会社を初めて連結の範囲に含めた事業年度における当該連結の範囲の変更は、会計方針（会社計算規則第二条第三項第五十八号に規定する会計方針をいう。）の変更とみなして、会社計算規則第百二条の二第一項（第三号並びに第四号イ及びハを除く。）の規定を適用する。この場合において、同項中「次に掲げる事項（重要性の乏しいものを除く。）」とあるのは、「次に掲げる事項及び当該事業年度の期首における利益剰余金に対する影響額（これらのうち重要性の乏しいものを除く。）」とする。

（表示方法の変更に関する注記）

第百二条の三　表示方法の変更に関する注記は、一般に公正妥当と認められる表示方法を他の一般に公正妥当と認められる表示方法に変更した場合における次に掲げる事項（重要性の乏しいものを除く。）とする。
一　当該表示方法の変更の内容
二　当該表示方法の変更の理由

2　個別注記表に注記すべき事項（前項第二号に掲げる事項に限る。）が連結注記表に注記すべき事項と同一である場合において、個別注記表にその旨を注記するときは、個別注記表における当該事項の注記を要しない。

（会計上の見積りに関する注記）

第百二条の三の二　会計上の見積りに関する注記は、次に掲げる事項とする。
一　会計上の見積りにより当該事業年度に係る計算書類又は連結計算書類にその額を計上した項目であって、翌事業年度に係る計算書類又は連結計算書類に重要な影響を及ぼす可能性があるもの
二　当該事業年度に係る計算書類又は連結計算書類の前号に掲げる項目に計上した額
三　前号に掲げるもののほか、第一号に掲げる項目に係る会計上の見積りの内容に関する理解に資する情報

2　個別注記表に注記すべき事項（前項第三号に掲げる事項に限る。）が連結注記表に注記すべき事項と同一である場合において、個別注記表にその旨を注記するときは、個別注記表における当該事項の注記を要しない。

（会計上の見積りの変更に関する注記）

第百二条の四　会計上の見積りの変更に関する注記は、会計上の見

積りの変更をした場合における次に掲げる事項（重要性の乏しいものを除く。）とする。
一　当該会計上の見積りの変更の内容
二　当該会計上の見積りの変更の計算書類又は連結計算書類の項目に対する影響額
三　当該会計上の見積りの変更が当該事業年度の翌事業年度以降の財産又は損益に影響を及ぼす可能性があるときは、当該影響に関する事項

（誤謬の訂正に関する注記）
第百二条の五　誤謬の訂正に関する注記は、誤謬の訂正をした場合における次に掲げる事項（重要性の乏しいものを除く。）とする。
一　当該誤謬の内容
二　当該事業年度の期首における純資産額に対する影響額

（貸借対照表等に関する注記）
第百三条　貸借対照表等に関する注記は、次に掲げる事項（連結注記表にあっては、第六号から第九号までに掲げる事項を除く。）とする。
一　資産が担保に供されている場合における次に掲げる事項
イ　資産が担保に供されていること。
ロ　イの資産の内容及びその金額
ハ　担保に係る債務の金額
二　資産に係る引当金を直接控除した場合における各資産の資産項目別の引当金の金額（一括して注記することが適当な場合にあっては、各資産について流動資産、有形固定資産、無形固定資産、投資その他の資産又は繰延資産ごとに一括した引当金の金額）
三　資産に係る減価償却累計額を直接控除した場合における各資産の資産項目別の減価償却累計額（一括して注記することが適当な場合にあっては、各資産について一括した減価償却累計額）
四　資産に係る減損損失累計額を減価償却累計額に合算して減価償却累計額の項目をもって表示した場合にあっては、減価償却累計額に減損損失累計額が含まれている旨
五　保証債務、手形遡求債務、重要な係争事件に係る損害賠償義務その他これらに準ずる債務（負債の部に計上したものを除く。）があるときは、当該債務の内容及び金額
六　関係会社に対する金銭債権又は金銭債務をその金銭債権又は金銭債務が属する項目ごとに、他の金銭債権又は金銭債務と区分して表示していないときは、当該関係会社に対する金銭債権又は金銭債務の当該関係会社に対する金銭債権又は金銭債務が属する項目ごとの金額又は二以上の項目について一括した金額
七　取締役、監査役及び執行役との間の取引による取締役、監査役及び執行役に対する金銭債権があるときは、その総額
八　取締役、監査役及び執行役との間の取引による取締役、監査役及び執行役に対する金銭債務があるときは、その総額
九　当該株式会社の親会社株式の各表示区分別の金額

（損益計算書に関する注記）
第百四条　損益計算書に関する注記は、関係会社との営業取引による取引高の総額及び営業取引以外の取引による取引高の総額とする。

（株主資本等変動計算書に関する注記）
第百五条　株主資本等変動計算書に関する注記は、次に掲げる事項とする。この場合において、連結注記表を作成する株式会社は、第二号に掲げる事項以外の事項は、省略することができる。
一　当該事業年度の末日における発行済株式の数（種類株式発行会社にあっては、種類ごとの発行済株式の数）
二　当該事業年度の末日における自己株式の数（種類株式発行会社にあっては、種類ごとの自己株式の数）
三　当該事業年度中に行った剰余金の配当（当該事業年度の末日後に行う剰余金の配当のうち、剰余金の配当を受ける者を定めるための法第百二十四条第一項に規定する基準日が当該事業年

度中のものを含む。）に関する次に掲げる事項その他の事項
イ　配当財産が金銭である場合における当該金銭の総額
ロ　配当財産が金銭以外の財産である場合における当該財産の帳簿価額（当該剰余金の配当をした日においてその時の時価を付した場合にあっては、当該時価を付した後の帳簿価額）の総額
四　当該事業年度の末日における株式引受権に係る当該株式会社の株式の数（種類株式発行会社にあっては、種類及び種類ごとの数）
五　当該事業年度の末日における当該株式会社が発行している新株予約権（法第二百三十六条第一項第四号の期間の初日が到来していないものを除く。）の目的となる当該株式会社の株式の数（種類株式発行会社にあっては、種類及び種類ごとの数）

（税効果会計に関する注記）
第百七条　税効果会計に関する注記は、次に掲げるもの（重要でないものを除く。）の発生の主な原因とする。
一　繰延税金資産（その算定に当たり繰延税金資産から控除された金額がある場合における当該金額を含む。）
二　繰延税金負債

（リースにより使用する固定資産に関する注記）
第百八条　リースにより使用する固定資産に関する注記は、ファイナンス・リース取引の借主である株式会社が当該ファイナンス・リース取引について通常の売買取引に係る方法に準じて会計処理を行っていない場合におけるリース物件（固定資産に限る。以下この条において同じ。）に関する事項とする。この場合において、当該リース物件の全部又は一部に係る次に掲げる事項（各リース物件について一括して注記する場合にあっては、一括して注記すべきリース物件に関する事項）を含めることを妨げない。
一　当該事業年度の末日における取得原価相当額
二　当該事業年度の末日における減価償却累計額相当額
三　当該事業年度の末日における未経過リース料相当額
四　前三号に掲げるもののほか、当該リース物件に係る重要な事項

（金融商品に関する注記）
第百九条　金融商品に関する注記は、次に掲げるもの（重要性の乏しいものを除く。）とする。ただし、法第四百四十四条第三項に規定する株式会社以外の株式会社にあっては、第三号に掲げる事項を省略することができる。
一　金融商品の状況に関する事項
二　金融商品の時価等に関する事項
三　金融商品の時価の適切な区分ごとの内訳等に関する事項
2　連結注記表を作成する株式会社は、個別注記表における前項の注記を要しない。

（賃貸等不動産に関する注記）
第百十条　賃貸等不動産に関する注記は、次に掲げるもの（重要性の乏しいものを除く。）とする。
一　賃貸等不動産の状況に関する事項
二　賃貸等不動産の時価に関する事項
2　連結注記表を作成する株式会社は、個別注記表における前項の注記を要しない。

（持分法損益等に関する注記）
第百十一条　持分法損益等に関する注記は、次の各号に掲げる場合の区分に応じ、当該各号に定めるものとする。ただし、第一号に定める事項については、損益及び利益剰余金からみて重要性の乏しい関連会社を除外することができる。
一　関連会社がある場合　関連会社に対する投資の金額並びに当該投資に対して持分法を適用した場合の投資の金額及び投資利益又は投資損失の金額
二　開示対象特別目的会社がある場合　開示対象特別目的会社の概要、開示対象特別目的会社との取引の概要及び取引金額その

他の重要な事項

2　連結計算書類を作成する株式会社は、個別注記表における前項の注記を要しない。

（関連当事者との取引に関する注記）

第百十二条　関連当事者との取引に関する注記は、株式会社と関連当事者との間に取引（当該株式会社と第三者との間の取引で当該株式会社と当該関連当事者との間の利益が相反するものを含む。）がある場合における次に掲げる事項であって、重要なものとする。ただし、会計監査人設置会社以外の株式会社にあっては、第四号から第六号まで及び第八号に掲げる事項を省略することができる。

一　当該関連当事者が会社等であるときは、次に掲げる事項

イ　その名称

ロ　当該関連当事者の総株主の議決権の総数に占める株式会社が有する議決権の数の割合

ハ　当該株式会社の総株主の議決権の総数に占める当該関連当事者が有する議決権の数の割合

二　当該関連当事者が個人であるときは、次に掲げる事項

イ　その氏名

ロ　当該株式会社の総株主の議決権の総数に占める当該関連当事者が有する議決権の数の割合

三　当該株式会社と当該関連当事者との関係

四　取引の内容

五　取引の種類別の取引金額

六　取引条件及び取引条件の決定方針

七　取引により発生した債権又は債務に係る主な項目別の当該事業年度の末日における残高

八　取引条件の変更があったときは、その旨、変更の内容及び当該変更が計算書類に与えている影響の内容

2　関連当事者との間の取引のうち次に掲げる取引については、前項に規定する注記を要しない。

一　一般競争入札による取引並びに預金利息及び配当金の受取りその他取引の性質からみて取引条件が一般の取引と同様であることが明白な取引

二　取締役、会計参与、監査役又は執行役（以下この条において「役員」という。）に対する報酬等の給付

三　前二号に掲げる取引のほか、当該取引に係る条件につき市場価格その他当該取引に係る公正な価格を勘案して一般の取引の条件と同様のものを決定していることが明白な場合における当該取引

3　関連当事者との取引に関する注記は、第一項各号に掲げる区分に従い、関連当事者ごとに表示しなければならない。

4　前三項に規定する「関連当事者」とは、次に掲げる者をいう。

一　当該株式会社の親会社

二　当該株式会社の子会社

三　当該株式会社の親会社の子会社（当該親会社が会社でない場合にあっては、当該親会社の子会社に相当するものを含む。）

四　当該株式会社のその他の関係会社（当該株式会社が他の会社の関連会社である場合における当該他の会社をいう。以下この号において同じ。）並びに当該その他の関係会社の親会社（当該その他の関係会社が株式会社でない場合にあっては、親会社に相当するもの）及び子会社（当該その他の関係会社が会社でない場合にあっては、子会社に相当するもの）

五　当該株式会社の関連会社及び当該関連会社の子会社（当該関連会社が会社でない場合にあっては、子会社に相当するもの）

六　当該株式会社の主要株主（自己又は他人の名義をもって当該株式会社の総株主の議決権の総数の百分の十以上の議決権（次に掲げる株式に係る議決権を除く。）を保有している株主をいう。以下この条において同じ。）及びその近親者（二親等内の親族をいう。以下この条において同じ。）

イ　信託業（信託業法（平成十六年法律第百五十四号）第二条第一項に規定する信託業をいう。）を営む者が信託財産として所有する株式

ロ　有価証券関連業（金融商品取引法第二十八条第八項に規定する有価証券関連業をいう。）を営む者が引受け又は売出しを行う業務により取得した株式

ハ　金融商品取引法第百五十六条の二十四第一項に規定する業務を営む者がその業務として所有する株式

七　当該株式会社の役員及びその近親者

八　当該株式会社の親会社の役員又はこれらに準ずる者及びその近親者

九　前三号に掲げる者が他の会社等の議決権の過半数を自己の計算において所有している場合における当該会社等及び当該会社等の子会社（当該会社等が会社でない場合にあっては、子会社に相当するもの）

十　従業員のための企業年金（当該株式会社と重要な取引（掛金の拠出を除く。）を行う場合に限る。）

（一株当たり情報に関する注記）

第百十三条　一株当たり情報に関する注記は、次に掲げる事項とする。

一　一株当たりの純資産額

二　一株当たりの当期純利益金額又は当期純損失金額（連結計算書類にあっては、一株当たりの親会社株主に帰属する当期純利益金額又は当期純損失金額）

三　株式会社が当該事業年度（連結計算書類にあっては、当該連結会計年度。以下この号において同じ。）又は当該事業年度の末日後において株式の併合又は株式の分割をした場合において、当該事業年度の期首に株式の併合又は株式の分割をしたと仮定して前二号に掲げる額を算定したときは、その旨

（重要な後発事象に関する注記）

第百十四条　個別注記表における重要な後発事象に関する注記は、当該株式会社の事業年度の末日後、当該株式会社の翌事業年度以降の財産又は損益に重要な影響を及ぼす事象が発生した場合における当該事象とする。

2　（略）

（連結配当規制適用会社に関する注記）

第百十五条　連結配当規制適用会社に関する注記は、当該事業年度の末日が最終事業年度の末日となる時後、連結配当規制適用会社となる旨とする。

（収益認識に関する注記）

第百十五条の二　収益認識に関する注記は、会社が顧客との契約に基づく義務の履行の状況に応じて当該契約から生ずる収益を認識する場合における次に掲げる事項（重要性の乏しいものを除く。）とする。ただし、法第四百四十四条第三項に規定する株式会社以外の株式会社にあっては、第一号及び第三号に掲げる事項を省略することができる。

一　当該事業年度に認識した収益を、収益及びキャッシュ・フローの性質、金額、時期及び不確実性に影響を及ぼす主要な要因に基づいて区分をした場合における当該区分ごとの収益の額その他の事項

二　収益を理解するための基礎となる情報

三　当該事業年度及び翌事業年度以降の収益の金額を理解するための情報

2　前項に掲げる事項が第百一条の規定により注記すべき事項と同一であるときは、同項の規定による当該事項の注記を要しない。

3　連結計算書類を作成する株式会社は、個別注記表における第一項（第二号を除く。）の注記を要しない。

4　個別注記表に注記すべき事項（第一項第二号に掲げる事項に限る。）が連結注記表に注記すべき事項と同一である場合において、個別注記表にその旨を注記するときは、個別注記表における当該

事項の注記を要しない。

（その他の注記）

第百十六条　その他の注記は、第百条から前条までに掲げるもののほか、貸借対照表等、損益計算書等及び株主資本等変動計算書等により会社（連結注記表にあっては、企業集団）の財産又は損益の状態を正確に判断するために必要な事項とする。

第六章　附属明細書

第百十七条　各事業年度に係る株式会社の計算書類に係る附属明細書には、次に掲げる事項（公開会社以外の株式会社にあっては、第一号から第三号に掲げる事項）のほか、株式会社の貸借対照表、損益計算書、株主資本等変動計算書及び個別注記表の内容を補足する重要な事項を表示しなければならない。

一　有形固定資産及び無形固定資産の明細

二　引当金の明細

三　販売費及び一般管理費の明細

四　第百十二条第一項ただし書の規定により省略した事項があるときは、当該事項

第七章　雑則（抄）

（別記事業を営む会社の計算関係書類についての特例）

第百十八条　財務諸表等の用語、様式及び作成方法に関する規則（昭和三十八年大蔵省令第五十九号）別記に掲げる事業（以下この条において「別記事業」という。）を営む会社（企業集団を含む。以下この条において同じ。）が当該別記事業の所管官庁に提出する計算関係書類の用語、様式及び作成方法について、特に法令の定めがある場合又は当該別記事業の所管官庁がこの省令に準じて計算書類準則（以下この条において「準則」という。）を制定した場合には、当該別記事業を営む会社が作成すべき計算関係書類の用語、様式及び作成方法については、第一章から前章まで（第五七条－第一一七条）の規定にかかわらず、その法令又は準則の定めによる。ただし、その法令又は準則に定めのない事項については、この限りでない。

2　前項の規定にかかわらず、別記事業（同項の法令又は準則の定めの適用があるものに限る。以下この条において同じ。）の二以上を兼ねて営む会社が作成すべき計算関係書類の用語、様式及び作成方法については、それらの別記事業のうち、当該会社の事業の主要な部分を占める事業（以下この条において「主要事業」という。）に関して適用される法令又は準則の定めによる。ただし、その主要事業以外の別記事業に関する事項については、主要事業以外の別記事業に関して適用される法令又は準則の定めによることができる。

3　別記事業とその他の事業とを兼ねて営む会社の主要事業が別記事業でない場合には、当該会社が作成すべき計算関係書類の用語、様式及び作成方法については、第一項の規定を適用しないことができる。ただし、別記事業に関係ある事項については、当該別記事業に関して適用される法令又は準則の定めによることができる。

4　前三項の規定の適用がある会社（当該会社が作成すべき計算関係書類の用語、様式及び作成方法の全部又は一部について別記事業に関して適用される法令又は準則の定めによるものに限る。以下「別記事業会社」という。）が作成すべき計算関係書類について、この省令の規定により表示を要しない事項がある場合においては、当該事項に関して適用される法令又は準則の定めにかかわらず、その表示を省略し、又は適当な方法で表示することができる。

（会社法以外の法令の規定による準備金等）

第百十九条　法以外の法令の規定により準備金又は引当金の名称をもって計上しなければならない準備金又は引当金であって、資産の部又は負債の部に計上することが適当でないもの（以下この項において「準備金等」という。）は、固定負債の次に別の区分を設けて表示しなければならない。この場合において、当該準備金等については、当該準備金等の設定目的を示す名称を付した項目を

もって表示しなければならない。

2　法以外の法令の規定により準備金又は引当金の名称をもって計上しなければならない準備金又は引当金がある場合には、次に掲げる事項（第二号の区別をすることが困難である場合にあっては、第一号に掲げる事項）を注記表に表示しなければならない。

一　当該法令の条項

二　当該準備金又は引当金が一年内に使用されると認められるものであるかどうかの区別

（計算書類等の監査等）

第四百三十六条　監査役設置会社（監査役の監査の範囲を会計に関するものに限定する旨の定款の定めがある株式会社を含み、会計監査人設置会社を除く。）においては、前条第二項の計算書類及び事業報告並びにこれらの附属明細書は、法務省令で定めるところにより、監査役の監査を受けなければならない。

2　会計監査人設置会社においては、次の各号に掲げるものは、法務省令で定めるところにより、当該各号に定める者の監査を受けなければならない。

一　前条第二項の計算書類及びその附属明細書　監査役（監査等委員会設置会社にあっては監査等委員会、指名委員会等設置会社にあっては監査委員会）及び会計監査人

二　前条第二項の事業報告及びその附属明細書　監査役（監査等委員会設置会社にあっては監査等委員会、指名委員会等設置会社にあっては監査委員会）

3　取締役会設置会社においては、前条第二項の計算書類及び事業報告並びにこれらの附属明細書（第一項又は前項の規定の適用がある場合にあっては、第一項又は前項の監査を受けたもの）は、取締役会の承認を受けなければならない。

【会社法施行規則】

第二編　株式会社

第五章　計算等

第一節　計算関係書類

第百十六条　次に掲げる規定に規定する法務省令で定めるべき事項（事業報告及びその附属明細書に係るものを除く。）は、会社計算規則の定めるところによる。

一・二　（略）

三　法第四百三十六条第一項及び第二項

四～十五　（略）

第二節　事業報告

第一款　通則

第百十七条　次の各号に掲げる規定に規定する法務省令で定めるべき事項（事業報告及びその附属明細書に係るものに限る。）は、当該各号に定める規定の定めるところによる。ただし、他の法令に別段の定めがある場合は、この限りでない。

一　（略）

二　法第四百三十六条第一項及び第二項　第三款〔第百二十九条―第百三十二条〕

三　（略）

第三款　事業報告等の監査

（監査役の監査報告の内容）

第百二十九条　監査役は、事業報告及びその附属明細書を受領したときは、次に掲げる事項（監査役会設置会社の監査役の監査報告にあっては、第一号から第六号までに掲げる事項）を内容とする監査報告を作成しなければならない。

一　監査役の監査（計算関係書類に係るものを除く。以下この款〔第百二十九条―第百三十二条〕において同じ。）の方法及びその内容

二　事業報告及びその附属明細書が法令又は定款に従い当該株式会社の状況を正しく示しているかどうかについての意見
三　当該株式会社の取締役（当該事業年度中に当該株式会社が指名委員会等設置会社であった場合にあっては、執行役を含む。）の職務の遂行に関し、不正の行為又は法令若しくは定款に違反する重大な事実があったときは、その事実
四　監査のため必要な調査ができなかったときは、その旨及びその理由
五　第百十八条第二号に掲げる事項（監査の範囲に属さないものを除く。）がある場合において、当該事項の内容が相当でないと認めるときは、その旨及びその理由
六　第百十八条第三号若しくは第五号に規定する事項が事業報告の内容となっているとき又は前条第三項に規定する事項が事業報告の附属明細書の内容となっているときは、当該事項についての意見
七　監査報告を作成した日
2　前項の規定にかかわらず、監査役の監査の範囲を会計に関するものに限定する旨の定款の定めがある株式会社の監査役は、同項各号に掲げる事項に代えて、事業報告を監査する権限がないことを明らかにした監査報告を作成しなければならない。

（監査役会の監査報告の内容等）

第百三十条　監査役会は、前条第一項の規定により監査役が作成した監査報告（以下この条において「監査役監査報告」という。）に基づき、監査役会の監査報告（以下この条において「監査役会監査報告」という。）を作成しなければならない。
2　監査役会監査報告は、次に掲げる事項を内容とするものでなければならない。この場合において、監査役は、当該事項に係る監査役会監査報告の内容と当該事項に係る当該監査役の監査役監査報告の内容が異なる場合には、当該事項に係る監査役監査報告の内容を監査役会監査報告に付記することができる。
一　監査役及び監査役会の監査の方法及びその内容
二　前条第一項第二号から第六号までに掲げる事項
三　監査役会監査報告を作成した日
3　監査役会が監査役会監査報告を作成する場合には、監査役会は、一回以上、会議を開催する方法又は情報の送受信により同時に意見の交換をすることができる方法により、監査役会監査報告の内容（前項後段の規定による付記の内容を除く。）を審議しなければならない。

（監査等委員会の監査報告の内容等）

第百三十条の二　監査等委員会は、事業報告及びその附属明細書を受領したときは、次に掲げる事項を内容とする監査報告を作成しなければならない。この場合において、監査等委員は、当該事項に係る監査報告の内容が当該監査等委員の意見と異なる場合には、その意見を監査報告に付記することができる。
一　監査等委員会の監査の方法及びその内容
二　第百二十九条第一項第二号から第六号までに掲げる事項
三　監査報告を作成した日
2　前項に規定する監査報告の内容（同項後段の規定による付記の内容を除く。）は、監査等委員会の決議をもって定めなければならない。

（監査委員会の監査報告の内容等）

第百三十一条　監査委員会は、事業報告及びその附属明細書を受領したときは、次に掲げる事項を内容とする監査報告を作成しなければならない。この場合において、監査委員は、当該事項に係る監査報告の内容が当該監査委員の意見と異なる場合には、その意見を監査報告に付記することができる。
一　監査委員会の監査の方法及びその内容
二　第百二十九条第一項第二号から第六号までに掲げる事項
三　監査報告を作成した日
2　前項に規定する監査報告の内容（同項後段の規定による付記の

内容を除く。）は、監査委員会の決議をもって定めなければならない。

（監査役監査報告等の通知期限）

第百三十二条　特定監査役は、次に掲げる日のいずれか遅い日までに、特定取締役に対して、監査報告（監査役会設置会社にあっては、第百三十条第一項の規定により作成した監査役会の監査報告に限る。以下この条において同じ。）の内容を通知しなければならない。

一　事業報告を受領した日から四週間を経過した日

二　事業報告の附属明細書を受領した日から一週間を経過した日

三　特定取締役及び特定監査役の間で合意した日

2　事業報告及びその附属明細書については、特定取締役が前項の規定による監査報告の内容の通知を受けた日に、監査役（監査等委員会設置会社にあっては監査等委員会、指名委員会等設置会社にあっては監査委員会）の監査を受けたものとする。

3　前項の規定にかかわらず、特定監査役が第一項の規定により通知をすべき日までに同項の規定による監査報告の内容の通知をしない場合には、当該通知をすべき日に、事業報告及びその附属明細書については、監査役（監査等委員会設置会社にあっては監査等委員会、指名委員会等設置会社にあっては監査委員会）の監査を受けたものとみなす。

4　第一項及び第二項に規定する「特定取締役」とは、次の各号に掲げる場合の区分に応じ、当該各号に定める者をいう。

一　第一項の規定による通知を受ける者を定めた場合　当該通知を受ける者と定められた者

二　前号に掲げる場合以外の場合　事業報告及びその附属明細書の作成に関する職務を行った取締役又は執行役

5　第一項及び第三項に規定する「特定監査役」とは、次の各号に掲げる株式会社の区分に応じ、当該各号に定める者とする。

一　監査役設置会社（監査役の監査の範囲を会計に関するものに限定する旨の定款の定めがある株式会社を含み、監査役会設置会社を除く。）　次のイからハまでに掲げる場合の区分に応じ、当該イからハまでに定める者

イ　二以上の監査役が存する場合において、第一項の規定による監査報告の内容の通知をすべき監査役を定めたとき　当該通知をすべき監査役として定められた監査役

ロ　二以上の監査役が存する場合において、第一項の規定による監査報告の内容の通知をすべき監査役を定めていないとき　全ての監査役

ハ　イ又はロに掲げる場合以外の場合　監査役

二　監査役会設置会社　次のイ又はロに掲げる場合の区分に応じ、当該イ又はロに定める者

イ　監査役会が第一項の規定による監査報告の内容の通知をすべき監査役を定めた場合　当該通知をすべき監査役として定められた監査役

ロ　イに掲げる場合以外の場合　全ての監査役

三　監査等委員会設置会社　次のイ又はロに掲げる場合の区分に応じ、当該イ又はロに定める者

イ　監査等委員会が第一項の規定による監査報告の内容の通知をすべき監査等委員を定めた場合　当該通知をすべき監査等委員として定められた監査等委員

ロ　イに掲げる場合以外の場合　監査等委員のうちいずれかの者

四　指名委員会等設置会社　次のイ又はロに掲げる場合の区分に応じ、当該イ又はロに定める者

イ　監査委員会が第一項の規定による監査報告の内容の通知をすべき監査委員を定めた場合　当該通知をすべき監査委員として定められた監査委員

ロ　イに掲げる場合以外の場合　監査委員のうちいずれかの者

【会社計算規則】

第四編　計算関係書類の監査

第一章　通則

第百二十一条　法第四百三十六条第一項及び第二項、第四百四十一条第二項並びに第四百四十四条第四項の規定による監査（計算関係書類（成立の日における貸借対照表を除く。）に係るものに限る。以下この編において同じ。）については、この編（第百二十二条―第百三十二条）の定めるところによる。

2　前項に規定する監査には、公認会計士法（昭和二十三年法律第百三号）第二条第一項に規定する監査のほか、計算関係書類に表示された情報と計算関係書類に表示すべき情報との合致の程度を確かめ、かつ、その結果を利害関係者に伝達するための手続を含むものとする。

第二章　会計監査人設置会社以外の株式会社における監査

（監査役の監査報告の内容）

第百二十二条　監査役（会計監査人設置会社の監査役を除く。以下この章（第百二十二条―第百二十四条）において同じ。）は、計算関係書類を受領したときは、次に掲げる事項（監査役会設置会社の監査役の監査報告にあっては、第一号から第四号までに掲げる事項）を内容とする監査報告を作成しなければならない。

一　監査役の監査の方法及びその内容

二　計算関係書類が当該株式会社の財産及び損益の状況を全ての重要な点において適正に表示しているかどうかについての意見

三　監査のため必要な調査ができなかったときは、その旨及びその理由

四　追記情報

五　監査報告を作成した日

2　前項第四号に規定する「追記情報」とは、次に掲げる事項その他の事項のうち、監査役の判断に関して説明を付す必要がある事項又は計算関係書類の内容のうち強調する必要がある事項とする。

一　会計方針の変更

二　重要な偶発事象

三　重要な後発事象

（監査役会の監査報告の内容等）

第百二十三条　監査役会（会計監査人設置会社の監査役会を除く。以下この章（第百二十二条―第百二十四条）において同じ。）は、前条第一項の規定により監査役が作成した監査報告（以下この条において「監査役監査報告」という。）に基づき、監査役会の監査報告（以下この条において「監査役会監査報告」という。）を作成しなければならない。

2　監査役会監査報告は、次に掲げる事項を内容とするものでなければならない。この場合において、監査役は、当該事項に係る監査役会監査報告の内容が当該事項に係る各監査役の監査役監査報告の内容と異なる場合には、当該事項に係る各監査役の監査役監査報告の内容を監査役会監査報告に付記することができる。

一　前条第一項第二号から第四号までに掲げる事項

二　監査役及び監査役会の監査の方法及びその内容

三　監査役会監査報告を作成した日

3　監査役会が監査役会監査報告を作成する場合には、監査役会は、一回以上、会議を開催する方法又は情報の送受信により同時に意見の交換をすることができる方法により、監査役会監査報告の内容（前項後段の規定による付記を除く。）を審議しなければならない。

（監査報告の通知期限等）

第百二十四条　特定監査役は、次の各号に掲げる監査報告（監査役会設置会社にあっては、前条第一項の規定により作成された監査役会の監査報告に限る。以下この条において同じ。）の区分に応じ、

当該各号に定める日までに、特定取締役に対し、当該監査報告の内容を通知しなければならない。

一　各事業年度に係る計算書類及びその附属明細書についての監査報告　次に掲げる日のいずれか遅い日

イ　当該計算書類の全部を受領した日から四週間を経過した日

ロ　当該計算書類の附属明細書を受領した日から一週間を経過した日

ハ　特定取締役及び特定監査役が合意により定めた日があるときは、その日

二　（略）

2　計算関係書類については、特定取締役が前項の規定による監査報告の内容の通知を受けた日に、監査役の監査を受けたものとする。

3　前項の規定にかかわらず、特定監査役が第一項の規定により通知をすべき日までに同項の規定による監査報告の内容の通知をしない場合には、当該通知をすべき日に、計算関係書類については、監査役の監査を受けたものとみなす。

4　第一項及び第二項に規定する「特定取締役」とは、次の各号に掲げる場合の区分に応じ、当該各号に定める者（当該株式会社が会計参与設置会社である場合にあっては、当該各号に定める者及び会計参与）をいう。

一　第一項の規定による通知を受ける者を定めた場合　当該通知を受ける者として定められた者

二　前号に掲げる場合以外の場合　監査を受けるべき計算関係書類の作成に関する職務を行った取締役

5　第一項及び第三項に規定する「特定監査役」とは、次の各号に掲げる株式会社の区分に応じ、当該各号に定める者とする。

一　監査役設置会社（監査役の監査の範囲を会計に関するものに限定する旨の定款の定めがある株式会社を含み、監査役会設置会社及び会計監査人設置会社を除く。）　次のイからハまでに掲げる場合の区分に応じ、当該イからハまでに定める者

イ　二以上の監査役が存する場合において、第一項の規定による監査報告の内容の通知をすべき監査役を定めたとき　当該通知をすべき監査役として定められた監査役

ロ　二以上の監査役が存する場合において、第一項の規定による監査報告の内容の通知をすべき監査役を定めていないとき　全ての監査役

ハ　イ又はロに掲げる場合以外の場合　監査役

二　監査役会設置会社（会計監査人設置会社を除く。）　次のイ又はロに掲げる場合の区分に応じ、当該イ又はロに定める者

イ　監査役会が第一項の規定による監査報告の内容の通知をすべき監査役を定めた場合　当該通知をすべき監査役として定められた監査役

ロ　イに掲げる場合以外の場合　全ての監査役

第三章　会計監査人設置会社における監査

（計算関係書類の提供）

第百二十五条　計算関係書類を作成した取締役（指名委員会等設置会社にあっては、執行役）は、会計監査人に対して計算関係書類を提供しようとするときは、監査役（監査等委員会設置会社にあっては監査等委員会の指定した監査等委員、指名委員会等設置会社にあっては監査委員会の指定した監査委員）に対しても計算関係書類を提供しなければならない。

（会計監査報告の内容）

第百二十六条　会計監査人は、計算関係書類を受領したときは、次に掲げる事項を内容とする会計監査報告を作成しなければならない。

一　会計監査人の監査の方法及びその内容

二　計算関係書類が当該株式会社の財産及び損益の状況を全ての重要な点において適正に表示しているかどうかについての意見があるときは、その意見（当該意見が次のイからハまでに掲げ

る意見である場合にあっては、それぞれ当該イからハまでに定める事項）

イ　無限定適正意見　監査の対象となった計算関係書類が一般に公正妥当と認められる企業会計の慣行に準拠して、当該計算関係書類に係る期間の財産及び損益の状況を全ての重要な点において適正に表示していると認められる旨

ロ　除外事項を付した限定付適正意見　監査の対象となった計算関係書類が除外事項を除き一般に公正妥当と認められる企業会計の慣行に準拠して、当該計算関係書類に係る期間の財産及び損益の状況を全ての重要な点において適正に表示していると認められる旨、除外事項並びに除外事項を付した限定付適正意見とした理由

ハ　不適正意見　監査の対象となった計算関係書類が不適正である旨及びその理由

三　前号の意見がないときは、その旨及びその理由

四　継続企業の前提に関する注記に係る事項

五　追記情報

六　会計監査報告を作成した日

2　前項第五号に規定する「追記情報」とは、次に掲げる事項その他の事項のうち、会計監査人の判断に関して説明を付す必要がある事項又は計算関係書類の内容のうち強調する必要がある事項とする。

一　会計方針の変更

二　重要な偶発事象

三　重要な後発事象

（会計監査人設置会社の監査役の監査報告の内容）

第百二十七条　会計監査人設置会社の監査役は、計算関係書類及び会計監査報告（第百三十条第三項に規定する場合にあっては、計算関係書類）を受領したときは、次に掲げる事項（監査役会設置会社の監査役の監査報告にあっては、第一号から第五号までに掲げる事項）を内容とする監査報告を作成しなければならない。

一　監査役の監査の方法及びその内容

二　会計監査人の監査の方法又は結果を相当でないと認めたときは、その旨及びその理由（第百三十条第三項に規定する場合にあっては、会計監査報告を受領していない旨）

三　重要な後発事象（会計監査報告の内容となっているものを除く。）

四　会計監査人の職務の遂行が適正に実施されることを確保するための体制に関する事項

五　監査のため必要な調査ができなかったときは、その旨及びその理由

六　監査報告を作成した日

（会計監査人設置会社の監査役会の監査報告の内容等）

第百二十八条　会計監査人設置会社の監査役会は、前条の規定により監査役が作成した監査報告（以下この条において「監査役監査報告」という。）に基づき、監査役会の監査報告（以下この条において「監査役会監査報告」という。）を作成しなければならない。

2　監査役会監査報告は、次に掲げる事項を内容とするものでなければならない。この場合において、監査役は、当該事項に係る監査役会監査報告の内容が当該事項に係る各監査役の監査役監査報告の内容と異なる場合には、当該事項に係る各監査役の監査役監査報告の内容を監査役会監査報告に付記することができる。

一　監査役及び監査役会の監査の方法及びその内容

二　前条第二号から第五号までに掲げる事項

三　監査役会監査報告を作成した日

3　会計監査人設置会社の監査役会が監査役会監査報告を作成する場合には、監査役会は、一回以上、会議を開催する方法又は情報の送受信により同時に意見の交換をすることができる方法により、監査役会監査報告の内容（前項後段の規定による付記を除く。）を審議しなければならない。

（監査等委員会の監査報告の内容）

第百二十八条の二　監査等委員会は、計算関係書類及び会計監査報告（第百三十条第三項に規定する場合にあっては、計算関係書類）を受領したときは、次に掲げる事項を内容とする監査報告を作成しなければならない。この場合において、監査等委員は、当該事項に係る監査報告の内容が当該監査等委員の意見と異なる場合には、その意見を監査報告に付記することができる。

一　監査等委員会の監査の方法及びその内容

二　第百二十七条第二号から第五号までに掲げる事項

三　監査報告を作成した日

２　前項に規定する監査報告の内容（同項後段の規定による付記を除く。）は、監査等委員会の決議をもって定めなければならない。

（監査委員会の監査報告の内容）

第百二十九条　監査委員会は、計算関係書類及び会計監査報告（次条第三項に規定する場合にあっては、計算関係書類）を受領したときは、次に掲げる事項を内容とする監査報告を作成しなければならない。この場合において、監査委員は、当該事項に係る監査報告の内容が当該監査委員の意見と異なる場合には、その意見を監査報告に付記することができる。

一　監査委員会の監査の方法及びその内容

二　第百二十七条第二号から第五号までに掲げる事項

三　監査報告を作成した日

２　前項に規定する監査報告の内容（同項後段の規定による付記を除く。）は、監査委員会の決議をもって定めなければならない。

（会計監査報告の通知期限等）

第百三十条　会計監査人は、次の各号に掲げる会計監査報告の区分に応じ、当該各号に定める日までに、特定監査役及び特定取締役に対し、当該会計監査報告の内容を通知しなければならない。

一　各事業年度に係る計算書類及びその附属明細書についての会計監査報告　次に掲げる日のいずれか遅い日

イ　当該計算書類の全部を受領した日から四週間を経過した日

ロ　当該計算書類の附属明細書を受領した日から一週間を経過した日

ハ　特定取締役、特定監査役及び会計監査人の間で合意により定めた日があるときは、その日

二・三（略）

２　計算関係書類については、特定監査役及び特定取締役が前項の規定による会計監査報告の内容の通知を受けた日に、会計監査人の監査を受けたものとする。

３　前項の規定にかかわらず、会計監査人が第一項の規定により通知をすべき日までに同項の規定による会計監査報告の内容の通知をしない場合には、当該通知をすべき日に、計算関係書類については、会計監査人の監査を受けたものとみなす。

４　第一項及び第二項に規定する「特定取締役」とは、次の各号に掲げる場合の区分に応じ、当該各号に定める者（当該株式会社が会計参与設置会社である場合にあっては、当該各号に定める者及び会計参与）をいう（第百三十二条において同じ。）。

一　第一項の規定による通知を受ける者を定めた場合　当該通知を受ける者として定められた者

二　前号に掲げる場合以外の場合　監査を受けるべき計算関係書類の作成に関する職務を行った取締役及び執行役

５　第一項及び第二項に規定する「特定監査役」とは、次の各号に掲げる株式会社の区分に応じ、当該各号に定める者とする（以下この章〔第一二五条―第一三二条〕において同じ。）。

一　監査役設置会社（監査役会設置会社を除く。）　次のイからハまでに掲げる場合の区分に応じ、当該イからハまでに定める者

イ　二以上の監査役が存する場合において、第一項の規定による会計監査報告の内容の通知を受ける監査役を定めたとき　当該通知を受ける監査役として定められた監査役

ロ　二以上の監査役が存する場合において、第一項の規定によ

る会計監査報告の内容の通知を受ける監査役を定めていないとき　全ての監査役

ハ　イ又はロに掲げる場合以外の場合　監査役

二　監査役会設置会社　次のイ又はロに掲げる場合の区分に応じ、当該イ又はロに定める者

イ　監査役会が第一項の規定による会計監査報告の内容の通知を受ける監査役を定めた場合　当該通知を受ける監査役として定められた監査役

ロ　イに掲げる場合以外の場合　全ての監査役

三　監査等委員会設置会社　次のイ又はロに掲げる場合の区分に応じ、当該イ又はロに定める者

イ　監査等委員会が第一項の規定による会計監査報告の内容の通知を受ける監査等委員を定めた場合　当該通知を受ける監査等委員として定められた監査等委員

ロ　イに掲げる場合以外の場合　監査等委員のうちいずれかの者

四　指名委員会等設置会社　次のイ又はロに掲げる場合の区分に応じ、当該イ又はロに定める者

イ　監査委員会が第一項の規定による会計監査報告の内容の通知を受ける監査委員を定めた場合　当該通知を受ける監査委員として定められた監査委員

ロ　イに掲げる場合以外の場合　監査委員のうちいずれかの者

（会計監査人の職務の遂行に関する事項）

第百三十一条　会計監査人は、前条第一項の規定による特定監査役に対する会計監査報告の内容の通知に際して、当該会計監査人についての次に掲げる事項（当該事項に係る定めがない場合にあっては、当該事項を定めていない旨）を通知しなければならない。ただし、全ての監査役（監査等委員会設置会社にあっては監査等委員会、指名委員会等設置会社にあっては監査委員会）が既に当該事項を知っている場合は、この限りでない。

一　独立性に関する事項その他監査に関する法令及び規程の遵守に関する事項

二　監査、監査に準ずる業務及びこれらに関する業務の契約の受任及び継続の方針に関する事項

三　会計監査人の職務の遂行が適正に行われることを確保するための体制に関するその他の事項

（会計監査人設置会社の監査役等の監査報告の通知期限）

第百三十二条　会計監査人設置会社の特定監査役は、次の各号に掲げる監査報告の区分に応じ、当該各号に定める日までに、特定取締役及び会計監査人に対し、監査報告（監査役会設置会社にあっては、第百二十八条第一項の規定により作成した監査役会の監査報告に限る。以下この条において同じ。）の内容を通知しなければならない。

一　連結計算書類以外の計算関係書類についての監査報告　次に掲げる日のいずれか遅い日

イ　会計監査報告を受領した日（第百三十条第三項に規定する場合にあっては、同項の規定により監査を受けたものとみなされた日。次号において同じ。）から一週間を経過した日

ロ　特定取締役及び特定監査役の間で合意により定めた日があるときは、その日

二　（略）

2　計算関係書類については、特定取締役及び会計監査人が前項の規定による監査報告の内容の通知を受けた日に、監査役（監査等委員会設置会社にあっては監査等委員会、指名委員会等設置会社にあっては監査委員会）の監査を受けたものとする。

3　前項の規定にかかわらず、特定監査役が第一項の規定により通知をすべき日までに同項の規定による監査報告の内容の通知をしない場合には、当該通知をすべき日に、計算関係書類については、監査役（監査等委員会設置会社にあっては監査等委員会、指名委員会等設置会社にあっては監査委員会）の監査を受けたものとみ

なす。

（計算書類等の株主への提供）

第四百三十七条　取締役会設置会社においては、取締役は、定時株主総会の招集の通知に際して、法務省令で定めるところにより、株主に対し、前条第三項の承認を受けた計算書類及び事業報告（同条第一項又は第二項の規定の適用がある場合にあっては、監査報告又は会計監査報告を含む。）を提供しなければならない。

【会社法施行規則】

第二編　株式会社

第五章　計算等

第一節　計算関係書類

第百十六条　次に掲げる規定に規定する法務省令で定めるべき事項（事業報告及びその附属明細書に係るものを除く。）は、会社計算規則の定めるところによる。

一～三　（略）

四　法第四百三十七条

五～十五　（略）

第二節　事業報告

第一款　通則

第百十七条　次の各号に掲げる規定に規定する法務省令で定めるべき事項（事業報告及びその附属明細書に係るものに限る。）は、当該各号に定める規定の定めるところによる。ただし、他の法令に別段の定めがある場合は、この限りでない。

一・二　（略）

三　法第四百三十七条　第四款（第一三三条）

第四款　事業報告等の株主への提供

第百三十三条　法第四百三十七条の規定により株主に対して行う提供事業報告（次の各号に掲げる株式会社の区分に応じ、当該各号に定めるものをいう。以下この条において同じ。）の提供に関しては、この条に定めるところによる。

一　株式会社（監査役設置会社、監査等委員会設置会社及び指名委員会等設置会社を除く。）　事業報告

二　監査役設置会社、監査等委員会設置会社及び指名委員会等設置会社　次に掲げるもの

イ　事業報告

ロ　事業報告に係る監査役（監査役会設置会社にあっては監査役会、監査等委員会設置会社にあっては監査等委員会、指名委員会等設置会社にあっては監査委員会）の監査報告があるときは、当該監査報告（二以上の監査役が存する株式会社（監査役会設置会社を除く。）の各監査役の監査報告の内容（監査報告を作成した日を除く。）が同一である場合にあっては、一又は二以上の監査役の監査報告）

ハ　前条第三項の規定により監査を受けたものとみなされたときは、その旨を記載又は記録をした書面又は電磁的記録

2　定時株主総会の招集通知（法第二百九十九条第二項又は第三項の規定による通知をいう。以下この条において同じ。）を次の各号に掲げる方法により行う場合には、提供事業報告は、当該各号に定める方法により提供しなければならない。

一　書面の提供　次のイ又はロに掲げる場合の区分に応じ、当該イ又はロに定める方法

イ　提供事業報告が書面をもって作成されている場合　当該書面に記載された事項を記載した書面の提供

ロ　提供事業報告が電磁的記録をもって作成されている場合　当該電磁的記録に記録された事項を記載した書面の提供

二　電磁的方法による提供　次のイ又はロに掲げる場合の区分に応じ、当該イ又はロに定める方法

イ　提供事業報告が書面をもって作成されている場合　当該書面に記載された事項の電磁的方法による提供

ロ　提供事業報告が電磁的記録をもって作成されている場合　当該電磁的記録に記録された事項の電磁的方法による提供

3　事業報告に表示すべき事項（次に掲げるものを除く。）に係る情報を、定時株主総会に係る招集通知を発出する時から定時株主総会の日から三箇月が経過する日までの間、継続して電磁的方法により株主が提供を受けることができる状態に置く措置（第二百二十二条第一項第一号ロに掲げる方法のうち、インターネットに接続された自動公衆送信装置を使用する方法によって行われるものに限る。第七項において同じ。）をとる場合における前項の規定の適用については、当該事項につき同項各号に掲げる場合の区分に応じ、当該各号に定める方法により株主に対して提供したものとみなす。ただし、この項の措置をとる旨の定款の定めがある場合に限る。

一　第百二十条第一項第四号、第五号、第七号及び第八号、第百二十一条第一号、第二号及び第三号の二から第六号の三まで、第百二十一条の二、第百二十五条第二号から第四号まで並びに第百二十六条第七号の二から第七号の四までに掲げる事項

二　事業報告に表示すべき事項（前号に掲げるものを除く。）につきこの項の措置をとることについて監査役、監査等委員会又は監査委員会が異議を述べている場合における当該事項

4　前項の場合には、取締役は、同項の措置をとるために使用する自動公衆送信装置のうち当該措置をとるための用に供する部分をインターネットにおいて識別するための文字、記号その他の符号又はこれらの結合であって、情報の提供を受ける者がその使用に係る電子計算機に入力することによって当該情報の内容を閲覧し、当該電子計算機に備えられたファイルに当該情報を記録することができるものを株主に対して通知しなければならない。

5　第三項の規定により事業報告に表示した事項の一部が株主に対して第二項各号に定める方法により提供したものとみなされた場合において、監査役、監査等委員会又は監査委員会が、現に株主に対して提供される事業報告が監査報告を作成するに際して監査をした事業報告の一部であることを株主に対して通知すべき旨を取締役に請求したときは、取締役は、その旨を株主に対して通知しなければならない。

6　取締役は、事業報告の内容とすべき事項について、定時株主総会の招集通知を発出した日から定時株主総会の前日までの間に修正をすべき事情が生じた場合における修正後の事項を株主に周知させる方法を、当該招集通知と併せて通知することができる。

7　第三項の規定は、同項各号に掲げる事項に係る情報についても、電磁的方法により株主が提供を受けることができる状態に置く措置をとることを妨げるものではない。

【会社計算規則】

（計算書類等の提供）

第百三十三条　法第四百三十七条の規定により株主に対して行う提供計算書類（次の各号に掲げる株式会社の区分に応じ、当該各号に定めるものをいう。以下この条において同じ。）の提供に関しては、この条に定めるところによる。

一　株式会社（監査役設置会社（監査役の監査の範囲を会計に関するものに限定する旨の定款の定めがある株式会社を含む。次号において同じ。）及び会計監査人設置会社を除く。）　計算書類

二　会計監査人設置会社以外の監査役設置会社　次に掲げるもの

イ　計算書類

ロ　計算書類に係る監査役（監査役会設置会社にあっては、監査役会）の監査報告があるときは、当該監査報告（二以上の監査役が存する株式会社（監査役会設置会社を除く。）の各監査役の監査報告の内容（監査報告を作成した日を除く。）が同一である場合にあっては、一又は二以上の監査役の監査報告）

ハ　第百二十四条第三項の規定により監査を受けたものとみなされたときは、その旨の記載又は記録をした書面又は電磁的記録

三　会計監査人設置会社　次に掲げるもの

イ　計算書類

ロ　計算書類に係る会計監査報告があるときは、当該会計監査報告

ハ　会計監査人が存しないとき（法第三百四十六条第四項の一時会計監査人の職務を行うべき者が存する場合を除く。）は、会計監査人が存しない旨の記載又は記録をした書面又は電磁的記録

ニ　第百三十条第三項の規定により監査を受けたものとみなされたときは、その旨の記載又は記録をした書面又は電磁的記録

ホ　計算書類に係る監査役（監査役会設置会社にあっては監査役会、監査等委員会設置会社にあっては監査等委員会、指名委員会等設置会社にあっては監査委員会）の監査報告があるときは、当該監査報告（二以上の監査役が存する株式会社（監査役会設置会社を除く。）の各監査役の監査報告の内容（監査報告を作成した日を除く。）が同一である場合にあっては、一又は二以上の監査役の監査報告）

ヘ　前条第三項の規定により監査を受けたものとみなされたときは、その旨の記載又は記録をした書面又は電磁的記録

2　定時株主総会の招集通知（法第二百九十九条第二項又は第三項の規定による通知をいう。以下同じ。）を次の各号に掲げる方法により行う場合にあっては、提供計算書類は、当該各号に定める方法により提供しなければならない。

一　書面の提供　次のイ又はロに掲げる場合の区分に応じ、当該イ又はロに定める方法

イ　提供計算書類が書面をもって作成されている場合　当該書面に記載された事項を記載した書面の提供

ロ　提供計算書類が電磁的記録をもって作成されている場合　当該電磁的記録に記録された事項を記載した書面の提供

二　電磁的方法による提供　次のイ又はロに掲げる場合の区分に応じ、当該イ又はロに定める方法

イ　提供計算書類が書面をもって作成されている場合　当該書面に記載された事項の電磁的方法による提供

ロ　提供計算書類が電磁的記録をもって作成されている場合　当該電磁的記録に記録された事項の電磁的方法による提供

3　提供計算書類を提供する際には、当該事業年度より前の事業年度に係る貸借対照表、損益計算書又は株主資本等変動計算書に表示すべき事項（以下この項において「過年度事項」という。）を併せて提供することができる。この場合において、提供計算書類の提供をする時における過年度事項が会計方針の変更その他の正当な理由により当該事業年度より前の事業年度に係る定時株主総会において承認又は報告をしたものと異なるものとなっているときは、修正後の過年度事項を提供することを妨げない。

4　提供計算書類に表示すべき事項（株主資本等変動計算書又は個別注記表に係るものに限る。）に係る情報を、定時株主総会に係る招集通知を発出する時から定時株主総会の日から三箇月が経過する日までの間、継続して電磁的方法により株主が提供を受けることができる状態に置く措置（会社法施行規則第二百二十二条第一項第一号ロに掲げる方法のうち、インターネットに接続された自動公衆送信装置（公衆の用に供する電気通信回線に接続することにより、その記録媒体のうち自動公衆送信の用に供する部分に記録され、又は当該装置に入力される情報を自動公衆送信する機能を有する装置をいう。以下この章（第一三三条・第一三四条）において同じ。）を使用する方法によって行われるものに限る。第八項において同じ。）をとる場合における第二項の規定の適用については、当該事項につき同項各号に掲げる場合の区分に応じ、当該

各号に定める方法により株主に対して提供したものとみなす。ただし、この項の措置をとる旨の定款の定めがある場合に限る。

5　前項の場合には、取締役は、同項の措置をとるために使用する自動公衆送信装置のうち当該措置をとるための用に供する部分をインターネットにおいて識別するための文字、記号その他の符号又はこれらの結合であって、情報の提供を受ける者がその使用に係る電子計算機に入力することによって当該情報の内容を閲覧し、当該電子計算機に備えられたファイルに当該情報を記録することができるものを株主に対して通知しなければならない。

6　第四項の規定により計算書類に表示した事項の一部が株主に対して第二項各号に定める方法により提供したものとみなされる場合において、監査役、会計監査人、監査等委員会又は監査委員会が、現に株主に対して提供された計算書類が監査報告又は会計監査報告を作成するに際して監査をした計算書類の一部であることを株主に対して通知すべき旨を取締役に請求したときは、取締役は、その旨を株主に対して通知しなければならない。

7　取締役は、計算書類の内容とすべき事項について、定時株主総会の招集通知を発出した日から定時株主総会の前日までの間に修正をすべき事情が生じた場合における修正後の事項を株主に周知させる方法を当該招集通知と併せて通知することができる。

8　第四項の規定は、提供計算書類に表示すべき事項のうち株主資本等変動計算書又は個別注記表に係るもの以外のものに係る情報についても、電磁的方法により株主が提供を受けることができる状態に置く措置をとることを妨げるものではない。

（計算書類等の定時株主総会への提出等）

第四百三十八条　次の各号に掲げる株式会社においては、取締役は、当該各号に定める計算書類及び事業報告を定時株主総会に提出し、又は提供しなければならない。

一　第四百三十六条第一項に規定する監査役設置会社（取締役会設置会社を除く。）　第四百三十六条第一項の監査を受けた計算書類及び事業報告

二　会計監査人設置会社（取締役会設置会社を除く。）　第四百三十六条第二項の監査を受けた計算書類及び事業報告

三　取締役会設置会社　第四百三十六条第三項の承認を受けた計算書類及び事業報告

四　前三号に掲げるもの以外の株式会社　第四百三十五条第二項の計算書類及び事業報告

2　前項の規定により提出され、又は提供された計算書類は、定時株主総会の承認を受けなければならない。

3　取締役は、第一項の規定により提出され、又は提供された事業報告の内容を定時株主総会に報告しなければならない。

（会計監査人設置会社の特則）

第四百三十九条　会計監査人設置会社については、第四百三十六条第三項の承認を受けた計算書類が法令及び定款に従い株式会社の財産及び損益の状況を正しく表示しているものとして法務省令で定める要件に該当する場合には、前条第二項の規定は、適用しない。この場合においては、取締役は、当該計算書類の内容を定時株主総会に報告しなければならない。

【会社法施行規則】

第百十六条　次に掲げる規定に規定する法務省令で定めるべき事項（事業報告及びその附属明細書に係るものを除く。）は、会社計算規則の定めるところによる。

一～四　（略）

五　法第四百三十九条

六～十五　（略）

【会社計算規則】
第百三十五条　法第四百三十九条及び第四百四十一条第四項（以下この条において「承認特則規定」という。）に規定する法務省令で定める要件は、次の各号（監査役設置会社であって監査役会設置会社でない株式会社にあっては、第三号を除く。）のいずれにも該当することとする。
一　承認特則規定に規定する計算関係書類についての会計監査報告の内容に第百二十六条第一項第二号イに定める事項（当該計算関係書類が臨時計算書類である場合にあっては、当該事項に相当する事項を含む。）が含まれていること。
二　前号の会計監査報告に係る監査役、監査役会、監査等委員会又は監査委員会の監査報告（監査役会設置会社にあっては、第百二十八条第一項の規定により作成した監査役会の監査報告に限る。）の内容として会計監査人の監査の方法又は結果を相当でないと認める意見がないこと。
三　第百二十八条第二項後段、第百二十八条の二第一項後段又は第百二十九条第一項後段の規定により第一号の会計監査報告に係る監査役会、監査等委員会又は監査委員会の監査報告に付記された内容が前号の意見でないこと。
四　承認特則規定に規定する計算関係書類が第百三十二条第三項の規定により監査を受けたものとみなされたものでないこと。
五　取締役会を設置していること。

（計算書類の公告）
第四百四十条　株式会社は、法務省令で定めるところにより、定時株主総会の終結後遅滞なく、貸借対照表（大会社にあっては、貸借対照表及び損益計算書）を公告しなければならない。
2　前項の規定にかかわらず、その公告方法が第九百三十九条第一項第一号又は第二号に掲げる方法である株式会社は、前項に規定する貸借対照表の要旨を公告することで足りる。
3　前項の株式会社は、法務省令で定めるところにより、定時株主総会の終結後遅滞なく、第一項に規定する貸借対照表の内容である情報を、定時株主総会の終結の日後五年を経過する日までの間、継続して電磁的方法により不特定多数の者が提供を受けることができる状態に置く措置をとることができる。この場合においては、前二項の規定は、適用しない。
4　金融商品取引法第二十四条第一項の規定により有価証券報告書を内閣総理大臣に提出しなければならない株式会社については、前三項の規定は、適用しない。

【会社法施行規則】
第百十六条　次に掲げる規定に規定する法務省令で定めるべき事項（事業報告及びその附属明細書に係るものを除く。）は、会社計算規則の定めるところによる。
一～五　（略）
六　法第四百四十条第一項及び第三項
七～十五　（略）

【会社計算規則】
第六編　計算書類の公告等
第一章　計算書類の公告
第百三十六条　株式会社が法第四百四十条第一項の規定による公告（同条第三項の規定による措置を含む。以下この項において同じ。）をする場合には、次に掲げる事項を当該公告において明らかにしなければならない。この場合において、第一号から第七号までに掲げる事項は、当該事業年度に係る個別注記表に表示した注記に限るものとする。
一　継続企業の前提に関する注記

二　重要な会計方針に係る事項に関する注記
三　貸借対照表に関する注記
四　税効果会計に関する注記
五　関連当事者との取引に関する注記
六　一株当たり情報に関する注記
七　重要な後発事象に関する注記
八　当期純損益金額

2　株式会社が法第四百四十条第一項の規定により損益計算書の公告をする場合における前項の規定の適用については、同項中「次に」とあるのは「第二号から第七号までに」とする。

3　前項の規定は、株式会社が損益計算書の内容である情報について法第四百四十条第三項に規定する措置をとる場合について準用する。

第二章　計算書類の要旨の公告

第一節　総則

第百三十七条　法第四百四十条第二項の規定により貸借対照表の要旨又は損益計算書の要旨を公告する場合における貸借対照表の要旨及び損益計算書の要旨については、この章〔第一三七条―第一四六条〕の定めるところによる。

第二節　貸借対照表の要旨

（貸借対照表の要旨の区分）

第百三十八条　貸借対照表の要旨は、次に掲げる部に区分しなければならない。

一　資産
二　負債
三　純資産

（資産の部）

第百三十九条　資産の部は、次に掲げる項目に区分しなければならない。

一　流動資産
二　固定資産
三　繰延資産

2　資産の部の各項目は、適当な項目に細分することができる。

3　公開会社の貸借対照表の要旨における固定資産に係る項目は、次に掲げる項目に区分しなければならない。

一　有形固定資産
二　無形固定資産
三　投資その他の資産

4　公開会社の貸借対照表の要旨における資産の部の各項目は、公開会社の財産の状態を明らかにするため重要な適宜の項目に細分しなければならない。

5　資産の部の各項目は、当該項目に係る資産を示す適当な名称を付さなければならない。

（負債の部）

第百四十条　負債の部は、次に掲げる項目に区分しなければならない。

一　流動負債
二　固定負債

2　負債に係る引当金がある場合には、当該引当金については、引当金ごとに、他の負債と区分しなければならない。

3　負債の部の各項目は、適当な項目に細分することができる。

4　公開会社の貸借対照表の要旨における負債の部の各項目は、公開会社の財産の状態を明らかにするため重要な適宜の項目に細分しなければならない。

5　負債の部の各項目は、当該項目に係る負債を示す適当な名称を付さなければならない。

（純資産の部）

第百四十一条　純資産の部は、次に掲げる項目に区分しなければならない。

一　株主資本

二　評価・換算差額等
三　株式引受権
四　新株予約権
2　株主資本に係る項目は、次に掲げる項目に区分しなければならない。この場合において、第五号に掲げる項目は、控除項目とする。
一　資本金
二　新株式申込証拠金
三　資本剰余金
四　利益剰余金
五　自己株式
六　自己株式申込証拠金
3　資本剰余金に係る項目は、次に掲げる項目に区分しなければならない。
一　資本準備金
二　その他資本剰余金
4　利益剰余金に係る項目は、次に掲げる項目に区分しなければならない。
一　利益準備金
二　その他利益剰余金
5　第三項第二号及び前項第二号に掲げる項目は、適当な名称を付した項目に細分することができる。
6　評価・換算差額等に係る項目は、次に掲げる項目その他適当な名称を付した項目に細分しなければならない。
一　その他有価証券評価差額金
二　繰延ヘッジ損益
三　土地再評価差額金

（貸借対照表の要旨への付記事項）
第百四十二条　貸借対照表の要旨には、当期純損益金額を付記しなければならない。ただし、法第四百四十条第二項の規定により損益計算書の要旨を公告する場合は、この限りでない。

第三節　損益計算書の要旨

第百四十三条　損益計算書の要旨は、次に掲げる項目に区分しなければならない。
一　売上高
二　売上原価
三　売上総利益金額又は売上総損失金額
四　販売費及び一般管理費
五　営業外収益
六　営業外費用
七　特別利益
八　特別損失
2　前項の規定にかかわらず、同項第五号又は第六号に掲げる項目の額が重要でないときは、これらの項目を区分せず、その差額を営業外損益として区分することができる。
3　第一項の規定にかかわらず、同項第七号又は第八号に掲げる項目の額が重要でないときは、これらの項目を区分せず、その差額を特別損益として区分することができる。
4　損益計算書の要旨の各項目は、適当な項目に細分することができる。
5　損益計算書の要旨の各項目は、株式会社の損益の状態を明らかにするため必要があるときは、重要な適宜の項目に細分しなければならない。
6　損益計算書の要旨の各項目は、当該項目に係る利益又は損失を示す適当な名称を付さなければならない。
7　次の各号に掲げる額が存する場合には、当該額は、当該各号に定めるものとして表示しなければならない。ただし、次の各号に掲げる額（第九号及び第十号に掲げる額を除く。）が零未満である場合は、零から当該額を減じて得た額を当該各号に定めるものとして表示しなければならない。
一　売上総損益金額（零以上の額に限る。）　売上総利益金額

二　売上総損益金額（零未満の額に限る。）　売上総損失金額
三　営業損益金額（零以上の額に限る。）　営業利益金額
四　営業損益金額（零未満の額に限る。）　営業損失金額
五　経常損益金額（零以上の額に限る。）　経常利益金額
六　経常損益金額（零未満の額に限る。）　経常損失金額
七　税引前当期純損益金額（零以上の額に限る。）　税引前当期純利益金額
八　税引前当期純損益金額（零未満の額に限る。）　税引前当期純損失金額
九　当該事業年度に係る法人税等　その内容を示す名称を付した項目
十　法人税等調整額　その内容を示す名称を付した項目
十一　当期純損益金額（零以上の額に限る。）　当期純利益金額
十二　当期純損益金額（零未満の額に限る。）　当期純損失金額

第四節　雑則

（金額の表示の単位）

第百四十四条　貸借対照表の要旨又は損益計算書の要旨に係る事項の金額は、百万円単位又は十億円単位をもって表示するものとする。

2　前項の規定にかかわらず、株式会社の財産又は損益の状態を的確に判断することができなくなるおそれがある場合には、貸借対照表の要旨又は損益計算書の要旨に係る事項の金額は、適切な単位をもって表示しなければならない。

（表示言語）

第百四十五条　貸借対照表の要旨又は損益計算書の要旨は、日本語をもって表示するものとする。ただし、その他の言語をもって表示することが不当でない場合は、この限りでない。

（別記事業）

第百四十六条　別記事業会社が公告すべき貸借対照表の要旨又は損益計算書の要旨において表示すべき事項については、当該別記事業会社の財産及び損益の状態を明らかにするために必要かつ適切である場合においては、前二節（第一三八条―第一四三条）の規定にかかわらず、適切な部又は項目に分けて表示することができる。

第三章　雑則

（貸借対照表等の電磁的方法による公開の方法）

第百四十七条　法第四百四十条第三項の規定による措置は、会社法施行規則第二百二十二条第一項第一号ロに掲げる方法のうち、インターネットに接続された自動公衆送信装置（公衆の用に供する電気通信回線に接続することにより、その記録媒体のうち自動公衆送信の用に供する部分に記録され、又は当該装置に入力される情報を自動公衆送信する機能を有する装置をいう。）を使用する方法によって行わなければならない。

（不適正意見がある場合等における公告事項）

第百四十八条　次の各号のいずれかに該当する場合において、会計監査人設置会社が法第四百四十条第一項又は第二項の規定による公告（同条第三項に規定する措置を含む。以下この条において同じ。）をするときは、当該各号に定める事項を当該公告において明らかにしなければならない。

一　会計監査人が存しない場合（法第三百四十六条第四項の一時会計監査人の職務を行うべき者が存する場合を除く。）　会計監査人が存しない旨
二　第百三十条第三項の規定により監査を受けたものとみなされた場合　その旨
三　当該公告に係る計算書類についての会計監査報告に不適正意見がある場合　その旨
四　当該公告に係る計算書類についての会計監査報告が第百二十六条第一項第三号に掲げる事項を内容としているものである場合　その旨

（臨時計算書類）

第四百四十一条　株式会社は、最終事業年度の直後の事業年度に属する一定の日（以下この項において「臨時決算日」という。）における当該株式会社の財産の状況を把握するため、法務省令で定めるところにより、次に掲げるもの（以下「臨時計算書類」という。）を作成することができる。

一　臨時決算日における貸借対照表

二　臨時決算日の属する事業年度の初日から臨時決算日までの期間に係る損益計算書

2　第四百三十六条第一項に規定する監査役設置会社又は会計監査人設置会社においては、臨時計算書類は、法務省令で定めるところにより、監査役又は会計監査人（監査等委員会設置会社にあっては監査等委員会及び会計監査人、指名委員会等設置会社にあっては監査委員会及び会計監査人）の監査を受けなければならない。

3　取締役会設置会社においては、臨時計算書類（前項の規定の適用がある場合にあっては、同項の監査を受けたもの）は、取締役会の承認を受けなければならない。

4　次の各号に掲げる株式会社においては、当該各号に定める臨時計算書類は、株主総会の承認を受けなければならない。ただし、臨時計算書類が法令及び定款に従い株式会社の財産及び損益の状況を正しく表示しているものとして法務省令で定める要件に該当する場合は、この限りでない。

一　第四百三十六条第一項に規定する監査役設置会社又は会計監査人設置会社（いずれも取締役会設置会社を除く。）　第二項の監査を受けた臨時計算書類

二　取締役会設置会社　前項の承認を受けた臨時計算書類

三　前二号に掲げるもの以外の株式会社　第一項の臨時計算書類

【会社法施行規則】

第百十六条　次に掲げる規定に規定する法務省令で定めるべき事項（事業報告及びその附属明細書に係るものを除く。）は、会社計算規則の定めるところによる。

一～六　（略）

七　法第四百四十一条第一項、第二項及び第四項

八～十五　（略）

【会社計算規則】（総則）

第五十七条　計算関係書類に係る事項の金額は、一円単位、千円単位又は百万円単位をもって表示するものとする。

2　計算関係書類は、日本語をもって表示するものとする。ただし、その他の言語をもって表示することが不当でない場合は、この限りでない。

3　計算関係書類（各事業年度に係る計算書類の附属明細書を除く。）の作成については、貸借対照表、損益計算書その他計算関係書類を構成するものごとに、一の書面その他の資料として作成をしなければならないものと解してはならない。

（臨時計算書類）

第六十条　臨時計算書類の作成に係る期間（次項において「臨時会計年度」という。）は、当該事業年度の前事業年度の末日の翌日（当該事業年度の前事業年度がない場合にあっては、成立の日）から臨時決算日までの期間とする。

2　臨時計算書類は、臨時会計年度に係る会計帳簿に基づき作成しなければならない。

3　株式会社が臨時計算書類を作成しようとする場合において、当該株式会社についての最終事業年度がないときは、当該株式会社の成立の日から最初の事業年度が終結する日までの間、当該最初の事業年度に属する一定の日を臨時決算日とみなして、法第四百四十一条の規定を適用することができる。

【会社計算規則】（臨時計算書類の内容）

※　四三五条参照、臨時計算書類の作成に特有の規律のみ

（資産の部の区分）

第七十四条　（略）

2・3　（略）

4　前項に規定する「一年内」とは、次の各号に掲げる貸借対照表等の区分に応じ、当該各号に定める日から起算して一年以内の日をいう（以下この編（第五七条―第一二〇条の三）において同じ。）。

一・二　（略）

三　臨時計算書類の貸借対照表　臨時決算日の翌日

四　（略）

（税引前当期純損益金額）

第九十二条　経常損益金額に特別利益を加えて得た額から特別損失を減じて得た額（以下「税引前当期純損益金額」という。）は、税引前当期純利益金額（連結損益計算書にあっては、税金等調整前当期純利益金額）として表示しなければならない。

2　前項の規定にかかわらず、税引前当期純損益金額が零未満である場合には、零から税引前当期純損益金額を減じて得た額を税引前当期純損失金額（連結損益計算書にあっては、税金等調整前当期純損失金額）として表示しなければならない。

3　前二項の規定にかかわらず、臨時計算書類の損益計算書の税引前当期純損益金額の表示については、適当な名称を付すことができる。

（当期純損益金額）

第九十四条　第一号及び第二号に掲げる額の合計額から第三号及び第四号に掲げる額の合計額を減じて得た額（以下「当期純損益金額」という。）は、当期純利益金額として表示しなければならない。

一　税引前当期純損益金額

二　前条第二項に規定する場合（同項ただし書の場合を除く。）において、還付税額があるときは、当該還付税額

三　前条第一項各号に掲げる項目の金額（同項ただし書の場合を除く。）

四　前条第二項に規定する場合（同項ただし書の場合を除く。）において、納付税額があるときは、当該納付税額

2　前項の規定にかかわらず、当期純損益金額が零未満である場合には、零から当期純損益金額を減じて得た額を当期純損失金額として表示しなければならない。

3・4　（略）

5　第一項及び第二項の規定にかかわらず、臨時計算書類の損益計算書の当期純損益金額の表示については、適当な名称を付すことができる。

【会社計算規則】（臨時計算書類の監査）

※　四三六条参照、臨時計算書類に特有の規律のみ

（監査報告の通知期限等）

第百二十四条　特定監査役は、次の各号に掲げる監査報告（監査役会設置会社にあっては、前条第一項の規定により作成された監査役会の監査報告に限る。以下この条において同じ。）の区分に応じ、当該各号に定める日までに、特定取締役に対し、当該監査報告の内容を通知しなければならない。

一　（略）

二　臨時計算書類についての監査報告　次に掲げる日のいずれか遅い日

イ　当該臨時計算書類の全部を受領した日から四週間を経過した日

ロ　特定取締役及び特定監査役が合意により定めた日があるときは、その日

2～5　（略）

（会計監査報告の通知期限等）

第百三十条　会計監査人は、次の各号に掲げる会計監査報告の区分に応じ、当該各号に定める日までに、特定監査役及び特定取締役に対し、当該会計監査報告の内容を通知しなければならない。
一　（略）
二　臨時計算書類についての会計監査報告　次に掲げる日のいずれか遅い日
イ　当該臨時計算書類の全部を受領した日から四週間を経過した日
ロ　特定取締役、特定監査役及び会計監査人の間で合意により定めた日があるときは、その日
三　（略）
2～5　（略）

【会社計算規則】（承認特則規定）
第百三十五条　法第四百三十九条及び第四百四十一条第四項（以下この条において「承認特則規定」という。）に規定する法務省令で定める要件は、次の各号（監査役設置会社であって監査役会設置会社でない株式会社にあっては、第三号を除く。）のいずれにも該当することとする。
一　承認特則規定に規定する計算関係書類についての会計監査報告の内容に第百二十六条第一項第二号イに定める事項（当該計算関係書類が臨時計算書類である場合にあっては、当該事項に相当する事項を含む。）が含まれていること。
二　前号の会計監査報告に係る監査役、監査役会、監査等委員会又は監査委員会の監査報告（監査役会設置会社にあっては、第百二十八条第一項の規定により作成した監査役会の監査報告に限る。）の内容として会計監査人の監査の方法又は結果を相当でないと認める意見がないこと。
三　第百二十八条第二項後段、第百二十八条の二第一項後段又は第百二十九条第一項後段の規定により第一号の会計監査報告に係る監査役会、監査等委員会又は監査委員会の監査報告に付記された内容が前号の意見でないこと。
四　承認特則規定に規定する計算関係書類が第百三十二条第三項の規定により監査を受けたものとみなされたものでないこと。
五　取締役会を設置していること。

（計算書類等の備置き及び閲覧等）
第四百四十二条　株式会社は、次の各号に掲げるもの（以下この条において「計算書類等」という。）を、当該各号に定める期間、その本店に備え置かなければならない。
一　各事業年度に係る計算書類及び事業報告並びにこれらの附属明細書（第四百三十六条第一項又は第二項の規定の適用がある場合にあっては、監査報告又は会計監査報告を含む。）　定時株主総会の日の一週間（取締役会設置会社にあっては、二週間）前の日（第三百十九条第一項の場合にあっては、同項の提案があった日）から五年間
二　臨時計算書類（前条第二項の規定の適用がある場合にあっては、監査報告又は会計監査報告を含む。）　臨時計算書類を作成した日から五年間
2　株式会社は、次の各号に掲げる計算書類等の写しを、当該各号に定める期間、その支店に備え置かなければならない。ただし、計算書類等が電磁的記録で作成されている場合であって、支店における次項第三号及び第四号に掲げる請求に応じることを可能とするための措置として法務省令で定めるものをとっているときは、この限りでない。
一　前項第一号に掲げる計算書類等　定時株主総会の日の一週間（取締役会設置会社にあっては、二週間）前の日（第三百十九条第一項の場合にあっては、同項の提案があった日）から三年間
二　前項第二号に掲げる計算書類等　同号の臨時計算書類を作成した日から三年間

3　株主及び債権者は、株式会社の営業時間内は、いつでも、次に掲げる請求をすることができる。ただし、第二号又は第四号に掲げる請求をするには、当該株式会社の定めた費用を支払わなければならない。
一　計算書類等が書面をもって作成されているときは、当該書面又は当該書面の写しの閲覧の請求
二　前号の書面の謄本又は抄本の交付の請求
三　計算書類等が電磁的記録をもって作成されているときは、当該電磁的記録に記録された事項を法務省令で定める方法により表示したものの閲覧の請求
四　前号の電磁的記録に記録された事項を電磁的方法であって株式会社の定めたものにより提供することの請求又はその事項を記載した書面の交付の請求
4　株式会社の親会社社員は、その権利を行使するため必要があるときは、裁判所の許可を得て、当該株式会社の計算書類等について前項各号に掲げる請求をすることができる。ただし、同項第二号又は第四号に掲げる請求をするには、当該株式会社の定めた費用を支払わなければならない。

【会社法施行規則】
（保存の指定）
第二百三十二条　電子文書法第三条第一項の主務省令で定める保存は、次に掲げる保存とする。
一～二十　（略）
二十一　法第四百四十二条第一項の規定による計算書類等の保存
二十二　法第四百四十二条第二項の規定による計算書類等の写しの保存
二十三～三十六　（略）
（電磁的記録の備置きに関する特則）
第二百二十七条　次に掲げる規定に規定する法務省令で定めるものは、会社の使用に係る電子計算機を電気通信回線で接続した電子情報処理組織を使用する方法であって、当該電子計算機に備えられたファイルに記録された情報の内容を電気通信回線を通じて会社の支店において使用される電子計算機に備えられたファイルに当該情報を記録するものによる措置とする。
一・二　（略）
三　法第四百四十二条第二項
（縦覧等の指定）
第二百三十四条　電子文書法第五条第一項の主務省令で定める縦覧等は、次に掲げる縦覧等とする。
一～三十四　（略）
三十五　法第四百四十二条第三項第一号の規定による計算書類等又はその写しの縦覧等
三十六　法第四百四十二条第四項の規定による計算書類等又はその写しの縦覧等
三十七～五十四　（略）
（交付等の指定）
第二百三十六条　電子文書法第六条第一項の主務省令で定める交付等は、次に掲げる交付等とする。
一～十四　（略）
十五　法第四百四十二条第三項第二号の規定による計算書類等の謄本又は抄本の交付等
十六　法第四百四十二条第四項の規定による計算書類等の謄本又は抄本の交付等
十七～二十八　（略）
（電磁的記録に記録された事項を表示する方法）
第二百二十六条　次に掲げる規定に規定する法務省令で定める方法は、次に掲げる規定の電磁的記録に記録された事項を紙面又は映像面に表示する方法とする。
一～二十七　（略）
二十八　法第四百四十二条第三項第三号

二十九〜四十三　（略）

（計算書類等の提出命令）

第四百四十三条　裁判所は、申立てにより又は職権で、訴訟の当事者に対し、計算書類及びその附属明細書の全部又は一部の提出を命ずることができる。

第三款　連結計算書類

第四百四十四条　会計監査人設置会社は、法務省令で定めるところにより、各事業年度に係る連結計算書類（当該会計監査人設置会社及びその子会社から成る企業集団の財産及び損益の状況を示すために必要かつ適当なものとして法務省令で定めるものをいう。以下同じ。）を作成することができる。

2　連結計算書類は、電磁的記録をもって作成することができる。

3　事業年度の末日において大会社であって金融商品取引法第二十四条第一項の規定により有価証券報告書を内閣総理大臣に提出しなければならないものは、当該事業年度に係る連結計算書類を作成しなければならない。

4　連結計算書類は、法務省令で定めるところにより、監査役（監査等委員会設置会社にあっては監査等委員会、指名委員会等設置会社にあっては監査委員会）及び会計監査人の監査を受けなければならない。

5　会計監査人設置会社が取締役会設置会社である場合には、前項の監査を受けた連結計算書類は、取締役会の承認を受けなければならない。

6　会計監査人設置会社が取締役会設置会社である場合には、取締役は、定時株主総会の招集の通知に際して、法務省令で定めるところにより、株主に対し、前項の承認を受けた連結計算書類を提供しなければならない。

7　次の各号に掲げる会計監査人設置会社においては、取締役は、当該各号に定める連結計算書類を定時株主総会に提出し、又は提供しなければならない。この場合においては、当該各号に定める連結計算書類の内容及び第四項の監査の結果を定時株主総会に報告しなければならない。

一　取締役会設置会社である会計監査人設置会社　第五項の承認を受けた連結計算書類

二　前号に掲げるもの以外の会計監査人設置会社　第四項の監査を受けた連結計算書類

【会社法施行規則】

第百十六条　次に掲げる規定に規定する法務省令で定めるべき事項（事業報告及びその附属明細書に係るものを除く。）は、会社計算規則の定めるところによる。

一〜七　（略）

八　法第四百四十四条第一項、第四項及び第六項

九〜十五　（略）

【会社計算規則】（総則）

第三編　計算関係書類

第一章　総則

第一節　表示の原則

第五十七条　計算関係書類に係る事項の金額は、一円単位、千円単位又は百万円単位をもって表示するものとする。

2　計算関係書類は、日本語をもって表示するものとする。ただし、その他の言語をもって表示することが不当でない場合は、この限りでない。

3　計算関係書類（各事業年度に係る計算書類の附属明細書を除く。）の作成については、貸借対照表、損益計算書その他計算関係書類を構成するものごとに、一の書面その他の資料として作成をしなければならないものと解してはならない。

第三節　株式会社の連結計算書類

（連結計算書類）

第六十一条　法第四百四十四条第一項に規定する法務省令で定めるものは、次に掲げるいずれかのものとする。

一　この編〔第五七条―第一二〇条の三〕（第百二十条から第百二十条の三までを除く。）の規定に従い作成される次のイからニまでに掲げるもの

イ　連結貸借対照表

ロ　連結損益計算書

ハ　連結株主資本等変動計算書

ニ　連結注記表

二　第百二十条の規定に従い作成されるもの

三　第百二十条の二の規定に従い作成されるもの

四　第百二十条の三の規定に従い作成されるもの

（連結会計年度）

第六十二条　各事業年度に係る連結計算書類の作成に係る期間（以下この編〔第五七条―第一二〇条の三〕において「連結会計年度」という。）は、当該事業年度の前事業年度の末日の翌日（当該事業年度の前事業年度がない場合にあっては、成立の日）から当該事業年度の末日までの期間とする。

（連結の範囲）

第六十三条　株式会社は、その全ての子会社を連結の範囲に含めなければならない。ただし、次のいずれかに該当する子会社は、連結の範囲に含めないものとする。

一　財務及び事業の方針を決定する機関（株主総会その他これに準ずる機関をいう。）に対する支配が一時的であると認められる子会社

二　連結の範囲に含めることにより当該株式会社の利害関係人の判断を著しく誤らせるおそれがあると認められる子会社

2　前項の規定により連結の範囲に含めるべき子会社のうち、その資産、売上高（役務収益を含む。以下同じ。）等からみて、連結の範囲から除いてもその企業集団の財産及び損益の状況に関する合理的な判断を妨げない程度に重要性の乏しいものは、連結の範囲から除くことができる。

（事業年度に係る期間の異なる子会社）

第六十四条　株式会社の事業年度の末日と異なる日をその事業年度の末日とする連結子会社は、当該株式会社の事業年度の末日において、連結計算書類の作成の基礎となる計算書類を作成するために必要とされる決算を行わなければならない。ただし、当該連結子会社の事業年度の末日と当該株式会社の事業年度の末日との差異が三箇月を超えない場合において、当該連結子会社の事業年度に係る計算書類を基礎として連結計算書類を作成するときは、この限りでない。

2　前項ただし書の規定により連結計算書類を作成する場合には、連結子会社の事業年度の末日と当該株式会社の事業年度の末日が異なることから生ずる連結会社相互間の取引に係る会計記録の重要な不一致について、調整をしなければならない。

（連結貸借対照表）

第六十五条　連結貸借対照表は、株式会社の連結会計年度に対応する期間に係る連結会社の貸借対照表（連結子会社が前条第一項本文の規定による決算を行う場合における当該連結子会社の貸借対照表については、当該決算に係る貸借対照表）の資産、負債及び純資産の金額を基礎として作成しなければならない。この場合においては、連結会社の貸借対照表に計上された資産、負債及び純資産の金額を連結貸借対照表の適切な項目に計上することができる。

（連結損益計算書）

第六十六条　連結損益計算書は、株式会社の連結会計年度に対応する期間に係る連結会社の損益計算書（連結子会社が第六十四条第一項本文の規定による決算を行う場合における当該連結子会社の損益計算書については、当該決算に係る損益計算書）の収益若し

くは費用又は利益若しくは損失の金額を基礎として作成しなければならない。この場合においては、連結会社の損益計算書に計上された収益若しくは費用又は利益若しくは損失の金額を連結損益計算書の適切な項目に計上することができる。

（連結株主資本等変動計算書）

第六十七条　連結株主資本等変動計算書は、株式会社の連結会計年度に対応する期間に係る連結会社の株主資本等変動計算書（連結子会社が第六十四条第一項本文の規定による決算を行う場合における当該連結子会社の株主資本等変動計算書については、当該決算に係る株主資本等変動計算書）の株主資本等（株主資本その他の会社等の純資産をいう。以下この条において同じ。）を基礎として作成しなければならない。この場合においては、連結会社の株主資本等変動計算書に表示された株主資本等に係る額を連結株主資本等変動計算書の適切な項目に計上することができる。

（連結子会社の資産及び負債の評価等）

第六十八条　連結計算書類の作成に当たっては、連結子会社の資産及び負債の評価並びに株式会社の連結子会社に対する投資とこれに対応する当該連結子会社の資本との相殺消去その他必要とされる連結会社相互間の項目の相殺消去をしなければならない。

（持分法の適用）

第六十九条　非連結子会社及び関連会社に対する投資については、持分法により計算する価額をもって連結貸借対照表に計上しなければならない。ただし、次のいずれかに該当する非連結子会社及び関連会社に対する投資については、持分法を適用しないものとする。

一　財務及び事業の方針の決定に対する影響が一時的であると認められる関連会社

二　持分法を適用することにより株式会社の利害関係人の判断を著しく誤らせるおそれがあると認められる非連結子会社及び関連会社

2　前項の規定により持分法を適用すべき非連結子会社及び関連会社のうち、その損益等からみて、持分法の適用の対象から除いても連結計算書類に重要な影響を与えないものは、持分法の適用の対象から除くことができる。

【会社計算規則】（連結計算書類の内容）

※　四三五条参照、連結計算書類の作成に特有の規律のみ

（貸借対照表等の区分）

第七十三条　貸借対照表等は、次に掲げる部に区分して表示しなければならない。

一　資産

二　負債

三　純資産

2　（略）

3　連結会社が二以上の異なる種類の事業を営んでいる場合には、連結貸借対照表の資産の部及び負債の部は、その営む事業の種類ごとに区分することができる。

（資産の部の区分）

第七十四条　（略）

2・3　（略）

4　前項に規定する「一年内」とは、次の各号に掲げる貸借対照表等の区分に応じ、当該各号に定める日から起算して一年以内の日をいう（以下この編〔第五七条―第一二〇条の三〕において同じ。）。

一～三　（略）

四　連結貸借対照表　連結会計年度の末日の翌日

（純資産の部の区分）

第七十六条　純資産の部は、次の各号に掲げる貸借対照表等の区分に応じ、当該各号に定める項目に区分しなければならない。

一　（略）

二　株式会社の連結貸借対照表　次に掲げる項目
　イ　株主資本
　ロ　次に掲げるいずれかの項目
　　(1)　評価・換算差額等
　　(2)　その他の包括利益累計額
　ハ　株式引受権
　ニ　新株予約権
　ホ　非支配株主持分
三　（略）
2～6　（略）
7　評価・換算差額等又はその他の包括利益累計額に係る項目は、次に掲げる項目その他適当な名称を付した項目に細分しなければならない。ただし、第四号及び第五号に掲げる項目は、連結貸借対照表に限る。
一　その他有価証券評価差額金
二　繰延ヘッジ損益
三　土地再評価差額金
四　為替換算調整勘定
五　退職給付に係る調整累計額
8　（略）
9　連結貸借対照表についての次の各号に掲げるものに計上すべきものは、当該各号に定めるものとする。
一　第二項第五号の自己株式　次に掲げる額の合計額
　イ　当該株式会社が保有する当該株式会社の株式の帳簿価額
　ロ　連結子会社並びに持分法を適用する非連結子会社及び関連会社が保有する当該株式会社の株式の帳簿価額のうち、当該株式会社のこれらの会社に対する持分に相当する額
二　第七項第四号の為替換算調整勘定　外国にある子会社又は関連会社の資産及び負債の換算に用いる為替相場と純資産の換算に用いる為替相場とが異なることによって生じる換算差額
三　第七項第五号の退職給付に係る調整累計額　次に掲げる項目の額の合計額
　イ　未認識数理計算上の差異
　ロ　未認識過去勤務費用
　ハ　その他退職給付に係る調整累計額に計上することが適当であると認められるもの

（関係会社株式等の表示）
第八十二条　関係会社の株式又は出資金は、関係会社株式又は関係会社出資金の項目をもって別に表示しなければならない。
2　前項の規定は、連結貸借対照表及び持分会社の貸借対照表については、適用しない。

（繰延税金資産等の表示）
第八十三条　繰延税金資産の金額及び繰延税金負債の金額については、その差額のみを繰延税金資産又は繰延税金負債として投資その他の資産又は固定負債に表示しなければならない。
2　連結貸借対照表に係る前項の規定の適用については、同項中「その差額」とあるのは、「異なる納税主体に係るものを除き、その差額」とする。

（連結貸借対照表ののれん）
第八十五条　連結貸借対照表に表示するのれんには、連結子会社に係る投資の金額がこれに対応する連結子会社の資本の金額と異なる場合に生ずるのれんを含むものとする。

（損益計算書等の区分）
第八十八条　損益計算書等は、次に掲げる項目に区分して表示しなければならない。この場合において、各項目について細分することが適当な場合には、適当な項目に細分することができる。
一　売上高（売上高以外の名称を付すことが適当な場合には、当該名称を付した項目。以下同じ。）
二　売上原価
三　販売費及び一般管理費

四　営業外収益
五　営業外費用
六　特別利益
七　特別損失
2～4　（略）
5　連結会社が二以上の異なる種類の事業を営んでいる場合には、連結損益計算書の第一項第一号から第三号までに掲げる収益又は費用は、その営む事業の種類ごとに区分することができる。
6　次の各号に掲げる場合における連結損益計算書には、当該各号に定める額を相殺した後の額を表示することができる。
一　連結貸借対照表の資産の部に計上されたのれんの償却額及び負債の部に計上されたのれんの償却額が生ずる場合（これらの償却額が重要である場合を除く。）　連結貸借対照表の資産の部に計上されたのれんの償却額及び負債の部に計上されたのれんの償却額
二　持分法による投資利益及び持分法による投資損失が生ずる場合　投資利益及び投資損失
7　（略）

（税引前当期純損益金額）
第九十二条　経常損益金額に特別利益を加えて得た額から特別損失を減じて得た額（以下「税引前当期純損益金額」という。）は、税引前当期純利益金額（連結損益計算書にあっては、税金等調整前当期純利益金額）として表示しなければならない。
2　前項の規定にかかわらず、税引前当期純損益金額が零未満である場合には、零から税引前当期純損益金額を減じて得た額を税引前当期純損失金額（連結損益計算書にあっては、税金等調整前当期純損失金額）として表示しなければならない。
3　（略）

（税等）
第九十三条　次に掲げる項目の金額は、その内容を示す名称を付した項目をもって、税引前当期純利益金額又は税引前当期純損失金額（連結損益計算書にあっては、税金等調整前当期純利益金額又は税金等調整前当期純損失金額）の次に表示しなければならない。
一　当該事業年度（連結損益計算書にあっては、連結会計年度）に係る法人税等
二　法人税等調整額（税効果会計の適用により計上される前号に掲げる法人税等の調整額をいう。）
2　（略）

（当期純損益金額）
第九十四条　（略）
2　（略）
3　連結損益計算書には、次に掲げる項目の金額は、その内容を示す名称を付した項目をもって、当期純利益金額又は当期純損失金額の次に表示しなければならない。
一　当期純利益として表示した額があるときは、当該額のうち非支配株主に帰属するもの
二　当期純損失として表示した額があるときは、当該額のうち非支配株主に帰属するもの
4　連結損益計算書には、当期純利益金額又は当期純損失金額に当期純利益又は当期純損失のうち非支配株主に帰属する額を加減して得た額は、親会社株主に帰属する当期純利益金額又は当期純損失金額として表示しなければならない。
5　（略）

第九十六条　（略）
2　株主資本等変動計算書等は、次の各号に掲げる株主資本等変動計算書等の区分に応じ、当該各号に定める項目に区分して表示しなければならない。
一　（略）
二　連結株主資本等変動計算書　次に掲げる項目
イ　株主資本

ロ　次に掲げるいずれかの項目
(1)　評価・換算差額等
(2)　その他の包括利益累計額
ハ　株式引受権
ニ　新株予約権
ホ　非支配株主持分
三　（略）
3　次の各号に掲げる項目は、当該各号に定める項目に区分しなければならない。
一　（略）
二　連結株主資本等変動計算書の株主資本　次に掲げる項目
イ　資本金
ロ　新株式申込証拠金
ハ　資本剰余金
ニ　利益剰余金
ホ　自己株式
ヘ　自己株式申込証拠金
三　（略）
4　（略）
5　評価・換算差額等又はその他の包括利益累計額に係る項目は、次に掲げる項目その他適当な名称を付した項目に細分することができる。
一　その他有価証券評価差額金
二　繰延ヘッジ損益
三　土地再評価差額金
四　為替換算調整勘定
五　退職給付に係る調整累計額
6　新株予約権に係る項目は、自己新株予約権に係る項目を控除項目として区分することができる。
7　資本金、資本剰余金、利益剰余金及び自己株式に係る項目は、それぞれ次に掲げるものについて明らかにしなければならない。この場合において、第二号に掲げるものは、各変動事由ごとに当期変動額及び変動事由を明らかにしなければならない。
一　当期首残高（遡及適用、誤謬の訂正又は当該事業年度の前事業年度における企業結合に係る暫定的な会計処理の確定をした場合にあっては、当期首残高及びこれに対する影響額。次項において同じ。）
二　当期変動額
三　当期末残高
8　評価・換算差額等又はその他の包括利益累計額、株式引受権、新株予約権及び非支配株主持分に係る項目は、それぞれ次に掲げるものについて明らかにしなければならない。この場合において、第二号に掲げるものについては、その主要なものを変動事由とともに明らかにすることを妨げない。
一　当期首残高
二　当期変動額
三　当期末残高
9　連結株主資本等変動計算書についての次の各号に掲げるものに計上すべきものは、当該各号に定めるものとする。
一　第三項第二号ホの自己株式　次に掲げる額の合計額
イ　当該株式会社が保有する当該株式会社の株式の帳簿価額
ロ　連結子会社並びに持分法を適用する非連結子会社及び関連会社が保有する当該株式会社の株式の帳簿価額のうち、当該株式会社のこれらの会社に対する持分に相当する額
二　第五項第四号の為替換算調整勘定　外国にある子会社又は関連会社の資産及び負債の換算に用いる為替相場と純資産の換算に用いる為替相場とが異なることによって生じる換算差額
三　第五項第五号の退職給付に係る調整累計額　次に掲げる項目の額の合計額
イ　未認識数理計算上の差異

ロ　未認識過去勤務費用
ハ　その他退職給付に係る調整累計額に計上することが適当であると認められるもの

（注記表の区分）

第九十八条　注記表は、次に掲げる項目に区分して表示しなければならない。

一　継続企業の前提に関する注記
二　重要な会計方針に係る事項（連結注記表にあっては、連結計算書類の作成のための基本となる重要な事項及び連結の範囲又は持分法の適用の範囲の変更）に関する注記
三　会計方針の変更に関する注記
四　表示方法の変更に関する注記
四の二　会計上の見積りに関する注記
五　会計上の見積りの変更に関する注記
六　誤謬の訂正に関する注記
七　貸借対照表等に関する注記
八　損益計算書に関する注記
九　株主資本等変動計算書（連結注記表にあっては、連結株主資本等変動計算書）に関する注記
十　税効果会計に関する注記
十一　リースにより使用する固定資産に関する注記
十二　金融商品に関する注記
十三　賃貸等不動産に関する注記
十四　持分法損益等に関する注記
十五　関連当事者との取引に関する注記
十六　一株当たり情報に関する注記
十七　重要な後発事象に関する注記
十八　連結配当規制適用会社に関する注記
十八の二　収益認識に関する注記
十九　その他の注記

2　次の各号に掲げる注記表には、当該各号に定める項目を表示することを要しない。

一～三　（略）
四　連結注記表　前項第八号、第十号、第十一号、第十四号、第十五号及び第十八号に掲げる項目
五　（略）

（連結計算書類の作成のための基本となる重要な事項に関する注記等）

第百二条　連結計算書類の作成のための基本となる重要な事項に関する注記は、次に掲げる事項とする。この場合において、当該注記は当該各号に掲げる事項に区分しなければならない。

一　連結の範囲に関する次に掲げる事項
イ　連結子会社の数及び主要な連結子会社の名称
ロ　非連結子会社がある場合には、次に掲げる事項
(1)　主要な非連結子会社の名称
(2)　非連結子会社を連結の範囲から除いた理由
ハ　株式会社が議決権の過半数を自己の計算において所有している会社等を子会社としなかったときは、当該会社等の名称及び子会社としなかった理由
ニ　第六十三条第一項ただし書の規定により連結の範囲から除かれた子会社の財産又は損益に関する事項であって、当該企業集団の財産及び損益の状態の判断に影響を与えると認められる重要なものがあるときは、その内容
ホ　開示対象特別目的会社（会社法施行規則（平成十八年法務省令第十二号）第四条に規定する特別目的会社（同条の規定により当該特別目的会社に資産を譲渡した会社の子会社に該当しないものと推定されるものに限る。）をいう。以下この号及び第百十一条において同じ。）がある場合には、次に掲げる事項その他の重要な事項
(1)　開示対象特別目的会社の概要

(2) 開示対象特別目的会社との取引の概要及び取引金額

二　持分法の適用に関する次に掲げる事項

イ　持分法を適用した非連結子会社又は関連会社の数及びこれらのうち主要な会社等の名称

ロ　持分法を適用しない非連結子会社又は関連会社があるときは、次に掲げる事項

(1) 当該非連結子会社又は関連会社のうち主要な会社等の名称

(2) 当該非連結子会社又は関連会社に持分法を適用しない理由

ハ　当該株式会社が議決権の百分の二十以上、百分の五十以下を自己の計算において所有している会社等を関連会社としなかったときは、当該会社等の名称及び関連会社としなかった理由

ニ　持分法の適用の手続について特に示す必要があると認められる事項がある場合には、その内容

三　会計方針に関する次に掲げる事項

イ　重要な資産の評価基準及び評価方法

ロ　重要な減価償却資産の減価償却の方法

ハ　重要な引当金の計上基準

ニ　その他連結計算書類の作成のための重要な事項

2　連結の範囲又は持分法の適用の範囲の変更に関する注記は、連結の範囲又は持分法の適用の範囲を変更した場合（当該変更が重要性の乏しいものである場合を除く。）におけるその旨及び変更の理由とする。

（連結株主資本等変動計算書に関する注記）

第百六条　連結株主資本等変動計算書に関する注記は、次に掲げる事項とする。

一　当該連結会計年度の末日における当該株式会社の発行済株式の総数（種類株式発行会社にあっては、種類ごとの発行済株式の総数）

二　当該連結会計年度中に行った剰余金の配当（当該連結会計年度の末日後に行う剰余金の配当のうち、剰余金の配当を受ける者を定めるための法第百二十四条第一項に規定する基準日が当該連結会計年度中のものを含む。）に関する次に掲げる事項その他の事項

イ　配当財産が金銭である場合における当該金銭の総額

ロ　配当財産が金銭以外の財産である場合における当該財産の帳簿価額（当該剰余金の配当をした日においてその時の時価を付した場合にあっては、当該時価を付した後の帳簿価額）の総額

三　当該連結会計年度の末日における株式引受権に係る当該株式会社の株式の数（種類株式発行会社にあっては、種類及び種類ごとの数）

四　当該連結会計年度の末日における当該株式会社が発行している新株予約権（法第二百三十六条第一項第四号の期間の初日が到来していないものを除く。）の目的となる当該株式会社の株式の数（種類株式発行会社にあっては、種類及び種類ごとの数）

（金融商品に関する注記）

第百九条　金融商品に関する注記は、次に掲げるもの（重要性の乏しいものを除く。）とする。ただし、法第四百四十四条第三項に規定する株式会社以外の株式会社にあっては、第三号に掲げる事項を省略することができる。

一　金融商品の状況に関する事項

二　金融商品の時価等に関する事項

三　金融商品の時価の適切な区分ごとの内訳等に関する事項

2　連結注記表を作成する株式会社は、個別注記表における前項の注記を要しない。

（賃貸等不動産に関する注記）

第百十条　賃貸等不動産に関する注記は、次に掲げるもの（重要性

の乏しいものを除く。）とする。
一　賃貸等不動産の状況に関する事項
二　賃貸等不動産の時価に関する事項
2　連結注記表を作成する株式会社は、個別注記表における前項の注記を要しない。

（持分法損益等に関する注記）
第百十一条　持分法損益等に関する注記は、次の各号に掲げる場合の区分に応じ、当該各号に定めるものとする。ただし、第一号に定める事項については、損益及び利益剰余金からみて重要性の乏しい関連会社を除外することができる。
一　関連会社がある場合　関連会社に対する投資の金額並びに当該投資に対して持分法を適用した場合の投資の金額及び投資利益又は投資損失の金額
二　開示対象特別目的会社がある場合　開示対象特別目的会社の概要、開示対象特別目的会社との取引の概要及び取引金額その他の重要な事項
2　連結計算書類を作成する株式会社は、個別注記表における前項の注記を要しない。

（重要な後発事象に関する注記）
第百十四条　（略）
2　連結注記表における重要な後発事象に関する注記は、当該株式会社の事業年度の末日後、連結会社並びに持分法が適用される非連結子会社及び関連会社の翌事業年度以降の財産又は損益に重要な影響を及ぼす事象が発生した場合における当該事象とする。ただし、当該株式会社の事業年度の末日と異なる日をその事業年度の末日とする子会社及び関連会社については、当該子会社及び関連会社の事業年度の末日後に発生した場合における当該事象とする。

（国際会計基準で作成する連結計算書類に関する特則）
第百二十条　連結財務諸表の用語、様式及び作成方法に関する規則（昭和五十一年大蔵省令第二十八号）第九十三条の規定により連結財務諸表の用語、様式及び作成方法について指定国際会計基準（同条に規定する指定国際会計基準をいう。以下この条において同じ。）に従うことができるものとされた株式会社の作成すべき連結計算書類は、指定国際会計基準に従って作成することができる。この場合においては、第一章から第五章まで（第五七条―第一一六条）の規定により第六十一条第一号に規定する連結計算書類において表示すべき事項に相当するものを除くその他の事項は、省略することができる。
2　前項の規定により作成した連結計算書類には、指定国際会計基準に従って作成した連結計算書類である旨を注記しなければならない。
3　第一項後段の規定により省略した事項がある同項の規定により作成した連結計算書類には、前項の規定にかかわらず、第一項の規定により作成した連結計算書類である旨及び同項後段の規定により省略した事項がある旨を注記しなければならない。

（修正国際基準で作成する連結計算書類に関する特則）
第百二十条の二　連結財務諸表の用語、様式及び作成方法に関する規則第九十四条の規定により連結財務諸表の用語、様式及び作成方法について修正国際基準（同条に規定する修正国際基準をいう。以下この条において同じ。）に従うことができるものとされた株式会社の作成すべき連結計算書類は、修正国際基準に従って作成することができる。
2　前項の規定により作成した連結計算書類には、修正国際基準に従って作成した連結計算書類である旨を注記しなければならない。
3　前条第一項後段及び第三項の規定は、第一項の場合について準用する。

（米国基準で作成する連結計算書類に関する特則）
第百二十条の三　連結財務諸表の用語、様式及び作成方法に関する

規則第九十五条又は連結財務諸表の用語、様式及び作成方法に関する規則の一部を改正する内閣府令（平成十四年内閣府令第十一号）附則第三項の規定により、連結財務諸表の用語、様式及び作成方法について米国預託証券の発行等に関して要請されている用語、様式及び作成方法によることができるものとされた株式会社の作成すべき連結計算書類は、米国預託証券の発行等に関して要請されている用語、様式及び作成方法によることができる。

2　前項の規定による連結計算書類には、当該連結計算書類が準拠している用語、様式及び作成方法を注記しなければならない。

3　第百二十条第一項後段の規定は、第一項の場合について準用する。

【会社計算規則】（連結計算書類の監査）

※　四三六条参照。連結計算書類に特有の規律のみ

（会計監査報告の通知期限等）

第百三十条　会計監査人は、次の各号に掲げる会計監査報告の区分に応じ、当該各号に定める日までに、特定監査役及び特定取締役に対し、当該会計監査報告の内容を通知しなければならない。

一・二　（略）

三　連結計算書類についての会計監査報告　当該連結計算書類の全部を受領した日から四週間を経過した日（特定取締役、特定監査役及び会計監査人の間で合意により定めた日がある場合にあっては、その日）

2～5　（略）

（会計監査人設置会社の監査役等の監査報告の通知期限）

第百三十二条　会計監査人設置会社の特定監査役は、次の各号に掲げる監査報告の区分に応じ、当該各号に定める日までに、特定取締役及び会計監査人に対し、監査報告（監査役会設置会社にあっては、第百二十八条第一項の規定により作成した監査役会の監査報告に限る。以下この条において同じ。）の内容を通知しなければならない。

一　（略）

二　連結計算書類についての監査報告　会計監査報告を受領した日から一週間を経過した日（特定取締役及び特定監査役の間で合意により定めた日がある場合にあっては、その日）

2・3　（略）

【会社計算規則】

（連結計算書類の提供）

第百三十四条　法第四百四十四条第六項の規定により株主に対して連結計算書類の提供をする場合において、定時株主総会の招集通知を次の各号に掲げる方法により行うときは、連結計算書類は、当該各号に定める方法により提供しなければならない。

一　書面の提供　次のイ又はロに掲げる場合の区分に応じ、当該イ又はロに定める方法

イ　連結計算書類が書面をもって作成されている場合　当該書面に記載された事項を記載した書面の提供

ロ　連結計算書類が電磁的記録をもって作成されている場合　当該電磁的記録に記録された事項を記載した書面の提供

二　電磁的方法による提供　次のイ又はロに掲げる場合の区分に応じ、当該イ又はロに定める方法

イ　連結計算書類が書面をもって作成されている場合　当該書面に記載された事項の電磁的方法による提供

ロ　連結計算書類が電磁的記録をもって作成されている場合　当該電磁的記録に記録された事項の電磁的方法による提供

2　前項の連結計算書類に係る会計監査報告又は監査報告がある場合において、当該会計監査報告又は監査報告の内容をも株主に対して提供することを定めたときにおける同項の規定の適用につい

ては、同項第一号イ及びロ並びに第二号イ及びロ中「連結計算書類」とあるのは、「連結計算書類（当該連結計算書類に係る会計監査報告又は監査報告を含む。）」とする。

3　連結計算書類を提供する際には、当該連結会計年度より前の連結会計年度に係る連結貸借対照表、連結損益計算書又は連結株主資本等変動計算書に表示すべき事項（以下この項において「過年度事項」という。）を併せて提供することができる。この場合において、連結計算書類の提供をする時における過年度事項が会計方針の変更その他の正当な理由により当該連結会計年度より前の連結会計年度に相当する事業年度に係る定時株主総会において報告をしたものと異なるものとなっているときは、修正後の過年度事項を提供することを妨げない。

4　連結計算書類（第二項に規定する場合にあっては、当該連結計算書類に係る会計監査報告又は監査報告を含む。）に表示すべき事項に係る情報を、定時株主総会に係る招集通知を発出する時から定時株主総会の日から三箇月が経過する日までの間、継続して電磁的方法により株主が提供を受けることができる状態に置く措置（会社法施行規則第二百二十二条第一項第一号ロに掲げる方法のうち、インターネットに接続された自動公衆送信装置を使用する方法によって行われるものに限る。）をとる場合における第一項の規定の適用については、当該事項につき同項各号に掲げる場合の区分に応じ、当該各号に定める方法により株主に対して提供したものとみなす。ただし、この項の措置をとる旨の定款の定めがある場合に限る。

5　前項の場合には、取締役は、同項の措置をとるために使用する自動公衆送信装置のうち当該措置をとるための用に供する部分をインターネットにおいて識別するための文字、記号その他の符号又はこれらの結合であって、情報の提供を受ける者がその使用に係る電子計算機に入力することによって当該情報の内容を閲覧し、当該電子計算機に備えられたファイルに当該情報を記録することができるものを株主に対して通知しなければならない。

6　第四項の規定により連結計算書類に表示した事項の一部が株主に対して第一項各号に定める方法により提供したものとみなされた場合において、監査役、会計監査人、監査等委員会又は監査委員会が、現に株主に対して提供された連結計算書類が監査報告又は会計監査報告を作成するに際して監査をした連結計算書類の一部であることを株主に対して通知すべき旨を取締役に請求したときは、取締役は、その旨を株主に対して通知しなければならない。

7　取締役は、連結計算書類の内容とすべき事項について、定時株主総会の招集通知を発出した日から定時株主総会の前日までの間に修正をすべき事情が生じた場合における修正後の事項を株主に周知させる方法を当該招集通知と併せて通知することができる。

〔施行　会社法の一部を改正する法律（令和元年法律第七十号）附則第一条ただし書に規定する規定の施行の日〕〔第三項を加える〕

（連結計算書類の提供）

第百三十四条　（省略）

2　（省略）

3　電子提供措置をとる旨の定款の定めがある場合において、第一項の連結計算書類に係る会計監査報告又は監査報告があり、かつ、その内容をも株主に対して提供することを定めたときは、前二項の規定による提供に代えて当該会計監査報告又は監査報告に記載され、又は記録された事項に係る情報について電子提供措置をとることができる。

4～8　（省略）

第三節　資本金の額等

第一款　総則

（資本金の額及び準備金の額）

第四百四十五条　株式会社の資本金の額は、この法律に別段の定めがある場合を除き、設立又は株式の発行に際して株主となる者が当該株式会社に対して払込み又は給付をした財産の額とする。

2　前項の払込み又は給付に係る額の二分の一を超えない額は、資本金として計上しないことができる。

3　前項の規定により資本金として計上しないこととした額は、資本準備金として計上しなければならない。

4　剰余金の配当をする場合には、株式会社は、法務省令で定めるところにより、当該剰余金の配当により減少する剰余金の額に十分の一を乗じて得た額を資本準備金又は利益準備金（以下「準備金」と総称する。）として計上しなければならない。

5　合併、吸収分割、新設分割、株式交換、株式移転又は株式交付に際して資本金又は準備金として計上すべき額については、法務省令で定める。

6　定款又は株主総会の決議による第三百六十一条第一項第三号、第四号若しくは第五号ロに掲げる事項についての定め又は報酬委員会による第四百九条第三項第三号、第四号若しくは第五号ロに定める事項についての決定に基づく株式の発行により資本金又は準備金として計上すべき額については、法務省令で定める。

【会社法施行規則】

第百十六条　次に掲げる規定に規定する法務省令で定めるべき事項（事業報告及びその附属明細書に係るものを除く。）は、会社計算規則の定めるところによる。

一～八　（略）

九　法第四百四十五条第四項から第六項まで

十～十五　（略）

【会社計算規則】

第二編　会計帳簿

第三章　純資産

第一節　株式会社の株主資本

第二款　剰余金の配当　（抄）

（法第四百四十五条第四項の規定による準備金の計上）

第二十二条　株式会社が剰余金の配当をする場合には、剰余金の配当後の資本準備金の額は、当該剰余金の配当の直前の資本準備金の額に、次の各号に掲げる場合の区分に応じ、当該各号に定める額を加えて得た額とする。

一　当該剰余金の配当をする日における準備金の額が当該日における基準資本金額（資本金の額に四分の一を乗じて得た額をいう。以下この条において同じ。）以上である場合　零

二　当該剰余金の配当をする日における準備金の額が当該日における基準資本金額未満である場合　イ又はロに掲げる額のうちいずれか少ない額に資本剰余金配当割合（次条第一号イに掲げる額を法第四百四十六条第六号に掲げる額で除して得た割合をいう。）を乗じて得た額

イ　当該剰余金の配当をする日における準備金計上限度額（基準資本金額から準備金の額を減じて得た額をいう。以下この条において同じ。）

ロ　法第四百四十六条第六号に掲げる額に十分の一を乗じて得た額

2　株式会社が剰余金の配当をする場合には、剰余金の配当後の利益準備金の額は、当該剰余金の配当の直前の利益準備金の額に、次の各号に掲げる場合の区分に応じ、当該各号に定める額を加え

て得た額とする。

一　当該剰余金の配当をする日における準備金の額が当該日における基準資本金額以上である場合　零

二　当該剰余金の配当をする日における準備金の額が当該日における基準資本金額未満である場合　イ又はロに掲げる額のうちいずれか少ない額に利益剰余金配当割合（次条第二号イに掲げる額を法第四百四十六条第六号に掲げる額で除して得た割合をいう。）を乗じて得た額

イ　当該剰余金の配当をする日における準備金計上限度額

ロ　法第四百四十六条第六号に掲げる額に十分の一を乗じて得た額

第四節　吸収合併、吸収分割及び株式交換に際しての株主資本及び社員資本

第一款　吸収合併

（吸収型再編対価の全部又は一部が吸収合併存続会社の株式又は持分である場合における吸収合併存続会社の株主資本等の変動額）

第三十五条　吸収型再編対価の全部又は一部が吸収合併存続会社の株式又は持分である場合には、吸収合併存続会社において変動する株主資本等の総額（次項において「株主資本等変動額」という。）は、次の各号に掲げる場合の区分に応じ、当該各号に定める方法に従い定まる額とする。

一　当該吸収合併が支配取得に該当する場合（吸収合併消滅会社による支配取得に該当する場合を除く。）　吸収型再編対価時価又は吸収型再編対象財産の時価を基礎として算定する方法

二　吸収合併存続会社と吸収合併消滅会社が共通支配下関係にある場合　吸収型再編対象財産の吸収合併の直前の帳簿価額を基礎として算定する方法（前号に定める方法によるべき部分にあっては、当該方法）

三　前二号に掲げる場合以外の場合　前号に定める方法

2　前項の場合には、吸収合併存続会社の資本金及び資本剰余金の増加額は、株主資本等変動額の範囲内で、吸収合併存続会社が吸収合併契約の定めに従いそれぞれ定めた額とし、利益剰余金の額は変動しないものとする。ただし、株主資本等変動額のうち、対価自己株式の処分により生ずる差損の額をその他資本剰余金（当該吸収合併存続会社が持分会社の場合にあっては、資本剰余金。次条において同じ。）の減少額とし、その余の額をその他利益剰余金（当該吸収合併存続会社が持分会社の場合にあっては、利益剰余金。次条において同じ。）の減少額とし、資本金、資本準備金及び利益準備金の額は変動しないものとする。

（株主資本等を引き継ぐ場合における吸収合併存続会社の株主資本等の変動額）

第三十六条　前条の規定にかかわらず、吸収型再編対価の全部が吸収合併存続会社の株式又は持分である場合であって、吸収合併消滅会社における吸収合併の直前の株主資本等を引き継ぐものとして計算することが適切であるときには、吸収合併の直前の吸収合併消滅会社の資本金、資本剰余金及び利益剰余金の額をそれぞれ当該吸収合併存続会社の資本金、資本剰余金及び利益剰余金の変動額とすることができる。ただし、対価自己株式又は先行取得分株式等がある場合にあっては、当該対価自己株式又は当該先行取得分株式等の帳簿価額を吸収合併の直前の吸収合併消滅会社のその他資本剰余金の額から減じて得た額を吸収合併存続会社のその他資本剰余金の変動額とする。

2　吸収型再編対価が存しない場合であって、吸収合併消滅会社における吸収合併の直前の株主資本等を引き継ぐものとして計算することが適切であるときには、吸収合併の直前の吸収合併消滅会社の資本金及び資本剰余金の合計額を当該吸収合併存続会社のその他資本剰余金の変動額とし、吸収合併の直前の利益剰余金の額を当該吸収合併存続会社のその他利益剰余金の変動額とすること

ができる。ただし、先行取得分株式等がある場合にあっては、当該先行取得分株式等の帳簿価額を吸収合併の直前の吸収合併消滅会社の資本金及び資本剰余金の合計額から減じて得た額を吸収合併存続会社のその他資本剰余金の変動額とする。

第二款　吸収分割

（吸収型再編対価の全部又は一部が吸収分割承継会社の株式又は持分である場合における吸収分割承継会社の株主資本等の変動額）

第三十七条　吸収型再編対価の全部又は一部が吸収分割承継会社の株式又は持分である場合には、吸収分割承継会社において変動する株主資本等の総額（次項において「株主資本等変動額」という。）は、次の各号に掲げる場合の区分に応じ、当該各号に定める方法に従い定まる額とする。

一　当該吸収分割が支配取得に該当する場合（吸収分割会社による支配取得に該当する場合を除く。）　吸収型再編対価時価又は吸収型再編対象財産の時価を基礎として算定する方法

二　前号に掲げる場合以外の場合であって、吸収型再編対象財産に時価を付すべきとき　前号に定める方法

三　吸収分割承継会社と吸収分割会社が共通支配下関係にある場合（前号に掲げる場合を除く。）　吸収型再編対象財産の吸収分割の直前の帳簿価額を基礎として算定する方法（第一号に定める方法によるべき部分にあっては、当該方法）

四　前三号に掲げる場合以外の場合　前号に定める方法

2　前項の場合には、吸収分割承継会社の資本金及び資本剰余金の増加額は、株主資本等変動額の範囲内で、吸収分割承継会社が吸収分割契約の定めに従いそれぞれ定めた額とし、利益剰余金の額は変動しないものとする。ただし、株主資本等変動額が零未満の場合には、当該株主資本等変動額のうち、対価自己株式の処分により生ずる差損の額をその他資本剰余金（当該吸収分割承継会社が持分会社の場合にあっては、資本剰余金。次条において同じ。）の減少額とし、その余の額をその他利益剰余金（当該吸収分割承継会社が持分会社の場合にあっては、利益剰余金。次条において同じ。）の減少額とし、資本金、資本準備金及び利益準備金の額は変動しないものとする。

（株主資本等を引き継ぐ場合における吸収分割承継会社の株主資本等の変動額）

第三十八条　前条の規定にかかわらず、分割型吸収分割における吸収型再編対価の全部が吸収分割承継会社の株式又は持分である場合であって、吸収分割会社における吸収分割の直前の株主資本等の全部又は一部を引き継ぐものとして計算することが適切であるときには、分割型吸収分割により変動する吸収分割会社の資本金、資本剰余金及び利益剰余金の額をそれぞれ当該吸収分割承継会社の資本金、資本剰余金及び利益剰余金の変動額とすることができる。ただし、対価自己株式がある場合にあっては、当該対価自己株式の帳簿価額を吸収分割により変動する吸収分割会社のその他資本剰余金の額から減じて得た額を吸収分割承継会社のその他資本剰余金の変動額とする。

2　吸収型再編対価が存しない場合であって、吸収分割会社における吸収分割の直前の株主資本等の全部又は一部を引き継ぐものとして計算することが適切であるときには、吸収分割により変動する吸収分割会社の資本金及び資本剰余金の合計額を当該吸収分割承継会社のその他資本剰余金の変動額とし、吸収分割により変動する吸収分割会社の利益剰余金の額を当該吸収分割承継会社のその他利益剰余金の変動額とすることができる。

3　前二項の場合の吸収分割会社における吸収分割に際しての資本金、資本剰余金又は利益剰余金の額の変更に関しては、法第二編第五章第三節第二款〔第四四七条―第四五二条〕の規定その他の法の規定に従うものとする。

第三款　株式交換

第三十九条　吸収型再編対価の全部又は一部が株式交換完全親会社

の株式又は持分である場合には、株式交換完全親会社において変動する株主資本等の総額（以下この条において「株主資本等変動額」という。）は、次の各号に掲げる場合の区分に応じ、当該各号に定める方法に従い定まる額とする。

一　当該株式交換が支配取得に該当する場合（株式交換完全子会社による支配取得に該当する場合を除く。）　吸収型再編対価時価又は株式交換完全子会社の株式の時価を基礎として算定する方法

二　株式交換完全親会社と株式交換完全子会社が共通支配下関係にある場合　株式交換完全子会社の財産の株式交換の直前の帳簿価額を基礎として算定する方法（前号に定める方法によるべき部分にあっては、当該方法）

三　前二号に掲げる場合以外の場合　前号に定める方法

2　前項の場合には、株式交換完全親会社の資本金及び資本剰余金の増加額は、株主資本等変動額の範囲内で、株式交換完全親会社が株式交換契約の定めに従い定めた額とし、利益剰余金の額は変動しないものとする。ただし、法第七百九十九条（法第八百二条第二項において読み替えて準用する場合を含む。）の規定による手続をとっている場合以外の場合にあっては、株式交換完全親会社の資本金及び資本準備金の増加額は、株主資本等変動額に対価自己株式の帳簿価額を加えて得た額に株式発行割合（当該株式交換に際して発行する株式の数を当該株式の数及び対価自己株式の数の合計数で除して得た割合をいう。）を乗じて得た額から株主資本等変動額まで（株主資本等変動額に対価自己株式の帳簿価額を加えて得た額に株式発行割合を乗じて得た額が株主資本等変動額を上回る場合にあっては、株主資本等変動額）の範囲内で、株式交換完全親会社が株式交換契約の定めに従いそれぞれ定めた額（株式交換完全親会社が持分会社である場合にあっては、株主資本等変動額）とし、当該額の合計額を株主資本等変動額から減じて得た額をその他資本剰余金の変動額とする。

3　前項の規定にかかわらず、株主資本等変動額が零未満の場合には、当該株主資本等変動額のうち、対価自己株式の処分により生ずる差損の額をその他資本剰余金（当該株式交換完全親会社が持分会社の場合にあっては、資本剰余金）の減少額とし、その余の額をその他利益剰余金（当該株式交換完全親会社が持分会社の場合にあっては、利益剰余金）の減少額とし、資本金、資本準備金及び利益準備金の額は変動しないものとする。

第四款　株式交付

第三十九条の二　株式交付に際し、株式交付親会社において変動する株主資本等の総額（以下この条において「株主資本等変動額」という。）は、次の各号に掲げる場合の区分に応じ、当該各号に定める方法に従い定まる額とする。

一　当該株式交付が支配取得に該当する場合（株式交付子会社による支配取得に該当する場合を除く。）　吸収型再編対価時価又は株式交付子会社の株式及び新株予約権等の時価を基礎として算定する方法

二　株式交付親会社と株式交付子会社が共通支配下関係にある場合　株式交付子会社の財産の株式交付の直前の帳簿価額を基礎として算定する方法（前号に定める方法によるべき部分にあっては、当該方法）

三　前二号に掲げる場合以外の場合　前号に定める方法

2　前項の場合には、株式交付親会社の資本金及び資本剰余金の増加額は、株主資本等変動額の範囲内で、株式交付親会社が株式交付計画の定めに従い定めた額とし、利益剰余金の額は変動しないものとする。ただし、法第八百十六条の八の規定による手続をとっている場合以外の場合にあっては、株式交付親会社の資本金及び資本準備金の増加額は、株主資本等変動額に対価自己株式の帳簿価額を加えて得た額に株式発行割合（当該株式交付に際して発行する株式の数を当該株式の数及び対価自己株式の数の合計数で除して得た割合をいう。）を乗じて得た額から株主資本等変動額まで

（株主資本等変動額に対価自己株式の帳簿価額を加えて得た額に株式発行割合を乗じて得た額が株主資本等変動額を上回る場合にあっては、株主資本等変動額）の範囲内で、株式交付親会社が株式交付計画の定めに従いそれぞれ定めた額とし、当該額の合計額を株主資本等変動額から減じて得た額をその他資本剰余金の変動額とする。

3　前項の規定にかかわらず、株主資本等変動額が零未満の場合には、当該株主資本等変動額のうち、対価自己株式の処分により生ずる差損の額をその他資本剰余金の減少額とし、その余の額をその他利益剰余金の減少額とし、資本金、資本準備金及び利益準備金の額は変動しないものとする。

第五節　吸収分割会社等の自己株式の処分

（吸収分割会社の自己株式の処分）

第四十条　吸収分割により吸収分割会社（株式会社に限る。）が自己株式を吸収分割承継会社に承継させる場合には、当該吸収分割後の吸収分割会社のその他資本剰余金の額は、第一号及び第二号に掲げる額の合計額から第三号に掲げる額を減じて得た額とする。

一　吸収分割の直前の吸収分割会社のその他資本剰余金の額

二　吸収分割会社が交付を受ける吸収型再編対価に付すべき帳簿価額のうち、次号の自己株式の対価となるべき部分に係る額

三　吸収分割承継会社に承継させる自己株式の帳簿価額

2　前項に規定する場合には、自己株式対価額は、同項第二号に掲げる額とする。

（株式交換完全子会社の自己株式の処分）

第四十一条　株式交換完全子会社が株式交換に際して自己株式を株式交換完全親会社に取得される場合には、当該株式交換後の株式交換完全子会社のその他資本剰余金の額は、第一号及び第二号に掲げる額の合計額から第三号に掲げる額を減じて得た額とする。

一　株式交換の直前の株式交換完全子会社のその他資本剰余金の額

二　株式交換完全子会社が交付を受ける吸収型再編対価に付すべき帳簿価額

三　株式交換完全親会社に取得させる自己株式の帳簿価額

2　前項に規定する場合には、自己株式対価額は、同項第二号に掲げる額とする。

（株式移転完全子会社の自己株式の処分）

第四十二条　株式移転完全子会社が株式移転に際して自己株式を株式移転設立完全親会社に取得される場合には、当該株式移転後の株式移転完全子会社のその他資本剰余金の額は、第一号及び第二号に掲げる額の合計額から第三号に掲げる額を減じて得た額とする。

一　株式移転の直前の株式移転完全子会社のその他資本剰余金の額

二　株式移転完全子会社が交付を受ける新設型再編対価に付すべき帳簿価額のうち、次号の自己株式の対価となるべき部分に係る額

三　株式移転設立完全親会社に取得させる自己株式の帳簿価額

2　前項に規定する場合には、自己株式対価額は、同項第二号に掲げる額とする。

第五節の二　取締役等の報酬等として株式を交付する場合の株主資本

（取締役等が株式会社に対し割当日後にその職務の執行として募集株式を対価とする役務を提供する場合における株主資本の変動額）

第四十二条の二　法第二百二条の二第一項（同条第三項の規定により読み替えて適用する場合を含む。）の規定により募集株式を引き受ける者の募集を行う場合において、当該募集株式を引き受ける取締役又は執行役（以下この節（第四十二条の二・第四十二条の三）及び第五十四条の二において「取締役等」という。）が株式会社に対し当該募集株式に係る割当日（法第二百二条の二第一項第二号

に規定する割当日をいう。以下この節（第四二条の二・第四二条の三）及び第五十四条の二において同じ。）後にその職務の執行として当該募集株式を対価とする役務を提供するときは、当該募集に係る株式の発行により各事業年度の末日（臨時計算書類を作成しようとし、又は作成した場合にあっては、臨時決算日。以下この項及び第五項において「株主資本変動日」という。）において増加する資本金の額は、この省令に別段の定めがある場合を除き、第一号に掲げる額から第二号に掲げる額を減じて得た額に株式発行割合（当該募集に際して発行する株式の数を当該募集に際して発行する株式の数及び処分する自己株式の数の合計数で除して得た割合をいう。以下この条において同じ。）を乗じて得た額（零未満である場合にあっては、零。以下この条において「資本金等増加限度額」という。）とする。

一　イに掲げる額からロに掲げる額を減じて得た額（零未満である場合にあっては、零）

イ　取締役等が当該株主資本変動日までにその職務の執行として当該株式会社に提供した役務（当該募集株式を対価とするものに限る。ロにおいて同じ。）の公正な評価額

ロ　取締役等が当該株主資本変動日の直前の株主資本変動日までにその職務の執行として当該株式会社に提供した役務の公正な評価額

二　法第百九十九条第一項第五号に掲げる事項として募集株式の交付に係る費用の額のうち、株式会社が資本金等増加限度額から減ずるべき額と定めた額

2　資本金等増加限度額の二分の一を超えない額は、資本金として計上しないことができる。

3　前項の規定により資本金として計上しないこととした額は、資本準備金として計上しなければならない。

4　法第二百二条の二第一項（同条第三項の規定により読み替えて適用する場合を含む。）の規定により募集株式を引き受ける者の募集を行う場合において、取締役等が株式会社に対し当該募集株式に係る割当日後にその職務の執行として当該募集株式を対価とする役務を提供するときは、当該割当日において、当該募集に際して処分する自己株式の帳簿価額をその他資本剰余金の額から減ずるものとする。

5　法第二百二条の二第一項（同条第三項の規定により読み替えて適用する場合を含む。）の規定により募集株式を引き受ける者の募集を行う場合において、取締役等が株式会社に対し当該募集株式に係る割当日後にその職務の執行として当該募集株式を対価とする役務を提供するときは、各株主資本変動日において変動する次の各号に掲げる額は、当該各号に定める額とする。

一　その他資本剰余金の額　第一項第一号に掲げる額から同項第二号に掲げる額を減じて得た額に自己株式処分割合（一から株式発行割合を減じて得た割合をいう。）を乗じて得た額

二　その他利益剰余金の額　第一項第一号に掲げる額から同項第二号に掲げる額を減じて得た額が零未満である場合における当該額に株式発行割合を乗じて得た額

6　法第二百二条の二第一項（同条第三項の規定により読み替えて適用する場合を含む。）の規定により募集株式を引き受ける者の募集を行う場合において、取締役等が株式会社に対し当該募集株式に係る割当日後にその職務の執行として当該募集株式を対価とする役務を提供するときは、自己株式対価額は、零とする。

7　第二十四条第一項の規定にかかわらず、当該株式会社が法第二百二条の二第一項（同条第三項の規定により読み替えて適用する場合を含む。）の規定による募集に際して自己株式の処分により取締役等に対して当該株式会社の株式を交付した場合において、当該取締役等が当該株式の割当てを受けた際に約したところに従って当該株式を当該株式会社に無償で譲り渡し、当該株式会社がこれを取得するときは、当該自己株式の処分に際して減少した自己株式の額を、増加すべき自己株式の額とする。

(取締役等が株式会社に対し割当日前にその職務の執行として募集株式を対価とする役務を提供する場合における株主資本の変動額)

第四十二条の三　法第二百二条の二第一項（同条第三項の規定により読み替えて適用する場合を含む。）の規定により募集株式を引き受ける者の募集を行う場合において、取締役等が株式会社に対し当該募集株式に係る割当日前にその職務の執行として当該募集株式を対価とする役務を提供するときは、当該募集に係る株式の発行により増加する資本金の額は、この省令に別段の定めがある場合を除き、第一号に掲げる額から第二号に掲げる額を減じて得た額に株式発行割合（当該募集に際して発行する株式の数を当該募集に際して発行する株式の数及び処分する自己株式の数の合計数で除して得た割合をいう。以下この条において同じ。）を乗じて得た額（零未満である場合にあっては、零。以下この条において「資本金等増加限度額」という。）とする。

一　第五十四条の二第二項の規定により減少する株式引受権の額

二　法第百九十九条第一項第五号に掲げる事項として募集株式の交付に係る費用の額のうち、株式会社が資本金等増加限度額から減ずるべき額と定めた額

2　資本金等増加限度額の二分の一を超えない額は、資本金として計上しないことができる。

3　前項の規定により資本金として計上しないこととした額は、資本準備金として計上しなければならない。

4　法第二百二条の二第一項（同条第三項の規定により読み替えて適用する場合を含む。）の規定により募集株式を引き受ける者の募集を行う場合において、取締役等が株式会社に対し当該募集株式に係る割当日前にその職務の執行として当該募集株式を対価とする役務を提供するときは、当該行為後の次の各号に掲げる額は、当該行為の直前の当該額に、当該各号に定める額を加えて得た額とする。

一　その他資本剰余金の額　イに掲げる額からロに掲げる額を減じて得た額

イ　第一項第一号に掲げる額から同項第二号に掲げる額を減じて得た額に自己株式処分割合（一から株式発行割合を減じて得た割合をいう。第五項において同じ。）を乗じて得た額

ロ　当該募集に際して処分する自己株式の帳簿価額

二　その他利益剰余金の額　第一項第一号に掲げる額から同項第二号に掲げる額を減じて得た額が零未満である場合における当該額に株式発行割合を乗じて得た額

5　法第二百二条の二第一項（同条第三項の規定により読み替えて適用する場合を含む。）の規定により募集株式を引き受ける者の募集を行う場合において、取締役等が株式会社に対し当該募集株式に係る割当日前にその職務の執行として当該募集株式を対価とする役務を提供するときは、自己株式対価額は、第一項第一号に掲げる額から同項第二号に掲げる額を減じて得た額に自己株式処分割合を乗じて得た額とする。

第六節　設立時の株主資本及び社員資本

第一款　通常の設立（抄）

（株式会社の設立時の株主資本）

第四十三条　法第二十五条第一項各号に掲げる方法により株式会社を設立する場合における株式会社の設立時に行う株式の発行に係る法第四百四十五条第一項に規定する株主となる者が当該株式会社に対して払込み又は給付をした財産の額とは、第一号及び第二号に掲げる額の合計額から第三号に掲げる額を減じて得た額（零未満である場合にあっては、零）とする。

一　法第三十四条第一項又は第六十三条第一項の規定により払込みを受けた金銭の額（次のイ又はロに定める額）

イ　外国の通貨をもって金銭の払込みを受けた場合（ロに掲げる場合を除く。）　当該外国の通貨につき払込みがあった日の

為替相場に基づき算出された金額

ロ　当該払込みを受けた金銭の額（イに定める額を含む。）により資本金又は資本準備金の額として計上すべき額を計算することが適切でない場合　当該金銭の当該払込みをした者における当該払込みの直前の帳簿価額

二　法第三十四条第一項の規定により金銭以外の財産（以下この条において「現物出資財産」という。）の給付を受けた場合にあっては、当該現物出資財産の給付があった日における価額（次のイ又はロに掲げる場合における現物出資財産にあっては、当該イ又はロに定める額）

イ　当該株式会社と当該現物出資財産の給付をした者が共通支配下関係となる場合（当該現物出資財産に時価を付すべき場合を除く。）　当該現物出資財産の当該給付をした者における当該給付の直前の帳簿価額

ロ　イに掲げる場合以外の場合であって、当該給付を受けた現物出資財産の価額により資本金又は資本準備金の額として計上すべき額を計算することが適切でないとき　イに定める帳簿価額

三　法第三十二条第一項第三号に掲げる事項として、設立に要した費用の額のうち設立に際して資本金又は資本準備金の額として計上すべき額から減ずるべき額と定めた額

2　設立（法第二十五条第一項各号に掲げる方法によるものに限る。以下この条において同じ。）時の株式会社のその他資本剰余金の額は、零とする。

3　設立時の株式会社の利益準備金の額は、零とする。

4　設立時の株式会社のその他利益剰余金の額は、零（第一項第一号及び第二号に掲げる額の合計額から同項第三号に掲げる額を減じて得た額が零未満である場合にあっては、当該額）とする。

5　第一項第二号の規定の適用については、現物出資財産について定款に定めた額と、当該現物出資財産の帳簿価額（当該出資に係る資本金及び資本準備金の額を含む。）とが同一の額でなければならないと解してはならない。

第二款　新設合併

（支配取得に該当する場合における新設合併設立会社の株主資本等）

第四十五条　新設合併が支配取得に該当する場合には、新設合併設立会社の設立時の株主資本等の総額は、次の各号に掲げる部分の区分に応じ、当該各号に定める額の合計額（次項において「株主資本等変動額」という。）とする。

一　新設合併取得会社に係る部分　当該新設合併取得会社の財産の新設合併の直前の帳簿価額を基礎として算定する方法に従い定まる額

二　新設合併取得会社以外の新設合併消滅会社に係る部分　当該新設合併消滅会社の株主等に交付される新設型再編対価時価又は新設型再編対象財産の時価を基礎として算定する方法に従い定まる額

2　前項の場合には、当該新設合併設立会社の設立時の資本金及び資本剰余金の額は、株主資本等変動額の範囲内で、新設合併消滅会社が新設合併契約の定めに従いそれぞれ定めた額とし、利益剰余金の額は零とする。ただし、株主資本等変動額が零未満の場合には、当該額を設立時のその他利益剰余金（当該新設合併設立会社が持分会社の場合にあっては、利益剰余金。第四十七条第二項において同じ。）の額とし、資本金、資本剰余金及び利益準備金の額は零とする。

3　前二項の規定にかかわらず、第一項の場合であって、新設合併取得会社の株主等に交付する新設型再編対価の全部が新設合併設立会社の株式又は持分であるときは、新設合併設立会社の設立時の資本金、資本剰余金及び利益剰余金の額は、次の各号に掲げる部分の区分に応じ、当該各号に定める規定を準用してそれぞれ算定される額の合計額とすることができる。

一　新設合併取得会社に係る部分　第四十七条

二　新設合併取得会社以外の新設合併消滅会社に係る部分　第一項（同項第一号に係る部分を除く。）及び前項

（共通支配下関係にある場合における新設合併設立会社の株主資本等）

第四十六条　新設合併消滅会社の全部が共通支配下関係にある場合には、新設合併設立会社の設立時の株主資本等の総額は、新設型再編対象財産の新設合併の直前の帳簿価額を基礎として算定する方法（前条第一項第二号に規定する方法によるべき部分にあっては、当該方法）に従い定まる額とする。

2　前項の場合には、新設合併設立会社の設立時の資本金、資本剰余金及び利益剰余金の額は、次の各号に掲げる部分の区分に応じ、当該各号に定める規定を準用してそれぞれ算定される額の合計額とする。

一　株主資本承継消滅会社に係る部分　次条第一項

二　非株主資本承継消滅会社に係る部分　前条第二項

（株主資本等を引き継ぐ場合における新設合併設立会社の株主資本等）

第四十七条　前条第一項の場合であって、新設型再編対価の全部が新設合併設立会社の株式又は持分であり、かつ、新設合併消滅会社における新設合併の直前の株主資本等を引き継ぐものとして計算することが適切であるときには、新設合併の直前の各新設合併消滅会社の資本金、資本剰余金及び利益剰余金の額の各合計額をそれぞれ当該新設合併設立会社の設立時の資本金、資本剰余金及び利益剰余金の額とすることができる。ただし、先行取得分株式等がある場合にあっては、当該先行取得分株式等の帳簿価額を新設合併の直前の各新設合併消滅会社のその他資本剰余金（当該新設合併設立会社が持分会社の場合にあっては、資本剰余金。以下この条において同じ。）の合計額から減じて得た額を新設合併設立会社の設立時のその他資本剰余金の額とする。

2　前項の規定にかかわらず、同項の場合であって、非対価交付消滅会社があるときには、当該非対価交付消滅会社の資本金及び資本剰余金の合計額を当該非対価交付消滅会社のその他資本剰余金の額とみなし、当該非対価交付消滅会社の利益剰余金の額を当該非対価交付消滅会社のその他利益剰余金の額とみなして、同項の規定を適用する。

（その他の場合における新設合併設立会社の株主資本等）

第四十八条　第四十五条第一項及び第四十六条第一項に規定する場合以外の場合には、新設合併設立会社の設立時の資本金、資本剰余金及び利益剰余金の額は、同条及び前条の定めるところにより計算する。

第三款　新設分割

（単独新設分割の場合における新設分割設立会社の株主資本等）

第四十九条　新設分割設立会社（二以上の会社が新設分割する場合における新設分割設立会社を除く。以下この条及び次条において同じ。）の設立時における株主資本等の総額は、新設型再編対象財産の新設分割会社における新設分割の直前の帳簿価額を基礎として算定する方法（当該新設型再編対象財産に時価を付すべき場合にあっては、新設型再編対価時価又は新設型再編対象財産の時価を基礎として算定する方法）に従い定まる額（次項において「株主資本等変動額」という。）とする。

2　前項の場合には、新設分割設立会社の資本金及び資本剰余金の額は、株主資本等変動額の範囲内で、新設分割会社が新設分割計画の定めに従いそれぞれ定めた額とし、利益剰余金の額は零とする。ただし、株主資本等変動額が零未満の場合には、当該株主資本等変動額をその他利益剰余金（新設分割設立会社が持分会社である場合にあっては、利益剰余金）の額とし、資本金、資本剰余金及び利益準備金の額は零とする。

（株主資本等を引き継ぐ場合における新設分割設立会社の株主資本等）

第五十条 前条の規定にかかわらず、分割型新設分割の新設型再編対価の全部が新設分割設立会社の株式又は持分である場合であって、新設分割会社における新設分割の直前の株主資本等の全部又は一部を引き継ぐものとして計算することが適切であるときには、分割型新設分割により変動する新設分割会社の資本金、資本剰余金及び利益剰余金の額をそれぞれ新設分割設立会社の設立時の資本金、資本剰余金及び利益剰余金の額とすることができる。

2 前項の場合の新設分割会社における新設分割に際しての資本金、資本剰余金又は利益剰余金の額の変更に関しては、法第二編第五章第三節第二款〔第四四七条―第四五二条〕の規定その他の法の規定に従うものとする。

（共同新設分割の場合における新設分割設立会社の株主資本等）

第五十一条 二以上の会社が新設分割をする場合には、次に掲げるところに従い、新設分割設立会社の株主資本又は社員資本を計算するものとする。

一 仮に各新設分割会社が他の新設分割会社と共同しないで新設分割を行うことによって会社を設立するものとみなして、当該会社（以下この条において「仮会社」という。）の計算を行う。

二 各仮会社が新設合併をすることにより設立される会社が新設分割設立会社となるものとみなして、当該新設分割設立会社の計算を行う。

第四款 株式移転

第五十二条 株式移転設立完全親会社の設立時における株主資本の総額は、次の各号に掲げる部分の区分に応じ、当該各号に定める額の合計額（次項において「株主資本変動額」という。）とする。

一 当該株式移転が株式移転完全子会社による支配取得に該当する場合における他の株式移転完全子会社に係る部分 当該他の株式移転完全子会社の株主に対して交付する新設型再編対価時価又は当該他の株式移転完全子会社の株式の時価を基礎として算定する方法に従い定まる額

二 株式移転完全子会社の全部が共通支配下関係にある場合における当該株式移転完全子会社に係る部分 当該株式移転完全子会社における財産の帳簿価額を基礎として算定する方法（前号に規定する方法によるべき部分にあっては、当該方法）に従い定まる額

三 前二号に掲げる部分以外の部分 前号に規定する方法に従い定まる額

2 前項の場合には、当該株式移転設立完全親会社の設立時の資本金及び資本剰余金の額は、株主資本変動額の範囲内で、株式移転完全子会社が株式移転計画の定めに従い定めた額とし、利益剰余金の額は零とする。ただし、株主資本変動額が零未満の場合にあっては、当該額を設立時のその他利益剰余金の額とし、資本金、資本剰余金及び利益準備金の額は零とする。

※資本金の額の増減については、会社計算規則第二五条（二五九頁参照）

※準備金の額の増減については、会社計算規則第二六条（二五九頁参照）・第二八条（二六〇頁参照）

（剰余金の額）

第四百四十六条 株式会社の剰余金の額は、第一号から第四号までに掲げる額の合計額から第五号から第七号までに掲げる額の合計額を減じて得た額とする。

一 最終事業年度の末日におけるイ及びロに掲げる額の合計額からハからホまでに掲げる額の合計額を減じて得た額

イ 資産の額

ロ 自己株式の帳簿価額の合計額

ハ 負債の額

ニ 資本金及び準備金の額の合計額

ホ ハ及びニに掲げるもののほか、法務省令で定める各勘定科目に計上した額の合計額

二　最終事業年度の末日後に自己株式の処分をした場合における当該自己株式の対価の額から当該自己株式の帳簿価額を控除して得た額
三　最終事業年度の末日後に資本金の額の減少をした場合における当該減少額（次条第一項第二号の額を除く。）
四　最終事業年度の末日後に準備金の額の減少をした場合における当該減少額（第四百四十八条第一項第二号の額を除く。）
五　最終事業年度の末日後に第百七十八条第一項の規定により自己株式の消却をした場合における当該自己株式の帳簿価額
六　最終事業年度の末日後に剰余金の配当をした場合における次に掲げる額の合計額
イ　第四百五十四条第一項第一号の配当財産の帳簿価額の総額（同条第四項第一号に規定する金銭分配請求権を行使した株主に割り当てた当該配当財産の帳簿価額を除く。）
ロ　第四百五十四条第四項第一号に規定する金銭分配請求権を行使した株主に交付した金銭の額の合計額
ハ　第四百五十六条に規定する基準未満株式の株主に支払った金銭の額の合計額
七　前二号に掲げるもののほか、法務省令で定める各勘定科目に計上した額の合計額

【会社法施行規則】
第百十六条　次に掲げる規定に規定する法務省令で定めるべき事項（事業報告及びその附属明細書に係るものを除く。）は、会社計算規則の定めるところによる。
一～九　（略）
十　法第四百四十六条第一号ホ及び第七号
十一～十五　（略）

【会社計算規則】

（最終事業年度の末日における控除額）

第百四十九条　法第四百四十六条第一号ホに規定する法務省令で定める各勘定科目に計上した額の合計額は、第一号に掲げる額から第二号から第四号までに掲げる額の合計額を減じて得た額とする。
一　法第四百四十六条第一号イ及びロに掲げる額の合計額
二　法第四百四十六条第一号ハ及びニに掲げる額の合計額
三　その他資本剰余金の額
四　その他利益剰余金の額
（最終事業年度の末日後に生ずる控除額）
第百五十条　法第四百四十六条第七号に規定する法務省令で定める各勘定科目に計上した額の合計額は、第一号から第四号までに掲げる額の合計額から第五号から第八号までに掲げる額の合計額を減じて得た額とする。
一　最終事業年度の末日後に剰余金の額を減少して資本金の額又は準備金の額を増加した場合における当該減少額
二　最終事業年度の末日後に剰余金の配当をした場合における第二十三条第一号ロ及び第二号ロに掲げる額
三　最終事業年度の末日後に株式会社が吸収型再編受入行為に際して処分する自己株式に係る法第四百四十六条第二号に掲げる額
四　最終事業年度の末日後に株式会社が吸収分割会社又は新設分割会社となる吸収分割又は新設分割に際して剰余金の額を減少した場合における当該減少額
五　最終事業年度の末日後に株式会社が吸収型再編受入行為をした場合における当該吸収型再編受入行為に係る次に掲げる額の合計額
イ　当該吸収型再編後の当該株式会社のその他資本剰余金の額

から当該吸収型再編の直前の当該株式会社のその他資本剰余金の額を減じて得た額
ロ　当該吸収型再編後の当該株式会社のその他利益剰余金の額から当該吸収型再編の直前の当該株式会社のその他利益剰余金の額を減じて得た額
六　最終事業年度の末日後に第二十一条の規定により増加したその他資本剰余金の額
七　最終事業年度の末日後に第四十二条の二第五項第一号の規定により変動したその他資本剰余金の額
八　最終事業年度の末日後に第四十二条の二第七項の規定により自己株式の額を増加した場合における当該増加額
2　前項の規定にかかわらず、最終事業年度のない株式会社における法第四百四十六条第七号に規定する法務省令で定める各勘定科目に計上した額の合計額は、第一号から第五号までに掲げる額の合計額から第六号から第十四号までに掲げる額の合計額を減じて得た額とする。
一　成立の日（法以外の法令により株式会社となったものにあっては、当該株式会社が株式会社となった日。以下この項において同じ。）後に法第百七十八条第一項の規定により自己株式の消却をした場合における当該自己株式の帳簿価額
二　成立の日後に剰余金の配当をした場合における当該剰余金の配当に係る法第四百四十六条第六号に掲げる額
三　成立の日後に剰余金の額を減少して資本金の額又は準備金の額を増加した場合における当該減少額
四　成立の日後に剰余金の配当をした場合における第二十三条第一号ロ及び第二号ロに掲げる額
五　成立の日後に株式会社が吸収分割会社又は新設分割会社となる吸収分割又は新設分割に際して剰余金の額を減少した場合における当該減少額
六　成立の日におけるその他資本剰余金の額
七　成立の日におけるその他利益剰余金の額
八　成立の日後に自己株式の処分をした場合（吸収型再編受入行為に際して自己株式の処分をした場合を除く。）における当該自己株式の対価の額から当該自己株式の帳簿価額を減じて得た額
九　成立の日後に資本金の額の減少をした場合における当該減少額（法第四百四十七条第一項第二号の額を除く。）
十　成立の日後に準備金の額の減少をした場合における当該減少額（法第四百四十八条第一項第二号の額を除く。）
十一　成立の日後に株式会社が吸収型再編受入行為をした場合における当該吸収型再編に係る次に掲げる額の合計額
イ　当該吸収型再編後の当該株式会社のその他資本剰余金の額から当該吸収型再編の直前の当該株式会社のその他資本剰余金の額を減じて得た額
ロ　当該吸収型再編後の当該株式会社のその他利益剰余金の額から当該吸収型再編の直前の当該株式会社のその他利益剰余金の額を減じて得た額
十二　成立の日後に第二十一条の規定により増加したその他資本剰余金の額
十三　成立の日後に第四十二条の二第五項第一号の規定により変動したその他資本剰余金の額
十四　成立の日後に第四十二条の二第七項の規定により自己株式の額を増加した場合における当該増加額
3　最終事業年度の末日後に持分会社が株式会社となった場合には、株式会社となった日における当該株式会社のその他資本剰余金の額及びその他利益剰余金の額の合計額を最終事業年度の末日における剰余金の額とみなす。

※剰余金の額の増減については、会社計算規則第二七条（二六〇頁参照）・第二九条（二六〇頁参照）

第二款　資本金の額の減少等

第一目　資本金の額の減少等

（資本金の額の減少）

第四百四十七条　株式会社は、資本金の額を減少することができる。この場合においては、株主総会の決議によって、次に掲げる事項を定めなければならない。

一　減少する資本金の額

二　減少する資本金の額の全部又は一部を準備金とするときは、その旨及び準備金とする額

三　資本金の額の減少がその効力を生ずる日

2　前項第一号の額は、同項第三号の日における資本金の額を超えてはならない。

3　株式会社が株式の発行と同時に資本金の額を減少する場合において、当該資本金の額の減少の効力が生ずる日後の資本金の額が当該日前の資本金の額を下回らないときにおける第一項の規定の適用については、同項中「株主総会の決議」とあるのは、「取締役の決定（取締役会設置会社にあっては、取締役会の決議）」とする。

（準備金の額の減少）

第四百四十八条　株式会社は、準備金の額を減少することができる。この場合においては、株主総会の決議によって、次に掲げる事項を定めなければならない。

一　減少する準備金の額

二　減少する準備金の額の全部又は一部を資本金とするときは、その旨及び資本金とする額

三　準備金の額の減少がその効力を生ずる日

2　前項第一号の額は、同項第三号の日における準備金の額を超えてはならない。

3　株式会社が株式の発行と同時に準備金の額を減少する場合において、当該準備金の額の減少の効力が生ずる日後の準備金の額が当該日前の準備金の額を下回らないときにおける第一項の規定の適用については、同項中「株主総会の決議」とあるのは、「取締役の決定（取締役会設置会社にあっては、取締役会の決議）」とする。

（債権者の異議）

第四百四十九条　株式会社が資本金又は準備金（以下この条において「資本金等」という。）の額を減少する場合（減少する準備金の額の全部を資本金とする場合を除く。）には、当該株式会社の債権者は、当該株式会社に対し、資本金等の額の減少について異議を述べることができる。ただし、準備金の額のみを減少する場合であって、次のいずれにも該当するときは、この限りでない。

一　定時株主総会において前条第一項各号に掲げる事項を定めること。

二　前条第一項第一号の額が前号の定時株主総会の日（第四百三十九条前段に規定する場合にあっては、第四百三十六条第三項の承認があった日）における欠損の額として法務省令で定める方法により算定される額を超えないこと。

2　前項の規定により株式会社の債権者が異議を述べることができる場合には、当該株式会社は、次に掲げる事項を官報に公告し、かつ、知れている債権者には、各別にこれを催告しなければならない。ただし、第三号の期間は、一箇月を下ることができない。

一　当該資本金等の額の減少の内容

二　当該株式会社の計算書類に関する事項として法務省令で定めるもの

三　債権者が一定の期間内に異議を述べることができる旨

3　前項の規定にかかわらず、株式会社が同項の規定による公告を、官報のほか、第九百三十九条第一項の規定による定款の定めに従い、同項第二号又は第三号に掲げる公告方法によりするときは、前項の規定による各別の催告は、することを要しない。

4　債権者が第二項第三号の期間内に異議を述べなかったときは、当該

債権者は、当該資本金等の額の減少について承認をしたものとみなす。

5　債権者が第二項第三号の期間内に異議を述べたときは、株式会社は、当該債権者に対し、弁済し、若しくは相当の担保を提供し、又は当該債権者に弁済を受けさせることを目的として信託会社等（信託会社及び信託業務を営む金融機関（金融機関の信託業務の兼営等に関する法律（昭和十八年法律第四十三号）第一条第一項の認可を受けた金融機関をいう。）をいう。以下同じ。）に相当の財産を信託しなければならない。ただし、当該資本金等の額の減少をしても当該債権者を害するおそれがないときは、この限りでない。

6　次の各号に掲げるものは、当該各号に定める日にその効力を生ずる。ただし、第二項から前項までの規定による手続が終了していないときは、この限りでない。

一　資本金の額の減少　第四百四十七条第一項第三号の日

二　準備金の額の減少　前条第一項第三号の日

7　株式会社は、前項各号に定める日前は、いつでも当該日を変更することができる。

【会社計算規則】

（欠損の額）

第百五十一条　法第四百四十九条第一項第二号に規定する法務省令で定める方法は、次に掲げる額のうちいずれか高い額をもって欠損の額とする方法とする。

一　零

二　零から分配可能額を減じて得た額

（計算書類に関する事項）

第百五十二条　法第四百四十九条第二項第二号に規定する法務省令で定めるものは、同項の規定による公告の日又は同項の規定による催告の日のいずれか早い日における次の各号に掲げる場合の区分に応じ、当該各号に定めるものとする。

一　最終事業年度に係る貸借対照表又はその要旨につき公告対象会社（法第四百四十九条第二項第二号の株式会社をいう。以下この条において同じ。）が法第四百四十条第一項又は第二項の規定による公告をしている場合　次に掲げるもの

イ　官報で公告をしているときは、当該官報の日付及び当該公告が掲載されている頁

ロ　時事に関する事項を掲載する日刊新聞紙で公告をしているときは、当該日刊新聞紙の名称、日付及び当該公告が掲載されている頁

ハ　電子公告により公告をしているときは、法第九百十一条第三項第二十八号イに掲げる事項

二　最終事業年度に係る貸借対照表につき公告対象会社が法第四百四十条第三項に規定する措置をとっている場合　法第九百十一条第三項第二十六号に掲げる事項

三　公告対象会社が法第四百四十条第四項に規定する株式会社である場合において、当該株式会社が金融商品取引法第二十四条第一項の規定により最終事業年度に係る有価証券報告書を提出している場合　その旨

四　公告対象会社が会社法の施行に伴う関係法律の整備等に関する法律（平成十七年法律第八十七号）第二十八条の規定により法第四百四十条の規定が適用されないものである場合　その旨

五　公告対象会社につき最終事業年度がない場合　その旨

六　前各号に掲げる場合以外の場合　前編第二章（第一三七条―第一四六条）の規定による最終事業年度に係る貸借対照表の要旨の内容

第二目　資本金の額の増加等

（資本金の額の増加）

第四百五十条　株式会社は、剰余金の額を減少して、資本金の額を増加することができる。この場合においては、次に掲げる事項を定めなけ

ればならない。

一　減少する剰余金の額

二　資本金の額の増加がその効力を生ずる日

2　前項各号に掲げる事項の決定は、株主総会の決議によらなければならない。

3　第一項第一号の額は、同項第二号の日における剰余金の額を超えてはならない。

（準備金の額の増加）

第四百五十一条　株式会社は、剰余金の額を減少して、準備金の額を増加することができる。この場合においては、次に掲げる事項を定めなければならない。

一　減少する剰余金の額

二　準備金の額の増加がその効力を生ずる日

2　前項各号に掲げる事項の決定は、株主総会の決議によらなければならない。

3　第一項第一号の額は、同項第二号の日における剰余金の額を超えてはならない。

第三目　剰余金についてのその他の処分

第四百五十二条　株式会社は、株主総会の決議によって、損失の処理、任意積立金の積立てその他の剰余金の処分（前目に定めるもの及び剰余金の配当その他株式会社の財産を処分するものを除く。）をすることができる。この場合においては、当該剰余金の処分の額その他の法務省令で定める事項を定めなければならない。

【会社法施行規則】

第百十六条　次に掲げる規定に規定する法務省令で定めるべき事項（事業報告及びその附属明細書に係るものを除く。）は、会社計算規則の定めるところによる。

一～十　（略）

十一　法第四百五十二条

十二～十五　（略）

【会社計算規則】

第百五十三条　法第四百五十二条後段に規定する法務省令で定める事項は、同条前段に規定する剰余金の処分（同条前段の株主総会の決議を経ないで剰余金の項目に係る額の増加又は減少をすべき場合における剰余金の処分を除く。）に係る次に掲げる事項とする。

一　増加する剰余金の項目

二　減少する剰余金の項目

三　処分する各剰余金の項目に係る額

2　前項に規定する「株主総会の決議を経ないで剰余金の項目に係る額の増加又は減少をすべき場合」とは、次に掲げる場合とする。

一　法令又は定款の規定（法第四百五十二条の規定及び同条前段の株主総会（法第四百五十九条の定款の定めがある場合にあっては、取締役会を含む。以下この項において同じ。）の決議によるべき旨を定める規定を除く。）により剰余金の項目に係る額の増加又は減少をすべき場合

二　法第四百五十二条前段の株主総会の決議によりある剰余金の項目に係る額の増加又は減少をさせた場合において、当該決議の定めるところに従い、同条前段の株主総会の決議を経ないで当該剰余金の項目に係る額の減少又は増加をすべきとき。

第四節　剰余金の配当

（株主に対する剰余金の配当）

第四百五十三条　株式会社は、その株主（当該株式会社を除く。）に対し、剰余金の配当をすることができる。

※剰余金の配当をする場合の株主資本は会社計算規則第二二条（二五八頁）・第二三条（二五九頁参照）

（剰余金の配当に関する事項の決定）

第四百五十四条　株式会社は、前条の規定による剰余金の配当をしようとするときは、その都度、株主総会の決議によって、次に掲げる事項を定めなければならない。

一　配当財産の種類（当該株式会社の株式等を除く。）及び帳簿価額の総額

二　株主に対する配当財産の割当てに関する事項

三　当該剰余金の配当がその効力を生ずる日

2　前項に規定する場合において、剰余金の配当について内容の異なる二以上の種類の株式を発行しているときは、株式会社は、当該種類の株式の内容に応じ、同項第二号に掲げる事項として、次に掲げる事項を定めることができる。

一　ある種類の株式の株主に対して配当財産の割当てをしないこととするときは、その旨及び当該株式の種類

二　前号に掲げる事項のほか、配当財産の割当てについて株式の種類ごとに異なる取扱いを行うこととするときは、その旨及び当該異なる取扱いの内容

3　第一項第二号に掲げる事項についての定めは、株主（当該株式会社及び前項第一号の種類の株式の株主を除く。）の有する株式の数（前項第二号に掲げる事項についての定めがある場合にあっては、各種類の株式の数）に応じて配当財産を割り当てることを内容とするものでなければならない。

4　配当財産が金銭以外の財産であるときは、株式会社は、株主総会の決議によって、次に掲げる事項を定めることができる。ただし、第一号の期間の末日は、第一項第三号の日以前の日でなければならない。

一　株主に対して金銭分配請求権（当該配当財産に代えて金銭を交付することを株式会社に対して請求する権利をいう。以下この章において同じ。）を与えるときは、その旨及び金銭分配請求権を行使することができる期間

二　一定の数未満の数の株式を有する株主に対して配当財産の割当てをしないこととするときは、その旨及びその数

5　取締役会設置会社は、一事業年度の途中において一回に限り取締役会の決議によって剰余金の配当（配当財産が金銭であるものに限る。以下この項において「中間配当」という。）をすることができる旨を定款で定めることができる。この場合における中間配当についての第一項の規定の適用については、同項中「株主総会」とあるのは、「取締役会」とする。

（金銭分配請求権の行使）

第四百五十五条　前条第四項第一号に規定する場合には、株式会社は、同号の期間の末日の二十日前までに、株主に対し、同号に掲げる事項を通知しなければならない。

2　株式会社は、金銭分配請求権を行使した株主に対し、当該株主が割当てを受けた配当財産に代えて、当該配当財産の価額に相当する金銭を支払わなければならない。この場合においては、次の各号に掲げる場合の区分に応じ、当該各号に定める額をもって当該配当財産の価額とする。

一　当該配当財産が市場価格のある財産である場合　当該配当財産の市場価格として法務省令で定める方法により算定される額

二　前号に掲げる場合以外の場合　株式会社の申立てにより裁判所が定める額

【会社計算規則】

第百五十四条　法第四百五十五条第二項第一号に規定する法務省令で定める方法は、次に掲げる額のうちいずれか高い額をもって配当財産の価格とする方法とする。

一　法第四百五十四条第四項第一号の期間の末日（以下この条において「行使期限日」という。）における当該配当財産を取引する市場における最終の価格（当該行使期限日に売買取引がない

場合又は当該行使期限日が当該市場の休業日に当たる場合にあっては、その後最初になされた売買取引の成立価格）
二　行使期限日において当該配当財産が公開買付け等の対象であるときは、当該行使期限日における当該公開買付け等に係る契約における当該配当財産の価格

（基準株式数を定めた場合の処理）
第四百五十六条　第四百五十四条第四項第二号の数（以下この条において「基準株式数」という。）を定めた場合には、株式会社は、基準株式数に満たない数の株式（以下この条において「基準未満株式」という。）を有する株主に対し、前条第二項後段の規定の例により基準株式数の株式を有する株主が割当てを受けた配当財産の価額として定めた額に当該基準未満株式の数の基準株式数に対する割合を乗じて得た額に相当する金銭を支払わなければならない。

（配当財産の交付の方法等）
第四百五十七条　配当財産（第四百五十五条第二項の規定により支払う金銭及び前条の規定により支払う金銭を含む。以下この条において同じ。）は、株主名簿に記載し、又は記録した株主（登録株式質権者を含む。以下この条において同じ。）の住所又は株主が株式会社に通知した場所（第三項において「住所等」という。）において、これを交付しなければならない。
2　前項の規定による配当財産の交付に要する費用は、株式会社の負担とする。ただし、株主の責めに帰すべき事由によってその費用が増加したときは、その増加額は、株主の負担とする。
3　前二項の規定は、日本に住所等を有しない株主に対する配当財産の交付については、適用しない。

（適用除外）
第四百五十八条　第四百五十三条から前条までの規定は、株式会社の純資産額が三百万円を下回る場合には、適用しない。

第五節　剰余金の配当等を決定する機関の特則

（剰余金の配当等を取締役会が決定する旨の定款の定め）
第四百五十九条　会計監査人設置会社（取締役（監査等委員会設置会社にあっては、監査等委員である取締役以外の取締役）の任期の末日が選任後一年以内に終了する事業年度のうち最終のものに関する定時株主総会の終結の日後の日であるもの及び監査役設置会社であって監査役会設置会社でないものを除く。）は、次に掲げる事項を取締役会（第二号に掲げる事項については第四百三十六条第三項の取締役会に限る。）が定めることができる旨を定款で定めることができる。
一　第百六十条第一項の規定による決定をする場合以外の場合における第百五十六条第一項各号に掲げる事項
二　第四百四十九条第一項第二号に該当する場合における第四百四十八条第一項第一号及び第三号に掲げる事項
三　第四百五十二条後段の事項
四　第四百五十四条第一項各号及び同条第四項各号に掲げる事項。ただし、配当財産が金銭以外の財産であり、かつ、株主に対して金銭分配請求権を与えないこととする場合を除く。
2　前項の規定による定款の定めは、最終事業年度に係る計算書類が法令及び定款に従い株式会社の財産及び損益の状況を正しく表示しているものとして法務省令で定める要件に該当する場合に限り、その効力を有する。
3　第一項の規定による定款の定めがある場合における第四百四十九条第一項第一号の規定の適用については、同号中「定時株主総会」とあるのは、「定時株主総会又は第四百三十六条第三項の取締役会」とする。

【会社法施行規則】
第百十六条　次に掲げる規定に規定する法務省令で定めるべき事項（事業報告及びその附属明細書に係るものを除く。）は、会社計算規則の定めるところによる。

一～十一（略）
十二　法第四百五十九条第二項
十三～十五（略）

【会社計算規則】
第百五十五条　法第四百五十九条第二項及び第四百六十条第二項（以下この条において「分配特則規定」という。）に規定する法務省令で定める要件は、次のいずれにも該当することとする。
一　分配特則規定に規定する計算書類についての会計監査報告の内容に第百二十六条第一項第二号イに定める事項が含まれていること。
二　前号の会計監査報告に係る監査役会、監査等委員会又は監査委員会の監査報告の内容として会計監査人の監査の方法又は結果を相当でないと認める意見がないこと。
三　第百二十八条第二項後段、第百二十八条の二第一項後段又は第百二十九条第一項後段の規定により第一号の会計監査報告に係る監査役会、監査等委員会又は監査委員会の監査報告に付記された内容が前号の意見でないこと。
四　分配特則規定に規定する計算関係書類が第百三十二条第三項の規定により監査を受けたものとみなされたものでないこと。

※剰余金の配当をする場合の株主資本は会社計算規則第二二条（二五八頁参照）・第二三条（二五九頁参照）

（株主の権利の制限）
第四百六十条　前条第一項の規定による定款の定めがある場合には、株式会社は、同項各号に掲げる事項を株主総会の決議によっては定めない旨を定款で定めることができる。
２　前項の規定による定款の定めは、最終事業年度に係る計算書類が法令及び定款に従い株式会社の財産及び損益の状況を正しく表示しているものとして法務省令で定める要件に該当する場合に限り、その効力を有する。

【会社法施行規則】

第百十六条　次に掲げる規定に規定する法務省令で定めるべき事項（事業報告及びその附属明細書に係るものを除く。）は、会社計算規則の定めるところによる。

一～十二（略）
十三　法第四百六十条第二項
十四・十五（略）

【会社計算規則】
第百五十五条　法第四百五十九条第二項及び第四百六十条第二項（以下この条において「分配特則規定」という。）に規定する法務省令で定める要件は、次のいずれにも該当することとする。
一　分配特則規定に規定する計算書類についての会計監査報告の内容に第百二十六条第一項第二号イに定める事項が含まれていること。
二　前号の会計監査報告に係る監査役会、監査等委員会又は監査委員会の監査報告の内容として会計監査人の監査の方法又は結果を相当でないと認める意見がないこと。
三　第百二十八条第二項後段、第百二十八条の二第一項後段又は第百二十九条第一項後段の規定により第一号の会計監査報告に係る監査役会、監査等委員会又は監査委員会の監査報告に付記された内容が前号の意見でないこと。
四　分配特則規定に規定する計算関係書類が第百三十二条第三項の規定により監査を受けたものとみなされたものでないこと。

第六節　剰余金の配当等に関する責任

（配当等の制限）

第四百六十一条　次に掲げる行為により株主に対して交付する金銭等（当該株式会社の株式を除く。以下この節において同じ。）の帳簿価額の総額は、当該行為がその効力を生ずる日における分配可能額を超えてはならない。

一　第百三十八条第一号ハ又は第二号ハの請求に応じて行う当該株式会社の株式の買取り

二　第百五十六条第一項の規定による決定に基づく当該株式会社の株式の取得（第百六十三条に規定する場合又は第百六十五条第一項に規定する場合における当該株式会社による株式の取得に限る。）

三　第百五十七条第一項の規定による決定に基づく当該株式会社の株式の取得

四　第百七十三条第一項の規定による当該株式会社の株式の取得

五　第百七十六条第一項の規定による請求に基づく当該株式会社の株式の買取り

六　第百九十七条第三項の規定による当該株式会社の株式の買取り

七　第二百三十四条第四項（第二百三十五条第二項において準用する場合を含む。）の規定による当該株式会社の株式の買取り

八　剰余金の配当

2　前項に規定する「分配可能額」とは、第一号及び第二号に掲げる額の合計額から第三号から第六号までに掲げる額の合計額を減じて得た額をいう（以下この節において同じ。）。

一　剰余金の額

二　臨時計算書類につき第四百四十一条第四項の承認（同項ただし書に規定する場合にあっては、同条第三項の承認）を受けた場合における次に掲げる額

イ　第四百四十一条第一項第二号の期間の利益の額として法務省令で定める各勘定科目に計上した額の合計額

ロ　第四百四十一条第一項第二号の期間内に自己株式を処分した場合における当該自己株式の対価の額

三　自己株式の帳簿価額

四　最終事業年度の末日後に自己株式を処分した場合における当該自己株式の対価の額

五　第二号に規定する場合における第四百四十一条第一項第二号の期間の損失の額として法務省令で定める各勘定科目に計上した額の合計額

六　前三号に掲げるもののほか、法務省令で定める各勘定科目に計上した額の合計額

【会社法施行規則】

第百十六条　次に掲げる規定に規定する法務省令で定めるべき事項（事業報告及びその附属明細書に係るものを除く。）は、会社計算規則の定めるところによる。

一～十三　（略）

十四　法第四百六十一条第二項第二号イ、第五号及び第六号

十五　（略）

【会社計算規則】

（臨時計算書類の利益の額）

第百五十六条　法第四百六十一条第二項第二号イに規定する法務省令で定める各勘定科目に計上した額の合計額は、臨時計算書類の損益計算書に計上された当期純損益金額（零以上の額に限る。）とする。

（臨時計算書類の損失の額）

第百五十七条　法第四百六十一条第二項第五号に規定する法務省令で定める各勘定科目に計上した額の合計額は、零から臨時計算書類の損益計算書に計上された当期純損益金額（零未満の額に限

る。）を減じて得た額とする。

（その他減ずるべき額）

第百五十八条　法第四百六十一条第二項第六号に規定する法務省令で定める各勘定科目に計上した額の合計額は、第一号から第八号までに掲げる額の合計額から第九号及び第十号に掲げる額の合計額を減じて得た額とする。

一　最終事業年度（法第四百六十一条第二項第二号に規定する場合にあっては、法第四百四十一条第一項第二号の期間（当該期間が二以上ある場合にあっては、その末日が最も遅いもの）。以下この号から第三号まで、第六号ハ、第八号イ及びロ並びに第九号において同じ。）の末日（最終事業年度がない場合（法第四百六十一条第二項第二号に規定する場合を除く。）にあっては、成立の日。以下この号から第三号まで、第六号ハ、第八号イ及びロ並びに第九号において同じ。）におけるのれん等調整額（資産の部に計上したのれんの額を二で除して得た額及び繰延資産の部に計上した額の合計額をいう。以下この号及び第四号において同じ。）が次のイからハまでに掲げる場合に該当する場合における当該イからハまでに定める額

イ　当該のれん等調整額が資本等金額（最終事業年度の末日における資本金の額及び準備金の額の合計額をいう。以下この号において同じ。）以下である場合　零

ロ　当該のれん等調整額が資本等金額及び最終事業年度の末日におけるその他資本剰余金の額の合計額以下である場合（イに掲げる場合を除く。）　当該のれん等調整額から資本等金額を減じて得た額

ハ　当該のれん等調整額が資本等金額及び最終事業年度の末日におけるその他資本剰余金の額の合計額を超えている場合　次に掲げる場合の区分に応じ、次に定める額

(1)　最終事業年度の末日におけるのれんの額を二で除して得た額が資本等金額及び最終事業年度の末日におけるその他資本剰余金の額の合計額以下の場合　当該のれん等調整額から資本等金額を減じて得た額

(2)　最終事業年度の末日におけるのれんの額を二で除して得た額が資本等金額及び最終事業年度の末日におけるその他資本剰余金の額の合計額を超えている場合　最終事業年度の末日におけるその他資本剰余金の額及び繰延資産の部に計上した額の合計額

二　最終事業年度の末日における貸借対照表のその他有価証券評価差額金の項目に計上した額（当該額が零以上である場合にあっては、零）を零から減じて得た額

三　最終事業年度の末日における貸借対照表の土地再評価差額金の項目に計上した額（当該額が零以上である場合にあっては、零）を零から減じて得た額

四　株式会社が連結配当規制適用会社であるとき（第二条第三項第五十五号のある事業年度が最終事業年度である場合に限る。）は、イに掲げる額からロ及びハに掲げる額の合計額を減じて得た額（当該額が零未満である場合にあっては、零）

イ　最終事業年度の末日における貸借対照表の(1)から(3)までに掲げる額の合計額から(4)に掲げる額を減じて得た額

(1)　株主資本の額

(2)　その他有価証券評価差額金の項目に計上した額（当該額が零以上である場合にあっては、零）

(3)　土地再評価差額金の項目に計上した額（当該額が零以上である場合にあっては、零）

(4)　のれん等調整額（当該のれん等調整額が資本金の額、資本剰余金の額及び利益準備金の額の合計額を超えている場合にあっては、資本金の額、資本剰余金の額及び利益準備金の額の合計額）

ロ　最終事業年度の末日後に子会社から当該株式会社の株式を取得した場合における当該株式の取得直前の当該子会社にお

ける帳簿価額のうち、当該株式会社の当該子会社に対する持分に相当する額

ハ　最終事業年度の末日における連結貸借対照表の(1)から(3)までに掲げる額の合計額から(4)に掲げる額を減じて得た額

(1)　株主資本の額

(2)　その他有価証券評価差額金の項目に計上した額（当該額が零以上である場合にあっては、零）

(3)　土地再評価差額金の項目に計上した額（当該額が零以上である場合にあっては、零）

(4)　のれん等調整額（当該のれん等調整額が資本金の額及び資本剰余金の額の合計額を超えている場合にあっては、資本金の額及び資本剰余金の額の合計額）

五　最終事業年度の末日（最終事業年度がない場合にあっては、成立の日。第七号及び第十号において同じ。）後に二以上の臨時計算書類を作成した場合における最終の臨時計算書類以外の臨時計算書類に係る法第四百六十一条第二項第二号に掲げる額（同号ロに掲げる額のうち、吸収型再編受入行為及び特定募集（次の要件のいずれにも該当する場合におけるロの募集をいう。以下この条において同じ。）に際して処分する自己株式に係るものを除く。）から同項第五号に掲げる額を減じて得た額

イ　最終事業年度の末日後に法第百七十三条第一項の規定により当該株式会社の株式の取得（株式の取得に際して当該株式の株主に対してロの募集により当該株式会社が払込み又は給付を受けた財産のみを交付する場合における当該株式の取得に限る。）をすること。

ロ　法第二編第二章第八節（第一九九条―第二一三条の三）の規定によりイの株式（当該株式の取得と同時に当該取得した株式の内容を変更する場合にあっては、当該変更後の内容の株式）の全部又は一部を引き受ける者の募集をすること。

ハ　イの株式の取得に係る法第百七十一条第一項第三号の日とロの募集に係る法第百九十九条第一項第四号の期日が同一の日であること。

六　三百万円に相当する額から次に掲げる額の合計額を減じて得た額（当該額が零未満である場合にあっては、零）

イ　資本金の額及び準備金の額の合計額

ロ　株式引受権の額

ハ　新株予約権の額

ニ　最終事業年度の末日の貸借対照表の評価・換算差額等の各項目に計上した額（当該項目に計上した額が零未満である場合にあっては、零）の合計額

七　最終事業年度の末日後株式会社が吸収型再編受入行為又は特定募集に際して処分する自己株式に係る法第四百六十一条第二項第二号ロに掲げる額

八　次に掲げる額の合計額

イ　最終事業年度の末日後に第二十一条の規定により増加したその他資本剰余金の額

ロ　最終事業年度の末日後に第四十二条の二第五項第一号の規定により変動したその他資本剰余金の額

ハ　最終事業年度がない株式会社が成立の日後に自己株式を処分した場合における当該自己株式の対価の額

九　最終事業年度の末日後に株式会社が当該株式会社の株式を取得した場合（法第百五十五条第十二号に掲げる場合以外の場合において、当該株式の取得と引換えに当該株式の株主に対して当該株式会社の株式を交付するときに限る。）における当該取得した株式の帳簿価額から次に掲げる額の合計額を減じて得た額

イ　当該取得に際して当該取得した株式の株主に交付する当該株式会社の株式以外の財産（社債等（自己社債及び自己新株予約権を除く。ロにおいて同じ。）を除く。）の帳簿価額

ロ　当該取得に際して当該取得した株式の株主に交付する当該株式会社の社債等に付すべき帳簿価額

十　最終事業年度の末日後に株式会社が吸収型再編受入行為又は特定募集に際して処分する自己株式に係る法第四百六十一条第二項第四号（最終事業年度がない場合にあっては、第八号）に掲げる額

（剰余金の配当等に関する責任）

第四百六十二条　前条第一項の規定に違反して株式会社が同項各号に掲げる行為をした場合には、当該行為により金銭等の交付を受けた者並びに当該行為に関する職務を行った業務執行者（業務執行取締役（指名委員会等設置会社にあっては、執行役。以下この項において同じ。）その他当該業務執行取締役の行う業務の執行に職務上関与した者として法務省令で定めるものをいう。以下この節において同じ。）及び当該行為が次の各号に掲げるものである場合における当該各号に定める者は、当該株式会社に対し、連帯して、当該金銭等の交付を受けた者が交付を受けた金銭等の帳簿価額に相当する金銭を支払う義務を負う。

一　前条第一項第二号に掲げる行為　次に掲げる者

イ　第百五十六条第一項の規定による決定に係る株主総会の決議があった場合（当該決議によって定められた同項第二号の金銭等の総額が当該決議の日における分配可能額を超える場合に限る。）における当該株主総会に係る総会議案提案取締役（当該株主総会に議案を提案した取締役として法務省令で定めるものをいう。以下この項において同じ。）

ロ　第百五十六条第一項の規定による決定に係る取締役会の決議があった場合（当該決議によって定められた同項第二号の金銭等の総額が当該決議の日における分配可能額を超える場合に限る。）における当該取締役会に係る取締役会議案提案取締役（当該取締役会に議案を提案した取締役（指名委員会等設置会社にあっては、取締役又は執行役）として法務省令で定めるものをいう。以下この項において同じ。）

二　前条第一項第三号に掲げる行為　次に掲げる者

イ　第百五十七条第一項の規定による決定に係る株主総会の決議があった場合（当該決議によって定められた同項第三号の総額が当該決議の日における分配可能額を超える場合に限る。）における当該株主総会に係る総会議案提案取締役

ロ　第百五十七条第一項の規定による決定に係る取締役会の決議があった場合（当該決議によって定められた同項第三号の総額が当該決議の日における分配可能額を超える場合に限る。）における当該取締役会に係る取締役会議案提案取締役

三　前条第一項第四号に掲げる行為　第百七十一条第一項の株主総会（当該株主総会の決議によって定められた同項第一号に規定する取得対価の総額が当該決議の日における分配可能額を超える場合における当該株主総会に限る。）に係る総会議案提案取締役

四　前条第一項第六号に掲げる行為　次に掲げる者

イ　第百九十七条第三項後段の規定による決定に係る株主総会の決議があった場合（当該決議によって定められた同項第二号の総額が当該決議の日における分配可能額を超える場合に限る。）における当該株主総会に係る総会議案提案取締役

ロ　第百九十七条第三項後段の規定による決定に係る取締役会の決議があった場合（当該決議によって定められた同項第二号の総額が当該決議の日における分配可能額を超える場合に限る。）における当該取締役会に係る取締役会議案提案取締役

五　前条第一項第七号に掲げる行為　次に掲げる者

イ　第二百三十四条第四項後段（第二百三十五条第二項において準用する場合を含む。）の規定による決定に係る株主総会の決議があった場合（当該決議によって定められた第二百三十四条第四項第二号（第二百三十五条第二項において準用する場合を含む。）の総額が当該決議の日における分配可能額を超える場合に限る。）における当該株主総会に係る総会議案提案取締役

ロ　第二百三十四条第四項後段（第二百三十五条第二項において準用する場合を含む。）の規定による決定に係る取締役会の決議が

あった場合（当該決議によって定められた第二百三十四条第四項第二号（第二百三十五条第二項において準用する場合を含む。）の総額が当該決議の日における分配可能額を超える場合に限る。）における当該取締役会に係る取締役会議案提案取締役

六　前条第一項第八号に掲げる行為　次に掲げる者

イ　第四百五十四条第一項の規定による決定に係る株主総会の決議があった場合（当該決議によって定められた配当財産の帳簿価額が当該決議の日における分配可能額を超える場合に限る。）における当該株主総会に係る総会議案提案取締役

ロ　第四百五十四条第一項の規定による決定に係る取締役会の決議があった場合（当該決議によって定められた配当財産の帳簿価額が当該決議の日における分配可能額を超える場合に限る。）における当該取締役会に係る取締役会議案提案取締役

2　前項の規定にかかわらず、業務執行者及び同項各号に定める者は、その職務を行うについて注意を怠らなかったことを証明したときは、同項の義務を負わない。

3　第一項の規定により業務執行者及び同項各号に定める者の負う義務は、免除することができない。ただし、前条第一項各号に掲げる行為の時における分配可能額を限度として当該義務を免除することについて総株主の同意がある場合は、この限りでない。

【会社法施行規則】

第百十六条　次に掲げる規定に規定する法務省令で定めるべき事項（事業報告及びその附属明細書に係るものを除く。）は、会社計算規則の定めるところによる。

一〜十四　（略）

十五　法第四百六十二条第一項

【会社計算規則】

（剰余金の配当等に関して責任をとるべき取締役等）

第百五十九条　法第四百六十二条第一項各号列記以外の部分に規定する法務省令で定めるものは、次の各号に掲げる行為の区分に応じ、当該各号に定める者とする。

一　法第四百六十一条第一項第一号に掲げる行為　次に掲げる者

イ　株式の買取りによる金銭等の交付に関する職務を行った取締役及び執行役

ロ　法第百四十条第二項の株主総会において株式の買取りに関する事項について説明をした取締役及び執行役

ハ　分配可能額の計算に関する報告を監査役（監査等委員会及び監査委員会を含む。以下この条において同じ。）又は会計監査人が請求したときは、当該請求に応じて報告をした取締役及び執行役

二　法第四百六十一条第一項第二号に掲げる行為　次に掲げる者

イ　株式の取得による金銭等の交付に関する職務を行った取締役及び執行役

ロ　法第百五十六条第一項の規定による決定に係る株主総会において株式の取得に関する事項について説明をした取締役及び執行役

ハ　法第百五十六条第一項の規定による決定に係る取締役会において株式の取得に賛成した取締役

ニ　分配可能額の計算に関する報告を監査役又は会計監査人が請求したときは、当該請求に応じて報告をした取締役及び執行役

三　法第四百六十一条第一項第三号に掲げる行為　次に掲げる者

イ　株式の取得による金銭等の交付に関する職務を行った取締役及び執行役

ロ　法第百五十七条第一項の規定による決定に係る株主総会に

おいて株式の取得に関する事項について説明をした取締役及び執行役
ハ　法第百五十七条第一項の規定による決定に係る取締役会において株式の取得に賛成した取締役
ニ　分配可能額の計算に関する報告を監査役又は会計監査人が請求したときは、当該請求に応じて報告をした取締役及び執行役
四　法第四百六十一条第一項第四号に掲げる行為　次に掲げる者
イ　株式の取得による金銭等の交付に関する職務を行った取締役及び執行役
ロ　法第百七十一条第一項の株主総会において株式の取得に関する事項について説明をした取締役及び執行役
ハ　分配可能額の計算に関する報告を監査役又は会計監査人が請求したときは、当該請求に応じて報告をした取締役及び執行役
五　法第四百六十一条第一項第五号に掲げる行為　次に掲げる者
イ　株式の買取りによる金銭等の交付に関する職務を行った取締役及び執行役
ロ　法第百七十五条第一項の株主総会において株式の買取りに関する事項について説明をした取締役及び執行役
ハ　分配可能額の計算に関する報告を監査役又は会計監査人が請求したときは、当該請求に応じて報告をした取締役及び執行役
六　法第四百六十一条第一項第六号に掲げる行為　次に掲げる者
イ　株式の買取りによる金銭等の交付に関する職務を行った取締役及び執行役
ロ　法第百九十七条第三項後段の規定による決定に係る株主総会において株式の買取りに関する事項について説明をした取締役及び執行役
ハ　法第百九十七条第三項後段の規定による決定に係る取締役会において株式の買取りに賛成した取締役
ニ　分配可能額の計算に関する報告を監査役又は会計監査人が請求したときは、当該請求に応じて報告をした取締役及び執行役
七　法第四百六十一条第一項第七号に掲げる行為　次に掲げる者
イ　株式の買取りによる金銭等の交付に関する職務を行った取締役及び執行役
ロ　法第二百三十四条第四項後段（法第二百三十五条第二項において準用する場合を含む。）の規定による決定に係る株主総会において株式の買取りに関する事項について説明をした取締役及び執行役
ハ　法第二百三十四条第四項後段（法第二百三十五条第二項において準用する場合を含む。）の規定による決定に係る取締役会において株式の買取りに賛成した取締役
ニ　分配可能額の計算に関する報告を監査役又は会計監査人が請求したときは、当該請求に応じて報告をした取締役及び執行役
八　法第四百六十一条第一項第八号に掲げる行為　次に掲げる者
イ　剰余金の配当による金銭等の交付に関する職務を行った取締役及び執行役
ロ　法第四百五十四条第一項の規定による決定に係る株主総会において剰余金の配当に関する事項について説明をした取締役及び執行役
ハ　法第四百五十四条第一項の規定による決定に係る取締役会において剰余金の配当に賛成した取締役
ニ　分配可能額の計算に関する報告を監査役又は会計監査人が請求したときは、当該請求に応じて報告をした取締役及び執行役
九　法第百十六条第一項各号の行為に係る同項の規定による請求に応じてする株式の取得　株式の取得による金銭等の交付に関

する職務を行った取締役及び次のイからニまでに掲げる行為の区分に応じ、当該イからニまでに定める者

イ　その発行する全部の株式の内容として法第百七条第一項第一号に掲げる事項についての定めを設ける定款の変更　次に掲げる者

(1)　株主総会に当該定款の変更に関する議案を提案した取締役

(2)　(1)の議案の提案の決定に同意した取締役（取締役会設置会社の取締役を除く。）

(3)　(1)の議案の提案が取締役会の決議に基づいて行われたときは、当該取締役会の決議に賛成した取締役

ロ　ある種類の株式の内容として法第百八条第一項第四号又は第七号に掲げる事項についての定めを設ける定款の変更　次に掲げる者

(1)　株主総会に当該定款の変更に関する議案を提案した取締役

(2)　(1)の議案の提案の決定に同意した取締役（取締役会設置会社の取締役を除く。）

(3)　(1)の議案の提案が取締役会の決議に基づいて行われたときは、当該取締役会の決議に賛成した取締役

ハ　法第百十六条第一項第三号に規定する場合における同号イからハまで及びへに掲げる行為　次に掲げる者

(1)　当該行為が株主総会の決議に基づいて行われたときは、当該株主総会に当該行為に関する議案を提案した取締役

(2)　(1)の議案の提案の決定に同意した取締役（取締役会設置会社の取締役を除く。）

(3)　(1)の議案の提案が取締役会の決議に基づいて行われたときは、当該取締役会の決議に賛成した取締役

(4)　当該行為が取締役会の決議に基づいて行われたときは、当該取締役会において当該行為に賛成した取締役

ニ　法第百十六条第一項第三号に規定する場合における同号ニ及びホに掲げる行為　次に掲げる者

(1)　当該行為に関する職務を行った取締役及び執行役

(2)　当該行為が株主総会の決議に基づいて行われたときは、当該株主総会に当該行為に関する議案を提案した取締役

(3)　(2)の議案の提案の決定に同意した取締役（取締役会設置会社の取締役を除く。）

(4)　(2)の議案の提案が取締役会の決議に基づいて行われたときは、当該取締役会の決議に賛成した取締役

(5)　当該行為が取締役会の決議に基づいて行われたときは、当該取締役会の決議に賛成した取締役

十　法第百八十二条の四第一項の規定による請求に応じてする株式の取得　次に掲げる者

イ　株式の取得による金銭等の交付に関する職務を行った取締役

ロ　法第百八十条第二項の株主総会に株式の併合に関する議案を提案した取締役

ハ　ロの議案の提案の決定に同意した取締役（取締役会設置会社の取締役を除く。）

ニ　ロの議案の提案が取締役会の決議に基づいて行われたときは、当該取締役会の決議に賛成した取締役

十一　法第四百六十五条第一項第四号に掲げる行為　株式の取得による金銭等の交付に関する職務を行った取締役及び執行役

十二　法第四百六十五条第一項第五号に掲げる行為　次に掲げる者

イ　株式の取得による金銭等の交付に関する職務を行った取締役及び執行役

ロ　法第百七条第二項第三号イの事由が株主総会の決議に基づいて生じたときは、当該株主総会に当該行為に関する議案を提案した取締役

ハ　ロの議案の提案の決定に同意した取締役（取締役会設置会社の取締役を除く。）
ニ　ロの議案の提案が取締役会の決議に基づいて行われたときは、当該取締役会の決議に賛成した取締役
ホ　法第百七条第二項第三号イの事由が取締役会の決議に基づいて生じたときは、当該取締役会の決議に賛成した取締役

第百六十条　法第四百六十二条第一項第一号イに規定する法務省令で定めるものは、次に掲げる者とする。
一　株主総会に議案を提案した取締役
二　前号の議案の提案の決定に同意した取締役（取締役会設置会社の取締役を除く。）
三　第一号の議案の提案が取締役会の決議に基づいて行われたときは、当該取締役会において当該取締役会の決議に賛成した取締役

第百六十一条　法第四百六十二条第一項第一号ロに規定する法務省令で定めるものは、取締役会に議案を提案した取締役及び執行役とする。

※法第四六二条第一項に規定する義務を履行する株主に対して株式を交付すべき場合の株主資本は会社計算規則第二〇条（二五七頁参照）

（株主に対する求償権の制限等）

第四百六十三条　前条第一項に規定する場合において、株式会社が第四百六十一条第一項各号に掲げる行為により株主に対して交付した金銭等の帳簿価額の総額が当該行為がその効力を生じた日における分配可能額を超えることにつき善意の株主は、当該株主が交付を受けた金銭等について、前条第一項の金銭を支払った業務執行者及び同項各号に定める者からの求償の請求に応ずる義務を負わない。

2　前条第一項に規定する場合には、株式会社の債権者は、同項の規定により義務を負う株主に対し、その交付を受けた金銭等の帳簿価額（当該額が当該債権者の株式会社に対して有する債権額を超える場合にあっては、当該債権額）に相当する金銭を支払わせることができる。

（買取請求に応じて株式を取得した場合の責任）

第四百六十四条　株式会社が第百十六条第一項又は第百八十二条の四第一項の規定による請求に応じて株式を取得する場合において、当該請求をした株主に対して支払った金銭の額が当該支払の日における分配可能額を超えるときは、当該株式の取得に関する職務を行った業務執行者は、株式会社に対し、連帯して、その超過額を支払う義務を負う。ただし、その者がその職務を行うについて注意を怠らなかったことを証明した場合は、この限りでない。

2　前項の義務は、総株主の同意がなければ、免除することができない。

（欠損が生じた場合の責任）

第四百六十五条　株式会社が次の各号に掲げる行為をした場合において、当該行為をした日の属する事業年度（その事業年度の直前の事業年度が最終事業年度でないときは、その事業年度の直前の事業年度）に係る計算書類につき第四百三十八条第二項の承認（第四百三十九条前段に規定する場合にあっては、第四百三十六条第三項の承認）を受けた時における第四百六十一条第二項第三号、第四号及び第六号に掲げる額の合計額が同項第一号に掲げる額を超えるときは、当該各号に掲げる行為に関する職務を行った業務執行者は、当該株式会社に対し、連帯して、その超過額（当該超過額が当該各号に定める額を超える場合にあっては、当該各号に定める額）を支払う義務を負う。ただし、当該業務執行者がその職務を行うについて注意を怠らなかったことを証明した場合は、この限りでない。
一　第百三十八条第一号ハ又は第二号ハの請求に応じて行う当該株式会社の株式の買取り　当該株式の買取りにより株主に対して交付した金銭等の帳簿価額の総額
二　第百五十六条第一項の規定による決定に基づく当該株式会社の株式の取得（第百六十三条に規定する場合又は第百六十五条第一項に規定する場合における当該株式会社による株式の取得に限る。）　当該株式の取得により株主に対して交付した金銭等の帳簿価額の総額

三　第百五十七条第一項の規定による決定に基づく当該株式会社の株式の取得　当該株式の取得により株主に対して交付した金銭等の帳簿価額の総額
四　第百六十七条第一項の規定による当該株式会社の株式の取得　当該株式の取得により株主に対して交付した金銭等の帳簿価額の総額
五　第百七十条第一項の規定による当該株式会社の株式の取得　当該株式の取得により株主に対して交付した金銭等の帳簿価額の総額
六　第百七十三条第一項の規定による当該株式会社の株式の取得　当該株式の取得により株主に対して交付した金銭等の帳簿価額の総額
七　第百七十六条第一項の規定による請求に基づく当該株式会社の株式の買取り　当該株式の買取りにより株主に対して交付した金銭等の帳簿価額の総額
八　第百九十七条第三項の規定による当該株式会社の株式の買取り　当該株式の買取りにより株主に対して交付した金銭等の帳簿価額の総額
九　次のイ又はロに掲げる規定による当該株式会社の株式の買取り　当該株式の買取りにより当該イ又はロに定める者に対して交付した金銭等の帳簿価額の総額
イ　第二百三十四条第四項　同条第一項各号に定める者
ロ　第二百三十五条第二項において準用する第二百三十四条第四項　株主
十　剰余金の配当（次のイからハまでに掲げるものを除く。）　当該剰余金の配当についての第四百四十六条第六号イからハまでに掲げる額の合計額
イ　定時株主総会（第四百三十九条前段に規定する場合にあっては、定時株主総会又は第四百三十六条第三項の取締役会）において第四百五十四条第一項各号に掲げる事項を定める場合における剰余金の配当
ロ　第四百四十七条第一項各号に掲げる事項を定めるための株主総会において第四百五十四条第一項各号に掲げる事項を定める場合（同項第一号の額（第四百五十六条の規定により基準未満株式の株主に支払う金銭があるときは、その額を合算した額）が第四百四十七条第一項第一号の額を超えない場合であって、同項第二号に掲げる事項についての定めがない場合に限る。）における剰余金の配当
ハ　第四百四十八条第一項各号に掲げる事項を定めるための株主総会において第四百五十四条第一項各号に掲げる事項を定める場合（同項第一号の額（第四百五十六条の規定により基準未満株式の株主に支払う金銭があるときは、その額を合算した額）が第四百四十八条第一項第一号の額を超えない場合であって、同項第二号に掲げる事項についての定めがない場合に限る。）における剰余金の配当
2　前項の義務は、総株主の同意がなければ、免除することができない。

第六章　定款の変更

第四百六十六条　株式会社は、その成立後、株主総会の決議によって、定款を変更することができる。

第七章　事業の譲渡等

（事業譲渡等の承認等）
第四百六十七条　株式会社は、次に掲げる行為をする場合には、当該行為がその効力を生ずる日（以下この章において「効力発生日」という。）の前日までに、株主総会の決議によって、当該行為に係る契約の承認を受けなければならない。
一　事業の全部の譲渡
二　事業の重要な一部の譲渡（当該譲渡により譲り渡す資産の帳簿価額が当該株式会社の総資産額として法務省令で定める方法により算定される額の五分の一（これを下回る割合を定款で定めた場合に

あっては、その割合）を超えないものを除く。）
二の二　その子会社の株式又は持分の全部又は一部の譲渡（次のいずれにも該当する場合における譲渡に限る。）
イ　当該譲渡により譲り渡す株式又は持分の帳簿価額が当該株式会社の総資産額として法務省令で定める方法により算定される額の五分の一（これを下回る割合を定款で定めた場合にあっては、その割合）を超えるとき。
ロ　当該株式会社が、効力発生日において当該子会社の議決権の総数の過半数の議決権を有しないとき。
三　他の会社（外国会社その他の法人を含む。次条において同じ。）の事業の全部の譲受け
四　事業の全部の賃貸、事業の全部の経営の委任、他人と事業上の損益の全部を共通にする契約その他これらに準ずる契約の締結、変更又は解約
五　当該株式会社（第二十五条第一項各号に掲げる方法により設立したものに限る。以下この号において同じ。）の成立後二年以内におけるその成立前から存在する財産であってその事業のために継続して使用するものの取得。ただし、イに掲げる額のロに掲げる額に対する割合が五分の一（これを下回る割合を当該株式会社の定款で定めた場合にあっては、その割合）を超えない場合を除く。
イ　当該財産の対価として交付する財産の帳簿価額の合計額
ロ　当該株式会社の純資産額として法務省令で定める方法により算定される額

2　前項第三号に掲げる行為をする場合において、当該行為をする株式会社が譲り受ける資産に当該株式会社の株式が含まれるときは、取締役は、同項の株主総会において、当該株式に関する事項を説明しなければならない。

【会社法施行規則】
（総資産額）

第百三十四条　法第四百六十七条第一項第二号及び第二号の二イに規定する法務省令で定める方法は、算定基準日（同項第二号又は第二号の二に規定する譲渡に係る契約を締結した日（当該契約により当該契約を締結した日と異なる時（当該契約を締結した日後から当該譲渡の効力が生ずる時の直前までの間の時に限る。）を定めた場合にあっては、当該時）をいう。以下この条において同じ。）における第一号から第九号までに掲げる額の合計額から第十号に掲げる額を減じて得た額をもって株式会社の総資産額とする方法とする。
一　資本金の額
二　資本準備金の額
三　利益準備金の額
四　法第四百四十六条に規定する剰余金の額
五　最終事業年度（法第四百六十一条第二項第二号に規定する場合にあっては、法第四百四十一条第一項第二号の期間（当該期間が二以上ある場合にあっては、その末日が最も遅いもの）。以下この項において同じ。）の末日（最終事業年度がない場合にあっては、株式会社の成立の日。以下この条において同じ。）における評価・換算差額等に係る額
六　株式引受権の帳簿価額
七　新株予約権の帳簿価額
八　最終事業年度の末日において負債の部に計上した額
九　最終事業年度の末日後に吸収合併、吸収分割による他の会社の事業に係る権利義務の承継又は他の会社（外国会社を含む。）の事業の全部の譲受けをしたときは、これらの行為により承継又は譲受けをした負債の額
十　自己株式及び自己新株予約権の帳簿価額の合計額

2　前項の規定にかかわらず、算定基準日において法第四百六十七条第一項第二号又は第二号の二に規定する譲渡をする株式会社が清算株式会社である場合における同項第二号及び第二号の二イに

規定する法務省令で定める方法は、法第四百九十二条第一項の規定により作成した貸借対照表の資産の部に計上した額をもって株式会社の総資産額とする方法とする。

（純資産額）

第百三十五条　法第四百六十七条第一項第五号ロに規定する法務省令で定める方法は、算定基準日（同号に規定する取得に係る契約を締結した日（当該契約により当該契約を締結した日と異なる時（当該契約を締結した日後から当該取得の効力が生ずる時の直前までの間の時に限る。）を定めた場合にあっては、当該時）をいう。以下この条において同じ。）における第一号から第七号までに掲げる額の合計額から第八号に掲げる額を減じて得た額（当該額が五百万円を下回る場合にあっては、五百万円）をもって株式会社の純資産額とする方法とする。

一　資本金の額

二　資本準備金の額

三　利益準備金の額

四　法第四百四十六条に規定する剰余金の額

五　最終事業年度（法第四百六十一条第二項第二号に規定する場合にあっては、法第四百四十一条第一項第二号の期間（当該期間が二以上ある場合にあっては、その末日が最も遅いもの）。以下この号において同じ。）の末日（最終事業年度がない場合にあっては、株式会社の成立の日）における評価・換算差額等に係る額

六　株式引受権の帳簿価額

七　新株予約権の帳簿価額

八　自己株式及び自己新株予約権の帳簿価額の合計額

2　前項の規定にかかわらず、算定基準日において法第四百六十七条第一項第五号に規定する取得をする株式会社が清算株式会社である場合における同号ロに規定する法務省令で定める方法は、法第四百九十二条第一項の規定により作成した貸借対照表の資産の部に計上した額から負債の部に計上した額を減じて得た額（当該額が五百万円を下回る場合にあっては、五百万円）をもって株式会社の純資産額とする方法とする。

（事業譲渡等の承認を要しない場合）

第四百六十八条　前条の規定は、同条第一項第一号から第四号までに掲げる行為（以下この章において「事業譲渡等」という。）に係る契約の相手方が当該事業譲渡等をする株式会社の特別支配会社（ある株式会社の総株主の議決権の十分の九（これを上回る割合を当該株式会社の定款で定めた場合にあっては、その割合）以上を他の会社及び当該他の会社が発行済株式の全部を有する株式会社その他これに準ずるものとして法務省令で定める法人が有している場合における当該他の会社をいう。以下同じ。）である場合には、適用しない。

2　前条の規定は、同条第一項第三号に掲げる行為をする場合において、第一号に掲げる額の第二号に掲げる額に対する割合が五分の一（これを下回る割合を定款で定めた場合にあっては、その割合）を超えないときは、適用しない。

一　当該他の会社の事業の全部の対価として交付する財産の帳簿価額の合計額

二　当該株式会社の純資産額として法務省令で定める方法により算定される額

3　前項に規定する場合において、法務省令で定める数の株式（前条第一項の株主総会において議決権を行使することができるものに限る。）を有する株主が次条第三項の規定による通知又は同条第四項の公告の日から二週間以内に前条第一項第三号に掲げる行為に反対する旨を当該行為をする株式会社に対し通知したときは、当該株式会社は、効力発生日の前日までに、株主総会の決議によって、当該行為に係る契約の承認を受けなければならない。

【会社法施行規則】

（特別支配会社）

第百三十六条　法第四百六十八条第一項に規定する法務省令で定める法人は、次に掲げるものとする。

一　法第四百六十八条第一項に規定する他の会社がその持分の全部を有する法人（株式会社を除く。）

二　法第四百六十八条第一項に規定する他の会社及び特定完全子法人（当該他の会社が発行済株式の全部を有する株式会社及び前号に掲げる法人をいう。以下この項において同じ。）又は特定完全子法人がその持分の全部を有する法人

2　前項第二号の規定の適用については、同号に掲げる法人は、同号に規定する特定完全子法人とみなす。

（純資産額）

第百三十七条　法第四百六十八条第二項第二号に規定する法務省令で定める方法は、算定基準日（法第四百六十七条第一項第三号に規定する譲受けに係る契約を締結した日（当該契約により当該契約を締結した日と異なる時（当該契約を締結した日後から当該譲受けの効力が生ずる時の直前までの間の時に限る。）を定めた場合にあっては、当該時）をいう。以下この条において同じ。）における第一号から第七号までに掲げる額の合計額から第八号に掲げる額を減じて得た額（当該額が五百万円を下回る場合にあっては、五百万円）をもって株式会社の純資産額とする方法とする。

一　資本金の額

二　資本準備金の額

三　利益準備金の額

四　法第四百四十六条に規定する剰余金の額

五　最終事業年度（法第四百六十一条第二項第二号に規定する場合にあっては、法第四百四十一条第一項第二号の期間（当該期間が二以上ある場合にあっては、その末日が最も遅いもの）。以下この号において同じ。）の末日（最終事業年度がない場合にあっては、株式会社の成立の日）における評価・換算差額等に係る額

六　株式引受権の帳簿価額

七　新株予約権の帳簿価額

八　自己株式及び自己新株予約権の帳簿価額の合計額

2　前項の規定にかかわらず、算定基準日において法第四百六十七条第一項第三号に規定する譲受けをする株式会社が清算株式会社である場合における法第四百六十八条第二項第二号に規定する法務省令で定める方法は、法第四百九十二条第一項の規定により作成した貸借対照表の資産の部に計上した額から負債の部に計上した額を減じて得た額（当該額が五百万円を下回る場合にあっては、五百万円）をもって株式会社の純資産額とする方法とする。

（事業譲渡等につき株主総会の承認を要する場合）

第百三十八条　法第四百六十八条第三項に規定する法務省令で定める数は、次に掲げる数のいずれか小さい数とする。

一　特定株式（法第四百六十八条第三項に規定する行為に係る株主総会において議決権を行使することができることを内容とする株式をいう。以下この条において同じ。）の総数に二分の一（当該株主総会の決議が成立するための要件として当該特定株式の議決権の総数の一定の割合以上の議決権を有する株主が出席しなければならない旨の定款の定めがある場合にあっては、当該一定の割合）を乗じて得た数に三分の一（当該株主総会の決議が成立するための要件として当該株主総会に出席した当該特定株主（特定株式の株主をいう。以下この条において同じ。）の有する議決権の総数の一定の割合以上の多数が賛成しなければならない旨の定款の定めがある場合にあっては、一から当該一定の割合を減じて得た割合）を乗じて得た数に一を加えた数

二　法第四百六十八条第三項に規定する行為に係る決議が成立するための要件として一定の数以上の特定株主の賛成を要する旨の定款の定めがある場合において、特定株主の総数から株式会社に対して当該行為に反対する旨の通知をした特定株主の数を

減じて得た数が当該一定の数未満となるときにおける当該行為に反対する旨の通知をした特定株主の有する特定株式の数
三　法第四百六十八条第三項に規定する行為に係る決議が成立するための要件として前二号の定款の定め以外の定款の定めがある場合において、当該行為に反対する旨の通知をした特定株主の全部が同項に規定する株主総会において反対したとすれば当該決議が成立しないときは、当該行為に反対する旨の通知をした特定株主の有する特定株式の数
四　定款で定めた数

（反対株主の株式買取請求）
第四百六十九条　事業譲渡等をする場合（次に掲げる場合を除く。）には、反対株主は、事業譲渡等をする株式会社に対し、自己の有する株式を公正な価格で買い取ることを請求することができる。
一　第四百六十七条第一項第一号に掲げる行為をする場合において、同項の株主総会の決議と同時に第四百七十一条第三号の株主総会の決議がされたとき。
二　前条第二項に規定する場合（同条第三項に規定する場合を除く。）
2　前項に規定する「反対株主」とは、次の各号に掲げる場合における当該各号に定める株主をいう。
一　事業譲渡等をするために株主総会（種類株主総会を含む。）の決議を要する場合　次に掲げる株主
イ　当該株主総会に先立って当該事業譲渡等に反対する旨を当該株式会社に対し通知し、かつ、当該株主総会において当該事業譲渡等に反対した株主（当該株主総会において議決権を行使することができるものに限る。）
ロ　当該株主総会において議決権を行使することができない株主
二　前号に規定する場合以外の場合　全ての株主（前条第一項に規定する場合における当該特別支配会社を除く。）
3　事業譲渡等をしようとする株式会社は、効力発生日の二十日前までに、その株主（前条第一項に規定する場合における当該特別支配会社を除く。）に対し、事業譲渡等をする旨（第四百六十七条第二項に規定する場合にあっては、同条第一項第三号に掲げる行為をする旨及び同条第二項の株式に関する事項）を通知しなければならない。
4　次に掲げる場合には、前項の規定による通知は、公告をもってこれに代えることができる。
一　事業譲渡等をする株式会社が公開会社である場合
二　事業譲渡等をする株式会社が第四百六十七条第一項の株主総会の決議によって事業譲渡等に係る契約の承認を受けた場合
5　第一項の規定による請求（以下この章において「株式買取請求」という。）は、効力発生日の二十日前の日から効力発生日の前日までの間に、その株式買取請求に係る株式の数（種類株式発行会社にあっては、株式の種類及び種類ごとの数）を明らかにしてしなければならない。
6　株券が発行されている株式について株式買取請求をしようとするときは、当該株式の株主は、事業譲渡等をする株式会社に対し、当該株式に係る株券を提出しなければならない。ただし、当該株券について第二百二十三条の規定による請求をした者については、この限りでない。
7　株式買取請求をした株主は、事業譲渡等をする株式会社の承諾を得た場合に限り、その株式買取請求を撤回することができる。
8　事業譲渡等を中止したときは、株式買取請求は、その効力を失う。
9　第百三十三条の規定は、株式買取請求に係る株式については、適用しない。

（株式の価格の決定等）
第四百七十条　株式買取請求があった場合において、株式の価格の決定について、株主と事業譲渡等をする株式会社との間に協議が調ったときは、当該株式会社は、効力発生日から六十日以内にその支払をしなければならない。
2　株式の価格の決定について、効力発生日から三十日以内に協議が調わないときは、株主又は前項の株式会社は、その期間の満了の日後三

十日以内に、裁判所に対し、価格の決定の申立てをすることができる。

3 前条第七項の規定にかかわらず、前項に規定する場合において、効力発生日から六十日以内に同項の申立てがないときは、その期間の満了後は、株主は、いつでも、株式買取請求を撤回することができる。

4 第一項の株式会社は、裁判所の決定した価格に対する同項の期間の満了の日後の法定利率による利息をも支払わなければならない。

5 第一項の株式会社は、株式の価格の決定があるまでは、株主に対し、当該株式会社が公正な価格と認める額を支払うことができる。

6 株式買取請求に係る株式の買取りは、効力発生日に、その効力を生ずる。

7 株券発行会社は、株券が発行されている株式について株式買取請求があったときは、株券と引換えに、その株式買取請求に係る株式の代金を支払わなければならない。

第八章　解散

（解散の事由）

第四百七十一条 株式会社は、次に掲げる事由によって解散する。

一 定款で定めた存続期間の満了
二 定款で定めた解散の事由の発生
三 株主総会の決議
四 合併（合併により当該株式会社が消滅する場合に限る。）
五 破産手続開始の決定
六 第八百二十四条第一項又は第八百三十三条第一項の規定による解散を命ずる裁判

（休眠会社のみなし解散）

第四百七十二条 休眠会社（株式会社であって、当該株式会社に関する登記が最後にあった日から十二年を経過したものをいう。以下この条において同じ。）は、法務大臣が休眠会社に対し二箇月以内に法務省令で定めるところによりその本店の所在地を管轄する登記所に事業を廃止していない旨の届出をすべき旨を官報に公告した場合において、その届出をしないときは、その二箇月の期間の満了の時に、解散したものとみなす。ただし、当該期間内に当該休眠会社に関する登記がされたときは、この限りでない。

2 登記所は、前項の規定による公告があったときは、休眠会社に対し、その旨の通知を発しなければならない。

【会社法施行規則】

第百三十九条 法第四百七十二条第一項の届出（以下この条において単に「届出」という。）は、書面でしなければならない。

2 前項の書面には、次に掲げる事項を記載し、株式会社の代表者又は代理人が記名押印しなければならない。

一 当該株式会社の商号及び本店並びに代表者の氏名及び住所
二 代理人によって届出をするときは、その氏名及び住所
三 まだ事業を廃止していない旨
四 届出の年月日
五 登記所の表示

3 代理人によって届出をするには、第一項の書面にその権限を証する書面を添付しなければならない。

4 第一項又は前項の書面に押印すべき株式会社の代表者の印鑑は、商業登記法（昭和三十八年法律第百二十五号）第二十条第一項の規定により提出したものでなければならない。ただし、法第四百七十二条第二項の規定による通知に係る書面を提出して届出をする場合は、この限りでない。

（株式会社の継続）

第四百七十三条 株式会社は、第四百七十一条第一号から第三号までに掲げる事由によって解散した場合（前条第一項の規定により解散したものとみなされた場合を含む。）には、次章の規定による清算が結了するまで（同項の規定により解散したものとみなされた場合にあっては、

解散したものとみなされた後三年以内に限る。）、株主総会の決議によって、株式会社を継続することができる。

（解散した株式会社の合併等の制限）

第四百七十四条　株式会社が解散した場合には、当該株式会社は、次に掲げる行為をすることができない。

一　合併（合併により当該株式会社が存続する場合に限る。）

二　吸収分割による他の会社がその事業に関して有する権利義務の全部又は一部の承継

第九章　清算

第一節　総則

第一款　清算の開始

（清算の開始原因）

第四百七十五条　株式会社は、次に掲げる場合には、この章の定めるところにより、清算をしなければならない。

一　解散した場合（第四百七十一条第四号に掲げる事由によって解散した場合及び破産手続開始の決定により解散した場合であって当該破産手続が終了していない場合を除く。）

二　設立の無効の訴えに係る請求を認容する判決が確定した場合

三　株式移転の無効の訴えに係る請求を認容する判決が確定した場合

（清算株式会社の能力）

第四百七十六条　前条の規定により清算をする株式会社（以下「清算株式会社」という。）は、清算の目的の範囲内において、清算が結了するまではなお存続するものとみなす。

第二款　清算株式会社の機関

第一目　株主総会以外の機関の設置

第四百七十七条　清算株式会社には、一人又は二人以上の清算人を置かなければならない。

2　清算株式会社は、定款の定めによって、清算人会、監査役又は監査役会を置くことができる。

3　監査役会を置く旨の定款の定めがある清算株式会社は、清算人会を置かなければならない。

4　第四百七十五条各号に掲げる場合に該当することとなった時において公開会社又は大会社であった清算株式会社は、監査役を置かなければならない。

5　第四百七十五条各号に掲げる場合に該当することとなった時において監査等委員会設置会社であった清算株式会社であって、前項の規定の適用があるものにおいては、監査等委員である取締役が監査役となる。

6　第四百七十五条各号に掲げる場合に該当することとなった時において指名委員会等設置会社であった清算株式会社であって、第四項の規定の適用があるものにおいては、監査委員が監査役となる。

7　第四章第二節の規定は、清算株式会社については、適用しない。

第二目　清算人の就任及び解任並びに監査役の退任

（清算人の就任）

第四百七十八条　次に掲げる者は、清算株式会社の清算人となる。

一　取締役（次号又は第三号に掲げる者がある場合を除く。）

二　定款で定める者

三　株主総会の決議によって選任された者

2　前項の規定により清算人となる者がないときは、裁判所は、利害関係人の申立てにより、清算人を選任する。

3　前二項の規定にかかわらず、第四百七十一条第六号に掲げる事由によって解散した清算株式会社については、裁判所は、利害関係人若しくは法務大臣の申立てにより又は職権で、清算人を選任する。

4　第一項及び第二項の規定にかかわらず、第四百七十五条第二号又は第三号に掲げる場合に該当することとなった清算株式会社については、裁判所は、利害関係人の申立てにより、清算人を選任する。

5　第四百七十五条各号に掲げる場合に該当することとなった時において監査等委員会設置会社であった清算株式会社における第一項第一号の規定の適用については、同号中「取締役」とあるのは、「監査等委員である取締役以外の取締役」とする。

6　第四百七十五条各号に掲げる場合に該当することとなった時において指名委員会等設置会社であった清算株式会社における第一項第一号の規定の適用については、同号中「取締役」とあるのは、「監査委員以外の取締役」とする。

7　第三百三十五条第三項の規定にかかわらず、第四百七十五条各号に掲げる場合に該当することとなった時において監査等委員会設置会社又は指名委員会等設置会社であった清算株式会社である監査役会設置会社においては、監査役は、三人以上で、そのうち半数以上は、次に掲げる要件のいずれにも該当するものでなければならない。

一　その就任の前十年間当該監査等委員会設置会社若しくは指名委員会等設置会社又はその子会社の取締役（社外取締役を除く。）、会計参与（会計参与が法人であるときは、その職務を行うべき社員。次号において同じ。）若しくは執行役又は支配人その他の使用人であったことがないこと。

二　その就任の前十年内のいずれかの時において当該監査等委員会設置会社若しくは指名委員会等設置会社又はその子会社の社外取締役又は監査役であったことがある者にあっては、当該社外取締役又は監査役への就任の前十年間当該監査等委員会設置会社若しくは指名委員会等設置会社又はその子会社の取締役（社外取締役を除く。）、会計参与若しくは執行役又は支配人その他の使用人であったことがないこと。

三　第二条第十六号ハからホまでに掲げる要件

8　第三百三十条、第三百三十一条第一項及び第三百三十一条の二の規定は清算人について、第三百三十一条第五項の規定は清算人会設置会社（清算人会を置く清算株式会社又はこの法律の規定により清算人会を置かなければならない清算株式会社をいう。以下同じ。）について、それぞれ準用する。この場合において、同項中「取締役は」とあるのは、「清算人は」と読み替えるものとする。

（清算人の解任）

第四百七十九条　清算人（前条第二項から第四項までの規定により裁判所が選任したものを除く。）は、いつでも、株主総会の決議によって解任することができる。

2　重要な事由があるときは、裁判所は、次に掲げる株主の申立てにより、清算人を解任することができる。

一　総株主（次に掲げる株主を除く。）の議決権の百分の三（これを下回る割合を定款で定めた場合にあっては、その割合）以上の議決権を六箇月（これを下回る期間を定款で定めた場合にあっては、その期間）前から引き続き有する株主（次に掲げる株主を除く。）

イ　清算人を解任する旨の議案について議決権を行使することができない株主

ロ　当該申立てに係る清算人である株主

二　発行済株式（次に掲げる株主の有する株式を除く。）の百分の三（これを下回る割合を定款で定めた場合にあっては、その割合）以上の数の株式を六箇月（これを下回る期間を定款で定めた場合にあっては、その期間）前から引き続き有する株主（次に掲げる株主を除く。）

イ　当該清算株式会社である株主

ロ　当該申立てに係る清算人である株主

3　公開会社でない清算株式会社における前項各号の規定の適用については、これらの規定中「六箇月（これを下回る期間を定款で定めた場合にあっては、その期間）前から引き続き有する」とあるのは、「有する」とする。

4　第三百四十六条第一項から第三項までの規定は、清算人について準用する。

（監査役の退任）
第四百八十条　清算株式会社の監査役は、当該清算株式会社が次に掲げる定款の変更をした場合には、当該定款の変更の効力が生じた時に退任する。
一　監査役を置く旨の定款の定めを廃止する定款の変更
二　監査役の監査の範囲を会計に関するものに限定する旨の定款の定めを廃止する定款の変更
2　第三百三十六条の規定は、清算株式会社の監査役については、適用しない。

第三目　清算人の職務等

（清算人の職務）
第四百八十一条　清算人は、次に掲げる職務を行う。
一　現務の結了
二　債権の取立て及び債務の弁済
三　残余財産の分配

（業務の執行）
第四百八十二条　清算人は、清算株式会社（清算人会設置会社を除く。以下この条において同じ。）の業務を執行する。
2　清算人が二人以上ある場合には、清算株式会社の業務は、定款に別段の定めがある場合を除き、清算人の過半数をもって決定する。
3　前項の場合には、清算人は、次に掲げる事項についての決定を各清算人に委任することができない。
一　支配人の選任及び解任
二　支店の設置、移転及び廃止
三　第二百九十八条第一項各号（第三百二十五条において準用する場合を含む。）に掲げる事項
四　清算人の職務の執行が法令及び定款に適合することを確保するための体制その他清算株式会社の業務の適正を確保するために必要なものとして法務省令で定める体制の整備
4　第三百五十三条から第三百五十七条（第三項を除く。）まで、第三百六十条並びに第三百六十一条第一項及び第四項の規定は、清算人（同条の規定については、第四百七十八条第二項から第四項までの規定により裁判所が選任したものを除く。）について準用する。この場合において、第三百五十三条中「第三百四十九条第四項」とあるのは「第四百八十三条第六項において準用する第三百四十九条第四項」と、第三百五十四条中「代表取締役」とあるのは「代表清算人（第四百八十三条第一項に規定する代表清算人をいう。）」と、第三百六十条第三項中「監査役設置会社、監査等委員会設置会社又は指名委員会等設置会社」とあるのは「監査役設置会社」と読み替えるものとする。

【会社法施行規則】

（清算株式会社の業務の適正を確保するための体制）

第百四十条　法第四百八十二条第三項第四号に規定する法務省令で定める体制は、次に掲げる体制とする。
一　清算人の職務の執行に係る情報の保存及び管理に関する体制
二　損失の危険の管理に関する規程その他の体制
三　使用人の職務の執行が法令及び定款に適合することを確保するための体制
2　清算人が二人以上ある清算株式会社である場合には、前項に規定する体制には、業務の決定が適正に行われることを確保するための体制を含むものとする。
3　監査役設置会社以外の清算株式会社である場合には、第一項に規定する体制には、清算人が株主に報告すべき事項の報告をするための体制を含むものとする。
4　監査役設置会社（監査役の監査の範囲を会計に関するものに限定する旨の定款の定めがある清算株式会社を含む。）である場合には、第一項に規定する体制には、次に掲げる体制を含むものとする。

一　監査役がその職務を補助すべき使用人を置くことを求めた場合における当該使用人に関する体制
二　前号の使用人の清算人からの独立性に関する事項
三　監査役の第一号の使用人に対する指示の実効性の確保に関する事項
四　清算人及び使用人が監査役に報告をするための体制その他の監査役への報告に関する体制
五　前号の報告をした者が当該報告をしたことを理由として不利な取扱いを受けないことを確保するための体制
六　監査役の職務の執行について生ずる費用の前払又は償還の手続その他の当該職務の執行について生ずる費用又は債務の処理に係る方針に関する事項
七　その他監査役の監査が実効的に行われることを確保するための体制

（清算株式会社の代表）

第四百八十三条　清算人は、清算株式会社を代表する。ただし、他に代表清算人（清算株式会社を代表する清算人をいう。以下同じ。）その他清算株式会社を代表する者を定めた場合は、この限りでない。

2　前項本文の清算人が二人以上ある場合には、清算人は、各自、清算株式会社を代表する。

3　清算株式会社（清算人会設置会社を除く。）は、定款、定款の定めに基づく清算人（第四百七十八条第二項から第四項までの規定により裁判所が選任したものを除く。以下この項において同じ。）の互選又は株主総会の決議によって、清算人の中から代表清算人を定めることができる。

4　第四百七十八条第一項第一号の規定により取締役が清算人となる場合において、代表取締役を定めていたときは、当該代表取締役が代表清算人となる。

5　裁判所は、第四百七十八条第二項から第四項までの規定により清算人を選任する場合には、その清算人の中から代表清算人を定めることができる。

6　第三百四十九条第四項及び第五項並びに第三百五十一条の規定は代表清算人について、第三百五十二条の規定は民事保全法第五十六条に規定する仮処分命令により選任された清算人又は代表清算人の職務を代行する者について、それぞれ準用する。

（清算株式会社についての破産手続の開始）

第四百八十四条　清算株式会社の財産がその債務を完済するのに足りないことが明らかになったときは、清算人は、直ちに破産手続開始の申立てをしなければならない。

2　清算人は、清算株式会社が破産手続開始の決定を受けた場合において、破産管財人にその事務を引き継いだときは、その任務を終了したものとする。

3　前項に規定する場合において、清算株式会社が既に債権者に支払い、又は株主に分配したものがあるときは、破産管財人は、これを取り戻すことができる。

（裁判所の選任する清算人の報酬）

第四百八十五条　裁判所は、第四百七十八条第二項から第四項までの規定により清算人を選任した場合には、清算株式会社が当該清算人に対して支払う報酬の額を定めることができる。

（清算人の清算株式会社に対する損害賠償責任）

第四百八十六条　清算人は、その任務を怠ったときは、清算株式会社に対し、これによって生じた損害を賠償する責任を負う。

2　清算人が第四百八十二条第四項において準用する第三百五十六条第一項の規定に違反して同項第一号の取引をしたときは、当該取引により清算人又は第三者が得た利益の額は、前項の損害の額と推定する。

3　第四百八十二条第四項において準用する第三百五十六条第一項第二号又は第三号の取引によって清算株式会社に損害が生じたときは、次に掲げる清算人は、その任務を怠ったものと推定する。

一　第四百八十二条第四項において準用する第三百五十六条第一項の

清算人
二　清算株式会社が当該取引をすることを決定した清算人
三　当該取引に関する清算人会の承認の決議に賛成した清算人
4　第四百二十四条及び第四百二十八条第一項の規定は、清算人の第一項の責任について準用する。この場合において、同条第一項中「第三百五十六条第一項第二号（第四百十九条第二項において準用する場合を含む。）」とあるのは、「第四百八十二条第四項において準用する第三百五十六条第一項第二号」と読み替えるものとする。

（清算人の第三者に対する損害賠償責任）
第四百八十七条　清算人がその職務を行うについて悪意又は重大な過失があったときは、当該清算人は、これによって第三者に生じた損害を賠償する責任を負う。
2　清算人が、次に掲げる行為をしたときも、前項と同様とする。ただし、当該清算人が当該行為をすることについて注意を怠らなかったことを証明したときは、この限りでない。
一　株式、新株予約権、社債若しくは新株予約権付社債を引き受ける者の募集をする際に通知しなければならない重要な事項についての虚偽の通知又は当該募集のための当該清算株式会社の事業その他の事項に関する説明に用いた資料についての虚偽の記載若しくは記録
二　第四百九十二条第一項に規定する財産目録等並びに第四百九十四条第一項の貸借対照表及び事務報告並びにこれらの附属明細書に記載し、又は記録すべき重要な事項についての虚偽の記載又は記録
三　虚偽の登記
四　虚偽の公告

（清算人及び監査役の連帯責任）
第四百八十八条　清算人又は監査役が清算株式会社又は第三者に生じた損害を賠償する責任を負う場合において、他の清算人又は監査役も当該損害を賠償する責任を負うときは、これらの者は、連帯債務者とする。
2　前項の場合には、第四百三十条の規定は、適用しない。

第四目　清算人会

（清算人会の権限等）
第四百八十九条　清算人会は、すべての清算人で組織する。
2　清算人会は、次に掲げる職務を行う。
一　清算人会設置会社の業務執行の決定
二　清算人の職務の執行の監督
三　代表清算人の選定及び解職
3　清算人会は、清算人の中から代表清算人を選定しなければならない。ただし、他に代表清算人があるときは、この限りでない。
4　清算人会は、その選定した代表清算人及び第四百八十三条第四項の規定により代表清算人となった者を解職することができる。
5　第四百八十三条第五項の規定により裁判所が代表清算人を定めたときは、清算人会は、代表清算人を選定し、又は解職することができない。
6　清算人会は、次に掲げる事項その他の重要な業務執行の決定を清算人に委任することができない。
一　重要な財産の処分及び譲受け
二　多額の借財
三　支配人その他の重要な使用人の選任及び解任
四　支店その他の重要な組織の設置、変更及び廃止
五　第六百七十六条第一号に掲げる事項その他の社債を引き受ける者の募集に関する重要な事項として法務省令で定める事項
六　清算人の職務の執行が法令及び定款に適合することを確保するための体制その他清算株式会社の業務の適正を確保するために必要なものとして法務省令で定める体制の整備
7　次に掲げる清算人は、清算人会設置会社の業務を執行する。
一　代表清算人
二　代表清算人以外の清算人であって、清算人会の決議によって清算人会設置会社の業務を執行する清算人として選定されたもの

8　第三百六十三条第二項、第三百六十四条及び第三百六十五条の規定は、清算人会設置会社について準用する。この場合において、第三百六十三条第二項中「前項各号」とあるのは「第四百八十九条第七項各号」と、「取締役は」とあるのは「清算人は」と、「取締役会」とあるのは「清算人会」と、第三百六十四条中「第三百五十三条」とあるのは「第四百八十二条第四項において準用する第三百五十三条」と、「取締役会は」とあるのは「清算人会は」と、第三百六十五条第一項中「第三百五十六条」とあるのは「第四百八十二条第四項において準用する第三百五十六条」と、「「取締役会」とあるのは「「清算人会」と、同条第二項中「第三百五十六条第一項各号」とあるのは「第四百八十二条第四項において準用する第三百五十六条第一項各号」と、「取締役は」とあるのは「清算人は」と、「取締役会に」とあるのは「清算人会に」と読み替えるものとする。

【会社法施行規則】

（社債を引き受ける者の募集に際して清算人会が定めるべき事項）

第百四十一条　法第四百八十九条第六項第五号に規定する法務省令で定める事項は、次に掲げる事項とする。

一　二以上の募集（法第六百七十六条の募集をいう。以下この条において同じ。）に係る法第六百七十六条各号に掲げる事項の決定を委任するときは、その旨

二　募集社債の総額の上限（前号に規定する場合にあっては、各募集に係る募集社債の総額の上限の合計額）

三　募集社債の利率の上限その他の利率に関する事項の要綱

四　募集社債の払込金額（法第六百七十六条第九号に規定する払込金額をいう。以下この号において同じ。）の総額の最低金額その他の払込金額に関する事項の要綱

（清算人会設置会社の業務の適正を確保するための体制）

第百四十二条　法第四百八十九条第六項第六号に規定する法務省令で定める体制は、次に掲げる体制とする。

一　清算人の職務の執行に係る情報の保存及び管理に関する体制

二　損失の危険の管理に関する規程その他の体制

三　使用人の職務の執行が法令及び定款に適合することを確保するための体制

2　監査役設置会社以外の清算株式会社である場合には、前項に規定する体制には、清算人が株主に報告すべき事項の報告をするための体制を含むものとする。

3　監査役設置会社（監査役の監査の範囲を会計に関するものに限定する旨の定款の定めがある清算株式会社を含む。）である場合には、第一項に規定する体制には、次に掲げる体制を含むものとする。

一　監査役がその職務を補助すべき使用人を置くことを求めた場合における当該使用人に関する体制

二　前号の使用人の清算人からの独立性に関する事項

三　監査役の第一号の使用人に対する指示の実効性の確保に関する事項

四　清算人及び使用人が監査役に報告をするための体制その他の監査役への報告に関する体制

五　前号の報告をした者が当該報告をしたことを理由として不利な取扱いを受けないことを確保するための体制

六　監査役の職務の執行について生ずる費用の前払又は償還の手続その他の当該職務の執行について生ずる費用又は債務の処理に係る方針に関する事項

七　その他監査役の監査が実効的に行われることを確保するための体制

（清算人会の運営）

第四百九十条　清算人会は、各清算人が招集する。ただし、清算人会を招集する清算人を定款又は清算人会で定めたときは、その清算人が招集する。

2　前項ただし書に規定する場合には、同項ただし書の規定により定められた清算人（以下この項において「招集権者」という。）以外の清算人は、招集権者に対し、清算人会の目的である事項を示して、清算人会の招集を請求することができる。

3　前項の規定による請求があった日から五日以内に、その請求があった日から二週間以内の日を清算人会の日とする清算人会の招集の通知が発せられない場合には、その請求をした清算人は、清算人会を招集することができる。

4　第三百六十七条及び第三百六十八条の規定は、清算人会設置会社における清算人会の招集について準用する。この場合において、第三百六十七条第一項中「監査役設置会社、監査等委員会設置会社及び指名委員会等設置会社」とあるのは「監査役設置会社」と、「取締役が」とあるのは「清算人が」と、同条第二項中「取締役（前条第一項ただし書に規定する場合にあっては、招集権者）」とあるのは「清算人（第四百九十条第一項ただし書に規定する場合にあっては、同条第二項に規定する招集権者）」と、同条第三項及び第四項中「前条第三項」とあるのは「第四百九十条第三項」と、第三百六十八条第一項中「各取締役」とあるのは「各清算人」と、同条第二項中「取締役（」とあるのは「清算人（」と、「取締役及び」とあるのは「清算人及び」と読み替えるものとする。

5　第三百六十九条から第三百七十一条までの規定は、清算人会設置会社における清算人会の決議について準用する。この場合において、第三百六十九条第一項中「取締役の」とあるのは「清算人の」と、同条第二項中「取締役」とあるのは「清算人」と、同条第三項中「取締役及び」とあるのは「清算人及び」と、同条第五項中「取締役であって」とあるのは「清算人であって」と、第三百七十条中「取締役が」とあるのは「清算人が」と、「取締役（」とあるのは「清算人（」と、第三百七十一条第三項中「監査役設置会社、監査等委員会設置会社又は指名委員会等設置会社」とあるのは「監査役設置会社」と、同条第四項中「役員又は執行役」とあるのは「清算人又は監査役」と読み替えるものとする。

6　第三百七十二条第一項及び第二項の規定は、清算人会設置会社における清算人会への報告について準用する。この場合において、同条第一項中「取締役、会計参与、監査役又は会計監査人」とあるのは「清算人又は監査役」と、「取締役（」とあるのは「清算人（」と、「取締役及び」とあるのは「清算人及び」と、同条第二項中「第三百六十三条第二項」とあるのは「第四百八十九条第八項において準用する第三百六十三条第二項」と読み替えるものとする。

【会社法施行規則】

（清算人会の議事録）

第百四十三条　法第四百九十条第五項において準用する法第三百六十九条第三項の規定による清算人会の議事録の作成については、この条の定めるところによる。

2　清算人会の議事録は、書面又は電磁的記録をもって作成しなければならない。

3　清算人会の議事録は、次に掲げる事項を内容とするものでなければならない。

一　清算人会が開催された日時及び場所（当該場所に存しない清算人、監査役又は株主が清算人会に出席をした場合における当該出席の方法を含む。）

二　清算人会が次に掲げるいずれかのものに該当するときは、その旨

イ　法第四百九十条第二項の規定による清算人の請求を受けて招集されたもの

ロ　法第四百九十条第三項の規定により清算人が招集したもの

ハ　法第四百九十条第四項において準用する法第三百六十七条第一項の規定による株主の請求を受けて招集されたもの

ニ　法第四百九十条第四項において準用する法第三百六十七条第三項において読み替えて準用する法第四百九十条第三項の

規定により株主が招集したもの
ホ　法第三百八十三条第二項の規定による監査役の請求を受けて招集されたもの
ヘ　法第三百八十三条第三項の規定により監査役が招集したもの
三　清算人会の議事の経過の要領及びその結果
四　決議を要する事項について特別の利害関係を有する清算人があるときは、その氏名
五　次に掲げる規定により清算人会において述べられた意見又は発言があるときは、その意見又は発言の内容の概要
イ　法第三百八十二条
ロ　法第三百八十三条第一項
ハ　法第四百八十九条第八項において準用する法第三百六十五条第二項
二　法第四百九十条第四項において準用する法第三百六十七条第四項
六　清算人会に出席した監査役又は株主の氏名又は名称
七　清算人会の議長が存するときは、議長の氏名
4　次の各号に掲げる場合には、清算人会の議事録は、当該各号に定める事項を内容とするものとする。
一　法第四百九十条第五項において準用する法第三百七十条の規定により清算人会の決議があったものとみなされた場合　次に掲げる事項
イ　清算人会の決議があったものとみなされた事項の内容
ロ　イの事項の提案をした清算人の氏名
ハ　清算人会の決議があったものとみなされた日
ニ　議事録の作成に係る職務を行った清算人の氏名
二　法第四百九十条第六項において準用する法第三百七十二条第一項の規定により清算人会への報告を要しないものとされた場合　次に掲げる事項
イ　清算人会への報告を要しないものとされた事項の内容
ロ　清算人会への報告を要しないものとされた日
ハ　議事録の作成に係る職務を行った清算人の氏名

第五目　取締役等に関する規定の適用

第四百九十一条　清算株式会社については、第二章（第百五十五条を除く。）、第三章、第四章第一節、第三百三十五条第二項、第三百四十三条第一項及び第二項、第三百四十五条第四項において準用する同条第三項、第三百五十九条、同章第七節及び第八節並びに第七章の規定中取締役、代表取締役、取締役会又は取締役会設置会社に関する規定は、それぞれ清算人、代表清算人、清算人会又は清算人会設置会社に関する規定として清算人、代表清算人、清算人会又は清算人会設置会社に適用があるものとする。

第三款　財産目録等

（財産目録等の作成等）
第四百九十二条　清算人（清算人会設置会社にあっては、第四百八十九条第七項各号に掲げる清算人）は、その就任後遅滞なく、清算株式会社の財産の現況を調査し、法務省令で定めるところにより、第四百七十五条各号に掲げる場合に該当することとなった日における財産目録及び貸借対照表（以下この条及び次条において「財産目録等」という。）を作成しなければならない。
2　清算人会設置会社においては、財産目録等は、清算人会の承認を受けなければならない。
3　清算人は、財産目録等（前項の規定の適用がある場合にあっては、同項の承認を受けたもの）を株主総会に提出し、又は提供し、その承認を受けなければならない。
4　清算株式会社は、財産目録等を作成した時からその本店の所在地における清算結了の登記の時までの間、当該財産目録等を保存しなければ

ばならない。

【会社法施行規則】

（財産目録）

第百四十四条　法第四百九十二条第一項の規定により作成すべき財産目録については、この条の定めるところによる。

2　前項の財産目録に計上すべき財産については、その処分価格を付すことが困難な場合を除き、法第四百七十五条各号に掲げる場合に該当することとなった日における処分価格を付さなければならない。この場合において、清算株式会社の会計帳簿については、財産目録に付された価格を取得価額とみなす。

3　第一項の財産目録は、次に掲げる部に区分して表示しなければならない。この場合において、第一号及び第二号に掲げる部は、その内容を示す適当な名称を付した項目に細分することができる。

一　資産
二　負債
三　正味資産

（清算開始時の貸借対照表）

第百四十五条　法第四百九十二条第一項の規定により作成すべき貸借対照表については、この条の定めるところによる。

2　前項の貸借対照表は、財産目録に基づき作成しなければならない。

3　第一項の貸借対照表は、次に掲げる部に区分して表示しなければならない。この場合において、第一号及び第二号に掲げる部は、その内容を示す適当な名称を付した項目に細分することができる。

一　資産
二　負債
三　純資産

4　処分価格を付すことが困難な資産がある場合には、第一項の貸借対照表には、当該資産に係る財産評価の方針を注記しなければならない。

（保存の指定）

第二百三十二条　電子文書法第三条第一項の主務省令で定める保存は、次に掲げる保存とする。

一～二十二　（略）
二十三　法第四百九十二条第四項の規定による財産目録等の保存
二十四～三十六　（略）

（財産目録等の提出命令）

第四百九十三条　裁判所は、申立てにより又は職権で、訴訟の当事者に対し、財産目録等の全部又は一部の提出を命ずることができる。

（貸借対照表等の作成及び保存）

第四百九十四条　清算株式会社は、法務省令で定めるところにより、各清算事務年度（第四百七十五条各号に掲げる場合に該当することとなった日の翌日又はその後毎年その日に応当する日（応当する日がない場合にあっては、その前日）から始まる各一年の期間をいう。）に係る貸借対照表及び事務報告並びにこれらの附属明細書を作成しなければならない。

2　前項の貸借対照表及び事務報告並びにこれらの附属明細書は、電磁的記録をもって作成することができる。

3　清算株式会社は、第一項の貸借対照表を作成した時からその本店の所在地における清算結了の登記の時までの間、当該貸借対照表及びその附属明細書を保存しなければならない。

【会社法施行規則】

（各清算事務年度に係る貸借対照表）

第百四十六条　法第四百九十四条第一項の規定により作成すべき貸借対照表は、各清算事務年度に係る会計帳簿に基づき作成しなければならない。

2　前条第三項の規定は、前項の貸借対照表について準用する。

3　法第四百九十四条第一項の規定により作成すべき貸借対照表の附属明細書は、貸借対照表の内容を補足する重要な事項をその内容としなければならない。

（各清算事務年度に係る事務報告）

第百四十七条　法第四百九十四条第一項の規定により作成すべき事務報告は、清算に関する事務の執行の状況に係る重要な事項をその内容としなければならない。

2　法第四百九十四条第一項の規定により作成すべき事務報告の附属明細書は、事務報告の内容を補足する重要な事項をその内容としなければならない。

（保存の指定）

第二百三十二条　電子文書法第三条第一項の主務省令で定める保存は、次に掲げる保存とする。

一～二十三　（略）

二十四　法第四百九十四条第三項の規定による貸借対照表及びその附属明細書の保存

二十五～三十六　（略）

（貸借対照表等の監査等）

第四百九十五条　監査役設置会社（監査役の監査の範囲を会計に関するものに限定する旨の定款の定めがある株式会社を含む。）においては、前条第一項の貸借対照表及び事務報告並びにこれらの附属明細書は、法務省令で定めるところにより、監査役の監査を受けなければならない。

2　清算人会設置会社においては、前条第一項の貸借対照表及び事務報告並びにこれらの附属明細書（前項の規定の適用がある場合にあっては、同項の監査を受けたもの）は、清算人会の承認を受けなければならない。

【会社法施行規則】

（清算株式会社の監査報告）

第百四十八条　法第四百九十五条第一項の規定による監査については、この条の定めるところによる。

2　清算株式会社の監査役は、各清算事務年度に係る貸借対照表及び事務報告並びにこれらの附属明細書を受領したときは、次に掲げる事項（監査役会設置会社の監査役の監査報告にあっては、第一号から第五号までに掲げる事項）を内容とする監査報告を作成しなければならない。

一　監査役の監査の方法及びその内容

二　各清算事務年度に係る貸借対照表及びその附属明細書が当該清算株式会社の財産の状況を全ての重要な点において適正に表示しているかどうかについての意見

三　各清算事務年度に係る事務報告及びその附属明細書が法令又は定款に従い当該清算株式会社の状況を正しく示しているかどうかについての意見

四　清算人の職務の遂行に関し、不正の行為又は法令若しくは定款に違反する重大な事実があったときは、その事実

五　監査のため必要な調査ができなかったときは、その旨及びその理由

六　監査報告を作成した日

3　前項の規定にかかわらず、監査役の監査の範囲を会計に関するものに限定する旨の定款の定めがある清算株式会社の監査役は、同項第三号及び第四号に掲げる事項に代えて、これらの事項を監査する権限がないことを明らかにした監査報告を作成しなければならない。

4　清算株式会社の監査役会は、第二項の規定により清算株式会社の監査役が作成した監査報告に基づき、監査役会の監査報告を作成しなければならない。

第二編　株式会社

5 清算株式会社の監査役会の監査報告は、次に掲げる事項を内容とするものでなければならない。
一 監査役及び監査役会の監査の方法及びその内容
二 第二項第二号から第五号までに掲げる事項
三 監査報告を作成した日
6 特定監査役は、第百四十六条第一項の貸借対照表及び前条第一項の事務報告の全部を受領した日から四週間を経過した日（特定清算人（次の各号に掲げる場合の区分に応じ、当該各号に定める者をいう。以下この条において同じ。）及び特定監査役の間で合意した日がある場合にあっては、当該日）までに、特定清算人に対して、監査報告（監査役会設置会社にあっては、第四項の規定により作成した監査役会の監査報告に限る。）の内容を通知しなければならない。
一 この項の規定による通知を受ける者を定めた場合 当該通知を受ける者として定められた者
二 前号に掲げる場合以外の場合 第百四十六条第一項の貸借対照表及び前条第一項の事務報告並びにこれらの附属明細書の作成に関する職務を行った清算人
7 第百四十六条第一項の貸借対照表及び前条第一項の事務報告並びにこれらの附属明細書については、特定清算人が前項の規定による監査報告の内容の通知を受けた日に、監査役の監査を受けたものとする。
8 前項の規定にかかわらず、特定監査役が第六項の規定により通知をすべき日までに同項の規定による監査報告の内容の通知をしない場合には、当該通知をすべき日に、第百四十六条第一項の貸借対照表及び前条第一項の事務報告並びにこれらの附属明細書については、監査役の監査を受けたものとみなす。
9 第六項及び前項に規定する「特定監査役」とは、次の各号に掲げる清算株式会社の区分に応じ、当該各号に定める者とする。
一 監査役設置会社（監査役の監査の範囲を会計に関するものに限定する旨の定款の定めがある清算株式会社を含み、監査役会設置会社を除く。） 次のイからハまでに定める者
イ 二以上の監査役が存する場合において、第六項の規定による監査報告の内容の通知をすべき監査役を定めたとき 当該通知をすべき監査役として定められた監査役
ロ 二以上の監査役が存する場合において、第六項の規定による監査報告の内容の通知をすべき監査役を定めていないとき 全ての監査役
ハ イ又はロに掲げる場合以外の場合 監査役
二 監査役会設置会社 次のイ又はロに掲げる場合の区分に応じ、当該イ又はロに定める者
イ 監査役会が第六項の規定による監査報告の内容の通知をすべき監査役を定めた場合 当該通知をすべき監査役として定められた監査役
ロ イに掲げる場合以外の場合 全ての監査役

（貸借対照表等の備置き及び閲覧等）
第四百九十六条 清算株式会社は、第四百九十四条第一項に規定する各清算事務年度に係る貸借対照表及び事務報告並びにこれらの附属明細書（前条第一項の規定の適用がある場合にあっては、監査報告を含む。以下この条において「貸借対照表等」という。）を、定時株主総会の日の一週間前の日（第三百十九条第一項の場合にあっては、同項の提案があった日）からその本店の所在地における清算結了の登記の時までの間、その本店に備え置かなければならない。
2 株主及び債権者は、清算株式会社の営業時間内は、いつでも、次に掲げる請求をすることができる。ただし、第二号又は第四号に掲げる請求をするには、当該清算株式会社の定めた費用を支払わなければならない。
一 貸借対照表等が書面をもって作成されているときは、当該書面の

閲覧の請求
二　前号の書面の謄本又は抄本の交付の請求
三　貸借対照表等が電磁的記録をもって作成されているときは、当該電磁的記録に記録された事項を法務省令で定める方法により表示したものの閲覧の請求
四　前号の電磁的記録に記録された事項を電磁的方法であって清算株式会社の定めたものにより提供することの請求又はその事項を記載した書面の交付の請求
3　清算株式会社の親会社社員は、その権利を行使するため必要があるときは、裁判所の許可を得て、当該清算株式会社の貸借対照表等について前項各号に掲げる請求をすることができる。ただし、同項第二号又は第四号に掲げる請求をするには、当該清算株式会社の定めた費用を支払わなければならない。

【会社法施行規則】
（保存の指定）
第二百三十二条　電子文書法第三条第一項の主務省令で定める保存は、次に掲げる保存とする。
一～二十四　（略）
二十五　法第四百九十六条第一項の規定による貸借対照表等の保存
二十六～三十六　（略）
（縦覧等の指定）
第二百三十四条　電子文書法第五条第一項の主務省令で定める縦覧等は、次に掲げる縦覧等とする。
一～三十六　（略）
三十七　法第四百九十六条第二項第一号の規定による貸借対照表等の縦覧等
三十八　法第四百九十六条第三項の規定による貸借対照表等の縦覧等
三十九～五十四　（略）
（交付等の指定）
第二百三十六条　電子文書法第六条第一項の主務省令で定める交付等は、次に掲げる交付等とする。
一～十六　（略）
十七　法第四百九十六条第二項第二号の規定による貸借対照表等の謄本又は抄本の交付等
十八　法第四百九十六条第三項の規定による貸借対照表等の謄本又は抄本の交付等
十九～二十八　（略）
（電磁的記録に記録された事項を表示する方法）
第二百二十六条　次に掲げる規定に規定する法務省令で定める方法は、次に掲げる規定の電磁的記録に記録された事項を紙面又は映像面に表示する方法とする。
一～二十八　（略）
二十九　法第四百九十六条第二項第三号
三十～四十三　（略）

（貸借対照表等の定時株主総会への提出等）
第四百九十七条　次の各号に掲げる清算株式会社においては、清算人は、当該各号に定める貸借対照表及び事務報告を定時株主総会に提出し、又は提供しなければならない。
一　第四百九十五条第一項に規定する監査役設置会社（清算人会設置会社を除く。）　同項の監査を受けた貸借対照表及び事務報告
二　清算人会設置会社　第四百九十五条第二項の承認を受けた貸借対照表及び事務報告
三　前二号に掲げるもの以外の清算株式会社　第四百九十四条第一項の貸借対照表及び事務報告
2　前項の規定により提出され、又は提供された貸借対照表は、定時株主総会の承認を受けなければならない。

3　清算人は、第一項の規定により提出され、又は提供された事務報告の内容を定時株主総会に報告しなければならない。

（貸借対照表等の提出命令）
第四百九十八条　裁判所は、申立てにより又は職権で、訴訟の当事者に対し、第四百九十四条第一項の貸借対照表及びその附属明細書の全部又は一部の提出を命ずることができる。

第四款　債務の弁済等

（債権者に対する公告等）
第四百九十九条　清算株式会社は、第四百七十五条各号に掲げる場合に該当することとなった後、遅滞なく、当該清算株式会社の債権者に対し、一定の期間内にその債権を申し出るべき旨を官報に公告し、かつ、知れている債権者には、各別にこれを催告しなければならない。ただし、当該期間は、二箇月を下ることができない。

2　前項の規定による公告には、当該債権者が当該期間内に申出をしないときは清算から除斥される旨を付記しなければならない。

（債務の弁済の制限）
第五百条　清算株式会社は、前条第一項の期間内は、債務の弁済をすることができない。この場合において、清算株式会社は、その債務の不履行によって生じた責任を免れることができない。

2　前項の規定にかかわらず、清算株式会社は、前条第一項の期間内であっても、裁判所の許可を得て、少額の債権、清算株式会社の財産につき存する担保権によって担保される債権その他これを弁済しても他の債権者を害するおそれがない債権に係る債務について、その弁済をすることができる。この場合において、当該許可の申立ては、清算人が二人以上あるときは、その全員の同意によってしなければならない。

（条件付債権等に係る債務の弁済）
第五百一条　清算株式会社は、条件付債権、存続期間が不確定な債権その他その額が不確定な債権に係る債務を弁済することができる。この場合においては、これらの債権を評価させるため、裁判所に対し、鑑定人の選任の申立てをしなければならない。

2　前項の場合には、清算株式会社は、同項の鑑定人の評価に従い同項の債権に係る債務を弁済しなければならない。

3　第一項の鑑定人の選任の手続に関する費用は、清算株式会社の負担とする。当該鑑定人による鑑定のための呼出し及び質問に関する費用についても、同様とする。

（債務の弁済前における残余財産の分配の制限）
第五百二条　清算株式会社は、当該清算株式会社の債務を弁済した後でなければ、その財産を株主に分配することができない。ただし、その存否又は額について争いのある債権に係る債務についてその弁済をするために必要と認められる財産を留保した場合は、この限りでない。

（清算からの除斥）
第五百三条　清算株式会社の債権者（知れている債権者を除く。）であって第四百九十九条第一項の期間内にその債権の申出をしなかったものは、清算から除斥される。

2　前項の規定により清算から除斥された債権者は、分配がされていない残余財産に対してのみ、弁済を請求することができる。

3　清算株式会社の残余財産を株主の一部に分配した場合には、当該株主の受けた分配と同一の割合の分配を当該株主以外の株主に対してするために必要な財産は、前項の残余財産から控除する。

第五款　残余財産の分配

（残余財産の分配に関する事項の決定）
第五百四条　清算株式会社は、残余財産の分配をしようとするときは、清算人の決定（清算人会設置会社にあっては、清算人会の決議）によって、次に掲げる事項を定めなければならない。

一　残余財産の種類

二　株主に対する残余財産の割当てに関する事項

2　前項に規定する場合において、残余財産の分配について内容の異なる二以上の種類の株式を発行しているときは、清算株式会社は、当該種類の株式の内容に応じ、同項第二号に掲げる事項として、次に掲げる事項を定めることができる。

一　ある種類の株式の株主に対して残余財産の割当てをしないこととするときは、その旨及び当該株式の種類

二　前号に掲げる事項のほか、残余財産の割当てについて株式の種類ごとに異なる取扱いを行うこととするときは、その旨及び当該異なる取扱いの内容

3　第一項第二号に掲げる事項についての定めは、株主（当該清算株式会社及び前項第一号の種類の株式の株主を除く。）の有する株式の数（前項第二号に掲げる事項についての定めがある場合にあっては、各種類の株式の数）に応じて残余財産を割り当てることを内容とするものでなければならない。

（残余財産が金銭以外の財産である場合）

第五百五条　株主は、残余財産が金銭以外の財産であるときは、金銭分配請求権（当該残余財産に代えて金銭を交付することを清算株式会社に対して請求する権利をいう。以下この条において同じ。）を有する。この場合において、清算株式会社は、清算人の決定（清算人会設置会社にあっては、清算人会の決議）によって、次に掲げる事項を定めなければならない。

一　金銭分配請求権を行使することができる期間

二　一定の数未満の数の株式を有する株主に対して残余財産の割当てをしないこととするときは、その旨及びその数

2　前項に規定する場合には、清算株式会社は、同項第一号の期間の末日の二十日前までに、株主に対し、同号に掲げる事項を通知しなければならない。

3　清算株式会社は、金銭分配請求権を行使した株主に対し、当該株主が割当てを受けた残余財産に代えて、当該残余財産の価額に相当する金銭を支払わなければならない。この場合においては、次の各号に掲げる場合の区分に応じ、当該各号に定める額をもって当該残余財産の価額とする。

一　当該残余財産が市場価格のある財産である場合　当該残余財産の市場価格として法務省令で定める方法により算定される額

二　前号に掲げる場合以外の場合　清算株式会社の申立てにより裁判所が定める額

【会社法施行規則】

（金銭分配請求権が行使される場合における残余財産の価格）

第百四十九条　法第五百五条第三項第一号に規定する法務省令で定める方法は、次に掲げる額のうちいずれか高い額をもって同号に規定する残余財産の価格とする方法とする。

一　法第五百五条第一項第一号の期間の末日（以下この項において「行使期限日」という。）における当該残余財産を取引する市場における最終の価格（当該行使期限日に売買取引がない場合又は当該行使期限日が当該市場の休業日に当たる場合にあっては、その後最初になされた売買取引の成立価格）

二　行使期限日において当該残余財産が公開買付け等の対象であるときは、当該行使期限日における当該公開買付け等に係る契約における当該残余財産の価格

2　法第五百六条の規定により法第五百五条第三項後段の規定の例によることとされる場合における前項第一号の規定の適用については、同号中「法第五百五条第一項第一号の期間の末日」とあるのは、「残余財産の分配をする日」とする。

（基準株式数を定めた場合の処理）

第五百六条　前条第一項第二号の数（以下この条において「基準株式数」という。）を定めた場合には、清算株式会社は、基準株式数に満たない数の株式（以下この条において「基準未満株式」という。）を有する株主に対し、前条第三項後段の規定の例により基準株式数の株式を有する株主が割当てを受けた残余財産の価額として定めた額に当該基準未満株式の数の基準株式数に対する割合を乗じて得た額に相当する金銭

を支払わなければならない。

第六款　清算事務の終了等

第五百七条　清算株式会社は、清算事務が終了したときは、遅滞なく、法務省令で定めるところにより、決算報告を作成しなければならない。

2　清算人会設置会社においては、決算報告は、清算人会の承認を受けなければならない。

3　清算人は、決算報告（前項の規定の適用がある場合にあっては、同項の承認を受けたもの）を株主総会に提出し、又は提供し、その承認を受けなければならない。

4　前項の承認があったときは、任務を怠ったことによる清算人の損害賠償の責任は、免除されたものとみなす。ただし、清算人の職務の執行に関し不正の行為があったときは、この限りでない。

【会社法施行規則】

（決算報告）

第百五十条　法第五百七条第一項の規定により作成すべき決算報告は、次に掲げる事項を内容とするものでなければならない。この場合において、第一号及び第二号に掲げる事項については、適切な項目に細分することができる。

一　債権の取立て、資産の処分その他の行為によって得た収入の額

二　債務の弁済、清算に係る費用の支払その他の行為による費用の額

三　残余財産の額（支払税額がある場合には、その税額及び当該税額を控除した後の財産の額）

四　一株当たりの分配額（種類株式発行会社にあっては、各種類の株式一株当たりの分配額）

2　前項第四号に掲げる事項については、次に掲げる事項を注記しなければならない。

一　残余財産の分配を完了した日

二　残余財産の全部又は一部が金銭以外の財産である場合には、当該財産の種類及び価額

第七款　帳簿資料の保存

第五百八条　清算人（清算人会設置会社にあっては、第四百八十九条第七項各号に掲げる清算人）は、清算株式会社の本店の所在地における清算結了の登記の時から十年間、清算株式会社の帳簿並びにその事業及び清算に関する重要な資料（以下この条において「帳簿資料」という。）を保存しなければならない。

2　裁判所は、利害関係人の申立てにより、前項の清算人に代わって帳簿資料を保存する者を選任することができる。この場合においては、同項の規定は、適用しない。

3　前項の規定により選任された者は、清算株式会社の本店の所在地における清算結了の登記の時から十年間、帳簿資料を保存しなければならない。

4　第二項の規定による選任の手続に関する費用は、清算株式会社の負担とする。

【会社法施行規則】

（保存の指定）

第二百三十二条　電子文書法第三条第一項の主務省令で定める保存は、次に掲げる保存とする。

一～二十五　（略）

二十六　法第五百八条第一項及び第三項の規定による帳簿資料の保存

二十七～三十六　（略）

第八款　適用除外等

第五百九条　次に掲げる規定は、清算株式会社については、適用しない。
一　第百五十五条
二　第五章第二節第二款（第四百三十五条第四項、第四百四十条第三項、第四百四十二条及び第四百四十三条を除く。）及び第三款並びに第三節から第五節まで
三　第五編第四章及び第四章の二並びに同編第五章中株式交換、株式移転及び株式交付の手続に係る部分
2　第二章第四節の二の規定は、対象会社が清算株式会社である場合には、適用しない。
3　清算株式会社は、無償で取得する場合その他法務省令で定める場合に限り、当該清算株式会社の株式を取得することができる。

【会社法施行規則】

（清算株式会社が自己の株式を取得することができる場合）

第百五十一条　法第五百九条第三項に規定する法務省令で定める場合は、次に掲げる場合とする。
一　当該清算株式会社が有する他の法人等の株式（持分その他これに準ずるものを含む。以下この条において同じ。）につき当該他の法人等が行う剰余金の配当又は残余財産の分配（これらに相当する行為を含む。）により当該清算株式会社の株式の交付を受ける場合
二　当該清算株式会社が有する他の法人等の株式につき当該他の法人等が行う次に掲げる行為に際して当該株式と引換えに当該清算株式会社の株式の交付を受ける場合
イ　組織変更
ロ　合併
ハ　株式交換（法以外の法令（外国の法令を含む。）に基づく株式交換に相当する行為を含む。）
ニ　取得条項付株式（これに相当する株式を含む。）の取得
ホ　全部取得条項付種類株式（これに相当する株式を含む。）の取得
三　当該清算株式会社が有する他の法人等の新株予約権等を当該他の法人等が当該新株予約権等の定めに基づき取得することと引換えに当該清算株式会社の株式の交付をする場合
四　当該清算株式会社が法第七百八十五条第五項又は第八百六条第五項（これらの規定を株式会社について他の法令において準用する場合を含む。）に規定する株式買取請求（合併に際して行使されるものに限る。）に応じて当該清算株式会社の株式を取得する場合
五　当該清算株式会社が法第百十六条第五項、第百八十二条の四第四項、第四百六十九条第五項、第七百八十五条第五項、第七百九十七条第五項、第八百六条第五項又は第八百十六条の六第五項（これらの規定を株式会社について他の法令において準用する場合を含む。）に規定する株式買取請求（清算株式会社となる前にした行為に際して行使されたものに限る。）に応じて当該清算株式会社の株式を取得する場合
六　当該清算株式会社が清算株式会社となる前に法第百九十二条第一項の規定による請求があった場合における当該請求に係る同条第二項の株式を取得する場合

第二節　特別清算

第一款　特別清算の開始

（特別清算開始の原因）
第五百十条　裁判所は、清算株式会社に次に掲げる事由があると認めるときは、第五百十四条の規定に基づき、申立てにより、当該清算株式会社に対し特別清算の開始を命ずる。

一　清算の遂行に著しい支障を来すべき事情があること。
二　債務超過（清算株式会社の財産がその債務を完済するのに足りない状態をいう。次条第二項において同じ。）の疑いがあること。

（特別清算開始の申立て）
第五百十一条　債権者、清算人、監査役又は株主は、特別清算開始の申立てをすることができる。
2　清算株式会社に債務超過の疑いがあるときは、清算人は、特別清算開始の申立てをしなければならない。

（他の手続の中止命令等）
第五百十二条　裁判所は、特別清算開始の申立てがあった場合において、必要があると認めるときは、債権者、清算人、監査役若しくは株主の申立てにより又は職権で、特別清算開始の申立てにつき決定があるまでの間、次に掲げる手続又は処分の中止を命ずることができる。ただし、第一号に掲げる破産手続については破産手続開始の決定がされていない場合に限り、第二号に掲げる手続又は第三号に掲げる処分についてはその手続の申立人である債権者又はその処分を行う者に不当な損害を及ぼすおそれがない場合に限る。
一　清算株式会社についての破産手続
二　清算株式会社の財産に対して既にされている強制執行、仮差押え又は仮処分の手続（一般の先取特権その他一般の優先権がある債権に基づくものを除く。）
三　清算株式会社の財産に対して既にされている共助対象外国租税（租税条約等の実施に伴う所得税法、法人税法及び地方税法の特例等に関する法律（昭和四十四年法律第四十六号。第五百十八条の二及び第五百七十一条第四項において「租税条約等実施特例法」という。）第十一条第一項に規定する共助対象外国租税をいう。以下同じ。）の請求権に基づき国税滞納処分の例によってする処分（第五百十五条第一項において「外国租税滞納処分」という。）
2　特別清算開始の申立てを却下する決定に対して第八百九十条第五項の即時抗告がされたときも、前項と同様とする。

（特別清算開始の申立ての取下げの制限）
第五百十三条　特別清算開始の申立てをした者は、特別清算開始の命令前に限り、当該申立てを取り下げることができる。この場合において、前条の規定による中止の命令、第五百四十条第二項の規定による保全処分又は第五百四十一条第二項の規定による処分がされた後は、裁判所の許可を得なければならない。

（特別清算開始の命令）
第五百十四条　裁判所は、特別清算開始の申立てがあった場合において、特別清算開始の原因となる事由があると認めるときは、次のいずれかに該当する場合を除き、特別清算開始の命令をする。
一　特別清算の手続の費用の予納がないとき。
二　特別清算によっても清算を結了する見込みがないことが明らかであるとき。
三　特別清算によることが債権者の一般の利益に反することが明らかであるとき。
四　不当な目的で特別清算開始の申立てがされたとき、その他申立てが誠実にされたものでないとき。

（他の手続の中止等）
第五百十五条　特別清算開始の命令があったときは、破産手続開始の申立て、清算株式会社の財産に対する強制執行、仮差押え、仮処分若しくは外国租税滞納処分又は財産開示手続（民事執行法（昭和五十四年法律第四号）第百九十七条第一項の申立てによるものに限る。以下この項において同じ。）若しくは第三者からの情報取得手続（同法第二百五条第一項第一号、第二百六条第一項又は第二百七条第一項の申立てによるものに限る。以下この項において同じ。）の申立てはすることができず、破産手続（破産手続開始の決定がされていないものに限る。）、清算株式会社の財産に対して既にされている強制執行、仮差押え及び仮処分の手続並びに外国租税滞納処分並びに財産開示手続及び第三者からの情報取得手続は中止する。ただし、一般の先取特権その他一般の優先権がある債権に基づく強制執行、仮差押え、仮処分又は財産開示手続若しくは第三者からの情報取得手続については、この限りでない。

2　特別清算開始の命令が確定したときは、前項の規定により中止した手続又は処分は、特別清算の手続の関係においては、その効力を失う。

3　特別清算開始の命令があったときは、清算株式会社の債権者の債権（一般の先取特権その他一般の優先権がある債権、特別清算の手続のために清算株式会社に対して生じた債権及び特別清算の手続に関する清算株式会社に対する費用請求権を除く。以下この節において「協定債権」という。）については、第九百三十八条第一項第二号又は第三号に規定する特別清算開始の取消しの登記又は特別清算終結の登記の日から二箇月を経過する日までの間は、時効は、完成しない。

（担保権の実行の手続等の中止命令）

第五百十六条　裁判所は、特別清算開始の命令があった場合において、債権者の一般の利益に適合し、かつ、担保権の実行の手続等（清算株式会社の財産につき存する担保権の実行の手続、企業担保権の実行の手続又は清算株式会社の財産に対して既にされている一般の先取特権その他一般の優先権がある債権に基づく強制執行の手続をいう。以下この条において同じ。）の申立人に不当な損害を及ぼすおそれがないものと認めるときは、清算人、監査役、債権者若しくは株主の申立てにより又は職権で、相当の期間を定めて、担保権の実行の手続等の中止を命ずることができる。

（相殺の禁止）

第五百十七条　協定債権を有する債権者（以下この節において「協定債権者」という。）は、次に掲げる場合には、相殺をすることができない。

一　特別清算開始後に清算株式会社に対して債務を負担したとき。

二　支払不能（清算株式会社が、支払能力を欠くために、その債務のうち弁済期にあるものにつき、一般的かつ継続的に弁済することができない状態をいう。以下この款において同じ。）になった後に契約によって負担する債務を専ら協定債権をもってする相殺に供する目的で清算株式会社の財産の処分を内容とする契約を清算株式会社との間で締結し、又は清算株式会社に対して債務を負担する者の債務を引き受けることを内容とする契約を締結することにより清算株式会社に対して債務を負担した場合であって、当該契約の締結の当時、支払不能であったことを知っていたとき。

三　支払の停止があった後に清算株式会社に対して債務を負担した場合であって、その負担の当時、支払の停止があったことを知っていたとき。ただし、当該支払の停止があった時において支払不能でなかったときは、この限りでない。

四　特別清算開始の申立てがあった後に清算株式会社に対して債務を負担した場合であって、その負担の当時、特別清算開始の申立てがあったことを知っていたとき。

2　前項第二号から第四号までの規定は、これらの規定に規定する債務の負担が次に掲げる原因のいずれかに基づく場合には、適用しない。

一　法定の原因

二　支払不能であったこと又は支払の停止若しくは特別清算開始の申立てがあったことを協定債権者が知った時より前に生じた原因

三　特別清算開始の申立てがあった時より一年以上前に生じた原因

第五百十八条　清算株式会社に対して債務を負担する者は、次に掲げる場合には、相殺をすることができない。

一　特別清算開始後に他人の協定債権を取得したとき。

二　支払不能になった後に協定債権を取得した場合であって、その取得の当時、支払不能であったことを知っていたとき。

三　支払の停止があった後に協定債権を取得した場合であって、その取得の当時、支払の停止があったことを知っていたとき。ただし、当該支払の停止があった時において支払不能でなかったときは、この限りでない。

四　特別清算開始の申立てがあった後に協定債権を取得した場合であって、その取得の当時、特別清算開始の申立てがあったことを知っていたとき。

2　前項第二号から第四号までの規定は、これらの規定に規定する協定債権の取得が次に掲げる原因のいずれかに基づく場合には、適用しない。
一　法定の原因
二　支払不能であったこと又は支払の停止若しくは特別清算開始の申立てがあったことを清算株式会社に対して債務を負担する者が知った時より前に生じた原因
三　特別清算開始の申立てがあった時より一年以上前に生じた原因
四　清算株式会社に対して債務を負担する者と清算株式会社との間の契約

（共助対象外国租税債権者の手続参加）
第五百十八条の二　協定債権者は、共助対象外国租税の請求権をもって特別清算の手続に参加するには、租税条約等実施特例法第十一条第一項に規定する共助実施決定を得なければならない。

第二款　裁判所による監督及び調査

（裁判所による監督）
第五百十九条　特別清算開始の命令があったときは、清算株式会社の清算は、裁判所の監督に属する。
２　裁判所は、必要があると認めるときは、清算株式会社の業務を監督する官庁に対し、当該清算株式会社の特別清算の手続について意見の陳述を求め、又は調査を嘱託することができる。
３　前項の官庁は、裁判所に対し、当該清算株式会社の特別清算の手続について意見を述べることができる。

（裁判所による調査）
第五百二十条　裁判所は、いつでも、清算株式会社に対し、清算事務及び財産の状況の報告を命じ、その他清算の監督上必要な調査をすることができる。

（裁判所への財産目録等の提出）
第五百二十一条　特別清算開始の命令があった場合には、清算株式会社は、第四百九十二条第三項の承認があった後遅滞なく、財産目録等（同項に規定する財産目録等をいう。以下この条において同じ。）を裁判所に提出しなければならない。ただし、財産目録等が電磁的記録をもって作成されているときは、当該電磁的記録に記録された事項を記載した書面を裁判所に提出しなければならない。

（調査命令）
第五百二十二条　裁判所は、特別清算開始後において、清算株式会社の財産の状況を考慮して必要があると認めるときは、清算人、監査役、債権の申出をした債権者その他清算株式会社に知れている債権者の債権の総額の十分の一以上に当たる債権を有する債権者若しくは総株主（株主総会において決議をすることができる事項の全部につき議決権を行使することができない株主を除く。）の議決権の百分の三（これを下回る割合を定款で定めた場合にあっては、その割合）以上の議決権を六箇月（これを下回る期間を定款で定めた場合にあっては、その期間）前から引き続き有する株主若しくは発行済株式（自己株式を除く。）の百分の三（これを下回る割合を定款で定めた場合にあっては、その割合）以上の数の株式を六箇月（これを下回る期間を定款で定めた場合にあっては、その期間）前から引き続き有する株主の申立てにより又は職権で、次に掲げる事項について、調査委員による調査を命ずる処分（第五百三十三条において「調査命令」という。）をすることができる。
一　特別清算開始に至った事情
二　清算株式会社の業務及び財産の状況
三　第五百四十条第一項の規定による保全処分をする必要があるかどうか。
四　第五百四十二条第一項の規定による保全処分をする必要があるかどうか。
五　第五百四十五条第一項に規定する役員等責任査定決定をする必要があるかどうか。
六　その他特別清算に必要な事項で裁判所の指定するもの
２　清算株式会社の財産につき担保権（特別の先取特権、質権、抵当権又はこの法律若しくは商法の規定による留置権に限る。）を有する債権者がその担保権の行使によって弁済を受けることができる債権の額は、前項の債権の額に算入しない。

3　公開会社でない清算株式会社における第一項の規定の適用については、同項中「六箇月（これを下回る期間を定款で定めた場合にあっては、その期間）前から引き続き有する」とあるのは、「有する」とする。

第三款　清算人

（清算人の公平誠実義務）

第五百二十三条　特別清算が開始された場合には、清算人は、債権者、清算株式会社及び株主に対し、公平かつ誠実に清算事務を行う義務を負う。

（清算人の解任等）

第五百二十四条　裁判所は、清算人が清算事務を適切に行っていないとき、その他重要な事由があるときは、債権者若しくは株主の申立てにより又は職権で、清算人を解任することができる。

2　清算人が欠けたときは、裁判所は、清算人を選任する。

3　清算人がある場合においても、裁判所は、必要があると認めるときは、更に清算人を選任することができる。

（清算人代理）

第五百二十五条　清算人は、必要があるときは、その職務を行わせるため、自己の責任で一人又は二人以上の清算人代理を選任することができる。

2　前項の清算人代理の選任については、裁判所の許可を得なければならない。

（清算人の報酬等）

第五百二十六条　清算人は、費用の前払及び裁判所が定める報酬を受けることができる。

2　前項の規定は、清算人代理について準用する。

第四款　監督委員

（監督委員の選任等）

第五百二十七条　裁判所は、一人又は二人以上の監督委員を選任し、当該監督委員に対し、第五百三十五条第一項の許可に代わる同意をする権限を付与することができる。

2　法人は、監督委員となることができる。

（監督委員に対する監督等）

第五百二十八条　監督委員は、裁判所が監督する。

2　裁判所は、監督委員が清算株式会社の業務及び財産の管理の監督を適切に行っていないとき、その他重要な事由があるときは、利害関係人の申立てにより又は職権で、監督委員を解任することができる。

（二人以上の監督委員の職務執行）

第五百二十九条　監督委員が二人以上あるときは、共同してその職務を行う。ただし、裁判所の許可を得て、それぞれ単独にその職務を行い、又は職務を分掌することができる。

（監督委員による調査等）

第五百三十条　監督委員は、いつでも、清算株式会社の清算人及び監査役並びに支配人その他の使用人に対し、事業の報告を求め、又は清算株式会社の業務及び財産の状況を調査することができる。

2　監督委員は、その職務を行うため必要があるときは、清算株式会社の子会社に対し、事業の報告を求め、又はその子会社の業務及び財産の状況を調査することができる。

（監督委員の注意義務）

第五百三十一条　監督委員は、善良な管理者の注意をもって、その職務を行わなければならない。

2　監督委員が前項の注意を怠ったときは、その監督委員は、利害関係人に対し、連帯して損害を賠償する責任を負う。

（監督委員の報酬等）

第五百三十二条　監督委員は、費用の前払及び裁判所が定める報酬を受けることができる。
2　監督委員は、その選任後、清算株式会社に対する債権又は清算株式会社の株式を譲り受け、又は譲り渡すには、裁判所の許可を得なければならない。
3　監督委員は、前項の許可を得ないで同項に規定する行為をしたときは、費用及び報酬の支払を受けることができない。

第五款　調査委員

（調査委員の選任等）
第五百三十三条　裁判所は、調査命令をする場合には、当該調査命令において、一人又は二人以上の調査委員を選任し、調査委員が調査すべき事項及び裁判所に対して調査の結果の報告をすべき期間を定めなければならない。

（監督委員に関する規定の準用）
第五百三十四条　前款（第五百二十七条第一項及び第五百二十九条ただし書を除く。）の規定は、調査委員について準用する。

第六款　清算株式会社の行為の制限等

（清算株式会社の行為の制限）
第五百三十五条　特別清算開始の命令があった場合には、清算株式会社が次に掲げる行為をするには、裁判所の許可を得なければならない。ただし、第五百二十七条第一項の規定により監督委員が選任されているときは、これに代わる監督委員の同意を得なければならない。
一　財産の処分（次条第一項各号に掲げる行為を除く。）
二　借財
三　訴えの提起
四　和解又は仲裁合意（仲裁法（平成十五年法律第百三十八号）第二条第一項に規定する仲裁合意をいう。）
五　権利の放棄
六　その他裁判所の指定する行為

2　前項の規定にかかわらず、同項第一号から第五号までに掲げる行為については、次に掲げる場合には、同項の許可を要しない。
一　最高裁判所規則で定める額以下の価額を有するものに関するとき。
二　前号に掲げるもののほか、裁判所が前項の許可を要しないものとしたものに関するとき。
3　第一項の許可又はこれに代わる監督委員の同意を得ないでした行為は、無効とする。ただし、これをもって善意の第三者に対抗することができない。

（事業の譲渡の制限等）
第五百三十六条　特別清算開始の命令があった場合には、清算株式会社が次に掲げる行為をするには、裁判所の許可を得なければならない。
一　事業の全部の譲渡
二　事業の重要な一部の譲渡（当該譲渡により譲り渡す資産の帳簿価額が当該清算株式会社の総資産額として法務省令で定める方法により算定される額の五分の一（これを下回る割合を定款で定めた場合にあっては、その割合）を超えないものを除く。）
三　その子会社の株式又は持分の全部又は一部の譲渡（次のいずれにも該当する場合における譲渡に限る。）
イ　当該譲渡により譲り渡す株式又は持分の帳簿価額が当該清算株式会社の総資産額として法務省令で定める方法により算定される額の五分の一（これを下回る割合を定款で定めた場合にあっては、その割合）を超えるとき。
ロ　当該清算株式会社が、当該譲渡がその効力を生ずる日において当該子会社の議決権の総数の過半数の議決権を有しないとき。
2　前条第三項の規定は、前項の許可を得ないでした行為について準用する。
3　第七章（第四百六十七条第一項第五号を除く。）の規定は、特別清算の場合には、適用しない。

【会社法施行規則】

（総資産額）

第百五十二条　法第五百三十六条第一項第二号及び第三号イに規定する法務省令で定める方法は、法第四百九十二条第一項の規定により作成した貸借対照表の資産の部に計上した額を総資産額とする方法とする。

（債務の弁済の制限）

第五百三十七条　特別清算開始の命令があった場合には、清算株式会社は、協定債権者に対して、その債権額の割合に応じて弁済をしなければならない。

2　前項の規定にかかわらず、清算株式会社は、裁判所の許可を得て、少額の協定債権、清算株式会社の財産につき存する担保権によって担保される協定債権その他これを弁済しても他の債権者を害するおそれがない協定債権に係る債務について、債権額の割合を超えて弁済をすることができる。

（換価の方法）

第五百三十八条　清算株式会社は、民事執行法その他強制執行の手続に関する法令の規定により、その財産の換価をすることができる。この場合においては、第五百三十五条第一項第一号の規定は、適用しない。

2　清算株式会社は、民事執行法その他強制執行の手続に関する法令の規定により、第五百二十二条第二項に規定する担保権（以下この条及び次条において単に「担保権」という。）の目的である財産の換価をすることができる。この場合においては、当該担保権を有する者（以下この条及び次条において「担保権者」という。）は、その換価を拒むことができない。

3　前二項の場合には、民事執行法第六十三条及び第百二十九条（これらの規定を同法その他強制執行の手続に関する法令において準用する場合を含む。）の規定は、適用しない。

4　第二項の場合において、担保権者が受けるべき金額がまだ確定していないときは、清算株式会社は、代金を別に寄託しなければならない。この場合においては、担保権は、寄託された代金につき存する。

（担保権者が処分をすべき期間の指定）

第五百三十九条　担保権者が法律に定められた方法によらないで担保権の目的である財産の処分をする権利を有するときは、裁判所は、清算株式会社の申立てにより、担保権者がその処分をすべき期間を定めることができる。

2　担保権者は、前項の期間内に処分をしないときは、同項の権利を失う。

第七款　清算の監督上必要な処分等

（清算株式会社の財産に関する保全処分）

第五百四十条　裁判所は、特別清算開始の命令があった場合において、清算の監督上必要があると認めるときは、債権者、清算人、監査役若しくは株主の申立てにより又は職権で、清算株式会社の財産に関し、その財産の処分禁止の仮処分その他の必要な保全処分を命ずることができる。

2　裁判所は、特別清算開始の申立てがあった時から当該申立てについての決定があるまでの間においても、必要があると認めるときは、債権者、清算人、監査役若しくは株主の申立てにより又は職権で、前項の規定による保全処分をすることができる。特別清算開始の申立てを却下する決定に対して第八百九十条第五項の即時抗告がされたときも、同様とする。

3　裁判所が前二項の規定により清算株式会社が債権者に対して弁済その他の債務を消滅させる行為をすることを禁止する旨の保全処分を命じた場合には、債権者は、特別清算の関係においては、当該保全処分に反してされた弁済その他の債務を消滅させる行為の効力を主張することができない。ただし、債権者が、その行為の当時、当該保全処分がされたことを知っていたときに限る。

（株主名簿の記載等の禁止）

第五百四十一条　裁判所は、特別清算開始の命令があった場合において、清算の監督上必要があると認めるときは、債権者、清算人、監査役若しくは株主の申立てにより又は職権で、清算株式会社が株主名簿記載事項を株主名簿に記載し、又は記録することを禁止することができる。

2　裁判所は、特別清算開始の申立てがあった時から当該申立てについての決定があるまでの間においても、必要があると認めるときは、債権者、清算人、監査役若しくは株主の申立てにより又は職権で、前項の規定による処分をすることができる。特別清算開始の申立てを却下する決定に対して第八百九十条第五項の即時抗告がされたときも、同様とする。

（役員等の財産に対する保全処分）

第五百四十二条　裁判所は、特別清算開始の命令があった場合において、清算の監督上必要があると認めるときは、清算株式会社の申立てにより又は職権で、発起人、設立時取締役、設立時監査役、第四百二十三条第一項に規定する役員等又は清算人（以下この款において「対象役員等」という。）の責任に基づく損害賠償請求権につき、当該対象役員等の財産に対する保全処分をすることができる。

2　裁判所は、特別清算開始の申立てがあった時から当該申立てについての決定があるまでの間においても、緊急の必要があると認めるときは、清算株式会社の申立てにより又は職権で、前項の規定による保全処分をすることができる。特別清算開始の申立てを却下する決定に対して第八百九十条第五項の即時抗告がされたときも、同様とする。

（役員等の責任の免除の禁止）

第五百四十三条　裁判所は、特別清算開始の命令があった場合において、清算の監督上必要があると認めるときは、債権者、清算人、監査役若しくは株主の申立てにより又は職権で、対象役員等の責任の免除の禁止の処分をすることができる。

（役員等の責任の免除の取消し）

第五百四十四条　特別清算開始の命令があったときは、清算株式会社は、特別清算開始の申立てがあった後又はその前一年以内にした対象役員等の責任の免除を取り消すことができる。不正の目的によってした対象役員等の責任の免除についても、同様とする。

2　前項の規定による取消権は、訴え又は抗弁によって、行使する。

3　第一項の規定による取消権は、特別清算開始の命令があった日から二年を経過したときは、行使することができない。当該対象役員等の責任の免除の日から二十年を経過したときも、同様とする。

（役員等責任査定決定）

第五百四十五条　裁判所は、特別清算開始の命令があった場合において、必要があると認めるときは、清算株式会社の申立てにより又は職権で、対象役員等の責任に基づく損害賠償請求権の査定の裁判（以下この条において「役員等責任査定決定」という。）をすることができる。

2　裁判所は、職権で役員等責任査定決定の手続を開始する場合には、その旨の決定をしなければならない。

3　第一項の申立て又は前項の決定があったときは、時効の完成猶予及び更新に関しては、裁判上の請求があったものとみなす。

4　役員等責任査定決定の手続（役員等責任査定決定があった後のものを除く。）は、特別清算が終了したときは、終了する。

第八款　債権者集会

（債権者集会の招集）

第五百四十六条　債権者集会は、特別清算の実行上必要がある場合には、いつでも、招集することができる。

2　債権者集会は、次条第三項の規定により招集する場合を除き、清算株式会社が招集する。

（債権者による招集の請求）

第五百四十七条　債権の申出をした協定債権者その他清算株式会社に知れている協定債権者の協定債権の総額の十分の一以上に当たる協定債権を有する協定債権者は、清算株式会社に対し、債権者集会の目的である事項及び招集の理由を示して、債権者集会の招集を請求することがでできる。

2　清算株式会社の財産につき第五百二十二条第二項に規定する担保権を有する協定債権者がその担保権の行使によって弁済を受けることができる協定債権の額は、前項の協定債権の額に算入しない。

3　次に掲げる場合には、第一項の規定による請求をした協定債権者は、裁判所の許可を得て、債権者集会を招集することができる。

一　第一項の規定による請求の後遅滞なく招集の手続が行われない場合

二　第一項の規定による請求があった日から六週間以内の日を債権者集会の日とする債権者集会の招集の通知が発せられない場合

（債権者集会の招集等の決定）

第五百四十八条　債権者集会を招集する者（以下この款において「招集者」という。）は、債権者集会を招集する場合には、次に掲げる事項を定めなければならない。

一　債権者集会の日時及び場所

二　債権者集会の目的である事項

三　債権者集会に出席しない協定債権者が電磁的方法によって議決権を行使することができることとするときは、その旨

四　前三号に掲げるもののほか、法務省令で定める事項

2　清算株式会社が債権者集会を招集する場合には、当該清算株式会社は、各協定債権について債権者集会における議決権の行使の許否及びその額を定めなければならない。

3　清算株式会社以外の者が債権者集会を招集する場合には、その招集者は、清算株式会社に対し、前項に規定する事項を定めることを請求しなければならない。この場合において、その請求があったときは、清算株式会社は、同項に規定する事項を定めなければならない。

4　清算株式会社の財産につき第五百二十二条第二項に規定する担保権を有する協定債権者は、その担保権の行使によって弁済を受けることができる協定債権の額については、議決権を有しない。

5　協定債権者は、共助対象外国租税の請求権については、議決権を有しない。

【会社法施行規則】

（債権者集会の招集の決定事項）

第百五十三条　法第五百四十八条第一項第四号に規定する法務省令で定める事項は、次に掲げる事項とする。

一　次条の規定により債権者集会参考書類に記載すべき事項（同条第一項第一号に掲げる事項を除く。）

二　書面による議決権の行使の期限（債権者集会（法第二編第九章第二節第八款（第五四六条―第五六二条）の規定の適用のある債権者の集会をいう。以下この節（第一五二条―第一五八条）において同じ。）の日時以前の時であって、法第五百四十九条第一項の規定による通知を発した日から二週間を経過した日以後の時に限る。）

三　一の協定債権者が同一の議案につき法第五百五十六条第一項（法第五百四十八条第一項第三号に掲げる事項を定めた場合にあっては、法第五百五十六条第一項又は第五百五十七条第一項）の規定により重複して議決権を行使した場合において、当該同一の議案に対する議決権の行使の内容が異なるものであるときにおける当該協定債権者の議決権の行使の取扱いに関する事項を定めるときは、その事項

四　第百五十五条第一項第三号の取扱いを定めるときは、その取扱いの内容

五　法第五百四十八条第一項第三号に掲げる事項を定めたときは、次に掲げる事項

イ　電磁的方法による議決権の行使の期限（債権者集会の日時以前の時であって、法第五百四十九条第一項の規定による通知を発した日から二週間を経過した日以後の時に限る。）

ロ　法第五百四十九条第二項の承諾をした協定債権者の請求があった時に当該協定債権者に対して法第五百五十条第一項の

規定による議決権行使書面（同項に規定する議決権行使書面をいう。以下この節〔第一五二条―第一五八条〕において同じ。）の交付（当該交付に代えて行う同条第二項の規定による電磁的方法による提供を含む。）をすることとするときは、その旨

（債権者集会の招集の通知）

第五百四十九条　債権者集会を招集するには、招集者は、債権者集会の日の二週間前までに、債権の申出をした協定債権者その他清算株式会社に知れている協定債権者及び清算株式会社に対して、書面をもってその通知を発しなければならない。

2　招集者は、前項の書面による通知の発出に代えて、政令で定めるところにより、同項の通知を受けるべき者の承諾を得て、電磁的方法により通知を発することができる。この場合において、当該招集者は、同項の書面による通知を発したものとみなす。

3　前二項の通知には、前条第一項各号に掲げる事項を記載し、又は記録しなければならない。

4　前三項の規定は、債権の申出をした債権者その他清算株式会社に知れている債権者であって一般の先取特権その他一般の優先権がある債権、特別清算の手続のために清算株式会社に対して生じた債権又は特別清算の手続に関する清算株式会社に対する費用請求権を有するものについて準用する。

【会社法施行令】

（電磁的方法による通知の承諾等）

第二条　次に掲げる規定により電磁的方法により通知を発しようとする者（次項において「通知発出者」という。）は、法務省令で定めるところにより、あらかじめ、当該通知の相手方に対し、その用いる電磁的方法の種類及び内容を示し、書面又は電磁的方法による承諾を得なければならない。

一・二　（略）

三　法第五百四十九条第二項（同条第四項（法第八百二十二条第三項において準用する場合を含む。）及び法第八百二十二条第三項において準用する場合を含む。）

四　（略）

2　前項の規定による承諾を得た通知発出者は、同項の相手方から書面又は電磁的方法により電磁的方法による通知を受けない旨の申出があったときは、当該相手方に対し、当該通知を電磁的方法によって発してはならない。ただし、当該相手方が再び同項の規定による承諾をした場合は、この限りでない。

【会社法施行規則】

（会社法施行令に係る電磁的方法）

第二百三十条　会社法施行令（平成十七年政令第三百六十四号）第一条第一項又は第二条第一項の規定により示すべき電磁的方法の種類及び内容は、次に掲げるものとする。

一　次に掲げる方法のうち、送信者が使用するもの

イ　電子情報処理組織を使用する方法のうち次に掲げるもの

(1)　送信者の使用に係る電子計算機と受信者の使用に係る電子計算機とを接続する電気通信回線を通じて送信し、受信者の使用に係る電子計算機に備えられたファイルに記録する方法

(2)　送信者の使用に係る電子計算機に備えられたファイルに記録された情報の内容を電気通信回線を通じて情報の提供を受ける者の閲覧に供し、当該情報の提供を受ける者の使用に係る電子計算機に備えられたファイルに当該情報を記録する方法

ロ　磁気ディスクその他これに準ずる方法により一定の情報を確実に記録しておくことができる物をもって調製するファイ

ルに情報を記録したものを交付する方法

二　ファイルへの記録の方式

（債権者集会参考書類及び議決権行使書面の交付等）

第五百五十条　招集者は、前条第一項の通知に際しては、法務省令で定めるところにより、債権の申出をした協定債権者その他清算株式会社に知れている協定債権者に対し、当該協定債権者が有する協定債権について第五百四十八条第二項又は第三項の規定により定められた事項及び議決権の行使について参考となるべき事項を記載した書類（次項において「債権者集会参考書類」という。）並びに協定債権者が議決権を行使するための書面（以下この款において「議決権行使書面」という。）を交付しなければならない。

2　招集者は、前条第二項の承諾をした協定債権者に対し同項の電磁的方法による通知を発するときは、前項の規定による債権者集会参考書類及び議決権行使書面の交付に代えて、これらの書類に記載すべき事項を電磁的方法により提供することができる。ただし、協定債権者の請求があったときは、これらの書類を当該協定債権者に交付しなければならない。

【会社法施行規則】

（債権者集会参考書類）

第百五十四条　債権者集会参考書類には、次に掲げる事項を記載しなければならない。

一　当該債権者集会参考書類の交付を受けるべき協定債権者が有する協定債権について法第五百四十八条第二項又は第三項の規定により定められた事項

二　議案

2　債権者集会参考書類には、前項に定めるもののほか、協定債権者の議決権の行使について参考となると認める事項を記載することができる。

3　同一の債権者集会に関して協定債権者に対して提供する債権者集会参考書類に記載すべき事項（第一項第二号に掲げる事項に限る。）のうち、他の書面に記載している事項又は電磁的方法により提供している事項がある場合には、これらの事項は、債権者集会参考書類に記載することを要しない。

4　同一の債権者集会に関して協定債権者に対して提供する招集通知（法第五百四十九条第一項又は第二項の規定による通知をいう。以下この節（第一五二条―第一五八条）において同じ。）の内容とすべき事項のうち、債権者集会参考書類に記載している事項がある場合には、当該事項は、招集通知の内容とすることを要しない。

（議決権行使書面）

第百五十五条　法第五百五十条第一項の規定により交付すべき議決権行使書面に記載すべき事項又は法第五百五十一条第一項若しくは第二項の規定により電磁的方法により提供すべき議決権行使書面に記載すべき事項は、次に掲げる事項とする。

一　各議案についての同意の有無（棄権の欄を設ける場合にあっては、棄権を含む。）を記載する欄

二　第百五十三条第三号に掲げる事項を定めたときは、当該事項

三　第百五十三条第四号に掲げる事項を定めたときは、第一号の欄に記載がない議決権行使書面が招集者（法第五百四十八条第一項に規定する招集者をいう。以下この条において同じ。）に提出された場合における各議案についての賛成、反対又は棄権のいずれかの意思の表示があったものとする取扱いの内容

四　議決権の行使の期限

五　議決権を行使すべき協定債権者の氏名又は名称及び当該協定債権者について法第五百四十八条第二項又は第三項の規定により定められた事項

2　第百五十三条第五号ロに掲げる事項を定めた場合には、招集者は、法第五百四十九条第二項の承諾をした協定債権者の請求があった時に、当該協定債権者に対して、法第五百五十条第一項の

規定による議決権行使書面の交付（当該交付に代えて行う同条第二項の規定による電磁的方法による提供を含む。）をしなければならない。

３　同一の債権者集会に関して協定債権者に対して提供する招集通知の内容とすべき事項のうち、議決権行使書面に記載している事項がある場合には、当該事項は、招集通知の内容とすることを要しない。

４　同一の債権者集会に関して協定債権者に対して提供する議決権行使書面に記載すべき事項（第一項第二号から第四号までに掲げる事項に限る。）のうち、招集通知の内容としている事項がある場合には、当該事項は、議決権行使書面に記載することを要しない。

第五百五十一条　招集者は、第五百四十八条第一項第三号に掲げる事項を定めた場合には、第五百四十九条第二項の承諾をした協定債権者に対する電磁的方法による通知に際して、法務省令で定めるところにより、協定債権者に対し、議決権行使書面に記載すべき事項を当該電磁的方法により提供しなければならない。

２　招集者は、第五百四十八条第一項第三号に掲げる事項を定めた場合において、第五百四十九条第二項の承諾をしていない協定債権者から債権者集会の日の一週間前までに議決権行使書面に記載すべき事項の電磁的方法による提供の請求があったときは、法務省令で定めるところにより、直ちに、当該協定債権者に対し、当該事項を電磁的方法により提供しなければならない。

【会社法施行規則】

（議決権行使書面）

第百五十五条　法第五百五十条第一項の規定により交付すべき議決権行使書面に記載すべき事項又は法第五百五十一条第一項若しくは第二項の規定により電磁的方法により提供すべき議決権行使書面に記載すべき事項は、次に掲げる事項とする。

一　各議案についての同意の有無（棄権の欄を設ける場合にあっては、棄権を含む。）を記載する欄

二　第百五十三条第三号に掲げる事項を定めたときは、当該事項

三　第百五十三条第四号に掲げる事項を定めたときは、第一号の欄に記載がない議決権行使書面が招集者（法第五百四十八条第一項に規定する招集者をいう。以下この条において同じ。）に提出された場合における各議案についての賛成、反対又は棄権のいずれかの意思の表示があったものとする取扱いの内容

四　議決権の行使の期限

五　議決権を行使すべき協定債権者の氏名又は名称及び当該協定債権者について法第五百四十八条第二項又は第三項の規定により定められた事項

２　第百五十三条第五号ロに掲げる事項を定めた場合には、招集者は、法第五百四十九条第二項の承諾をした協定債権者の請求があった時に、当該協定債権者に対して、法第五百五十条第一項の規定による議決権行使書面の交付（当該交付に代えて行う同条第二項の規定による電磁的方法による提供を含む。）をしなければならない。

３　同一の債権者集会に関して協定債権者に対して提供する招集通知の内容とすべき事項のうち、議決権行使書面に記載している事項がある場合には、当該事項は、招集通知の内容とすることを要しない。

４　同一の債権者集会に関して協定債権者に対して提供する議決権行使書面に記載すべき事項（第一項第二号から第四号までに掲げる事項に限る。）のうち、招集通知の内容としている事項がある場合には、当該事項は、議決権行使書面に記載することを要しない。

（債権者集会の指揮等）

第五百五十二条　債権者集会は、裁判所が指揮する。

２　債権者集会を招集しようとするときは、招集者は、あらかじめ、第

五百四十八条第一項各号に掲げる事項及び同条第二項又は第三項の規定により定められた事項を裁判所に届け出なければならない。

（異議を述べられた議決権の取扱い）
第五百五十三条　債権者集会において、第五百四十八条第二項又は第三項の規定により各協定債権について定められた事項について、当該協定債権を有する者又は他の協定債権者が異議を述べたときは、裁判所がこれを定める。

（債権者集会の決議）
第五百五十四条　債権者集会において決議をする事項を可決するには、次に掲げる同意のいずれもがなければならない。
一　出席した議決権者（議決権を行使することができる協定債権者をいう。以下この款及び次款において同じ。）の過半数の同意
二　出席した議決権者の議決権の総額の二分の一を超える議決権を有する者の同意
2　第五百五十八条第一項の規定によりその有する議決権の一部のみを前項の事項に同意するものとして行使した議決権者（その余の議決権を行使しなかったものを除く。）があるときの同項第一号の規定の適用については、当該議決権者一人につき、出席した議決権者の数に一を、同意をした議決権者の数に二分の一を、それぞれ加算するものとする。
3　債権者集会は、第五百四十八条第一項第二号に掲げる事項以外の事項については、決議をすることができない。

（議決権の代理行使）
第五百五十五条　協定債権者は、代理人によってその議決権を行使することができる。この場合においては、当該協定債権者又は代理人は、代理権を証明する書面を招集者に提出しなければならない。
2　前項の代理権の授与は、債権者集会ごとにしなければならない。
3　第一項の協定債権者又は代理人は、代理権を証明する書面の提出に代えて、政令で定めるところにより、招集者の承諾を得て、当該書面に記載すべき事項を電磁的方法により提供することができる。この場合において、当該協定債権者又は代理人は、当該書面を提出したものとみなす。
4　協定債権者が第五百四十九条第二項の承諾をした者である場合には、招集者は、正当な理由がなければ、前項の承諾をすることを拒んではならない。

【会社法施行令】
（書面に記載すべき事項等の電磁的方法による提供の承諾等）
第一条　次に掲げる規定に規定する事項を電磁的方法（会社法（以下「法」という。）第二条第三十四号に規定する電磁的方法をいう。以下同じ。）により提供しようとする者（次項において「提供者」という。）は、法務省令で定めるところにより、あらかじめ、当該事項の提供の相手方に対し、その用いる電磁的方法の種類及び内容を示し、書面又は電磁的方法による承諾を得なければならない。
一～七　（略）
八　法第五百五十五条第三項（法第八百二十二条第三項において準用する場合を含む。）
九～十五　（略）
2　前項の規定による承諾を得た提供者は、同項の相手方から書面又は電磁的方法により電磁的方法による事項の提供を受けない旨の申出があったときは、当該相手方に対し、当該事項の提供を電磁的方法によってしてはならない。ただし、当該相手方が再び同項の規定による承諾をした場合は、この限りでない。

【会社法施行規則】
（会社法施行令に係る電磁的方法）
第二百三十条　会社法施行令（平成十七年政令第三百六十四号）第一条第一項又は第二条第一項の規定により示すべき電磁的方法の種類及び内容は、次に掲げるものとする。
一　次に掲げる方法のうち、送信者が使用するもの

イ　電子情報処理組織を使用する方法のうち次に掲げるもの

(1)　送信者の使用に係る電子計算機と受信者の使用に係る電子計算機とを接続する電気通信回線を通じて送信し、受信者の使用に係る電子計算機に備えられたファイルに記録する方法

(2)　送信者の使用に係る電子計算機に備えられたファイルに記録された情報の内容を電気通信回線を通じて情報の提供を受ける者の閲覧に供し、当該情報の提供を受ける者の使用に係る電子計算機に備えられたファイルに当該情報を記録する方法

ロ　磁気ディスクその他これに準ずる方法により一定の情報を確実に記録しておくことができる物をもって調製するファイルに情報を記録したものを交付する方法

二　ファイルへの記録の方式

（書面による議決権の行使）

第五百五十六条　債権者集会に出席しない協定債権者は、書面によって議決権を行使することができる。

2　書面による議決権の行使は、議決権行使書面に必要な事項を記載し、法務省令で定める時までに当該記載をした議決権行使書面を招集者に提出して行う。

3　前項の規定により書面によって議決権を行使した議決権者は、第五百五十四条第一項及び第五百六十七条第一項の規定の適用については、債権者集会に出席したものとみなす。

【会社法施行規則】

（書面による議決権行使の期限）

第百五十六条　法第五百五十六条第二項に規定する法務省令で定める時は、第百五十三条第二号の行使の期限とする。

（電磁的方法による議決権の行使）

第五百五十七条　電磁的方法による議決権の行使は、政令で定めるところにより、招集者の承諾を得て、法務省令で定める時までに議決権行使書面に記載すべき事項を、電磁的方法により当該招集者に提供して行う。

2　協定債権者が第五百四十九条第二項の承諾をした者である場合には、招集者は、正当な理由がなければ、前項の承諾をすることを拒んではならない。

3　第一項の規定により電磁的方法によって議決権を行使した議決権者は、第五百五十四条第一項及び第五百六十七条第一項の規定の適用については、債権者集会に出席したものとみなす。

【会社法施行令】

（書面に記載すべき事項等の電磁的方法による提供の承諾等）

第一条　次に掲げる規定に規定する事項を電磁的方法（会社法（以下「法」という。）第二条第三十四号に規定する電磁的方法をいう。以下同じ。）により提供しようとする者（次項において「提供者」という。）は、法務省令で定めるところにより、あらかじめ、当該事項の提供の相手方に対し、その用いる電磁的方法の種類及び内容を示し、書面又は電磁的方法による承諾を得なければならない。

一〜八　（略）

九　法第五百五十七条第一項（法第八百二十二条第三項において準用する場合を含む。）

十〜十五　（略）

2　前項の規定による承諾を得た提供者は、同項の相手方から書面又は電磁的方法により電磁的方法による事項の提供を受けない旨の申出があったときは、当該相手方に対し、当該事項の提供を電磁的方法によってしてはならない。ただし、当該相手方が再び同項の規定による承諾をした場合は、この限りでない。

【会社法施行規則】

（会社法施行令に係る電磁的方法）

第二百三十条　会社法施行令（平成十七年政令第三百六十四号）第一条第一項又は第二条第一項の規定により示すべき電磁的方法の種類及び内容は、次に掲げるものとする。

一　次に掲げる方法のうち、送信者が使用するもの

イ　電子情報処理組織を使用する方法のうち次に掲げるもの

(1)　送信者の使用に係る電子計算機と受信者の使用に係る電子計算機とを接続する電気通信回線を通じて送信し、受信者の使用に係る電子計算機に備えられたファイルに記録する方法

(2)　送信者の使用に係る電子計算機に備えられたファイルに記録された情報の内容を電気通信回線を通じて情報の提供を受ける者の閲覧に供し、当該情報の提供を受ける者の使用に係る電子計算機に備えられたファイルに当該情報を記録する方法

ロ　磁気ディスクその他これに準ずる方法により一定の情報を確実に記録しておくことができる物をもって調製するファイルに情報を記録したものを交付する方法

二　ファイルへの記録の方式

（電磁的方法による議決権行使の期限）

第百五十七条　法第五百五十七条第一項に規定する法務省令で定める時は、第百五十三条第五号イの行使の期限とする。

（議決権の不統一行使）

第五百五十八条　協定債権者は、その有する議決権を統一しないで行使することができる。この場合においては、債権者集会の日の三日前までに、招集者に対してその旨及びその理由を通知しなければならない。

2　招集者は、前項の協定債権者が他人のために協定債権を有する者でないときは、当該協定債権者が同項の規定によりその有する議決権を統一しないで行使することを拒むことができる。

（担保権を有する債権者等の出席等）

第五百五十九条　債権者集会又は招集者は、次に掲げる債権者の出席を求め、その意見を聴くことができる。この場合において、債権者集会にあっては、これをする旨の決議を経なければならない。

一　第五百二十二条第二項に規定する担保権を有する債権者

二　一般の先取特権その他一般の優先権がある債権、特別清算の手続のために清算株式会社に対して生じた債権又は特別清算の手続に関する清算株式会社に対する費用請求権を有する債権者

（延期又は続行の決議）

第五百六十条　債権者集会においてその延期又は続行について決議があった場合には、第五百四十八条（第四項を除く。）及び第五百四十九条の規定は、適用しない。

（議事録）

第五百六十一条　債権者集会の議事については、招集者は、法務省令で定めるところにより、議事録を作成しなければならない。

【会社法施行規則】

（債権者集会の議事録）

第百五十八条　法第五百六十一条の規定による債権者集会の議事録の作成については、この条の定めるところによる。

2　債権者集会の議事録は、書面又は電磁的記録をもって作成しなければならない。

3　債権者集会の議事録は、次に掲げる事項を内容とするものでなければならない。

一　債権者集会が開催された日時及び場所

二　債権者集会の議事の経過の要領及びその結果

三　法第五百五十九条の規定により債権者集会において述べられた意見があるときは、その意見の内容の概要

四　法第五百六十二条の規定により債権者集会に対する報告及び意見の陳述がされたときは、その報告及び意見の内容の概要
五　債権者集会に出席した清算人の氏名
六　債権者集会の議長が存するときは、議長の氏名
七　議事録の作成に係る職務を行った者の氏名又は名称

（清算人の調査結果等の債権者集会に対する報告）
第五百六十二条　特別清算開始の命令があった場合において、第四百九十二条第一項に規定する清算人が清算株式会社の財産の現況についての調査を終了して財産目録等（同項に規定する財産目録等をいう。以下この条において同じ。）を作成したときは、清算株式会社は、遅滞なく、債権者集会を招集し、当該債権者集会に対して、清算株式会社の業務及び財産の状況の調査の結果並びに財産目録等の要旨を報告するとともに、清算の実行の方針及び見込みに関して意見を述べなければならない。ただし、債権者集会に対する報告及び意見の陳述以外の方法によりその報告すべき事項及び当該意見の内容を債権者に周知させることが適当であると認めるときは、この限りでない。

第九款　協定

（協定の申出）
第五百六十三条　清算株式会社は、債権者集会に対し、協定の申出をすることができる。
（協定の条項）
第五百六十四条　協定においては、協定債権者の権利（第五百二十二条第二項に規定する担保権を除く。）の全部又は一部の変更に関する条項を定めなければならない。
2　協定債権者の権利の全部又は一部を変更する条項においては、債務の減免、期限の猶予その他の権利の変更の一般的基準を定めなければならない。
（協定による権利の変更）
第五百六十五条　協定による権利の変更の内容は、協定債権者の間では平等でなければならない。ただし、不利益を受ける協定債権者の同意がある場合又は少額の協定債権について別段の定めをしても衡平を害しない場合その他協定債権者の間に差を設けても衡平を害しない場合は、この限りでない。
（担保権を有する債権者等の参加）
第五百六十六条　清算株式会社は、協定案の作成に当たり必要があると認めるときは、次に掲げる債権者の参加を求めることができる。
一　第五百二十二条第二項に規定する担保権を有する債権者
二　一般の先取特権その他一般の優先権がある債権を有する債権者
（協定の可決の要件）
第五百六十七条　第五百五十四条第一項の規定にかかわらず、債権者集会において協定を可決するには、次に掲げる同意のいずれもがなければならない。
一　出席した議決権者の過半数の同意
二　議決権者の議決権の総額の三分の二以上の議決権を有する者の同意
2　第五百五十四条第二項の規定は、前項第一号の規定の適用について準用する。
（協定の認可の申立て）
第五百六十八条　協定が可決されたときは、清算株式会社は、遅滞なく、裁判所に対し、協定の認可の申立てをしなければならない。
（協定の認可又は不認可の決定）
第五百六十九条　前条の申立てがあった場合には、裁判所は、次項の場合を除き、協定の認可の決定をする。
2　裁判所は、次のいずれかに該当する場合には、協定の不認可の決定をする。
一　特別清算の手続又は協定が法律の規定に違反し、かつ、その不備を補正することができないものであるとき。ただし、特別清算の手続が法律の規定に違反する場合において、当該違反の程度が軽微で

あるときは、この限りでない。
二　協定が遂行される見込みがないとき。
三　協定が不正の方法によって成立するに至ったとき。
四　協定が債権者の一般の利益に反するとき。

（協定の効力発生の時期）
第五百七十条　協定は、認可の決定の確定により、その効力を生ずる。

（協定の効力範囲）
第五百七十一条　協定は、清算株式会社及びすべての協定債権者のために、かつ、それらの者に対して効力を有する。
2　協定は、第五百二十二条第二項に規定する債権者が有する同項に規定する担保権、協定債権者が清算株式会社の保証人その他清算株式会社と共に債務を負担する者に対して有する権利及び清算株式会社以外の者が協定債権者のために提供した担保に影響を及ぼさない。
3　協定の認可の決定が確定したときは、協定債権者の権利は、協定の定めに従い、変更される。
4　前項の規定にかかわらず、共助対象外国租税の請求権についての協定による権利の変更の効力は、租税条約等実施特例法第十一条第一項の規定による共助との関係においてのみ主張することができる。

（協定の内容の変更）
第五百七十二条　協定の実行上必要があるときは、協定の内容を変更することができる。この場合においては、第五百六十三条から前条までの規定を準用する。

第十款　特別清算の終了

（特別清算終結の決定）
第五百七十三条　裁判所は、特別清算開始後、次に掲げる場合には、清算人、監査役、債権者、株主又は調査委員の申立てにより、特別清算終結の決定をする。
一　特別清算が結了したとき。
二　特別清算の必要がなくなったとき。

（破産手続開始の決定）
第五百七十四条　裁判所は、特別清算開始後、次に掲げる場合において、清算株式会社に破産手続開始の原因となる事実があると認めるときは、職権で、破産法に従い、破産手続開始の決定をしなければならない。
一　協定の見込みがないとき。
二　協定の実行の見込みがないとき。
三　特別清算によることが債権者の一般の利益に反するとき。
2　裁判所は、特別清算開始後、次に掲げる場合において、清算株式会社に破産手続開始の原因となる事実があると認めるときは、職権で、破産法に従い、破産手続開始の決定をすることができる。
一　協定が否決されたとき。
二　協定の不認可の決定が確定したとき。
3　前二項の規定により破産手続開始の決定があった場合における破産法第七十一条第一項第四号並びに第二項第二号及び第三号、第七十二条第一項第四号並びに第二項第二号及び第三号、第百六十条（第一項第一号を除く。）、第百六十二条（第一項第二号を除く。）、第百六十三条第二項、第百六十四条第一項（同条第二項において準用する場合を含む。）、第百六十六条並びに第百六十七条第二項（同法第百七十条第二項において準用する場合を含む。）の規定の適用については、次の各号に掲げる区分に応じ、当該各号に定める申立てがあった時に破産手続開始の申立てがあったものとみなす。
一　特別清算開始の申立ての前に特別清算開始の命令の確定によって効力を失った破産手続における破産手続開始の申立てがある場合　当該破産手続開始の申立て
二　前号に掲げる場合以外の場合　特別清算開始の申立て
4　第一項又は第二項の規定により破産手続開始の決定があったときは、特別清算の手続のために清算株式会社に対して生じた債権及び特別清算の手続に関する清算株式会社に対する費用請求権は、財団債権とする。

第二編　株式会社

第三編

持分会社

第一章　設立

（定款の作成）
第五百七十五条　合名会社、合資会社又は合同会社（以下「持分会社」と総称する。）を設立するには、その社員になろうとする者が定款を作成し、その全員がこれに署名し、又は記名押印しなければならない。
2　前項の定款は、電磁的記録をもって作成することができる。この場合において、当該電磁的記録に記録された情報については、法務省令で定める署名又は記名押印に代わる措置をとらなければならない。

【会社法施行規則】
（電子署名）
第二百二十五条　次に掲げる規定に規定する法務省令で定める署名又は記名押印に代わる措置は、電子署名とする。
一〜九　（略）
十　法第五百七十五条第二項
十一・十二　（略）
2　前項に規定する「電子署名」とは、電磁的記録に記録することができる情報について行われる措置であって、次の要件のいずれにも該当するものをいう。
一　当該情報が当該措置を行った者の作成に係るものであることを示すためのものであること。
二　当該情報について改変が行われていないかどうかを確認することができるものであること。

（定款の記載又は記録事項）
第五百七十六条　持分会社の定款には、次に掲げる事項を記載し、又は記録しなければならない。
一　目的
二　商号
三　本店の所在地
四　社員の氏名又は名称及び住所
五　社員が無限責任社員又は有限責任社員のいずれであるかの別
六　社員の出資の目的（有限責任社員にあっては、金銭等に限る。）及びその価額又は評価の標準
2　設立しようとする持分会社が合名会社である場合には、前項第五号に掲げる事項として、その社員の全部を無限責任社員とする旨を記載し、又は記録しなければならない。
3　設立しようとする持分会社が合資会社である場合には、第一項第五号に掲げる事項として、その社員の一部を無限責任社員とし、その他の社員を有限責任社員とする旨を記載し、又は記録しなければならない。
4　設立しようとする持分会社が合同会社である場合には、第一項第五号に掲げる事項として、その社員の全部を有限責任社員とする旨を記載し、又は記録しなければならない。

第五百七十七条　前条に規定するもののほか、持分会社の定款には、この法律の規定により定款の定めがなければその効力を生じない事項及びその他の事項でこの法律の規定に違反しないものを記載し、又は記録することができる。

（合同会社の設立時の出資の履行）
第五百七十八条　設立しようとする持分会社が合同会社である場合には、当該合同会社の社員になろうとする者は、定款の作成後、合同会社の設立の登記をする時までに、その出資に係る金銭の全額を払い込み、又はその出資に係る金銭以外の財産の全部を給付しなければならない。ただし、合同会社の社員になろうとする者全員の同意があるときは、登記、登録その他権利の設定又は移転を第三者に対抗するために必要な行為は、合同会社の成立後にすることを妨げない。

（持分会社の成立）
第五百七十九条　持分会社は、その本店の所在地において設立の登記を

することによって成立する。

※設立時の社員資本は会社計算規則第四四条（四〇三頁参照）

第二章　社員

第一節　社員の責任等

（社員の責任）

第五百八十条　社員は、次に掲げる場合には、連帯して、持分会社の債務を弁済する責任を負う。

一　当該持分会社の財産をもってその債務を完済することができない場合

二　当該持分会社の財産に対する強制執行がその効を奏しなかった場合（社員が、当該持分会社に弁済をする資力があり、かつ、強制執行が容易であることを証明した場合を除く。）

2　有限責任社員は、その出資の価額（既に持分会社に対し履行した出資の価額を除く。）を限度として、持分会社の債務を弁済する責任を負う。

（社員の抗弁）

第五百八十一条　社員が持分会社の債務を弁済する責任を負う場合には、社員は、持分会社が主張することができる抗弁をもって当該持分会社の債権者に対抗することができる。

2　前項に規定する場合において、持分会社がその債権者に対して相殺権、取消権又は解除権を有するときは、これらの権利の行使によって持分会社がその債務を免れるべき限度において、社員は、当該債権者に対して債務の履行を拒むことができる。

（社員の出資に係る責任）

第五百八十二条　社員が金銭を出資の目的とした場合において、その出資をすることを怠ったときは、当該社員は、その利息を支払うほか、損害の賠償をしなければならない。

2　社員が債権を出資の目的とした場合において、当該債権の債務者が弁済期に弁済をしなかったときは、当該社員は、その弁済をする責任を負う。この場合においては、当該社員は、その利息を支払うほか、損害の賠償をしなければならない。

（社員の責任を変更した場合の特則）

第五百八十三条　有限責任社員が無限責任社員となった場合には、当該無限責任社員となった者は、その者が無限責任社員となる前に生じた持分会社の債務についても、無限責任社員としてこれを弁済する責任を負う。

2　有限責任社員（合同会社の社員を除く。）が出資の価額を減少した場合であっても、当該有限責任社員は、その旨の登記をする前に生じた持分会社の債務については、従前の責任の範囲内でこれを弁済する責任を負う。

3　無限責任社員が有限責任社員となった場合であっても、当該有限責任社員となった者は、その旨の登記をする前に生じた持分会社の債務については、無限責任社員として当該債務を弁済する責任を負う。

4　前二項の責任は、前二項の登記後二年以内に請求又は請求の予告をしない持分会社の債権者に対しては、当該登記後二年を経過した時に消滅する。

（無限責任社員となることを許された未成年者の行為能力）

第五百八十四条　持分会社の無限責任社員となることを許された未成年者は、社員の資格に基づく行為に関しては、行為能力者とみなす。

第二節　持分の譲渡等

（持分の譲渡）

第五百八十五条　社員は、他の社員の全員の承諾がなければ、その持分の全部又は一部を他人に譲渡することができない。

2　前項の規定にかかわらず、業務を執行しない有限責任社員は、業務を執行する社員の全員の承諾があるときは、その持分の全部又は一部を他人に譲渡することができる。

3　第六百三十七条の規定にかかわらず、業務を執行しない有限責任社員の持分の譲渡に伴い定款の変更を生ずるときは、その持分の譲渡による定款の変更は、業務を執行する社員の全員の同意によってすることができる。

4　前三項の規定は、定款で別段の定めをすることを妨げない。

（持分の全部の譲渡をした社員の責任）

第五百八十六条　持分の全部を他人に譲渡した社員は、その旨の登記をする前に生じた持分会社の債務について、従前の責任の範囲内でこれを弁済する責任を負う。

2　前項の責任は、同項の登記後二年以内に請求又は請求の予告をしない持分会社の債権者に対しては、当該登記後二年を経過した時に消滅する。

第五百八十七条　持分会社は、その持分の全部又は一部を譲り受けることができない。

2　持分会社が当該持分会社の持分を取得した場合には、当該持分は、当該持分会社がこれを取得した時に、消滅する。

第三節　誤認行為の責任

（無限責任社員であると誤認させる行為等をした有限責任社員の責任）

第五百八十八条　合資会社の有限責任社員が自己を無限責任社員であると誤認させる行為をしたときは、当該有限責任社員は、その誤認に基づいて合資会社と取引をした者に対し、無限責任社員と同一の責任を負う。

2　合資会社又は合同会社の有限責任社員がその責任の限度を誤認させる行為（前項の行為を除く。）をしたときは、当該有限責任社員は、その誤認に基づいて合資会社又は合同会社と取引をした者に対し、その誤認させた責任の範囲内で当該合資会社又は合同会社の債務を弁済する責任を負う。

（社員であると誤認させる行為をした者の責任）

第五百八十九条　合名会社又は合資会社の社員でない者が自己を無限責任社員であると誤認させる行為をしたときは、当該社員でない者は、その誤認に基づいて合名会社又は合資会社と取引をした者に対し、無限責任社員と同一の責任を負う。

2　合資会社又は合同会社の社員でない者が自己を有限責任社員であると誤認させる行為をしたときは、当該社員でない者は、その誤認に基づいて合資会社又は合同会社と取引をした者に対し、その誤認させた責任の範囲内で当該合資会社又は合同会社の債務を弁済する責任を負う。

第三章　管理

第一節　総則

（業務の執行）

第五百九十条　社員は、定款に別段の定めがある場合を除き、持分会社の業務を執行する。

2　社員が二人以上ある場合には、持分会社の業務は、定款に別段の定めがある場合を除き、社員の過半数をもって決定する。

3　前項の規定にかかわらず、持分会社の常務は、各社員が単独で行うことができる。ただし、その完了前に他の社員が異議を述べた場合は、この限りでない。

（業務を執行する社員を定款で定めた場合）

第五百九十一条　業務を執行する社員を定款で定めた場合において、業務を執行する社員が二人以上あるときは、持分会社の業務は、定款に別段の定めがある場合を除き、業務を執行する社員の過半数をもって決定する。この場合における前条第三項の規定の適用については、同項中「社員」とあるのは、「業務を執行する社員」とする。

2　前項の規定にかかわらず、同項に規定する場合には、支配人の選任及び解任は、社員の過半数をもって決定する。ただし、定款で別段の定めをすることを妨げない。

第三編　持分会社

3　業務を執行する社員を定款で定めた場合において、その業務を執行する社員の全員が退社したときは、当該定款の定めは、その効力を失う。

4　業務を執行する社員を定款で定めた場合には、その業務を執行する社員は、正当な事由がなければ、辞任することができない。

5　前項の業務を執行する社員は、正当な事由がある場合に限り、他の社員の一致によって解任することができる。

6　前二項の規定は、定款で別段の定めをすることを妨げない。

（社員の持分会社の業務及び財産状況に関する調査）

第五百九十二条　業務を執行する社員を定款で定めた場合には、各社員は、持分会社の業務を執行する権利を有しないときであっても、その業務及び財産の状況を調査することができる。

2　前項の規定は、定款で別段の定めをすることを妨げない。ただし、定款によっても、社員が事業年度の終了時又は重要な事由があるときに同項の規定による調査をすることを制限する旨を定めることができない。

第二節　業務を執行する社員

（業務を執行する社員と持分会社との関係）

第五百九十三条　業務を執行する社員は、善良な管理者の注意をもって、その職務を行う義務を負う。

2　業務を執行する社員は、法令及び定款を遵守し、持分会社のため忠実にその職務を行わなければならない。

3　業務を執行する社員は、持分会社又は他の社員の請求があるときは、いつでもその職務の執行の状況を報告し、その職務が終了した後は、遅滞なくその経過及び結果を報告しなければならない。

4　民法第六百四十六条から第六百五十条までの規定は、業務を執行する社員と持分会社との関係について準用する。この場合において、同法第六百四十六条第一項、第六百四十八条第二項、第六百四十八条の二、第六百四十九条及び第六百五十条中「委任事務」とあるのは「その職務」と、同法第六百四十八条第三項第一号中「委任事務」とあり、及び同項第二号中「委任」とあるのは「前項の職務」と読み替えるものとする。

5　前二項の規定は、定款で別段の定めをすることを妨げない。

（競業の禁止）

第五百九十四条　業務を執行する社員は、当該社員以外の社員の全員の承認を受けなければ、次に掲げる行為をしてはならない。ただし、定款に別段の定めがある場合は、この限りでない。

一　自己又は第三者のために持分会社の事業の部類に属する取引をすること。

二　持分会社の事業と同種の事業を目的とする会社の取締役、執行役又は業務を執行する社員となること。

2　業務を執行する社員が前項の規定に違反して同項第一号に掲げる行為をしたときは、当該行為によって当該業務を執行する社員又は第三者が得た利益の額は、持分会社に生じた損害の額と推定する。

（利益相反取引の制限）

第五百九十五条　業務を執行する社員は、次に掲げる場合には、当該取引について当該社員以外の社員の過半数の承認を受けなければならない。ただし、定款に別段の定めがある場合は、この限りでない。

一　業務を執行する社員が自己又は第三者のために持分会社と取引をしようとするとき。

二　持分会社が業務を執行する社員の債務を保証することその他社員でない者との間において持分会社と当該社員との利益が相反する取引をしようとするとき。

2　民法第百八条の規定は、前項の承認を受けた同項各号の取引については、適用しない。

（業務を執行する社員の持分会社に対する損害賠償責任）

第五百九十六条　業務を執行する社員は、その任務を怠ったときは、持分会社に対し、連帯して、これによって生じた損害を賠償する責任を負う。

（業務を執行する有限責任社員の第三者に対する損害賠償責任）
第五百九十七条　業務を執行する有限責任社員がその職務を行うについて悪意又は重大な過失があったときは、当該有限責任社員は、連帯して、これによって第三者に生じた損害を賠償する責任を負う。

（法人が業務を執行する社員である場合の特則）
第五百九十八条　法人が業務を執行する社員である場合には、当該法人は、当該業務を執行する社員の職務を行うべき者を選任し、その者の氏名及び住所を他の社員に通知しなければならない。
2　第五百九十三条から前条までの規定は、前項の規定により選任された社員の職務を行うべき者について準用する。

（持分会社の代表）
第五百九十九条　業務を執行する社員は、持分会社を代表する。ただし、他に持分会社を代表する社員その他持分会社を代表する者を定めた場合は、この限りでない。
2　前項本文の業務を執行する社員が二人以上ある場合には、業務を執行する社員は、各自、持分会社を代表する。
3　持分会社は、定款又は定款の定めに基づく社員の互選によって、業務を執行する社員の中から持分会社を代表する社員を定めることができる。
4　持分会社を代表する社員は、持分会社の業務に関する一切の裁判上又は裁判外の行為をする権限を有する。
5　前項の権限に加えた制限は、善意の第三者に対抗することができない。

（持分会社を代表する社員等の行為についての損害賠償責任）
第六百条　持分会社は、持分会社を代表する社員その他の代表者がその職務を行うについて第三者に加えた損害を賠償する責任を負う。

（持分会社と社員との間の訴えにおける会社の代表）
第六百一条　第五百九十九条第四項の規定にかかわらず、持分会社が社員に対し、又は社員が持分会社に対して訴えを提起する場合において、当該訴えについて持分会社を代表する者（当該社員を除く。）が存しないときは、当該社員以外の社員の過半数をもって、当該訴えについて持分会社を代表する者を定めることができる。

第六百二条　第五百九十九条第一項の規定にかかわらず、社員が持分会社に対して社員の責任を追及する訴えの提起を請求した場合において、持分会社が当該請求の日から六十日以内に当該訴えを提起しないときは、当該請求をした社員は、当該訴えについて持分会社を代表することができる。ただし、当該訴えが当該社員若しくは第三者の不正な利益を図り又は当該持分会社に損害を加えることを目的とする場合は、この限りでない。

第三節　業務を執行する社員の職務を代行する者

第六百三条　民事保全法第五十六条に規定する仮処分命令により選任された業務を執行する社員又は持分会社を代表する社員の職務を代行する者は、仮処分命令に別段の定めがある場合を除き、持分会社の常務に属しない行為をするには、裁判所の許可を得なければならない。
2　前項の規定に違反して行った業務を執行する社員又は持分会社を代表する社員の職務を代行する者の行為は、無効とする。ただし、持分会社は、これをもって善意の第三者に対抗することができない。

第四章　社員の加入及び退社

第一節　社員の加入

（社員の加入）
第六百四条　持分会社は、新たに社員を加入させることができる。
2　持分会社の社員の加入は、当該社員に係る定款の変更をした時に、その効力を生ずる。
3　前項の規定にかかわらず、合同会社が新たに社員を加入させる場合において、新たに社員となろうとする者が同項の定款の変更をした時にその出資に係る払込み又は給付の全部又は一部を履行していないときは、その者は、当該払込み又は給付を完了した時に、合同会社の社員となる。

（加入した社員の責任）

第六百五条　持分会社の成立後に加入した社員は、その加入前に生じた持分会社の債務についても、これを弁済する責任を負う。

第二節　社員の退社

（任意退社）

第六百六条　持分会社の存続期間を定款で定めなかった場合又はある社員の終身の間持分会社が存続することを定款で定めた場合には、各社員は、事業年度の終了の時において退社をすることができる。この場合においては、各社員は、六箇月前までに持分会社に退社の予告をしなければならない。

2　前項の規定は、定款で別段の定めをすることを妨げない。

3　前二項の規定にかかわらず、各社員は、やむを得ない事由があるときは、いつでも退社することができる。

（法定退社）

第六百七条　社員は、前条、第六百九条第一項、第六百四十二条第二項及び第八百四十五条の場合のほか、次に掲げる事由によって退社する。

一　定款で定めた事由の発生

二　総社員の同意

三　死亡

四　合併（合併により当該法人である社員が消滅する場合に限る。）

五　破産手続開始の決定

六　解散（前二号に掲げる事由によるものを除く。）

七　後見開始の審判を受けたこと。

八　除名

2　持分会社は、その社員が前項第五号から第七号までに掲げる事由の全部又は一部によっては退社しない旨を定めることができる。

（相続及び合併の場合の特則）

第六百八条　持分会社は、その社員が死亡した場合又は合併により消滅した場合における当該社員の相続人その他の一般承継人が当該社員の持分を承継する旨を定款で定めることができる。

2　第六百四条第二項の規定にかかわらず、前項の規定による定款の定めがある場合には、同項の一般承継人（社員以外のものに限る。）は、同項の持分を承継した時に、当該持分を有する社員となる。

3　第一項の定款の定めがある場合には、持分会社は、同項の一般承継人が持分を承継した時に、当該一般承継人に係る定款の変更をしたものとみなす。

4　第一項の一般承継人（相続により持分を承継したものであって、出資に係る払込み又は給付の全部又は一部を履行していないものに限る。）が二人以上ある場合には、各一般承継人は、連帯して当該出資に係る払込み又は給付の履行をする責任を負う。

5　第一項の一般承継人（相続により持分を承継したものに限る。）が二人以上ある場合には、各一般承継人は、承継した持分についての権利を行使する者一人を定めなければ、当該持分についての権利を行使することができない。ただし、持分会社が当該権利を行使することに同意した場合は、この限りでない。

（持分の差押債権者による退社）

第六百九条　社員の持分を差し押さえた債権者は、事業年度の終了時において当該社員を退社させることができる。この場合においては、当該債権者は、六箇月前までに持分会社及び当該社員にその予告をしなければならない。

2　前項後段の予告は、同項の社員が、同項の債権者に対し、弁済し、又は相当の担保を提供したときは、その効力を失う。

3　第一項後段の予告をした同項の債権者は、裁判所に対し、持分の払戻しの請求権の保全に関し必要な処分をすることを申し立てることができる。

（退社に伴う定款のみなし変更）
第六百十条　第六百六条、第六百七条第一項、前条第一項又は第六百四十二条第二項の規定により社員が退社した場合（第八百四十五条の規定により社員が退社したものとみなされる場合を含む。）には、持分会社は、当該社員が退社した時に、当該社員に係る定款の定めを廃止する定款の変更をしたものとみなす。

（退社に伴う持分の払戻し）
第六百十一条　退社した社員は、その出資の種類を問わず、その持分の払戻しを受けることができる。ただし、第六百八条第一項及び第二項の規定により当該社員の一般承継人が社員となった場合は、この限りでない。
2　退社した社員と持分会社との間の計算は、退社の時における持分会社の財産の状況に従ってしなければならない。
3　退社した社員の持分は、その出資の種類を問わず、金銭で払い戻すことができる。
4　退社の時にまだ完了していない事項については、その完了後に計算をすることができる。
5　社員が除名により退社した場合における第二項及び前項の規定の適用については、これらの規定中「退社の時」とあるのは、「除名の訴えを提起した時」とする。
6　前項に規定する場合には、持分会社は、除名の訴えを提起した日後の法定利率による利息をも支払わなければならない。
7　社員の持分の差押えは、持分の払戻しを請求する権利に対しても、その効力を有する。

（退社した社員の責任）
第六百十二条　退社した社員は、その登記をする前に生じた持分会社の債務について、従前の責任の範囲内でこれを弁済する責任を負う。
2　前項の責任は、同項の登記後二年以内に請求又は請求の予告をしない持分会社の債権者に対しては、当該登記後二年を経過した時に消滅する。

（商号変更の請求）
第六百十三条　持分会社がその商号中に退社した社員の氏若しくは氏名又は名称を用いているときは、当該退社した社員は、当該持分会社に対し、その氏若しくは氏名又は名称の使用をやめることを請求することができる。

第五章　計算等

第一節　会計の原則

第六百十四条　持分会社の会計は、一般に公正妥当と認められる企業会計の慣行に従うものとする。

第二節　会計帳簿

（会計帳簿の作成及び保存）
第六百十五条　持分会社は、法務省令で定めるところにより、適時に、正確な会計帳簿を作成しなければならない。
2　持分会社は、会計帳簿の閉鎖の時から十年間、その会計帳簿及びその事業に関する重要な資料を保存しなければならない。

【会社法施行規則】
第百五十九条　次に掲げる規定に規定する法務省令で定めるべき事項は、会社計算規則の定めるところによる。
一　法第六百十五条第一項
二〜七　（略）
（保存の指定）
第二百三十二条　電子文書法第三条第一項の主務省令で定める保存は、次に掲げる保存とする。
一〜二十六　（略）
二十七　法第六百十五条第二項の規定による会計帳簿の保存

二十八〜三十六　（略）

【会社計算規則】

※　四三二条参照・持分会社に特有の規律のみ

第二編　会計帳簿

第二章　資産及び負債

第二款　組織変更等の際の資産及び負債の評価　（抄）

（持分会社の出資請求権）

第九条　持分会社が組織変更をする場合において、当該持分会社が当該組織変更の直前に持分会社が社員に対して出資の履行をすべきことを請求する権利に係る債権を資産として計上しているときは、当該組織変更の直前に、当該持分会社は、当該債権を資産として計上しないものと定めたものとみなす。

2　前項の規定は、社員に対して出資の履行をすべきことを請求する権利に係る債権を資産として計上している持分会社が吸収合併消滅会社又は新設合併消滅会社となる場合について準用する。

第三章　純資産

第二節　持分会社の社員資本

（資本金の額）

第三十条　持分会社の資本金の額は、第四節（第三五条―第三九条の二）に定めるところのほか、次の各号に掲げる場合に限り、当該各号に定める額の範囲内で持分会社が資本金の額に計上するものと定めた額が増加するものとする。

一　社員が出資の履行をした場合（履行をした出資に係る次号の債権が資産として計上されていた場合を除く。）　イ及びロに掲げる額の合計額からハに掲げる額の合計額を減じて得た額（零未満である場合にあっては、零）

イ　当該社員が履行した出資により持分会社に対し払込み又は給付がされた財産（当該財産がロに規定する財産に該当する場合における当該財産を除く。）の価額

ロ　当該社員が履行した出資により持分会社に対し払込み又は給付がされた財産（当該財産の払込み又は給付をした者における帳簿価額として、当該財産の払込み又は給付の直前の帳簿価額を付すべき場合における当該財産に限る。）の払込み又は給付をした者における当該払込み又は給付の直前の帳簿価額の合計額

ハ　当該出資の履行の受領に係る費用の額のうち、持分会社が資本金又は資本剰余金から減ずるべき額と定めた額

二　持分会社が社員に対して出資の履行をすべきことを請求する権利に係る債権を資産として計上することと定めた場合　当該債権の価額

三　持分会社が資本剰余金の額の全部又は一部を資本金の額とするものと定めた場合　当該資本剰余金の額

2　持分会社の資本金の額は、次の各号に掲げる場合に限り、当該各号に定める額が減少するものとする。

一　持分会社が退社する社員に対して持分の払戻しをする場合（合同会社にあっては、法第六百二十七条の規定による手続をとった場合に限る。）　当該退社する社員の出資につき資本金の額に計上されていた額

二　持分会社が社員に対して出資の払戻しをする場合（合同会社にあっては、法第六百二十七条の規定による手続をとった場合に限る。）　当該出資の払戻しにより払戻しをする出資の価額の範囲内で、資本金の額から減ずるべき額と定めた額（当該社員の出資につき資本金の額に計上されていた額以下の額に限る。）

三　持分会社（合同会社を除く。）が資産として計上している前項第二号の債権を資産として計上しないことと定めた場合　当該債権につき資本金に計上されていた額

四　持分会社（合同会社を除く。）が資本金の額の全部又は一部を資本剰余金の額とするものと定めた場合　当該資本剰余金の額

とするものと定めた額に相当する額
五　損失のてん補に充てる場合（合同会社にあっては、法第六百二十七条の規定による手続をとった場合に限る。）　持分会社が資本金の額の範囲内で損失のてん補に充てるものとして定めた額

（資本剰余金の額）
第三十一条　持分会社の資本剰余金の額は、第四節（第三五条―第三九条の二）に定めるところのほか、次の各号に掲げる場合に限り、当該各号に定める額が増加するものとする。
一　社員が出資の履行をした場合（履行をした出資に係る次号の債権が資産として計上されていた場合を除く。）　イに掲げる額からロに掲げる額を減じて得た額
イ　前条第一項第一号イ及びロに掲げる額の合計額からハに掲げる額を減じて得た額
ロ　当該出資の履行に際して資本金の額に計上した額
二　持分会社が社員に対して出資の履行をすべきことを請求する権利に係る債権を資産として計上することと定めた場合　イに掲げる額からロに掲げる額を減じて得た額
イ　前条第一項第二号に定める額
ロ　当該決定に際して資本金の額に計上した額
三　持分会社（合同会社を除く。）が資本金の額の全部又は一部を資本剰余金の額とするものと定めた場合　当該資本剰余金の額とするものと定めた額
四　損失のてん補に充てる場合（合同会社にあっては、法第六百二十七条の規定による手続をとった場合に限る。）　持分会社が資本金の額の範囲内で損失のてん補に充てるものとして定めた額
五　前各号に掲げるもののほか、資本剰余金の額を増加させることが適切な場合　適切な額
2　持分会社の資本剰余金の額は、第四節（第三五条―第三九条の二）に定めるところのほか、次の各号に掲げる場合に限り、当該各号に定める額が減少するものとする。ただし、利益の配当により払い戻した財産の帳簿価額に相当する額は、資本剰余金の額からは控除しないものとする。
一　持分会社が退社する社員に対して持分の払戻しをする場合　当該退社する社員の出資につき資本剰余金の額に計上されていた額
二　持分会社が社員に対して出資の払戻しをする場合　当該出資の払戻しにより払戻しをする出資の価額から当該出資の払戻しをする場合において前条第二項の規定により資本金の額を減少する額を減じて得た額
三　持分会社（合同会社を除く。）が資産として計上している前項第二号の債権を資産として計上しないことと定めた場合　当該債権につき資本剰余金に計上されていた額
四　持分会社が資本剰余金の額の全部又は一部を資本金の額とするものと定めた場合　当該資本金の額とするものと定めた額に相当する額
五　合同会社が第九条第一項（同条第二項において準用する場合を含む。）の規定により資産として計上している前項第二号の債権を資産として計上しないことと定めたものとみなされる場合　当該債権につき資本金及び資本剰余金に計上されていた額
六　前各号に掲げるもののほか、資本剰余金の額を減少させることが適切な場合　適切な額

（利益剰余金の額）
第三十二条　持分会社の利益剰余金の額は、第四節（第三五条―第三九条の二）に定めるところのほか、次の各号に掲げる場合に限り、当該各号に定める額が増加するものとする。
一　当期純利益金額が生じた場合　当該当期純利益金額
二　持分会社が退社する社員に対して持分の払戻しをする場合　イに掲げる額からロに掲げる額を減じて得た額（零未満である

場合には、零)
イ　当該持分の払戻しを受けた社員の出資につき資本金及び資本剰余金の額に計上されていた額の合計額
ロ　当該持分の払戻しにより払い戻した財産の帳簿価額
三　前二号に掲げるもののほか、利益剰余金の額を増加させることが適切な場合　適切な額
2　持分会社の利益剰余金の額は、第四節(第三五条―第三九条の二)に定めるところのほか、次の各号に掲げる場合に限り、当該各号に定める額が減少するものとする。ただし、出資の払戻しにより払い戻した財産の帳簿価額に相当する額は、利益剰余金の額からは控除しないものとする。
一　当期純損失金額が生じた場合　当該当期純損失金額
二　持分会社が退社する社員に対して持分の払戻しをする場合　イに掲げる額からロに掲げる額を減じて得た額(零未満である場合には、零)
イ　当該持分の払戻しにより払い戻した財産の帳簿価額
ロ　当該持分の払戻しを受けた社員の出資につき資本金及び資本剰余金の額に計上されていた額の合計額
三　社員が出資の履行をする場合(第三十条第一項第一号イ及びロに掲げる額の合計額が零未満である場合に限る。)　当該合計額
四　前三号に掲げるもののほか、利益剰余金の額を減少させることが適切な場合　適切な額

第三節　組織変更に際しての株主資本及び社員資本　(抄)

(組織変更後株式会社の株主資本)
第三十四条　持分会社が組織変更をする場合には、組織変更後株式会社の次の各号に掲げる額は、当該各号に定める額とする。
一　資本金の額　組織変更の直前の持分会社の資本金の額
二　資本準備金の額　零
三　その他資本剰余金の額　イに掲げる額からロに掲げる額を減じて得た額
イ　組織変更の直前の持分会社の資本剰余金の額
ロ　組織変更をする持分会社の社員に対して交付する組織変更後株式会社の株式以外の財産の帳簿価額(組織変更後株式会社の社債等(自己社債を除く。第五号ロにおいて同じ。)にあっては、当該社債等に付すべき帳簿価額)のうち、組織変更をする持分会社が資本剰余金の額から減ずるべき額と定めた額
四　利益準備金の額　零
五　その他利益剰余金の額　イに掲げる額からロに掲げる額を減じて得た額
イ　組織変更の直前の持分会社の利益剰余金の額
ロ　組織変更をする持分会社の社員に対して交付する組織変更後株式会社の株式以外の財産の帳簿価額(組織変更後株式会社の社債等にあっては、当該社債等に付すべき帳簿価額)のうち、組織変更をする持分会社がその他利益剰余金の額から減ずるべき額と定めた額

第六節　設立時の株主資本及び社員資本

第一款　通常の設立　(抄)

(持分会社の設立時の社員資本)
第四十四条　持分会社の設立(新設合併及び新設分割による設立を除く。以下この条において同じ。)時の資本金の額は、第一号に掲げる額から第二号に掲げる額を減じて得た額(零未満である場合にあっては、零)の範囲内で、社員になろうとする者が定めた額(零以上の額に限る。)とする。
一　設立に際して出資の履行として持分会社が払込み又は給付を受けた財産(以下この条において「出資財産」という。)の出資時における価額(次のイ又はロに掲げる場合における出資財産にあっては、当該イ又はロに定める額)
イ　当該持分会社と当該出資財産の給付をした者が共通支配下関係となる場合(当該出資財産に時価を付すべき場合を除

く。）当該出資財産の当該払込み又は給付をした者における当該払込み又は給付の直前の帳簿価額

ロ　イに掲げる場合以外の場合であって、当該給付を受けた出資財産の価額により資本金又は資本剰余金の額として計上すべき額を計算することが適切でないとき　イに定める帳簿価額

二　設立時の社員になろうとする者が設立に要した費用のうち、設立に際して資本金又は資本剰余金の額として計上すべき額から減ずるべき額と定めた額

2　持分会社の設立時の資本剰余金の額は、第一号に掲げる額から第二号に掲げる額を減じて得た額とする。

一　出資財産の価額

二　設立時の資本金の額

3　持分会社の設立時の利益剰余金の額は、零（第一項第一号に掲げる額から同項第二号に掲げる額を減じて得た額が零未満である場合にあっては、当該額）とする。

（会計帳簿の提出命令）

第六百十六条　裁判所は、申立てにより又は職権で、訴訟の当事者に対し、会計帳簿の全部又は一部の提出を命ずることができる。

第三節　計算書類

（計算書類の作成及び保存）

第六百十七条　持分会社は、法務省令で定めるところにより、その成立の日における貸借対照表を作成しなければならない。

2　持分会社は、法務省令で定めるところにより、各事業年度に係る計算書類（貸借対照表その他持分会社の財産の状況を示すために必要かつ適切なものとして法務省令で定めるものをいう。以下この章において同じ。）を作成しなければならない。

3　計算書類は、電磁的記録をもって作成することができる。

4　持分会社は、計算書類を作成した時から十年間、これを保存しなければならない。

【会社法施行規則】

第百五十九条　次に掲げる規定に規定する法務省令で定めるべき事項は、会社計算規則の定めるところによる。

一　（略）

二　法第六百十七条第一項及び第二項

三～七　（略）

（保存の指定）

第二百三十二条　電子文書法第三条第一項の主務省令で定める保存は、次に掲げる保存とする。

一～二十七　（略）

二十八　法第六百十七条第四項の規定による計算書類の保存

二十九～三十六　（略）

【会社計算規則】（総則）

第三編　計算関係書類

第一章　総則

第一節　表示の原則

第五十七条　計算関係書類に係る事項の金額は、一円単位、千円単位又は百万円単位をもって表示するものとする。

2　計算関係書類は、日本語をもって表示するものとする。ただし、その他の言語をもって表示することが不当でない場合は、この限りでない。

3　計算関係書類（各事業年度に係る計算書類の附属明細書を除く。）の作成については、貸借対照表、損益計算書その他計算関係書類を構成するものごとに、一の書面その他の資料として作成をしなければならないものと解してはならない。

第四節　持分会社の計算書類

（成立の日の貸借対照表）

第七十条　法第六百十七条第一項の規定により作成すべき貸借対照表は、持分会社の成立の日における会計帳簿に基づき作成しなければならない。

（各事業年度に係る計算書類）

第七十一条　法第六百十七条第二項に規定する法務省令で定めるものは、次の各号に掲げる持分会社の区分に応じ、当該各号に定めるものとする。

一　合名会社及び合資会社　当該合名会社及び合資会社が損益計算書、社員資本等変動計算書又は個別注記表の全部又は一部をこの編〔第五七条―第一二〇条の三〕の規定に従い作成するものと定めた場合におけるこの編〔第五七条―第一二〇条の三〕の規定に従い作成される損益計算書、社員資本等変動計算書又は個別注記表

二　合同会社　この編〔第五七条―第一二〇条の三〕の規定に従い作成される損益計算書、社員資本等変動計算書及び個別注記表

2　各事業年度に係る計算書類の作成に係る期間は、当該事業年度の前事業年度の末日の翌日（当該事業年度の前事業年度がない場合にあっては、成立の日）から当該事業年度の末日までの期間とする。この場合において、当該期間は、一年（事業年度の末日を変更する場合における変更後の最初の事業年度については、一年六箇月）を超えることができない。

3　法第六百十七条第二項の規定により作成すべき各事業年度に係る計算書類は、当該事業年度に係る会計帳簿に基づき作成しなければならない。

【会社計算規則】（計算書類の内容）

※四三五条参照、持分会社に特有の規律のみ

第三編　計算関係書類

第二章　貸借対照表等　（抄）

（純資産の部の区分）

第七十六条　純資産の部は、次の各号に掲げる貸借対照表等の区分に応じ、当該各号に定める項目に区分しなければならない。

一・二　（略）

三　持分会社の貸借対照表　次に掲げる項目

イ　社員資本

ロ　評価・換算差額等

2　（略）

3　社員資本に係る項目は、次に掲げる項目に区分しなければならない。

一　資本金

二　出資金申込証拠金

三　資本剰余金

四　利益剰余金

4〜6　（略）

7　評価・換算差額等又はその他の包括利益累計額に係る項目は、次に掲げる項目その他適当な名称を付した項目に細分しなければならない。ただし、第四号及び第五号に掲げる項目は、連結貸借対照表に限る。

一　その他有価証券評価差額金

二　繰延ヘッジ損益

三　土地再評価差額金

四・五　（略）

8・9　（略）

（関係会社株式等の表示）

第八十二条　関係会社の株式又は出資金は、関係会社株式又は関係会社出資金の項目をもって別に表示しなければならない。
2　前項の規定は、連結貸借対照表及び持分会社の貸借対照表については、適用しない。

第四章　株主資本等変動計算書

第九十六条　（略）
2　株主資本等変動計算書等は、次の各号に掲げる株主資本等変動計算書等の区分に応じ、当該各号に定める項目に区分して表示しなければならない。
一・二　（略）
三　社員資本等変動計算書　次に掲げる項目
イ　社員資本
ロ　評価・換算差額等
3　次の各号に掲げる項目は、当該各号に定める項目に区分しなければならない。
一・二　（略）
三　社員資本等変動計算書の社員資本　次に掲げる項目
イ　資本金
ロ　資本剰余金
ハ　利益剰余金
4　（略）
5　評価・換算差額等又はその他の包括利益累計額に係る項目は、次に掲げる項目その他適当な名称を付した項目に細分することができる。
一　その他有価証券評価差額金
二　繰延ヘッジ損益
三　土地再評価差額金
四　為替換算調整勘定
五　退職給付に係る調整累計額
6　（略）
7　資本金、資本剰余金、利益剰余金及び自己株式に係る項目は、それぞれ次に掲げるものについて明らかにしなければならない。この場合において、第二号に掲げるものは、各変動事由ごとに当期変動額及び変動事由を明らかにしなければならない。
一　当期首残高（遡及適用、誤謬の訂正又は当該事業年度の前事業年度における企業結合に係る暫定的な会計処理の確定をした場合にあっては、当期首残高及びこれに対する影響額。次項において同じ。）
二　当期変動額
三　当期末残高
8　評価・換算差額等又はその他の包括利益累計額、株式引受権、新株予約権及び非支配株主持分に係る項目は、それぞれ次に掲げるものについて明らかにしなければならない。この場合において、第二号に掲げるものについては、その主要なものを変動事由とともに明らかにすることを妨げない。
一　当期首残高
二　当期変動額
三　当期末残高
9　（略）

第五章　注記表　（抄）

（注記表の区分）
第九十八条　注記表は、次に掲げる項目に区分して表示しなければならない。
一　継続企業の前提に関する注記
二　重要な会計方針に係る事項（連結注記表にあっては、連結計算書類の作成のための基本となる重要な事項及び連結の範囲又は持分法の適用の範囲の変更）に関する注記
三　会計方針の変更に関する注記
四　表示方法の変更に関する注記
四の二　会計上の見積りに関する注記

五　会計上の見積りの変更に関する注記
六　誤謬の訂正に関する注記
七　貸借対照表等に関する注記
八　損益計算書に関する注記
九　株主資本等変動計算書（連結注記表にあっては、連結株主資本等変動計算書）に関する注記
十　税効果会計に関する注記
十一　リースにより使用する固定資産に関する注記
十二　金融商品に関する注記
十三　賃貸等不動産に関する注記
十四　持分法損益等に関する注記
十五　関連当事者との取引に関する注記
十六　一株当たり情報に関する注記
十七　重要な後発事象に関する注記
十八　連結配当規制適用会社に関する注記
十八の二　収益認識に関する注記
十九　その他の注記
2　次の各号に掲げる注記表には、当該各号に定める項目を表示することを要しない。
一～四　（略）
五　持分会社の個別注記表　前項第一号、第四号の二、第五号及び第七号から第十八号までに掲げる項目

（計算書類の閲覧等）
第六百十八条　持分会社の社員は、当該持分会社の営業時間内は、いつでも、次に掲げる請求をすることができる。
一　計算書類が書面をもって作成されているときは、当該書面の閲覧又は謄写の請求
二　計算書類が電磁的記録をもって作成されているときは、当該電磁的記録に記録された事項を法務省令で定める方法により表示したものの閲覧又は謄写の請求
2　前項の規定は、定款で別段の定めをすることを妨げない。ただし、定款によっても、社員が事業年度の終了時に同項各号に掲げる請求をすることを制限する旨を定めることができない。

【会社法施行規則】
（縦覧等の指定）
第二百三十四条　電子文書法第五条第一項の主務省令で定める縦覧等は、次に掲げる縦覧等とする。
一～三十八　（略）
三十九　法第六百十八条第一項第一号の規定による計算書類の縦覧等
四十～五十四　（略）
（電磁的記録に記録された事項を表示する方法）
第二百二十六条　次に掲げる規定に規定する法務省令で定める方法は、次に掲げる規定の電磁的記録に記録された事項を紙面又は映像面に表示する方法とする。
一～二十九　（略）
三十　法第六百十八条第一項第二号
三十一～四十三　（略）

（計算書類の提出命令）
第六百十九条　裁判所は、申立てにより又は職権で、訴訟の当事者に対し、計算書類の全部又は一部の提出を命ずることができる。

第四節　資本金の額の減少

第六百二十条　持分会社は、損失のてん補のために、その資本金の額を減少することができる。
2　前項の規定により減少する資本金の額は、損失の額として法務省令で定める方法により算定される額を超えることができない。

【会社法施行規則】
第百五十九条　法に規定する法務省令で定めるべき事項は、会社計算規則の定めるところによる。
一・二　（略）
三　法第六百二十条第二項
四～七　（略）

【会社計算規則】

（損失の額）

第百六十二条　法第六百二十条第二項に規定する法務省令で定める方法は、同項の規定により算定される額を次に掲げる額のうちいずれか少ない額とする方法とする。
一　零から法第六百二十条第一項の規定により資本金の額を減少する日における資本剰余金の額及び利益剰余金の額の合計額を減じて得た額（零未満であるときは、零）
二　法第六百二十条第一項の規定により資本金の額を減少する日における資本金の額

第五節　利益の配当

（利益の配当）
第六百二十一条　社員は、持分会社に対し、利益の配当を請求することができる。
2　持分会社は、利益の配当を請求する方法その他の利益の配当に関する事項を定款で定めることができる。
3　社員の持分の差押えは、利益の配当を請求する権利に対しても、その効力を有する。

（社員の損益分配の割合）
第六百二十二条　損益分配の割合について定款の定めがないときは、その割合は、各社員の出資の価額に応じて定める。
2　利益又は損失の一方についてのみ分配の割合についての定めを定款で定めたときは、その割合は、利益及び損失の分配に共通であるものと推定する。

（有限責任社員の利益の配当に関する責任）
第六百二十三条　持分会社が利益の配当により有限責任社員に対して交付した金銭等の帳簿価額（以下この項において「配当額」という。）が当該利益の配当をする日における利益額（持分会社の利益の額として法務省令で定める方法により算定される額をいう。以下この章において同じ。）を超える場合には、当該利益の配当を受けた有限責任社員は、当該持分会社に対し、連帯して、当該配当額に相当する金銭を支払う義務を負う。
2　前項に規定する場合における同項の利益の配当を受けた有限責任社員についての第五百八十条第二項の規定の適用については、同項中「を限度として」とあるのは、「及び第六百二十三条第一項の配当額が同項の利益額を超過する額（同項の義務を履行した額を除く。）の合計額を限度として」とする。

【会社法施行規則】
第百五十九条　次に掲げる規定に規定する法務省令で定めるべき事項は、会社計算規則の定めるところによる。
一～三　（略）
四　法第六百二十三条第一項
五～七　（略）

【会社計算規則】

（利益額）

第百六十三条　法第六百二十三条第一項に規定する法務省令で定める方法は、持分会社の利益額を次に掲げる額のうちいずれか少ない額（法第六百二十九条第二項ただし書に規定する利益額にあっては、第一号に掲げる額）とする方法とする。
一　法第六百二十一条第一項の規定による請求に応じて利益の配当をした日における利益剰余金の額
二　イに掲げる額からロ及びハに掲げる額の合計額を減じて得た額
イ　法第六百二十二条の規定により当該請求をした社員に対して既に分配された利益の額（第三十二条第一項第三号に定める額がある場合にあっては、当該額を含む。）
ロ　法第六百二十二条の規定により当該請求をした社員に対して既に分配された損失の額（第三十二条第二項第四号に定める額がある場合にあっては、当該額を含む。）
ハ　当該請求をした社員に対して既に利益の配当により交付された金銭等の帳簿価額

第六節　出資の払戻し

第六百二十四条　社員は、持分会社に対し、既に出資として払込み又は給付をした金銭等の払戻し（以下この編において「出資の払戻し」という。）を請求することができる。この場合において、当該金銭等が金銭以外の財産であるときは、当該財産の価額に相当する金銭の払戻しを請求することを妨げない。
2　持分会社は、出資の払戻しを請求する方法その他の出資の払戻しに関する事項を定款で定めることができる。
3　社員の持分の差押えは、出資の払戻しを請求する権利に対しても、その効力を有する。

第七節　合同会社の計算等に関する特則

第一款　計算書類の閲覧に関する特則

第六百二十五条　合同会社の債権者は、当該合同会社の営業時間内は、いつでも、その計算書類（作成した日から五年以内のものに限る。）について第六百十八条第一項各号に掲げる請求をすることができる。

【会社法施行規則】
（縦覧等の指定）
第二百三十四条　電子文書法第五条第一項の主務省令で定める縦覧等は、次に掲げる縦覧等とする。
一〜三十九　（略）
四十　法第六百二十五条の規定による計算書類の縦覧等
四十一〜五十四　（略）

第二款　資本金の額の減少に関する特則

（出資の払戻し又は持分の払戻しを行う場合の資本金の額の減少）
第六百二十六条　合同会社は、第六百二十条第一項の場合のほか、出資の払戻し又は持分の払戻しのために、その資本金の額を減少することができる。
2　前項の規定により出資の払戻しのために減少する資本金の額は、第六百三十二条第二項に規定する出資払戻額から出資の払戻しをする日における剰余金額を控除して得た額を超えてはならない。
3　第一項の規定により持分の払戻しのために減少する資本金の額は、第六百三十五条第一項に規定する持分払戻額から持分の払戻しをする日における剰余金額を控除して得た額を超えてはならない。
4　前二項に規定する「剰余金額」とは、第一号に掲げる額から第二号から第四号までに掲げる額の合計額を減じて得た額をいう（第四款及び第五款において同じ。）。
一　資産の額

二　負債の額
三　資本金の額
四　前二号に掲げるもののほか、法務省令で定める各勘定科目に計上した額の合計額

【会社法施行規則】
第百五十九条　次に掲げる規定に規定する法務省令で定めるべき事項は、会社計算規則の定めるところによる。
一～四　（略）
五　法第六百二十六条第四項第四号
六・七　（略）

【会社計算規則】

（剰余金額）

第百六十四条　法第六百二十六条第四項第四号に規定する法務省令で定める合計額は、第一号に掲げる額から第二号及び第三号に掲げる額の合計額を減じて得た額とする。
一　法第六百二十六条第四項第一号に掲げる額
二　法第六百二十六条第四項第二号及び第三号に掲げる額の合計額
三　次のイからホまでに掲げる場合における当該イからホまでに定める額
イ　法第六百二十六条第二項に規定する剰余金額を算定する場合　当該社員の出資につき資本剰余金に計上されている額
ロ　法第六百二十六条第三項に規定する剰余金額を算定する場合　次に掲げる額の合計額
(1)　当該社員の出資につき資本剰余金に計上されている額
(2)　第三十二条第二項第二号イに掲げる額から同号ロに掲げる額を減じて得た額
ハ　法第六百三十二条第二項及び第六百三十四条第一項に規定する剰余金額を算定する場合　次に掲げる額のうちいずれか少ない額
(1)　法第六百二十四条第一項の規定による請求に応じて出資の払戻しをした日における利益剰余金の額及び資本剰余金の額の合計額
(2)　当該社員の出資につき資本剰余金に計上されている額
ニ　法第六百三十三条第二項ただし書に規定する場合　ハ(1)に掲げる額
ホ　法第六百三十五条第一項、第二項第一号及び第六百三十六条第二項に規定する剰余金額を算定する場合　資本剰余金の額及び利益剰余金の額の合計額

（債権者の異議）
第六百二十七条　合同会社が資本金の額を減少する場合には、当該合同会社の債権者は、当該合同会社に対し、資本金の額の減少について異議を述べることができる。
2　前項に規定する場合には、合同会社は、次に掲げる事項を官報に公告し、かつ、知れている債権者には、各別にこれを催告しなければならない。ただし、第二号の期間は、一箇月を下ることができない。
一　当該資本金の額の減少の内容
二　債権者が一定の期間内に異議を述べることができる旨
3　前項の規定にかかわらず、合同会社が同項の規定による公告を、官報のほか、第九百三十九条第一項の規定による定款の定めに従い、同項第二号又は第三号に掲げる公告方法によりするときは、前項の規定による各別の催告は、することを要しない。
4　債権者が第二項第二号の期間内に異議を述べなかったときは、当該債権者は、当該資本金の額の減少について承認をしたものとみなす。
5　債権者が第二項第二号の期間内に異議を述べたときは、合同会社は、当該債権者に対し、弁済し、若しくは相当の担保を提供し、又は当該

第三編　持分会社

債権者に弁済を受けさせることを目的として信託会社等に相当の財産を信託しなければならない。ただし、当該資本金の額の減少をしても当該債権者を害するおそれがないときは、この限りでない。

6　資本金の額の減少は、前各項の手続が終了した日に、その効力を生ずる。

第三款　利益の配当に関する特則

（利益の配当の制限）

第六百二十八条　合同会社は、利益の配当により社員に対して交付する金銭等の帳簿価額（以下この款において「配当額」という。）が当該利益の配当をする日における利益額を超える場合には、当該利益の配当をすることができない。この場合においては、合同会社は、第六百二十一条第一項の規定による請求を拒むことができる。

（利益の配当に関する責任）

第六百二十九条　合同会社が前条の規定に違反して利益の配当をした場合には、当該利益の配当に関する業務を執行した社員は、当該合同会社に対し、当該利益の配当を受けた社員と連帯して、当該配当額に相当する金銭を支払う義務を負う。ただし、当該業務を執行した社員がその職務を行うについて注意を怠らなかったことを証明した場合は、この限りでない。

2　前項の義務は、免除することができない。ただし、利益の配当をした日における利益額を限度として当該義務を免除することについて総社員の同意がある場合は、この限りでない。

（社員に対する求償権の制限等）

第六百三十条　前条第一項に規定する場合において、利益の配当を受けた社員は、配当額が利益の配当をした日における利益額を超えることにつき善意であるときは、当該配当額について、当該利益の配当に関する業務を執行した社員からの求償の請求に応ずる義務を負わない。

2　前条第一項に規定する場合には、合同会社の債権者は、利益の配当を受けた社員に対し、配当額（当該配当額が当該債権者の合同会社に対して有する債権額を超える場合にあっては、当該債権額）に相当する金銭を支払わせることができる。

3　第六百二十三条第二項の規定は、合同会社の社員については、適用しない。

（欠損が生じた場合の責任）

第六百三十一条　合同会社が利益の配当をした場合において、当該利益の配当をした日の属する事業年度の末日に欠損額（合同会社の欠損の額として法務省令で定める方法により算定される額をいう。以下この項において同じ。）が生じたときは、当該利益の配当に関する業務を執行した社員は、当該合同会社に対し、当該利益の配当を受けた社員と連帯して、その欠損額（当該欠損額が配当額を超えるときは、当該配当額）を支払う義務を負う。ただし、当該業務を執行した社員がその職務を行うについて注意を怠らなかったことを証明した場合は、この限りでない。

2　前項の義務は、総社員の同意がなければ、免除することができない。

【会社法施行規則】

第百五十九条　次に掲げる規定に規定する法務省令で定めるべき事項は、会社計算規則の定めるところによる。

一～五　（略）

六　法第六百三十一条第一項

七　（略）

【会社計算規則】

（欠損額）

第百六十五条　法第六百三十一条第一項に規定する法務省令で定める方法は、第一号に掲げる額から第二号及び第三号に掲げる額の合計額を減じて得た額（零未満であるときは、零）を持分会社の欠損額とする方法とする。

一　零から法第六百三十一条第一項の事業年度の末日における資本剰余金の額及び利益剰余金の額の合計額を減じて得た額
二　法第六百三十一条第一項の事業年度に係る当期純損失金額
三　当該事業年度において持分の払戻しがあった場合におけるイに掲げる額からロに掲げる額を減じて得た額（零未満である場合にあっては、零）
イ　当該持分の払戻しに係る持分払戻額
ロ　当該持分の払戻しをした日における利益剰余金の額及び資本剰余金の額の合計額

第四款　出資の払戻しに関する特則

（出資の払戻しの制限）

第六百三十二条　第六百二十四条第一項の規定にかかわらず、合同会社の社員は、定款を変更してその出資の価額を減少する場合を除き、同項前段の規定による請求をすることができない。

2　合同会社が出資の払戻しにより社員に対して交付する金銭等の帳簿価額（以下この款において「出資払戻額」という。）が、第六百二十四条第一項前段の規定による請求をした日における剰余金額（第六百二十六条第一項の資本金の額の減少をした場合にあっては、その減少をした後の剰余金額。以下この款において同じ。）又は前項の出資の価額を減少した額のいずれか少ない額を超える場合には、当該出資の払戻しをすることができない。この場合においては、合同会社は、第六百二十四条第一項前段の規定による請求を拒むことができる。

（出資の払戻しに関する社員の責任）

第六百三十三条　合同会社が前条の規定に違反して出資の払戻しをした場合には、当該出資の払戻しに関する業務を執行した社員は、当該合同会社に対し、当該出資の払戻しを受けた社員と連帯して、当該出資払戻額に相当する金銭を支払う義務を負う。ただし、当該業務を執行した社員がその職務を行うについて注意を怠らなかったことを証明した場合は、この限りでない。

2　前項の義務は、免除することができない。ただし、出資の払戻しをした日における剰余金額を限度として当該義務を免除することについて総社員の同意がある場合は、この限りでない。

（社員に対する求償権の制限等）

第六百三十四条　前条第一項に規定する場合において、出資の払戻しを受けた社員は、出資払戻額が出資の払戻しをした日における剰余金額を超えることにつき善意であるときは、当該出資払戻額について、当該出資の払戻しに関する業務を執行した社員からの求償の請求に応ずる義務を負わない。

2　前条第一項に規定する場合には、合同会社の債権者は、出資の払戻しを受けた社員に対し、出資払戻額（当該出資払戻額が当該債権者の合同会社に対して有する債権額を超える場合にあっては、当該債権額）に相当する金銭を支払わせることができる。

第五款　退社に伴う持分の払戻しに関する特則

（債権者の異議）

第六百三十五条　合同会社が持分の払戻しにより社員に対して交付する金銭等の帳簿価額（以下この款において「持分払戻額」という。）が当該持分の払戻しをする日における剰余金額を超える場合には、当該合同会社の債権者は、当該合同会社に対し、持分の払戻しについて異議を述べることができる。

2　前項に規定する場合には、合同会社は、次に掲げる事項を官報に公告し、かつ、知れている債権者には、各別にこれを催告しなければならない。ただし、第二号の期間は、一箇月（持分払戻額が当該合同会社の純資産額として法務省令で定める方法により算定される額を超える場合にあっては、二箇月）を下ることができない。
一　当該剰余金額を超える持分の払戻しの内容
二　債権者が一定の期間内に異議を述べることができる旨

3　前項の規定にかかわらず、合同会社が同項の規定による公告を、官報のほか、第九百三十九条第一項の規定による定款の定めに従い、同項第二号又は第三号に掲げる公告方法によりするときは、前項の規定による各別の催告は、することを要しない。ただし、持分払戻額が当該合同会社の純資産額として法務省令で定める方法により算定される額を超える場合は、この限りでない。

4　債権者が第二項第二号の期間内に異議を述べなかったときは、当該債権者は、当該持分の払戻しについて承認をしたものとみなす。

5　債権者が第二項第二号の期間内に異議を述べたときは、合同会社は、当該債権者に対し、弁済し、若しくは相当の担保を提供し、又は当該債権者に弁済を受けさせることを目的として信託会社等に相当の財産を信託しなければならない。ただし、持分払戻額が当該合同会社の純資産額として法務省令で定める方法により算定される額を超えない場合において、当該持分の払戻しをしても当該債権者を害するおそれがないときは、この限りでない。

【会社法施行規則】

第百五十九条　次に掲げる規定に規定する法務省令で定めるべき事項は、会社計算規則の定めるところによる。

一～六（略）

七　法第六百三十五条第二項、第三項及び第五項

【会社計算規則】

（純資産額）

第百六十六条　法第六百三十五条第二項、第三項及び第五項に規定する法務省令で定める方法は、次に掲げる額の合計額をもって持分会社の純資産額とする方法とする。

一　資本金の額

二　資本剰余金の額

三　利益剰余金の額

四　最終事業年度の末日（最終事業年度がない場合にあっては、持分会社の成立の日）における評価・換算差額等に係る額

（業務を執行する社員の責任）

第六百三十六条　合同会社が前条の規定に違反して持分の払戻しをした場合には、当該持分の払戻しに関する業務を執行した社員は、当該合同会社に対し、当該持分の払戻しを受けた社員と連帯して、当該持分払戻額に相当する金銭を支払う義務を負う。ただし、持分の払戻しに関する業務を執行した社員がその職務を行うについて注意を怠らなかったことを証明した場合は、この限りでない。

2　前項の義務は、免除することができない。ただし、持分の払戻しをした時における剰余金額を限度として当該義務を免除することについて総社員の同意がある場合は、この限りでない。

第六章　定款の変更

（定款の変更）

第六百三十七条　持分会社は、定款に別段の定めがある場合を除き、総社員の同意によって、定款の変更をすることができる。

（定款の変更による持分会社の種類の変更）

第六百三十八条　合名会社は、次の各号に掲げる定款の変更をすることにより、当該各号に定める種類の持分会社となる。

一　有限責任社員を加入させる定款の変更　合資会社

二　その社員の一部を有限責任社員とする定款の変更　合資会社

三　その社員の全部を有限責任社員とする定款の変更　合同会社

2　合資会社は、次の各号に掲げる定款の変更をすることにより、当該各号に定める種類の持分会社となる。

一　その社員の全部を無限責任社員とする定款の変更　合名会社

二　その社員の全部を有限責任社員とする定款の変更　合同会社

3　合同会社は、次の各号に掲げる定款の変更をすることにより、当該

各号に定める種類の持分会社となる。
一　その社員の全部を無限責任社員とする定款の変更　合名会社
二　無限責任社員を加入させる定款の変更　合資会社
三　その社員の一部を無限責任社員とする定款の変更　合資会社

（合資会社の社員の退社による定款のみなし変更）
第六百三十九条　合資会社の有限責任社員が退社したことにより当該合資会社の社員が無限責任社員のみとなった場合には、当該合資会社は、合名会社となる定款の変更をしたものとみなす。
2　合資会社の無限責任社員が退社したことにより当該合資会社の社員が有限責任社員のみとなった場合には、当該合資会社は、合同会社となる定款の変更をしたものとみなす。

（定款の変更時の出資の履行）
第六百四十条　第六百三十八条第一項第三号又は第二項第二号に掲げる定款の変更をする場合において、当該定款の変更をする持分会社の社員が当該定款の変更後の合同会社に対する出資に係る払込み又は給付の全部又は一部を履行していないときは、当該定款の変更は、当該払込み及び給付が完了した日に、その効力を生ずる。
2　前条第二項の規定により合同会社となる定款の変更をしたものとみなされた場合において、社員がその出資に係る払込み又は給付の全部又は一部を履行していないときは、当該定款の変更をしたものとみなされた日から一箇月以内に、当該払込み又は給付を完了しなければならない。ただし、当該期間内に、合名会社又は合資会社となる定款の変更をした場合は、この限りでない。

第七章　解散

（解散の事由）
第六百四十一条　持分会社は、次に掲げる事由によって解散する。
一　定款で定めた存続期間の満了
二　定款で定めた解散の事由の発生
三　総社員の同意
四　社員が欠けたこと。
五　合併（合併により当該持分会社が消滅する場合に限る。）
六　破産手続開始の決定
七　第八百二十四条第一項又は第八百三十三条第二項の規定による解散を命ずる裁判

（持分会社の継続）
第六百四十二条　持分会社は、前条第一号から第三号までに掲げる事由によって解散した場合には、次章の規定による清算が結了するまで、社員の全部又は一部の同意によって、持分会社を継続することができる。
2　前項の場合には、持分会社を継続することについて同意しなかった社員は、持分会社が継続することとなった日に、退社する。

（解散した持分会社の合併等の制限）
第六百四十三条　持分会社が解散した場合には、当該持分会社は、次に掲げる行為をすることができない。
一　合併（合併により当該持分会社が存続する場合に限る。）
二　吸収分割による他の会社がその事業に関して有する権利義務の全部又は一部の承継

第八章　清算

第一節　清算の開始

（清算の開始原因）
第六百四十四条　持分会社は、次に掲げる場合には、この章の定めるところにより、清算をしなければならない。
一　解散した場合（第六百四十一条第五号に掲げる事由によって解散した場合及び破産手続開始の決定により解散した場合であって当該破産手続が終了していない場合を除く。）

二　設立の無効の訴えに係る請求を認容する判決が確定した場合
三　設立の取消しの訴えに係る請求を認容する判決が確定した場合

（清算持分会社の能力）
第六百四十五条　前条の規定により清算をする持分会社（以下「清算持分会社」という。）は、清算の目的の範囲内において、清算が結了するまではなお存続するものとみなす。

第二節　清算人

（清算人の設置）
第六百四十六条　清算持分会社には、一人又は二人以上の清算人を置かなければならない。

（清算人の就任）
第六百四十七条　次に掲げる者は、清算持分会社の清算人となる。
一　業務を執行する社員（次号又は第三号に掲げる者がある場合を除く。）
二　定款で定める者
三　社員（業務を執行する社員を定款で定めた場合にあっては、その社員）の過半数の同意によって定める者
2　前項の規定により清算人となる者がないときは、裁判所は、利害関係人の申立てにより、清算人を選任する。
3　前二項の規定にかかわらず、第六百四十一条第四号又は第七号に掲げる事由によって解散した清算持分会社については、裁判所は、利害関係人若しくは法務大臣の申立てにより又は職権で、清算人を選任する。
4　第一項及び第二項の規定にかかわらず、第六百四十四条第二号又は第三号に掲げる場合に該当することとなった清算持分会社については、裁判所は、利害関係人の申立てにより、清算人を選任する。

（清算人の解任）
第六百四十八条　清算人（前条第二項から第四項までの規定により裁判所が選任したものを除く。）は、いつでも、解任することができる。
2　前項の規定による解任は、定款に別段の定めがある場合を除き、社員の過半数をもって決定する。
3　重要な事由があるときは、裁判所は、社員その他利害関係人の申立てにより、清算人を解任することができる。

（清算人の職務）
第六百四十九条　清算人は、次に掲げる職務を行う。
一　現務の結了
二　債権の取立て及び債務の弁済
三　残余財産の分配

（業務の執行）
第六百五十条　清算人は、清算持分会社の業務を執行する。
2　清算人が二人以上ある場合には、清算持分会社の業務は、定款に別段の定めがある場合を除き、清算人の過半数をもって決定する。
3　前項の規定にかかわらず、社員が二人以上ある場合には、清算持分会社の事業の全部又は一部の譲渡は、社員の過半数をもって決定する。

（清算人と清算持分会社との関係）
第六百五十一条　清算持分会社と清算人との関係は、委任に関する規定に従う。
2　第五百九十三条第二項、第五百九十四条及び第五百九十五条の規定は、清算人について準用する。この場合において、第五百九十四条第一項及び第五百九十五条第一項中「当該社員以外の社員」とあるのは、「社員（当該清算人が社員である場合にあっては、当該清算人以外の社員）」と読み替えるものとする。

（清算人の清算持分会社に対する損害賠償責任）
第六百五十二条　清算人は、その任務を怠ったときは、清算持分会社に対し、連帯して、これによって生じた損害を賠償する責任を負う。

（清算人の第三者に対する損害賠償責任）
第六百五十三条　清算人がその職務を行うについて悪意又は重大な過失があったときは、当該清算人は、連帯して、これによって第三者に生じた損害を賠償する責任を負う。

（法人が清算人である場合の特則）

第六百五十四条　法人が清算人である場合には、当該法人は、当該清算人の職務を行うべき者を選任し、その者の氏名及び住所を社員に通知しなければならない。

2　前三条の規定は、前項の規定により選任された清算人の職務を行うべき者について準用する。

（清算持分会社の代表）

第六百五十五条　清算人は、清算持分会社を代表する。ただし、他に清算持分会社を代表する清算人その他清算持分会社を代表する者を定めた場合は、この限りでない。

2　前項本文の清算人が二人以上ある場合には、清算人は、各自、清算持分会社を代表する。

3　清算持分会社は、定款又は定款の定めに基づく清算人（第六百四十七条第二項から第四項までの規定により裁判所が選任したものを除く。以下この項において同じ。）の互選によって、清算人の中から清算持分会社を代表する清算人を定めることができる。

4　第六百四十七条第一項第一号の規定により業務を執行する社員が清算人となる場合において、持分会社を代表する社員を定めていたときは、当該持分会社を代表する社員が清算持分会社を代表する清算人となる。

5　裁判所は、第六百四十七条第二項から第四項までの規定により清算人を選任する場合には、その清算人の中から清算持分会社を代表する清算人を定めることができる。

6　第五百九十九条第四項及び第五項の規定は清算持分会社を代表する清算人について、第六百三条の規定は民事保全法第五十六条に規定する仮処分命令により選任された清算人又は清算持分会社を代表する清算人の職務を代行する者について、それぞれ準用する。

（清算持分会社についての破産手続の開始）

第六百五十六条　清算持分会社の財産がその債務を完済するのに足りないことが明らかになったときは、清算人は、直ちに破産手続開始の申立てをしなければならない。

2　清算人は、清算持分会社が破産手続開始の決定を受けた場合において、破産管財人にその事務を引き継いだときは、その任務を終了したものとする。

3　前項に規定する場合において、清算持分会社が既に債権者に支払い、又は社員に分配したものがあるときは、破産管財人は、これを取り戻すことができる。

（裁判所の選任する清算人の報酬）

第六百五十七条　裁判所は、第六百四十七条第二項から第四項までの規定により清算人を選任した場合には、清算持分会社が当該清算人に対して支払う報酬の額を定めることができる。

第三節　財産目録等

（財産目録等の作成等）

第六百五十八条　清算人は、その就任後遅滞なく、清算持分会社の財産の現況を調査し、法務省令で定めるところにより、第六百四十四条各号に掲げる場合に該当することとなった日における財産目録及び貸借対照表（以下この節において「財産目録等」という。）を作成し、各社員にその内容を通知しなければならない。

2　清算持分会社は、財産目録等を作成した時からその本店の所在地における清算結了の登記の時までの間、当該財産目録等を保存しなければならない。

3　清算持分会社は、社員の請求により、毎月清算の状況を報告しなければならない。

【会社法施行規則】

（財産目録）

第百六十条　法第六百五十八条第一項又は第六百六十九条第一項若しくは第二項の規定により作成すべき財産目録については、この条の定めるところによる。

第三編　持分会社

2　前項の財産目録に計上すべき財産については、その処分価格を付すことが困難な場合を除き、法第六百四十四条各号に掲げる場合に該当することとなった日における処分価格を付さなければならない。この場合において、清算持分会社の会計帳簿については、財産目録に付された価格を取得価額とみなす。
3　第一項の財産目録は、次に掲げる部に区分して表示しなければならない。この場合において、第一号及び第二号に掲げる部は、その内容を示す適当な名称を付した項目に細分することができる。
一　資産
二　負債
三　正味資産

（清算開始時の貸借対照表）
第百六十一条　法第六百五十八条第一項又は第六百六十九条第一項若しくは第二項の規定により作成すべき貸借対照表については、この条の定めるところによる。
2　前項の貸借対照表は、財産目録に基づき作成しなければならない。
3　第一項の貸借対照表は、次に掲げる部に区分して表示しなければならない。この場合において、第一号及び第二号に掲げる部は、その内容を示す適当な名称を付した項目に細分することができる。
一　資産
二　負債
三　純資産
4　処分価格を付すことが困難な資産がある場合には、第一項の貸借対照表には、当該資産に係る財産評価の方針を注記しなければならない。

（財産目録等の提出命令）
第六百五十九条　裁判所は、申立てにより又は職権で、訴訟の当事者に対し、財産目録等の全部又は一部の提出を命ずることができる。

第四節　債務の弁済等

（債権者に対する公告等）
第六百六十条　清算持分会社（合同会社に限る。以下この項及び次条において同じ。）は、第六百四十四条各号に掲げる場合に該当することとなった後、遅滞なく、当該清算持分会社の債権者に対し、一定の期間内にその債権を申し出るべき旨を官報に公告し、かつ、知れている債権者には、各別にこれを催告しなければならない。ただし、当該期間は、二箇月を下ることができない。
2　前項の規定による公告には、当該債権者が当該期間内に申出をしないときは清算から除斥される旨を付記しなければならない。

（債務の弁済の制限）
第六百六十一条　清算持分会社は、前条第一項の期間内は、債務の弁済をすることができない。この場合において、清算持分会社は、その債務の不履行によって生じた責任を免れることができない。
2　前項の規定にかかわらず、清算持分会社は、前条第一項の期間内であっても、裁判所の許可を得て、少額の債権、清算持分会社の財産につき存する担保権によって担保される債権その他これを弁済しても他の債権者を害するおそれがない債権に係る債務について、その弁済をすることができる。この場合において、当該許可の申立ては、清算人が二人以上あるときは、その全員の同意によってしなければならない。

（条件付債権等に係る債務の弁済）
第六百六十二条　清算持分会社は、条件付債権、存続期間が不確定な債権その他その額が不確定な債権に係る債務を弁済することができる。この場合においては、これらの債権を評価させるため、裁判所に対し、鑑定人の選任の申立てをしなければならない。
2　前項の場合には、清算持分会社は、同項の鑑定人の評価に従い同項の債権に係る債務を弁済しなければならない。
3　第一項の鑑定人の選任の手続に関する費用は、清算持分会社の負担とする。当該鑑定人による鑑定のための呼出し及び質問に関する費用についても、同様とする。

（出資の履行の請求）
第六百六十三条　清算持分会社に現存する財産がその債務を完済するのに足りない場合において、その出資の全部又は一部を履行していない社員があるときは、当該出資に係る定款の定めにかかわらず、当該清算持分会社は、当該社員に出資させることができる。

（債務の弁済前における残余財産の分配の制限）
第六百六十四条　清算持分会社は、当該清算持分会社の債務を弁済した後でなければ、その財産を社員に分配することができない。ただし、その存否又は額について争いのある債権に係る債務についてその弁済をするために必要と認められる財産を留保した場合は、この限りでない。

（清算からの除斥）
第六百六十五条　清算持分会社（合同会社に限る。以下この条において同じ。）の債権者（知れている債権者を除く。）であって第六百六十条第一項の期間内にその債権の申出をしなかったものは、清算から除斥される。
2　前項の規定により清算から除斥された債権者は、分配がされていない残余財産に対してのみ、弁済を請求することができる。
3　清算持分会社の残余財産を社員の一部に分配した場合には、当該社員の受けた分配と同一の割合の分配を当該社員以外の社員に対してするために必要な財産は、前項の残余財産から控除する。

第五節　残余財産の分配

（残余財産の分配の割合）
第六百六十六条　残余財産の分配の割合について定款の定めがないときは、その割合は、各社員の出資の価額に応じて定める。

第六節　清算事務の終了等

第六百六十七条　清算持分会社は、清算事務が終了したときは、遅滞なく、清算に係る計算をして、社員の承認を受けなければならない。
2　社員が一箇月以内に前項の計算について異議を述べなかったときは、社員は、当該計算の承認をしたものとみなす。ただし、清算人の職務の執行に不正の行為があったときは、この限りでない。

第七節　任意清算

（財産の処分の方法）
第六百六十八条　持分会社（合名会社及び合資会社に限る。以下この節において同じ。）は、定款又は総社員の同意によって、当該持分会社が第六百四十一条第一号から第三号までに掲げる事由によって解散した場合における当該持分会社の財産の処分の方法を定めることができる。
2　第二節から前節までの規定は、前項の財産の処分の方法を定めた持分会社については、適用しない。

（財産目録等の作成）
第六百六十九条　前条第一項の財産の処分の方法を定めた持分会社が第六百四十一条第一号から第三号までに掲げる事由によって解散した場合には、清算持分会社（合名会社及び合資会社に限る。以下この節において同じ。）は、解散の日から二週間以内に、法務省令で定めるところにより、解散の日における財産目録及び貸借対照表を作成しなければならない。
2　前条第一項の財産の処分の方法を定めていない持分会社が第六百四十一条第一号から第三号までに掲げる事由によって解散した場合において、解散後に同項の財産の処分の方法を定めたときは、清算持分会社は、当該財産の処分の方法を定めた日から二週間以内に、法務省令で定めるところにより、解散の日における財産目録及び貸借対照表を作成しなければならない。

【会社法施行規則】

（財産目録）

第百六十条　法第六百五十八条第一項又は第六百六十九条第一項若しくは第二項の規定により作成すべき財産目録については、この条の定めるところによる。

2　前項の財産目録に計上すべき財産については、その処分価格を付すことが困難な場合を除き、法第六百四十四条各号に掲げる場合に該当することとなった日における処分価格を付さなければならない。この場合において、清算持分会社の会計帳簿については、財産目録に付された価格を取得価額とみなす。

3　第一項の財産目録は、次に掲げる部に区分して表示しなければならない。この場合において、第一号及び第二号に掲げる部は、その内容を示す適当な名称を付した項目に細分することができる。

一　資産

二　負債

三　正味資産

（清算開始時の貸借対照表）

第百六十一条　法第六百五十八条第一項又は第六百六十九条第一項若しくは第二項の規定により作成すべき貸借対照表については、この条の定めるところによる。

2　前項の貸借対照表は、財産目録に基づき作成しなければならない。

3　第一項の貸借対照表は、次に掲げる部に区分して表示しなければならない。この場合において、第一号及び第二号に掲げる部は、その内容を示す適当な名称を付した項目に細分することができる。

一　資産

二　負債

三　純資産

4　処分価格を付すことが困難な資産がある場合には、第一項の貸借対照表には、当該資産に係る財産評価の方針を注記しなければならない。

（債権者の異議）

第六百七十条　持分会社が第六百六十八条第一項の財産の処分の方法を定めた場合には、その解散後の清算持分会社の債権者は、当該清算持分会社に対し、当該財産の処分の方法について異議を述べることができる。

2　前項に規定する場合には、清算持分会社は、解散の日（前条第二項に規定する場合にあっては、当該財産の処分の方法を定めた日）から二週間以内に、次に掲げる事項を官報に公告し、かつ、知れている債権者には、各別にこれを催告しなければならない。ただし、第二号の期間は、一箇月を下ることができない。

一　第六百六十八条第一項の財産の処分の方法に従い清算をする旨

二　債権者が一定の期間内に異議を述べることができる旨

3　前項の規定にかかわらず、清算持分会社が同項の規定による公告を、官報のほか、第九百三十九条第一項の規定による定款の定めに従い、同項第二号又は第三号に掲げる公告方法によりするときは、前項の規定による各別の催告は、することを要しない。

4　債権者が第二項第二号の期間内に異議を述べなかったときは、当該債権者は、当該財産の処分の方法について承認をしたものとみなす。

5　債権者が第二項第二号の期間内に異議を述べたときは、清算持分会社は、当該債権者に対し、弁済し、若しくは相当の担保を提供し、又は当該債権者に弁済を受けさせることを目的として信託会社等に相当の財産を信託しなければならない。

（持分の差押債権者の同意等）

第六百七十一条　持分会社が第六百六十八条第一項の財産の処分の方法を定めた場合において、社員の持分を差し押さえた債権者があるときは、その解散後の清算持分会社がその財産の処分をするには、その債権者の同意を得なければならない。

2　前項の清算持分会社が同項の規定に違反してその財産の処分をしたときは、社員の持分を差し押さえた債権者は、当該清算持分会社に対し、その持分に相当する金額の支払を請求することができる。

第八節　帳簿資料の保存

第六百七十二条　清算人（第六百六十八条第一項の財産の処分の方法を定めた場合にあっては、清算持分会社を代表する社員）は、清算持分会社の本店の所在地における清算結了の登記の時から十年間、清算持分会社の帳簿並びにその事業及び清算に関する重要な資料（以下この条において「帳簿資料」という。）を保存しなければならない。

2　前項の規定にかかわらず、定款で又は社員の過半数をもって帳簿資料を保存する者を定めた場合には、その者は、清算持分会社の本店の所在地における清算結了の登記の時から十年間、帳簿資料を保存しなければならない。

3　裁判所は、利害関係人の申立てにより、第一項の清算人又は前項の規定により帳簿資料を保存する者に代わって帳簿資料を保存する者を選任することができる。この場合においては、前二項の規定は、適用しない。

4　前項の規定により選任された者は、清算持分会社の本店の所在地における清算結了の登記の時から十年間、帳簿資料を保存しなければならない。

5　第三項の規定による選任の手続に関する費用は、清算持分会社の負担とする。

【会社法施行規則】

（保存の指定）

第二百三十二条　電子文書法第三条第一項の主務省令で定める保存は、次に掲げる保存とする。

一～二十八（略）
二十九　法第六百七十二条第一項、第二項又は第四項の規定による帳簿資料の保存
三十～三十六（略）

第九節　社員の責任の消滅時効

第六百七十三条　第五百八十条に規定する社員の責任は、清算持分会社の本店の所在地における解散の登記をした後五年以内に請求又は請求の予告をしない清算持分会社の債権者に対しては、その登記後五年を経過した時に消滅する。

2　前項の期間の経過後であっても、社員に分配していない残余財産があるときは、清算持分会社の債権者は、清算持分会社に対して弁済を請求することができる。

第十節　適用除外等

（適用除外）

第六百七十四条　次に掲げる規定は、清算持分会社については、適用しない。

一　第四章第一節
二　第六百六条、第六百七条第一項（第三号及び第四号を除く。）及び第六百九条
三　第五章第三節（第六百十七条第四項、第六百十八条及び第六百十九条を除く。）から第六節まで及び第七節第二款
四　第六百三十八条第一項第三号及び第二項第二号

（相続及び合併による退社の特則）

第六百七十五条　清算持分会社の社員が死亡した場合又は合併により消滅した場合には、第六百八条第一項の定款の定めがないときであっても、当該社員の相続人その他の一般承継人は、当該社員の持分を承継する。この場合においては、同条第四項及び第五項の規定を準用する。

第四編

社　債

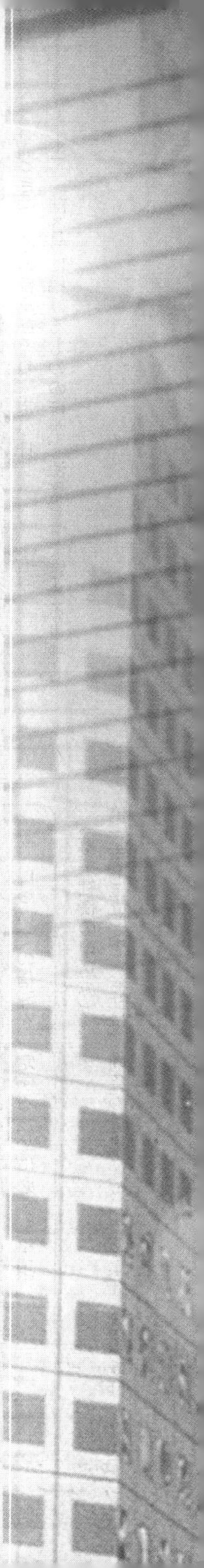

第一章　総則

（募集社債に関する事項の決定）
第六百七十六条　会社は、その発行する社債を引き受ける者の募集をしようとするときは、その都度、募集社債（当該募集に応じて当該社債の引受けの申込みをした者に対して割り当てる社債をいう。以下この編において同じ。）について次に掲げる事項を定めなければならない。
一　募集社債の総額
二　各募集社債の金額
三　募集社債の利率
四　募集社債の償還の方法及び期限
五　利息支払の方法及び期限
六　社債券を発行するときは、その旨
七　社債権者が第六百九十八条の規定による請求の全部又は一部をすることができないこととするときは、その旨
七の二　社債管理者を定めないこととするときは、その旨
八　社債管理者が社債権者集会の決議によらずに第七百六条第一項第二号に掲げる行為をすることができることとするときは、その旨
八の二　社債管理補助者を定めることとするときは、その旨
九　各募集社債の払込金額（各募集社債と引換えに払い込む金銭の額をいう。以下この章において同じ。）若しくはその最低金額又はこれらの算定方法
十　募集社債と引換えにする金銭の払込みの期日
十一　一定の日までに募集社債の総額について割当てを受ける者を定めていない場合において、募集社債の全部を発行しないこととするときは、その旨及びその一定の日
十二　前各号に掲げるもののほか、法務省令で定める事項

【会社法施行規則】

（募集事項）

第百六十二条　法第六百七十六条第十二号に規定する法務省令で定める事項は、次に掲げる事項とする。
一　数回に分けて募集社債と引換えに金銭の払込みをさせるときは、その旨及び各払込みの期日における払込金額（法第六百七十六条第九号に規定する払込金額をいう。）
二　他の会社と合同して募集社債を発行するときは、その旨及び各会社の負担部分
三　募集社債と引換えにする金銭の払込みに代えて金銭以外の財産を給付する旨の契約を締結するときは、その契約の内容
四　法第七百二条の規定による委託に係る契約において法に規定する社債管理者の権限以外の権限を定めるときは、その権限の内容
五　法第七百十一条第二項本文（法第七百十四条の七において読み替えて準用する場合を含む。）に規定するときは、同項本文に規定する事由
六　法第七百十四条の二の規定による委託に係る契約において法第七百十四条の四第二項各号に掲げる行為をする権限の全部若しくは一部又は法に規定する社債管理補助者の権限以外の権限を定めるときは、その権限の内容
七　法第七百十四条の二の規定による委託に係る契約における法第七百十四条の四第四項の規定による報告又は同項に規定する措置に係る定めの内容
八　募集社債が信託社債であるときは、その旨及び当該信託社債についての信託を特定するために必要な事項

（募集社債の申込み）
第六百七十七条　会社は、前条の募集に応じて募集社債の引受けの申込

みをしようとする者に対し、次に掲げる事項を通知しなければならない。

一　会社の商号

二　当該募集に係る前条各号に掲げる事項

三　前二号に掲げるもののほか、法務省令で定める事項

2　前条の募集に応じて募集社債の引受けの申込みをする者は、次に掲げる事項を記載した書面を会社に交付しなければならない。

一　申込みをする者の氏名又は名称及び住所

二　引き受けようとする募集社債の金額及び金額ごとの数

三　会社が前条第九号の最低金額を定めたときは、希望する払込金額

3　前項の申込みをする者は、同項の書面の交付に代えて、政令で定めるところにより、会社の承諾を得て、同項の書面に記載すべき事項を電磁的方法により提供することができる。この場合において、当該申込みをした者は、同項の書面を交付したものとみなす。

4　第一項の規定は、会社が同項各号に掲げる事項を記載した金融商品取引法第二条第十項に規定する目論見書を第一項の申込みをしようとする者に対して交付している場合その他募集社債の引受けの申込みをしようとする者の保護に欠けるおそれがないものとして法務省令で定める場合には、適用しない。

5　会社は、第一項各号に掲げる事項について変更があったときは、直ちに、その旨及び当該変更があった事項を第二項の申込みをした者（以下この章において「申込者」という。）に通知しなければならない。

6　会社が申込者に対してする通知又は催告は、第二項第一号の住所（当該申込者が別に通知又は催告を受ける場所又は連絡先を当該会社に通知した場合にあっては、その場所又は連絡先）にあてて発すれば足りる。

7　前項の通知又は催告は、その通知又は催告が通常到達すべきであった時に、到達したものとみなす。

【会社法施行規則】

（申込みをしようとする者に対して通知すべき事項）

第百六十三条　法第六百七十七条第一項第三号に規定する法務省令で定める事項は、次に掲げる事項とする。

一　社債管理者を定めたときは、その名称及び住所

二　社債管理補助者を定めたときは、その氏名又は名称及び住所

三　社債原簿管理人を定めたときは、その氏名又は名称及び住所

【会社法施行令】

（書面に記載すべき事項等の電磁的方法による提供の承諾等）

第一条　次に掲げる規定に規定する事項を電磁的方法（会社法（以下「法」という。）第二条第三十四号に規定する電磁的方法をいう。以下同じ。）により提供しようとする者（次項において「提供者」という。）は、法務省令で定めるところにより、あらかじめ、当該事項の提供の相手方に対し、その用いる電磁的方法の種類及び内容を示し、書面又は電磁的方法による承諾を得なければならない。

一～九　（略）

十　法第六百七十七条第三項

十一～十五　（略）

2　前項の規定による承諾を得た提供者は、同項の相手方から書面又は電磁的方法により電磁的方法による事項の提供を受けない旨の申出があったときは、当該相手方に対し、当該事項の提供を電磁的方法によってしてはならない。ただし、当該相手方が再び同項の規定による承諾をした場合は、この限りでない。

【会社法施行規則】

（会社法施行令に係る電磁的方法）

第二百三十条　会社法施行令（平成十七年政令第三百六十四号）第一条第一項又は第二条第一項の規定により示すべき電磁的方法の種類及び内容は、次に掲げるものとする。
一　次に掲げる方法のうち、送信者が使用するもの
イ　電子情報処理組織を使用する方法のうち次に掲げるもの
(1)　送信者の使用に係る電子計算機と受信者の使用に係る電子計算機とを接続する電気通信回線を通じて送信し、受信者の使用に係る電子計算機に備えられたファイルに記録する方法
(2)　送信者の使用に係る電子計算機に備えられたファイルに記録された情報の内容を電気通信回線を通じて情報の提供を受ける者の閲覧に供し、当該情報の提供を受ける者の使用に係る電子計算機に備えられたファイルに当該情報を記録する方法
ロ　磁気ディスクその他これに準ずる方法により一定の情報を確実に記録しておくことができる物をもって調製するファイルに情報を記録したものを交付する方法
二　ファイルへの記録の方式

（申込みをしようとする者に対する通知を要しない場合）
第百六十四条　法第六百七十七条第四項に規定する法務省令で定める場合は、次に掲げる場合であって、会社が同条第一項の申込みをしようとする者に対して同項各号に掲げる事項を提供している場合とする。
一　当該会社が金融商品取引法の規定に基づき目論見書に記載すべき事項を電磁的方法により提供している場合
二　当該会社が外国の法令に基づき目論見書その他これに相当する書面その他の資料を提供している場合
三　長期信用銀行法（昭和二十七年法律第百八十七号）第十一条第四項の規定に基づく公告により同項各号の事項を提供している場合
四　株式会社商工組合中央金庫法（平成十九年法律第七十四号）第三十六条第三項の規定に基づく公告により同項各号の事項を提供している場合

（募集社債の割当て）
第六百七十八条　会社は、申込者の中から募集社債の割当てを受ける者を定め、かつ、その者に割り当てる募集社債の金額及び金額ごとの数を定めなければならない。この場合において、会社は、当該申込者に割り当てる募集社債の金額ごとの数を、前条第二項第二号の数よりも減少することができる。
2　会社は、第六百七十六条第十号の期日の前日までに、申込者に対し、当該申込者に割り当てる募集社債の金額及び金額ごとの数を通知しなければならない。

（募集社債の申込み及び割当てに関する特則）
第六百七十九条　前二条の規定は、募集社債を引き受けようとする者がその総額の引受けを行う契約を締結する場合には、適用しない。

（募集社債の社債権者）
第六百八十条　次の各号に掲げる者は、当該各号に定める募集社債の社債権者となる。
一　申込者　会社の割り当てた募集社債
二　前条の契約により募集社債の総額を引き受けた者　その者が引き受けた募集社債

（社債原簿）
第六百八十一条　会社は、社債を発行した日以後遅滞なく、社債原簿を作成し、これに次に掲げる事項（以下この章において「社債原簿記載事項」という。）を記載し、又は記録しなければならない。
一　第六百七十六条第三号から第八号の二までに掲げる事項その他の社債の内容を特定するものとして法務省令で定める事項（以下この編において「種類」という。）
二　種類ごとの社債の総額及び各社債の金額

三　各社債と引換えに払い込まれた金銭の額及び払込みの日
四　社債権者（無記名社債（無記名式の社債券が発行されている社債をいう。以下この編において同じ。）の社債権者を除く。）の氏名又は名称及び住所
五　前号の社債権者が各社債を取得した日
六　社債券を発行したときは、社債券の番号、発行の日、社債券が記名式か、又は無記名式かの別及び無記名式の社債券の数
七　前各号に掲げるもののほか、法務省令で定める事項

【会社法施行規則】

（社債の種類）

第百六十五条　法第六百八十一条第一号に規定する法務省令で定める事項は、次に掲げる事項とする。
一　社債の利率
二　社債の償還の方法及び期限
三　利息支払の方法及び期限
四　社債券を発行するときは、その旨
五　社債権者が法第六百九十八条の規定による請求の全部又は一部をすることができないこととするときは、その旨
六　社債管理者を定めないこととするときは、その旨
七　社債管理者が社債権者集会の決議によらずに法第七百六条第一項第二号に掲げる行為をすることができることとするときは、その旨
八　社債管理補助者を定めることとするときは、その旨
九　他の会社と合同して募集社債を発行するときは、その旨及び各会社の負担部分
十　社債管理者を定めたときは、その名称及び住所並びに法第七百二条の規定による委託に係る契約の内容
十一　社債管理補助者を定めたときは、その氏名又は名称及び住所並びに法第七百十四条の二の規定による委託に係る契約の内容
十二　社債原簿管理人を定めたときは、その氏名又は名称及び住所
十三　社債が担保付社債であるときは、担保付社債信託法（明治三十八年法律第五十二号）第十九条第一項第一号、第十一号及び第十三号に掲げる事項
十四　社債が信託社債であるときは、当該信託社債についての信託を特定するために必要な事項

（社債原簿記載事項）
第百六十六条　法第六百八十一条第七号に規定する法務省令で定める事項は、次に掲げる事項とする。
一　募集社債と引換えにする金銭の払込みに代えて金銭以外の財産の給付があったときは、その財産の価額及び給付の日
二　社債権者が募集社債と引換えにする金銭の払込みをする債務と会社に対する債権とを相殺したときは、その債権の額及び相殺をした日

（社債原簿記載事項を記載した書面の交付等）
第六百八十二条　社債権者（無記名社債の社債権者を除く。）は、社債を発行した会社（以下この編において「社債発行会社」という。）に対し、当該社債権者についての社債原簿に記載され、若しくは記録された社債原簿記載事項を記載した書面の交付又は当該社債原簿記載事項を記録した電磁的記録の提供を請求することができる。
2　前項の書面には、社債発行会社の代表者が署名し、又は記名押印しなければならない。
3　第一項の電磁的記録には、社債発行会社の代表者が法務省令で定める署名又は記名押印に代わる措置をとらなければならない。
4　前三項の規定は、当該社債について社債券を発行する旨の定めがある場合には、適用しない。

【会社法施行規則】

（電子署名）

第二百二十五条　次に掲げる規定に規定する法務省令で定める署名又は記名押印に代わる措置は、電子署名とする。

一～十　（略）

十一　法第六百八十二条第三項

十二　（略）

2　前項に規定する「電子署名」とは、電磁的記録に記録することができる情報について行われる措置であって、次の要件のいずれにも該当するものをいう。

一　当該情報が当該措置を行った者の作成に係るものであることを示すためのものであること。

二　当該情報について改変が行われていないかどうかを確認することができるものであること。

（社債原簿管理人）

第六百八十三条　会社は、社債原簿管理人（会社に代わって社債原簿の作成及び備置きその他の社債原簿に関する事務を行う者をいう。以下同じ。）を定め、当該事務を行うことを委託することができる。

（社債原簿の備置き及び閲覧等）

第六百八十四条　社債発行会社は、社債原簿をその本店（社債原簿管理人がある場合にあっては、その営業所）に備え置かなければならない。

2　社債権者その他の法務省令で定める者は、社債発行会社の営業時間内は、いつでも、次に掲げる請求をすることができる。この場合においては、当該請求の理由を明らかにしてしなければならない。

一　社債原簿が書面をもって作成されているときは、当該書面の閲覧又は謄写の請求

二　社債原簿が電磁的記録をもって作成されているときは、当該電磁的記録に記録された事項を法務省令で定める方法により表示したものの閲覧又は謄写の請求

3　社債発行会社は、前項の請求があったときは、次のいずれかに該当する場合を除き、これを拒むことができない。

一　当該請求を行う者がその権利の確保又は行使に関する調査以外の目的で請求を行ったとき。

二　当該請求を行う者が社債原簿の閲覧又は謄写によって知り得た事実を利益を得て第三者に通報するため請求を行ったとき。

三　当該請求を行う者が、過去二年以内において、社債原簿の閲覧又は謄写によって知り得た事実を利益を得て第三者に通報したことがあるものであるとき。

4　社債発行会社が株式会社である場合には、当該社債発行会社の親会社社員は、その権利を行使するため必要があるときは、裁判所の許可を得て、当該社債発行会社の社債原簿について第二項各号に掲げる請求をすることができる。この場合においては、当該請求の理由を明らかにしてしなければならない。

5　前項の親会社社員について第三項各号のいずれかに規定する事由があるときは、裁判所は、前項の許可をすることができない。

【会社法施行規則】

（閲覧権者）

第百六十七条　法第六百八十四条第二項に規定する法務省令で定める者は、社債権者その他の社債発行会社の債権者及び社債発行会社の株主又は社員とする。

（縦覧等の指定）

第二百三十四条　電子文書法第五条第一項の主務省令で定める縦覧等は、次に掲げる縦覧等とする。

一～四十　（略）

四十一　法第六百八十四条第二項第一号の規定による社債原簿の縦覧等

四十二　法第六百八十四条第四項の規定による社債原簿の縦覧等

四十三〜五十四　（略）

（電磁的記録に記録された事項を表示する方法）

第二百二十六条　次に掲げる規定に規定する法務省令で定める方法は、次に掲げる規定の電磁的記録に記録された事項を紙面又は映像面に表示する方法とする。

一〜三十　（略）

三十一　法第六百八十四条第二項第二号

三十二〜四十三　（略）

（社債権者に対する通知等）

第六百八十五条　社債発行会社が社債権者に対してする通知又は催告は、社債原簿に記載し、又は記録した当該社債権者の住所（当該社債権者が別に通知又は催告を受ける場所又は連絡先を当該社債発行会社に通知した場合にあっては、その場所又は連絡先）にあてて発すれば足りる。

2　前項の通知又は催告は、その通知又は催告が通常到達すべきであった時に、到達したものとみなす。

3　社債が二以上の者の共有に属するときは、共有者は、社債発行会社が社債権者に対してする通知又は催告を受領する者一人を定め、当該社債発行会社に対し、その者の氏名又は名称を通知しなければならない。この場合においては、その者を社債権者とみなして、前二項の規定を適用する。

4　前項の規定による共有者の通知がない場合には、社債発行会社が社債の共有者に対してする通知又は催告は、そのうちの一人に対してすれば足りる。

5　前各項の規定は、第七百二十条第一項の通知に際して社債権者に書面を交付し、又は当該書面に記載すべき事項を電磁的方法により提供する場合について準用する。この場合において、第二項中「到達したもの」とあるのは、「当該書面の交付又は当該事項の電磁的方法による提供があったもの」と読み替えるものとする。

（共有者による権利の行使）

第六百八十六条　社債が二以上の者の共有に属するときは、共有者は、当該社債についての権利を行使する者一人を定め、会社に対し、その者の氏名又は名称を通知しなければ、当該社債についての権利を行使することができない。ただし、会社が当該権利を行使することに同意した場合は、この限りでない。

（社債券を発行する場合の社債の譲渡）

第六百八十七条　社債券を発行する旨の定めがある社債の譲渡は、当該社債に係る社債券を交付しなければ、その効力を生じない。

（社債の譲渡の対抗要件）

第六百八十八条　社債の譲渡は、その社債を取得した者の氏名又は名称及び住所を社債原簿に記載し、又は記録しなければ、社債発行会社その他の第三者に対抗することができない。

2　当該社債について社債券を発行する旨の定めがある場合における前項の規定の適用については、同項中「社債発行会社その他の第三者」とあるのは、「社債発行会社」とする。

3　前二項の規定は、無記名社債については、適用しない。

（権利の推定等）

第六百八十九条　社債券の占有者は、当該社債券に係る社債についての権利を適法に有するものと推定する。

2　社債券の交付を受けた者は、当該社債券に係る社債についての権利を取得する。ただし、その者に悪意又は重大な過失があるときは、この限りでない。

（社債権者の請求によらない社債原簿記載事項の記載又は記録）

第六百九十条　社債発行会社は、次の各号に掲げる場合には、当該各号の社債の社債権者に係る社債原簿記載事項を社債原簿に記載し、又は記録しなければならない。

一　当該社債発行会社の社債を取得した場合

二　当該社債発行会社が有する自己の社債を処分した場合

2　前項の規定は、無記名社債については、適用しない。

第一章　総則

（社債権者の請求による社債原簿記載事項の記載又は記録）

第六百九十一条　社債を社債発行会社以外の者から取得した者（当該社債発行会社を除く。）は、当該社債発行会社に対し、当該社債に係る社債原簿記載事項を社債原簿に記載し、又は記録することを請求することができる。

2　前項の規定による請求は、利害関係人の利益を害するおそれがないものとして法務省令で定める場合を除き、その取得した社債の社債権者として社債原簿に記載され、若しくは記録された者又はその相続人その他の一般承継人と共同してしなければならない。

3　前二項の規定は、無記名社債については、適用しない。

【会社法施行規則】

（社債原簿記載事項の記載等の請求）

第百六十八条　法第六百九十一条第二項に規定する法務省令で定める場合は、次に掲げる場合とする。

一　社債取得者が、社債権者として社債原簿に記載若しくは記録がされた者又はその一般承継人に対して当該社債取得者の取得した社債に係る法第六百九十一条第一項の規定による請求をすべきことを命ずる確定判決を得た場合において、当該確定判決の内容を証する書面その他の資料を提供して請求をしたとき。

二　社債取得者が前号の確定判決と同一の効力を有するものの内容を証する書面その他の資料を提供して請求をしたとき。

三　社債取得者が一般承継により当該会社の社債を取得した者である場合において、当該一般承継を証する書面その他の資料を提供して請求をしたとき。

四　社債取得者が当該会社の社債を競売により取得した者である場合において、当該競売により取得したことを証する書面その他の資料を提供して請求をしたとき。

五　社債取得者が法第百七十九条第三項の規定による請求により当該会社の社債を取得した者である場合において、当該社債取得者が請求をしたとき。

2　前項の規定にかかわらず、社債取得者が取得した社債が社債券を発行する定めがあるものである場合には、法第六百九十一条第二項に規定する法務省令で定める場合は、次に掲げる場合とする。

一　社債取得者が社債券を提示して請求をした場合

二　社債取得者が法第百七十九条第三項の規定による請求により当該会社の社債を取得した者である場合において、当該社債取得者が請求をしたとき。

（社債券を発行する場合の社債の質入れ）

第六百九十二条　社債券を発行する旨の定めがある社債の質入れは、当該社債に係る社債券を交付しなければ、その効力を生じない。

（社債の質入れの対抗要件）

第六百九十三条　社債の質入れは、その質権者の氏名又は名称及び住所を社債原簿に記載し、又は記録しなければ、社債発行会社その他の第三者に対抗することができない。

2　前項の規定にかかわらず、社債券を発行する旨の定めがある社債の質権者は、継続して当該社債に係る社債券を占有しなければ、その質権をもって社債発行会社その他の第三者に対抗することができない。

（質権に関する社債原簿の記載等）

第六百九十四条　社債に質権を設定した者は、社債発行会社に対し、次に掲げる事項を社債原簿に記載し、又は記録することを請求することができる。

一　質権者の氏名又は名称及び住所

二　質権の目的である社債

2　前項の規定は、社債券を発行する旨の定めがある場合には、適用しない。

（質権に関する社債原簿の記載事項を記載した書面の交付等）

第六百九十五条　前条第一項各号に掲げる事項が社債原簿に記載され、又は記録された質権者は、社債発行会社に対し、当該質権者についての社債原簿に記載され、若しくは記録された同項各号に掲げる事項を記載した書面の交付又は当該事項を記録した電磁的記録の提供を請求することができる。

2　前項の書面には、社債発行会社の代表者が署名し、又は記名押印しなければならない。

3　第一項の電磁的記録には、社債発行会社の代表者が法務省令で定める署名又は記名押印に代わる措置をとらなければならない。

【会社法施行規則】

（電子署名）

第二百二十五条　次に掲げる規定に規定する法務省令で定める署名又は記名押印に代わる措置は、電子署名とする。

一～十一（略）

十二　法第六百九十五条第三項

2　前項に規定する「電子署名」とは、電磁的記録に記録することができる情報について行われる措置であって、次の要件のいずれにも該当するものをいう。

一　当該情報が当該措置を行った者の作成に係るものであることを示すためのものであること。

二　当該情報について改変が行われていないかどうかを確認することができるものであること。

（信託財産に属する社債についての対抗要件等）

第六百九十五条の二　社債については、当該社債が信託財産に属する旨を社債原簿に記載し、又は記録しなければ、当該社債が信託財産に属することを社債発行会社その他の第三者に対抗することができない。

2　第六百八十一条第四号の社債権者は、その有する社債が信託財産に属するときは、社債発行会社に対し、その旨を社債原簿に記載し、又は記録することを請求することができる。

3　社債原簿に前項の規定による記載又は記録がされた場合における第六百八十二条第一項及び第六百九十条第一項の規定の適用については、第六百八十二条第一項中「記録された社債原簿記載事項」とあるのは「記録された社債原簿記載事項（当該社債権者の有する社債が信託財産に属する旨を含む。）」と、第六百九十条第一項中「社債原簿記載事項」とあるのは「社債原簿記載事項（当該社債権者の有する社債が信託財産に属する旨を含む。）」とする。

4　前三項の規定は、社債券を発行する旨の定めがある社債については、適用しない。

（社債券の発行）

第六百九十六条　社債発行会社は、社債券を発行する旨の定めがある社債を発行した日以後遅滞なく、当該社債に係る社債券を発行しなければならない。

（社債券の記載事項）

第六百九十七条　社債券には、次に掲げる事項及びその番号を記載し、社債発行会社の代表者がこれに署名し、又は記名押印しなければならない。

一　社債発行会社の商号

二　当該社債券に係る社債の金額

三　当該社債券に係る社債の種類

2　社債券には、利札を付することができる。

（記名式と無記名式との間の転換）

第六百九十八条　社債券が発行されている社債の社債権者は、第六百七十六条第七号に掲げる事項についての定めによりすることができないこととされている場合を除き、いつでも、その記名式の社債券を無記名式とし、又はその無記名式の社債券を記名式とすることを請求することができる。

（社債券の喪失）

第六百九十九条　社債券は、非訟事件手続法第百条に規定する公示催告手続によって無効とすることができる。

2　社債券を喪失した者は、非訟事件手続法第百六条第一項に規定する除権決定を得た後でなければ、その再発行を請求することができない。

（利札が欠けている場合における社債の償還）

第七百条　社債発行会社は、社債券が発行されている社債をその償還の期限前に償還する場合において、これに付された利札が欠けているときは、当該利札に表示される社債の利息の請求権の額を償還額から控除しなければならない。ただし、当該請求権が弁済期にある場合は、この限りでない。

2　前項の利札の所持人は、いつでも、社債発行会社に対し、これと引換えに同項の規定により控除しなければならない額の支払を請求することができる。

（社債の償還請求権等の消滅時効）

第七百一条　社債の償還請求権は、これを行使することができる時から十年間行使しないときは、時効によって消滅する。

2　社債の利息の請求権及び前条第二項の規定による請求権は、これらを行使することができる時から五年間行使しないときは、時効によって消滅する。

第二章　社債管理者

（社債管理者の設置）

第七百二条　会社は、社債を発行する場合には、社債管理者を定め、社債権者のために、弁済の受領、債権の保全その他の社債の管理を行うことを委託しなければならない。ただし、各社債の金額が一億円以上である場合その他社債権者の保護に欠けるおそれがないものとして法務省令で定める場合は、この限りでない。

【会社法施行規則】

（社債管理者を設置することを要しない場合）

第百六十九条　法第七百二条に規定する法務省令で定める場合は、ある種類（法第六百八十一条第一号に規定する種類をいう。以下この条において同じ。）の社債の総額を当該種類の各社債の金額の最低額で除して得た数が五十を下回る場合とする。

（社債管理者の資格）

第七百三条　社債管理者は、次に掲げる者でなければならない。

一　銀行

二　信託会社

三　前二号に掲げるもののほか、これらに準ずるものとして法務省令で定める者

【会社法施行規則】

（社債管理者の資格）

第百七十条　法第七百三条第三号に規定する法務省令で定める者は、次に掲げる者とする。

一　担保付社債信託法第三条の免許を受けた者

二　株式会社商工組合中央金庫

三　農業協同組合法第十条第一項第二号及び第三号の事業を併せ行う農業協同組合又は農業協同組合連合会

四　信用協同組合又は中小企業等協同組合法第九条の九第一項第一号の事業を行う協同組合連合会

五　信用金庫又は信用金庫連合会

六　労働金庫連合会

七　長期信用銀行法第二条に規定する長期信用銀行

八　保険業法第二条第二項に規定する保険会社

九　農林中央金庫

（社債管理者の義務）

第七百四条　社債管理者は、社債権者のために、公平かつ誠実に社債の管理を行わなければならない。

2　社債管理者は、社債権者に対し、善良な管理者の注意をもって社債

の管理を行わなければならない。

（社債管理者の権限等）

第七百五条　社債管理者は、社債権者のために社債に係る債権の弁済を受け、又は社債に係る債権の実現を保全するために必要な一切の裁判上又は裁判外の行為をする権限を有する。

2　社債管理者が前項の弁済を受けた場合には、社債権者は、その社債管理者に対し、社債の償還額及び利息の支払を請求することができる。この場合において、社債券を発行する旨の定めがあるときは、社債権者は、社債券と引換えに当該償還額の支払を、利札と引換えに当該利息の支払を請求しなければならない。

3　前項前段の規定による請求権は、これを行使することができる時から十年間行使しないときは、時効によって消滅する。

4　社債管理者は、その管理の委託を受けた社債につき第一項の行為をするために必要があるときは、裁判所の許可を得て、社債発行会社の業務及び財産の状況を調査することができる。

第七百六条　社債管理者は、社債権者集会の決議によらなければ、次に掲げる行為をしてはならない。ただし、第二号に掲げる行為については、第六百七十六条第八号に掲げる事項についての定めがあるときは、この限りでない。

一　当該社債の全部についてするその支払の猶予、その債務若しくはその債務の不履行によって生じた責任の免除又は和解（次号に掲げる行為を除く。）

二　当該社債の全部についてする訴訟行為又は破産手続、再生手続、更生手続若しくは特別清算に関する手続に属する行為（前条第一項の行為を除く。）

2　社債管理者は、前項ただし書の規定により社債権者集会の決議によらずに同項第二号に掲げる行為をしたときは、遅滞なく、その旨を公告し、かつ、知れている社債権者には、各別にこれを通知しなければならない。

3　前項の規定による公告は、社債発行会社における公告の方法によりしなければならない。ただし、その方法が電子公告であるときは、その公告は、官報に掲載する方法でしなければならない。

4　社債管理者は、その管理の委託を受けた社債につき第一項各号に掲げる行為をするために必要があるときは、裁判所の許可を得て、社債発行会社の業務及び財産の状況を調査することができる。

（特別代理人の選任）

第七百七条　社債権者と社債管理者との利益が相反する場合において、社債権者のために裁判上又は裁判外の行為をする必要があるときは、裁判所は、社債権者集会の申立てにより、特別代理人を選任しなければならない。

（社債管理者等の行為の方式）

第七百八条　社債管理者又は前条の特別代理人が社債権者のために裁判上又は裁判外の行為をするときは、個別の社債権者を表示することを要しない。

（二以上の社債管理者がある場合の特則）

第七百九条　二以上の社債管理者があるときは、これらの者が共同してその権限に属する行為をしなければならない。

2　前項に規定する場合において、社債管理者が第七百五条第一項の弁済を受けたときは、社債管理者は、社債権者に対し、連帯して、当該弁済の額を支払う義務を負う。

（社債管理者の責任）

第七百十条　社債管理者は、この法律又は社債権者集会の決議に違反する行為をしたときは、社債権者に対し、連帯して、これによって生じた損害を賠償する責任を負う。

2　社債管理者は、社債発行会社が社債の償還若しくは利息の支払を怠り、若しくは社債発行会社について支払の停止があった後又はその前三箇月以内に、次に掲げる行為をしたときは、社債権者に対し、損害を賠償する責任を負う。ただし、当該社債管理者が誠実にすべき社債の管理を怠らなかったこと又は当該損害が当該行為によって生じたものでないことを証明したときは、この限りでない。

一　当該社債管理者の債権に係る債務について社債発行会社から担保の供与又は債務の消滅に関する行為を受けること。

二　当該社債管理者と法務省令で定める特別の関係がある者に対して当該社債管理者の債権を譲り渡すこと（当該特別の関係がある者が当該債権に係る債務について社債発行会社から担保の供与又は債務の消滅に関する行為を受けた場合に限る。）。

三　当該社債管理者が社債発行会社に対する債権を有する場合において、契約によって負担する債務を専ら当該債権をもってする相殺に供する目的で社債発行会社の財産の処分を内容とする契約を社債発行会社との間で締結し、又は社債発行会社に対して債務を負担する者の債務を引き受けることを内容とする契約を締結し、かつ、これにより社債発行会社に対し負担した債務と当該債権とを相殺すること。

四　当該社債管理者が社債発行会社に対して債務を負担する場合において、社債発行会社に対する債権を譲り受け、かつ、当該債務と当該債権とを相殺すること。

【会社法施行規則】

（特別の関係）

第百七十一条　法第七百十条第二項第二号（法第七百十二条において準用する場合を含む。）に規定する法務省令で定める特別の関係は、次に掲げる関係とする。

一　法人の総社員又は総株主の議決権の百分の五十を超える議決権を有する者（以下この条において「支配社員」という。）と当該法人（以下この条において「被支配法人」という。）との関係

二　被支配法人とその支配社員の他の被支配法人との関係

2　支配社員とその被支配法人が合わせて他の法人の総社員又は総株主の議決権の百分の五十を超える議決権を有する場合には、当該他の法人も、当該支配社員の被支配法人とみなして前項の規定を適用する。

（社債管理者の辞任）

第七百十一条　社債管理者は、社債発行会社及び社債権者集会の同意を得て辞任することができる。この場合において、他に社債管理者がないときは、当該社債管理者は、あらかじめ、事務を承継する社債管理者を定めなければならない。

2　前項の規定にかかわらず、社債管理者は、第七百二条の規定による委託に係る契約に定めた事由があるときは、辞任することができる。ただし、当該契約に事務を承継する社債管理者に関する定めがないときは、この限りでない。

3　第一項の規定にかかわらず、社債管理者は、やむを得ない事由があるときは、裁判所の許可を得て、辞任することができる。

（社債管理者が辞任した場合の責任）

第七百十二条　第七百十条第二項の規定は、社債発行会社が社債の償還若しくは利息の支払を怠り、若しくは社債発行会社について支払の停止があった後又はその前三箇月以内に前条第二項の規定により辞任した社債管理者について準用する。

（社債管理者の解任）

第七百十三条　裁判所は、社債管理者がその義務に違反したとき、その事務処理に不適任であるときその他正当な理由があるときは、社債発行会社又は社債権者集会の申立てにより、当該社債管理者を解任することができる。

（社債管理者の事務の承継）

第七百十四条　社債管理者が次のいずれかに該当することとなった場合において、他に社債管理者がないときは、社債発行会社は、事務を承継する社債管理者を定め、社債権者のために、社債の管理を行うことを委託しなければならない。この場合においては、社債発行会社は、社債権者集会の同意を得るため、遅滞なく、これを招集し、かつ、その同意を得ることができなかったときは、その同意に代わる裁判所の

許可の申立てをしなければならない。
一　第七百三条各号に掲げる者でなくなったとき。
二　第七百十一条第三項の規定により辞任したとき。
三　前条の規定により解任されたとき。
四　解散したとき。
2　社債発行会社は、前項前段に規定する場合において、同項各号のいずれかに該当することとなった日後二箇月以内に、同項後段の規定による招集をせず、又は同項後段の申立てをしなかったときは、当該社債の総額について期限の利益を喪失する。
3　第一項前段に規定する場合において、やむを得ない事由があるときは、利害関係人は、裁判所に対し、事務を承継する社債管理者の選任の申立てをすることができる。
4　社債発行会社は、第一項前段の規定により事務を承継する社債管理者を定めた場合（社債権者集会の同意を得た場合を除く。）又は前項の規定による事務を承継する社債管理者の選任があった場合には、遅滞なく、その旨を公告し、かつ、知れている社債権者には、各別にこれを通知しなければならない。

第二章の二　社債管理補助者

（社債管理補助者の設置）
第七百十四条の二　会社は、第七百二条ただし書に規定する場合には、社債管理補助者を定め、社債権者のために、社債の管理の補助を行うことを委託することができる。ただし、当該社債が担保付社債である場合は、この限りでない。

（社債管理補助者の資格）
第七百十四条の三　社債管理補助者は、第七百三条各号に掲げる者その他法務省令で定める者でなければならない。

【会社法施行規則】
（社債管理補助者の資格）
第百七十一条の二　法第七百十四条の三に規定する法務省令で定める者は、次に掲げる者とする。
一　弁護士
二　弁護士法人

（社債管理補助者の権限等）
第七百十四条の四　社債管理補助者は、社債権者のために次に掲げる行為をする権限を有する。
一　破産手続参加、再生手続参加又は更生手続参加
二　強制執行又は担保権の実行の手続における配当要求
三　第四百九十九条第一項の期間内に債権の申出をすること。
2　社債管理補助者は、第七百十四条の二の規定による委託に係る契約に定める範囲内において、社債権者のために次に掲げる行為をする権限を有する。
一　社債に係る債権の弁済を受けること。
二　第七百五条第一項の行為（前項各号及び前号に掲げる行為を除く。）
三　第七百六条第一項各号に掲げる行為
四　社債発行会社が社債の総額について期限の利益を喪失することとなる行為
3　前項の場合において、社債管理補助者は、社債権者集会の決議によらなければ、次に掲げる行為をしてはならない。
一　前項第二号に掲げる行為であって、次に掲げるもの
イ　当該社債の全部についてするその支払の請求
ロ　当該社債の全部に係る債権に基づく強制執行、仮差押え又は仮処分
ハ　当該社債の全部についてする訴訟行為又は破産手続、再生手続、

更生手続若しくは特別清算に関する手続に属する行為（イ及びロに掲げる行為を除く。）

二　前項第三号及び第四号に掲げる行為

4　社債管理補助者は、第七百十四条の二の規定による委託に係る契約に従い、社債の管理に関する事項を社債権者に報告し、又は社債権者がこれを知ることができるようにする措置をとらなければならない。

5　第七百五条第二項及び第三項の規定は、第二項第一号に掲げる行為をする権限を有する社債管理補助者について準用する。

（二以上の社債管理補助者がある場合の特則）

第七百十四条の五　二以上の社債管理補助者があるときは、社債管理補助者は、各自、その権限に属する行為をしなければならない。

2　社債管理補助者が社債権者に生じた損害を賠償する責任を負う場合において、他の社債管理補助者も当該損害を賠償する責任を負うときは、これらの者は、連帯債務者とする。

（社債管理者等との関係）

第七百十四条の六　第七百二条の規定による委託に係る契約又は担保付社債信託法（明治三十八年法律第五十二号）第二条第一項に規定する信託契約の効力が生じた場合には、第七百十四条の二の規定による委託に係る契約は、終了する。

（社債管理者に関する規定の準用）

第七百十四条の七　第七百四条、第七百七条、第七百八条、第七百十条第一項、第七百十一条、第七百十三条及び第七百十四条の規定は、社債管理補助者について準用する。この場合において、第七百四条中「社債の管理」とあるのは「社債の管理の補助」と、同項中「社債権者に対し、連帯して」とあるのは「社債権者に対し」と、第七百十一条第一項中「において、他に社債管理者がないときは」とあるのは「において」と、同条第二項中「第七百二条」とあるのは「第七百十四条の二」と、第七百十四条第一項中「において、他に社債管理者がないときは」とあるのは「には」と、「社債の管理」とあるのは「社債の管理の補助」と、「第七百三条各号に掲げる」とあるのは「第七百十四条の三に規定する」と、「解散した」とあるのは「死亡し、又は解散した」と読み替えるものとする。

第三章　社債権者集会

（社債権者集会の構成）

第七百十五条　社債権者は、社債の種類ごとに社債権者集会を組織する。

（社債権者集会の権限）

第七百十六条　社債権者集会は、この法律に規定する事項及び社債権者の利害に関する事項について決議をすることができる。

（社債権者集会の招集）

第七百十七条　社債権者集会は、必要がある場合には、いつでも、招集することができる。

2　社債権者集会は、次項又は次条第三項の規定により招集する場合を除き、社債発行会社又は社債管理者が招集する。

3　次に掲げる場合には、社債管理補助者は、社債権者集会を招集することができる。

一　次条第一項の規定による請求があった場合

二　第七百十四条の七において準用する第七百十一条第一項の社債権者集会の同意を得るため必要がある場合

（社債権者による招集の請求）

第七百十八条　ある種類の社債の総額（償還済みの額を除く。）の十分の一以上に当たる社債を有する社債権者は、社債発行会社、社債管理者又は社債管理補助者に対し、社債権者集会の目的である事項及び招集の理由を示して、社債権者集会の招集を請求することができる。

2　社債発行会社が有する自己の当該種類の社債の金額の合計額は、前項に規定する社債の総額に算入しない。

3　次に掲げる場合には、第一項の規定による請求をした社債権者は、裁判所の許可を得て、社債権者集会を招集することができる。

一　第一項の規定による請求の後遅滞なく招集の手続が行われない場

合

二　第一項の規定による請求があった日から八週間以内の日を社債権者集会の日とする社債権者集会の招集の通知が発せられない場合

4　第一項の規定による請求又は前項の規定による招集をしようとする無記名社債の社債権者は、その社債券を社債発行会社、社債管理者又は社債管理補助者に提示しなければならない。

（社債権者集会の招集の決定）

第七百十九条　社債権者集会を招集する者（以下この章において「招集者」という。）は、社債権者集会を招集する場合には、次に掲げる事項を定めなければならない。

一　社債権者集会の日時及び場所

二　社債権者集会の目的である事項

三　社債権者集会に出席しない社債権者が電磁的方法によって議決権を行使することができることとするときは、その旨

四　前三号に掲げるもののほか、法務省令で定める事項

【会社法施行規則】

（社債権者集会の招集の決定事項）

第百七十二条　法第七百十九条第四号に規定する法務省令で定める事項は、次に掲げる事項とする。

一　次条の規定により社債権者集会参考書類に記載すべき事項

二　書面による議決権の行使の期限（社債権者集会の日時以前の時であって、法第七百二十条第一項の規定による通知を発した日から二週間を経過した日以後の時に限る。）

三　一の社債権者が同一の議案につき法第七百二十六条第一項（法第七百十九条第三号に掲げる事項を定めた場合にあっては、法第七百二十六条第一項又は第七百二十七条第一項）の規定により重複して議決権を行使した場合において、当該同一の議案に対する議決権の行使の内容が異なるものであるときにおける当該社債権者の議決権の行使の取扱いに関する事項を定めるときは、その事項

四　第百七十四条第一項第三号の取扱いを定めるときは、その取扱いの内容

五　法第七百十九条第三号に掲げる事項を定めたときは、次に掲げる事項

イ　電磁的方法による議決権の行使の期限（社債権者集会の日時以前の時であって、法第七百二十条第一項の規定による通知を発した日から二週間を経過した日以後の時に限る。）

ロ　法第七百二十条第二項の承諾をした社債権者の請求があった時に当該社債権者に対して法第七百二十一条第一項の規定による議決権行使書面（同項に規定する議決権行使書面をいう。以下この章〔第一七二条―第一七七条〕において同じ。）の交付（当該交付に代えて行う同条第二項の規定による電磁的方法による提供を含む。）をすることとするときは、その旨

（社債権者集会の招集の通知）

第七百二十条　社債権者集会を招集するには、招集者は、社債権者集会の日の二週間前までに、知れている社債権者及び社債発行会社並びに社債管理者又は社債管理補助者がある場合にあっては社債管理者又は社債管理補助者に対して、書面をもってその通知を発しなければならない。

2　招集者は、前項の書面による通知の発出に代えて、政令で定めるところにより、同項の通知を受けるべき者の承諾を得て、電磁的方法により通知を発することができる。この場合において、当該招集者は、同項の書面による通知を発したものとみなす。

3　前二項の通知には、前条各号に掲げる事項を記載し、又は記録しなければならない。

4　社債発行会社が無記名式の社債券を発行している場合において、社債権者集会を招集するには、招集者は、社債権者集会の日の三週間前までに、社債権者集会を招集する旨及び前条各号に掲げる事項を公告

しなければならない。

5　前項の規定による公告は、社債発行会社における公告の方法によりしなければならない。ただし、招集者が社債発行会社以外の者である場合において、その方法が電子公告であるときは、その公告は、官報に掲載する方法でしなければならない。

【会社法施行令】

（電磁的方法による通知の承諾等）

第二条　次に掲げる規定により電磁的方法により通知を発しようとする者（次項において「通知発出者」という。）は、法務省令で定めるところにより、あらかじめ、当該通知の相手方に対し、その用いる電磁的方法の種類及び内容を示し、書面又は電磁的方法による承諾を得なければならない。

一～三　（略）

四　法第七百二十条第二項

2　前項の規定による承諾を得た通知発出者は、同項の相手方から書面又は電磁的方法により電磁的方法による通知を受けない旨の申出があったときは、当該相手方に対し、当該通知を電磁的方法によって発してはならない。ただし、当該相手方が再び同項の規定による承諾をした場合は、この限りでない。

【会社法施行規則】

（会社法施行令に係る電磁的方法）

第二百三十条　会社法施行令（平成十七年政令第三百六十四号）第一条第一項又は第二条第一項の規定により示すべき電磁的方法の種類及び内容は、次に掲げるものとする。

一　次に掲げる方法のうち、送信者が使用するもの

イ　電子情報処理組織を使用する方法のうち次に掲げるもの

(1)　送信者の使用に係る電子計算機と受信者の使用に係る電子計算機とを接続する電気通信回線を通じて送信し、受信者の使用に係る電子計算機に備えられたファイルに記録する方法

(2)　送信者の使用に係る電子計算機に備えられたファイルに記録された情報の内容を電気通信回線を通じて情報の提供を受ける者の閲覧に供し、当該情報の提供を受ける者の使用に係る電子計算機に備えられたファイルに当該情報を記録する方法

ロ　磁気ディスクその他これに準ずる方法により一定の情報を確実に記録しておくことができる物をもって調製するファイルに情報を記録したものを交付する方法

二　ファイルへの記録の方式

（社債権者集会参考書類及び議決権行使書面の交付等）

第七百二十一条　招集者は、前条第一項の通知に際しては、法務省令で定めるところにより、知れている社債権者に対し、議決権の行使について参考となるべき事項を記載した書類（以下この条において「社債権者集会参考書類」という。）及び社債権者が議決権を行使するための書面（以下この章において「議決権行使書面」という。）を交付しなければならない。

2　招集者は、前条第二項の承諾をした社債権者に対し同項の電磁的方法による通知を発するときは、前項の規定による社債権者集会参考書類及び議決権行使書面の交付に代えて、これらの書類に記載すべき事項を電磁的方法により提供することができる。ただし、社債権者の請求があったときは、これらの書類を当該社債権者に交付しなければならない。

3　招集者は、前条第四項の規定による公告をした場合において、社債権者集会の日の一週間前までに無記名社債の社債権者の請求があったときは、直ちに、社債権者集会参考書類及び議決権行使書面を当該社債権者に交付しなければならない。

4　招集者は、前項の規定による社債権者集会参考書類及び議決権行使書面の交付に代えて、政令で定めるところにより、社債権者の承諾を得て、これらの書類に記載すべき事項を電磁的方法により提供することができる。この場合において、当該招集者は、同項の規定によるこれらの書類の交付をしたものとみなす。

【会社法施行規則】

（社債権者集会参考書類）

第百七十三条　社債権者集会参考書類には、次に掲げる事項を記載しなければならない。

一　議案及び提案の理由

二　議案が代表社債権者の選任に関する議案であるときは、次に掲げる事項

イ　候補者の氏名又は名称

ロ　候補者の略歴又は沿革

ハ　候補者が社債発行会社、社債管理者又は社債管理補助者と特別の利害関係があるときは、その事実の概要

2　社債権者集会参考書類には、前項に定めるもののほか、社債権者の議決権の行使について参考となると認める事項を記載することができる。

3　同一の社債権者集会に関して社債権者に対して提供する社債権者集会参考書類に記載すべき事項のうち、他の書面に記載している事項又は電磁的方法により提供している事項がある場合には、これらの事項は、社債権者集会参考書類に記載することを要しない。

4　同一の社債権者集会に関して社債権者に対して提供する招集通知（法第七百二十条第一項又は第二項の規定による通知をいう。以下この章〔第一七二条―第一七七条〕において同じ。）の内容とすべき事項のうち、社債権者集会参考書類に記載している事項がある場合には、当該事項は、招集通知の内容とすることを要しない。

（議決権行使書面）

第百七十四条　法第七百二十一条第一項の規定により交付すべき議決権行使書面に記載すべき事項又は法第七百二十二条第一項若しくは第二項の規定により電磁的方法により提供すべき議決権行使書面に記載すべき事項は、次に掲げる事項とする。

一　各議案についての賛否（棄権の欄を設ける場合にあっては、棄権を含む。）を記載する欄

二　第百七十二条第三号に掲げる事項を定めたときは、当該事項

三　第百七十二条第四号に掲げる事項を定めたときは、第一号の欄に記載がない議決権行使書面が招集者（法第七百十九条に規定する招集者をいう。以下この条において同じ。）に提出された場合における各議案についての賛成、反対又は棄権のいずれかの意思の表示があったものとする取扱いの内容

四　議決権の行使の期限

五　議決権を行使すべき社債権者の氏名又は名称及び行使することができる議決権の額

2　第百七十二条第五号ロに掲げる事項を定めた場合には、招集者は、法第七百二十条第二項の承諾をした社債権者の請求があった時に、当該社債権者に対して、法第七百二十一条第一項の規定による議決権行使書面の交付（当該交付に代えて行う同条第二項の規定による電磁的方法による提供を含む。）をしなければならない。

3　同一の社債権者集会に関して社債権者に対して提供する議決権行使書面に記載すべき事項（第一項第二号から第四号までに掲げる事項に限る。）のうち、招集通知の内容としている事項がある場合には、当該事項は、社債権者に対して提供する議決権行使書面に記載することを要しない。

4　同一の社債権者集会に関して社債権者に対して提供する招集通知の内容とすべき事項のうち、議決権行使書面に記載している事

項がある場合には、当該事項は、社債権者に対して提供する招集通知の内容とすることを要しない。

【会社法施行令】

（書面に記載すべき事項等の電磁的方法による提供の承諾等）

第一条　次に掲げる規定に規定する事項を電磁的方法（会社法（以下「法」という。）第二条第三十四号に規定する電磁的方法をいう。以下同じ。）により提供しようとする者（次項において「提供者」という。）は、法務省令で定めるところにより、あらかじめ、当該事項の提供の相手方に対し、その用いる電磁的方法の種類及び内容を示し、書面又は電磁的方法による承諾を得なければならない。

一～十　（略）

十一　法第七百二十一条第四項

十二～十五　（略）

2　前項の規定による承諾を得た提供者は、同項の相手方から書面又は電磁的方法により電磁的方法による事項の提供を受けない旨の申出があったときは、当該相手方に対し、当該事項の提供を電磁的方法によってしてはならない。ただし、当該相手方が再び同項の規定による承諾をした場合は、この限りでない。

【会社法施行規則】

（会社法施行令に係る電磁的方法）

第二百三十条　会社法施行令（平成十七年政令第三百六十四号）第一条第一項又は第二条第一項の規定により示すべき電磁的方法の種類及び内容は、次に掲げるものとする。

一　次に掲げる方法のうち、送信者が使用するもの

イ　電子情報処理組織を使用する方法のうち次に掲げるもの

(1)　送信者の使用に係る電子計算機と受信者の使用に係る電子計算機とを接続する電気通信回線を通じて送信し、受信者の使用に係る電子計算機に備えられたファイルに記録する方法

(2)　送信者の使用に係る電子計算機に備えられたファイルに記録された情報の内容を電気通信回線を通じて情報の提供を受ける者の閲覧に供し、当該情報の提供を受ける者の使用に係る電子計算機に備えられたファイルに当該情報を記録する方法

ロ　磁気ディスクその他これに準ずる方法により一定の情報を確実に記録しておくことができる物をもって調製するファイルに情報を記録したものを交付する方法

二　ファイルへの記録の方式

第七百二十二条　招集者は、第七百十九条第三号に掲げる事項を定めた場合には、第七百二十条第二項の承諾をした社債権者に対する電磁的方法による通知に際して、法務省令で定めるところにより、社債権者に対し、議決権行使書面に記載すべき事項を当該電磁的方法により提供しなければならない。

2　招集者は、第七百十九条第三号に掲げる事項を定めた場合において、第七百二十条第二項の承諾をしていない社債権者から社債権者集会の日の一週間前までに議決権行使書面に記載すべき事項の電磁的方法による提供の請求があったときは、法務省令で定めるところにより、直ちに、当該社債権者に対し、当該事項を電磁的方法により提供しなければならない。

【会社法施行規則】

（議決権行使書面）

第百七十四条　法第七百二十一条第一項の規定により交付すべき議決権行使書面に記載すべき事項又は法第七百二十二条第一項若しくは第二項の規定により電磁的方法により提供すべき議決権行使

第四編　社債

書面に記載すべき事項は、次に掲げる事項とする。
一　各議案についての賛否（棄権の欄を設ける場合にあっては、棄権を含む。）を記載する欄
二　第百七十二条第三号に掲げる事項を定めたときは、当該事項
三　第百七十二条第四号に掲げる事項を定めたときは、第一号の欄に記載がない議決権行使書面が招集者（法第七百十九条に規定する招集者をいう。以下この条において同じ。）に提出された場合における各議案についての賛成、反対又は棄権のいずれかの意思の表示があったものとする取扱いの内容
四　議決権の行使の期限
五　議決権を行使すべき社債権者の氏名又は名称及び行使することができる議決権の額

2　第百七十二条第五号ロに掲げる事項を定めた場合には、招集者は、法第七百二十条第二項の承諾をした社債権者の請求があった時に、当該社債権者に対して、法第七百二十一条第一項の規定による議決権行使書面の交付（当該交付に代えて行う同条第二項の規定による電磁的方法による提供を含む。）をしなければならない。

3　同一の社債権者集会に関して社債権者に対して提供する議決権行使書面に記載すべき事項（第一項第二号から第四号までに掲げる事項に限る。）のうち、招集通知の内容としている事項がある場合には、当該事項は、社債権者に対して提供する議決権行使書面に記載することを要しない。

4　同一の社債権者集会に関して社債権者に対して提供する招集通知の内容とすべき事項のうち、議決権行使書面に記載している事項がある場合には、当該事項は、社債権者に対して提供する招集通知の内容とすることを要しない。

（議決権の額等）

第七百二十三条　社債権者は、社債権者集会において、その有する当該種類の社債の金額の合計額（償還済みの額を除く。）に応じて、議決権を有する。

2　前項の規定にかかわらず、社債発行会社は、その有する自己の社債については、議決権を有しない。

3　議決権を行使しようとする無記名社債の社債権者は、社債権者集会の日の一週間前までに、その社債券を招集者に提示しなければならない。

（社債権者集会の決議）

第七百二十四条　社債権者集会において決議をする事項を可決するには、出席した議決権者（議決権を行使することができる社債権者をいう。以下この章において同じ。）の議決権の総額の二分の一を超える議決権を有する者の同意がなければならない。

2　前項の規定にかかわらず、社債権者集会において次に掲げる事項を可決するには、議決権者の議決権の総額の五分の一以上で、かつ、出席した議決権者の議決権の総額の三分の二以上の議決権を有する者の同意がなければならない。
一　第七百六条第一項各号に掲げる行為に関する事項
二　第七百六条第一項、第七百十四条の四第三項（同条第二項第三号に掲げる行為に係る部分に限る。）、第七百三十六条第一項、第七百三十七条第一項ただし書及び第七百三十八条の規定により社債権者集会の決議を必要とする事項

3　社債権者集会は、第七百十九条第二号に掲げる事項以外の事項については、決議をすることができない。

（議決権の代理行使）

第七百二十五条　社債権者は、代理人によってその議決権を行使することができる。この場合においては、当該社債権者又は代理人は、代理権を証明する書面を招集者に提出しなければならない。

2　前項の代理権の授与は、社債権者集会ごとにしなければならない。

3　第一項の社債権者又は代理人は、代理権を証明する書面の提出に代えて、政令で定めるところにより、招集者の承諾を得て、当該書面に

記載すべき事項を電磁的方法により提供することができる。この場合において、当該社債権者又は代理人は、当該書面を提出したものとみなす。

4　社債権者が第七百二十条第二項の承諾をした者である場合には、招集者は、正当な理由がなければ、前項の承諾をすることを拒んではならない。

【会社法施行令】
（書面に記載すべき事項等の電磁的方法による提供の承諾等）
第一条　次に掲げる規定に規定する事項を電磁的方法（会社法（以下「法」という。）第二条第三十四号に規定する電磁的方法をいう。以下同じ。）により提供しようとする者（次項において「提供者」という。）は、法務省令で定めるところにより、あらかじめ、当該事項の提供の相手方に対し、その用いる電磁的方法の種類及び内容を示し、書面又は電磁的方法による承諾を得なければならない。
一～十一　（略）
十二　法第七百二十五条第三項
十三～十五　（略）
2　前項の規定による承諾を得た提供者は、同項の相手方から書面又は電磁的方法により電磁的方法による事項の提供を受けない旨の申出があったときは、当該相手方に対し、当該事項の提供を電磁的方法によってしてはならない。ただし、当該相手方が再び同項の規定による承諾をした場合は、この限りでない。

【会社法施行規則】

（会社法施行令に係る電磁的方法）

第二百三十条　会社法施行令（平成十七年政令第三百六十四号）第一条第一項又は第二条第一項の規定により示すべき電磁的方法の種類及び内容は、次に掲げるものとする。

一　次に掲げる方法のうち、送信者が使用するもの
イ　電子情報処理組織を使用する方法のうち次に掲げるもの
(1)　送信者の使用に係る電子計算機と受信者の使用に係る電子計算機とを接続する電気通信回線を通じて送信し、受信者の使用に係る電子計算機に備えられたファイルに記録する方法
(2)　送信者の使用に係る電子計算機に備えられたファイルに記録された情報の内容を電気通信回線を通じて情報の提供を受ける者の閲覧に供し、当該情報の提供を受ける者の使用に係る電子計算機に備えられたファイルに当該情報を記録する方法
ロ　磁気ディスクその他これに準ずる方法により一定の情報を確実に記録しておくことができる物をもって調製するファイルに情報を記録したものを交付する方法
二　ファイルへの記録の方式

（書面による議決権の行使）
第七百二十六条　社債権者集会に出席しない社債権者は、書面によって議決権を行使することができる。
2　書面による議決権の行使は、議決権行使書面に必要な事項を記載し、法務省令で定める時までに当該記載をした議決権行使書面を招集者に提出して行う。
3　前項の規定により書面によって行使した議決権の額は、出席した議決権者の議決権の額に算入する。

【会社法施行規則】

（書面による議決権行使の期限）

第百七十五条　法第七百二十六条第二項に規定する法務省令で定める時は、第百七十二条第二号の行使の期限とする。

第四編　社債

（電磁的方法による議決権の行使）

第七百二十七条　電磁的方法による議決権の行使は、政令で定めるところにより、招集者の承諾を得て、法務省令で定める時までに議決権行使書面に記載すべき事項を、電磁的方法により当該招集者に提供して行う。

2　社債権者が第七百二十条第二項の承諾をした者である場合には、招集者は、正当な理由がなければ、前項の承諾をすることを拒んではならない。

3　第一項の規定により電磁的方法によって行使した議決権の額は、出席した議決権者の議決権の額に算入する。

【会社法施行令】

（書面に記載すべき事項等の電磁的方法による提供の承諾等）

第一条　次に掲げる規定に規定する事項を電磁的方法（会社法（以下「法」という。）第二条第三十四号に規定する電磁的方法をいう。以下同じ。）により提供しようとする者（次項において「提供者」という。）は、法務省令で定めるところにより、あらかじめ、当該事項の提供の相手方に対し、その用いる電磁的方法の種類及び内容を示し、書面又は電磁的方法による承諾を得なければならない。

一～十二　（略）

十三　法第七百二十七条第一項

十四・十五　（略）

2　前項の規定による承諾を得た提供者は、同項の相手方から書面又は電磁的方法により電磁的方法による事項の提供を受けない旨の申出があったときは、当該相手方に対し、当該事項の提供を電磁的方法によってしてはならない。ただし、当該相手方が再び同項の規定による承諾をした場合は、この限りでない。

【会社法施行規則】

（会社法施行令に係る電磁的方法）

第二百三十条　会社法施行令（平成十七年政令第三百六十四号）第一条第一項又は第二条第一項の規定により示すべき電磁的方法の種類及び内容は、次に掲げるものとする。

一　次に掲げる方法のうち、送信者が使用するもの

イ　電子情報処理組織を使用する方法のうち次に掲げるもの

(1)　送信者の使用に係る電子計算機と受信者の使用に係る電子計算機とを接続する電気通信回線を通じて送信し、受信者の使用に係る電子計算機に備えられたファイルに記録する方法

(2)　送信者の使用に係る電子計算機に備えられたファイルに記録された情報の内容を電気通信回線を通じて情報の提供を受ける者の閲覧に供し、当該情報の提供を受ける者の使用に係る電子計算機に備えられたファイルに当該情報を記録する方法

ロ　磁気ディスクその他これに準ずる方法により一定の情報を確実に記録しておくことができる物をもって調製するファイルに情報を記録したものを交付する方法

二　ファイルへの記録の方式

（電磁的方法による議決権行使の期限）

第百七十六条　法第七百二十七条第一項に規定する法務省令で定める時は、第百七十二条第五号イの行使の期限とする。

（議決権の不統一行使）

第七百二十八条　社債権者は、その有する議決権を統一しないで行使することができる。この場合においては、社債権者集会の日の三日前までに、招集者に対してその旨及びその理由を通知しなければならない。

2　招集者は、前項の社債権者が他人のために社債を有する者でないと

きは、当該社債権者が同項の規定によりその有する議決権を統一しないで行使することを拒むことができる。

（社債発行会社の代表者の出席等）

第七百二十九条　社債発行会社、社債管理者又は社債管理補助者は、その代表者若しくは代理人を社債権者集会に出席させ、又は書面により意見を述べることができる。ただし、社債管理者又は社債管理補助者にあっては、その社債権者集会が第七百七条（第七百十四条の七において準用する場合を含む。）の特別代理人の選任について招集されたものであるときは、この限りでない。

2　社債権者集会又は招集者は、必要があると認めるときは、社債発行会社に対し、その代表者又は代理人の出席を求めることができる。この場合において、社債権者集会にあっては、これをする旨の決議を経なければならない。

（延期又は続行の決議）

第七百三十条　社債権者集会においてその延期又は続行について決議があった場合には、第七百十九条及び第七百二十条の規定は、適用しない。

（議事録）

第七百三十一条　社債権者集会の議事については、招集者は、法務省令で定めるところにより、議事録を作成しなければならない。

2　社債発行会社は、社債権者集会の日から十年間、前項の議事録をその本店に備え置かなければならない。

3　社債管理者、社債管理補助者及び社債権者は、社債発行会社の営業時間内は、いつでも、次に掲げる請求をすることができる。

一　第一項の議事録が書面をもって作成されているときは、当該書面の閲覧又は謄写の請求

二　第一項の議事録が電磁的記録をもって作成されているときは、当該電磁的記録に記録された事項を法務省令で定める方法により表示したものの閲覧又は謄写の請求

【会社法施行規則】

（社債権者集会の議事録）

第百七十七条　法第七百三十一条第一項の規定による社債権者集会の議事録の作成については、この条の定めるところによる。

2　社債権者集会の議事録は、書面又は電磁的記録をもって作成しなければならない。

3　社債権者集会の議事録は、次に掲げる事項を内容とするものでなければならない。

一　社債権者集会が開催された日時及び場所

二　社債権者集会の議事の経過の要領及びその結果

三　法第七百二十九条第一項の規定により社債権者集会において述べられた意見があるときは、その意見の内容の概要

四　社債権者集会に出席した社債発行会社の代表者又は代理人の氏名

五　社債権者集会に出席した社債管理者の代表者若しくは代理人の氏名又は社債管理補助者若しくはその代表者若しくは代理人の氏名

六　社債権者集会の議長が存するときは、議長の氏名

七　議事録の作成に係る職務を行った者の氏名又は名称

4　法第七百三十五条の二第一項の規定により社債権者集会の決議があったものとみなされた場合には、社債権者集会の議事録は、次の各号に掲げる事項を内容とするものとする。

一　社債権者集会の決議があったものとみなされた事項の内容

二　前号の事項の提案をした者の氏名又は名称

三　社債権者集会の決議があったものとみなされた日

四　議事録の作成に係る職務を行った者の氏名又は名称

（保存の指定）

第二百三十二条　電子文書法第三条第一項の主務省令で定める保存は、次に掲げる保存とする。

一～二十九　（略）
三十　法第七百三十一条第二項の規定による社債権者集会の議事録の保存
三十一～三十六　（略）

（縦覧等の指定）
第二百三十四条　電子文書法第五条第一項の主務省令で定める縦覧等は、次に掲げる縦覧等とする。
一～四十二　（略）
四十三　法第七百三十一条第三項第一号の規定による社債権者集会の議事録の縦覧等
四十四～五十四　（略）

（電磁的記録に記録された事項を表示する方法）
第二百二十六条　次に掲げる規定に規定する法務省令で定める方法は、次に掲げる規定の電磁的記録に記録された事項を紙面又は映像面に表示する方法とする。
一～三十一　（略）
三十二　法第七百三十一条第三項第二号
三十三～四十三　（略）

（社債権者集会の決議の認可の申立て）
第七百三十二条　社債権者集会の決議があったときは、招集者は、当該決議があった日から一週間以内に、裁判所に対し、当該決議の認可の申立てをしなければならない。

（社債権者集会の決議の不認可）
第七百三十三条　裁判所は、次のいずれかに該当する場合には、社債権者集会の決議の認可をすることができない。
一　社債権者集会の招集の手続又はその決議の方法が法令又は第六百七十六条の募集のための当該社債発行会社の事業その他の事項に関する説明に用いた資料に記載され、若しくは記録された事項に違反するとき。
二　決議が不正の方法によって成立するに至ったとき。
三　決議が著しく不公正であるとき。
四　決議が社債権者の一般の利益に反するとき。

（社債権者集会の決議の効力）
第七百三十四条　社債権者集会の決議は、裁判所の認可を受けなければ、その効力を生じない。
2　社債権者集会の決議は、当該種類の社債を有するすべての社債権者に対してその効力を有する。

（社債権者集会の決議の認可又は不認可の決定の公告）
第七百三十五条　社債発行会社は、社債権者集会の決議の認可又は不認可の決定があった場合には、遅滞なく、その旨を公告しなければならない。

（社債権者集会の決議の省略）
第七百三十五条の二　社債発行会社、社債管理者、社債管理補助者又は社債権者が社債権者集会の目的である事項について（社債管理補助者にあっては、第七百十四条の七において準用する第七百十一条第一項の社債権者集会の同意をすることについて）提案をした場合において、当該提案につき議決権者の全員が書面又は電磁的記録により同意の意思表示をしたときは、当該提案を可決する旨の社債権者集会の決議があったものとみなす。
2　社債発行会社は、前項の規定により社債権者集会の決議があったものとみなされた日から十年間、同項の書面又は電磁的記録をその本店に備え置かなければならない。
3　社債管理者、社債管理補助者及び社債権者は、社債発行会社の営業時間内は、いつでも、次に掲げる請求をすることができる。
一　前項の書面の閲覧又は謄写の請求
二　前項の電磁的記録に記録された事項を法務省令で定める方法により表示したものの閲覧又は謄写の請求
4　第一項の規定により社債権者集会の決議があったものとみなされる場合には、第七百三十二条から前条まで（第七百三十四条第二項を除く。）の規定は、適用しない。

【会社法施行規則】

（電磁的記録に記録された事項を表示する方法）

第二百二十六条　次に掲げる規定に規定する法務省令で定める方法は、次に掲げる規定の電磁的記録に記録された事項を紙面又は映像面に表示する方法とする。

一～三十二　（略）

三十三　法第七百三十五条の二第三項第二号

三十四～四十三　（略）

（保存の指定）

第二百三十二条　電子文書法第三条第一項の主務省令で定める保存は、次に掲げる保存とする。

一～三十　（略）

三十一　法第七百三十五条の二第二項の規定による同条第一項の書面の保存

三十二～三十六　（略）

（縦覧等の指定）

第二百三十四条　電子文書法第五条第一項の主務省令で定める縦覧等は、次に掲げる縦覧等とする。

一～四十三　（略）

四十四　法第七百三十五条の二第三項第一号の規定による同条第二項の書面の縦覧等

四十五～五十四　（略）

（代表社債権者の選任等）

第七百三十六条　社債権者集会においては、その決議によって、当該種類の社債の総額（償還済みの額を除く。）の千分の一以上に当たる社債を有する社債権者の中から、一人又は二人以上の代表社債権者を選任し、これに社債権者集会において決議をする事項についての決定を委任することができる。

2　第七百十八条第二項の規定は、前項に規定する社債の総額について準用する。

3　代表社債権者が二人以上ある場合において、社債権者集会において別段の定めを行わなかったときは、第一項に規定する事項についての決定は、その過半数をもって行う。

（社債権者集会の決議の執行）

第七百三十七条　社債権者集会の決議は、次の各号に掲げる場合の区分に応じ、当該各号に定める者が執行する。ただし、社債権者集会の決議によって別に社債権者集会の決議を執行する者を定めたときは、この限りでない。

一　社債管理者がある場合　社債管理者

二　社債管理補助者がある場合において、社債管理補助者の権限に属する行為に関する事項を可決する旨の社債権者集会の決議があったとき　社債管理補助者

三　前二号に掲げる場合以外の場合　代表社債権者

2　第七百五条第一項から第三項まで、第七百八条及び第七百九条の規定は、代表社債権者又は前項ただし書の規定により定められた社債権者集会の決議を執行する者（以下この章において「決議執行者」という。）が社債権者集会の決議を執行する場合について準用する。

（代表社債権者等の解任等）

第七百三十八条　社債権者集会においては、その決議によって、いつでも、代表社債権者若しくは決議執行者を解任し、又はこれらの者に委任した事項を変更することができる。

（社債の利息の支払等を怠ったことによる期限の利益の喪失）

第七百三十九条　社債発行会社が社債の利息の支払を怠ったとき、又は定期に社債の一部を償還しなければならない場合においてその償還を怠ったときは、社債権者集会の決議に基づき、当該決議を執行する者は、社債発行会社に対し、一定の期間内にその弁済をしなければならない旨及び当該期間内にその弁済をしないときは当該社債の総額につ

いて期限の利益を喪失する旨を書面により通知することができる。ただし、当該期間は、二箇月を下ることができない。
2　前項の決議を執行する者は、同項の規定による書面による通知に代えて、政令で定めるところにより、社債発行会社の承諾を得て、同項の規定により通知する事項を電磁的方法により提供することができる。この場合において、当該決議を執行する者は、当該書面による通知をしたものとみなす。
3　社債発行会社は、第一項の期間内に同項の弁済をしなかったときは、当該社債の総額について期限の利益を喪失する。

【会社法施行令】

（書面に記載すべき事項等の電磁的方法による提供の承諾等）

第一条　次に掲げる規定に規定する事項を電磁的方法（会社法（以下「法」という。）第二条第三十四号に規定する電磁的方法をいう。以下同じ。）により提供しようとする者（次項において「提供者」という。）は、法務省令で定めるところにより、あらかじめ、当該事項の提供の相手方に対し、その用いる電磁的方法の種類及び内容を示し、書面又は電磁的方法による承諾を得なければならない。

一～十三　（略）

十四　法第七百三十九条第二項

十五　（略）

2　前項の規定による承諾を得た提供者は、同項の相手方から書面又は電磁的方法により電磁的方法による事項の提供を受けない旨の申出があったときは、当該相手方に対し、当該事項の提供を電磁的方法によってしてはならない。ただし、当該相手方が再び同項の規定による承諾をした場合は、この限りでない。

【会社法施行規則】

（会社法施行令に係る電磁的方法）

第二百三十条　会社法施行令（平成十七年政令第三百六十四号）第一条第一項又は第二条第一項の規定により示すべき電磁的方法の種類及び内容は、次に掲げるものとする。

一　次に掲げる方法のうち、送信者が使用するもの

イ　電子情報処理組織を使用する方法のうち次に掲げるもの

(1)　送信者の使用に係る電子計算機と受信者の使用に係る電子計算機とを接続する電気通信回線を通じて送信し、受信者の使用に係る電子計算機に備えられたファイルに記録する方法

(2)　送信者の使用に係る電子計算機に備えられたファイルに記録された情報の内容を電気通信回線を通じて情報の提供を受ける者の閲覧に供し、当該情報の提供を受ける者の使用に係る電子計算機に備えられたファイルに当該情報を記録する方法

ロ　磁気ディスクその他これに準ずる方法により一定の情報を確実に記録しておくことができる物をもって調製するファイルに情報を記録したものを交付する方法

二　ファイルへの記録の方式

（債権者の異議手続の特則）

第七百四十条　第四百四十九条、第六百二十七条、第六百三十五条、第六百七十条、第七百七十九条（第七百八十一条第二項において準用する場合を含む。）、第七百八十九条（第七百九十三条第二項において準用する場合を含む。）、第七百九十九条（第八百二条第二項において準用する場合を含む。）、第八百十条（第八百十三条第二項において準用する場合を含む。）又は第八百十六条の八の規定により社債権者が異議を述べるには、社債権者集会の決議によらなければならない。この場合においては、裁判所は、利害関係人の申立てにより、社債権者のために異議を述べることができる期間を伸長することができる。
2　前項の規定にかかわらず、社債管理者は、社債権者のために、異議

を述べることができる。ただし、第七百二条の規定による委託に係る契約に別段の定めがある場合は、この限りでない。

3　社債発行会社における第四百四十九条第二項、第六百二十七条第二項、第六百三十五条第二項、第六百七十条第二項、第七百七十九条第二項（第七百八十一条第二項において準用する場合を含む。以下この項において同じ。）、第七百八十九条第二項（第七百九十三条第二項において準用する場合を含む。以下この項において同じ。）、第七百九十九条第二項（第八百二条第二項において準用する場合を含む。以下この項において同じ。）、第八百十条第二項（第八百十三条第二項において準用する場合を含む。以下この項において同じ。）及び第八百十六条の八第二項の規定の適用については、第四百四十九条第二項、第六百二十七条第二項、第六百三十五条第二項、第六百七十条第二項、第七百七十九条第二項、第七百九十九条第二項及び第八百十六条の八第二項中「知れている債権者」とあるのは「知れている債権者（社債管理者又は社債管理補助者がある場合にあっては、当該社債管理者又は社債管理補助者を含む。）」と、第七百八十九条第二項及び第八百十条第二項中「知れている債権者（同項の規定により異議を述べることができるものに限る。）」とあるのは「知れている債権者（同項の規定により異議を述べることができるものに限り、社債管理者又は社債管理補助者がある場合にあっては当該社債管理者又は社債管理補助者を含む。）」とする。

（社債管理者等の報酬等）

第七百四十一条　社債管理者、社債管理補助者、代表社債権者又は決議執行者に対して与えるべき報酬、その事務処理のために要する費用及びその支出の日以後における利息並びにその事務処理のために自己の過失なくして受けた損害の賠償額は、社債発行会社との契約に定めがある場合を除き、裁判所の許可を得て、社債発行会社の負担とすることができる。

2　前項の許可の申立ては、社債管理者、社債管理補助者、代表社債権者又は決議執行者がする。

3　社債管理者、社債管理補助者、代表社債権者又は決議執行者は、第一項の報酬、費用及び利息並びに損害の賠償額に関し、第七百五条第一項（第七百三十七条第二項において準用する場合を含む。）又は第七百十四条の四第二項第一号の弁済を受けた額について、社債権者に先立って弁済を受ける権利を有する。

（社債権者集会等の費用の負担）

第七百四十二条　社債権者集会に関する費用は、社債発行会社の負担とする。

2　第七百三十二条の申立てに関する費用は、社債発行会社の負担とする。ただし、裁判所は、社債発行会社その他利害関係人の申立てにより又は職権で、当該費用の全部又は一部について、招集者その他利害関係人の中から別に負担者を定めることができる。

第五編

組織変更、合併、会社分割、株式交換、株式移転及び株式交付

第一章　組織変更

第一節　通則

（組織変更計画の作成）

第七百四十三条　会社は、組織変更をすることができる。この場合においては、組織変更計画を作成しなければならない。

第二節　株式会社の組織変更

（株式会社の組織変更計画）

第七百四十四条　株式会社が組織変更をする場合には、当該株式会社は、組織変更計画において、次に掲げる事項を定めなければならない。

一　組織変更後の持分会社（以下この編において「組織変更後持分会社」という。）が合名会社、合資会社又は合同会社のいずれであるかの別

二　組織変更後持分会社の目的、商号及び本店の所在地

三　組織変更後持分会社の社員についての次に掲げる事項

イ　当該社員の氏名又は名称及び住所

ロ　当該社員が無限責任社員又は有限責任社員のいずれであるかの別

ハ　当該社員の出資の価額

四　前二号に掲げるもののほか、組織変更後持分会社の定款で定める事項

五　組織変更後持分会社が組織変更に際して組織変更をする株式会社の株主に対してその株式に代わる金銭等（組織変更後持分会社の持分を除く。以下この号及び次号において同じ。）を交付するときは、当該金銭等についての次に掲げる事項

イ　当該金銭等が組織変更後持分会社の社債であるときは、当該社債の種類（第百七条第二項第二号ロに規定する社債の種類をいう。以下この編において同じ。）及び種類ごとの各社債の金額の合計額又はその算定方法

ロ　当該金銭等が組織変更後持分会社の社債以外の財産であるときは、当該財産の内容及び数若しくは額又はこれらの算定方法

六　前号に規定する場合には、組織変更をする株式会社の株主（組織変更をする株式会社を除く。）に対する同号の金銭等の割当てに関する事項

七　組織変更をする株式会社が新株予約権を発行しているときは、組織変更後持分会社が組織変更に際して当該新株予約権の新株予約権者に対して交付する当該新株予約権に代わる金銭の額又はその算定方法

八　前号に規定する場合には、組織変更をする株式会社の新株予約権の新株予約権者に対する同号の金銭の割当てに関する事項

九　組織変更がその効力を生ずる日（以下この章において「効力発生日」という。）

2　組織変更後持分会社が合名会社であるときは、前項第三号ロに掲げる事項として、その社員の全部を無限責任社員とする旨を定めなければならない。

3　組織変更後持分会社が合資会社であるときは、第一項第三号ロに掲げる事項として、その社員の一部を無限責任社員とし、その他の社員を有限責任社員とする旨を定めなければならない。

4　組織変更後持分会社が合同会社であるときは、第一項第三号ロに掲げる事項として、その社員の全部を有限責任社員とする旨を定めなければならない。

（株式会社の組織変更の効力の発生等）

第七百四十五条　組織変更をする株式会社は、効力発生日に、持分会社となる。

2　組織変更をする株式会社は、効力発生日に、前条第一項第二号から第四号までに掲げる事項についての定めに従い、当該事項に係る定款の変更をしたものとみなす。

3　組織変更をする株式会社の株主は、効力発生日に、前条第一項第三号に掲げる事項についての定めに従い、組織変更後持分会社の社員となる。

4　前条第一項第五号イに掲げる事項についての定めがある場合には、組織変更をする株式会社の株主は、効力発生日に、同項第六号に掲げる事項についての定めに従い、同項第五号イの社債の社債権者となる。

5　組織変更をする株式会社の新株予約権は、効力発生日に、消滅する。

6　前各項の規定は、第七百七十九条の規定による手続が終了していない場合又は組織変更を中止した場合には、適用しない。

※株式会社が組織変更をする場合の社員資本は会社計算規則第三三条（二六一頁参照）

第三節　持分会社の組織変更

（持分会社の組織変更計画）

第七百四十六条　持分会社が組織変更をする場合には、当該持分会社は、組織変更計画において、次に掲げる事項を定めなければならない。

一　組織変更後の株式会社（以下この条において「組織変更後株式会社」という。）の目的、商号、本店の所在地及び発行可能株式総数

二　前号に掲げるもののほか、組織変更後株式会社の定款で定める事項

三　組織変更後株式会社の取締役の氏名

四　次のイからハまでに掲げる場合の区分に応じ、当該イからハまでに定める事項

イ　組織変更後株式会社が会計参与設置会社である場合　組織変更後株式会社の会計参与の氏名又は名称

ロ　組織変更後株式会社が監査役設置会社（監査役の監査の範囲を会計に関するものに限定する旨の定款の定めがある株式会社を含む。）である場合　組織変更後株式会社の監査役の氏名

ハ　組織変更後株式会社が会計監査人設置会社である場合　組織変更後株式会社の会計監査人の氏名又は名称

五　組織変更をする持分会社の社員が組織変更に際して取得する組織変更後株式会社の株式の数（種類株式発行会社にあっては、株式の種類及び種類ごとの数）又はその数の算定方法

六　組織変更をする持分会社の社員に対する前号の株式の割当てに関する事項

七　組織変更後株式会社が組織変更に際して組織変更をする持分会社の社員に対してその持分に代わる金銭等（組織変更後株式会社の株式を除く。以下この号及び次号において同じ。）を交付するときは、当該金銭等についての次に掲げる事項

イ　当該金銭等が組織変更後株式会社の社債（新株予約権付社債についてのものを除く。）であるときは、当該社債の種類及び種類ごとの各社債の金額の合計額又はその算定方法

ロ　当該金銭等が組織変更後株式会社の新株予約権（新株予約権付社債に付されたものを除く。）であるときは、当該新株予約権の内容及び数又はその算定方法

ハ　当該金銭等が組織変更後株式会社の新株予約権付社債であるときは、当該新株予約権付社債についてのイに規定する事項及び当該新株予約権付社債に付された新株予約権についてのロに規定する事項

ニ　当該金銭等が組織変更後株式会社の社債等（社債及び新株予約権をいう。以下この編において同じ。）以外の財産であるときは、当該財産の内容及び数若しくは額又はこれらの算定方法

八　前号に規定する場合には、組織変更をする持分会社の社員に対する同号の金銭等の割当てに関する事項

九　効力発生日

2　組織変更後株式会社が監査等委員会設置会社である場合には、前項第三号に掲げる事項は、監査等委員である取締役とそれ以外の取締役とを区別して定めなければならない。

（持分会社の組織変更の効力の発生等）

第七百四十七条　組織変更をする持分会社は、効力発生日に、株式会社

となる。

2　組織変更をする持分会社は、効力発生日に、前条第一項第一号及び第二号に掲げる事項についての定めに従い、当該事項に係る定款の変更をしたものとみなす。

3　組織変更をする持分会社の社員は、効力発生日に、前条第一項第六号に掲げる事項についての定めに従い、同項第五号の株式の株主となる。

4　次の各号に掲げる場合には、組織変更をする持分会社の社員は、効力発生日に、前条第一項第八号に掲げる事項についての定めに従い、当該各号に定める者となる。

一　前条第一項第七号イに掲げる事項についての定めがある場合　同号イの社債の社債権者

二　前条第一項第七号ロに掲げる事項についての定めがある場合　同号ロの新株予約権の新株予約権者

三　前条第一項第七号ハに掲げる事項についての定めがある場合　同号ハの新株予約権付社債についての社債の社債権者及び当該新株予約権付社債に付された新株予約権の新株予約権者

5　前各項の規定は、第七百八十一条第二項において準用する第七百七十九条（第二項第二号を除く。）の規定による手続が終了していない場合又は組織変更を中止した場合には、適用しない。

※持分会社が組織変更をする場合の株主資本は会社計算規則第三四条（四〇三頁参照）

第二章　合併

第一節　通則

（合併契約の締結）

第七百四十八条　会社は、他の会社と合併をすることができる。この場合においては、合併をする会社は、合併契約を締結しなければならない。

第二節　吸収合併

第一款　株式会社が存続する吸収合併

（株式会社が存続する吸収合併契約）

第七百四十九条　会社が吸収合併をする場合において、吸収合併後存続する会社（以下この編において「吸収合併存続会社」という。）が株式会社であるときは、吸収合併契約において、次に掲げる事項を定めなければならない。

一　株式会社である吸収合併存続会社（以下この編において「吸収合併存続株式会社」という。）及び吸収合併により消滅する会社（以下この編において「吸収合併消滅会社」という。）の商号及び住所

二　吸収合併存続株式会社が吸収合併に際して株式会社である吸収合併消滅会社（以下この編において「吸収合併消滅株式会社」という。）の株主又は持分会社である吸収合併消滅会社（以下この編において「吸収合併消滅持分会社」という。）の社員に対してその株式又は持分に代わる金銭等を交付するときは、当該金銭等についての次に掲げる事項

イ　当該金銭等が吸収合併存続株式会社の株式であるときは、当該株式の数（種類株式発行会社にあっては、株式の種類及び種類ごとの数）又はその数の算定方法並びに当該吸収合併存続株式会社の資本金及び準備金の額に関する事項

ロ　当該金銭等が吸収合併存続株式会社の社債（新株予約権付社債についてのものを除く。）であるときは、当該社債の種類及び種類ごとの各社債の金額の合計額又はその算定方法

ハ　当該金銭等が吸収合併存続株式会社の新株予約権（新株予約権付社債に付されたものを除く。）であるときは、当該新株予約権の内容及び数又はその算定方法

ニ　当該金銭等が吸収合併存続株式会社の新株予約権付社債である

ときは、当該新株予約権付社債についてのロに規定する事項及び当該新株予約権付社債に付された新株予約権についてのハに規定する事項

ホ　当該金銭等が吸収合併存続株式会社の株式等以外の財産であるときは、当該財産の内容及び数若しくは額又はこれらの算定方法

三　前号に規定する場合には、吸収合併消滅株式会社の株主（吸収合併消滅株式会社及び吸収合併存続株式会社を除く。）又は吸収合併消滅持分会社の社員（吸収合併存続株式会社を除く。）に対する同号の金銭等の割当てに関する事項

四　吸収合併消滅株式会社が新株予約権を発行しているときは、吸収合併存続株式会社が吸収合併に際して当該新株予約権の新株予約権者に対して交付する当該新株予約権に代わる当該吸収合併存続株式会社の新株予約権又は金銭についての次に掲げる事項

イ　当該吸収合併消滅株式会社の新株予約権の新株予約権者に対して吸収合併存続株式会社の新株予約権を交付するときは、当該新株予約権の内容及び数又はその算定方法

ロ　イに規定する場合において、イの吸収合併消滅株式会社の新株予約権が新株予約権付社債に付された新株予約権であるときは、吸収合併存続株式会社が当該新株予約権付社債についての社債に係る債務を承継する旨並びにその承継に係る社債の種類及び種類ごとの各社債の金額の合計額又はその算定方法

ハ　当該吸収合併消滅株式会社の新株予約権の新株予約権者に対して金銭を交付するときは、当該金銭の額又はその算定方法

五　前号に規定する場合には、吸収合併消滅株式会社の新株予約権の新株予約権者に対する同号の吸収合併存続株式会社の新株予約権又は金銭の割当てに関する事項

六　吸収合併がその効力を生ずる日（以下この節において「効力発生日」という。）

2　前項に規定する場合において、吸収合併消滅株式会社が種類株式発行会社であるときは、吸収合併存続株式会社及び吸収合併消滅株式会社は、吸収合併消滅株式会社の発行する種類の株式の内容に応じ、同項第三号に掲げる事項として次に掲げる事項を定めることができる。

一　ある種類の株式の株主に対して金銭等の割当てをしないこととするときは、その旨及び当該株式の種類

二　前号に掲げる事項のほか、金銭等の割当てについて株式の種類ごとに異なる取扱いを行うこととするときは、その旨及び当該異なる取扱いの内容

3　第一項に規定する場合には、同項第三号に掲げる事項についての定めは、吸収合併消滅株式会社の株主（吸収合併消滅株式会社及び吸収合併存続株式会社並びに前項第一号の種類の株式の株主を除く。）の有する株式の数（前項第二号に掲げる事項についての定めがある場合にあっては、各種類の株式の数）に応じて金銭等を交付することを内容とするものでなければならない。

（株式会社が存続する吸収合併の効力の発生等）

第七百五十条　吸収合併存続株式会社は、効力発生日に、吸収合併消滅会社の権利義務を承継する。

2　吸収合併消滅会社の吸収合併による解散は、吸収合併の登記の後でなければ、これをもって第三者に対抗することができない。

3　次の各号に掲げる場合には、吸収合併消滅株式会社の株主又は吸収合併消滅持分会社の社員は、効力発生日に、前条第一項第三号に掲げる事項についての定めに従い、当該各号に定める者となる。

一　前条第一項第二号イに掲げる事項についての定めがある場合　同号イの株式の株主

二　前条第一項第二号ロに掲げる事項についての定めがある場合　同号ロの社債の社債権者

三　前条第一項第二号ハに掲げる事項についての定めがある場合　同号ハの新株予約権の新株予約権者

四　前条第一項第二号ニに掲げる事項についての定めがある場合　同号ニの新株予約権付社債についての社債の社債権者及び当該新株予約権付社債に付された新株予約権の新株予約権者

4 吸収合併消滅株式会社の新株予約権は、効力発生日に、消滅する。

5 前条第一項第四号イに規定する場合には、吸収合併消滅株式会社の新株予約権の新株予約権者は、効力発生日に、同項第五号に掲げる事項についての定めに従い、同項第四号イの吸収合併存続株式会社の新株予約権の新株予約権者となる。

6 前各項の規定は、第七百八十九条（第一項第三号及び第二項第三号を除き、第七百九十三条第二項において準用する場合を含む。）若しくは第七百九十九条の規定による手続が終了していない場合又は吸収合併を中止した場合には、適用しない。

※吸収合併に際しての株主資本等は会社計算規則第三五条（二六一頁参照）・第三六条（二六二頁参照）・第五四条第一項（二七〇頁参照）

第二款　持分会社が存続する吸収合併

（持分会社が存続する吸収合併契約）

第七百五十一条　会社が吸収合併をする場合において、吸収合併存続会社が持分会社であるときは、吸収合併契約において、次に掲げる事項を定めなければならない。

一 持分会社である吸収合併存続会社（以下この節において「吸収合併存続持分会社」という。）及び吸収合併消滅会社の商号及び住所

二 吸収合併消滅株式会社の株主又は吸収合併消滅持分会社の社員が吸収合併に際して吸収合併存続持分会社の社員となるときは、次のイからハまでに掲げる吸収合併存続持分会社の区分に応じ、当該イからハまでに定める事項

イ 合名会社　当該社員の氏名又は名称及び住所並びに出資の価額

ロ 合資会社　当該社員の氏名又は名称及び住所、当該社員が無限責任社員又は有限責任社員のいずれであるかの別並びに当該社員の出資の価額

ハ 合同会社　当該社員の氏名又は名称及び住所並びに出資の価額

三 吸収合併存続持分会社が吸収合併に際して吸収合併消滅株式会社の株主又は吸収合併消滅持分会社の社員に対してその株式又は持分に代わる金銭等（吸収合併存続持分会社の持分を除く。）を交付するときは、当該金銭等についての次に掲げる事項

イ 当該金銭等が吸収合併存続持分会社の社債であるときは、当該社債の種類及び種類ごとの各社債の金額の合計額又はその算定方法

ロ 当該金銭等が吸収合併存続持分会社の社債以外の財産であるときは、当該財産の内容及び数若しくは額又はこれらの算定方法

四 前号に規定する場合には、吸収合併消滅株式会社の株主（吸収合併消滅株式会社及び吸収合併存続持分会社を除く。）又は吸収合併消滅持分会社の社員（吸収合併存続持分会社を除く。）に対する同号の金銭等の割当てに関する事項

五 吸収合併消滅株式会社が新株予約権を発行しているときは、吸収合併存続持分会社が吸収合併に際して当該新株予約権の新株予約権者に対して交付する当該新株予約権に代わる金銭の額又はその算定方法

六 前号に規定する場合には、吸収合併消滅株式会社の新株予約権の新株予約権者に対する同号の金銭の割当てに関する事項

七 効力発生日

2 前項に規定する場合において、吸収合併消滅株式会社が種類株式発行会社であるときは、吸収合併存続持分会社及び吸収合併消滅株式会社は、吸収合併消滅株式会社の発行する種類の株式の内容に応じ、同項第四号に掲げる事項として次に掲げる事項を定めることができる。

一 ある種類の株式の株主に対して金銭等の割当てをしないこととするときは、その旨及び当該株式の種類

二 前号に掲げる事項のほか、金銭等の割当てについて株式の種類ごとに異なる取扱いを行うこととするときは、その旨及び当該異なる取扱いの内容

3 第一項に規定する場合には、同項第四号に掲げる事項についての定めは、吸収合併消滅株式会社の株主（吸収合併消滅株式会社及び吸収合併存続持分会社並びに前項第一号の種類の株式の株主を除く。）の有

する株式の数（前項第二号に掲げる事項についての定めがある場合にあっては、各種類の株式の数）に応じて金銭等を交付することを内容とするものでなければならない。

（持分会社が存続する吸収合併の効力の発生等）

第七百五十二条　吸収合併存続持分会社は、効力発生日に、吸収合併消滅会社の権利義務を承継する。

2　吸収合併消滅会社の吸収合併による解散は、吸収合併の登記の後でなければ、これをもって第三者に対抗することができない。

3　前条第一項第二号に規定する場合には、吸収合併消滅株式会社の株主又は吸収合併消滅持分会社の社員は、効力発生日に、同号に掲げる事項についての定めに従い、吸収合併存続持分会社の社員となる。この場合においては、吸収合併存続持分会社は、効力発生日に、同号の社員に係る定款の変更をしたものとみなす。

4　前条第一項第三号イに掲げる事項についての定めがある場合には、吸収合併消滅株式会社の株主又は吸収合併消滅持分会社の社員は、効力発生日に、同項第四号に掲げる事項についての定めに従い、同項第三号イの社債の社債権者となる。

5　吸収合併消滅株式会社の新株予約権は、効力発生日に、消滅する。

6　前各項の規定は、第七百八十九条（第一項第三号及び第二項第三号を除き、第七百九十三条第二項において準用する場合を含む。）若しくは第八百二条第二項において準用する第七百九十九条（第二項第三号を除く。）の規定による手続が終了していない場合又は吸収合併を中止した場合には、適用しない。

※吸収合併に際しての社員資本等は会社計算規則第三五条（二六一頁参照）・第三六条（二六二頁参照）・第五四条第一項（二七〇頁参照）

第三節　新設合併

第一款　株式会社を設立する新設合併

（株式会社を設立する新設合併契約）

第七百五十三条　二以上の会社が新設合併をする場合において、新設合併により設立する会社（以下この編において「新設合併設立会社」という。）が株式会社であるときは、新設合併契約において、次に掲げる事項を定めなければならない。

一　新設合併により消滅する会社（以下この編において「新設合併消滅会社」という。）の商号及び住所

二　株式会社である新設合併設立会社（以下この編において「新設合併設立株式会社」という。）の目的、商号、本店の所在地及び発行可能株式総数

三　前号に掲げるもののほか、新設合併設立株式会社の定款で定める事項

四　新設合併設立株式会社の設立時取締役の氏名

五　次のイからハまでに掲げる場合の区分に応じ、当該イからハまでに定める事項

イ　新設合併設立株式会社が会計参与設置会社である場合　新設合併設立株式会社の設立時会計参与の氏名又は名称

ロ　新設合併設立株式会社が監査役設置会社（監査役の監査の範囲を会計に関するものに限定する旨の定款の定めがある株式会社を含む。）である場合　新設合併設立株式会社の設立時監査役の氏名

ハ　新設合併設立株式会社が会計監査人設置会社である場合　新設合併設立株式会社の設立時会計監査人の氏名又は名称

六　新設合併設立株式会社が新設合併に際して株式会社である新設合併消滅会社（以下この編において「新設合併消滅株式会社」という。）の株主又は持分会社である新設合併消滅会社（以下この編において「新設合併消滅持分会社」という。）の社員に対して交付するその株式又は持分に代わる当該新設合併設立株式会社の株式の数（種類株式発行会社にあっては、株式の種類及び種類ごとの数）又はその数の算定方法並びに当該新設合併設立株式会社の資本金及び準備金の額に関する事項

七　新設合併消滅株式会社の株主（新設合併消滅株式会社を除く。）又は新設合併消滅持分会社の社員に対する前号の株式の割当てに関する事項

八　新設合併設立株式会社が新設合併に際して新設合併消滅株式会社の株主又は新設合併消滅持分会社の社員に対してその株式又は持分に代わる当該新設合併設立株式会社の社債等を交付するときは、当該社債等についての次に掲げる事項

イ　当該社債等が新設合併設立株式会社の社債（新株予約権付社債についてのものを除く。）であるときは、当該社債の種類及び種類ごとの各社債の金額の合計額又はその算定方法

ロ　当該社債等が新設合併設立株式会社の新株予約権（新株予約権付社債に付されたものを除く。）であるときは、当該新株予約権の内容及び数又はその算定方法

ハ　当該社債等が新設合併設立株式会社の新株予約権付社債であるときは、当該新株予約権付社債についてのイに規定する事項及び当該新株予約権付社債に付された新株予約権についてのロに規定する事項

九　前号に規定する場合には、新設合併消滅株式会社の株主（新設合併消滅株式会社を除く。）又は新設合併消滅持分会社の社員に対する同号の社債等の割当てに関する事項

十　新設合併消滅株式会社が新株予約権を発行しているときは、新設合併設立株式会社が新設合併に際して当該新株予約権の新株予約権者に対して交付する当該新株予約権に代わる当該新設合併設立株式会社の新株予約権又は金銭についての次に掲げる事項

イ　当該新設合併消滅株式会社の新株予約権の新株予約権者に対して新設合併設立株式会社の新株予約権を交付するときは、当該新株予約権の内容及び数又はその算定方法

ロ　イに規定する場合において、イの新設合併消滅株式会社の新株予約権が新株予約権付社債に付された新株予約権であるときは、新設合併設立株式会社が当該新株予約権付社債についての社債に係る債務を承継する旨並びにその承継に係る社債の種類及び種類ごとの各社債の金額の合計額又はその算定方法

ハ　当該新設合併消滅株式会社の新株予約権の新株予約権者に対して金銭を交付するときは、当該金銭の額又はその算定方法

十一　前号に規定する場合には、新設合併消滅株式会社の新株予約権の新株予約権者に対する同号の新設合併設立株式会社の新株予約権又は金銭の割当てに関する事項

2　新設合併設立株式会社が監査等委員会設置会社である場合には、前項第四号に掲げる事項は、設立時監査等委員である設立時取締役とそれ以外の設立時取締役とを区別して定めなければならない。

3　第一項に規定する場合において、新設合併消滅株式会社の全部又は一部が種類株式発行会社であるときは、新設合併消滅会社は、新設合併消滅株式会社の発行する種類の株式の内容に応じ、同項第七号に掲げる事項（新設合併消滅株式会社の株主に係る事項に限る。次項において同じ。）として次に掲げる事項を定めることができる。

一　ある種類の株式の株主に対して新設合併設立株式会社の株式の割当てをしないこととするときは、その旨及び当該株式の種類

二　前号に掲げる事項のほか、新設合併設立株式会社の株式の割当てについて株式の種類ごとに異なる取扱いを行うこととするときは、その旨及び当該異なる取扱いの内容

4　第一項に規定する場合には、同項第七号に掲げる事項についての定めは、新設合併消滅株式会社の株主（新設合併消滅会社及び前項第一号の種類の株式の株主を除く。）の有する株式の数（前項第二号に掲げる事項についての定めがある場合にあっては、各種類の株式の数）に応じて新設合併設立株式会社の株式を交付することを内容とするものでなければならない。

5　前二項の規定は、第一項第九号に掲げる事項について準用する。この場合において、前二項中「新設合併設立株式会社の株式」とあるのは、「新設合併設立株式会社の社債等」と読み替えるものとする。

（株式会社を設立する新設合併の効力の発生等）

第七百五十四条　新設合併設立株式会社は、その成立の日に、新設合併消滅会社の権利義務を承継する。

2　前条第一項に規定する場合には、新設合併消滅株式会社の株主又は新設合併消滅持分会社の社員は、新設合併設立株式会社の成立の日に、同項第七号に掲げる事項についての定めに従い、同項第六号の株式の株主となる。

3　次の各号に掲げる場合には、新設合併消滅株式会社の株主又は新設合併消滅持分会社の社員は、新設合併設立株式会社の成立の日に、前条第一項第九号に掲げる事項についての定めに従い、当該各号に定める者となる。

一　前条第一項第八号イに掲げる事項についての定めがある場合　同号イの社債の社債権者

二　前条第一項第八号ロに掲げる事項についての定めがある場合　同号ロの新株予約権の新株予約権者

三　前条第一項第八号ハに掲げる事項についての定めがある場合　同号ハの新株予約権付社債についての社債の社債権者及び当該新株予約権付社債に付された新株予約権の新株予約権者

4　新設合併消滅株式会社の新株予約権は、新設合併設立株式会社の成立の日に、消滅する。

5　前条第一項第十号イに規定する場合には、新設合併消滅株式会社の新株予約権の新株予約権者は、新設合併設立株式会社の成立の日に、同項第十一号に掲げる事項についての定めに従い、同項第十号イの新設合併設立株式会社の新株予約権の新株予約権者となる。

※新設合併をする場合の株主資本等は会社計算規則第四五条〜第四八条（二六八頁参照）・第五四条第一項（二七〇頁参照）

第二款　持分会社を設立する新設合併

（持分会社を設立する新設合併契約）

第七百五十五条　二以上の会社が新設合併をする場合において、新設合併設立会社が持分会社であるときは、新設合併契約において、次に掲げる事項を定めなければならない。

一　新設合併消滅会社の商号及び住所

二　持分会社である新設合併設立会社（以下この編において「新設合併設立持分会社」という。）が合名会社、合資会社又は合同会社のいずれであるかの別

三　新設合併設立持分会社の目的、商号及び本店の所在地

四　新設合併設立持分会社の社員についての次に掲げる事項

イ　当該社員の氏名又は名称及び住所

ロ　当該社員が無限責任社員又は有限責任社員のいずれであるかの別

ハ　当該社員の出資の価額

五　前二号に掲げるもののほか、新設合併設立持分会社の定款で定める事項

六　新設合併設立持分会社が新設合併に際して新設合併消滅株式会社の株主又は新設合併消滅持分会社の社員に対してその株式又は持分に代わる当該新設合併設立持分会社の社債を交付するときは、当該社債の種類及び種類ごとの各社債の金額の合計額又はその算定方法

七　前号に規定する場合には、新設合併消滅株式会社の株主（新設合併消滅株式会社を除く。）又は新設合併消滅持分会社の社員に対する同号の社債の割当てに関する事項

八　新設合併消滅株式会社が新株予約権を発行しているときは、新設合併設立持分会社が新設合併に際して当該新株予約権の新株予約権者に対して交付する当該新株予約権に代わる金銭の額又はその算定方法

九　前号に規定する場合には、新設合併消滅株式会社の新株予約権の新株予約権者に対する同号の金銭の割当てに関する事項

2　新設合併設立持分会社が合名会社であるときは、前項第四号ロに掲げる事項として、その社員の全部を無限責任社員とする旨を定めなければならない。

3　新設合併設立持分会社が合資会社であるときは、第一項第四号ロに掲げる事項として、その社員の一部を無限責任社員とし、その他の社員を有限責任社員とする旨を定めなければならない。

4　新設合併設立持分会社が合同会社であるときは、第一項第四号ロに掲げる事項として、その社員の全部を有限責任社員とする旨を定めなければならない。

（持分会社を設立する新設合併の効力の発生等）

第七百五十六条　新設合併設立持分会社は、その成立の日に、新設合併消滅会社の権利義務を承継する。

2　前条第一項に規定する場合には、新設合併消滅株式会社の株主又は新設合併消滅持分会社の社員は、新設合併設立持分会社の成立の日に、同項第四号に掲げる事項についての定めに従い、当該新設合併設立持分会社の社員となる。

3　前条第一項第六号に掲げる事項についての定めがある場合には、新設合併消滅株式会社の株主又は新設合併消滅持分会社の社員は、新設合併設立持分会社の成立の日に、同項第七号に掲げる事項についての定めに従い、同項第六号の社債の社債権者となる。

4　新設合併消滅株式会社の新株予約権は、新設合併設立持分会社の成立の日に、消滅する。

※新設合併をする場合の社員資本等は会社計算規則第四五条〜第四八条（二六八頁参照）・第五四条第一項（二七〇頁参照）

第三章　会社分割

第一節　吸収分割

第一款　通則

（吸収分割契約の締結）

第七百五十七条　会社（株式会社又は合同会社に限る。）は、吸収分割をすることができる。この場合においては、当該会社がその事業に関して有する権利義務の全部又は一部を当該会社から承継する会社（以下この編において「吸収分割承継会社」という。）との間で、吸収分割契約を締結しなければならない。

第二款　株式会社に権利義務を承継させる吸収分割

（株式会社に権利義務を承継させる吸収分割契約）

第七百五十八条　会社が吸収分割をする場合において、吸収分割承継会社が株式会社であるときは、吸収分割契約において、次に掲げる事項を定めなければならない。

一　吸収分割をする会社（以下この編において「吸収分割会社」という。）及び株式会社である吸収分割承継会社（以下この編において「吸収分割承継株式会社」という。）の商号及び住所

二　吸収分割承継株式会社が吸収分割により吸収分割会社から承継する資産、債務、雇用契約その他の権利義務（株式会社である吸収分割会社（以下この編において「吸収分割株式会社」という。）及び吸収分割承継株式会社の株式並びに吸収分割株式会社の新株予約権に係る義務を除く。）に関する事項

三　吸収分割により吸収分割株式会社又は吸収分割承継株式会社の株式を吸収分割承継株式会社に承継させるときは、当該株式に関する事項

四　吸収分割承継株式会社が吸収分割に際して吸収分割会社に対してその事業に関する権利義務の全部又は一部に代わる金銭等を交付するときは、当該金銭等についての次に掲げる事項

イ　当該金銭等が吸収分割承継株式会社の株式であるときは、当該株式の数（種類株式発行会社にあっては、株式の種類及び種類ごとの数）又はその数の算定方法並びに当該吸収分割承継株式会社の資本金及び準備金の額に関する事項

ロ　当該金銭等が吸収分割承継株式会社の社債（新株予約権付社債

についてのものを除く。）であるときは、当該社債の種類及び種類ごとの各社債の金額の合計額又はその算定方法

ハ　当該金銭等が吸収分割承継株式会社の新株予約権（新株予約権付社債に付されたものを除く。）であるときは、当該新株予約権の内容及び数又はその算定方法

ニ　当該金銭等が吸収分割承継株式会社の新株予約権付社債であるときは、当該新株予約権付社債についてのロに規定する事項及び当該新株予約権付社債に付された新株予約権についてのハに規定する事項

ホ　当該金銭等が吸収分割承継株式会社の株式等以外の財産であるときは、当該財産の内容及び数若しくは額又はこれらの算定方法

五　吸収分割承継株式会社が吸収分割に際して吸収分割株式会社の新株予約権の新株予約権者に対して当該新株予約権に代わる当該吸収分割承継株式会社の新株予約権を交付するときは、当該新株予約権についての次に掲げる事項

イ　当該吸収分割承継株式会社の新株予約権の交付を受ける吸収分割株式会社の新株予約権の新株予約権者の有する新株予約権（以下この編において「吸収分割契約新株予約権」という。）の内容

ロ　吸収分割契約新株予約権の新株予約権者に対して交付する吸収分割承継株式会社の新株予約権の内容及び数又はその算定方法

ハ　吸収分割契約新株予約権が新株予約権付社債に付された新株予約権であるときは、吸収分割承継株式会社が当該新株予約権付社債についての社債に係る債務を承継する旨並びにその承継に係る社債の種類及び種類ごとの各社債の金額の合計額又はその算定方法

六　前号に規定する場合には、吸収分割契約新株予約権の新株予約権者に対する同号の吸収分割承継株式会社の新株予約権の割当てに関する事項

七　吸収分割がその効力を生ずる日（以下この節において「効力発生日」という。）

八　吸収分割株式会社が効力発生日に次に掲げる行為をするときは、その旨

イ　第百七十一条第一項の規定による株式の取得（同項第一号に規定する取得対価が吸収分割承継株式会社の株式（吸収分割株式会社が吸収分割をする前から有するものを除き、吸収分割承継株式会社の株式に準ずるものとして法務省令で定めるものを含む。ロにおいて同じ。）のみであるものに限る。）

ロ　剰余金の配当（配当財産が吸収分割承継株式会社の株式のみであるものに限る。）

【会社法施行規則】

第百七十八条　法第七百五十八条第八号イ及び第七百六十条第七号イに規定する法務省令で定めるものは、次に掲げるものとする。

一　イに掲げる額からロに掲げる額を減じて得た額がハに掲げる額よりも小さい場合における吸収分割に際して吸収分割株式会社が吸収分割承継会社から取得した金銭等であって、法第七百五十八条第八号又は第七百六十条第七号の定めに従い取得対価（法第百七十一条第一項第一号に規定する取得対価をいう。以下この条において同じ。）又は配当財産として交付する承継会社株式等（吸収分割承継株式会社の株式又は吸収分割承継持分会社の持分をいう。以下この号において同じ。）以外の金銭等

イ　法第七百五十八条第八号イ若しくはロ又は第七百六十条第七号イ若しくはロに掲げる行為により吸収分割株式会社の株主に対して交付する金銭等（法第七百五十八条第八号イ又は第七百六十条第七号イに掲げる行為（次号において「特定株式取得」という。）をする場合にあっては、取得対価として交付する吸収分割株式会社の株式を除く。）の合計額

ロ　イに規定する金銭等のうち承継会社株式等の価額の合計額

ハ　イに規定する金銭等の合計額に二十分の一を乗じて得た額

二　特定株式取得をする場合における取得対価として交付する吸

（株式会社に権利義務を承継させる吸収分割の効力の発生等）

第七百五十九条 吸収分割承継株式会社は、効力発生日に、吸収分割契約の定めに従い、吸収分割会社の権利義務を承継する。

2　前項の規定にかかわらず、第七百八十九条第一項第二号（第七百九十三条第二項において準用する場合を含む。次項において同じ。）の規定により異議を述べることができる吸収分割会社の債権者であって、第七百八十九条第二項（第三号を除き、第七百九十三条第二項において準用する場合を含む。次項において同じ。）の各別の催告を受けなかったもの（第七百八十九条第三項（第七百九十三条第二項において準用する場合を含む。）に規定する場合にあっては、不法行為によって生じた債務の債権者であるものに限る。次項において同じ。）は、吸収分割契約において吸収分割後に吸収分割会社に対して債務の履行を請求することができないものとされているときであっても、吸収分割会社に対して、吸収分割会社が効力発生日に有していた財産の価額を限度として、当該債務の履行を請求することができる。

3　第一項の規定にかかわらず、第七百八十九条第一項第二号の規定により異議を述べることができる吸収分割会社の債権者であって、同条第二項の各別の催告を受けなかったものは、吸収分割契約において吸収分割後に吸収分割承継株式会社に対して債務の履行を請求することができないものとされているときであっても、吸収分割承継株式会社に対して、承継した財産の価額を限度として、当該債務の履行を請求することができる。

4　第一項の規定にかかわらず、吸収分割会社が吸収分割承継株式会社に承継されない債務の債権者（以下この条において「残存債権者」という。）を害することを知って吸収分割をした場合には、残存債権者は、吸収分割承継株式会社に対して、承継した財産の価額を限度として、当該債務の履行を請求することができる。ただし、吸収分割承継株式会社が吸収分割の効力が生じた時において残存債権者を害することを知らなかったときは、この限りでない。

5　前項の規定は、前条第八号に掲げる事項についての定めがある場合には、適用しない。

6　吸収分割承継株式会社が第四項の規定により同項の債務を履行する責任を負う場合には、当該責任は、吸収分割会社が残存債権者を害することを知って吸収分割をしたことを知った時から二年以内に請求又は請求の予告をしない残存債権者に対しては、その期間を経過した時に消滅する。効力発生日から十年を経過したときも、同様とする。

7　吸収分割会社について破産手続開始の決定、再生手続開始の決定又は更生手続開始の決定があったときは、残存債権者は、吸収分割承継株式会社に対して第四項の規定による請求をする権利を行使することができない。

8　次の各号に掲げる場合には、吸収分割会社は、効力発生日に、吸収分割契約の定めに従い、当該各号に定める者となる。

一　前条第四号イに掲げる事項についての定めがある場合　同号イの株式の株主

二　前条第四号ロに掲げる事項についての定めがある場合　同号ロの社債の社債権者

三　前条第四号ハに掲げる事項についての定めがある場合　同号ハの新株予約権の新株予約権者

四　前条第四号ニに掲げる事項についての定めがある場合　同号ニの新株予約権付社債についての社債の社債権者及び当該新株予約権付社債に付された新株予約権の新株予約権者

9　前条第五号に規定する場合には、効力発生日に、吸収分割契約新株予約権は、消滅し、当該吸収分割契約新株予約権の新株予約権者は、同条第六号に掲げる事項についての定めに従い、同条第五号ロの吸収分割承継株式会社の新株予約権の新株予約権者となる。

10　前各項の規定は、第七百八十九条（第一項第三号及び第二項第三号を除き、第七百九十三条第二項において準用する場合を含む。）若しくは第七百九十九条の規定による手続が終了していない場合又は吸収分割を中止した場合には、適用しない。

※吸収分割をする場合の株主資本等は会社計算規則第三七条（二六二頁参照）・第三八条（二六三頁参照）・第四〇条（二六四頁参照）・第五四条第一項（二七〇頁参照）

第三款　持分会社に権利義務を承継させる吸収分割

（持分会社に権利義務を承継させる吸収分割契約）

第七百六十条　会社が吸収分割をする場合において、吸収分割承継会社が持分会社であるときは、吸収分割契約において、次に掲げる事項を定めなければならない。

一　吸収分割会社及び持分会社である吸収分割承継会社（以下この節において「吸収分割承継持分会社」という。）の商号及び住所

二　吸収分割承継持分会社が吸収分割により吸収分割会社から承継する資産、債務、雇用契約その他の権利義務（吸収分割株式会社の株式及び新株予約権に係る義務を除く。）に関する事項

三　吸収分割により吸収分割株式会社の株式を吸収分割承継持分会社に承継させるときは、当該株式に関する事項

四　吸収分割会社が吸収分割に際して吸収分割承継持分会社の社員となるときは、次のイからハまでに掲げる吸収分割承継持分会社の区分に応じ、当該イからハまでに定める事項

イ　合名会社　当該社員の氏名又は名称及び住所並びに出資の価額

ロ　合資会社　当該社員の氏名又は名称及び住所、当該社員が無限責任社員又は有限責任社員のいずれであるかの別並びに当該社員の出資の価額

ハ　合同会社　当該社員の氏名又は名称及び住所並びに出資の価額

五　吸収分割承継持分会社が吸収分割に際して吸収分割会社に対してその事業に関する権利義務の全部又は一部に代わる金銭等（吸収分割承継持分会社の持分を除く。）を交付するときは、当該金銭等についての次に掲げる事項

イ　当該金銭等が吸収分割承継持分会社の社債であるときは、当該社債の種類及び種類ごとの各社債の金額の合計額又はその算定方法

ロ　当該金銭等が吸収分割承継持分会社の社債以外の財産であるときは、当該財産の内容及び数若しくは額又はこれらの算定方法

六　効力発生日

七　吸収分割株式会社が効力発生日に次に掲げる行為をするときは、その旨

イ　第百七十一条第一項の規定による株式の取得（同項第一号に規定する取得対価が吸収分割承継持分会社の持分（吸収分割株式会社が吸収分割をする前から有するものを除き、吸収分割承継持分会社の持分に準ずるものとして法務省令で定めるものを含む。ロにおいて同じ。）のみであるものに限る。）

ロ　剰余金の配当（配当財産が吸収分割承継持分会社の持分のみであるものに限る。）

【会社法施行規則】

第百七十八条　法第七百五十八条第八号イ及び第七百六十条第七号イに規定する法務省令で定めるものは、次に掲げるものとする。

一　イに掲げる額からロに掲げる額を減じて得た額がハに掲げる額よりも小さい場合における吸収分割に際して吸収分割株式会社が吸収分割承継会社から取得した金銭等であって、法第七百五十八条第八号又は第七百六十条第七号の定めに従い取得対価（法第百七十一条第一項第一号に規定する取得対価をいう。以下この条において同じ。）又は配当財産として交付する承継会社株式等（吸収分割承継株式会社の株式又は吸収分割承継持分会社の持分をいう。以下この号において同じ。）以外の金銭等

イ　法第七百五十八条第八号イ若しくはロ又は第七百六十条第七号イ若しくはロに掲げる行為により吸収分割株式会社の株主に対して交付する金銭等（法第七百五十八条第八号イ又は

第七百六十条第七号イに掲げる行為（次号において「特定株式取得」という。）をする場合にあっては、取得対価として交付する吸収分割株式会社の株式を除く。）の合計額
ロ　イに規定する金銭等のうち承継会社株式等の価額の合計額
ハ　イに規定する金銭等の合計額に二十分の一を乗じて得た額
二　特定株式取得をする場合における取得対価として交付する吸収分割株式会社の株式

（持分会社に権利義務を承継させる吸収分割の効力の発生等）

第七百六十一条　吸収分割承継持分会社は、効力発生日に、吸収分割契約の定めに従い、吸収分割会社の権利義務を承継する。

2　前項の規定にかかわらず、第七百八十九条第一項第二号（第七百九十三条第二項において準用する場合を含む。次項において同じ。）の規定により異議を述べることができる吸収分割会社の債権者であって、第七百八十九条第二項（第三号を除き、第七百九十三条第二項において準用する場合を含む。次項において同じ。）の各別の催告を受けなかったもの（第七百八十九条第三項（第七百九十三条第二項において準用する場合を含む。）に規定する場合にあっては、不法行為によって生じた債務の債権者であるものに限る。次項において同じ。）は、吸収分割契約において吸収分割後に吸収分割会社に対して債務の履行を請求することができないものとされているときであっても、吸収分割会社に対して、吸収分割会社が効力発生日に有していた財産の価額を限度として、当該債務の履行を請求することができる。

3　第一項の規定にかかわらず、第七百八十九条第一項第二号の規定により異議を述べることができる吸収分割会社の債権者であって、同条第二項の各別の催告を受けなかったものは、吸収分割契約において吸収分割後に吸収分割承継持分会社に対して債務の履行を請求することができないものとされているときであっても、吸収分割承継持分会社に対して、承継した財産の価額を限度として、当該債務の履行を請求することができる。

4　第一項の規定にかかわらず、吸収分割会社が吸収分割承継持分会社に承継されない債務の債権者（以下この条において「残存債権者」という。）を害することを知って吸収分割をした場合には、残存債権者は、吸収分割承継持分会社に対して、承継した財産の価額を限度として、当該債務の履行を請求することができる。ただし、吸収分割承継持分会社が吸収分割の効力が生じた時において残存債権者を害することを知らなかったときは、この限りでない。

5　前項の規定は、前条第七号に掲げる事項についての定めがある場合には、適用しない。

6　吸収分割承継持分会社が第四項の規定により同項の債務を履行する責任を負う場合には、当該責任は、吸収分割会社が残存債権者を害することを知って吸収分割をしたことを知った時から二年以内に請求又は請求の予告をしない残存債権者に対しては、その期間を経過した時に消滅する。効力発生日から十年を経過したときも、同様とする。

7　吸収分割会社について破産手続開始の決定、再生手続開始の決定又は更生手続開始の決定があったときは、残存債権者は、吸収分割承継持分会社に対して第四項の規定による請求をする権利を行使することができない。

8　前条第四号に規定する場合には、吸収分割会社は、効力発生日に、同号に掲げる事項についての定めに従い、吸収分割承継持分会社の社員となる。この場合においては、吸収分割承継持分会社は、効力発生日に、同号の社員に係る定款の変更をしたものとみなす。

9　前条第五号イに掲げる事項についての定めがある場合には、吸収分割会社は、効力発生日に、吸収分割契約の定めに従い、同号イの社債の社債権者となる。

10　前各項の規定は、第七百八十九条（第一項第三号及び第二項第三号を除き、第七百九十三条第二項において準用する場合を含む。）若しくは第八百二条第二項において準用する第七百九十九条（第二項第三号を除く。）の規定による手続が終了していない場合又は吸収分割を中止した場合には、適用しない。

※吸収分割をする場合の社員資本等は会社計算規則第三七条（二六二頁参照）・第三八条（二六三頁参照）・第四〇条（二六四頁参照）・第五四条第一項（二七〇頁参照）

第二節　新設分割

第一款　通則

（新設分割計画の作成）

第七百六十二条　一又は二以上の株式会社又は合同会社は、新設分割をすることができる。この場合においては、新設分割計画を作成しなければならない。

2　二以上の株式会社又は合同会社が共同して新設分割をする場合には、当該二以上の株式会社又は合同会社は、共同して新設分割計画を作成しなければならない。

第二款　株式会社を設立する新設分割

（株式会社を設立する新設分割計画）

第七百六十三条　一又は二以上の株式会社又は合同会社が新設分割をする場合において、新設分割により設立する会社（以下この編において「新設分割設立会社」という。）が株式会社であるときは、新設分割計画において、次に掲げる事項を定めなければならない。

一　株式会社である新設分割設立会社（以下この編において「新設分割設立株式会社」という。）の目的、商号、本店の所在地及び発行可能株式総数

二　前号に掲げるもののほか、新設分割設立株式会社の定款で定める事項

三　新設分割設立株式会社の設立時取締役の氏名

四　次のイからハまでに掲げる場合の区分に応じ、当該イからハまでに定める事項

イ　新設分割設立株式会社が会計参与設置会社である場合　新設分割設立株式会社の設立時会計参与の氏名又は名称

ロ　新設分割設立株式会社が監査役設置会社（監査役の監査の範囲を会計に関するものに限定する旨の定款の定めがある株式会社を含む。）である場合　新設分割設立株式会社の設立時監査役の氏名

ハ　新設分割設立株式会社が会計監査人設置会社である場合　新設分割設立株式会社の設立時会計監査人の氏名又は名称

五　新設分割設立株式会社が新設分割により新設分割をする会社（以下この編において「新設分割会社」という。）から承継する資産、債務、雇用契約その他の権利義務（株式会社である新設分割会社（以下この編において「新設分割株式会社」という。）の株式及び新株予約権に係る義務を除く。）に関する事項

六　新設分割設立株式会社が新設分割に際して新設分割会社に対して交付するその事業に関する権利義務の全部又は一部に代わる当該新設分割設立株式会社の株式の数（種類株式発行会社にあっては、株式の種類及び種類ごとの数）又はその数の算定方法並びに当該新設分割設立株式会社の資本金及び準備金の額に関する事項

七　二以上の株式会社又は合同会社が共同して新設分割をするときは、新設分割会社に対する前号の株式の割当てに関する事項

八　新設分割設立株式会社が新設分割に際して新設分割会社に対してその事業に関する権利義務の全部又は一部に代わる当該新設分割設立株式会社の社債等を交付するときは、当該社債等についての次に掲げる事項

イ　当該社債等が新設分割設立株式会社の社債（新株予約権付社債についてのものを除く。）であるときは、当該社債の種類及び種類ごとの各社債の金額の合計額又はその算定方法

ロ　当該社債等が新設分割設立株式会社の新株予約権（新株予約権付社債に付されたものを除く。）であるときは、当該新株予約権の内容及び数又はその算定方法

ハ　当該社債等が新設分割設立株式会社の新株予約権付社債であるときは、当該新株予約権付社債についてのイに規定する事項及び

当該新株予約権付社債に付された新株予約権についてのロに規定する事項

九　前号に規定する場合において、二以上の株式会社又は合同会社が共同して新設分割をするときは、新設分割会社に対する同号の社債等の割当てに関する事項

十　新設分割設立株式会社が新設分割に際して新設分割株式会社の新株予約権の新株予約権者に対して当該新株予約権に代わる当該新設分割設立株式会社の新株予約権を交付するときは、当該新株予約権についての次に掲げる事項

イ　当該新設分割設立株式会社の新株予約権の交付を受ける新設分割株式会社の新株予約権の新株予約権者の有する新株予約権（以下この編において「新設分割計画新株予約権」という。）の内容

ロ　新設分割計画新株予約権の新株予約権者に対して交付する新設分割設立株式会社の新株予約権の内容及び数又はその算定方法

ハ　新設分割計画新株予約権が新株予約権付社債に付された新株予約権であるときは、新設分割設立株式会社が当該新株予約権付社債についての社債に係る債務を承継する旨並びにその承継に係る社債の種類及び種類ごとの各社債の金額の合計額又はその算定方法

十一　前号に規定する場合には、新設分割計画新株予約権の新株予約権者に対する同号の新設分割設立株式会社の新株予約権の割当てに関する事項

十二　新設分割株式会社が新設分割設立株式会社の成立の日に次に掲げる行為をするときは、その旨

イ　第百七十一条第一項の規定による株式の取得（同項第一号に規定する取得対価が新設分割設立株式会社の株式（これに準ずるものとして法務省令で定めるものを含む。ロにおいて同じ。）のみであるものに限る。）

ロ　剰余金の配当（配当財産が新設分割設立株式会社の株式のみであるものに限る。）

2　新設分割設立株式会社が監査等委員会設置会社である場合には、前項第三号に掲げる事項は、設立時監査等委員である設立時取締役とそれ以外の設立時取締役とを区別して定めなければならない。

【会社法施行規則】

第百七十九条　法第七百六十三条第一項第十二号イ及び第七百六十五条第一項第八号イに規定する法務省令で定めるものは、次に掲げるものとする。

一　イに掲げる額からロに掲げる額を減じて得た額がハに掲げる額よりも小さい場合における新設分割に際して新設分割株式会社が新設分割設立会社から取得した金銭等であって、法第七百六十三条第一項第十二号又は第七百六十五条第一項第八号の定めに従い取得対価（法第百七十一条第一項第一号に規定する取得対価をいう。以下この条において同じ。）又は配当財産として交付する設立会社株式等（新設分割設立株式会社の株式又は新設分割設立持分会社の持分をいう。以下この号において同じ。）以外の金銭等

イ　法第七百六十三条第一項第十二号イ若しくはロ又は第七百六十五条第一項第八号イ若しくはロに掲げる行為により新設分割株式会社の株主に対して交付する金銭等（法第七百六十三条第一項第十二号イ又は第七百六十五条第一項第八号イに掲げる行為（次号において「特定株式取得」という。）をする場合にあっては、取得対価として交付する新設分割株式会社の株式を除く。）の合計額

ロ　イに規定する金銭等のうち設立会社株式等の価額の合計額

ハ　イに規定する金銭等の合計額に二十分の一を乗じて得た額

二　特定株式取得をする場合における取得対価として交付する新設分割株式会社の株式

第五編　組織変更、合併、会社分割、株式交換、株式移転及び株式交付

（株式会社を設立する新設分割の効力の発生等）

第七百六十四条　新設分割設立株式会社は、その成立の日に、新設分割計画の定めに従い、新設分割会社の権利義務を承継する。

2　前項の規定にかかわらず、第八百十条第一項第二号（第八百十三条第二項において準用する場合を含む。次項において同じ。）の規定により異議を述べることができる新設分割会社の債権者であって、第八百十条第二項（第三号を除き、第八百十三条第二項において準用する場合を含む。次項において同じ。）の各別の催告を受けなかったもの（第八百十条第三項（第八百十三条第二項において準用する場合を含む。）に規定する場合にあっては、不法行為によって生じた債務の債権者であるものに限る。次項において同じ。）は、新設分割計画において新設分割後に新設分割会社に対して債務の履行を請求することができないものとされているときであっても、新設分割会社に対して、新設分割会社が新設分割設立株式会社の成立の日に有していた財産の価額を限度として、当該債務の履行を請求することができる。

3　第一項の規定にかかわらず、第八百十条第一項第二号の規定により異議を述べることができる新設分割会社の債権者であって、同条第二項の各別の催告を受けなかったものは、新設分割計画において新設分割後に新設分割設立株式会社に対して債務の履行を請求することができないものとされているときであっても、新設分割設立株式会社に対して、承継した財産の価額を限度として、当該債務の履行を請求することができる。

4　第一項の規定にかかわらず、新設分割会社が新設分割設立株式会社に承継されない債務の債権者（以下この条において「残存債権者」という。）を害することを知って新設分割をした場合には、残存債権者は、新設分割設立株式会社に対して、承継した財産の価額を限度として、当該債務の履行を請求することができる。

5　前項の規定は、前条第一項第十二号に掲げる事項についての定めがある場合には、適用しない。

6　新設分割設立株式会社が第四項の規定により同項の債務を履行する責任を負う場合には、当該責任は、新設分割会社が残存債権者を害することを知って新設分割をしたことを知った時から二年以内に請求又は請求の予告をしない残存債権者に対しては、その期間を経過した時に消滅する。新設分割設立株式会社の成立の日から十年を経過したときも、同様とする。

7　新設分割会社について破産手続開始の決定、再生手続開始の決定又は更生手続開始の決定があったときは、残存債権者は、新設分割設立株式会社に対して第四項の規定による請求をする権利を行使することができない。

8　前条第一項に規定する場合には、新設分割会社は、新設分割設立株式会社の成立の日に、新設分割計画の定めに従い、同項第六号の株式の株主となる。

9　次の各号に掲げる場合には、新設分割会社は、新設分割設立株式会社の成立の日に、新設分割計画の定めに従い、当該各号に定める者となる。

一　前条第一項第八号イに掲げる事項についての定めがある場合　同号イの社債の社債権者

二　前条第一項第八号ロに掲げる事項についての定めがある場合　同号ロの新株予約権の新株予約権者

三　前条第一項第八号ハに掲げる事項についての定めがある場合　同号ハの新株予約権付社債についての社債の社債権者及び当該新株予約権付社債に付された新株予約権の新株予約権者

10　二以上の株式会社又は合同会社が共同して新設分割をする場合における前二項の規定の適用については、第八項中「新設分割計画の定め」とあるのは「同項第七号に掲げる事項についての定め」と、前項中「新設分割計画の定め」とあるのは「前条第一項第九号に掲げる事項についての定め」とする。

11　前条第一項第十号に規定する場合には、新設分割設立株式会社の成立の日に、新設分割計画新株予約権は、消滅し、当該新設分割計画新株予約権の新株予約権者は、同項第十一号に掲げる事項についての定めに従い、同項第十号ロの新設分割設立株式会社の新株予約権の新株予約権者となる。

※新設分割をする場合の株主資本等は会社計算規則第四九条～第五一条（二六九頁参照）・第五四条第一項（二七〇頁参照）

第三款　持分会社を設立する新設分割

（持分会社を設立する新設分割計画）

第七百六十五条　一又は二以上の株式会社又は合同会社が新設分割をする場合において、新設分割設立会社が持分会社であるときは、新設分割計画において、次に掲げる事項を定めなければならない。

一　持分会社である新設分割設立会社（以下この編において「新設分割設立持分会社」という。）が合名会社、合資会社又は合同会社のいずれであるかの別

二　新設分割設立持分会社の目的、商号及び本店の所在地

三　新設分割設立持分会社の社員についての次に掲げる事項

イ　当該社員の名称及び住所

ロ　当該社員が無限責任社員又は有限責任社員のいずれであるかの別

ハ　当該社員の出資の価額

四　前二号に掲げるもののほか、新設分割設立持分会社の定款で定める事項

五　新設分割設立持分会社が新設分割により新設分割会社から承継する資産、債務、雇用契約その他の権利義務（新設分割株式会社の株式及び新株予約権に係る義務を除く。）に関する事項

六　新設分割設立持分会社が新設分割に際して新設分割会社に対してその事業に関する権利義務の全部又は一部に代わる当該新設分割設立持分会社の社債を交付するときは、当該社債の種類及び種類ごとの各社債の金額の合計額又はその算定方法

七　前号に規定する場合において、二以上の株式会社又は合同会社が共同して新設分割をするときは、新設分割会社に対する同号の社債の割当てに関する事項

八　新設分割株式会社が新設分割設立持分会社の成立の日に次に掲げる行為をするときは、その旨

イ　第百七十一条第一項の規定による株式の取得（同項第一号に規定する取得対価が新設分割設立持分会社の持分（これに準ずるものとして法務省令で定めるものを含む。ロにおいて同じ。）のみであるものに限る。）

ロ　剰余金の配当（配当財産が新設分割設立持分会社の持分のみであるものに限る。）

2　新設分割設立持分会社が合名会社であるときは、前項第三号ロに掲げる事項として、その社員の全部を無限責任社員とする旨を定めなければならない。

3　新設分割設立持分会社が合資会社であるときは、第一項第三号ロに掲げる事項として、その社員の一部を無限責任社員とし、その他の社員を有限責任社員とする旨を定めなければならない。

4　新設分割設立持分会社が合同会社であるときは、第一項第三号ロに掲げる事項として、その社員の全部を有限責任社員とする旨を定めなければならない。

【会社法施行規則】

第百七十九条　法第七百六十三条第一項第十二号イ及び第七百六十五条第一項第八号イに規定する法務省令で定めるものは、次に掲げるものとする。

一　イに掲げる額からロに掲げる額を減じて得た額がハに掲げる額よりも小さい場合における新設分割に際して新設分割株式会社が新設分割設立会社から取得した金銭等であって、法第七百六十三条第一項第十二号又は第七百六十五条第一項第八号の定めに従い取得対価（法第百七十一条第一項第一号に規定する取得対価をいう。以下この条において同じ。）又は配当財産として交付する設立会社株式等（新設分割設立株式会社の株式又は新

設分割設立持分会社の持分をいう。以下この号において同じ。）以外の金銭等

イ　法第七百六十三条第一項第十二号イ若しくはロ又は第七百六十五条第一項第八号イ若しくはロに掲げる行為により新設分割株式会社の株主に対して交付する金銭等（法第七百六十三条第一項第十二号イ又は第七百六十五条第一項第八号イに掲げる行為（次号において「特定株式取得」という。）をする場合にあっては、取得対価として交付する新設分割株式会社の株式を除く。）の合計額

ロ　イに規定する金銭等のうち設立会社株式等の価額の合計額

ハ　イに規定する金銭等の合計額に二十分の一を乗じて得た額

二　特定株式取得をする場合における取得対価として交付する新設分割株式会社の株式

（持分会社を設立する新設分割の効力の発生等）

第七百六十六条　新設分割設立持分会社は、その成立の日に、新設分割計画の定めに従い、新設分割会社の権利義務を承継する。

2　前項の規定にかかわらず、第八百十条第一項第二号（第八百十三条第二項において準用する場合を含む。次項において同じ。）の規定により異議を述べることができる新設分割会社の債権者であって、第八百十条第二項（第三号を除き、第八百十三条第二項において準用する場合を含む。次項において同じ。）の各別の催告を受けなかったもの（第八百十条第三項（第八百十三条第二項において準用する場合を含む。）に規定する場合にあっては、不法行為によって生じた債務の債権者であるものに限る。次項において同じ。）は、新設分割計画において新設分割後に新設分割会社に対して債務の履行を請求することができないものとされているときであっても、新設分割会社に対して、新設分割会社が新設分割設立持分会社の成立の日に有していた財産の価額を限度として、当該債務の履行を請求することができる。

3　第一項の規定にかかわらず、第八百十条第一項第二号の規定により異議を述べることができる新設分割会社の債権者であって、同条第二項の各別の催告を受けなかったものは、新設分割計画において新設分割後に新設分割設立持分会社に対して債務の履行を請求することができないものとされているときであっても、新設分割設立持分会社に対して、承継した財産の価額を限度として、当該債務の履行を請求することができる。

4　第一項の規定にかかわらず、新設分割会社が新設分割設立持分会社に承継されない債務の債権者（以下この条において「残存債権者」という。）を害することを知って新設分割をした場合には、残存債権者は、新設分割設立持分会社に対して、承継した財産の価額を限度として、当該債務の履行を請求することができる。

5　前項の規定は、前条第一項第八号に掲げる事項についての定めがある場合には、適用しない。

6　新設分割設立持分会社が第四項の規定により同項の債務を履行する責任を負う場合には、当該責任は、新設分割会社が残存債権者を害することを知って新設分割をしたことを知った時から二年以内に請求又は請求の予告をしない残存債権者に対しては、その期間を経過した時に消滅する。新設分割設立持分会社の成立の日から十年を経過したときも、同様とする。

7　新設分割会社について破産手続開始の決定、再生手続開始の決定又は更生手続開始の決定があったときは、残存債権者は、新設分割設立持分会社に対して第四項の規定による請求をする権利を行使することができない。

8　前条第一項に規定する場合には、新設分割会社は、新設分割設立持分会社の成立の日に、同項第三号に掲げる事項についての定めに従い、当該新設分割設立持分会社の社員となる。

9　前条第一項第六号に掲げる事項についての定めがある場合には、新設分割会社は、新設分割設立持分会社の成立の日に、新設分割計画の定めに従い、同号の社債の社債権者となる。

10　二以上の株式会社又は合同会社が共同して新設分割をする場合にお

ける前項の規定の適用については、同項中「新設分割計画の定めに従い、同号」とあるのは、「同項第七号に掲げる事項についての定めに従い、同項第六号」とする。

※新設分割をする場合の社員資本等は会社計算規則第四九条〜第五一条（二六九頁参照）・第五四条第一項（二七〇頁参照）

第四章　株式交換及び株式移転

第一節　株式交換

第一款　通則

（株式交換契約の締結）

第七百六十七条　株式会社は、株式交換をすることができる。この場合においては、当該株式会社の発行済株式の全部を取得する会社（株式会社又は合同会社に限る。以下この編において「株式交換完全親会社」という。）との間で、株式交換契約を締結しなければならない。

第二款　株式会社に発行済株式を取得させる株式交換

（株式会社に発行済株式を取得させる株式交換契約）

第七百六十八条　株式会社が株式交換をする場合において、株式交換完全親会社が株式会社であるときは、株式交換契約において、次に掲げる事項を定めなければならない。

一　株式交換をする株式会社（以下この編において「株式交換完全子会社」という。）及び株式会社である株式交換完全親会社（以下この編において「株式交換完全親株式会社」という。）の商号及び住所

二　株式交換完全親株式会社が株式交換に際して株式交換完全子会社の株主に対してその株式に代わる金銭等を交付するときは、当該金銭等についての次に掲げる事項

イ　当該金銭等が株式交換完全親株式会社の株式であるときは、当該株式の数（種類株式発行会社にあっては、株式の種類及び種類ごとの数）又はその数の算定方法並びに当該株式交換完全親株式会社の資本金及び準備金の額に関する事項

ロ　当該金銭等が株式交換完全親株式会社の社債（新株予約権付社債についてのものを除く。）であるときは、当該社債の種類及び種類ごとの各社債の金額の合計額又はその算定方法

ハ　当該金銭等が株式交換完全親株式会社の新株予約権（新株予約権付社債に付されたものを除く。）であるときは、当該新株予約権の内容及び数又はその算定方法

ニ　当該金銭等が株式交換完全親株式会社の新株予約権付社債であるときは、当該新株予約権付社債についてのロに規定する事項及び当該新株予約権付社債に付された新株予約権についてのハに規定する事項

ホ　当該金銭等が株式交換完全親株式会社の株式等以外の財産であるときは、当該財産の内容及び数若しくは額又はこれらの算定方法

三　前号に規定する場合には、株式交換完全子会社の株主（株式交換完全親株式会社を除く。）に対する同号の金銭等の割当てに関する事項

四　株式交換完全親株式会社が株式交換に際して株式交換完全子会社の新株予約権の新株予約権者に対して当該新株予約権に代わる当該株式交換完全親株式会社の新株予約権を交付するときは、当該新株予約権についての次に掲げる事項

イ　当該株式交換完全子会社の新株予約権の交付を受ける株式交換完全子会社の新株予約権の新株予約権者の有する新株予約権（以下この編において「株式交換契約新株予約権」という。）の内容

ロ　株式交換契約新株予約権の新株予約権者に対して交付する株式交換完全親株式会社の新株予約権の内容及び数又はその算定方法

ハ 株式交換契約新株予約権が新株予約権付社債に付された新株予約権であるときは、株式交換完全親株式会社が当該新株予約権付社債についての社債に係る債務を承継する旨並びにその承継に係る社債の種類及び種類ごとの各社債の金額の合計額又はその算定方法

五 前号に規定する場合には、株式交換契約新株予約権の新株予約権者に対する同号の株式交換完全親株式会社の新株予約権の割当てに関する事項

六 株式交換がその効力を生ずる日（以下この節において「効力発生日」という。）

2 前項に規定する場合において、株式交換完全子会社が種類株式発行会社であるときは、株式交換完全子会社及び株式交換完全親株式会社は、株式交換完全子会社の発行する種類の株式の内容に応じ、同項第三号に掲げる事項として次に掲げる事項を定めることができる。

一 ある種類の株式の株主に対して金銭等の割当てをしないこととするときは、その旨及び当該株式の種類

二 前号に掲げる事項のほか、金銭等の割当てについて株式の種類ごとに異なる取扱いを行うこととするときは、その旨及び当該異なる取扱いの内容

3 第一項に規定する場合には、同項第三号に掲げる事項についての定めは、株式交換完全子会社の株主（株式交換完全親株式会社及び前項第一号の種類の株式の株主を除く。）の有する株式の数（前項第二号に掲げる事項についての定めがある場合にあっては、各種類の株式の数）に応じて金銭等を交付することを内容とするものでなければならない。

（株式会社に発行済株式を取得させる株式交換の効力の発生等）

第七百六十九条 株式交換完全親株式会社は、効力発生日に、株式交換完全子会社の発行済株式（株式交換完全親株式会社の有する株式交換完全子会社の株式を除く。）の全部を取得する。

2 前項の場合には、株式交換完全親株式会社が株式交換完全子会社の株式（譲渡制限株式に限り、当該株式交換完全親株式会社が効力発生日前から有するものを除く。）を取得したことについて、当該株式交換完全子会社が第百三十七条第一項の承認をしたものとみなす。

3 次の各号に掲げる場合には、株式交換完全子会社の株主は、効力発生日に、前条第一項第三号に掲げる事項についての定めに従い、当該各号に定める者となる。

一 前条第一項第二号イに掲げる事項についての定めがある場合 同号イの株式の株主

二 前条第一項第二号ロに掲げる事項についての定めがある場合 同号ロの社債の社債権者

三 前条第一項第二号ハに掲げる事項についての定めがある場合 同号ハの新株予約権の新株予約権者

四 前条第一項第二号ニに掲げる事項についての定めがある場合 同号ニの新株予約権付社債についての社債の社債権者及び当該新株予約権付社債に付された新株予約権の新株予約権者

4 前条第一項第四号に規定する場合には、効力発生日に、株式交換契約新株予約権は、消滅し、当該株式交換契約新株予約権の新株予約権者は、同項第五号に掲げる事項についての定めに従い、同項第四号ロの株式交換完全親株式会社の新株予約権の新株予約権者となる。

5 前条第一項第四号ハに規定する場合には、株式交換完全親株式会社は、効力発生日に、同号ハの新株予約権付社債についての社債に係る債務を承継する。

6 前各項の規定は、第七百八十九条若しくは第七百九十九条の規定による手続が終了していない場合又は株式交換を中止した場合には、適用しない。

※株式交換をした際の株主資本は会社計算規則第三九条（二六三頁参照）・第四一条（二六四頁参照）・第五四条第二項（二七〇頁参照）

第三款 合同会社に発行済株式を取得させる株式交換

（合同会社に発行済株式を取得させる株式交換契約）

第七百七十条　株式会社が株式交換をする場合において、株式交換完全親会社が合同会社であるときは、株式交換契約において、次に掲げる事項を定めなければならない。

一　株式交換完全子会社及び合同会社である株式交換完全親会社（以下この編において「株式交換完全親合同会社」という。）の商号及び住所

二　株式交換完全子会社の株主が株式交換に際して株式交換完全親合同会社の社員となるときは、当該社員の氏名又は名称及び住所並びに出資の価額

三　株式交換完全親合同会社が株式交換に際して株式交換完全子会社の株主に対してその株式に代わる金銭等（株式交換完全親合同会社の持分を除く。）を交付するときは、当該金銭等についての次に掲げる事項

イ　当該金銭等が当該株式交換完全親合同会社の社債であるときは、当該社債の種類及び種類ごとの各社債の金額の合計額又はその算定方法

ロ　当該金銭等が当該株式交換完全親合同会社の社債以外の財産であるときは、当該財産の内容及び数若しくは額又はこれらの算定方法

四　前号に規定する場合には、株式交換完全子会社の株主（株式交換完全親合同会社を除く。）に対する同号の金銭等の割当てに関する事項

五　効力発生日

2　前項に規定する場合において、株式交換完全子会社が種類株式発行会社であるときは、株式交換完全子会社及び株式交換完全親合同会社は、株式交換完全子会社の発行する種類の株式の内容に応じ、同項第四号に掲げる事項として次に掲げる事項を定めることができる。

一　ある種類の株式の株主に対して金銭等の割当てをしないこととするときは、その旨及び当該株式の種類

二　前号に掲げる事項のほか、金銭等の割当てについて株式の種類ごとに異なる取扱いを行うこととするときは、その旨及び当該異なる取扱いの内容

3　第一項に規定する場合には、同項第四号に掲げる事項についての定めは、株式交換完全子会社の株主（株式交換完全親合同会社及び前項第一号の種類の株式の株主を除く。）の有する株式の数（前項第二号に掲げる事項についての定めがある場合にあっては、各種類の株式の数）に応じて金銭等を交付することを内容とするものでなければならない。

（合同会社に発行済株式を取得させる株式交換の効力の発生等）

第七百七十一条　株式交換完全親合同会社は、効力発生日に、株式交換完全子会社の発行済株式（株式交換完全親合同会社の有する株式交換完全子会社の株式を除く。）の全部を取得する。

2　前項の場合には、株式交換完全親合同会社が株式交換完全子会社の株式（譲渡制限株式に限り、当該株式交換完全親合同会社が効力発生日前から有するものを除く。）を取得したことについて、当該株式交換完全子会社が第百三十七条第一項の承認をしたものとみなす。

3　前条第一項第二号に規定する場合には、株式交換完全子会社の株主は、効力発生日に、同号に掲げる事項についての定めに従い、株式交換完全親合同会社の社員となる。この場合においては、株式交換完全親合同会社は、効力発生日に、同号の社員に係る定款の変更をしたものとみなす。

4　前条第一項第三号イに掲げる事項についての定めがある場合には、株式交換完全子会社の株主は、効力発生日に、同項第四号に掲げる事項についての定めに従い、同項第三号イの社債の社債権者となる。

5　前各項の規定は、第八百二条第二項において準用する第七百九十九条（第二項第三号を除く。）の規定による手続が終了していない場合又は株式交換を中止した場合には、適用しない。

※株式交換をする場合の株主資本等は会社計算規則第三九条（二六三頁参照）・第四一条（二六四頁参照）・第五二条（二六九頁参照）・第

五四条第二項（二七〇頁参照）

第二節　株式移転

（株式移転計画の作成）

第七百七十二条　一又は二以上の株式会社は、株式移転をすることができる。この場合においては、株式移転計画を作成しなければならない。

2　二以上の株式会社が共同して株式移転をする場合には、当該二以上の株式会社は、共同して株式移転計画を作成しなければならない。

（株式移転計画）

第七百七十三条　一又は二以上の株式会社が株式移転をする場合には、株式移転計画において、次に掲げる事項を定めなければならない。

一　株式移転により設立する株式会社（以下この編において「株式移転設立完全親会社」という。）の目的、商号、本店の所在地及び発行可能株式総数

二　前号に掲げるもののほか、株式移転設立完全親会社の定款で定める事項

三　株式移転設立完全親会社の設立時取締役の氏名

四　次のイからハまでに掲げる場合の区分に応じ、当該イからハまでに定める事項

イ　株式移転設立完全親会社が会計参与設置会社である場合　株式移転設立完全親会社の設立時会計参与の氏名又は名称

ロ　株式移転設立完全親会社が監査役設置会社（監査役の監査の範囲を会計に関するものに限定する旨の定款の定めがある株式会社を含む。）である場合　株式移転設立完全親会社の設立時監査役の氏名

ハ　株式移転設立完全親会社が会計監査人設置会社である場合　株式移転設立完全親会社の設立時会計監査人の氏名又は名称

五　株式移転設立完全親会社が株式移転に際して株式移転をする株式会社（以下この編において「株式移転完全子会社」という。）の株主に対して交付するその株式に代わる当該株式移転設立完全親会社の株式の数（種類株式発行会社にあっては、株式の種類及び種類ごとの数）又はその数の算定方法並びに当該株式移転設立完全親会社の資本金及び準備金の額に関する事項

六　株式移転完全子会社の株主に対する前号の株式の割当てに関する事項

七　株式移転設立完全親会社が株式移転に際して株式移転完全子会社の株主に対してその株式に代わる当該株式移転設立完全親会社の社債等を交付するときは、当該社債等についての次に掲げる事項

イ　当該社債等が株式移転設立完全親会社の社債（新株予約権付社債についてのものを除く。）であるときは、当該社債の種類及び種類ごとの各社債の金額の合計額又はその算定方法

ロ　当該社債等が株式移転設立完全親会社の新株予約権（新株予約権付社債に付されたものを除く。）であるときは、当該新株予約権の内容及び数又はその算定方法

ハ　当該社債等が株式移転設立完全親会社の新株予約権付社債であるときは、当該新株予約権付社債についてのイに規定する事項及び当該新株予約権付社債に付された新株予約権についてのロに規定する事項

八　前号に規定する場合には、株式移転完全子会社の株主に対する同号の社債等の割当てに関する事項

九　株式移転設立完全親会社が株式移転に際して株式移転完全子会社の新株予約権の新株予約権者に対して当該新株予約権に代わる当該株式移転設立完全親会社の新株予約権を交付するときは、当該新株予約権についての次に掲げる事項

イ　当該株式移転設立完全親会社の新株予約権の交付を受ける株式移転完全子会社の新株予約権の新株予約権者の有する新株予約権（以下この編において「株式移転計画新株予約権」という。）の内容

ロ　株式移転計画新株予約権の新株予約権者に対して交付する株式移転設立完全親会社の新株予約権の内容及び数又はその算定方法

ハ　株式移転計画新株予約権が新株予約権付社債に付された新株予約権であるときは、株式移転設立完全親会社が当該新株予約権付社債についての社債に係る債務を承継する旨並びにその承継に係る社債の種類及び種類ごとの各社債の金額の合計額又はその算定方法

十　前号に規定する場合には、株式移転計画新株予約権の新株予約権者に対する同号の株式移転設立完全親会社の新株予約権の割当てに関する事項

2　株式移転設立完全親会社が監査等委員会設置会社である場合には、前項第三号に掲げる事項は、設立時監査等委員である設立時取締役とそれ以外の設立時取締役とを区別して定めなければならない。

3　第一項に規定する場合において、株式移転完全子会社が種類株式発行会社であるときは、株式移転完全子会社は、その発行する種類の株式の内容に応じ、同項第六号に掲げる事項として次に掲げる事項を定めることができる。

一　ある種類の株式の株主に対して株式移転設立完全親会社の株式の割当てをしないこととするときは、その旨及び当該株式の種類

二　前号に掲げる事項のほか、株式移転設立完全親会社の株式の割当てについて株式の種類ごとに異なる取扱いを行うこととするときは、その旨及び当該異なる取扱いの内容

4　第一項に規定する場合には、同項第六号に掲げる事項についての定めは、株式移転完全子会社の株主（前項第一号の種類の株式の株主を除く。）の有する株式の数（前項第二号に掲げる事項についての定めがある場合にあっては、各種類の株式の数）に応じて株式移転設立完全親会社の株式を交付することを内容とするものでなければならない。

5　前二項の規定は、第一項第八号に掲げる事項について準用する。この場合において、前二項中「株式移転設立完全親会社の株式」とあるのは、「株式移転設立完全親会社の社債等」と読み替えるものとする。

（株式移転の効力の発生等）

第七百七十四条　株式移転設立完全親会社は、その成立の日に、株式移転完全子会社の発行済株式の全部を取得する。

2　株式移転完全子会社の株主は、株式移転設立完全親会社の成立の日に、前条第一項第六号に掲げる事項についての定めに従い、同項第五号の株式の株主となる。

3　次の各号に掲げる場合には、株式移転完全子会社の株主は、株式移転設立完全親会社の成立の日に、前条第一項第八号に掲げる事項についての定めに従い、当該各号に定める者となる。

一　前条第一項第七号イに掲げる事項についての定めがある場合　同号イの社債の社債権者

二　前条第一項第七号ロに掲げる事項についての定めがある場合　同号ロの新株予約権の新株予約権者

三　前条第一項第七号ハに掲げる事項についての定めがある場合　同号ハの新株予約権付社債についての社債の社債権者及び当該新株予約権付社債に付された新株予約権の新株予約権者

4　前条第一項第九号に規定する場合には、株式移転設立完全親会社の成立の日に、株式移転計画新株予約権は、消滅し、当該株式移転計画新株予約権の新株予約権者は、同項第十号に掲げる事項についての定めに従い、同項第九号ロの株式移転設立完全親会社の新株予約権の新株予約権者となる。

5　前条第一項第九号ハに規定する場合には、株式移転設立完全親会社は、その成立の日に、同号ハの新株予約権付社債についての社債に係る債務を承継する。

※株式移転をする場合の株主資本は会社計算規則第四二条（二六五頁参照）・第五二条（二六九頁参照）・第五四条第二項（二七〇頁参照）

第四章の二　株式交付

（株式交付計画の作成）

第七百七十四条の二　株式会社は、株式交付をすることができる。この場合においては、株式交付計画を作成しなければならない。

（株式交付計画）

第七百七十四条の三　株式会社が株式交付をする場合には、株式交付計画において、次に掲げる事項を定めなければならない。

一　株式交付子会社（株式交付親会社（株式交付をする株式会社をいう。以下同じ。）が株式交付に際して譲り受ける株式を発行する株式会社をいう。以下同じ。）の商号及び住所

二　株式交付親会社が株式交付に際して譲り受ける株式交付子会社の株式の数（株式交付子会社が種類株式発行会社である場合にあっては、株式の種類及び種類ごとの数）の下限

三　株式交付親会社が株式交付に際して株式交付子会社の株式の譲渡人に対して当該株式の対価として交付する株式交付親会社の株式の数（種類株式発行会社にあっては、株式の種類及び種類ごとの数）又はその数の算定方法並びに当該株式交付親会社の資本金及び準備金の額に関する事項

四　株式交付子会社の株式の譲渡人に対する前号の株式交付親会社の株式の割当てに関する事項

五　株式交付親会社が株式交付に際して株式交付子会社の株式の譲渡人に対して当該株式の対価として金銭等（株式交付親会社の株式を除く。以下この号及び次号において同じ。）を交付するときは、当該金銭等についての次に掲げる事項

イ　当該金銭等が株式交付親会社の社債（新株予約権付社債についてのものを除く。）であるときは、当該社債の種類及び種類ごとの各社債の金額の合計額又はその算定方法

ロ　当該金銭等が株式交付親会社の新株予約権（新株予約権付社債に付されたものを除く。）であるときは、当該新株予約権の内容及び数又はその算定方法

ハ　当該金銭等が株式交付親会社の新株予約権付社債であるときは、当該新株予約権付社債についてのイに規定する事項及び当該新株予約権付社債に付された新株予約権についてのロに規定する事項

ニ　当該金銭等が株式交付親会社の社債及び新株予約権以外の財産であるときは、当該財産の内容及び数若しくは額又はこれらの算定方法

六　前号に規定する場合には、株式交付子会社の株式の譲渡人に対する同号の金銭等の割当てに関する事項

七　株式交付親会社が株式交付に際して株式交付子会社の株式と併せて株式交付子会社の新株予約権（新株予約権付社債に付されたものを除く。）又は新株予約権付社債（以下「新株予約権等」と総称する。）を譲り受けるときは、当該新株予約権等の内容及び数又はその算定方法

八　前号に規定する場合において、株式交付親会社が株式交付に際して株式交付子会社の新株予約権等の譲渡人に対して当該新株予約権等の対価として金銭等を交付するときは、当該金銭等についての次に掲げる事項

イ　当該金銭等が株式交付親会社の株式であるときは、当該株式の数（種類株式発行会社にあっては、株式の種類及び種類ごとの数）又はその数の算定方法並びに当該株式交付親会社の資本金及び準備金の額に関する事項

ロ　当該金銭等が株式交付親会社の社債（新株予約権付社債についてのものを除く。）であるときは、当該社債の種類及び種類ごとの各社債の金額の合計額又はその算定方法

ハ　当該金銭等が株式交付親会社の新株予約権（新株予約権付社債に付されたものを除く。）であるときは、当該新株予約権の内容及び数又はその算定方法

ニ　当該金銭等が株式交付親会社の新株予約権付社債であるときは、当該新株予約権付社債についてのロに規定する事項及び当該新株予約権付社債に付された新株予約権についてのハに規定する事項

ホ　当該金銭等が株式交付親会社の株式等以外の財産であるときは、当該財産の内容及び数若しくは額又はこれらの算定方法

九　前号に規定する場合には、株式交付子会社の新株予約権等の譲渡人に対する同号の金銭等の割当てに関する事項
十　株式交付子会社の株式及び新株予約権等の譲渡しの申込みの期日
十一　株式交付がその効力を生ずる日（以下この章において「効力発生日」という。）

2　前項に規定する場合には、同項第二号に掲げる事項についての定めは、株式交付子会社が効力発生日において株式交付親会社の子会社となる数を内容とするものでなければならない。

3　第一項に規定する場合において、株式交付子会社が種類株式発行会社であるときは、株式交付親会社は、株式交付子会社の発行する種類の株式の内容に応じ、同項第四号に掲げる事項として次に掲げる事項を定めることができる。
一　ある種類の株式の譲渡人に対して株式交付親会社の株式の割当てをしないこととするときは、その旨及び当該株式の種類
二　前号に掲げる事項のほか、株式交付親会社の株式の割当てについて株式の種類ごとに異なる取扱いを行うこととするときは、その旨及び当該異なる取扱いの内容

4　第一項に規定する場合には、同項第四号に掲げる事項についての定めは、株式交付子会社の株式の譲渡人（前項第一号の種類の株式の譲渡人を除く。）が株式交付親会社に譲り渡す株式交付子会社の株式の数（前項第二号に掲げる事項についての定めがある場合にあっては、各種類の株式の数）に応じて株式交付親会社の株式を交付することを内容とするものでなければならない。

5　前二項の規定は、第一項第六号に掲げる事項について準用する。この場合において、前二項中「株式交付親会社の株式」とあるのは、「金銭等（株式交付親会社の株式を除く。）」と読み替えるものとする。

（株式交付子会社の株式の譲渡しの申込み）

第七百七十四条の四　株式交付親会社は、株式交付子会社の株式の譲渡しの申込みをしようとする者に対し、次に掲げる事項を通知しなければならない。
一　株式交付親会社の商号
二　株式交付計画の内容
三　前二号に掲げるもののほか、法務省令で定める事項

2　株式交付子会社の株式の譲渡しの申込みをする者は、前条第一項第十号の期日までに、次に掲げる事項を記載した書面を株式交付親会社に交付しなければならない。
一　申込みをする者の氏名又は名称及び住所
二　譲り渡そうとする株式交付子会社の株式の数（株式交付子会社が種類株式発行会社である場合にあっては、株式の種類及び種類ごとの数）

3　前項の申込みをする者は、同項の書面の交付に代えて、政令で定めるところにより、株式交付親会社の承諾を得て、同項の書面に記載すべき事項を電磁的方法により提供することができる。この場合において、当該申込みをした者は、同項の書面を交付したものとみなす。

4　第一項の規定は、株式交付親会社が同項各号に掲げる事項を記載した金融商品取引法第二条第十項に規定する目論見書を第一項の申込みをしようとする者に対して交付している場合その他株式交付子会社の株式の譲渡しの申込みをしようとする者の保護に欠けるおそれがないものとして法務省令で定める場合には、適用しない。

5　株式交付親会社は、第一項各号に掲げる事項について変更があったとき（第八百十六条の九第一項の規定により効力発生日を変更したとき及び同条第五項の規定により前条第一項第十号の期日を変更したときを含む。）は、直ちに、その旨及び当該変更があった事項を第二項の申込みをした者（以下この章において「申込者」という。）に通知しなければならない。

6　株式交付親会社が申込者に対してする通知又は催告は、第二項第一号の住所（当該申込者が別に通知又は催告を受ける場所又は連絡先を当該株式交付親会社に通知した場合にあっては、その場所又は連絡先）に宛てて発すれば足りる。

7　前項の通知又は催告は、その通知又は催告が通常到達すべきであっ

た時に、到達したものとみなす。

【会社法施行規則】

（申込みをしようとする者に対して通知すべき事項）

第百七十九条の二　法第七百七十四条の四第一項第三号（法第七百七十四条の九において準用する場合を含む。）に規定する法務省令で定める事項は、次に掲げる事項とする。

一　交付対価について参考となるべき事項

二　株式交付親会社の計算書類等に関する事項

2　この条において「交付対価」とは、株式交付親会社が株式交付に際して株式交付子会社の株式、新株予約権（新株予約権付社債に付されたものを除く。以下この条において同じ。）又は新株予約権付社債の譲渡人に対して当該株式、新株予約権又は新株予約権付社債の対価として交付する金銭等をいう。

3　第一項第一号に規定する「交付対価について参考となるべき事項」とは、次に掲げる事項その他これに準ずる事項（これらの事項の全部又は一部を通知しないことにつき法第七百七十四条の四第一項（法第七百七十四条の九において準用する場合を含む。）の申込みをしようとする者の同意がある場合にあっては、当該同意があったものを除く。）とする。

一　交付対価として交付する株式交付親会社の株式に関する次に掲げる事項

イ　当該株式交付親会社の定款の定め

ロ　次に掲げる事項その他の交付対価の換価の方法に関する事項

(1)　交付対価を取引する市場

(2)　交付対価の取引の媒介、取次ぎ又は代理を行う者

(3)　交付対価の譲渡その他の処分に制限があるときは、その内容

ハ　交付対価に市場価格があるときは、その価格に関する事項

二　株式交付親会社の過去五年間にその末日が到来した各事業年度（次に掲げる事業年度を除く。）に係る貸借対照表の内容

(1)　最終事業年度

(2)　ある事業年度に係る貸借対照表の内容につき、法令の規定に基づく公告（法第四百四十条第三項の措置に相当するものを含む。）をしている場合における当該事業年度

(3)　ある事業年度に係る貸借対照表の内容につき、金融商品取引法第二十四条第一項の規定により有価証券報告書を内閣総理大臣に提出している場合における当該事業年度

二　交付対価の一部が法人等の株式、持分その他これらに準ずるもの（株式交付親会社の株式を除く。）であるときは、次に掲げる事項（当該事項が日本語以外の言語で表示されている場合にあっては、当該事項（氏名又は名称を除く。）を日本語で表示した事項）

イ　当該法人等の定款その他これに相当するものの定め

ロ　当該法人等が会社でないときは、次に掲げる権利に相当する権利その他の交付対価に係る権利（重要でないものを除く。）の内容

(1)　剰余金の配当を受ける権利

(2)　残余財産の分配を受ける権利

(3)　株主総会における議決権

(4)　合併その他の行為がされる場合において、自己の有する株式を公正な価格で買い取ることを請求する権利

(5)　定款その他の資料（当該資料が電磁的記録をもって作成されている場合にあっては、当該電磁的記録に記録された事項を表示したもの）の閲覧又は謄写を請求する権利

ハ　当該法人等が、その株主、社員その他これらに相当する者（以下この号、第百八十二条第四項第二号及び第百八十四条第四項第二号において「株主等」という。）に対し、日本語以外の言語を使用して情報の提供をすることとされていると

きは、当該言語

ニ　株式交付が効力を生ずる日に当該法人等の株主総会その他これに相当するものの開催があるものとした場合における当該法人等の株主等が有すると見込まれる議決権その他これに相当する権利の総数

ホ　当該法人等について登記（当該法人等が外国の法令に準拠して設立されたものである場合にあっては、法第九百三十三条第一項の外国会社の登記又は外国法人の登記及び夫婦財産契約の登記に関する法律第二条の外国法人の登記に限る。）がされていないときは、次に掲げる事項

(1)　当該法人等を代表する者の氏名又は名称及び住所

(2)　当該法人等の役員（(1)の者を除く。）の氏名又は名称

ヘ　当該法人等の最終事業年度（当該法人等が会社以外のものである場合にあっては、最終事業年度に相当するもの。以下この号において同じ。）に係る計算書類（最終事業年度がない場合にあっては、当該法人等の成立の日における貸借対照表）その他これに相当するものの内容（当該計算書類その他これに相当するものについて監査役、監査等委員会、監査委員会、会計監査人その他これらに相当するものの監査を受けている場合にあっては、監査報告その他これに相当するものの内容の概要を含む。）

ト　次に掲げる場合の区分に応じ、次に定める事項

(1)　当該法人等が株式会社である場合　当該法人等の最終事業年度に係る事業報告の内容（当該事業報告について監査役、監査等委員会又は監査委員会の監査を受けている場合にあっては、監査報告の内容を含む。）

(2)　当該法人等が株式会社以外のものである場合　当該法人等の最終事業年度に係る第百十八条各号及び第百十九条各号に掲げる事項に相当する事項の内容の概要（当該事項について監査役、監査等委員会、監査委員会その他これらに相当するものの監査を受けている場合にあっては、監査報告その他これに相当するものの内容の概要を含む。）

チ　当該法人等の過去五年間にその末日が到来した各事業年度（次に掲げる事業年度を除く。）に係る貸借対照表その他これに相当するものの内容

(1)　最終事業年度

(2)　ある事業年度に係る貸借対照表その他これに相当するものの内容につき、法令の規定に基づく公告（法第四百四十条第三項の措置に相当するものを含む。）をしている場合における当該事業年度

(3)　ある事業年度に係る貸借対照表その他これに相当するものの内容につき、金融商品取引法第二十四条第一項の規定により有価証券報告書を内閣総理大臣に提出している場合における当該事業年度

リ　前号ロ及びハに掲げる事項

ヌ　交付対価が自己株式の取得、持分の払戻しその他これらに相当する方法により払戻しを受けることができるものであるときは、その手続に関する事項

三　交付対価の一部が株式交付親会社の社債、新株予約権又は新株予約権付社債であるときは、第一号ロ及びハに掲げる事項

四　交付対価の一部が法人等の社債、新株予約権、新株予約権付社債その他これらに準ずるもの（株式交付親会社の社債、新株予約権又は新株予約権付社債を除く。）であるときは、次に掲げる事項（当該事項が日本語以外の言語で表示されている場合にあっては、当該事項（氏名又は名称を除く。）を日本語で表示した事項）

イ　第一号ロ及びハに掲げる事項

ロ　第二号イ及びホからチまでに掲げる事項

五　交付対価の一部が株式交付親会社その他の法人等の株式、持分、社債、新株予約権、新株予約権付社債その他これらに準ず

げるもの及び金銭以外の財産であるときは、第一号ロ及びハに掲げる事項

４　第一項第二号に規定する「株式交付親会社の計算書類等に関する事項」とは、次に掲げる事項とする。

一　最終事業年度に係る計算書類等（最終事業年度がない場合にあっては、株式交付親会社の成立の日における貸借対照表）の内容

二　最終事業年度の末日（最終事業年度がない場合にあっては、株式交付親会社の成立の日。次号において同じ。）後の日を臨時決算日（二以上の臨時決算日がある場合にあっては、最も遅いもの）とする臨時計算書類等があるときは、当該臨時計算書類等の内容

三　最終事業年度の末日後に重要な財産の処分、重大な債務の負担その他の会社財産の状況に重要な影響を与える事象が生じたときは、その内容

（申込みをしようとする者に対する通知を要しない場合）

第百七十九条の三　法第七百七十四条の四（法第七百七十四条の九において準用する場合を含む。以下この条において同じ。）第四項に規定する法務省令で定める場合は、次に掲げる場合であって、株式交付親会社が法第七百七十四条の四第一項の申込みをしようとする者に対して同項各号に掲げる事項を提供している場合とする。

一　当該株式交付親会社が金融商品取引法の規定に基づき目論見書に記載すべき事項を電磁的方法により提供している場合

二　当該株式交付親会社が外国の法令に基づき目論見書その他これに相当する書面その他の資料を提供している場合

第四章の二　株式交付

【会社法施行令】
（書面に記載すべき事項等の電磁的方法による提供の承諾等）

第一条　次に掲げる規定に規定する事項を電磁的方法（会社法（以下「法」という。）第二条第三十四号に規定する電磁的方法をいう。以下同じ。）により提供しようとする者（次項において「提供者」という。）は、法務省令で定めるところにより、あらかじめ、当該事項の提供の相手方に対し、その用いる電磁的方法の種類及び内容を示し、書面又は電磁的方法による承諾を得なければならない。

一～十四　（略）

十五　法第七百七十四条の四第三項（法第七百七十四条の九において準用する場合を含む。）

２　前項の規定による承諾を得た提供者は、同項の相手方から書面又は電磁的方法により電磁的方法による事項の提供を受けない旨の申出があったときは、当該相手方に対し、当該事項の提供を電磁的方法によってしてはならない。ただし、当該相手方が再び同項の規定による承諾をした場合は、この限りでない。

（株式交付親会社が譲り受ける株式交付子会社の株式の割当て）

第七百七十四条の五　株式交付親会社は、申込者の中から当該株式交付親会社が株式交付子会社の株式を譲り受ける者を定め、かつ、その者に割り当てる当該株式交付親会社が譲り受ける株式交付子会社の株式の数（株式交付子会社が種類株式発行会社である場合にあっては、株式の種類ごとの数。以下この条において同じ。）を定めなければならない。この場合において、株式交付親会社は、申込者に割り当てる当該株式の数の合計が第七百七十四条の三第一項第二号の下限の数を下回らない範囲内で、当該株式の数を、前条第二項第二号の数よりも減少することができる。

２　株式交付親会社は、効力発生日の前日までに、申込者に対し、当該申込者から当該株式交付親会社が譲り受ける株式交付子会社の株式の数を通知しなければならない。

（株式交付子会社の株式の譲渡しの申込み及び株式交付親会社が譲り受ける株式交付子会社の株式の割当てに関する特則）

第七百七十四条の六　前二条の規定は、株式交付子会社の株式を譲り渡そうとする者が、株式交付親会社が株式交付に際して譲り受ける株式交付子会社の株式の総数の譲渡しを行う契約を締結する場合には、適用しない。

（株式交付子会社の株式の譲渡し）

第七百七十四条の七　次の各号に掲げる者は、当該各号に定める株式交付子会社の株式の数について株式交付における株式交付子会社の株式の譲渡人となる。

一　申込者　第七百七十四条の五第二項の規定により通知を受けた株式交付子会社の株式の数

二　前条の契約により株式交付親会社が株式交付に際して譲り受ける株式交付子会社の株式の総数を譲り渡すことを約した者　その者が譲り渡すことを約した株式交付子会社の株式の数

2　前項各号の規定により株式交付子会社の株式の譲渡人となった者は、効力発生日に、それぞれ当該各号に定める数の株式交付子会社の株式を株式交付親会社に給付しなければならない。

（株式交付子会社の株式の譲渡しの無効又は取消しの制限）

第七百七十四条の八　民法第九十三条第一項ただし書及び第九十四条第一項の規定は、第七百七十四条の四第二項の申込み、第七百七十四条の五第一項の規定による割当て及び第七百七十四条の六の契約に係る意思表示については、適用しない。

2　株式交付における株式交付子会社の株式の譲渡人は、第七百七十四条の十一第二項の規定により株式交付親会社の株式の株主となった日から一年を経過した後又はその株式について権利を行使した後は、錯誤、詐欺又は強迫を理由として株式交付子会社の株式の譲渡しの取消しをすることができない。

（株式交付子会社の株式の譲渡しに関する規定の準用）

第七百七十四条の九　第七百七十四条の四から前条までの規定は、第七百七十四条の三第一項第七号に規定する場合における株式交付子会社の新株予約権等の譲渡しについて準用する。この場合において、第七百七十四条の四第二項第二号中「数（株式交付子会社が種類株式発行会社である場合にあっては、株式の種類及び種類ごとの数）」とあるのは「内容及び数」と、第七百七十四条の五第一項中「数（株式交付子会社が種類株式発行会社である場合にあっては、株式の種類ごとの数。以下この条において同じ。）」とあるのは「数」と、「申込者に割り当てる当該株式の数の合計が第七百七十四条の三第一項第二号の下限の数を下回らない範囲内で、当該株式」とあるのは「当該新株予約権等」と、前条第二項中「第七百七十四条の十一第二項」とあるのは「第七百七十四条の十一第四項第一号」と読み替えるものとする。

（申込みがあった株式交付子会社の株式の数が下限の数に満たない場合）

第七百七十四条の十　第七百七十四条の五及び第七百七十四条の七（第一項第二号に係る部分を除く。）（これらの規定を前条において準用する場合を含む。）の規定は、第七百七十四条の三第一項第十号の期日において、申込者が譲渡しの申込みをした株式交付子会社の株式の総数が同項第二号の下限の数に満たない場合には、適用しない。この場合においては、株式交付親会社は、申込者に対し、遅滞なく、株式交付をしない旨を通知しなければならない。

（株式交付の効力の発生等）

第七百七十四条の十一　株式交付親会社は、効力発生日に、第七百七十四条の七第二項（第七百七十四条の九において準用する場合を含む。）の規定による給付を受けた株式交付子会社の株式及び新株予約権等を譲り受ける。

2　第七百七十四条の七第二項の規定による給付をした株式交付子会社の株式の譲渡人は、効力発生日に、第七百七十四条の三第一項第四号に掲げる事項についての定めに従い、同項第三号の株式交付親会社の株式の株主となる。

3　次の各号に掲げる場合には、第七百七十四条の七第二項の規定による給付をした株式交付子会社の株式の譲渡人は、効力発生日に、第七百七十四条の三第一項第六号に掲げる事項についての定めに従い、当該各号に定める者となる。

一　第七百七十四条の三第一項第五号イに掲げる事項についての定めがある場合　同号イの社債の社債権者

二　第七百七十四条の三第一項第五号ロに掲げる事項についての定めがある場合　同号ロの新株予約権の新株予約権者

三　第七百七十四条の三第一項第五号ハに掲げる事項についての定めがある場合　同号ハの新株予約権付社債についての社債の社債権者及び当該新株予約権付社債に付された新株予約権の新株予約権者

4　次の各号に掲げる場合には、第七百七十四条の九において準用する第七百七十四条の七第二項の規定による給付をした株式交付子会社の新株予約権等の譲渡人は、効力発生日に、第七百七十四条の三第一項第九号に掲げる事項についての定めに従い、当該各号に定める者となる。

一　第七百七十四条の三第一項第八号イに掲げる事項についての定めがある場合　同号イの株式の株主

二　第七百七十四条の三第一項第八号ロに掲げる事項についての定めがある場合　同号ロの社債の社債権者

三　第七百七十四条の三第一項第八号ハに掲げる事項についての定めがある場合　同号ハの新株予約権の新株予約権者

四　第七百七十四条の三第一項第八号ニに掲げる事項についての定めがある場合　同号ニの新株予約権付社債についての社債の社債権者及び当該新株予約権付社債に付された新株予約権の新株予約権者

5　前各項の規定は、次に掲げる場合には、適用しない。

一　効力発生日において第八百十六条の八の規定による手続が終了していない場合

二　株式交付を中止した場合

三　効力発生日において株式交付親会社が第七百七十四条の七第二項の規定による給付を受けた株式交付子会社の株式の総数が第七百七十四条の三第一項第二号の下限の数に満たない場合

四　効力発生日において第二項の規定により第七百七十四条の三第一項第三号の株式交付親会社の株式の株主となる者がない場合

6　前項各号に掲げる場合には、株式交付親会社は、第七百七十四条の七第一項各号（第七百七十四条の九において準用する場合を含む。）に掲げる者に対し、遅滞なく、株式交付をしない旨を通知しなければならない。この場合において、第七百七十四条の七第二項（第七百七十四条の九において準用する場合を含む。）の規定による給付を受けた株式交付子会社の株式又は新株予約権等があるときは、株式交付親会社は、遅滞なく、これらをその譲渡人に返還しなければならない。

第五章　組織変更、合併、会社分割、株式交換、株式移転及び株式交付の手続

第一節　組織変更の手続

第一款　株式会社の手続

（組織変更計画に関する書面等の備置き及び閲覧等）

第七百七十五条　組織変更をする株式会社は、組織変更計画備置開始日から組織変更がその効力を生ずる日（以下この節において「効力発生日」という。）までの間、組織変更計画の内容その他法務省令で定める事項を記載し、又は記録した書面又は電磁的記録をその本店に備え置かなければならない。

2　前項に規定する「組織変更計画備置開始日」とは、次に掲げる日のいずれか早い日をいう。

一　組織変更計画について組織変更をする株式会社の総株主の同意を得た日

二　組織変更をする株式会社が新株予約権を発行しているときは、第七百七十七条第三項の規定による通知の日又は同条第四項の公告の日のいずれか早い日

三　第七百七十九条第二項の規定による公告の日又は同項の規定による催告の日のいずれか早い日

3　組織変更をする株式会社の株主及び債権者は、当該株式会社に対して、その営業時間内は、いつでも、次に掲げる請求をすることができる。ただし、第二号又は第四号に掲げる請求をするには、当該株式会社の定めた費用を支払わなければならない。

一　第一項の書面の閲覧の請求

二　第一項の書面の謄本又は抄本の交付の請求

三　第一項の電磁的記録に記録された事項を法務省令で定める方法により表示したものの閲覧の請求

四　第一項の電磁的記録に記録された事項を電磁的方法であって株式会社の定めたものにより提供することの請求又はその事項を記載した書面の交付の請求

【会社法施行規則】

（組織変更をする株式会社の事前開示事項）

第百八十条　法第七百七十五条第一項に規定する法務省令で定める事項は、次に掲げる事項とする。

一　組織変更をする株式会社が新株予約権を発行しているときは、法第七百四十四条第一項第七号及び第八号に掲げる事項についての定めの相当性に関する事項

二　組織変更をする株式会社において最終事業年度がないときは、当該組織変更をする株式会社の成立の日における貸借対照表

三　組織変更後持分会社の債務の履行の見込みに関する事項

四　法第七百七十五条第二項に規定する組織変更計画備置開始日後、前三号に掲げる事項に変更が生じたときは、変更後の当該事項

（縦覧等の指定）

第二百三十四条　電子文書法第五条第一項の主務省令で定める縦覧等は、次に掲げる縦覧等とする。

一～四十四　（略）

四十五　法第七百七十五条第三項第一号の規定による同条第一項の書面の縦覧等

四十六～五十四　（略）

（交付等の指定）

第二百三十六条　電子文書法第六条第一項の主務省令で定める交付等は、次に掲げる交付等とする。

一～十八　（略）

十九　法第七百七十五条第三項第二号の規定による同条第一項の書面の謄本又は抄本の交付等

二十～二十八　（略）

（電磁的記録に記録された事項を表示する方法）

第二百二十六条　次に掲げる規定に規定する法務省令で定める方法は、次に掲げる規定の電磁的記録に記録された事項を紙面又は映像面に表示する方法とする。

一～三十三　（略）

三十四　法第七百七十五条第三項第三号

三十五～四十三　（略）

（株式会社の組織変更計画の承認等）

第七百七十六条　組織変更をする株式会社は、効力発生日の前日までに、組織変更計画について当該株式会社の総株主の同意を得なければならない。

2　組織変更をする株式会社は、効力発生日の二十日前までに、その登録株式質権者及び登録新株予約権質権者に対し、組織変更をする旨を通知しなければならない。

3　前項の規定による通知は、公告をもってこれに代えることができる。

（新株予約権買取請求）

第七百七十七条　株式会社が組織変更をする場合には、組織変更をする

第五編　組織変更、合併、会社分割、株式交換、株式移転及び株式交付

株式会社の新株予約権の新株予約権者は、当該株式会社に対し、自己の有する新株予約権を公正な価格で買い取ることを請求することができる。

2　新株予約権付社債に付された新株予約権の新株予約権者は、前項の規定による請求（以下この款において「新株予約権買取請求」という。）をするときは、併せて、新株予約権付社債についての社債を買い取ることを請求しなければならない。ただし、当該新株予約権付社債に付された新株予約権について別段の定めがある場合は、この限りでない。

3　組織変更をしようとする株式会社は、効力発生日の二十日前までに、その新株予約権の新株予約権者に対し、組織変更をする旨を通知しなければならない。

4　前項の規定による通知は、公告をもってこれに代えることができる。

5　新株予約権買取請求は、効力発生日の二十日前の日から効力発生日の前日までの間に、その新株予約権買取請求に係る新株予約権の内容及び数を明らかにしてしなければならない。

6　新株予約権証券が発行されている新株予約権について新株予約権買取請求をしようとするときは、当該新株予約権の新株予約権者は、組織変更をする株式会社に対し、その新株予約権証券を提出しなければならない。ただし、当該新株予約権証券について非訟事件手続法第百十四条に規定する公示催告の申立てをした者については、この限りでない。

7　新株予約権付社債券が発行されている新株予約権付社債に付された新株予約権について新株予約権買取請求をしようとするときは、当該新株予約権の新株予約権者は、組織変更をする株式会社に対し、その新株予約権付社債券を提出しなければならない。ただし、当該新株予約権付社債券について非訟事件手続法第百十四条に規定する公示催告の申立てをした者については、この限りでない。

8　新株予約権買取請求をした新株予約権者は、組織変更をする株式会社の承諾を得た場合に限り、その新株予約権買取請求を撤回することができる。

9　組織変更を中止したときは、新株予約権買取請求は、その効力を失う。

10　第二百六十条の規定は、新株予約権買取請求に係る新株予約権については、適用しない。

（新株予約権の価格の決定等）

第七百七十八条　新株予約権買取請求があった場合において、新株予約権（当該新株予約権が新株予約権付社債に付されたものである場合において、当該新株予約権付社債についての社債の買取りの請求があったときは、当該社債を含む。以下この条において同じ。）の価格の決定について、新株予約権者と組織変更をする株式会社（効力発生日後にあっては、組織変更後持分会社。以下この条において同じ。）との間に協議が調ったときは、当該株式会社は、効力発生日から六十日以内にその支払をしなければならない。

2　新株予約権の価格の決定について、効力発生日から三十日以内に協議が調わないときは、新株予約権者又は組織変更後持分会社は、その期間の満了の日後三十日以内に、裁判所に対し、価格の決定の申立てをすることができる。

3　前条第八項の規定にかかわらず、前項に規定する場合において、効力発生日から六十日以内に同項の申立てがないときは、その期間の満了後は、新株予約権者は、いつでも、新株予約権買取請求を撤回することができる。

4　組織変更後持分会社は、裁判所の決定した価格に対する第一項の期間の満了の日後の法定利率による利息をも支払わなければならない。

5　組織変更をする株式会社は、新株予約権の価格の決定があるまでは、新株予約権者に対し、当該株式会社が公正な価格と認める額を支払うことができる。

6　新株予約権買取請求に係る新株予約権の買取りは、効力発生日に、その効力を生ずる。

7　組織変更をする株式会社は、新株予約権証券が発行されている新株予約権について新株予約権買取請求があったときは、新株予約権証券と引換えに、その新株予約権買取請求に係る新株予約権の代金を支払わなければならない。

8　組織変更をする株式会社は、新株予約権付社債券が発行されている新株予約権付社債に付された新株予約権について新株予約権買取請求があったときは、新株予約権付社債券と引換えに、その新株予約権買取請求に係る新株予約権の代金を支払わなければならない。

（債権者の異議）

第七百七十九条　組織変更をする株式会社の債権者は、当該株式会社に対し、組織変更について異議を述べることができる。

2　組織変更をする株式会社は、次に掲げる事項を官報に公告し、かつ、知れている債権者には、各別にこれを催告しなければならない。ただし、第三号の期間は、一箇月を下ることができない。

一　組織変更をする旨

二　組織変更をする株式会社の計算書類（第四百三十五条第二項に規定する計算書類をいう。以下この章において同じ。）に関する事項として法務省令で定めるもの

三　債権者が一定の期間内に異議を述べることができる旨

3　前項の規定にかかわらず、組織変更をする株式会社が同項の規定による公告を、官報のほか、第九百三十九条第一項の規定による定款の定めに従い、同項第二号又は第三号に掲げる公告方法によりするときは、前項の規定による各別の催告は、することを要しない。

4　債権者が第二項第三号の期間内に異議を述べなかったときは、当該債権者は、当該組織変更について承認をしたものとみなす。

5　債権者が第二項第三号の期間内に異議を述べたときは、組織変更をする株式会社は、当該債権者に対し、弁済し、若しくは相当の担保を提供し、又は当該債権者に弁済を受けさせることを目的として信託会社等に相当の財産を信託しなければならない。ただし、当該組織変更をしても当該債権者を害するおそれがないときは、この限りでない。

【会社法施行規則】

（計算書類に関する事項）

第百八十一条　法第七百七十九条第二項第二号に規定する法務省令で定めるものは、同項の規定による公告の日又は同項の規定による催告の日のいずれか早い日における次の各号に掲げる場合の区分に応じ、当該各号に定めるものとする。

一　最終事業年度に係る貸借対照表又はその要旨につき組織変更をする株式会社が法第四百四十条第一項又は第二項の規定による公告をしている場合　次に掲げるもの

イ　官報で公告をしているときは、当該官報の日付及び当該公告が掲載されている頁

ロ　時事に関する事項を掲載する日刊新聞紙で公告をしているときは、当該日刊新聞紙の名称、日付及び当該公告が掲載されている頁

ハ　電子公告により公告をしているときは、法第九百十一条第三項第二十八号イに掲げる事項

二　最終事業年度に係る貸借対照表につき組織変更をする株式会社が法第四百四十条第三項に規定する措置をとっている場合　法第九百十一条第三項第二十六号に掲げる事項

三　組織変更をする株式会社が法第四百四十条第四項に規定する株式会社である場合において、当該株式会社が金融商品取引法第二十四条第一項の規定により最終事業年度に係る有価証券報告書を提出しているとき　その旨

四　組織変更をする株式会社が会社法の施行に伴う関係法律の整備等に関する法律（平成十七年法律第八十七号）第二十八条の規定により法第四百四十条の規定が適用されないものである場合　その旨

五　組織変更をする株式会社につき最終事業年度がない場合　その旨

六　組織変更をする株式会社が清算株式会社である場合　その旨

七　前各号に掲げる場合以外の場合　会社計算規則第六編第二章〔第一三七条―第一四六条〕の規定による最終事業年度に係る貸借対照表の要旨の内容

（組織変更の効力発生日の変更）

第七百八十条　組織変更をする株式会社は、効力発生日を変更することができる。

2　前項の場合には、組織変更をする株式会社は、変更前の効力発生日（変更後の効力発生日が変更前の効力発生日前の日である場合にあっては、当該変更後の効力発生日）の前日までに、変更後の効力発生日を公告しなければならない。

3　第一項の規定により効力発生日を変更したときは、変更後の効力発生日を効力発生日とみなして、この款及び第七百四十五条の規定を適用する。

第二款　持分会社の手続

第七百八十一条　組織変更をする持分会社は、効力発生日の前日までに、組織変更計画について当該持分会社の総社員の同意を得なければならない。ただし、定款に別段の定めがある場合は、この限りでない。

2　第七百七十九条（第二項第二号を除く。）及び前条の規定は、組織変更をする持分会社について準用する。この場合において、第七百七十九条第三項中「組織変更をする株式会社」とあるのは「組織変更をする持分会社（合同会社に限る。）」と、前条第三項中「及び第七百四十五条」とあるのは「並びに第七百四十七条及び次条第一項」と読み替えるものとする。

第二節　吸収合併等の手続

第一款　吸収合併消滅会社、吸収分割会社及び株式交換完全子会社の手続

第一目　株式会社の手続

（吸収合併契約等に関する書面等の備置き及び閲覧等）

第七百八十二条　次の各号に掲げる株式会社（以下この目において「消滅株式会社等」という。）は、吸収合併契約等備置開始日から吸収合併、吸収分割又は株式交換（以下この節において「吸収合併等」という。）がその効力を生ずる日（以下この節において「効力発生日」という。）後六箇月を経過する日（吸収合併消滅株式会社にあっては、効力発生日）までの間、当該各号に定めるもの（以下この節において「吸収合併契約等」という。）の内容その他法務省令で定める事項を記載し、又は記録した書面又は電磁的記録をその本店に備え置かなければならない。

一　吸収合併消滅株式会社　吸収合併契約

二　吸収分割株式会社　吸収分割契約

三　株式交換完全子会社　株式交換契約

2　前項に規定する「吸収合併契約等備置開始日」とは、次に掲げる日のいずれか早い日をいう。

一　吸収合併契約等について株主総会（種類株主総会を含む。）の決議によってその承認を受けなければならないときは、当該株主総会の日の二週間前の日（第三百十九条第一項の場合にあっては、同項の提案があった日）

二　第七百八十五条第三項の規定による通知を受けるべき株主があるときは、同項の規定による通知の日又は同条第四項の公告の日のいずれか早い日

三　第七百八十七条第三項の規定による通知を受けるべき新株予約権者があるときは、同項の規定による通知の日又は同条第四項の公告の日のいずれか早い日

四　第七百八十九条の規定による手続をしなければならないときは、同条第二項の規定による公告の日又は同項の規定による催告の日のいずれか早い日
五　前各号に規定する場合以外の場合には、吸収分割契約又は株式交換契約の締結の日から二週間を経過した日

3　消滅株式会社等の株主及び債権者（株式交換完全子会社にあっては、株主及び新株予約権者）は、消滅株式会社等に対して、その営業時間内は、いつでも、次に掲げる請求をすることができる。ただし、第二号又は第四号に掲げる請求をするには、当該消滅株式会社等の定めた費用を支払わなければならない。
一　第一項の書面の閲覧の請求
二　第一項の書面の謄本又は抄本の交付の請求
三　第一項の電磁的記録に記録された事項を法務省令で定める方法により表示したものの閲覧の請求
四　第一項の電磁的記録に記録された事項を電磁的方法であって消滅株式会社等の定めたものにより提供することの請求又はその事項を記載した書面の交付の請求

【会社法施行規則】

（吸収合併消滅株式会社の事前開示事項）

第百八十二条　法第七百八十二条第一項に規定する法務省令で定める事項は、同項に規定する消滅株式会社等が吸収合併消滅株式会社である場合には、次に掲げる事項とする。
一　合併対価の相当性に関する事項
二　合併対価について参考となるべき事項
三　吸収合併に係る新株予約権の定めの相当性に関する事項
四　計算書類等に関する事項
五　吸収合併が効力を生ずる日以後における吸収合併存続会社の債務（法第七百八十九条第一項の規定により吸収合併について異議を述べることができる債権者に対して負担する債務に限る。）の履行の見込みに関する事項
六　吸収合併契約等備置開始日（法第七百八十二条第二項に規定する吸収合併契約等備置開始日をいう。以下この章（第一八二条―第一九〇条）において同じ。）後、前各号に掲げる事項に変更が生じたときは、変更後の当該事項

2　この条において「合併対価」とは、吸収合併存続会社が吸収合併に際して吸収合併消滅株式会社の株主に対してその株式に代えて交付する金銭等をいう。

3　第一項第一号に規定する「合併対価の相当性に関する事項」とは、次に掲げる事項その他の法第七百四十九条第一項第二号及び第三号に掲げる事項又は法第七百五十一条第一項第二号から第四号までに掲げる事項についての定め（当該定めがない場合にあっては、当該定めがないこと）の相当性に関する事項とする。
一　合併対価の総数又は総額の相当性に関する事項
二　合併対価として当該種類の財産を選択した理由
三　吸収合併存続会社と吸収合併消滅株式会社とが共通支配下関係（会社計算規則第二条第三項第三十六号に規定する共通支配下関係をいう。以下この号及び第百八十四条において同じ。）にあるときは、当該吸収合併消滅株式会社の株主（当該吸収合併消滅株式会社と共通支配下関係にある株主を除く。）の利益を害さないように留意した事項（当該事項がない場合にあっては、その旨）

4　第一項第二号に規定する「合併対価について参考となるべき事項」とは、次の各号に掲げる場合の区分に応じ、当該各号に定める事項その他これに準ずる事項（法第七百八十二条第一項に規定する書面又は電磁的記録にこれらの事項の全部又は一部の記載又は記録をしないことにつき吸収合併消滅株式会社の総株主の同意がある場合にあっては、当該同意があったものを除く。）とする。
一　合併対価の全部又は一部が吸収合併存続会社の株式又は持分である場合　次に掲げる事項

イ　当該吸収合併存続会社の定款の定め
ロ　次に掲げる事項その他の合併対価の換価の方法に関する事項
(1)　合併対価を取引する市場
(2)　合併対価の取引の媒介、取次ぎ又は代理を行う者
(3)　合併対価の譲渡その他の処分に制限があるときは、その内容
ハ　合併対価に市場価格があるときは、その価格に関する事項
ニ　吸収合併存続会社の過去五年間にその末日が到来した各事業年度（次に掲げる事業年度を除く。）に係る貸借対照表の内容
(1)　最終事業年度
(2)　ある事業年度に係る貸借対照表の内容につき、法令の規定に基づく公告（法第四百四十条第三項の措置に相当するものを含む。）をしている場合における当該事業年度
(3)　ある事業年度に係る貸借対照表の内容につき、金融商品取引法第二十四条第一項の規定により有価証券報告書を内閣総理大臣に提出している場合における当該事業年度
二　合併対価の全部又は一部が法人等の株式、持分その他これらに準ずるもの（吸収合併存続会社の株式又は持分を除く。）である場合　次に掲げる事項（当該事項が日本語以外の言語で表示されている場合にあっては、当該事項（氏名又は名称を除く。）を日本語で表示した事項）
イ　当該法人等の定款その他これに相当するものの定め
ロ　当該法人等が会社でないときは、次に掲げる権利に相当する権利その他の合併対価に係る権利（重要でないものを除く。）の内容
(1)　剰余金の配当を受ける権利
(2)　残余財産の分配を受ける権利
(3)　株主総会における議決権
(4)　合併その他の行為がされる場合において、自己の有する株式を公正な価格で買い取ることを請求する権利
(5)　定款その他の資料（当該資料が電磁的記録をもって作成されている場合にあっては、当該電磁的記録に記録された事項を表示したもの）の閲覧又は謄写を請求する権利
ハ　当該法人等がその株主等に対し、日本語以外の言語を使用して情報の提供をすることとされているときは、当該言語
ニ　吸収合併が効力を生ずる日に当該法人等の株主総会その他これに相当するものの開催があるものとした場合における当該法人等の株主等が有すると見込まれる議決権その他これに相当する権利の総数
ホ　当該法人等について登記（当該法人等が外国の法令に準拠して設立されたものである場合にあっては、法第九百三十三条第一項の外国会社の登記又は外国法人の登記及び夫婦財産契約の登記に関する法律第二条の外国法人の登記に限る。）がされていないときは、次に掲げる事項
(1)　当該法人等を代表する者の氏名又は名称及び住所
(2)　当該法人等の役員（(1)の者を除く。）の氏名又は名称
ヘ　当該法人等の最終事業年度（当該法人等が会社以外のものである場合にあっては、最終事業年度に相当するもの。以下この号において同じ。）に係る計算書類（最終事業年度がない場合にあっては、当該法人等の成立の日における貸借対照表）その他これに相当するものの内容（当該計算書類その他これに相当するものについて監査役、監査等委員会、監査委員会、会計監査人その他これらに相当するものの監査を受けている場合にあっては、監査報告その他これに相当するものの内容の概要を含む。）
ト　次に掲げる場合の区分に応じ、次に定める事項
(1)　当該法人等が株式会社である場合　当該法人等の最終事業年度に係る事業報告の内容（当該事業報告について監査

役、監査等委員会又は監査委員会の監査を受けている場合にあっては、監査報告の内容を含む。）

(2) 当該法人等が株式会社以外のものである場合　当該法人等の最終事業年度に係る第百十八条各号及び第百十九条各号に掲げる事項に相当する事項の内容の概要（当該事項について監査役、監査等委員会、監査委員会その他これらに相当するものの監査を受けている場合にあっては、監査報告その他これに相当するものの内容の概要を含む。）

チ 当該法人等の過去五年間にその末日が到来した各事業年度（次に掲げる事業年度を除く。）に係る貸借対照表その他これに相当するものの内容

(1) 最終事業年度

(2) ある事業年度に係る貸借対照表その他これに相当するものの内容につき、法令の規定に基づく公告（法第四百四十条第三項の措置に相当するものを含む。）をしている場合における当該事業年度

(3) ある事業年度に係る貸借対照表その他これに相当するものの内容につき、金融商品取引法第二十四条第一項の規定により有価証券報告書を内閣総理大臣に提出している場合における当該事業年度

リ 前号ロ及びハに掲げる事項

ヌ 合併対価が自己株式の取得、持分の払戻しその他これらに相当する方法により払戻しを受けることができるものであるときは、その手続に関する事項

三 合併対価の全部又は一部が吸収合併存続会社の社債、新株予約権又は新株予約権付社債である場合　第一号イからニまでに掲げる事項

四 合併対価の全部又は一部が法人等の社債、新株予約権、新株予約権付社債その他これらに準ずるもの（吸収合併存続会社の社債、新株予約権又は新株予約権付社債を除く。）である場合　次に掲げる事項（当該事項が日本語以外の言語で表示されている場合にあっては、当該事項（氏名又は名称を除く。）を日本語で表示した事項）

イ 第一号ロ及びハに掲げる事項

ロ 第二号イ及びホからチまでに掲げる事項

五 合併対価の全部又は一部が吸収合併存続会社その他の法人等の株式、持分、社債、新株予約権、新株予約権付社債その他これらに準ずるもの及び金銭以外の財産である場合　第一号ロ及びハに掲げる事項

5 第一項第三号に規定する「吸収合併に係る新株予約権の定めの相当性に関する事項」とは、次の各号に掲げる場合の区分に応じ、当該各号に定める定めの相当性に関する事項とする。

一 吸収合併存続会社が株式会社である場合　法第七百四十九条第一項第四号及び第五号に掲げる事項についての定め

二 吸収合併存続会社が持分会社である場合　法第七百五十一条第一項第五号及び第六号に掲げる事項についての定め

6 第一項第四号に規定する「計算書類等に関する事項」とは、次に掲げる事項とする。

一 吸収合併存続会社についての次に掲げる事項

イ 最終事業年度に係る計算書類等（最終事業年度がない場合にあっては、吸収合併存続会社の成立の日における貸借対照表）の内容

ロ 最終事業年度の末日（最終事業年度がない場合にあっては、吸収合併存続会社の成立の日。ハにおいて同じ。）後の日を臨時決算日（二以上の臨時決算日がある場合にあっては、最も遅いもの）とする臨時計算書類等があるときは、当該臨時計算書類等の内容

ハ 最終事業年度の末日後に重要な財産の処分、重大な債務の負担その他の会社財産の状況に重要な影響を与える事象が生じたときは、その内容（吸収合併契約等備置開始日後吸収合

併の効力が生ずる日までの間に新たな最終事業年度が存することとなる場合にあっては、当該新たな最終事業年度の末日後に生じた事象の内容に限る。）

二　吸収合併消滅株式会社（清算株式会社を除く。以下この号において同じ。）についての次に掲げる事項

イ　吸収合併消滅株式会社において最終事業年度の末日（最終事業年度がない場合にあっては、吸収合併消滅株式会社の成立の日）後に重要な財産の処分、重大な債務の負担その他の会社財産の状況に重要な影響を与える事象が生じたときは、その内容（吸収合併契約等備置開始日後吸収合併の効力が生ずる日までの間に新たな最終事業年度が存することとなる場合にあっては、当該新たな最終事業年度の末日後に生じた事象の内容に限る。）

ロ　吸収合併消滅株式会社において最終事業年度がないときは、吸収合併消滅株式会社の成立の日における貸借対照表

（吸収分割株式会社の事前開示事項）

第百八十三条　法第七百八十二条第一項に規定する法務省令で定める事項は、同項に規定する消滅株式会社等が吸収分割株式会社である場合には、次に掲げる事項とする。

一　次のイ又はロに掲げる場合の区分に応じ、当該イ又はロに定める定め（当該定めがない場合にあっては、当該定めがないこと）の相当性に関する事項

イ　吸収分割承継会社が株式会社である場合　法第七百五十八条第四号に掲げる事項についての定め

ロ　吸収分割承継会社が持分会社である場合　法第七百六十条第四号及び第五号に掲げる事項についての定め

二　法第七百五十八条第八号又は第七百六十条第七号に掲げる事項を定めたときは、次に掲げる事項

イ　法第七百五十八条第八号イ又は第七百六十条第七号イに掲げる行為をする場合において、法第百七十一条第一項の決議が行われているときは、同項各号に掲げる事項

ロ　法第七百五十八条第八号ロ又は第七百六十条第七号ロに掲げる行為をする場合において、法第四百五十四条第一項の決議が行われているときは、同項第一号及び第二号に掲げる事項

三　吸収分割株式会社が法第七百八十七条第三項第二号に定める新株予約権を発行している場合において、吸収分割承継会社が株式会社であるときは、法第七百五十八条第五号及び第六号に掲げる事項についての定めの相当性に関する事項（当該新株予約権に係る事項に限る。）

四　吸収分割承継会社についての次に掲げる事項

イ　最終事業年度に係る計算書類等（最終事業年度がない場合にあっては、吸収分割承継会社の成立の日における貸借対照表）の内容

ロ　最終事業年度の末日（最終事業年度がない場合にあっては、吸収分割承継会社の成立の日。ハにおいて同じ。）後の日を臨時決算日（二以上の臨時決算日がある場合にあっては、最も遅いもの）とする臨時計算書類等があるときは、当該臨時計算書類等の内容

ハ　最終事業年度の末日後に重要な財産の処分、重大な債務の負担その他の会社財産の状況に重要な影響を与える事象が生じたときは、その内容（吸収合併契約等備置開始日後吸収分割の効力が生ずる日までの間に新たな最終事業年度が存することとなる場合にあっては、当該新たな最終事業年度の末日後に生じた事象の内容に限る。）

五　吸収分割株式会社（清算株式会社を除く。以下この号において同じ。）についての次に掲げる事項

イ　吸収分割株式会社において最終事業年度の末日（最終事業年度がない場合にあっては、吸収分割株式会社の成立の日）後に重要な財産の処分、重大な債務の負担その他の会社財産

の状況に重要な影響を与える事象が生じたときは、その内容（吸収合併契約等備置開始日後吸収分割の効力が生ずる日までの間に新たな最終事業年度が存することとなる場合にあっては、当該新たな最終事業年度の末日後に生じた事象の内容に限る。）

ロ　吸収分割株式会社において最終事業年度がないときは、吸収分割株式会社の成立の日における貸借対照表

六　吸収分割が効力を生ずる日以後における吸収分割株式会社の債務及び吸収分割承継会社の債務（吸収分割株式会社が吸収分割により吸収分割承継会社に承継させるものに限る。）の履行の見込みに関する事項

七　吸収合併契約等備置開始日後吸収分割が効力を生ずる日までの間に、前各号に掲げる事項に変更が生じたときは、変更後の当該事項

（株式交換完全子会社の事前開示事項）

第百八十四条　法第七百八十二条第一項に規定する法務省令で定める事項は、同項に規定する消滅株式会社等が株式交換完全子会社である場合には、次に掲げる事項とする。

一　交換対価の相当性に関する事項

二　交換対価について参考となるべき事項

三　株式交換に係る新株予約権の定めの相当性に関する事項

四　計算書類等に関する事項

五　法第七百八十九条第一項の規定により株式交換について異議を述べることができる債権者があるときは、株式交換が効力を生ずる日以後における株式交換完全親会社の債務（当該債権者に対して負担する債務に限る。）の履行の見込みに関する事項

六　吸収合併契約等備置開始日後株式交換が効力を生ずる日までの間に、前各号に掲げる事項に変更が生じたときは、変更後の当該事項

2　この条において「交換対価」とは、株式交換完全親会社が株式交換に際して株式交換完全子会社の株主に対してその株式に代えて交付する金銭等をいう。

3　第一項第一号に規定する「交換対価の相当性に関する事項」とは、次に掲げる事項その他の法第七百六十八条第一項第二号及び第三号に掲げる事項又は法第七百七十条第一項第二号から第四号までに掲げる事項についての定め（当該定めがない場合にあっては、当該定めがないこと）の相当性に関する事項とする。

一　交換対価の総数又は総額の相当性に関する事項

二　交換対価として当該種類の財産を選択した理由

三　株式交換完全親会社と株式交換完全子会社とが共通支配下関係にあるときは、当該株式交換完全子会社の株主（当該株式交換完全子会社と共通支配下関係にある株主を除く。）の利益を害さないように留意した事項（当該事項がない場合にあっては、その旨）

4　第一項第二号に規定する「交換対価について参考となるべき事項」とは、次の各号に掲げる場合の区分に応じ、当該各号に定める事項その他これに準ずる事項（法第七百八十二条第一項に規定する書面又は電磁的記録にこれらの事項の全部又は一部の記載又は記録をしないことにつき株式交換完全子会社の総株主の同意がある場合にあっては、当該同意があったものを除く。）とする。

一　交換対価の全部又は一部が株式交換完全親会社の株式又は持分である場合　次に掲げる事項

イ　当該株式交換完全親会社の定款の定め

ロ　次に掲げる事項その他の交換対価の換価の方法に関する事項

(1)　交換対価を取引する市場

(2)　交換対価の取引の媒介、取次ぎ又は代理を行う者

(3)　交換対価の譲渡その他の処分に制限があるときは、その内容

ハ　交換対価に市場価格があるときは、その価格に関する事項

ニ　株式交換完全親会社の過去五年間にその末日が到来した各事業年度（次に掲げる事業年度を除く。）に係る貸借対照表の内容

(1)　最終事業年度

(2)　ある事業年度に係る貸借対照表の内容につき、法令の規定に基づく公告（法第四百四十条第三項の措置に相当するものを含む。）をしている場合における当該事業年度

(3)　ある事業年度に係る貸借対照表の内容につき、金融商品取引法第二十四条第一項の規定により有価証券報告書を内閣総理大臣に提出している場合における当該事業年度

二　交換対価の全部又は一部が法人等の株式、持分その他これらに準ずるもの（株式交換完全親会社の株式又は持分を除く。）である場合　次に掲げる事項（当該事項が日本語以外の言語で表示されている場合にあっては、当該事項（氏名又は名称を除く。）を日本語で表示した事項）

イ　当該法人等の定款その他これに相当するものの定め

ロ　当該法人等が会社でないときは、次に掲げる権利に相当する権利その他の交換対価に係る権利（重要でないものを除く。）の内容

(1)　剰余金の配当を受ける権利

(2)　残余財産の分配を受ける権利

(3)　株主総会における議決権

(4)　合併その他の行為がされる場合において、自己の有する株式を公正な価格で買い取ることを請求する権利

(5)　定款その他の資料（当該資料が電磁的記録をもって作成されている場合にあっては、当該電磁的記録に記録された事項を表示したもの）の閲覧又は謄写を請求する権利

ハ　当該法人等がその株主等に対し、日本語以外の言語を使用して情報の提供をすることとされているときは、当該言語

ニ　株式交換が効力を生ずる日に当該法人等の株主総会その他これに相当するものの開催があるものとした場合における当該法人等の株主等が有すると見込まれる議決権その他これに相当する権利の総数

ホ　当該法人等について登記（当該法人等が外国の法令に準拠して設立されたものである場合にあっては、法第九百三十三条第一項の外国会社の登記又は外国法人の登記及び夫婦財産契約の登記に関する法律第二条の外国法人の登記に限る。）がされていないときは、次に掲げる事項

(1)　当該法人等を代表する者の氏名又は名称及び住所

(2)　当該法人等の役員（(1)の者を除く。）の氏名又は名称

ヘ　当該法人等の最終事業年度（当該法人等が会社以外のものである場合にあっては、最終事業年度に相当するもの。以下この号において同じ。）に係る計算書類（最終事業年度がない場合にあっては、当該法人等の成立の日における貸借対照表）その他これに相当するものの内容（当該計算書類その他これに相当するものについて監査役、監査等委員会、監査委員会、会計監査人その他これらに相当するものの監査を受けている場合にあっては、監査報告その他これに相当するものの内容の概要を含む。）

ト　次に掲げる場合の区分に応じ、次に定める事項

(1)　当該法人等が株式会社である場合　当該法人等の最終事業年度に係る事業報告の内容（当該事業報告について監査役、監査等委員会又は監査委員会の監査を受けている場合にあっては、監査報告の内容を含む。）

(2)　当該法人等が株式会社以外のものである場合　当該法人等の最終事業年度に係る第百十八条各号及び第百十九条各号に掲げる事項に相当する事項の内容の概要（当該事項について監査役、監査等委員会、監査委員会その他これらに相当するものの監査を受けている場合にあっては、監査報告その他これに相当するものの内容の概要を含む。）

チ　当該法人等の過去五年間にその末日が到来した各事業年度（次に掲げる事業年度を除く。）に係る貸借対照表その他これに相当するものの内容
(1)　最終事業年度
(2)　ある事業年度に係る貸借対照表その他これに相当するものの内容につき、法令の規定に基づく公告（法第四百四十条第三項の措置に相当するものを含む。）をしている場合における当該事業年度
(3)　ある事業年度に係る貸借対照表その他これに相当するものの内容につき、金融商品取引法第二十四条第一項の規定により有価証券報告書を内閣総理大臣に提出している場合における当該事業年度
リ　前号ロ及びハに掲げる事項
ヌ　交換対価が自己株式の取得、持分の払戻しその他これらに相当する方法により払戻しを受けることができるものであるときは、その手続に関する事項
三　交換対価の全部又は一部が株式交換完全親会社の社債、新株予約権又は新株予約権付社債である場合　第一号イから二までに掲げる事項
四　交換対価の全部又は一部が法人等の社債、新株予約権、新株予約権付社債その他これらに準ずるもの（株式交換完全親会社の社債、新株予約権又は新株予約権付社債を除く。）である場合　次に掲げる事項（当該事項が日本語以外の言語で表示されている場合にあっては、当該事項（氏名又は名称を除く。）を日本語で表示した事項）
イ　第一号ロ及びハに掲げる事項
ロ　第二号イ及びホからチまでに掲げる事項
五　交換対価の全部又は一部が株式交換完全親会社その他の法人等の株式、持分、社債、新株予約権、新株予約権付社債その他これらに準ずるもの及び金銭以外の財産である場合　第一号ロ及びハに掲げる事項
5　第一項第三号に規定する「株式交換に係る新株予約権の定めの相当性に関する事項」とは、株式交換完全子会社が法第七百八十七条第三項第三号に定める新株予約権を発行している場合（株式交換完全親会社が株式会社であるときに限る。）における法第七百六十八条第一項第四号及び第五号に掲げる事項についての定めの相当性に関する事項（当該新株予約権に係る事項に限る。）とする。
6　第一項第四号に規定する「計算書類等に関する事項」とは、次に掲げる事項とする。
一　株式交換完全親会社についての次に掲げる事項
イ　最終事業年度に係る計算書類等（最終事業年度がない場合にあっては、株式交換完全親会社の成立の日における貸借対照表）の内容
ロ　最終事業年度の末日（最終事業年度がない場合にあっては、株式交換完全親会社の成立の日。ハにおいて同じ。）後の日を臨時決算日（二以上の臨時決算日がある場合にあっては、最も遅いもの）とする臨時計算書類等があるときは、当該臨時計算書類等の内容
ハ　最終事業年度の末日後に重要な財産の処分、重大な債務の負担その他の会社財産の状況に重要な影響を与える事象が生じたときは、その内容（吸収合併契約等備置開始日後株式交換の効力が生ずる日までの間に新たな最終事業年度が存することとなる場合にあっては、当該新たな最終事業年度の末日後に生じた事象の内容に限る。）
二　株式交換完全子会社についての次に掲げる事項
イ　株式交換完全子会社において最終事業年度の末日（最終事業年度がない場合にあっては、株式交換完全子会社の成立の日）後に重要な財産の処分、重大な債務の負担その他の会社財産の状況に重要な影響を与える事象が生じたときは、その内容（吸収合併契約等備置開始日後株式交換の効力が生ずる

日までの間に新たな最終事業年度が存することとなる場合にあっては、当該新たな最終事業年度の末日後に生じた事象の内容に限る。）

ロ　株式交換完全子会社において最終事業年度がないときは、株式交換完全子会社の成立の日における貸借対照表

（縦覧等の指定）

第二百三十四条　電子文書法第五条第一項の主務省令で定める縦覧等は、次に掲げる縦覧等とする。

一～四十五　（略）

四十六　法第七百八十二条第三項第一号の規定による同条第一項の書面の縦覧等

四十七～五十四　（略）

（交付等の指定）

第二百三十六条　電子文書法第六条第一項の主務省令で定める交付等は、次に掲げる交付等とする。

一～十九　（略）

二十　法第七百八十二条第三項第二号の規定による同条第一項の書面の謄本又は抄本の交付等

二十一～二十八　（略）

（電磁的記録に記録された事項を表示する方法）

第二百二十六条　次に掲げる規定に規定する法務省令で定める方法は、次に掲げる規定の電磁的記録に記録された事項を紙面又は映像面に表示する方法とする。

一～三十四　（略）

三十五　法第七百八十二条第三項第三号

三十六～四十三　（略）

（吸収合併契約等の承認等）

第七百八十三条　消滅株式会社等は、効力発生日の前日までに、株主総会の決議によって、吸収合併契約等の承認を受けなければならない。

2　前項の規定にかかわらず、吸収合併消滅株式会社又は株式交換完全子会社が種類株式発行会社でない場合において、吸収合併消滅株式会社又は株式交換完全子会社の株主に対して交付する金銭等（以下この条及び次条第一項において「合併対価等」という。）の全部又は一部が持分等（持分会社の持分その他これに準ずるものとして法務省令で定めるものをいう。以下この条において同じ。）であるときは、吸収合併契約又は株式交換契約について吸収合併消滅株式会社又は株式交換完全子会社の総株主の同意を得なければならない。

3　吸収合併消滅株式会社又は株式交換完全子会社が種類株式発行会社である場合において、合併対価等の全部又は一部が譲渡制限株式等（譲渡制限株式その他これに準ずるものとして法務省令で定めるものをいう。以下この章において同じ。）であるときは、吸収合併又は株式交換は、当該譲渡制限株式等の割当てを受ける種類の株式（譲渡制限株式を除く。）の種類株主を構成員とする種類株主総会（当該種類株主に係る株式の種類が二以上ある場合にあっては、当該二以上の株式の種類別に区分された種類株主を構成員とする各種類株主総会）の決議がなければ、その効力を生じない。ただし、当該種類株主総会において議決権を行使することができる株主が存しない場合は、この限りでない。

4　吸収合併消滅株式会社又は株式交換完全子会社が種類株式発行会社である場合において、合併対価等の全部又は一部が持分等であるときは、吸収合併又は株式交換は、当該持分等の割当てを受ける種類の株主の全員の同意がなければ、その効力を生じない。

5　消滅株式会社等は、効力発生日の二十日前までに、その登録株式質権者（次条第二項に規定する場合における登録株式質権者を除く。）及び第七百八十七条第三項各号に定める新株予約権の登録新株予約権質権者に対し、吸収合併等をする旨を通知しなければならない。

6　前項の規定による通知は、公告をもってこれに代えることができる。

【会社法施行規則】

（持分等）

第百八十五条　法第七百八十三条第二項に規定する法務省令で定めるものは、権利の移転又は行使に債務者その他第三者の承諾を要するもの（持分会社の持分及び譲渡制限株式を除く。）とする。

（譲渡制限株式等）

第百八十六条　法第七百八十三条第三項に規定する法務省令で定めるものは、次の各号に掲げる場合の区分に応じ、当該各号に定める株式会社の取得条項付株式（当該取得条項付株式に係る法第百八条第二項第六号ロの他の株式の種類が当該各号に定める株式会社の譲渡制限株式であるものに限る。）又は取得条項付新株予約権（当該取得条項付新株予約権に係る法第二百三十六条第一項第七号ニの株式が当該各号に定める株式会社の譲渡制限株式であるものに限る。）とする。

一　吸収合併をする場合　吸収合併存続株式会社

二　株式交換をする場合　株式交換完全親株式会社

三　新設合併をする場合　新設合併設立株式会社

四　株式移転をする場合　株式移転設立完全親会社

（吸収合併契約等の承認を要しない場合）

第七百八十四条　前条第一項の規定は、吸収合併存続会社、吸収分割承継会社又は株式交換完全親会社（以下この目において「存続会社等」という。）が消滅株式会社等の特別支配会社である場合には、適用しない。ただし、吸収合併又は株式交換における合併対価等の全部又は一部が譲渡制限株式等である場合であって、消滅株式会社等が公開会社であり、かつ、種類株式発行会社でないときは、この限りでない。

2　前条の規定は、吸収分割により吸収分割承継会社に承継させる資産の帳簿価額の合計額が吸収分割株式会社の総資産額として法務省令で定める方法により算定される額の五分の一（これを下回る割合を吸収分割株式会社の定款で定めた場合にあっては、その割合）を超えない場合には、適用しない。

【会社法施行規則】

（総資産の額）

第百八十七条　法第七百八十四条第二項に規定する法務省令で定める方法は、算定基準日（吸収分割契約を締結した日（当該吸収分割契約により当該吸収分割契約を締結した日と異なる時（当該吸収分割契約を締結した日後から当該吸収分割の効力が生ずる時の直前までの間の時に限る。）を定めた場合にあっては、当該時）をいう。以下この条において同じ。）における第一号から第九号までに掲げる額の合計額から第十号に掲げる額を減じて得た額をもって吸収分割株式会社の総資産額とする方法とする。

一　資本金の額

二　資本準備金の額

三　利益準備金の額

四　法第四百四十六条に規定する剰余金の額

五　最終事業年度（法第四百六十一条第二項第二号に規定する場合にあっては、法第四百四十一条第一項第二号の期間（当該期間が二以上ある場合にあっては、その末日が最も遅いもの。）以下この項において同じ。）の末日（最終事業年度がない場合にあっては、吸収分割株式会社の成立の日。以下この項において同じ。）における評価・換算差額等に係る額

六　株式引受権の帳簿価額

七　新株予約権の帳簿価額

八　最終事業年度の末日において負債の部に計上した額

九　最終事業年度の末日後に吸収合併、吸収分割による他の会社の事業に係る権利義務の承継又は他の会社（外国会社を含む。）の事業の全部の譲受けをしたときは、これらの行為により承継又は譲受けをした負債の額

十　自己株式及び自己新株予約権の帳簿価額の合計額

2　前項の規定にかかわらず、算定基準日において吸収分割株式会社

社が清算株式会社である場合における法第七百八十四条第二項に規定する法務省令で定める方法は、法第四百九十二条第一項の規定により作成した貸借対照表の資産の部に計上した額をもって吸収分割株式会社の総資産額とする方法とする。

（吸収合併等をやめることの請求）

第七百八十四条の二　次に掲げる場合において、消滅株式会社等の株主が不利益を受けるおそれがあるときは、消滅株式会社等の株主は、消滅株式会社等に対し、吸収合併等をやめることを請求することができる。ただし、前条第二項に規定する場合は、この限りでない。

一　当該吸収合併等が法令又は定款に違反する場合

二　前条第一項本文に規定する場合において、第七百四十九条第一項第二号若しくは第三号、第七百五十一条第一項第三号若しくは第四号、第七百五十八条第四号、第七百六十条第四号若しくは第五号、第七百六十八条第一項第二号若しくは第三号又は第七百七十条第一項第三号若しくは第四号に掲げる事項が消滅株式会社等又は存続会社等の財産の状況その他の事情に照らして著しく不当であるとき。

（反対株主の株式買取請求）

第七百八十五条　吸収合併等をする場合（次に掲げる場合を除く。）には、反対株主は、消滅株式会社等に対し、自己の有する株式を公正な価格で買い取ることを請求することができる。

一　第七百八十三条第二項に規定する場合

二　第七百八十四条第二項に規定する場合

2　前項に規定する「反対株主」とは、次の各号に掲げる場合における当該各号に定める株主（第七百八十三条第四項に規定する場合における同項に規定する持分等の割当てを受ける株主を除く。）をいう。

一　吸収合併等をするために株主総会（種類株主総会を含む。）の決議を要する場合　次に掲げる株主

イ　当該株主総会に先立って当該吸収合併等に反対する旨を当該消滅株式会社等に対し通知し、かつ、当該株主総会において当該吸収合併等に反対した株主（当該株主総会において議決権を行使することができるものに限る。）

ロ　当該株主総会において議決権を行使することができない株主

二　前号に規定する場合以外の場合　全ての株主（第七百八十四条第一項本文に規定する場合における当該特別支配会社を除く。）

3　消滅株式会社等は、効力発生日の二十日前までに、その株主（第七百八十三条第四項に規定する場合における同項に規定する持分等の割当てを受ける株主及び第七百八十四条第一項本文に規定する場合における当該特別支配会社を除く。）に対し、吸収合併等をする旨並びに存続会社等の商号及び住所を通知しなければならない。ただし、第一項各号に掲げる場合は、この限りでない。

4　次に掲げる場合には、前項の規定による通知は、公告をもってこれに代えることができる。

一　消滅株式会社等が公開会社である場合

二　消滅株式会社等が第七百八十三条第一項の株主総会の決議によって吸収合併契約等の承認を受けた場合

5　第一項の規定による請求（以下この目において「株式買取請求」という。）は、効力発生日の二十日前の日から効力発生日の前日までの間に、その株式買取請求に係る株式の数（種類株式発行会社にあっては、株式の種類及び種類ごとの数）を明らかにしてしなければならない。

6　株券が発行されている株式について株式買取請求をしようとするときは、当該株式の株主は、消滅株式会社等に対し、当該株式に係る株券を提出しなければならない。ただし、当該株券について第二百二十三条の規定による請求をした者については、この限りでない。

7　株式買取請求をした株主は、消滅株式会社等の承諾を得た場合に限り、その株式買取請求を撤回することができる。

8　吸収合併等を中止したときは、株式買取請求は、その効力を失う。

9　第百三十三条の規定は、株式買取請求に係る株式については、適用しない。

（株式の価格の決定等）

第七百八十六条　株式買取請求があった場合において、株式の価格の決定について、株主と消滅株式会社等（吸収合併をする場合における効力発生日後にあっては、吸収合併存続会社。以下この条において同じ。）との間に協議が調ったときは、消滅株式会社等は、効力発生日から六十日以内にその支払をしなければならない。

2　株式の価格の決定について、効力発生日から三十日以内に協議が調わないときは、株主又は消滅株式会社等は、その期間の満了の日後三十日以内に、裁判所に対し、価格の決定の申立てをすることができる。

3　前条第七項の規定にかかわらず、前項に規定する場合において、効力発生日から六十日以内に同項の申立てがないときは、その期間の満了後は、株主は、いつでも、株式買取請求を撤回することができる。

4　消滅株式会社等は、裁判所の決定した価格に対する第一項の期間の満了の日後の法定利率による利息をも支払わなければならない。

5　消滅株式会社等は、株式の価格の決定があるまでは、株主に対し、当該消滅株式会社等が公正な価格と認める額を支払うことができる。

6　株式買取請求に係る株式の買取りは、効力発生日に、その効力を生ずる。

7　株券発行会社は、株券が発行されている株式について株式買取請求があったときは、株券と引換えに、その株式買取請求に係る株式の代金を支払わなければならない。

（新株予約権買取請求）

第七百八十七条　次の各号に掲げる行為をする場合には、当該各号に定める消滅株式会社等の新株予約権の新株予約権者は、消滅株式会社等に対し、自己の有する新株予約権を公正な価格で買い取ることを請求することができる。

一　吸収合併　第七百四十九条第一項第四号又は第五号に掲げる事項についての定めが第二百三十六条第一項第八号の条件（同号イに関するものに限る。）に合致する新株予約権以外の新株予約権

二　吸収分割（吸収分割承継会社が株式会社である場合に限る。）　次に掲げる新株予約権のうち、第七百五十八条第五号又は第六号に掲げる事項についての定めが第二百三十六条第一項第八号の条件（同号ロに関するものに限る。）に合致する新株予約権以外の新株予約権

イ　吸収分割契約新株予約権

ロ　吸収分割契約新株予約権以外の新株予約権であって、吸収分割をする場合において当該新株予約権の新株予約権者に吸収分割承継株式会社の新株予約権を交付することとする旨の定めがあるもの

三　株式交換（株式交換完全親会社が株式会社である場合に限る。）　次に掲げる新株予約権のうち、第七百六十八条第一項第四号又は第五号に掲げる事項についての定めが第二百三十六条第一項第八号の条件（同号ニに関するものに限る。）に合致する新株予約権以外の新株予約権

イ　株式交換契約新株予約権

ロ　株式交換契約新株予約権以外の新株予約権であって、株式交換をする場合において当該新株予約権の新株予約権者に株式交換完全親株式会社の新株予約権を交付することとする旨の定めがあるもの

2　新株予約権付社債に付された新株予約権の新株予約権者は、前項の規定による請求（以下この目において「新株予約権買取請求」という。）をするときは、併せて、新株予約権付社債についての社債を買い取ることを請求しなければならない。ただし、当該新株予約権付社債に付された新株予約権について別段の定めがある場合は、この限りでない。

3　次の各号に掲げる消滅株式会社等は、効力発生日の二十日前までに、当該各号に定める新株予約権の新株予約権者に対し、吸収合併等をする旨並びに存続会社等の商号及び住所を通知しなければならない。

一　吸収合併消滅株式会社　全部の新株予約権

二　吸収分割承継会社が株式会社である場合における吸収分割株式会社　次に掲げる新株予約権

イ　吸収分割契約新株予約権

第五編　組織変更、合併、会社分割、株式交換、株式移転及び株式交付

ロ　吸収分割契約新株予約権以外の新株予約権であって、吸収分割をする場合において当該新株予約権の新株予約権者に吸収分割承継株式会社の新株予約権を交付することとする旨の定めがあるもの

三　株式交換完全親会社が株式会社である場合における株式交換完全子会社　次に掲げる新株予約権

イ　株式交換契約新株予約権

ロ　株式交換契約新株予約権以外の新株予約権であって、株式交換をする場合において当該新株予約権の新株予約権者に株式交換完全親株式会社の新株予約権を交付することとする旨の定めがあるもの

4　前項の規定による通知は、公告をもってこれに代えることができる。

5　新株予約権買取請求は、効力発生日の二十日前の日から効力発生日の前日までの間に、その新株予約権買取請求に係る新株予約権の内容及び数を明らかにしてしなければならない。

6　新株予約権証券が発行されている新株予約権について新株予約権買取請求をしようとするときは、当該新株予約権の新株予約権者は、消滅株式会社等に対し、その新株予約権証券を提出しなければならない。ただし、当該新株予約権証券について非訟事件手続法第百十四条に規定する公示催告の申立てをした者については、この限りでない。

7　新株予約権付社債券が発行されている新株予約権付社債に付された新株予約権について新株予約権買取請求をしようとするときは、当該新株予約権の新株予約権者は、消滅株式会社等に対し、その新株予約権付社債券を提出しなければならない。ただし、当該新株予約権付社債券について非訟事件手続法第百十四条に規定する公示催告の申立てをした者については、この限りでない。

8　新株予約権買取請求をした新株予約権者は、消滅株式会社等の承諾を得た場合に限り、その新株予約権買取請求を撤回することができる。

9　吸収合併等を中止したときは、新株予約権買取請求は、その効力を失う。

10　第二百六十条の規定は、新株予約権買取請求に係る新株予約権については、適用しない。

（新株予約権の価格の決定等）

第七百八十八条　新株予約権買取請求があった場合において、新株予約権（当該新株予約権が新株予約権付社債に付されたものである場合において、当該新株予約権付社債についての社債の買取りの請求があったときは、当該社債を含む。以下この条において同じ。）の価格の決定について、新株予約権者と消滅株式会社等（吸収合併をする場合における効力発生日後にあっては、吸収合併存続会社。以下この条において同じ。）との間に協議が調ったときは、消滅株式会社等は、効力発生日から六十日以内にその支払をしなければならない。

2　新株予約権の価格の決定について、効力発生日から三十日以内に協議が調わないときは、新株予約権者又は消滅株式会社等は、その期間の満了の日後三十日以内に、裁判所に対し、価格の決定の申立てをすることができる。

3　前条第八項の規定にかかわらず、前項に規定する場合において、効力発生日から六十日以内に同項の申立てがないときは、その期間の満了後は、新株予約権者は、いつでも、新株予約権買取請求を撤回することができる。

4　消滅株式会社等は、裁判所の決定した価格に対する第一項の期間の満了の日後の法定利率による利息をも支払わなければならない。

5　消滅株式会社等は、新株予約権の価格の決定があるまでは、新株予約権者に対し、当該消滅株式会社等が公正な価格と認める額を支払うことができる。

6　新株予約権買取請求に係る新株予約権の買取りは、効力発生日に、その効力を生ずる。

7　消滅株式会社等は、新株予約権証券が発行されている新株予約権について新株予約権買取請求があったときは、新株予約権証券と引換えに、その新株予約権買取請求に係る新株予約権の代金を支払わなければならない。

8　消滅株式会社等は、新株予約権付社債券が発行されている新株予約権付社債に付された新株予約権について新株予約権買取請求があったときは、新株予約権付社債券と引換えに、その新株予約権買取請求に係る新株予約権の代金を支払わなければならない。

（債権者の異議）

第七百八十九条　次の各号に掲げる場合には、当該各号に定める債権者は、消滅株式会社等に対し、吸収合併等について異議を述べることができる。

一　吸収合併をする場合　吸収合併消滅株式会社の債権者

二　吸収分割をする場合　吸収分割後吸収分割株式会社に対して債務の履行（当該債務の保証人として吸収分割承継会社と連帯して負担する保証債務の履行を含む。）を請求することができない吸収分割株式会社の債権者（第七百五十八条第八号又は第七百六十条第七号に掲げる事項についての定めがある場合にあっては、吸収分割株式会社の債権者）

三　株式交換契約新株予約権が新株予約権付社債に付された新株予約権である場合　当該新株予約権付社債についての社債権者

2　前項の規定により消滅株式会社等の債権者の全部又は一部が異議を述べることができる場合には、消滅株式会社等は、次に掲げる事項を官報に公告し、かつ、知れている債権者（同項の規定により異議を述べることができるものに限る。）には、各別にこれを催告しなければならない。ただし、第四号の期間は、一箇月を下ることができない。

一　吸収合併等をする旨

二　存続会社等の商号及び住所

三　消滅株式会社等及び存続会社等（株式会社に限る。）の計算書類に関する事項として法務省令で定めるもの

四　債権者が一定の期間内に異議を述べることができる旨

3　前項の規定にかかわらず、消滅株式会社等が同項の規定による公告を、官報のほか、第九百三十九条第一項の規定による定款の定めに従い、同項第二号又は第三号に掲げる公告方法によりするときは、前項の規定による各別の催告（吸収分割をする場合における不法行為によって生じた吸収分割株式会社の債務の債権者に対するものを除く。）は、することを要しない。

4　債権者が第二項第四号の期間内に異議を述べなかったときは、当該債権者は、当該吸収合併等について承認をしたものとみなす。

5　債権者が第二項第四号の期間内に異議を述べたときは、消滅株式会社等は、当該債権者に対し、弁済し、若しくは相当の担保を提供し、又は当該債権者に弁済を受けさせることを目的として信託会社等に相当の財産を信託しなければならない。ただし、当該吸収合併等をしても当該債権者を害するおそれがないときは、この限りでない。

【会社法施行規則】

（計算書類に関する事項）

第百八十八条　法第七百八十九条第二項第三号に規定する法務省令で定めるものは、同項の規定による公告の日又は同項の規定による催告の日のいずれか早い日における次の各号に掲げる場合の区分に応じ、当該各号に定めるものとする。

一　最終事業年度に係る貸借対照表又はその要旨につき公告対象会社（法第七百八十九条第二項第三号の株式会社をいう。以下この条において同じ。）が法第四百四十条第一項又は第二項の規定による公告をしている場合　次に掲げるもの

イ　官報で公告をしているときは、当該官報の日付及び当該公告が掲載されている頁

ロ　時事に関する事項を掲載する日刊新聞紙で公告をしているときは、当該日刊新聞紙の名称、日付及び当該公告が掲載されている頁

ハ　電子公告により公告をしているときは、法第九百十一条第三項第二十八号イに掲げる事項

二　最終事業年度に係る貸借対照表につき公告対象会社が法第四百四十条第三項に規定する措置をとっている場合　法第九百十

一条第三項第二十六号に掲げる事項

三　公告対象会社が法第四百四十条第四項に規定する株式会社である場合において、当該株式会社が金融商品取引法第二十四条第一項の規定により最終事業年度に係る有価証券報告書を提出しているとき　その旨

四　公告対象会社が会社法の施行に伴う関係法律の整備等に関する法律第二十八条の規定により法第四百四十条の規定が適用されないものである場合　その旨

五　公告対象会社につき最終事業年度がない場合　その旨

六　公告対象会社が清算株式会社である場合　その旨

七　前各号に掲げる場合以外の場合　会社計算規則第六編第二章〔第一三七条―第一四六条〕の規定による最終事業年度に係る貸借対照表の要旨の内容

（吸収合併等の効力発生日の変更）

第七百九十条　消滅株式会社等は、存続会社等との合意により、効力発生日を変更することができる。

2　前項の場合には、消滅株式会社等は、変更前の効力発生日（変更後の効力発生日が変更前の効力発生日前の日である場合にあっては、当該変更後の効力発生日）の前日までに、変更後の効力発生日を公告しなければならない。

3　第一項の規定により効力発生日を変更したときは、変更後の効力発生日を効力発生日とみなして、この節並びに第七百五十条、第七百五十二条、第七百五十九条、第七百六十一条、第七百六十九条及び第七百七十一条の規定を適用する。

（吸収分割又は株式交換に関する書面等の備置き及び閲覧等）

第七百九十一条　吸収分割株式会社又は株式交換完全子会社は、効力発生日後遅滞なく、吸収分割承継会社又は株式交換完全親会社と共同して、次の各号に掲げる区分に応じ、当該各号に定めるものを作成しなければならない。

一　吸収分割株式会社　吸収分割により吸収分割承継会社が承継した吸収分割株式会社の権利義務その他の吸収分割に関する事項として法務省令で定める事項を記載し、又は記録した書面又は電磁的記録

二　株式交換完全子会社　株式交換により株式交換完全親会社が取得した株式交換完全子会社の株式の数その他の株式交換に関する事項として法務省令で定める事項を記載し、又は記録した書面又は電磁的記録

2　吸収分割株式会社又は株式交換完全子会社は、効力発生日から六箇月間、前項各号の書面又は電磁的記録をその本店に備え置かなければならない。

3　吸収分割株式会社の株主、債権者その他の利害関係人は、吸収分割株式会社に対して、その営業時間内は、いつでも、次に掲げる請求をすることができる。ただし、第二号又は第四号に掲げる請求をするには、当該吸収分割株式会社の定めた費用を支払わなければならない。

一　前項の書面の閲覧の請求

二　前項の書面の謄本又は抄本の交付の請求

三　前項の電磁的記録に記録された事項を法務省令で定める方法により表示したものの閲覧の請求

四　前項の電磁的記録に記録された事項を電磁的方法であって吸収分割株式会社の定めたものにより提供することの請求又はその事項を記載した書面の交付の請求

4　前項の規定は、株式交換完全子会社について準用する。この場合において、同項中「吸収分割株式会社の株主、債権者その他の利害関係人」とあるのは、「効力発生日に株式交換完全子会社の株主又は新株予約権者であった者」と読み替えるものとする。

【会社法施行規則】

（吸収分割株式会社の事後開示事項）

第百八十九条　法第七百九十一条第一項第一号に規定する法務省令で定める事項は、次に掲げる事項とする。

一　吸収分割が効力を生じた日
二　吸収分割株式会社における次に掲げる事項
イ　法第七百八十四条の二の規定による請求に係る手続の経過
ロ　法第七百八十五条、第七百八十七条及び第七百八十九条の規定による手続の経過
三　吸収分割承継会社における次に掲げる事項
イ　法第七百九十六条の二の規定による請求に係る手続の経過
ロ　法第七百九十七条の規定及び法第七百九十九条（法第八百二条第二項において準用する場合を含む。）の規定による手続の経過
四　吸収分割により吸収分割承継会社が吸収分割株式会社から承継した重要な権利義務に関する事項
五　法第九百二十三条の変更の登記をした日
六　前各号に掲げるもののほか、吸収分割に関する重要な事項

（株式交換完全子会社の事後開示事項）

第百九十条　法第七百九十一条第一項第二号に規定する法務省令で定める事項は、次に掲げる事項とする。
一　株式交換が効力を生じた日
二　株式交換完全子会社における次に掲げる事項
イ　法第七百八十四条の二の規定による請求に係る手続の経過
ロ　法第七百八十五条、第七百八十七条及び第七百八十九条の規定による手続の経過
三　株式交換完全親会社における次に掲げる事項
イ　法第七百九十六条の二の規定による請求に係る手続の経過
ロ　法第七百九十七条の規定及び法第七百九十九条（法第八百二条第二項において準用する場合を含む。）の規定による手続の経過
四　株式交換により株式交換完全親会社に移転した株式交換完全子会社の株式の数（株式交換完全子会社が種類株式発行会社であるときは、株式の種類及び種類ごとの数）
五　前各号に掲げるもののほか、株式交換に関する重要な事項

（保存の指定）

第二百三十二条　電子文書法第三条第一項の主務省令で定める保存は、次に掲げる保存とする。
一～三十一　（略）
三十二　法第七百九十一条第二項の規定による同条第一項の書面の保存
三十三～三十六　（略）

（縦覧等の指定）

第二百三十四条　電子文書法第五条第一項の主務省令で定める縦覧等は、次に掲げる縦覧等とする。
一～四十六　（略）
四十七　法第七百九十一条第三項第一号の規定による同条第二項の書面の縦覧等
四十八～五十四　（略）

（交付等の指定）

第二百三十六条　電子文書法第六条第一項の主務省令で定める交付等は、次に掲げる交付等とする。
一～二十　（略）
二十一　法第七百九十一条第三項第二号の規定による同条第二項の書面の謄本又は抄本の交付等
二十二～二十八　（略）

（電磁的記録に記録された事項を表示する方法）

第二百二十六条　次に掲げる規定に規定する法務省令で定める方法は、次に掲げる規定の電磁的記録に記録された事項を紙面又は映像面に表示する方法とする。
一～三十五　（略）
三十六　法第七百九十一条第三項第三号（同条第四項において準用する場合を含む。）

三十七～四十三　（略）

（剰余金の配当等に関する特則）

第七百九十二条　第四百四十五条第四項、第四百五十八条及び第二編第五章第六節の規定は、次に掲げる行為については、適用しない。

一　第七百五十八条第八号イ又は第七百六十条第七号イの株式の取得

二　第七百五十八条第八号ロ又は第七百六十条第七号ロの剰余金の配当

第二目　持分会社の手続

第七百九十三条　次に掲げる行為をする持分会社は、効力発生日の前日までに、吸収合併契約等について当該持分会社の総社員の同意を得なければならない。ただし、定款に別段の定めがある場合は、この限りでない。

一　吸収合併（吸収合併により当該持分会社が消滅する場合に限る。）

二　吸収分割（当該持分会社（合同会社に限る。）がその事業に関して有する権利義務の全部を他の会社に承継させる場合に限る。）

2　第七百八十九条（第一項第三号及び第二項第三号を除く。）及び第七百九十条の規定は、吸収合併消滅持分会社又は合同会社である吸収分割会社（以下この節において「吸収分割合同会社」という。）について準用する。この場合において、第七百八十九条第一項第二号中「債権者（第七百五十八条第八号又は第七百六十条第七号に掲げる事項についての定めがある場合にあっては、吸収分割株式会社の債権者）」とあるのは「債権者」と、同条第三項中「消滅株式会社等」とあるのは「吸収合併消滅持分会社（吸収合併存続会社が株式会社又は合同会社である場合にあっては、合同会社に限る。）又は吸収分割合同会社」と読み替えるものとする。

第二款　吸収合併存続会社、吸収分割承継会社及び株式交換完全親会社の手続

第一目　株式会社の手続

（吸収合併契約等に関する書面等の備置き及び閲覧等）

第七百九十四条　吸収合併存続株式会社、吸収分割承継株式会社又は株式交換完全親株式会社（以下この目において「存続株式会社等」という。）は、吸収合併契約等備置開始日から効力発生日後六箇月を経過する日までの間、吸収合併契約等の内容その他法務省令で定める事項を記載し、又は記録した書面又は電磁的記録をその本店に備え置かなければならない。

2　前項に規定する「吸収合併契約等備置開始日」とは、次に掲げる日のいずれか早い日をいう。

一　吸収合併契約等について株主総会（種類株主総会を含む。）の決議によってその承認を受けなければならないときは、当該株主総会の日の二週間前の日（第三百十九条第一項の場合にあっては、同項の提案があった日）

二　第七百九十七条第三項の規定による通知の日又は同条第四項の公告の日のいずれか早い日

三　第七百九十九条の規定による手続をしなければならないときは、同条第二項の規定による公告の日又は同項の規定による催告の日のいずれか早い日

3　存続株式会社等の株主及び債権者（株式交換完全子会社の株主に対して交付する金銭等が株式交換完全親株式会社の株式その他これに準ずるものとして法務省令で定めるもののみである場合（第七百六十八条第一項第四号ハに規定する場合を除く。）にあっては、株主）は、存続株式会社等に対して、その営業時間内は、いつでも、次に掲げる請求をすることができる。ただし、第二号又は第四号に掲げる請求をするには、当該存続株式会社等の定めた費用を支払わなければならない。

一　第一項の書面の閲覧の請求

二　第一項の書面の謄本又は抄本の交付の請求

三　第一項の電磁的記録に記録された事項を法務省令で定める方法に

より表示したものの閲覧の請求
四　第一項の電磁的記録に記録された事項を電磁的方法であって存続株式会社等の定めたものにより提供することの請求又はその事項を記載した書面の交付の請求

【会社法施行規則】

（吸収合併存続株式会社の事前開示事項）

第百九十一条　法第七百九十四条第一項に規定する法務省令で定める事項は、同項に規定する存続株式会社等が吸収合併存続株式会社である場合には、次に掲げる事項とする。
一　法第七百四十九条第一項第二号及び第三号に掲げる事項についての定め（当該定めがない場合にあっては、当該定めがないこと）の相当性に関する事項
二　法第七百四十九条第一項第四号及び第五号に掲げる事項を定めたときは、当該事項についての定め（全部の新株予約権の新株予約権者に対して交付する吸収合併存続株式会社の新株予約権の数及び金銭の額を零とする旨の定めを除く。）の相当性に関する事項
三　吸収合併消滅会社（清算株式会社及び清算持分会社を除く。）についての次に掲げる事項
イ　最終事業年度に係る計算書類等（最終事業年度がない場合にあっては、吸収合併消滅会社の成立の日における貸借対照表）の内容
ロ　最終事業年度の末日（最終事業年度がない場合にあっては、吸収合併消滅会社の成立の日。ハにおいて同じ。）後の日を臨時決算日（二以上の臨時決算日がある場合にあっては、最も遅いもの）とする臨時計算書類等があるときは、当該臨時計算書類等の内容
ハ　最終事業年度の末日後に重要な財産の処分、重大な債務の負担その他の会社財産の状況に重要な影響を与える事象が生じたときは、その内容（吸収合併契約等備置開始日（法第七百九十四条第二項に規定する吸収合併契約等備置開始日をいう。以下この章（第一九一条－第二〇三条）において同じ。）後吸収合併の効力が生ずる日までの間に新たな最終事業年度が存することとなる場合にあっては、当該新たな最終事業年度の末日後に生じた事象の内容に限る。）
四　吸収合併消滅会社（清算株式会社又は清算持分会社に限る。）が法第四百九十二条第一項又は第六百五十八条第一項若しくは第六百六十九条第一項若しくは第二項の規定により作成した貸借対照表
五　吸収合併存続株式会社についての次に掲げる事項
イ　吸収合併存続株式会社において最終事業年度の末日（最終事業年度がない場合にあっては、吸収合併存続株式会社の成立の日）後に重要な財産の処分、重大な債務の負担その他の会社財産の状況に重要な影響を与える事象が生じたときは、その内容（吸収合併契約等備置開始日後吸収合併の効力が生ずる日までの間に新たな最終事業年度が存することとなる場合にあっては、当該新たな最終事業年度の末日後に生じた事象の内容に限る。）
ロ　吸収合併存続株式会社において最終事業年度がないときは、吸収合併存続株式会社の成立の日における貸借対照表
六　吸収合併が効力を生ずる日以後における吸収合併存続株式会社の債務（法第七百九十九条第一項の規定により吸収合併について異議を述べることができる債権者に対して負担する債務に限る。）の履行の見込みに関する事項
七　吸収合併契約等備置開始日後吸収合併が効力を生ずる日までの間に、前各号に掲げる事項に変更が生じたときは、変更後の当該事項

（吸収分割承継株式会社の事前開示事項）
第百九十二条　法第七百九十四条第一項に規定する法務省令で定め

る事項は、同項に規定する存続株式会社等が吸収分割承継株式会社である場合には、次に掲げる事項とする。

一　法第七百五十八条第四号に掲げる事項についての定め（当該定めがない場合にあっては、当該定めがないこと）の相当性に関する事項

二　法第七百五十八条第八号に掲げる事項を定めたときは、次に掲げる事項

イ　法第七百五十八条第八号イに掲げる行為をする場合において、法第百七十一条第一項の決議が行われているときは、同項各号に掲げる事項

ロ　法第七百五十八条第八号ロに掲げる行為をする場合において、法第四百五十四条第一項の決議が行われているときは、同項第一号及び第二号に掲げる事項

三　法第七百五十八条第五号及び第六号に掲げる事項を定めたときは、当該事項についての定めの相当性に関する事項

四　吸収分割会社（清算株式会社及び清算持分会社を除く。）についての次に掲げる事項

イ　最終事業年度に係る計算書類等（最終事業年度がない場合にあっては、吸収分割会社の成立の日における貸借対照表）の内容

ロ　最終事業年度の末日（最終事業年度がない場合にあっては、吸収分割会社の成立の日。ハにおいて同じ。）後の日を臨時決算日（二以上の臨時決算日がある場合にあっては、最も遅いもの）とする臨時計算書類等があるときは、当該臨時計算書類等の内容

ハ　最終事業年度の末日後に重要な財産の処分、重大な債務の負担その他の会社財産の状況に重要な影響を与える事象が生じたときは、その内容（吸収合併契約等備置開始日後吸収分割の効力が生ずる日までの間に新たな最終事業年度が存することとなる場合にあっては、当該新たな最終事業年度の末日後に生じた事象の内容に限る。）

五　吸収分割会社（清算株式会社又は清算持分会社に限る。）が法第四百九十二条第一項又は第六百五十八条第一項若しくは第六百六十九条第一項若しくは第二項の規定により作成した貸借対照表

六　吸収分割承継株式会社についての次に掲げる事項

イ　吸収分割承継株式会社において最終事業年度の末日（最終事業年度がない場合にあっては、吸収分割承継株式会社の成立の日）後に重要な財産の処分、重大な債務の負担その他の会社財産の状況に重要な影響を与える事象が生じたときは、その内容（吸収合併契約等備置開始日後吸収分割の効力が生ずる日までの間に新たな最終事業年度が存することとなる場合にあっては、当該新たな最終事業年度の末日後に生じた事象の内容に限る。）

ロ　吸収分割承継株式会社において最終事業年度がないときは、吸収分割承継株式会社の成立の日における貸借対照表

七　吸収分割が効力を生ずる日以後における吸収分割承継株式会社の債務（法第七百九十九条第一項の規定により吸収分割について異議を述べることができる債権者に対して負担する債務に限る。）の履行の見込みに関する事項

八　吸収合併契約等備置開始日後吸収分割が効力を生ずる日までの間に、前各号に掲げる事項に変更が生じたときは、変更後の当該事項

（株式交換完全親株式会社の事前開示事項）

第百九十三条　法第七百九十四条第一項に規定する法務省令で定める事項は、同項に規定する存続株式会社等が株式交換完全親株式会社である場合には、次に掲げる事項とする。

一　法第七百六十八条第一項第二号及び第三号に掲げる事項についての定め（当該定めがない場合にあっては、当該定めがないこと）の相当性に関する事項

二　法第七百六十八条第一項第四号及び第五号に掲げる事項を定めたときは、当該事項についての定めの相当性に関する事項
三　株式交換完全子会社についての次に掲げる事項
イ　最終事業年度に係る計算書類等（最終事業年度がない場合にあっては、株式交換完全子会社の成立の日における貸借対照表）の内容
ロ　最終事業年度の末日（最終事業年度がない場合にあっては、株式交換完全子会社の成立の日。ハにおいて同じ。）後の日を臨時決算日（二以上の臨時決算日がある場合にあっては、最も遅いもの）とする臨時計算書類等があるときは、当該臨時計算書類等の内容
ハ　最終事業年度の末日後に重要な財産の処分、重大な債務の負担その他の会社財産の状況に重要な影響を与える事象が生じたときは、その内容（吸収合併契約等備置開始日後株式交換の効力が生ずる日までの間に新たな最終事業年度が存することとなる場合にあっては、当該新たな最終事業年度の末日後に生じた事象の内容に限る。）
四　株式交換完全親株式会社についての次に掲げる事項
イ　株式交換完全親株式会社において最終事業年度の末日（最終事業年度がない場合にあっては、株式交換完全親株式会社の成立の日）後に重要な財産の処分、重大な債務の負担その他の会社財産の状況に重要な影響を与える事象が生じたときは、その内容（吸収合併契約等備置開始日後株式交換の効力が生ずる日までの間に新たな最終事業年度が存することとなる場合にあっては、当該新たな最終事業年度の末日後に生じた事象の内容に限る。）
ロ　株式交換完全親株式会社において最終事業年度がないときは、株式交換完全親株式会社の成立の日における貸借対照表
五　法第七百九十九条第一項の規定により株式交換について異議を述べることができる債権者があるときは、株式交換が効力を生ずる日以後における株式交換完全親株式会社の債務（当該債権者に対して負担する債務に限る。）の履行の見込みに関する事項
六　吸収合併契約等備置開始日後株式交換が効力を生ずる日までの間に、前各号に掲げる事項に変更が生じたときは、変更後の当該事項

（株式交換完全親株式会社の株式に準ずるもの）
第百九十四条　法第七百九十四条第三項に規定する法務省令で定めるものは、第一号に掲げる額から第二号に掲げる額を減じて得た額が第三号に掲げる額よりも小さい場合における法第七百六十八条第一項第二号及び第三号の定めに従い交付する株式交換完全親株式会社の株式以外の金銭等とする。
一　株式交換完全子会社の株主に対して交付する金銭等の合計額
二　前号に規定する金銭等のうち株式交換完全親株式会社の株式の価額の合計額
三　第一号に規定する金銭等の合計額に二十分の一を乗じて得た額

（縦覧等の指定）
第二百三十四条　電子文書法第五条第一項の主務省令で定める縦覧等は、次に掲げる縦覧等とする。
一～四十七　（略）
四十八　法第七百九十四条第三項第一号の規定による同条第一項の書面の縦覧等
四十九～五十四　（略）

（交付等の指定）
第二百三十六条　電子文書法第六条第一項の主務省令で定める交付等は、次に掲げる交付等とする。
一～二十一　（略）
二十二　法第七百九十四条第三項第二号の規定による同条第一項の書面の謄本又は抄本の交付等

第五編　組織変更、合併、会社分割、株式交換、株式移転及び株式交付

二十三～二十八　（略）

（電磁的記録に記録された事項を表示する方法）

第二百二十六条　次に掲げる規定に規定する法務省令で定める方法は、次に掲げる規定の電磁的記録に記録された事項を紙面又は映像面に表示する方法とする。

一～三十六　（略）

三十七　法第七百九十四条第三項第三号

三十八～四十三　（略）

（吸収合併契約等の承認等）

第七百九十五条　存続株式会社等は、効力発生日の前日までに、株主総会の決議によって、吸収合併契約等の承認を受けなければならない。

2　次に掲げる場合には、取締役は、前項の株主総会において、その旨を説明しなければならない。

一　吸収合併存続株式会社又は吸収分割承継株式会社が承継する吸収合併消滅会社又は吸収分割会社の債務の額として法務省令で定める額（次号において「承継債務額」という。）が吸収合併存続株式会社又は吸収分割承継株式会社が承継する吸収合併消滅会社又は吸収分割会社の資産の額として法務省令で定める額（同号において「承継資産額」という。）を超える場合

二　吸収合併存続株式会社が吸収合併消滅株式会社の株主、吸収合併消滅持分会社の社員又は吸収分割会社に対して交付する金銭等（吸収合併存続株式会社又は吸収分割承継株式会社の株式等を除く。）の帳簿価額が承継資産額から承継債務額を控除して得た額を超える場合

三　株式交換完全親株式会社が株式交換完全子会社の株主に対して交付する金銭等（株式交換完全親株式会社の株式等を除く。）の帳簿価額が株式交換完全親株式会社が取得する株式交換完全子会社の株式の額として法務省令で定める額を超える場合

3　承継する吸収合併消滅会社又は吸収分割会社の資産に吸収合併存続株式会社又は吸収分割承継株式会社の株式が含まれる場合には、取締役は、第一項の株主総会において、当該株式に関する事項を説明しなければならない。

4　存続株式会社等が種類株式発行会社である場合において、次の各号に掲げる場合には、吸収合併等は、当該各号に定める種類の株式（譲渡制限株式であって、第百九十九条第四項の定款の定めがないものに限る。）の種類株主を構成員とする種類株主総会（当該種類株主に係る株式の種類が二以上ある場合にあっては、当該二以上の株式の種類別に区分された種類株主を構成員とする各種類株主総会）の決議がなければ、その効力を生じない。ただし、当該種類株主総会において議決権を行使することができる株主が存しない場合は、この限りでない。

一　吸収合併消滅株式会社の株主又は吸収合併消滅持分会社の社員に対して交付する金銭等が吸収合併存続株式会社の株式である場合　第七百四十九条第一項第二号イの種類の株式

二　吸収分割会社に対して交付する金銭等が吸収分割承継株式会社の株式である場合　第七百五十八条第四号イの種類の株式

三　株式交換完全子会社の株主に対して交付する金銭等が株式交換完全親株式会社の株式である場合　第七百六十八条第一項第二号イの種類の株式

【会社法施行規則】

（資産の額等）

第百九十五条　法第七百九十五条第二項第一号に規定する債務の額として法務省令で定める額は、第一号に掲げる額から第二号に掲げる額を減じて得た額とする。

一　吸収合併又は吸収分割の直後に吸収合併存続株式会社又は吸収分割承継株式会社の貸借対照表の作成があったものとする場合における当該貸借対照表の負債の部に計上すべき額から法第七百九十五条第二項第二号の株式等（社債（吸収合併又は吸収分割の直前に吸収合併存続株式会社又は吸収分割承継株式会社

が有していた社債を除く。）に限る。）につき会計帳簿に付すべき額を減じて得た額

二　吸収合併又は吸収分割の直前に吸収合併存続株式会社又は吸収分割承継株式会社の貸借対照表の作成があったものとする場合における当該貸借対照表の負債の部に計上すべき額

2　法第七百九十五条第二項第一号に規定する資産の額として法務省令で定める額は、第一号に掲げる額から第二号に掲げる額を減じて得た額とする。

一　吸収合併又は吸収分割の直後に吸収合併存続株式会社又は吸収分割承継株式会社の貸借対照表の作成があったものとする場合における当該貸借対照表の資産の部に計上すべき額

二　吸収合併又は吸収分割の直前に吸収合併存続株式会社又は吸収分割承継株式会社の貸借対照表の作成があったものとする場合における当該貸借対照表の資産の部に計上すべき額から法第七百九十五条第二項第二号に規定する金銭等（同号の株式等のうち吸収合併又は吸収分割の直前に吸収合併存続株式会社又は吸収分割承継株式会社が有していた社債を含む。）の帳簿価額を減じて得た額

3　前項の規定にかかわらず、吸収合併存続株式会社が連結配当規制適用会社である場合において、吸収合併消滅会社が吸収合併存続株式会社の子会社であるときは、法第七百九十五条第二項第一号に規定する資産の額として法務省令で定める額は、次に掲げる額のうちいずれか高い額とする。

一　第一項第一号に掲げる額から同項第二号に掲げる額を減じて得た額

二　前項第一号に掲げる額から同項第二号に掲げる額を減じて得た額

4　第二項の規定にかかわらず、吸収分割承継株式会社が連結配当規制適用会社である場合において、吸収分割会社が吸収分割承継株式会社の子会社であるときは、法第七百九十五条第二項第一号に規定する資産の額として法務省令で定める額は、次に掲げる額のうちいずれか高い額とする。

一　第一項第一号に掲げる額から同項第二号に掲げる額を減じて得た額

二　第二項第一号に掲げる額から同項第二号に掲げる額を減じて得た額

5　法第七百九十五条第二項第三号に規定する法務省令で定める額は、第一号及び第二号に掲げる額の合計額から第三号に掲げる額を減じて得た額とする。

一　株式交換完全親株式会社が株式交換により取得する株式交換完全子会社の株式につき会計帳簿に付すべき額

二　会社計算規則第十一条の規定により計上したのれんの額

三　会社計算規則第十二条の規定により計上する負債の額（株式交換完全子会社が株式交換完全親株式会社（連結配当規制適用会社に限る。）の子会社である場合にあっては、零）

（吸収合併契約等の承認を要しない場合等）

第七百九十六条　前条第一項から第三項までの規定は、吸収合併消滅会社、吸収分割会社又は株式交換完全子会社（以下この目において「消滅会社等」という。）が存続株式会社等の特別支配会社である場合には、適用しない。ただし、吸収合併消滅株式会社若しくは株式交換完全子会社の株主、吸収合併消滅持分会社の社員又は吸収分割会社に対して交付する金銭等の全部又は一部が存続株式会社等の譲渡制限株式である場合であって、存続株式会社等が公開会社でないときは、この限りでない。

2　前条第一項から第三項までの規定は、第一号に掲げる額の第二号に掲げる額に対する割合が五分の一（これを下回る割合を存続株式会社等の定款で定めた場合にあっては、その割合）を超えない場合には、適用しない。ただし、同条第二項各号に掲げる場合又は前項ただし書に規定する場合は、この限りでない。

一　次に掲げる額の合計額

イ　吸収合併消滅株式会社若しくは株式交換完全子会社の株主、吸収合併消滅持分会社の社員又は吸収分割会社（以下この号において「消滅会社等の株主等」という。）に対して交付する存続株式会社等の株式の数に一株当たり純資産額を乗じて得た額

ロ　消滅会社等の株主等に対して交付する存続株式会社等の社債、新株予約権又は新株予約権付社債の帳簿価額の合計額

ハ　消滅会社等の株主等に対して交付する存続株式会社等の株式等以外の財産の帳簿価額の合計額

二　存続株式会社等の純資産額として法務省令で定める方法により算定される額

3　前項本文に規定する場合において、法務省令で定める数の株式（前条第一項の株主総会において議決権を行使することができるものに限る。）を有する株主が第七百九十七条第三項の規定による通知又は同条第四項の公告の日から二週間以内に吸収合併等に反対する旨を存続株式会社等に対し通知したときは、当該存続株式会社等は、効力発生日の前日までに、株主総会の決議によって、吸収合併契約等の承認を受けなければならない。

【会社法施行規則】

（純資産の額）

第百九十六条　法第七百九十六条第二項第二号に規定する法務省令で定める方法は、算定基準日（吸収合併契約、吸収分割契約又は株式交換契約を締結した日（当該契約により当該契約を締結した日と異なる時（当該契約を締結した日後から当該吸収合併、吸収分割又は株式交換の効力が生ずる時の直前までの間の時に限る。）を定めた場合にあっては、当該時）をいう。）における第一号から第七号までに掲げる額の合計額から第八号に掲げる額を減じて得た額（当該額が五百万円を下回る場合にあっては、五百万円）をもって存続株式会社等（法第七百九十四条第一項に規定する存続株式会社等をいう。以下この条において同じ。）の純資産額とする方法とする。

一　資本金の額

二　資本準備金の額

三　利益準備金の額

四　法第四百四十六条に規定する剰余金の額

五　最終事業年度（法第四百六十一条第二項第二号に規定する場合にあっては、法第四百四十一条第一項第二号の期間（当該期間が二以上ある場合にあっては、その末日が最も遅いもの））の末日（最終事業年度がない場合にあっては、存続株式会社等の成立の日）における評価・換算差額等に係る額

六　株式引受権の帳簿価額

七　新株予約権の帳簿価額

八　自己株式及び自己新株予約権の帳簿価額の合計額

（株式の数）

第百九十七条　法第七百九十六条第三項に規定する法務省令で定める数は、次に掲げる数のうちいずれか小さい数とする。

一　特定株式（法第七百九十六条第三項に規定する行為に係る株主総会において議決権を行使することができることを内容とする株式をいう。以下この条において同じ。）の総数に二分の一（当該株主総会の決議が成立するための要件として当該特定株式の議決権の総数の一定の割合以上の議決権を有する株主が出席しなければならない旨の定款の定めがある場合にあっては、当該一定の割合）を乗じて得た数に三分の一（当該株主総会の決議が成立するための要件として当該株主総会に出席した当該特定株主（特定株式の株主をいう。以下この条において同じ。）の有する議決権の総数の一定の割合以上の多数が賛成しなければならない旨の定款の定めがある場合にあっては、一から当該一定の割合を減じて得た割合）を乗じて得た数に一を加えた数

二　法第七百九十六条第三項に規定する行為に係る決議が成立す

るための要件として一定の数以上の特定株主の賛成を要する旨の定款の定めがある場合において、特定株主の総数から株式会社に対して当該行為に反対する旨の通知をした特定株主の数を減じて得た数が当該一定の数未満となるときにおける当該行為に反対する旨の通知をした特定株主の有する特定株式の数

三　法第七百九十六条第三項に規定する行為に係る決議が成立するための要件として前二号の定款の定め以外の定款の定めがある場合において、当該行為に反対する旨の通知をした特定株主の全部が同項に規定する株主総会において反対したとすれば当該決議が成立しないときは、当該行為に反対する旨の通知をした特定株主の有する特定株式の数

四　定款で定めた数

（吸収合併等をやめることの請求）

第七百九十六条の二　次に掲げる場合において、存続株式会社等の株主が不利益を受けるおそれがあるときは、存続株式会社等の株主は、存続株式会社等に対し、吸収合併等をやめることを請求することができる。ただし、前条第二項本文に規定する場合（第七百九十五条第二項各号に掲げる場合及び前条第一項ただし書又は第三項に規定する場合を除く。）は、この限りでない。

一　当該吸収合併等が法令又は定款に違反する場合

二　前条第一項本文に規定する場合において、第七百四十九条第一項第二号若しくは第三号、第七百五十八条第四号又は第七百六十八条第一項第二号若しくは第三号に掲げる事項が存続株式会社等又は消滅会社等の財産の状況その他の事情に照らして著しく不当であるとき。

（反対株主の株式買取請求）

第七百九十七条　吸収合併等をする場合には、反対株主は、存続株式会社等に対し、自己の有する株式を公正な価格で買い取ることを請求することができる。ただし、第七百九十六条第二項本文に規定する場合（第七百九十五条第二項各号に掲げる場合及び第七百九十六条第一項ただし書又は第三項に規定する場合を除く。）は、この限りでない。

2　前項に規定する「反対株主」とは、次の各号に掲げる場合における当該各号に定める株主をいう。

一　吸収合併等をするために株主総会（種類株主総会を含む。）の決議を要する場合　次に掲げる株主

イ　当該株主総会に先立って当該吸収合併等に反対する旨を当該存続株式会社等に対し通知し、かつ、当該株主総会において当該吸収合併等に反対した株主（当該株主総会において議決権を行使することができるものに限る。）

ロ　当該株主総会において議決権を行使することができない株主

二　前号に規定する場合以外の場合　全ての株主（第七百九十六条第一項本文に規定する場合における当該特別支配会社を除く。）

3　存続株式会社等は、効力発生日の二十日前までに、その株主（第七百九十六条第一項本文に規定する場合における当該特別支配会社を除く。）に対し、吸収合併等をする旨並びに消滅会社等の商号及び住所（第七百九十五条第三項に規定する場合にあっては、吸収合併等をする旨、消滅会社等の商号及び住所並びに同項の株式に関する事項）を通知しなければならない。

4　次に掲げる場合には、前項の規定による通知は、公告をもってこれに代えることができる。

一　存続株式会社等が公開会社である場合

二　存続株式会社等が第七百九十五条第一項の株主総会の決議によって吸収合併契約等の承認を受けた場合

5　第一項の規定による請求（以下この目において「株式買取請求」という。）は、効力発生日の二十日前の日から効力発生日の前日までの間に、その株式買取請求に係る株式の数（種類株式発行会社にあっては、株式の種類及び種類ごとの数）を明らかにしてしなければならない。

6　株券が発行されている株式について株式買取請求をしようとするときは、当該株式の株主は、存続株式会社等に対し、当該株式に係る株

券を提出しなければならない。ただし、当該株券について第二百二十三条の規定による請求をした者については、この限りでない。

7　株式買取請求をした株主は、存続株式会社等の承諾を得た場合に限り、その株式買取請求を撤回することができる。

8　吸収合併等を中止したときは、株式買取請求は、その効力を失う。

9　第百三十三条の規定は、株式買取請求に係る株式については、適用しない。

（株式の価格の決定等）

第七百九十八条　株式買取請求があった場合において、株式の価格の決定について、株主と存続株式会社等との間に協議が調ったときは、存続株式会社等は、効力発生日から六十日以内にその支払をしなければならない。

2　株式の価格の決定について、効力発生日から三十日以内に協議が調わないときは、株主又は存続株式会社等は、その期間の満了の日後三十日以内に、裁判所に対し、価格の決定の申立てをすることができる。

3　前条第七項の規定にかかわらず、前項に規定する場合において、効力発生日から六十日以内に同項の申立てがないときは、その期間の満了後は、株主は、いつでも、株式買取請求を撤回することができる。

4　存続株式会社等は、裁判所の決定した価格に対する第一項の期間の満了の日後の法定利率による利息をも支払わなければならない。

5　存続株式会社等は、株式の価格の決定があるまでは、株主に対し、当該存続株式会社等が公正な価格と認める額を支払うことができる。

6　株式買取請求に係る株式の買取りは、効力発生日に、その効力を生ずる。

7　株券発行会社は、株券が発行されている株式について株式買取請求があったときは、株券と引換えに、その株式買取請求に係る株式の代金を支払わなければならない。

（債権者の異議）

第七百九十九条　次の各号に掲げる場合には、当該各号に定める債権者は、存続株式会社等に対し、吸収合併等について異議を述べることができる。

一　吸収合併をする場合　吸収合併存続株式会社の債権者

二　吸収分割をする場合　吸収分割承継株式会社の債権者

三　株式交換をする場合において、株式交換完全子会社の株主に対して交付する金銭等が株式交換完全親株式会社の株式その他これに準ずるものとして法務省令で定めるもののみである場合以外の場合又は第七百六十八条第一項第四号ハに規定する場合　株式交換完全親株式会社の債権者

2　前項の規定により存続株式会社等の債権者が異議を述べることができる場合には、存続株式会社等は、次に掲げる事項を官報に公告し、かつ、知れている債権者には、各別にこれを催告しなければならない。ただし、第四号の期間は、一箇月を下ることができない。

一　吸収合併等をする旨

二　消滅会社等の商号及び住所

三　存続株式会社等及び消滅会社等（株式会社に限る。）の計算書類に関する事項として法務省令で定めるもの

四　債権者が一定の期間内に異議を述べることができる旨

3　前項の規定にかかわらず、存続株式会社等が同項の規定による公告を、官報のほか、第九百三十九条第一項の規定による定款の定めに従い、同項第二号又は第三号に掲げる公告方法によりするときは、前項の規定による各別の催告は、することを要しない。

4　債権者が第二項第四号の期間内に異議を述べなかったときは、当該債権者は、当該吸収合併等について承認をしたものとみなす。

5　債権者が第二項第四号の期間内に異議を述べたときは、存続株式会社等は、当該債権者に対し、弁済し、若しくは相当の担保を提供し、又は当該債権者に弁済を受けさせることを目的として信託会社等に相当の財産を信託しなければならない。ただし、当該吸収合併等をしても当該債権者を害するおそれがないときは、この限りでない。

【会社法施行規則】

（株式交換完全親株式会社の株式に準ずるもの）

第百九十八条　法第七百九十九条第一項第三号に規定する法務省令で定めるものは、第一号に掲げる額から第二号に掲げる額を減じて得た額が第三号に掲げる額よりも小さい場合における法第七百六十八条第一項第二号及び第三号の定めに従い交付する株式交換完全親株式会社の株式以外の金銭等とする。

一　株式交換完全子会社の株主に対して交付する金銭等の合計額

二　前号に規定する金銭等のうち株式交換完全親株式会社の株式の価額の合計額

三　第一号に規定する金銭等の合計額に二十分の一を乗じて得た額

（計算書類に関する事項）

第百九十九条　法第七百九十九条第二項第三号に規定する法務省令で定めるものは、同項の規定による公告の日又は同項の規定による催告の日のいずれか早い日における次の各号に掲げる場合の区分に応じ、当該各号に定めるものとする。

一　最終事業年度に係る貸借対照表又はその要旨につき公告対象会社（法第七百九十九条第二項第三号の株式会社をいう。以下この条において同じ。）が法第四百四十条第一項又は第二項の規定による公告をしている場合　次に掲げるもの

イ　官報で公告をしているときは、当該官報の日付及び当該公告が掲載されている頁

ロ　時事に関する事項を掲載する日刊新聞紙で公告をしているときは、当該日刊新聞紙の名称、日付及び当該公告が掲載されている頁

ハ　電子公告により公告をしているときは、法第九百十一条第三項第二十八号イに掲げる事項

二　最終事業年度に係る貸借対照表につき公告対象会社が法第四百四十条第三項に規定する措置をとっている場合　法第九百十一条第三項第二十六号に掲げる事項

三　公告対象会社が法第四百四十条第四項に規定する株式会社である場合において、当該株式会社が金融商品取引法第二十四条第一項の規定により最終事業年度に係る有価証券報告書を提出しているとき　その旨

四　公告対象会社が会社法の施行に伴う関係法律の整備等に関する法律第二十八条の規定により法第四百四十条の規定が適用されないものである場合　その旨

五　公告対象会社につき最終事業年度がない場合　その旨

六　公告対象会社が清算株式会社である場合　その旨

七　前各号に掲げる場合以外の場合　会社計算規則第六編第二章〔第一三七条―第一四六条〕の規定による最終事業年度に係る貸借対照表の要旨の内容

（消滅会社等の株主等に対して交付する金銭等が存続株式会社等の親会社株式である場合の特則）

第八百条　第百三十五条第一項の規定にかかわらず、吸収合併消滅株式会社若しくは株式交換完全子会社の株主、吸収合併消滅持分会社の社員又は吸収分割会社（以下この項において「消滅会社等の株主等」という。）に対して交付する金銭等の全部又は一部が存続株式会社等の親会社株式（同条第一項に規定する親会社株式をいう。以下この条において同じ。）である場合には、当該存続株式会社等は、吸収合併等に際して消滅会社等の株主等に対して交付する当該親会社株式の総数を超えない範囲において当該親会社株式を取得することができる。

2　第百三十五条第三項の規定にかかわらず、前項の存続株式会社等は、効力発生日までの間は、存続株式会社等の親会社株式を保有することができる。ただし、吸収合併等を中止したときは、この限りでない。

（吸収合併等に関する書面等の備置き及び閲覧等）

第八百一条　吸収合併存続株式会社は、効力発生日後遅滞なく、吸収合

併により吸収合併存続株式会社が承継した吸収合併消滅会社の権利義務その他の吸収合併に関する事項として法務省令で定める事項を記載し、又は記録した書面又は電磁的記録を作成しなければならない。

2　吸収分割承継株式会社（合同会社が吸収分割をする場合における当該吸収分割承継株式会社に限る。）は、効力発生日後遅滞なく、吸収分割合同会社と共同して、吸収分割により吸収分割承継株式会社が承継した吸収分割合同会社の権利義務その他の吸収分割に関する事項として法務省令で定める事項を記載し、又は記録した書面又は電磁的記録を作成しなければならない。

3　次の各号に掲げる存続株式会社等は、効力発生日から六箇月間、当該各号に定めるものをその本店に備え置かなければならない。

一　吸収合併存続株式会社　第一項の書面又は電磁的記録

二　吸収分割承継株式会社　前項又は第七百九十一条第一項第一号の書面又は電磁的記録

三　株式交換完全親株式会社　第七百九十一条第一項第二号の書面又は電磁的記録

4　吸収合併存続株式会社の株主及び債権者は、吸収合併存続株式会社に対して、その営業時間内は、いつでも、次に掲げる請求をすることができる。ただし、第二号又は第四号に掲げる請求をするには、当該吸収合併存続株式会社の定めた費用を支払わなければならない。

一　前項第一号の書面の閲覧の請求

二　前項第一号の書面の謄本又は抄本の交付の請求

三　前項第一号の電磁的記録に記録された事項を法務省令で定める方法により表示したものの閲覧の請求

四　前項第一号の電磁的記録に記録された事項を電磁的方法であって吸収合併存続株式会社の定めたものにより提供することの請求又はその事項を記載した書面の交付の請求

5　前項の規定は、吸収分割承継株式会社について準用する。この場合において、同項中「株主及び債権者」とあるのは「株主、債権者その他の利害関係人」と、同項各号中「前項第一号」とあるのは「前項第二号」と読み替えるものとする。

6　第四項の規定は、株式交換完全親株式会社について準用する。この場合において、同項中「株主及び債権者」とあるのは「株主及び債権者（株式交換完全子会社の株主に対して交付する金銭等が株式交換完全親株式会社の株式その他これに準ずるものとして法務省令で定めるもののみである場合（第七百六十八条第一項第四号ハに規定する場合を除く。）にあっては、株式交換完全親株式会社の株主）」と、同項各号中「前項第一号」とあるのは「前項第三号」と読み替えるものとする。

【会社法施行規則】

（吸収合併存続株式会社の事後開示事項）

第二百条　法第八百一条第一項に規定する法務省令で定める事項は、次に掲げる事項とする。

一　吸収合併が効力を生じた日

二　吸収合併消滅会社における次に掲げる事項

イ　法第七百八十四条の二の規定による請求に係る手続の経過

ロ　法第七百八十五条及び第七百八十七条の規定並びに法第七百八十九条（法第七百九十三条第二項において準用する場合を含む。）の規定による手続の経過

三　吸収合併存続株式会社における次に掲げる事項

イ　法第七百九十六条の二の規定による請求に係る手続の経過

ロ　法第七百九十七条及び第七百九十九条の規定による手続の経過

四　吸収合併により吸収合併存続株式会社が吸収合併消滅会社から承継した重要な権利義務に関する事項

五　法第七百八十二条第一項の規定により吸収合併消滅株式会社が備え置いた書面又は電磁的記録に記載又は記録がされた事項（吸収合併契約の内容を除く。）

六　法第九百二十一条の変更の登記をした日

七　前各号に掲げるもののほか、吸収合併に関する重要な事項

（吸収分割承継株式会社の事後開示事項）

第二百一条　法第八百一条第二項に規定する法務省令で定める事項は、次に掲げる事項とする。

一　吸収分割が効力を生じた日

二　吸収分割合同会社における法第七百九十三条第二項において準用する法第七百八十九条の規定による手続の経過

三　吸収分割承継株式会社における次に掲げる事項

イ　法第七百九十六条の二の規定による請求に係る手続の経過

ロ　法第七百九十七条及び第七百九十九条の規定による手続の経過

四　吸収分割により吸収分割承継株式会社が吸収分割合同会社から承継した重要な権利義務に関する事項

五　法第九百二十三条の変更の登記をした日

六　前各号に掲げるもののほか、吸収分割に関する重要な事項

（保存の指定）

第二百三十二条　電子文書法第三条第一項の主務省令で定める保存は、次に掲げる保存とする。

一～三十二　（略）

三十三　法第八百一条第三項の規定による同項各号に定める書面の保存

三十四～三十六　（略）

（縦覧等の指定）

第二百三十四条　電子文書法第五条第一項の主務省令で定める縦覧等は、次に掲げる縦覧等とする。

一～四十八　（略）

四十九　法第八百一条第四項第一号（同条第五項及び第六項において準用する場合を含む。）の規定による同条第三項第一号の書面（同条第五項において準用する場合にあっては同条第三項第二号の書面、同条第六項において準用する場合にあっては同条第三項第三号の書面）の縦覧等

五十～五十四　（略）

（交付等の指定）

第二百三十六条　電子文書法第六条第一項の主務省令で定める交付等は、次に掲げる交付等とする。

一～二十二　（略）

二十三　法第八百一条第四項第二号（同条第五項及び第六項において準用する場合を含む。）の規定による同条第三項第一号の書面（同条第五項において準用する場合にあっては、同条第三項第二号の書面、同条第六項において準用する場合にあっては同条第三項第三号の書面）の謄本又は抄本の交付等

二十四～二十八　（略）

（電磁的記録に記録された事項を表示する方法）

第二百二十六条　次に掲げる規定に規定する法務省令で定める方法は、次に掲げる規定の電磁的記録に記録された事項を紙面又は映像面に表示する方法とする。

一～三十七　（略）

三十八　法第八百一条第四項第三号（同条第五項及び第六項において準用する場合を含む。）

三十九～四十三　（略）

（株式交換完全親株式会社の株式に準ずるもの）

第二百二条　法第八百一条第六項において準用する同条第四項に規定する法務省令で定めるものは、第一号に掲げる額から第二号に掲げる額を減じて得た額が第三号に掲げる額よりも小さい場合における法第七百六十八条第一項第二号及び第三号の定めに従い交付する株式交換完全親株式会社の株式以外の金銭等とする。

一　株式交換完全子会社の株主に対して交付する金銭等の合計額

二　前号に規定する金銭等のうち株式交換完全親株式会社の株式の価額の合計額

三　第一号に規定する金銭等の合計額に二十分の一を乗じて得た

額

第二目　持分会社の手続

第八百二条　次の各号に掲げる行為をする持分会社（以下この条において「存続持分会社等」という。）は、当該各号に定める場合には、効力発生日の前日までに、吸収合併契約等について存続持分会社等の総社員の同意を得なければならない。ただし、定款に別段の定めがある場合は、この限りでない。

一　吸収合併（吸収合併により当該持分会社が存続する場合に限る。）　第七百五十一条第一項第二号に規定する場合

二　吸収分割による他の会社がその事業に関して有する権利義務の全部又は一部の承継　第七百六十条第四号に規定する場合

三　株式交換による株式会社の発行済株式の全部の取得　第七百七十条第一項第二号に規定する場合

2　第七百九十九条（第二項第三号を除く。）及び第八百条の規定は、存続持分会社等について準用する。この場合において、第七百九十九条第一項第三号中「株式交換完全親株式会社の株式」とあるのは「株式交換完全親合同会社の持分」と、「場合又は第七百六十八条第一項第四号ハに規定する場合」とあるのは「場合」と読み替えるものとする。

【会社法施行規則】

（株式交換完全親合同会社の持分に準ずるもの）

第二百三条　法第八百二条第二項において準用する法第七百九十九条第一項第三号に規定する法務省令で定めるものは、第一号に掲げる額から第二号に掲げる額を減じて得た額が第三号に掲げる額よりも小さい場合における法第七百六十八条第一項第二号及び第三号の定めに従い交付する株式交換完全親合同会社の持分以外の金銭等とする。

一　株式交換完全子会社の株主に対して交付する金銭等の合計額

二　前号に規定する金銭等のうち株式交換完全親合同会社の持分の価額の合計額

三　第一号に規定する金銭等の合計額に二十分の一を乗じて得た額

第三節　新設合併等の手続

第一款　新設合併消滅会社、新設分割会社及び株式移転完全子会社の手続

第一目　株式会社の手続

（新設合併契約等に関する書面等の備置き及び閲覧等）

第八百三条　次の各号に掲げる株式会社（以下この目において「消滅株式会社等」という。）は、新設合併契約等備置開始日から新設合併設立会社、新設分割設立会社又は株式移転設立完全親会社（以下この目において「設立会社」という。）の成立の日後六箇月を経過する日（新設合併消滅株式会社にあっては、新設合併設立会社の成立の日）までの間、当該各号に定めるもの（以下この節において「新設合併契約等」という。）の内容その他法務省令で定める事項を記載し、又は記録した書面又は電磁的記録をその本店に備え置かなければならない。

一　新設合併消滅株式会社　新設合併契約

二　新設分割株式会社　新設分割計画

三　株式移転完全子会社　株式移転計画

2　前項に規定する「新設合併契約等備置開始日」とは、次に掲げる日のいずれか早い日をいう。

一　新設合併契約等について株主総会（種類株主総会を含む。）の決議によってその承認を受けなければならないときは、当該株主総会の日の二週間前の日（第三百十九条第一項の場合にあっては、同項の提案があった日）

二　第八百六条第三項の規定による通知を受けるべき株主があるときは、同項の規定による通知の日又は同条第四項の公告の日のいずれか早い日

三　第八百八条第三項の規定による通知を受けるべき新株予約権者があるときは、同項の規定による通知の日又は同条第四項の公告の日のいずれか早い日

四　第八百十条の規定による手続をしなければならないときは、同条第二項の規定による公告の日又は同項の規定による催告の日のいずれか早い日

五　前各号に規定する場合以外の場合には、新設分割計画の作成の日から二週間を経過した日

3　消滅株式会社等の株主及び債権者（株式移転完全子会社にあっては、株主及び新株予約権者）は、消滅株式会社等に対して、その営業時間内は、いつでも、次に掲げる請求をすることができる。ただし、第二号又は第四号に掲げる請求をするには、当該消滅株式会社等の定めた費用を支払わなければならない。

一　第一項の書面の閲覧の請求

二　第一項の書面の謄本又は抄本の交付の請求

三　第一項の電磁的記録に記録された事項を法務省令で定める方法により表示したものの閲覧の請求

四　第一項の電磁的記録に記録された事項を電磁的方法であって消滅株式会社等の定めたものにより提供することの請求又はその事項を記載した書面の交付の請求

【会社法施行規則】

（新設合併消滅株式会社の事前開示事項）

第二百四条　法第八百三条第一項に規定する法務省令で定める事項は、同項に規定する消滅株式会社等が新設合併消滅株式会社である場合には、次に掲げる事項とする。

一　次のイ又はロに掲げる場合の区分に応じ、当該イ又はロに定める定めの相当性に関する事項

イ　新設合併設立会社が株式会社である場合　法第七百五十三条第一項第六号から第九号までに掲げる事項についての定め

ロ　新設合併設立会社が持分会社である場合　法第七百五十五条第一項第四号、第六号及び第七号に掲げる事項についての定め

二　新設合併消滅株式会社の全部又は一部が新株予約権を発行しているときは、次のイ又はロに掲げる場合の区分に応じ、当該イ又はロに定める定めの相当性に関する事項

イ　新設合併設立会社が株式会社である場合　法第七百五十三条第一項第十号及び第十一号に掲げる事項についての定め

ロ　新設合併設立会社が持分会社である場合　法第七百五十五条第一項第八号及び第九号に掲げる事項についての定め

三　他の新設合併消滅会社（清算株式会社及び清算持分会社を除く。以下この号において同じ。）についての次に掲げる事項

イ　最終事業年度に係る計算書類等（最終事業年度がない場合にあっては、他の新設合併消滅会社の成立の日における貸借対照表）の内容

ロ　最終事業年度の末日（最終事業年度がない場合にあっては、他の新設合併消滅会社の成立の日）後の日を臨時決算日（二以上の臨時決算日がある場合にあっては、最も遅いもの）とする臨時計算書類等があるときは、当該臨時計算書類等の内容

ハ　他の新設合併消滅会社において最終事業年度の末日（最終事業年度がない場合にあっては、他の新設合併消滅会社の成立の日）後に重要な財産の処分、重大な債務の負担その他の会社財産の状況に重要な影響を与える事象が生じたときは、その内容（新設合併契約等備置開始日（法第八百三条第二項に規定する新設合併契約等備置開始日をいう。以下この章〔第二〇四条―第二一〇条〕において同じ。）後新設合併の効力が

生ずる日までの間に新たな最終事業年度が存することとなる場合にあっては、当該新たな最終事業年度の末日後に生じた事象の内容に限る。）

四　他の新設合併消滅会社（清算株式会社又は清算持分会社に限る。）が法第四百九十二条第一項又は第六百五十八条第一項若しくは第六百六十九条第一項若しくは第二項の規定により作成した貸借対照表

五　当該新設合併消滅株式会社（清算株式会社を除く。以下この号において同じ。）についての次に掲げる事項

イ　当該新設合併消滅株式会社において最終事業年度の末日（最終事業年度がない場合にあっては、当該新設合併消滅株式会社の成立の日）後に重要な財産の処分、重大な債務の負担その他の会社財産の状況に重要な影響を与える事象が生じたときは、その内容（新設合併契約等備置開始日後新設合併の効力が生ずる日までの間に新たな最終事業年度が存することとなる場合にあっては、当該新たな最終事業年度の末日後に生じた事象の内容に限る。）

ロ　当該新設合併消滅株式会社において最終事業年度がないときは、当該新設合併消滅株式会社の成立の日における貸借対照表

六　新設合併が効力を生ずる日以後における新設合併設立会社の債務（他の新設合併消滅会社から承継する債務を除く。）の履行の見込みに関する事項

七　新設合併契約等備置開始日後、前各号に掲げる事項に変更が生じたときは、変更後の当該事項

（新設分割株式会社の事前開示事項）

第二百五条　法第八百三条第一項に規定する法務省令で定める事項は、同項に規定する消滅株式会社等が新設分割株式会社である場合には、次に掲げる事項とする。

一　次のイ又はロに掲げる場合の区分に応じ、当該イ又はロに定める定めの相当性に関する事項

イ　新設分割設立会社が株式会社である場合　法第七百六十三条第一項第六号から第九号までに掲げる事項についての定め

ロ　新設分割設立会社が持分会社である場合　法第七百六十五条第一項第三号、第六号及び第七号に掲げる事項についての定め

二　法第七百六十三条第一項第十二号又は第七百六十五条第一項第八号に掲げる事項を定めたときは、次に掲げる事項

イ　法第七百六十三条第一項第十二号イ又は第七百六十五条第一項第八号イに掲げる行為をする場合において、法第百七十一条第一項の決議が行われているときは、同項各号に掲げる事項

ロ　法第七百六十三条第一項第十二号ロ又は第七百六十五条第一項第八号ロに掲げる行為をする場合において、法第四百五十四条第一項の決議が行われているときは、同項第一号及び第二号に掲げる事項

三　新設分割株式会社の全部又は一部が法第八百八条第三項第二号に定める新株予約権を発行している場合において、新設分割設立会社が株式会社であるときは、法第七百六十三条第一項第十号及び第十一号に掲げる事項についての定めの相当性に関する事項（当該新株予約権に係る事項に限る。）

四　他の新設分割会社（清算株式会社及び清算持分会社を除く。以下この号において同じ。）についての次に掲げる事項

イ　最終事業年度に係る計算書類等（最終事業年度がない場合にあっては、他の新設分割会社の成立の日における貸借対照表）の内容

ロ　最終事業年度の末日（最終事業年度がない場合にあっては、他の新設分割会社の成立の日）後の日を臨時決算日（二以上の臨時決算日がある場合にあっては、最も遅いもの）とする臨時計算書類等があるときは、当該臨時計算書類等の内容

ハ　他の新設分割会社において最終事業年度の末日（最終事業年度がない場合にあっては、他の新設分割会社の成立の日）後に重要な財産の処分、重大な債務の負担その他の会社財産の状況に重要な影響を与える事象が生じたときは、その内容（新設合併契約等備置開始日後新設分割の効力が生ずる日までの間に新たな最終事業年度が存することとなる場合にあっては、当該新たな最終事業年度の末日後に生じた事象の内容に限る。）

五　他の新設分割会社（清算株式会社又は清算持分会社に限る。）が法第四百九十二条第一項又は第六百五十八条第一項若しくは第六百六十九条第一項若しくは第二項の規定により作成した貸借対照表

六　当該新設分割株式会社（清算株式会社を除く。以下この号において同じ。）についての次に掲げる事項

イ　当該新設分割株式会社において最終事業年度の末日（最終事業年度がない場合にあっては、当該新設分割株式会社の成立の日）後に重要な財産の処分、重大な債務の負担その他の会社財産の状況に重要な影響を与える事象が生じたときは、その内容（新設合併契約等備置開始日後新設分割の効力が生ずる日までの間に新たな最終事業年度が存することとなる場合にあっては、当該新たな最終事業年度の末日後に生じた事象の内容に限る。）

ロ　当該新設分割株式会社において最終事業年度がないときは、当該新設分割株式会社の成立の日における貸借対照表

七　新設分割が効力を生ずる日以後における当該新設分割株式会社の債務及び新設分割設立会社の債務（当該新設分割株式会社が新設分割により新設分割設立会社に承継させるものに限る。）の履行の見込みに関する事項

八　新設合併契約等備置開始日後新設分割が効力を生ずる日までの間に、前各号に掲げる事項に変更が生じたときは、変更後の当該事項

（株式移転完全子会社の事前開示事項）

第二百六条　法第八百三条第一項に規定する法務省令で定める事項は、同項に規定する消滅株式会社等が株式移転完全子会社である場合には、次に掲げる事項とする。

一　法第七百七十三条第一項第五号から第八号までに掲げる事項についての定めの相当性に関する事項

二　株式移転完全子会社の全部又は一部が法第八百八条第三項第三号に定める新株予約権を発行している場合には、法第七百七十三条第一項第九号及び第十号に掲げる事項についての定めの相当性に関する事項（当該新株予約権に係る事項に限る。）

三　他の株式移転完全子会社についての次に掲げる事項

イ　最終事業年度に係る計算書類等（最終事業年度がない場合にあっては、他の株式移転完全子会社の成立の日における貸借対照表）の内容

ロ　最終事業年度の末日（最終事業年度がない場合にあっては、他の株式移転完全子会社の成立の日）後の日を臨時決算日（二以上の臨時決算日がある場合にあっては、最も遅いもの）とする臨時計算書類等があるときは、当該臨時計算書類等の内容

ハ　他の株式移転完全子会社において最終事業年度の末日（最終事業年度がない場合にあっては、他の株式移転完全子会社の成立の日）後に重要な財産の処分、重大な債務の負担その他の会社財産の状況に重要な影響を与える事象が生じたときは、その内容（新設合併契約等備置開始日後株式移転の効力が生ずる日までの間に新たな最終事業年度が存することとなる場合にあっては、当該新たな最終事業年度の末日後に生じた事象の内容に限る。）

四　当該株式移転完全子会社についての次に掲げる事項

イ　当該株式移転完全子会社において最終事業年度の末日（最

終事業年度がない場合にあっては、当該株式移転完全子会社の成立の日）後に重要な財産の処分、重大な債務の負担その他の会社財産の状況に重要な影響を与える事象が生じたときは、その内容（新設合併契約等備置開始日後株式移転の効力が生ずる日までの間に新たな最終事業年度が存することとなる場合にあっては、当該新たな最終事業年度の末日後に生じた事象の内容に限る。）

ロ　当該株式移転完全子会社において最終事業年度がないときは、当該株式移転完全子会社の成立の日における貸借対照表

五　法第八百十条の規定により株式移転について異議を述べることができる債権者があるときは、株式移転が効力を生ずる日以後における株式移転設立完全親会社の債務（他の株式移転完全子会社から承継する債務を除き、当該異議を述べることができる債権者に対して負担する債務に限る。）の履行の見込みに関する事項

六　新設合併契約等備置開始日後株式移転が効力を生ずる日までの間に、前各号に掲げる事項に変更が生じたときは、変更後の当該事項

（縦覧等の指定）

第二百三十四条　電子文書法第五条第一項の主務省令で定める縦覧等は、次に掲げる縦覧等とする。

一～四十九　（略）

五十　法第八百三条第三項第一号の規定による同条第一項の書面の縦覧等

五十一～五十四　（略）

（交付等の指定）

第二百三十六条　電子文書法第六条第一項の主務省令で定める交付等は、次に掲げる交付等とする。

一～二十三　（略）

二十四　法第八百三条第三項第二号の規定による同条第一項の書面の謄本又は抄本の交付等

二十五～二十八　（略）

（電磁的記録に記録された事項を表示する方法）

第二百二十六条　次に掲げる規定に規定する法務省令で定める方法は、次に掲げる規定の電磁的記録に記録された事項を紙面又は映像面に表示する方法とする。

一～三十八　（略）

三十九　法第八百三条第三項第三号

四十～四十三　（略）

（新設合併契約等の承認）

第八百四条　消滅株式会社等は、株主総会の決議によって、新設合併契約等の承認を受けなければならない。

2　前項の規定にかかわらず、新設合併設立会社が持分会社である場合には、新設合併契約について新設合併消滅株式会社の総株主の同意を得なければならない。

3　新設合併消滅株式会社又は株式移転完全子会社が種類株式発行会社である場合において、新設合併消滅株式会社又は株式移転により交付する新設合併設立株式会社又は株式移転設立完全親会社の株式等の全部又は一部が譲渡制限株式等であるときは、当該新設合併又は株式移転は、当該譲渡制限株式等の割当てを受ける種類の株式（譲渡制限株式を除く。）の種類株主を構成員とする種類株主総会（当該種類株主に係る株式の種類が二以上ある場合にあっては、当該二以上の株式の種類別に区分された種類株主を構成員とする各種類株主総会）の決議がなければ、その効力を生じない。ただし、当該種類株主総会において議決権を行使することができる株主が存しない場合は、この限りでない。

4　消滅株式会社等は、第一項の株主総会の決議の日（第二項に規定する場合にあっては、同項の総株主の同意を得た日）から二週間以内に、その登録株式質権者（次条に規定する場合における登録株式質権者を

除く。）及び第八百八条第三項各号に定める新株予約権の登録新株予約権質権者に対し、新設合併、新設分割又は株式移転（以下この節において「新設合併等」という。）をする旨を通知しなければならない。

5　前項の規定による通知は、公告をもってこれに代えることができる。

（新設分割計画の承認を要しない場合）

第八百五条　前条第一項の規定は、新設分割により新設分割設立会社に承継させる資産の帳簿価額の合計額が新設分割株式会社の総資産額として法務省令で定める方法により算定される額の五分の一（これを下回る割合を新設分割株式会社の定款で定めた場合にあっては、その割合）を超えない場合には、適用しない。

【会社法施行規則】

（総資産の額）

第二百七条　法第八百五条に規定する法務省令で定める方法は、算定基準日（新設分割計画を作成した日（当該新設分割計画により当該新設分割計画を作成した日と異なる時（当該新設分割計画を作成した日後から当該新設分割の効力が生ずる時の直前までの間の時に限る。）を定めた場合にあっては、当該時）をいう。以下この条において同じ。）における第一号から第九号までに掲げる額の合計額から第十号に掲げる額を減じて得た額をもって新設分割株式会社の総資産額とする方法とする。

一　資本金の額

二　資本準備金の額

三　利益準備金の額

四　法第四百四十六条に規定する剰余金の額

五　最終事業年度（法第四百六十一条第二項第二号に規定する場合にあっては、法第四百四十一条第一項第二号の期間（当該期間が二以上ある場合にあっては、その末日が最も遅いもの）。以下この項において同じ。）の末日（最終事業年度がない場合にあっては、新設分割株式会社の成立の日。以下この項において同じ。）における評価・換算差額等に係る額

六　株式引受権の帳簿価額

七　新株予約権の帳簿価額

八　最終事業年度の末日において負債の部に計上した額

九　最終事業年度の末日後に吸収合併、吸収分割による他の会社の事業に係る権利義務の承継又は他の会社（外国会社を含む。）の事業の全部の譲受けをしたときは、これらの行為により承継又は譲受けをした負債の額

十　自己株式及び自己新株予約権の帳簿価額の合計額

2　前項の規定にかかわらず、算定基準日において新設分割株式会社が清算株式会社である場合における法第八百五条に規定する法務省令で定める方法は、法第四百九十二条第一項の規定により作成した貸借対照表の資産の部に計上した額をもって新設分割株式会社の総資産額とする方法とする。

（新設合併等をやめることの請求）

第八百五条の二　新設合併等が法令又は定款に違反する場合において、消滅株式会社等の株主が不利益を受けるおそれがあるときは、消滅株式会社等の株主は、消滅株式会社等に対し、当該新設合併等をやめることを請求することができる。ただし、前条に規定する場合は、この限りでない。

（反対株主の株式買取請求）

第八百六条　新設合併等をする場合（次に掲げる場合を除く。）には、反対株主は、消滅株式会社等に対し、自己の有する株式を公正な価格で買い取ることを請求することができる。

一　第八百四条第二項に規定する場合

二　第八百五条に規定する場合

2　前項に規定する「反対株主」とは、次に掲げる株主をいう。

一　第八百四条第一項の株主総会（新設合併等をするために種類株主総会の決議を要する場合にあっては、当該種類株主総会を含む。）に

先立って当該新設合併等に反対する旨を当該消滅株式会社等に対し通知し、かつ、当該株主総会において当該新設合併等に反対した株主（当該株主総会において議決権を行使することができるものに限る。）

二　当該株主総会において議決権を行使することができない株主

3　消滅株式会社等は、第八百四条第一項の株主総会の決議の日から二週間以内に、その株主に対し、新設合併等をする旨並びに他の新設合併消滅会社、新設分割会社又は株式移転完全子会社（以下この節において「消滅会社等」という。）及び設立会社の商号及び住所を通知しなければならない。ただし、第一項各号に掲げる場合は、この限りでない。

4　前項の規定による通知は、公告をもってこれに代えることができる。

5　第一項の規定による請求（以下この目において「株式買取請求」という。）は、第三項の規定による通知又は前項の公告をした日から二十日以内に、その株式買取請求に係る株式の数（種類株式発行会社にあっては、株式の種類及び種類ごとの数）を明らかにしてしなければならない。

6　株券が発行されている株式について株式買取請求をしようとするときは、当該株式の株主は、消滅株式会社等に対し、当該株式に係る株券を提出しなければならない。ただし、当該株券について第二百二十三条の規定による請求をした者については、この限りでない。

7　株式買取請求をした株主は、消滅株式会社等の承諾を得た場合に限り、その株式買取請求を撤回することができる。

8　新設合併等を中止したときは、株式買取請求は、その効力を失う。

9　第百三十三条の規定は、株式買取請求に係る株式については、適用しない。

（株式の価格の決定等）

第八百七条　株式買取請求があった場合において、株式の価格の決定について、株主と消滅株式会社等（新設合併をする場合における新設合併設立会社の成立の日後にあっては、新設合併設立会社。以下この条において同じ。）との間に協議が調ったときは、消滅株式会社等は、設立会社の成立の日から六十日以内にその支払をしなければならない。

2　株式の価格の決定について、設立会社の成立の日から三十日以内に協議が調わないときは、株主又は消滅株式会社等は、その期間の満了の日後三十日以内に、裁判所に対し、価格の決定の申立てをすることができる。

3　前条第七項の規定にかかわらず、前項に規定する場合において、設立会社の成立の日から六十日以内に同項の申立てがないときは、その期間の満了後は、株主は、いつでも、株式買取請求を撤回することができる。

4　消滅株式会社等は、裁判所の決定した価格に対する第一項の期間の満了の日後の法定利率による利息をも支払わなければならない。

5　消滅株式会社等は、株式の価格の決定があるまでは、株主に対し、当該消滅株式会社等が公正な価格と認める額を支払うことができる。

6　株式買取請求に係る株式の買取りは、設立会社の成立の日に、その効力を生ずる。

7　株券発行会社は、株券が発行されている株式について株式買取請求があったときは、株券と引換えに、その株式買取請求に係る株式の代金を支払わなければならない。

（新株予約権買取請求）

第八百八条　次の各号に掲げる行為をする場合には、当該各号に定める消滅株式会社等の新株予約権の新株予約権者は、消滅株式会社等に対し、自己の有する新株予約権を公正な価格で買い取ることを請求することができる。

一　新設合併　第七百五十三条第一項第十号又は第十一号に掲げる事項についての定めが第二百三十六条第一項第八号の条件（同号イに関するものに限る。）に合致する新株予約権以外の新株予約権

二　新設分割（新設分割設立会社が株式会社である場合に限る。）　次に掲げる新株予約権のうち、第七百六十三条第一項第十号又は第十一号に掲げる事項についての定めが第二百三十六条第一項第八号の

条件（同号ハに関するものに限る。）に合致する新株予約権以外の新株予約権

イ　新設分割計画新株予約権

ロ　新設分割計画新株予約権以外の新株予約権であって、新設分割をする場合において当該新株予約権の新株予約権者に新設分割設立株式会社の新株予約権を交付することとする旨の定めがあるもの

三　株式移転　次に掲げる新株予約権のうち、第七百七十三条第一項第九号又は第十号に掲げる事項についての定めが第二百三十六条第一項第八号の条件（同号ホに関するものに限る。）に合致する新株予約権以外の新株予約権

イ　株式移転計画新株予約権

ロ　株式移転計画新株予約権以外の新株予約権であって、株式移転をする場合において当該新株予約権の新株予約権者に株式移転設立完全親会社の新株予約権を交付することとする旨の定めがあるもの

2　新株予約権付社債に付された新株予約権の新株予約権者は、前項の規定による請求（以下この目において「新株予約権買取請求」という。）をするときは、併せて、新株予約権付社債についての社債を買い取ることを請求しなければならない。ただし、当該新株予約権付社債に付された新株予約権について別段の定めがある場合は、この限りでない。

3　次の各号に掲げる消滅株式会社等は、第八百四条第一項の株主総会の決議の日（同条第二項に規定する場合にあっては同項の総株主の同意を得た日、第八百五条に規定する場合にあっては新設分割計画の作成の日）から二週間以内に、当該各号に定める新株予約権の新株予約権者に対し、新設合併等をする旨並びに他の消滅会社等及び設立会社の商号及び住所を通知しなければならない。

一　新設合併消滅株式会社　全部の新株予約権

二　新設分割設立会社が株式会社である場合における新設分割株式会社　次に掲げる新株予約権

イ　新設分割計画新株予約権

ロ　新設分割計画新株予約権以外の新株予約権であって、新設分割をする場合において当該新株予約権の新株予約権者に新設分割設立株式会社の新株予約権を交付することとする旨の定めがあるもの

三　株式移転完全子会社　次に掲げる新株予約権

イ　株式移転計画新株予約権

ロ　株式移転計画新株予約権以外の新株予約権であって、株式移転をする場合において当該新株予約権の新株予約権者に株式移転設立完全親会社の新株予約権を交付することとする旨の定めがあるもの

4　前項の規定による通知は、公告をもってこれに代えることができる。

5　新株予約権買取請求は、第三項の規定による通知又は前項の公告をした日から二十日以内に、その新株予約権買取請求に係る新株予約権の内容及び数を明らかにしてしなければならない。

6　新株予約権証券が発行されている新株予約権について新株予約権買取請求をしようとするときは、当該新株予約権の新株予約権者は、消滅株式会社等に対し、その新株予約権証券を提出しなければならない。ただし、当該新株予約権証券について非訟事件手続法第百十四条に規定する公示催告の申立てをした者については、この限りでない。

7　新株予約権付社債券が発行されている新株予約権付社債に付された新株予約権について新株予約権買取請求をしようとするときは、当該新株予約権の新株予約権者は、消滅株式会社等に対し、その新株予約権付社債券を提出しなければならない。ただし、当該新株予約権付社債券について非訟事件手続法第百十四条に規定する公示催告の申立てをした者については、この限りでない。

8　新株予約権買取請求をした新株予約権者は、消滅株式会社等の承諾を得た場合に限り、その新株予約権買取請求を撤回することができる。

9　新設合併等を中止したときは、新株予約権買取請求は、その効力を失う。

10　第二百六十条の規定は、新株予約権買取請求に係る新株予約権については、適用しない。

（新株予約権の価格の決定等）

第八百九条　新株予約権買取請求があった場合において、新株予約権（当該新株予約権が新株予約権付社債に付されたものである場合において、当該新株予約権付社債についての社債の買取りの請求があったときは、当該社債を含む。以下この条において同じ。）の価格の決定について、新株予約権者と消滅株式会社等（新設合併をする場合における新設合併設立会社の成立の日後にあっては、新設合併設立会社。以下この条において同じ。）との間に協議が調ったときは、消滅株式会社等は、設立会社の成立の日から六十日以内にその支払をしなければならない。

2　新株予約権の価格の決定について、設立会社の成立の日から三十日以内に協議が調わないときは、新株予約権者又は消滅株式会社等は、その期間の満了の日後三十日以内に、裁判所に対し、価格の決定の申立てをすることができる。

3　前条第八項の規定にかかわらず、前項に規定する場合において、設立会社の成立の日から六十日以内に同項の申立てがないときは、その期間の満了後は、新株予約権者は、いつでも、新株予約権買取請求を撤回することができる。

4　消滅株式会社等は、裁判所の決定した価格に対する第一項の期間の満了の日後の法定利率による利息をも支払わなければならない。

5　消滅株式会社等は、新株予約権の価格の決定があるまでは、新株予約権者に対し、当該消滅株式会社等が公正な価格と認める額を支払うことができる。

6　新株予約権買取請求に係る新株予約権の買取りは、設立会社の成立の日に、その効力を生ずる。

7　消滅株式会社等は、新株予約権証券が発行されている新株予約権について新株予約権買取請求があったときは、新株予約権証券と引換えに、その新株予約権買取請求に係る新株予約権の代金を支払わなければならない。

8　消滅株式会社等は、新株予約権付社債券が発行されている新株予約権付社債に付された新株予約権について新株予約権買取請求があったときは、新株予約権付社債券と引換えに、その新株予約権買取請求に係る新株予約権の代金を支払わなければならない。

（債権者の異議）

第八百十条　次の各号に掲げる場合には、当該各号に定める債権者は、消滅株式会社等に対し、新設合併等について異議を述べることができる。

一　新設合併をする場合　新設合併消滅株式会社の債権者

二　新設分割をする場合　新設分割後新設分割株式会社に対して債務の履行（当該債務の保証人として新設分割設立会社と連帯して負担する保証債務の履行を含む。）を請求することができない新設分割株式会社の債権者（第七百六十三条第一項第十二号又は第七百六十五条第一項第八号に掲げる事項についての定めがある場合にあっては、新設分割株式会社の債権者）

三　株式移転計画新株予約権が新株予約権付社債に付された新株予約権である場合　当該新株予約権付社債についての社債権者

2　前項の規定により消滅株式会社等の債権者の全部又は一部が異議を述べることができる場合には、消滅株式会社等は、次に掲げる事項を官報に公告し、かつ、知れている債権者（同項の規定により異議を述べることができるものに限る。）には、各別にこれを催告しなければならない。ただし、第四号の期間は、一箇月を下ることができない。

一　新設合併等をする旨

二　他の消滅会社等及び設立会社の商号及び住所

三　消滅株式会社等の計算書類に関する事項として法務省令で定めるもの

四　債権者が一定の期間内に異議を述べることができる旨

3　前項の規定にかかわらず、消滅株式会社等が同項の規定による公告を、官報のほか、第九百三十九条第一項の規定による定款の定めに従い、同項第二号又は第三号に掲げる公告方法によりするときは、前項の規定による各別の催告（新設分割をする場合における不法行為によって生じた新設分割株式会社の債務の債権者に対するものを除く。）は、することを要しない。

4　債権者が第二項第四号の期間内に異議を述べなかったときは、当該債権者は、当該新設合併等について承認をしたものとみなす。

5　債権者が第二項第四号の期間内に異議を述べたときは、消滅株式会社等は、当該債権者に対し、弁済し、若しくは相当の担保を提供し、又は当該債権者に弁済を受けさせることを目的として信託会社等に相当の財産を信託しなければならない。ただし、当該新設合併等をしても当該債権者を害するおそれがないときは、この限りでない。

【会社法施行規則】

（計算書類に関する事項）

第二百八条　法第八百十条第二項第三号に規定する法務省令で定めるものは、同項の規定による公告の日又は同項の規定による催告の日のいずれか早い日における次の各号に掲げる場合の区分に応じ、当該各号に定めるものとする。

一　最終事業年度に係る貸借対照表又はその要旨につき公告対象会社（法第八百十条第二項第三号の株式会社をいう。以下この条において同じ。）が法第四百四十条第一項又は第二項の規定による公告をしている場合　次に掲げるもの

イ　官報で公告をしているときは、当該官報の日付及び当該公告が掲載されている頁

ロ　時事に関する事項を掲載する日刊新聞紙で公告をしているときは、当該日刊新聞紙の名称、日付及び当該公告が掲載されている頁

ハ　電子公告により公告をしているときは、法第九百十一条第三項第二十八号イに掲げる事項

二　最終事業年度に係る貸借対照表につき公告対象会社が法第四百四十条第三項に規定する措置をとっている場合　法第九百十一条第三項第二十六号に掲げる事項

三　公告対象会社が法第四百四十条第四項に規定する株式会社である場合において、当該株式会社が金融商品取引法第二十四条第一項の規定により最終事業年度に係る有価証券報告書を提出しているとき　その旨

四　公告対象会社が会社法の施行に伴う関係法律の整備等に関する法律第二十八条の規定により法第四百四十条の規定が適用されないものである場合　その旨

五　公告対象会社につき最終事業年度がない場合　その旨

六　公告対象会社が清算株式会社である場合　その旨

七　前各号に掲げる場合以外の場合　会社計算規則第六編第二章〔第一三七条―第一四六条〕の規定による最終事業年度に係る貸借対照表の要旨の内容

（新設分割又は株式移転に関する書面等の備置き及び閲覧等）

第八百十一条　新設分割株式会社又は株式移転完全子会社は、新設分割設立会社又は株式移転設立完全親会社の成立の日後遅滞なく、新設分割設立会社又は株式移転設立完全親会社と共同して、次の各号に掲げる区分に応じ、当該各号に定めるものを作成しなければならない。

一　新設分割株式会社　新設分割により新設分割設立会社が承継した新設分割株式会社の権利義務その他の新設分割に関する事項として法務省令で定める事項を記載し、又は記録した書面又は電磁的記録

二　株式移転完全子会社　株式移転により株式移転設立完全親会社が取得した株式移転完全子会社の株式の数その他の株式移転に関する事項として法務省令で定める事項を記載し、又は記録した書面又は電磁的記録

2　新設分割株式会社又は株式移転完全子会社は、新設分割設立会社又は株式移転設立完全親会社の成立の日から六箇月間、前項各号の書面又は電磁的記録をその本店に備え置かなければならない。

3 新設分割株式会社の株主、債権者その他の利害関係人は、新設分割株式会社に対して、その営業時間内は、いつでも、次に掲げる請求をすることができる。ただし、第二号又は第四号に掲げる請求をするには、当該新設分割株式会社の定めた費用を支払わなければならない。

一 前項の書面の閲覧の請求

二 前項の書面の謄本又は抄本の交付の請求

三 前項の電磁的記録に記録された事項を法務省令で定める方法により表示したものの閲覧の請求

四 前項の電磁的記録に記録された事項を電磁的方法であって新設分割株式会社の定めたものにより提供することの請求又はその事項を記載した書面の交付の請求

4 前項の規定は、株式移転完全子会社について準用する。この場合において、同項中「新設分割株式会社の株主、債権者その他の利害関係人」とあるのは、「株式移転設立完全親会社の成立の日に株式移転完全子会社の株主又は新株予約権者であった者」と読み替えるものとする。

【会社法施行規則】

（新設分割株式会社の事後開示事項）

第二百九条 法第八百十一条第一項第一号に規定する法務省令で定める事項は、次に掲げる事項とする。

一 新設分割が効力を生じた日

二 法第八百五条の二の規定による請求に係る手続の経過

三 法第八百六条及び第八百八条の規定並びに法第八百十条（法第八百十三条第二項において準用する場合を含む。）の規定による手続の経過

四 新設分割により新設分割設立会社が新設分割会社から承継した重要な権利義務に関する事項

五 前各号に掲げるもののほか、新設分割に関する重要な事項

（株式移転完全子会社の事後開示事項）

第二百十条 法第八百十一条第一項第二号に規定する法務省令で定める事項は、次に掲げる事項とする。

一 株式移転が効力を生じた日

二 法第八百五条の二の規定による請求に係る手続の経過

三 法第八百六条、第八百八条及び第八百十条の規定による手続の経過

四 株式移転により株式移転設立完全親会社に移転した株式移転完全子会社の株式の数（株式移転完全子会社が種類株式発行会社であるときは、株式の種類及び種類ごとの数）

五 前各号に掲げるもののほか、株式移転に関する重要な事項

（保存の指定）

第二百三十二条 電子文書法第三条第一項の主務省令で定める保存は、次に掲げる保存とする。

一～三十三 （略）

三十四 法第八百十一条第二項の規定による同条第一項の書面の保存

三十五・三十六 （略）

（縦覧等の指定）

第二百三十四条 電子文書法第五条第一項の主務省令で定める縦覧等は、次に掲げる縦覧等とする。

一～五十 （略）

五十一 法第八百十一条第三項第一号（同条第四項において準用する場合を含む。）の規定による同条第二項の書面の縦覧等

五十二～五十四 （略）

（交付等の指定）

第二百三十六条 電子文書法第六条第一項の主務省令で定める交付等は、次に掲げる交付等とする。

一～二十四 （略）

二十五 法第八百十一条第三項第二号（同条第四項において準用する場合を含む。）の規定による同条第二項の書面の謄本又は抄本の交付等

二十六〜二十八（略）

（電磁的記録に記録された事項を表示する方法）

第二百二十六条 次に掲げる規定に規定する法務省令で定める方法は、次に掲げる規定の電磁的記録に記録された事項を紙面又は映像面に表示する方法とする。

一〜三十九（略）

四十 法第八百十一条第三項第三号（同条第四項において準用する場合を含む。）

四十一〜四十三（略）

（剰余金の配当等に関する特則）

第八百十二条 第四百四十五条第四項、第四百五十八条及び第二編第五章第六節の規定は、次に掲げる行為については、適用しない。

一 第七百六十三条第一項第十二号イ又は第七百六十五条第一項第八号イの株式の取得

二 第七百六十三条第一項第十二号ロ又は第七百六十五条第一項第八号ロの剰余金の配当

第二目 持分会社の手続

第八百十三条 次に掲げる行為をする持分会社は、新設合併契約等について当該持分会社の総社員の同意を得なければならない。ただし、定款に別段の定めがある場合は、この限りでない。

一 新設合併

二 新設分割（当該持分会社（合同会社に限る。）がその事業に関して有する権利義務の全部を他の会社に承継させる場合に限る。）

2 第八百十条（第一項第三号及び第二項第三号を除く。）の規定は、新設合併消滅持分会社又は合同会社である新設分割会社（以下この節において「新設分割合同会社」という。）について準用する。この場合において、同条第一項第二号中「債権者（第七百六十三条第一項第十二号又は第七百六十五条第一項第八号に掲げる事項についての定めがある場合にあっては、新設分割株式会社の債権者）」とあるのは「債権者」と、同条第三項中「消滅株式会社等」とあるのは「新設合併消滅持分会社（新設合併設立会社が株式会社又は合同会社である場合にあっては、合同会社に限る。）又は新設分割合同会社」と読み替えるものとする。

第三款 新設合併設立会社、新設分割設立会社及び株式移転設立完全親会社の手続

第一目 株式会社の手続

（株式会社の設立の特則）

第八百十四条 第二編第一章（第二十七条（第四号及び第五号を除く。）、第二十九条、第三十一条、第三十七条第三項、第三十九条、第六節及び第四十九条を除く。）の規定は、新設合併設立株式会社、新設分割設立株式会社又は株式移転設立完全親会社（以下この目において「設立株式会社」という。）の設立については、適用しない。

2 設立株式会社の定款は、消滅会社等が作成する。

（新設合併契約等に関する書面等の備置き及び閲覧等）

第八百十五条 新設合併設立株式会社は、その成立の日後遅滞なく、新設合併により新設合併設立株式会社が承継した新設合併消滅会社の権利義務その他の新設合併に関する事項として法務省令で定める事項を記載し、又は記録した書面又は電磁的記録を作成しなければならない。

2 新設分割設立株式会社（一又は二以上の合同会社のみが新設分割をする場合における当該新設分割設立株式会社に限る。）は、その成立の日後遅滞なく、新設分割合同会社と共同して、新設分割により新設分割設立株式会社が承継した新設分割合同会社の権利義務その他の新設分割に関する事項として法務省令で定める事項を記載し、又は記録した書面又は電磁的記録を作成しなければならない。

3 次の各号に掲げる設立株式会社は、その成立の日から六箇月間、当該各号に定めるものをその本店に備え置かなければならない。

一　新設合併設立株式会社　第一項の書面又は電磁的記録及び新設合併契約の内容その他法務省令で定める事項を記載し、又は記録した書面又は電磁的記録
二　新設分割設立株式会社　前項又は第八百十一条第一項第一号の書面又は電磁的記録
三　株式移転設立完全親会社　第八百十一条第一項第二号の書面又は電磁的記録

4　新設合併設立株式会社の株主及び債権者は、新設合併設立株式会社に対して、その営業時間内は、いつでも、次に掲げる請求をすることができる。ただし、第二号又は第四号に掲げる請求をするには、当該新設合併設立株式会社の定めた費用を支払わなければならない。
一　前項第一号の書面の閲覧の請求
二　前項第一号の書面の謄本又は抄本の交付の請求
三　前項第一号の電磁的記録に記録された事項を法務省令で定める方法により表示したものの閲覧の請求
四　前項第一号の電磁的記録に記録された事項を電磁的方法であって新設合併設立株式会社の定めたものにより提供することの請求又はその事項を記載した書面の交付の請求

5　前項の規定は、新設分割設立株式会社について準用する。この場合において、同項中「株主及び債権者」とあるのは「株主、債権者その他の利害関係人」と、同項各号中「前項第一号」とあるのは「前項第二号」と読み替えるものとする。

6　第四項の規定は、株式移転設立完全親会社について準用する。この場合において、同項中「株主及び債権者」とあるのは「株主及び新株予約権者」と、同項各号中「前項第一号」とあるのは「前項第三号」と読み替えるものとする。

【会社法施行規則】

（新設合併設立株式会社の事後開示事項）

第二百十一条　法第八百十五条第一項に規定する法務省令で定める事項は、次に掲げる事項とする。
一　新設合併が効力を生じた日
二　法第八百五条の二の規定による請求に係る手続の経過
三　法第八百六条及び第八百八条の規定並びに法第八百十条（法第八百十三条第二項において準用する場合を含む。）の規定による手続の経過
四　新設合併により新設合併設立株式会社が新設合併消滅会社から承継した重要な権利義務に関する事項
五　前各号に掲げるもののほか、新設合併に関する重要な事項

（新設分割設立株式会社の事後開示事項）

第二百十二条　法第八百十五条第二項に規定する法務省令で定める事項は、次に掲げる事項とする。
一　新設分割が効力を生じた日
二　法第八百十三条第二項において準用する法第八百十条の規定による手続の経過
三　新設分割により新設分割設立株式会社が新設分割合同会社から承継した重要な権利義務に関する事項
四　前三号に掲げるもののほか、新設分割に関する重要な事項

（新設合併設立株式会社の事後開示事項）

第二百十三条　法第八百十五条第三項第一号に規定する法務省令で定める事項は、法第八百三条第一項の規定により新設合併消滅株式会社が備え置いた書面又は電磁的記録に記載又は記録がされた事項（新設合併契約の内容を除く。）とする。

（保存の指定）

第二百三十二条　電子文書法第三条第一項の主務省令で定める保存は、次に掲げる保存とする。
一～三十四　（略）
三十五　法第八百十五条第三項の規定による同項各号に定める書面の保存
三十六　（略）

（縦覧等の指定）
第二百三十四条 電子文書法第五条第一項の主務省令で定める縦覧等は、次に掲げる縦覧等とする。
一～五十一　（略）
五十二　法第八百十五条第四項第一号（同条第五項及び第六項において準用する場合を含む。）の規定による同条第三項第一号の書面（同条第五項において準用する場合にあっては同条第三項第二号の書面、同条第六項において準用する場合にあっては同条第三項第三号の書面）の縦覧等
五十三・五十四　（略）

（交付等の指定）
第二百三十六条 電子文書法第六条第一項の主務省令で定める交付等は、次に掲げる交付等とする。
一～二十五　（略）
二十六　法第八百十五条第四項第二号（同条第五項及び第六項において準用する場合を含む。）の規定による同条第三項第一号の書面（同条第五項において準用する場合にあっては同条第三項第二号の書面、同条第六項において準用する場合にあっては同条第三項第三号の書面）の謄本又は抄本の交付等
二十七・二十八　（略）

（電磁的記録に記録された事項を表示する方法）
第二百二十六条 次に掲げる規定に規定する法務省令で定める方法は、次に掲げる規定の電磁的記録に記録された事項を紙面又は映像面に表示する方法とする。
一～四十　（略）
四十一　法第八百十五条第四項第三号（同条第五項及び第六項において準用する場合を含む。）
四十二・四十三　（略）

第二目　持分会社の手続

（持分会社の設立の特則）
第八百十六条 第五百七十五条及び第五百七十八条の規定は、新設合併設立持分会社又は新設分割設立持分会社（次項において「設立持分会社」という。）の設立については、適用しない。
2　設立持分会社の定款は、消滅会社等が作成する。

第四節　株式交付の手続

（株式交付計画に関する書面等の備置き及び閲覧等）
第八百十六条の二 株式交付親会社は、株式交付計画備置開始日から株式交付がその効力を生ずる日（以下この節において「効力発生日」という。）後六箇月を経過する日までの間、株式交付計画の内容その他法務省令で定める事項を記載し、又は記録した書面又は電磁的記録をその本店に備え置かなければならない。
2　前項に規定する「株式交付計画備置開始日」とは、次に掲げる日のいずれか早い日をいう。
一　株式交付計画について株主総会（種類株主総会を含む。）の決議によってその承認を受けなければならないときは、当該株主総会の日の二週間前の日（第三百十九条第一項の場合にあっては、同項の提案があった日）
二　第八百十六条の六第三項の規定による通知の日又は同条第四項の公告の日のいずれか早い日
三　第八百十六条の八の規定による手続をしなければならないときは、同条第二項の規定による公告の日又は同項の規定による催告の日のいずれか早い日
3　株式交付親会社の株主（株式交付に際して株式交付子会社の株式及び新株予約権等の譲渡人に対して交付する金銭等（株式交付親会社の株式を除く。）が株式交付親会社の株式に準ずるものとして法務省令で定めるもののみである場合以外の場合にあっては、株主及び債権者）

は、株式交付親会社に対して、その営業時間内は、いつでも、次に掲げる請求をすることができる。ただし、第二号又は第四号に掲げる請求をするには、当該株式交付親会社の定めた費用を支払わなければならない。

一　第一項の書面の閲覧の請求

二　第一項の書面の謄本又は抄本の交付の請求

三　第一項の電磁的記録に記録された事項を法務省令で定める方法により表示したものの閲覧の請求

四　第一項の電磁的記録に記録された事項を電磁的方法であって株式交付親会社の定めたものにより提供することの請求又はその事項を記載した書面の交付の請求

【会社法施行規則】

（株式交付親会社の事前開示事項）

第二百十三条の二　法第八百十六条の二第一項に規定する法務省令で定める事項は、次に掲げる事項とする。

一　法第七百七十四条の三第一項第二号に掲げる事項についての定めが同条第二項に定める要件を満たすと株式交付親会社が判断した理由

二　法第七百七十四条の三第一項第三号から第六号までに掲げる事項についての定めの相当性に関する事項

三　法第七百七十四条の三第一項第七号に掲げる事項を定めたときは、同項第八号及び第九号に掲げる事項についての定めの相当性に関する事項

四　株式交付子会社についての次に掲げる事項を株式交付親会社が知っているときは、当該事項

イ　最終事業年度に係る計算書類等（最終事業年度がない場合にあっては、株式交付子会社の成立の日における貸借対照表）の内容

ロ　最終事業年度の末日（最終事業年度がない場合にあっては、株式交付子会社の成立の日。ハにおいて同じ。）後の日を臨時決算日（二以上の臨時決算日がある場合にあっては、最も遅いもの）とする臨時計算書類等があるときは、当該臨時計算書類等の内容

ハ　最終事業年度の末日後に重要な財産の処分、重大な債務の負担その他の会社財産の状況に重要な影響を与える事象が生じたときは、その内容（株式交付計画備置開始日（法第八百十六条の二第一項に規定する株式交付計画備置開始日をいう。以下この条において同じ。）後株式交付の効力が生ずる日までの間に新たな最終事業年度が存することとなる場合にあっては、当該新たな最終事業年度の末日後に生じた事象の内容に限る。）

五　株式交付親会社についての次に掲げる事項

イ　株式交付親会社において最終事業年度の末日（最終事業年度がない場合にあっては、株式交付親会社の成立の日）後に重要な財産の処分、重大な債務の負担その他の会社財産の状況に重要な影響を与える事象が生じたときは、その内容（株式交付計画備置開始日後株式交付の効力が生ずる日までの間に新たな最終事業年度が存することとなる場合にあっては、当該新たな最終事業年度の末日後に生じた事象の内容に限る。）

ロ　株式交付親会社において最終事業年度がないときは、株式交付親会社の成立の日における貸借対照表

六　法第八百十六条の八第一項の規定により株式交付について異議を述べることができる債権者があるときは、株式交付が効力を生ずる日以後における株式交付親会社の債務（当該債権者に対して負担する債務に限る。）の履行の見込みに関する事項

七　株式交付計画備置開始日後株式交付が効力を生ずる日までの間に、前各号に掲げる事項に変更が生じたときは、変更後の当該事項

（株式交付親会社の株式に準ずるもの）
第二百十三条の三　法第八百十六条の二第三項に規定する法務省令で定めるものは、第一号に掲げる額から第二号に掲げる額を減じて得た額が第三号に掲げる額よりも小さい場合における法第七百七十四条の三第一項第五号、第六号、第八号及び第九号の定めに従い交付する株式交付親会社の株式以外の金銭等とする。
一　株式交付子会社の株式、新株予約権（新株予約権付社債に付されたものを除く。）又は新株予約権付社債の譲渡人に対して交付する金銭等の合計額
二　前号に規定する金銭等のうち株式交付親会社の株式の価額の合計額
三　第一号に規定する金銭等の合計額に二十分の一を乗じて得た額

（電磁的記録に記録された事項を表示する方法）
第二百二十六条　次に掲げる規定に規定する法務省令で定める方法は、次に掲げる規定の電磁的記録に記録された事項を紙面又は映像面に表示する方法とする。
一～四十一　（略）
四十二　法第八百十六条の二第三項第三号
四十三　（略）

（縦覧等の指定）
第二百三十四条　電子文書法第五条第一項の主務省令で定める縦覧等は、次に掲げる縦覧等とする。
一～五十二　（略）
五十三　法第八百十六条の二第三項第一号の規定による同条第一項の書面の縦覧等
五十四　（略）

（交付等の指定）
第二百三十六条　電子文書法第六条第一項の主務省令で定める交付等は、次に掲げる交付等とする。
一～二十六　（略）
二十七　法第八百十六条の二第三項第二号の規定による同条第一項の書面の謄本又は抄本の交付等
二十八　（略）

（株式交付計画の承認等）
第八百十六条の三　株式交付親会社は、効力発生日の前日までに、株主総会の決議によって、株式交付計画の承認を受けなければならない。
2　株式交付親会社が株式交付子会社の株式及び新株予約権等の譲渡人に対して交付する金銭等（株式交付親会社の株式等を除く。）の帳簿価額が株式交付親会社が譲り受ける株式交付子会社の株式及び新株予約権等の額として法務省令で定める額を超える場合には、取締役は、前項の株主総会において、その旨を説明しなければならない。
3　株式交付親会社が種類株式発行会社である場合において、次の各号に掲げるときは、株式交付は、当該各号に定める種類の株式（譲渡制限株式であって、第百九十九条第四項の定款の定めがないものに限る。）の種類株主を構成員とする種類株主総会（当該種類株主に係る株式の種類が二以上ある場合にあっては、当該二以上の株式の種類別に区分された種類株主を構成員とする各種類株主総会）の決議がなければ、その効力を生じない。ただし、当該種類株主総会において議決権を行使することができる株主が存しない場合は、この限りでない。
一　株式交付子会社の株式の譲渡人に対して交付する金銭等が株式交付親会社の株式であるとき　第七百七十四条の三第一項第三号の種類の株式
二　株式交付子会社の新株予約権等の譲渡人に対して交付する金銭等が株式交付親会社の株式であるとき　第七百七十四条の三第一項第八号イの種類の株式

【会社法施行規則】
（株式交付親会社が譲り受ける株式交付子会社の株式等の額）

第二百十三条の四　法第八百十六条の三第二項に規定する法務省令で定める額は、第一号及び第二号に掲げる額の合計額から第三号に掲げる額を減じて得た額とする。
一　株式交付親会社が株式交付に際して譲り受ける株式交付子会社の株式、新株予約権（新株予約権付社債に付されたものを除く。）及び新株予約権付社債につき会計帳簿に付すべき額
二　会社計算規則第十一条の規定により計上したのれんの額
三　会社計算規則第十二条の規定により計上する負債の額（株式交付子会社が株式交付親会社（連結配当規制適用会社に限る。）の子会社である場合にあっては、零）

（株式交付計画の承認を要しない場合等）

第八百十六条の四　前条第一項及び第二項の規定は、第一号に掲げる額の第二号に掲げる額に対する割合が五分の一（これを下回る割合を株式交付親会社の定款で定めた場合にあっては、その割合）を超えない場合には、適用しない。ただし、同項に規定する場合又は株式交付親会社が公開会社でない場合は、この限りでない。
一　次に掲げる額の合計額
イ　株式交付子会社の株式及び新株予約権等の譲渡人に対して交付する株式交付親会社の株式の数に一株当たり純資産額を乗じて得た額
ロ　株式交付子会社の株式及び新株予約権等の譲渡人に対して交付する株式交付親会社の社債、新株予約権又は新株予約権付社債の帳簿価額の合計額
ハ　株式交付子会社の株式及び新株予約権等の譲渡人に対して交付する株式交付親会社の株式等以外の財産の帳簿価額の合計額
二　株式交付親会社の純資産額として法務省令で定める方法により算定される額

2　前項本文に規定する場合において、法務省令で定める数の株式（前条第一項の株主総会において議決権を行使することができるものに限る。）を有する株主が第八百十六条の六第三項の規定による通知又は同条第四項の公告の日から二週間以内に株式交付に反対する旨を株式交付親会社に対し通知したときは、当該株式交付親会社は、効力発生日の前日までに、株主総会の決議によって、株式交付計画の承認を受けなければならない。

【会社法施行規則】

（純資産の額）

第二百十三条の五　法第八百十六条の四第一項第二号に規定する法務省令で定める方法は、算定基準日（株式交付計画を作成した日（当該株式交付計画により当該計画を作成した日と異なる時（当該株式交付計画を作成した日後から当該株式交付の効力が生ずる時の直前までの間の時に限る。）を定めた場合にあっては、当該時）をいう。）における第一号から第七号までに掲げる額の合計額から第八号に掲げる額を減じて得た額（当該額が五百万円を下回る場合にあっては、五百万円）をもって株式交付親会社の純資産額とする方法とする。
一　資本金の額
二　資本準備金の額
三　利益準備金の額
四　法第四百四十六条に規定する剰余金の額
五　最終事業年度（法第四百六十一条第二項第二号に規定する場合にあっては、法第四百四十一条第一項第二号の期間（当該期間が二以上ある場合にあっては、その末日が最も遅いもの））の末日（最終事業年度がない場合にあっては、株式交付親会社の成立の日）における評価・換算差額等に係る額
六　株式引受権の帳簿価額
七　新株予約権の帳簿価額
八　自己株式及び自己新株予約権の帳簿価額の合計額

（株式の数）

第二百十三条の六　法第八百十六条の四第二項に規定する法務省令で定める数は、次に掲げる数のうちいずれか小さい数とする。
一　特定株式（法第八百十六条の四第二項に規定する行為に係る株主総会において議決権を行使することができることを内容とする株式をいう。以下この条において同じ。）の総数に二分の一（当該株主総会の決議が成立するための要件として当該特定株式の議決権の総数の一定の割合以上の議決権を有する株主が出席しなければならない旨の定款の定めがある場合にあっては、当該一定の割合）を乗じて得た数に三分の一（当該株主総会の決議が成立するための要件として当該株主総会に出席した当該特定株主（特定株式の株主をいう。以下この条において同じ。）の有する議決権の総数の一定の割合以上の多数が賛成しなければならない旨の定款の定めがある場合にあっては、一から当該一定の割合を減じて得た割合）を乗じて得た数に一を加えた数
二　法第八百十六条の四第二項に規定する行為に係る決議が成立するための要件として一定の数以上の特定株主の賛成を要する旨の定款の定めがある場合において、特定株主の総数から株式会社に対して当該行為に反対する旨の通知をした特定株主の数を減じて得た数が当該一定の数未満となるときにおける当該行為に反対する旨の通知をした特定株主の有する特定株式の数
三　法第八百十六条の四第二項に規定する行為に係る決議が成立するための要件として前二号の定款の定め以外の定款の定めがある場合において、当該行為に反対する旨の通知をした特定株主の全部が同項に規定する株主総会において反対したとすれば当該決議が成立しないときは、当該行為に反対する旨の通知をした特定株主の有する特定株式の数
四　定款で定めた数

（株式交付をやめることの請求）

第八百十六条の五　株式交付が法令又は定款に違反する場合において、株式交付親会社の株主が不利益を受けるおそれがあるときは、株式交付親会社の株主は、株式交付親会社に対し、株式交付をやめることを請求することができる。ただし、前条第一項本文に規定する場合（同項ただし書又は同条第二項に規定する場合を除く。）は、この限りでない。

（反対株主の株式買取請求）

第八百十六条の六　株式交付をする場合には、反対株主は、株式交付親会社に対し、自己の有する株式を公正な価格で買い取ることを請求することができる。ただし、第八百十六条の四第一項本文に規定する場合（同項ただし書又は同条第二項に規定する場合を除く。）は、この限りでない。

2　前項に規定する「反対株主」とは、次の各号に掲げる場合における当該各号に定める株主をいう。

一　株式交付をするために株主総会（種類株主総会を含む。）の決議を要する場合　次に掲げる株主

イ　当該株主総会に先立って当該株式交付に反対する旨を当該株式交付親会社に対し通知し、かつ、当該株主総会において当該株式交付に反対した株主（当該株主総会において議決権を行使することができるものに限る。）

ロ　当該株主総会において議決権を行使することができない株主

二　前号に掲げる場合以外の場合　全ての株主

3　株式交付親会社は、効力発生日の二十日前までに、その株主に対し、株式交付をする旨並びに株式交付子会社の商号及び住所を通知しなければならない。

4　次に掲げる場合には、前項の規定による通知は、公告をもってこれに代えることができる。

一　株式交付親会社が公開会社である場合

二　株式交付親会社が第八百十六条の三第一項の株主総会の決議によって株式交付計画の承認を受けた場合

5　第一項の規定による請求（以下この節において「株式買取請求」と

いう。）は、効力発生日の二十日前の日から効力発生日の前日までの間に、その株式買取請求に係る株式の数（種類株式発行会社にあっては、株式の種類及び種類ごとの数）を明らかにしてしなければならない。

6　株券が発行されている株式について株式買取請求をしようとするときは、当該株式の株主は、株式交付親会社に対し、当該株式に係る株券を提出しなければならない。ただし、当該株券について第二百二十三条の規定による請求をした者については、この限りでない。

7　株式買取請求をした株主は、株式交付親会社の承諾を得た場合に限り、その株式買取請求を撤回することができる。

8　株式交付を中止したときは、株式買取請求は、その効力を失う。

9　第百三十三条の規定は、株式買取請求に係る株式については、適用しない。

（株式の価格の決定等）

第八百十六条の七　株式買取請求があった場合において、株式の価格の決定について、株主と株式交付親会社との間に協議が調ったときは、株式交付親会社は、効力発生日から六十日以内にその支払をしなければならない。

2　株式の価格の決定について、効力発生日から三十日以内に協議が調わないときは、株主又は株式交付親会社は、その期間の満了の日後三十日以内に、裁判所に対し、価格の決定の申立てをすることができる。

3　前条第七項の規定にかかわらず、前項に規定する場合において、効力発生日から六十日以内に同項の申立てがないときは、その期間の満了後は、株主は、いつでも、株式買取請求を撤回することができる。

4　株式交付親会社は、裁判所の決定した価格に対する第一項の期間の満了の日後の法定利率による利息をも支払わなければならない。

5　株式交付親会社は、株式の価格の決定があるまでは、株主に対し、当該株式交付親会社が公正な価格と認める額を支払うことができる。

6　株式買取請求に係る株式の買取りは、効力発生日に、その効力を生ずる。

7　株券発行会社は、株券が発行されている株式について株式買取請求があったときは、株券と引換えに、その株式買取請求に係る株式の代金を支払わなければならない。

（債権者の異議）

第八百十六条の八　株式交付に際して株式交付子会社の株式及び新株予約権等の譲渡人に対して交付する金銭等（株式交付親会社の株式を除く。）が株式交付親会社の株式に準ずるものとして法務省令で定めるもののみである場合以外の場合には、株式交付親会社の債権者は、株式交付親会社に対し、株式交付について異議を述べることができる。

2　前項の規定により株式交付親会社の債権者が異議を述べることができる場合には、株式交付親会社は、次に掲げる事項を官報に公告し、かつ、知れている債権者には、各別にこれを催告しなければならない。ただし、第四号の期間は、一箇月を下ることができない。

一　株式交付をする旨

二　株式交付子会社の商号及び住所

三　株式交付親会社及び株式交付子会社の計算書類に関する事項として法務省令で定めるもの

四　債権者が一定の期間内に異議を述べることができる旨

3　前項の規定にかかわらず、株式交付親会社が同項の規定による公告を、官報のほか、第九百三十九条第一項の規定による定款の定めに従い、同項第二号又は第三号に掲げる公告方法によりするときは、前項の規定による各別の催告は、することを要しない。

4　債権者が第二項第四号の期間内に異議を述べなかったときは、当該債権者は、当該株式交付について承認をしたものとみなす。

5　債権者が第二項第四号の期間内に異議を述べたときは、株式交付親会社は、当該債権者に対し、弁済し、若しくは相当の担保を提供し、又は当該債権者に弁済を受けさせることを目的として信託会社等に相当の財産を信託しなければならない。ただし、当該株式交付をしても当該債権者を害するおそれがないときは、この限りでない。

【会社法施行規則】

（株式交付親会社の株式に準ずるもの）

第二百十三条の七　法第八百十六条の八第一項に規定する法務省令で定めるものは、第一号に掲げる額から第二号に掲げる額を減じて得た額が第三号に掲げる額よりも小さい場合における法第七百七十四条の三第一項第五号、第六号、第八号及び第九号の定めに従い交付する株式交付親会社の株式以外の金銭等とする。
一　株式交付子会社の株式、新株予約権（新株予約権付社債に付されたものを除く。）及び新株予約権付社債の譲渡人に対して交付する金銭等の合計額
二　前号に規定する金銭等のうち株式交付親会社の株式の価額の合計額
三　第一号に規定する金銭等の合計額に二十分の一を乗じて得た額
（計算書類に関する事項）
第二百十三条の八　法第八百十六条の八第二項第三号に規定する法務省令で定めるものは、同項の規定による公告の日又は同項の規定による催告の日のいずれか早い日における次の各号に掲げる場合の区分に応じ、当該各号に定めるものとする。
一　最終事業年度に係る貸借対照表又はその要旨につき公告対象会社（法第八百十六条の八第二項第三号の株式交付親会社及び株式交付子会社をいう。以下この条において同じ。）が法第四百四十条第一項又は第二項の規定による公告をしている場合　次に掲げるもの
イ　官報で公告をしているときは、当該官報の日付及び当該公告が掲載されている頁
ロ　時事に関する事項を掲載する日刊新聞紙で公告をしているときは、当該日刊新聞紙の名称、日付及び当該公告が掲載されている頁
ハ　電子公告により公告をしているときは、法第九百十一条第三項第二十八号イに掲げる事項
二　最終事業年度に係る貸借対照表につき公告対象会社が法第四百四十条第三項に規定する措置をとっている場合　法第九百十一条第三項第二十六号に掲げる事項
三　公告対象会社が法第四百四十条第四項に規定する株式会社である場合において、当該株式会社が金融商品取引法第二十四条第一項の規定により最終事業年度に係る有価証券報告書を提出しているとき　その旨
四　公告対象会社が会社法の施行に伴う関係法律の整備等に関する法律第二十八条の規定により法第四百四十条の規定が適用されないものである場合　その旨
五　公告対象会社につき最終事業年度がない場合（株式交付親会社が株式交付子会社の最終事業年度の存否を知らない場合を含む。）　その旨
六　前各号に掲げる場合以外の場合　会社計算規則第六編第二章第一節（第一三七条―第一四六条）の規定による最終事業年度に係る貸借対照表の要旨の内容（株式交付子会社の当該貸借対照表の要旨の内容にあっては、株式交付親会社がその内容を知らないときは、その旨）

（株式交付の効力発生日の変更）
第八百十六条の九　株式交付親会社は、効力発生日を変更することができる。
2　前項の規定による変更後の効力発生日は、株式交付計画において定めた当初の効力発生日から三箇月以内の日でなければならない。
3　第一項の場合には、株式交付親会社は、変更前の効力発生日（変更後の効力発生日が変更前の効力発生日前の日である場合にあっては、当該変更後の効力発生日）の前日までに、変更後の効力発生日を公告しなければならない。

4　第一項の規定により効力発生日を変更したときは、変更後の効力発生日を効力発生日とみなして、この節（第二項を除く。）及び前章（第七百七十四条の三第一項第十一号を除く。）の規定を適用する。

5　株式交付親会社は、第一項の規定による効力発生日の変更をする場合には、当該変更と同時に第七百七十四条の三第一項第十号の期日を変更することができる。

6　第三項及び第四項の規定は、前項の規定による第七百七十四条の三第一項第十号の期日の変更について準用する。この場合において、第四項中「この節（第二項を除く。）及び前章（第七百七十四条の三第一項第十一号を除く。）」とあるのは、「第七百七十四条の四、第七百七十四条の十及び前項」と読み替えるものとする。

（株式交付に関する書面等の備置き及び閲覧等）

第八百十六条の十　株式交付親会社は、効力発生日後遅滞なく、株式交付に際して株式交付親会社が譲り受けた株式交付子会社の株式の数その他の株式交付に関する事項として法務省令で定める事項を記載し、又は記録した書面又は電磁的記録を作成しなければならない。

2　株式交付親会社は、効力発生日から六箇月間、前項の書面又は電磁的記録をその本店に備え置かなければならない。

3　株式交付親会社の株主（株式交付に際して株式交付子会社の株式及び新株予約権等の譲渡人に対して交付する金銭等（株式交付親会社の株式を除く。）が株式交付親会社の株式に準ずるものとして法務省令で定めるもののみである場合以外の場合にあっては、株主及び債権者）は、株式交付親会社に対して、その営業時間内は、いつでも、次に掲げる請求をすることができる。ただし、第二号又は第四号に掲げる請求をするには、当該株式交付親会社の定めた費用を支払わなければならない。

一　前項の書面の閲覧の請求

二　前項の書面の謄本又は抄本の交付の請求

三　前項の電磁的記録に記録された事項を法務省令で定める方法により表示したものの閲覧の請求

四　前項の電磁的記録に記録された事項を電磁的方法であって株式交付親会社の定めたものにより提供することの請求又はその事項を記載した書面の交付の請求

【会社法施行規則】

（株式交付親会社の事後開示事項）

第二百十三条の九　法第八百十六条の十第一項に規定する法務省令で定める事項は、次に掲げる事項とする。

一　株式交付が効力を生じた日

二　株式交付親会社における次に掲げる事項

イ　法第八百十六条の五の規定による請求に係る手続の経過

ロ　法第八百十六条の六及び第八百十六条の八の規定による手続の経過

三　株式交付に際して株式交付親会社が譲り受けた株式交付子会社の株式の数（株式交付子会社が種類株式発行会社であるときは、株式の種類及び種類ごとの数）

四　株式交付に際して株式交付親会社が譲り受けた株式交付子会社の新株予約権の数

五　前号の新株予約権が新株予約権付社債に付されたものである場合には、当該新株予約権付社債についての各社債（株式交付親会社が株式交付に際して取得したものに限る。）の金額の合計額

六　前各号に掲げるもののほか、株式交付に関する重要な事項

（株式交付親会社の株式に準ずるもの）

第二百十三条の十　法第八百十六条の十第三項に規定する法務省令で定めるものは、第一号に掲げる額よりも第二号に掲げる額を減じて得た額が第三号に掲げる額よりも小さい場合における法第七百七十四条の三第一項第五号、第六号、第八号及び第九号の定めに従い交付する株式交付親会社の株式以外の金銭等とする。

一　株式交付子会社の株式、新株予約権（新株予約権付社債に付

されたものを除く。）及び新株予約権付社債の譲渡人に対して交付する金銭等の合計額
二　前号に規定する金銭等のうち株式交付親会社の株式の価額の合計額
三　第一号に規定する金銭等の合計額に二十分の一を乗じて得た額

（電磁的記録に記録された事項を表示する方法）
第二百二十六条　次に掲げる規定に規定する法務省令で定める方法は、次に掲げる規定の電磁的記録に記録された事項を紙面又は映像面に表示する方法とする。
一～四十二　（略）
四十三　法第八百十六条の十第三項第三号

（保存の指定）
第二百三十二条　電子文書法第三条第一項の主務省令で定める保存は、次に掲げる保存とする。
一～三十五　（略）
三十六　法第八百十六条の十第二項の規定による同条第一項の書面の保存

（縦覧等の指定）
第二百三十四条　電子文書法第五条第一項の主務省令で定める縦覧等は、次に掲げる縦覧等とする。
一～五十三　（略）
五十四　法第八百十六条の十第三項第一号の規定による同条第二項の書面の縦覧等

（交付等の指定）
第二百三十六条　電子文書法第六条第一項の主務省令で定める交付等は、次に掲げる交付等とする。
一～二十七　（略）
二十八　法第八百十六条の十第三項第二号の規定による同条第二項の書面の謄本又は抄本の交付等

第六編

外国会社

（外国会社の日本における代表者）

第八百十七条　外国会社は、日本において取引を継続してしようとするときは、日本における代表者を定めなければならない。この場合において、その日本における代表者のうち一人以上は、日本に住所を有する者でなければならない。

2　外国会社の日本における代表者は、当該外国会社の日本における業務に関する一切の裁判上又は裁判外の行為をする権限を有する。

3　前項の権限に加えた制限は、善意の第三者に対抗することができない。

4　外国会社は、その日本における代表者がその職務を行うについて第三者に加えた損害を賠償する責任を負う。

（登記前の継続取引の禁止等）

第八百十八条　外国会社は、外国会社の登記をするまでは、日本において取引を継続してすることができない。

2　前項の規定に違反して取引をした者は、相手方に対し、外国会社と連帯して、当該取引によって生じた債務を弁済する責任を負う。

（貸借対照表に相当するものの公告）

第八百十九条　外国会社の登記をした外国会社（日本における同種の会社又は最も類似する会社が株式会社であるものに限る。）は、法務省令で定めるところにより、第四百三十八条第二項の承認と同種の手続又はこれに類似する手続の終結後遅滞なく、貸借対照表に相当するものを日本において公告しなければならない。

2　前項の規定にかかわらず、その公告方法が第九百三十九条第一項第一号又は第二号に掲げる方法である外国会社は、前項に規定する貸借対照表に相当するものの要旨を公告することで足りる。

3　前項の外国会社は、法務省令で定めるところにより、第一項の手続の終結後遅滞なく、同項に規定する貸借対照表に相当するものの内容である情報を、当該手続の終結の日後五年を経過する日までの間、継続して電磁的方法により日本において不特定多数の者が提供を受けることができる状態に置く措置をとることができる。この場合においては、前二項の規定は、適用しない。

4　金融商品取引法第二十四条第一項の規定により有価証券報告書を内閣総理大臣に提出しなければならない外国会社については、前三項の規定は、適用しない。

【会社法施行規則】

（計算書類の公告）

第二百十四条　外国会社が法第八百十九条第一項の規定により貸借対照表に相当するもの（以下この条において「外国貸借対照表」という。）の公告をする場合には、外国貸借対照表に関する注記（注記に相当するものを含む。）の部分を省略することができる。

2　法第八百十九条第二項に規定する外国貸借対照表の要旨とは、外国貸借対照表を次に掲げる項目（当該項目に相当するものを含む。）に区分したものをいう。

一　資産の部
イ　流動資産
ロ　固定資産
ハ　その他
二　負債の部
イ　流動負債
ロ　固定負債
ハ　その他
三　純資産の部
イ　資本金及び資本剰余金
ロ　利益剰余金
ハ　その他

3　外国会社が法第八百十九条第一項の規定による外国貸借対照表の公告又は同条第二項の規定による外国貸借対照表の要旨の公告をする場合において、当該外国貸借対照表が日本語以外の言語で作成されているときは、当該外国会社は、当該公告を日本語をもってすることを要しない。

4　外国貸借対照表が存しない外国会社については、当該外国会社に会社計算規則の規定を適用することとしたならば作成されることとなるものを外国貸借対照表とみなして、前三項の規定を適用する。

（法第八百十九条第三項の規定による措置）

第二百十五条　法第八百十九条第三項の規定による措置は、インターネットに接続された自動公衆送信装置を使用する方法のうち、第二百二十二条第一項第一号ロに掲げる方法によって行わなければならない。

（日本に住所を有する日本における代表者の退任）

第八百二十条　外国会社の登記をした外国会社は、日本における代表者（日本に住所を有するものに限る。）の全員が退任しようとするときは、当該外国会社の債権者に対し異議があれば一定の期間内にこれを述べることができる旨を官報に公告し、かつ、知れている債権者には、各別にこれを催告しなければならない。ただし、当該期間は、一箇月を下ることができない。

2　債権者が前項の期間内に異議を述べたときは、同項の外国会社は、当該債権者に対し、弁済し、若しくは相当の担保を提供し、又は当該債権者に弁済を受けさせることを目的として信託会社等に相当の財産を信託しなければならない。ただし、同項の退任をしても当該債権者を害するおそれがないときは、この限りでない。

3　第一項の退任は、前二項の手続が終了した後にその登記をすることによって、その効力を生ずる。

（擬似外国会社）

第八百二十一条　日本に本店を置き、又は日本において事業を行うことを主たる目的とする外国会社は、日本において取引を継続してすることができない。

2　前項の規定に違反して取引をした者は、相手方に対し、外国会社と連帯して、当該取引によって生じた債務を弁済する責任を負う。

（日本にある外国会社の財産についての清算）

第八百二十二条　裁判所は、次に掲げる場合には、利害関係人の申立てにより又は職権で、日本にある外国会社の財産の全部について清算の開始を命ずることができる。

一　外国会社が第八百二十七条第一項の規定による命令を受けた場合

二　外国会社が日本において取引を継続してすることをやめた場合

2　前項の場合には、裁判所は、清算人を選任する。

3　第四百七十六条、第二編第九章第一節第二款、第四百九十二条、同節第四款及び第五百八条の規定並びに同章第二節（第五百十条、第五百十一条及び第五百十四条を除く。）の規定は、その性質上許されないものを除き、第一項の規定による日本にある外国会社の財産についての清算について準用する。

4　第八百二十条の規定は、外国会社が第一項の清算の開始を命じられた場合において、当該外国会社の日本における代表者（日本に住所を有するものに限る。）の全員が退任しようとするときは、適用しない。

【会社法施行規則】

（日本にある外国会社の財産についての清算に関する事項）

第二百十六条　第百四十条、第百四十二条から第百四十五条まで及び第二編第八章第二節（第一五二条―第一五八条）の規定は、その性質上許されないものを除き、法第八百二十二条第三項において準用する法第四百八十二条第三項第四号、第四百八十九条第六項第六号、第四百九十二条第一項、第五百三十六条第一項第二号及び第三号イ、第五百四十八条第一項第四号、第五百五十条第一項、第五百五十一条第一項及び第二項、第五百五十六条第二項、第五百五十七条第一項並びに第五百六十一条の規定により法務省令で定めるべき事項について準用する。

（他の法律の適用関係）

第八百二十三条　外国会社は、他の法律の適用については、日本における同種の会社又は最も類似する会社とみなす。ただし、他の法律に別段の定めがあるときは、この限りでない。

第七編

雑則

第一章　会社の解散命令等

第一節　会社の解散命令

（会社の解散命令）

第八百二十四条　裁判所は、次に掲げる場合において、公益を確保するため会社の存立を許すことができないと認めるときは、法務大臣又は株主、社員、債権者その他の利害関係人の申立てにより、会社の解散を命ずることができる。

一　会社の設立が不法な目的に基づいてされたとき。

二　会社が正当な理由がないのにその成立の日から一年以内にその事業を開始せず、又は引き続き一年以上その事業を休止したとき。

三　業務執行取締役、執行役又は業務を執行する社員が、法令若しくは定款で定める会社の権限を逸脱し若しくは濫用する行為又は刑罰法令に触れる行為をした場合において、法務大臣から書面による警告を受けたにもかかわらず、なお継続的に又は反覆して当該行為をしたとき。

2　株主、社員、債権者その他の利害関係人が前項の申立てをしたときは、裁判所は、会社の申立てにより、同項の申立てをした者に対し、相当の担保を立てるべきことを命ずることができる。

3　会社は、前項の規定による申立てをするには、第一項の申立てが悪意によるものであることを疎明しなければならない。

4　民事訴訟法（平成八年法律第百九号）第七十五条第五項及び第七項並びに第七十六条から第八十条までの規定は、第二項の規定により第一項の申立てについて立てるべき担保について準用する。

（会社の財産に関する保全処分）

第八百二十五条　裁判所は、前条第一項の申立てがあった場合には、法務大臣若しくは株主、社員、債権者その他の利害関係人の申立てにより又は職権で、同項の申立てにつき決定があるまでの間、会社の財産に関し、管理人による管理を命ずる処分（次項において「管理命令」という。）その他の必要な保全処分を命ずることができる。

2　裁判所は、管理命令をする場合には、当該管理命令において、管理人を選任しなければならない。

3　裁判所は、法務大臣若しくは株主、社員、債権者その他の利害関係人の申立てにより又は職権で、前項の管理人を解任することができる。

4　裁判所は、第二項の管理人を選任した場合には、会社が当該管理人に対して支払う報酬の額を定めることができる。

5　第二項の管理人は、裁判所が監督する。

6　裁判所は、第二項の管理人に対し、会社の財産の状況の報告をし、かつ、その管理の計算をすることを命ずることができる。

7　民法第六百四十四条、第六百四十六条、第六百四十七条及び第六百五十条の規定は、第二項の管理人について準用する。この場合において、同法第六百四十六条、第六百四十七条及び第六百五十条中「委任者」とあるのは、「会社」と読み替えるものとする。

（官庁等の法務大臣に対する通知義務）

第八百二十六条　裁判所その他の官庁、検察官又は吏員は、その職務上第八百二十四条第一項の申立て又は同項第三号の警告をすべき事由があることを知ったときは、法務大臣にその旨を通知しなければならない。

第二節　外国会社の取引継続禁止又は営業所閉鎖の命令

第八百二十七条　裁判所は、次に掲げる場合には、法務大臣又は株主、社員、債権者その他の利害関係人の申立てにより、外国会社が日本において取引を継続してすることの禁止又はその日本に設けられた営業所の閉鎖を命ずることができる。

一　外国会社の事業が不法な目的に基づいて行われたとき。

二　外国会社が正当な理由がないのに外国会社の登記の日から一年以内にその事業を開始せず、又は引き続き一年以上その事業を休止したとき。

三　外国会社が正当な理由がないのに支払を停止したとき。

四　外国会社の日本における代表者その他その業務を執行する者が、法令で定める外国会社の権限を逸脱し若しくは濫用する行為又は刑罰法令に触れる行為をした場合において、法務大臣から書面による警告を受けたにもかかわらず、なお継続的に又は反覆して当該行為をしたとき。

2　第八百二十四条第二項から第四項まで及び前二条の規定は、前項の場合について準用する。この場合において、第八百二十四条第二項中「前項」とあり、同条第三項及び第四項中「第一項」とあり、並びに第八百二十五条第一項中「前条第一項」とあるのは「第八百二十七条第一項」と、前条中「第八百二十四条第一項」とあるのは「次条第一項」と、「同項第三号」とあるのは「同項第四号」と読み替えるものとする。

第二章　訴訟

第一節　会社の組織に関する訴え

（会社の組織に関する行為の無効の訴え）

第八百二十八条　次の各号に掲げる行為の無効は、当該各号に定める期間に、訴えをもってのみ主張することができる。

一　会社の設立　会社の成立の日から二年以内

二　株式会社の成立後における株式の発行　株式の発行の効力が生じた日から六箇月以内（公開会社でない株式会社にあっては、株式の発行の効力が生じた日から一年以内）

三　自己株式の処分　自己株式の処分の効力が生じた日から六箇月以内（公開会社でない株式会社にあっては、自己株式の処分の効力が生じた日から一年以内）

四　新株予約権（当該新株予約権が新株予約権付社債に付されたものである場合にあっては、当該新株予約権付社債についての社債を含む。以下この章において同じ。）の発行　新株予約権の発行の効力が生じた日から六箇月以内（公開会社でない株式会社にあっては、新株予約権の発行の効力が生じた日から一年以内）

五　株式会社における資本金の額の減少　資本金の額の減少の効力が生じた日から六箇月以内

六　会社の組織変更　組織変更の効力が生じた日から六箇月以内

七　会社の吸収合併　吸収合併の効力が生じた日から六箇月以内

八　会社の新設合併　新設合併の効力が生じた日から六箇月以内

九　会社の吸収分割　吸収分割の効力が生じた日から六箇月以内

十　会社の新設分割　新設分割の効力が生じた日から六箇月以内

十一　株式会社の株式交換　株式交換の効力が生じた日から六箇月以内

十二　株式会社の株式移転　株式移転の効力が生じた日から六箇月以内

十三　株式会社の株式交付　株式交付の効力が生じた日から六箇月以内

2　次の各号に掲げる行為の無効の訴えは、当該各号に定める者に限り、提起することができる。

一　前項第一号に掲げる行為　設立する株式会社の株主等（株主、取締役又は清算人（監査役設置会社にあっては株主、取締役、監査役又は清算人、指名委員会等設置会社にあっては株主、取締役、執行役又は清算人）をいう。以下この節において同じ。）又は設立する持分会社の社員等（社員又は清算人をいう。以下この項において同じ。）

二　前項第二号に掲げる行為　当該株式会社の株主等

三　前項第三号に掲げる行為　当該株式会社の株主等

四　前項第四号に掲げる行為　当該株式会社の株主等又は新株予約権者

五　前項第五号に掲げる行為　当該株式会社の株主等、破産管財人又は資本金の額の減少について承認をしなかった債権者

六　前項第六号に掲げる行為　当該行為の効力が生じた日において組織変更をする会社の株主等若しくは社員等であった者又は組織変更後の会社の株主等、社員等、破産管財人若しくは組織変更について承認をしなかった債権者

七　前項第七号に掲げる行為　当該行為の効力が生じた日において吸収合併をする会社の株主等若しくは社員等であった者又は吸収合併後存続する会社の株主等、社員等、破産管財人若しくは吸収合併について承認をしなかった債権者

八　前項第八号に掲げる行為　当該行為の効力が生じた日において新設合併をする会社の株主等若しくは社員等であった者又は新設合併により設立する会社の株主等、社員等、破産管財人若しくは新設合併について承認をしなかった債権者

九　前項第九号に掲げる行為　当該行為の効力が生じた日において吸収分割契約をした会社の株主等若しくは社員等であった者又は吸収分割契約をした会社の株主等、社員等、破産管財人若しくは吸収分割について承認をしなかった債権者

十　前項第十号に掲げる行為　当該行為の効力が生じた日において新設分割をする会社の株主等若しくは社員等であった者又は新設分割をする会社若しくは新設分割により設立する会社の株主等、社員等、破産管財人若しくは新設分割について承認をしなかった債権者

十一　前項第十一号に掲げる行為　当該行為の効力が生じた日において株式交換契約をした会社の株主等若しくは社員等であった者又は株式交換契約をした会社の株主等、社員等、破産管財人若しくは株式交換について承認をしなかった債権者

十二　前項第十二号に掲げる行為　当該行為の効力が生じた日において株式移転をする株式会社の株主等であった者又は株式移転により設立する株式会社の株主等、破産管財人若しくは株式移転について承認をしなかった債権者

十三　前項第十三号に掲げる行為　当該行為の効力が生じた日において株式交付親会社の株主等であった者、株式交付に際して株式交付親会社に株式交付子会社の株式若しくは新株予約権等を譲り渡した者又は株式交付親会社の株主等、破産管財人若しくは株式交付について承認をしなかった債権者

（新株発行等の不存在の確認の訴え）

第八百二十九条　次に掲げる行為については、当該行為が存在しないことの確認を、訴えをもって請求することができる。

一　株式会社の成立後における株式の発行

二　自己株式の処分

三　新株予約権の発行

（株主総会等の決議の不存在又は無効の確認の訴え）

第八百三十条　株主総会若しくは種類株主総会又は創立総会若しくは種類創立総会（以下この節及び第九百三十七条第一項第一号トにおいて「株主総会等」という。）の決議については、決議が存在しないことの確認を、訴えをもって請求することができる。

2　株主総会等の決議については、決議の内容が法令に違反することを理由として、決議が無効であることの確認を、訴えをもって請求することができる。

（株主総会等の決議の取消しの訴え）

第八百三十一条　次の各号に掲げる場合には、株主等（当該各号の株主総会等が創立総会又は種類創立総会である場合にあっては、株主等、設立時株主、設立時取締役又は設立時監査役）は、株主総会等の決議の日から三箇月以内に、訴えをもって当該決議の取消しを請求することができる。当該決議の取消しにより株主（当該決議が創立総会の決議である場合にあっては、設立時株主）又は取締役（監査等委員会設置会社にあっては、監査等委員である取締役又はそれ以外の取締役。以下この項において同じ。）、監査役若しくは清算人（当該決議が株主総会又は種類株主総会の決議である場合にあっては第三百四十六条第一項（第四百七十九条第四項において準用する場合を含む。）の規定により取締役、監査役又は清算人としての権利義務を有する者を含み、当該決議が創立総会又は種類創立総会の決議である場合にあっては設

立時取締役（設立しようとする株式会社が監査等委員会設置会社である場合にあっては、設立時監査等委員である設立時取締役又はそれ以外の設立時取締役）又は設立時監査役を含む。）となる者も、同様とする。

一　株主総会等の招集の手続又は決議の方法が法令若しくは定款に違反し、又は著しく不公正なとき。

二　株主総会等の決議の内容が定款に違反するとき。

三　株主総会等の決議について特別の利害関係を有する者が議決権を行使したことによって、著しく不当な決議がされたとき。

2　前項の訴えの提起があった場合において、株主総会等の招集の手続又は決議の方法が法令又は定款に違反するときであっても、裁判所は、その違反する事実が重大でなく、かつ、決議に影響を及ぼさないものであると認めるときは、同項の規定による請求を棄却することができる。

（持分会社の設立の取消しの訴え）

第八百三十二条　次の各号に掲げる場合には、当該各号に定める者は、持分会社の成立の日から二年以内に、訴えをもって持分会社の設立の取消しを請求することができる。

一　社員が民法その他の法律の規定により設立に係る意思表示を取り消すことができるとき　当該社員

二　社員がその債権者を害することを知って持分会社を設立したとき　当該債権者

（会社の解散の訴え）

第八百三十三条　次に掲げる場合において、やむを得ない事由があるときは、総株主（株主総会において決議をすることができる事項の全部につき議決権を行使することができない株主を除く。）の議決権の十分の一（これを下回る割合を定款で定めた場合にあっては、その割合）以上の議決権を有する株主又は発行済株式（自己株式を除く。）の十分の一（これを下回る割合を定款で定めた場合にあっては、その割合）以上の数の株式を有する株主は、訴えをもって株式会社の解散を請求することができる。

一　株式会社が業務の執行において著しく困難な状況に至り、当該株式会社に回復することができない損害が生じ、又は生ずるおそれがあるとき。

二　株式会社の財産の管理又は処分が著しく失当で、当該株式会社の存立を危うくするとき。

2　やむを得ない事由がある場合には、持分会社の社員は、訴えをもって持分会社の解散を請求することができる。

（被告）

第八百三十四条　次の各号に掲げる訴え（以下この節において「会社の組織に関する訴え」と総称する。）については、当該各号に定める者を被告とする。

一　会社の設立の無効の訴え　設立する会社

二　株式会社の成立後における株式の発行の無効の訴え（第八百四十条第一項において「新株発行の無効の訴え」という。）　株式の発行をした株式会社

三　自己株式の処分の無効の訴え　自己株式の処分をした株式会社

四　新株予約権の発行の無効の訴え　新株予約権の発行をした株式会社

五　株式会社における資本金の額の減少の無効の訴え　当該株式会社

六　会社の組織変更の無効の訴え　組織変更後の会社

七　会社の吸収合併の無効の訴え　吸収合併後存続する会社

八　会社の新設合併の無効の訴え　新設合併により設立する会社

九　会社の吸収分割の無効の訴え　吸収分割契約をした会社

十　会社の新設分割の無効の訴え　新設分割をする会社及び新設分割により設立する会社

十一　株式会社の株式交換の無効の訴え　株式交換契約をした会社

十二　株式会社の株式移転の無効の訴え　株式移転をする株式会社及び株式移転により設立する株式会社

十二の二　株式会社の株式交付の無効の訴え　株式交付親会社

十三　株式会社の成立後における株式の発行が存在しないことの確認の訴え　株式の発行をした株式会社
十四　自己株式の処分が存在しないことの確認の訴え　自己株式の処分をした株式会社
十五　新株予約権の発行が存在しないことの確認の訴え　新株予約権の発行をした株式会社
十六　株主総会等の決議が存在しないこと又は株主総会等の決議の内容が法令に違反することを理由として当該決議が無効であることの確認の訴え　当該株式会社
十七　株主総会等の決議の取消しの訴え　当該株式会社
十八　第八百三十二条第一号の規定による持分会社の設立の取消しの訴え　当該持分会社
十九　第八百三十二条第二号の規定による持分会社の設立の取消しの訴え　当該持分会社及び同号の社員
二十　株式会社の解散の訴え　当該株式会社
二十一　持分会社の解散の訴え　当該持分会社

（訴えの管轄及び移送）
第八百三十五条　会社の組織に関する訴えは、被告となる会社の本店の所在地を管轄する地方裁判所の管轄に専属する。
2　前条第九号から第十二号までの規定により二以上の地方裁判所が管轄権を有するときは、当該各号に掲げる訴えは、先に訴えの提起があった地方裁判所が管轄する。
3　前項の場合には、裁判所は、当該訴えに係る訴訟がその管轄に属する場合においても、著しい損害又は遅滞を避けるため必要があると認めるときは、申立てにより又は職権で、訴訟を他の管轄裁判所に移送することができる。

（担保提供命令）
第八百三十六条　会社の組織に関する訴えであって、株主又は設立時株主が提起することができるものについては、裁判所は、被告の申立てにより、当該会社の組織に関する訴えを提起した株主又は設立時株主に対し、相当の担保を立てるべきことを命ずることができる。ただし、当該株主が取締役、監査役、執行役若しくは清算人であるとき、又は当該設立時株主が設立時取締役若しくは設立時監査役であるときは、この限りでない。
2　前項の規定は、会社の組織に関する訴えであって、債権者又は株式交付に際して株式交付親会社に株式交付子会社の株式若しくは新株予約権等を譲り渡した者が提起することができるものについて準用する。
3　被告は、第一項（前項において準用する場合を含む。）の申立てをするには、原告の訴えの提起が悪意によるものであることを疎明しなければならない。

（弁論等の必要的併合）
第八百三十七条　同一の請求を目的とする会社の組織に関する訴えに係る訴訟が数個同時に係属するときは、その弁論及び裁判は、併合してしなければならない。

（認容判決の効力が及ぶ者の範囲）
第八百三十八条　会社の組織に関する訴えに係る請求を認容する確定判決は、第三者に対してもその効力を有する。

（無効又は取消しの判決の効力）
第八百三十九条　会社の組織に関する訴え（第八百三十四条第一号から第十二号の二まで、第十八号及び第十九号に掲げる訴えに限る。）に係る請求を認容する判決が確定したときは、当該判決において無効とされ、又は取り消された行為（当該行為によって会社が設立された場合にあっては当該設立を含み、当該行為に際して株式又は新株予約権が交付された場合にあっては当該株式又は新株予約権を含む。）は、将来に向かってその効力を失う。

（新株発行の無効判決の効力）
第八百四十条　新株発行の無効の訴えに係る請求を認容する判決が確定したときは、当該株式会社は、当該判決の確定時における当該株式に係る株主に対し、払込みを受けた金額又は給付を受けた財産の給付の時における価額に相当する金銭を支払わなければならない。この場合において、当該株式会社が株券発行会社であるときは、当該株式会社は、当該株主に対し、当該金銭の支払をするのと引換えに、当該株式に係る旧株券（前条の規定により効力を失った株式に係る株券をいう。以下この節において同じ。）を返還することを請求することができる。

2　前項の金銭の金額が同項の判決が確定した時における会社財産の状況に照らして著しく不相当であるときは、裁判所は、同項前段の株式会社又は株主の申立てにより、当該金額の増減を命ずることができる。

3　前項の申立ては、同項の判決が確定した日から六箇月以内にしなければならない。

4　第一項前段に規定する場合には、同項前段の株式を目的とする質権は、同項の金銭について存在する。

5　第一項前段に規定する場合には、前項の質権の登録株式質権者は、第一項前段の株式会社から同項の金銭を受領し、他の債権者に先立って自己の債権の弁済に充てることができる。

6　前項の債権の弁済期が到来していないときは、同項の登録株式質権者は、第一項前段の株式会社に同項の金銭に相当する金額を供託させることができる。この場合において、質権は、その供託金について存在する。

（自己株式の処分の無効判決の効力）

第八百四十一条　自己株式の処分の無効の訴えに係る請求を認容する判決が確定したときは、当該株式会社は、当該判決の確定時における当該自己株式に係る株主に対し、払込みを受けた金額又は給付を受けた財産の給付の時における価額に相当する金銭を支払わなければならない。この場合において、当該株式会社が株券発行会社であるときは、当該株式会社は、当該株主に対し、当該金銭の支払をするのと引換えに、当該自己株式に係る旧株券を返還することを請求することができる。

2　前条第二項から第六項までの規定は、前項の場合について準用する。この場合において、同条第四項中「株式」とあるのは、「自己株式」と読み替えるものとする。

（新株予約権発行の無効判決の効力）

第八百四十二条　新株予約権の発行の無効の訴えに係る請求を認容する判決が確定したときは、当該株式会社は、当該判決の確定時における当該新株予約権に係る新株予約権者に対し、払込みを受けた金額又は給付を受けた財産の給付の時における価額に相当する金銭を支払わなければならない。この場合において、当該新株予約権に係る新株予約権証券（当該新株予約権が新株予約権付社債に付されたものである場合にあっては、当該新株予約権付社債に係る新株予約権付社債券。以下この項において同じ。）を発行しているときは、当該株式会社は、当該新株予約権者に対し、当該金銭の支払をするのと引換えに、第八百三十九条の規定により効力を失った新株予約権に係る新株予約権証券を返還することを請求することができる。

2　第八百四十条第二項から第六項までの規定は、前項の場合について準用する。この場合において、同条第二項中「株主」とあるのは「新株予約権者」と、同条第四項中「株式」とあるのは「新株予約権」と、同条第五項及び第六項中「登録株式質権者」とあるのは「登録新株予約権質権者」と読み替えるものとする。

（合併又は会社分割の無効判決の効力）

第八百四十三条　次の各号に掲げる行為の無効の訴えに係る請求を認容する判決が確定したときは、当該各号に定める会社は、当該行為の効力が生じた日後に当該各号に定める会社が負担した債務について、連帯して弁済する責任を負う。

一　会社の吸収合併　吸収合併後存続する会社
二　会社の新設合併　新設合併により設立する会社
三　会社の吸収分割　吸収分割をする会社がその事業に関して有する権利義務の全部又は一部を当該会社から承継する会社
四　会社の新設分割　新設分割により設立する会社

2　前項に規定する場合には、同項各号に掲げる行為の効力が生じた日後に当該各号に定める会社が取得した財産は、当該行為をした会社の共有に属する。ただし、同項第四号に掲げる行為を一の会社がした場合には、同号に定める会社が取得した財産は、当該行為をした一の会社に属する。

3　第一項及び前項本文に規定する場合には、各会社の第一項の債務の負担部分及び前項本文の財産の共有持分は、各会社の協議によって定める。

4　各会社の第一項の債務の負担部分又は第二項本文の財産の共有持分について、前項の協議が調わないときは、裁判所は、各会社の申立てにより、第一項各号に掲げる行為の効力が生じた時における各会社の財産の額その他一切の事情を考慮して、これを定める。

（株式交換又は株式移転の無効判決の効力）

第八百四十四条　株式会社の株式交換又は株式移転の無効の訴えに係る請求を認容する判決が確定した場合において、株式交換又は株式移転をする株式会社（以下この条において「旧完全子会社」という。）の発行済株式の全部を取得する株式会社（以下この条において「旧完全親会社」という。）が当該株式交換又は株式移転に際して当該旧完全親会社の株式（以下この条において「旧完全親会社株式」という。）を交付したときは、当該旧完全親会社は、当該判決の確定時における当該旧完全親会社株式に係る株主に対し、当該株式交換又は株式移転の際に当該旧完全親会社株式の交付を受けた者が有していた旧完全子会社の株式（以下この条において「旧完全子会社株式」という。）を交付しなければならない。この場合において、旧完全親会社が株券発行会社であるときは、当該旧完全親会社は、当該株主に対し、当該旧完全子会社株式を交付するのと引換えに、当該旧完全親会社株式に係る旧株券を返還することを請求することができる。

2　前項前段に規定する場合には、旧完全親会社株式を目的とする質権は、旧完全子会社株式について存在する。

3　前項の質権の質権者が登録株式質権者であるときは、旧完全親会社は、第一項の判決の確定後遅滞なく、旧完全子会社に対し、当該登録株式質権者についての第百四十八条各号に掲げる事項を通知しなければならない。

4　前項の規定による通知を受けた旧完全子会社は、その株主名簿に同項の登録株式質権者の質権の目的である株式に係る株主名簿記載事項を記載し、又は記録した場合には、直ちに、当該株主名簿に当該登録株式質権者についての第百四十八条各号に掲げる事項を記載し、又は記録しなければならない。

5　第三項に規定する場合において、同項の旧完全子会社が株券発行会社であるときは、旧完全親会社は、登録株式質権者に対し、第二項の旧完全子会社株式に係る株券を引き渡さなければならない。ただし、第一項前段の株主が旧完全子会社株式の交付を受けるために旧完全親会社株式に係る旧株券を提出しなければならない場合において、旧株券の提出があるまでの間は、この限りでない。

（株式交付の無効判決の効力）

第八百四十四条の二　株式会社の株式交付の無効の訴えに係る請求を認容する判決が確定した場合において、株式交付親会社が当該株式交付に際して当該株式交付親会社の株式（以下この条において「旧株式交付親会社株式」という。）を交付したときは、当該株式交付親会社は、当該判決の確定時における当該旧株式交付親会社株式に係る株主に対し、当該株式交付の際に当該旧株式交付親会社株式の交付を受けた者から給付を受けた株式交付子会社の株式及び新株予約権等（以下この条において「旧株式交付子会社株式等」という。）を返還しなければならない。この場合において、株式交付親会社が株券発行会社であるときは、当該株式交付親会社は、当該株主に対し、当該旧株式交付子会社株式等を返還するのと引換えに、当該旧株式交付親会社株式に係る旧株券を返還することを請求することができる。

2　前項前段に規定する場合には、旧株式交付親会社株式を目的とする質権は、旧株式交付子会社株式等について存在する。

（持分会社の設立の無効又は取消しの判決の効力）

第八百四十五条　持分会社の設立の無効又は取消しの訴えに係る請求を認容する判決が確定した場合において、その無効又は取消しの原因が

第七編　雑則

一部の社員のみにあるときは、他の社員の全員の同意によって、当該持分会社を継続することができる。この場合においては、当該原因がある社員は、退社したものとみなす。

（原告が敗訴した場合の損害賠償責任）

第八百四十六条　会社の組織に関する訴えを提起した原告が敗訴した場合において、原告に悪意又は重大な過失があったときは、原告は、被告に対し、連帯して損害を賠償する責任を負う。

第一節の二　売渡株式等の取得の無効の訴え

（売渡株式等の取得の無効の訴え）

第八百四十六条の二　株式等売渡請求に係る売渡株式等の全部の取得の無効は、取得日（第百七十九条の二第一項第五号に規定する取得日をいう。以下この条において同じ。）から六箇月以内（対象会社が公開会社でない場合にあっては、当該取得日から一年以内）に、訴えをもってのみ主張することができる。

2　前項の訴え（以下この節において「売渡株式等の取得の無効の訴え」という。）は、次に掲げる者に限り、提起することができる。

一　取得日において売渡株主（株式売渡請求に併せて新株予約権売渡請求がされた場合にあっては、売渡株主又は売渡新株予約権者。第八百四十六条の五第一項において同じ。）であった者

二　取得日において対象会社の取締役（監査役設置会社にあっては取締役又は監査役、指名委員会等設置会社にあっては取締役又は執行役。以下この号において同じ。）であった者又は対象会社の取締役若しくは清算人

（被告）

第八百四十六条の三　売渡株式等の取得の無効の訴えについては、特別支配株主を被告とする。

（訴えの管轄）

第八百四十六条の四　売渡株式等の取得の無効の訴えは、対象会社の本店の所在地を管轄する地方裁判所の管轄に専属する。

（担保提供命令）

第八百四十六条の五　売渡株式等の取得の無効の訴えについては、裁判所は、被告の申立てにより、当該売渡株式等の取得の無効の訴えを提起した売渡株主に対し、相当の担保を立てるべきことを命ずることができる。ただし、当該売渡株主が対象会社の取締役、監査役、執行役又は清算人であるときは、この限りでない。

2　被告は、前項の申立てをするには、原告の訴えの提起が悪意によるものであることを疎明しなければならない。

（弁論等の必要的併合）

第八百四十六条の六　同一の請求を目的とする売渡株式等の取得の無効の訴えに係る訴訟が数個同時に係属するときは、その弁論及び裁判は、併合してしなければならない。

（認容判決の効力が及ぶ者の範囲）

第八百四十六条の七　売渡株式等の取得の無効の訴えに係る請求を認容する確定判決は、第三者に対してもその効力を有する。

（無効の判決の効力）

第八百四十六条の八　売渡株式等の取得の無効の訴えに係る請求を認容する判決が確定したときは、当該判決において無効とされた売渡株式等の全部の取得は、将来に向かってその効力を失う。

（原告が敗訴した場合の損害賠償責任）

第八百四十六条の九　売渡株式等の取得の無効の訴えを提起した原告が敗訴した場合において、原告に悪意又は重大な過失があったときは、原告は、被告に対し、連帯して損害を賠償する責任を負う。

第二節　株式会社における責任追及等の訴え

（株主による責任追及等の訴え）

第八百四十七条　六箇月（これを下回る期間を定款で定めた場合にあっては、その期間）前から引き続き株式を有する株主（第百八十九条第二項の定款の定めによりその権利を行使することができない単元未満株主を除く。）は、株式会社に対し、書面その他の法務省令で定める方

法により、発起人、設立時取締役、設立時監査役、役員等（第四百二十三条第一項に規定する役員等をいう。）若しくは清算人（以下この節において「発起人等」という。）の責任を追及する訴え、第百二条の二第一項、第二百十二条第一項若しくは第二百八十五条第一項の規定による支払を求める訴え、第百二十条第三項の利益の返還を求める訴え又は第二百十三条の二第一項若しくは第二百八十六条の二第一項の規定による支払若しくは給付を求める訴え（以下この節において「責任追及等の訴え」という。）の提起を請求することができる。ただし、責任追及等の訴えが当該株主若しくは第三者の不正な利益を図り又は当該株式会社に損害を加えることを目的とする場合は、この限りでない。

2　公開会社でない株式会社における前項の規定の適用については、同項中「六箇月（これを下回る期間を定款で定めた場合にあっては、その期間）前から引き続き株式を有する株主」とあるのは、「株主」とする。

3　株式会社が第一項の規定による請求の日から六十日以内に責任追及等の訴えを提起しないときは、当該請求をした株主は、株式会社のために、責任追及等の訴えを提起することができる。

4　株式会社は、第一項の規定による請求の日から六十日以内に責任追及等の訴えを提起しない場合において、当該請求をした株主又は同項の発起人等から請求を受けたときは、当該請求をした者に対し、遅滞なく、責任追及等の訴えを提起しない理由を書面その他の法務省令で定める方法により通知しなければならない。

5　第一項及び第三項の規定にかかわらず、同項の期間の経過により株式会社に回復することができない損害が生ずるおそれがある場合には、第一項の株主は、株式会社のために、直ちに責任追及等の訴えを提起することができる。ただし、同項ただし書に規定する場合は、この限りでない。

【会社法施行規則】
（株主による責任追及等の訴えの提起の請求方法）

第二百十七条　法第八百四十七条第一項の法務省令で定める方法は、次に掲げる事項を記載した書面の提出又は当該事項の電磁的方法による提供とする。
一　被告となるべき者
二　請求の趣旨及び請求を特定するのに必要な事実

（株式会社が責任追及等の訴えを提起しない理由の通知方法）

第二百十八条　法第八百四十七条第四項の法務省令で定める方法は、次に掲げる事項を記載した書面の提出又は当該事項の電磁的方法による提供とする。
一　株式会社が行った調査の内容（次号の判断の基礎とした資料を含む。）
二　法第八百四十七条第一項の規定による請求に係る訴えについての前条第一号に掲げる者の責任又は義務の有無についての判断及びその理由
三　前号の者に責任又は義務があると判断した場合において、責任追及等の訴えを提起しないときは、その理由

（旧株主による責任追及等の訴え）

第八百四十七条の二　次の各号に掲げる行為の効力が生じた日の六箇月（これを下回る期間を定款で定めた場合にあっては、その期間）前から当該日まで引き続き株式会社の株主であった者（第百八十九条第二項の定款の定めによりその権利を行使することができない単元未満株主であった者を除く。以下この条において「旧株主」という。）は、当該株式会社の株主でなくなった場合であっても、当該各号に定めるときは、当該株式会社（第二号に定める場合にあっては、同号の吸収合併後存続する株式会社。以下この節において「株式交換等完全子会社」という。）に対し、書面その他の法務省令で定める方法により、責任追及等の訴え（次の各号に掲げる行為の効力が生じた時までにその原因となった事実が生じた責任又は義務に係るものに限る。以下この条において同じ。）の提起を請求することができる。ただし、責任追及等の

訴えが当該旧株主若しくは第三者の不正な利益を図り又は当該株式交換等完全子会社若しくは次の各号の完全親会社（特定の株式会社の発行済株式の全部を有する株式会社その他これと同等のものとして法務省令で定める株式会社をいう。以下この節において同じ。）に損害を加えることを目的とする場合は、この限りでない。

一　当該株式会社の株式交換又は株式移転　当該株式交換又は株式移転により当該株式会社の完全親会社の株式を取得し、引き続き当該株式を有するとき。

二　当該株式会社が吸収合併により消滅する会社となる吸収合併　当該吸収合併により、吸収合併後存続する株式会社の完全親会社の株式を取得し、引き続き当該株式を有するとき。

2　公開会社でない株式会社における前項の規定の適用については、同項中「次の各号に掲げる行為の効力が生じた日の六箇月（これを下回る期間を定款で定めた場合にあっては、その期間）前から当該日まで引き続き」とあるのは、「次の各号に掲げる行為の効力が生じた日において」とする。

3　旧株主は、第一項各号の完全親会社の株主でなくなった場合であっても、次に掲げるときは、株式交換等完全子会社に対し、書面その他の法務省令で定める方法により、責任追及等の訴えの提起を請求することができる。ただし、責任追及等の訴えが当該旧株主若しくは第三者の不正な利益を図り又は当該株式交換等完全子会社若しくは次の各号の株式を発行している株式会社に損害を加えることを目的とする場合は、この限りでない。

一　当該完全親会社の株式交換又は株式移転により当該完全親会社の完全親会社の株式を取得し、引き続き当該株式を有するとき。

二　当該完全親会社が合併により消滅する会社となる合併により、合併により設立する株式会社又は合併後存続する株式会社若しくはその完全親会社の株式を取得し、引き続き当該株式を有するとき。

4　前項の規定は、同項第一号（この項又は次項において準用する場合を含む。以下この項において同じ。）に掲げる場合において、旧株主が同号の株式の株主でなくなったときについて準用する。

5　第三項の規定は、同項第二号（前項又はこの項において準用する場合を含む。以下この項において同じ。）に掲げる場合において、旧株主が同号の株式の株主でなくなったときについて準用する。この場合において、第三項（前項又はこの項において準用する場合を含む。）中「当該完全親会社」とあるのは、「合併により設立する株式会社又は合併後存続する株式会社若しくはその完全親会社」と読み替えるものとする。

6　株式交換等完全子会社が第一項又は第三項（前二項において準用する場合を含む。以下この条において同じ。）の規定による請求（以下この条において「提訴請求」という。）の日から六十日以内に責任追及等の訴えを提起しないときは、当該提訴請求をした旧株主は、株式交換等完全子会社のために、責任追及等の訴えを提起することができる。

7　株式交換等完全子会社は、提訴請求の日から六十日以内に責任追及等の訴えを提起しない場合において、当該提訴請求をした旧株主又は当該提訴請求に係る責任追及等の訴えの被告となることとなる発起人等から請求を受けたときは、当該請求をした者に対し、遅滞なく、責任追及等の訴えを提起しない理由を書面その他の法務省令で定める方法により通知しなければならない。

8　第一項、第三項及び第六項の規定にかかわらず、同項の期間の経過により株式交換等完全子会社に回復することができない損害が生ずるおそれがある場合には、提訴請求をすることができる旧株主は、株式交換等完全子会社のために、直ちに責任追及等の訴えを提起することができる。

9　株式交換等完全子会社に係る適格旧株主（第一項本文又は第三項本文の規定によれば提訴請求をすることができることとなる旧株主をいう。以下この節において同じ。）がある場合において、第一項各号に掲げる行為の効力が生じた時までにその原因となった事実が生じた責任又は義務を免除するときにおける第五十五条、第百二条の二第二項、第百三条第三項、第百二十条第五項、第二百十三条の二第二項、第二百八十六条の二第二項、第四百二十四条（第四百八十六条第四項において準用する場合を含む。）、第四百六十二条第三項ただし書、第四百六十四条第二項及び第四百六十五条第二項の規定の適用については、これらの規定中「総株主」とあるのは、「総株主及び第八百四十七条の二第九項に規定する適格旧株主の全員」とする。

【会社法施行規則】

（旧株主による責任追及等の訴えの提起の請求方法）

第二百十八条の二　法第八百四十七条の二第一項及び第三項（同条第四項及び第五項において準用する場合を含む。第二百十八条の四第二号において同じ。）の法務省令で定める方法は、次に掲げる事項を記載した書面の提出又は当該事項の電磁的方法による提供とする。

一　被告となるべき者

二　請求の趣旨及び請求を特定するのに必要な事実

三　株式交換等完全親会社の名称及び住所並びに当該株式交換等完全親会社の株主である旨

（完全親会社）

第二百十八条の三　法第八百四十七条の二第一項に規定する法務省令で定める株式会社は、ある株式会社及び当該ある株式会社の完全子会社（当該ある株式会社が発行済株式の全部を有する株式会社をいう。以下この条において同じ。）又は当該ある株式会社の完全子会社が法第八百四十七条の二第一項の特定の株式会社の発行済株式の全部を有する場合における当該ある株式会社とする。

２　前項の規定の適用については、同項のある株式会社及び当該ある株式会社の完全子会社又は当該ある株式会社の完全子会社が他の株式会社の発行済株式の全部を有する場合における当該他の株式会社は、完全子会社とみなす。

（株式交換等完全子会社が責任追及等の訴えを提起しない理由の通知方法）

第二百十八条の四　法第八百四十七条の二第七項の法務省令で定める方法は、次に掲げる事項を記載した書面の提出又は当該事項の電磁的方法による提供とする。

一　株式交換等完全子会社が行った調査の内容（次号の判断の基礎とした資料を含む。）

二　法第八百四十七条の二第一項又は第三項の規定による請求に係る訴えについての第二百十八条の二第一号に掲げる者の責任又は義務の有無についての判断及びその理由

三　前号の者に責任又は義務があると判断した場合において、責任追及等の訴えを提起しないときは、その理由

（最終完全親会社等の株主による特定責任追及の訴え）

第八百四十七条の三　六箇月（これを下回る期間を定款で定めた場合にあっては、その期間）前から引き続き株式会社の最終完全親会社等（当該株式会社の完全親会社等であって、その完全親会社等がないものをいう。以下この節において同じ。）の総株主（株主総会において決議をすることができる事項の全部につき議決権を行使することができない株主を除く。）の議決権の百分の一（これを下回る割合を定款で定めた場合にあっては、その割合）以上の議決権を有する株主又は当該最終完全親会社等の発行済株式（自己株式を除く。）の百分の一（これを下回る割合を定款で定めた場合にあっては、その割合）以上の数の株式を有する株主は、当該株式会社に対し、書面その他の法務省令で定める方法により、特定責任に係る責任追及等の訴え（以下この節において「特定責任追及の訴え」という。）の提起を請求することができる。ただし、次のいずれかに該当する場合は、この限りでない。

一　特定責任追及の訴えが当該株主若しくは第三者の不正な利益を図り又は当該株式会社若しくは当該最終完全親会社等に損害を加えることを目的とする場合

二　当該特定責任の原因となった事実によって当該最終完全親会社等に損害が生じていない場合

２　前項に規定する「完全親会社等」とは、次に掲げる株式会社をいう。

一　完全親会社
二　株式会社の発行済株式の全部を他の株式会社及びその完全子会社等（株式会社がその株式又は持分の全部を有する法人をいう。以下この条及び第八百四十九条第三項において同じ。）又は他の株式会社の完全子会社等が有する場合における当該他の株式会社（完全親会社を除く。）

3　前項第二号の場合において、同号の他の株式会社及びその完全子会社等又は同号の他の株式会社の完全子会社等が他の法人の株式又は持分の全部を有する場合における当該他の法人は、当該他の株式会社の完全子会社等とみなす。

4　第一項に規定する「特定責任」とは、当該株式会社の発起人等の責任の原因となった事実が生じた日において最終完全親会社等及びその完全子会社等（前項の規定により当該完全子会社等とみなされるものを含む。次項及び第八百四十九条第三項において同じ。）における当該株式会社の株式の帳簿価額が当該最終完全親会社等の総資産額として法務省令で定める方法により算定される額の五分の一（これを下回る割合を定款で定めた場合にあっては、その割合）を超える場合における当該発起人等の責任をいう（第十項及び同条第七項において同じ。）。

5　最終完全親会社等が、発起人等の責任の原因となった事実が生じた日において最終完全親会社等であった株式会社をその完全子会社等としたものである場合には、前項の規定の適用については、当該最終完全親会社等であった株式会社を同項の最終完全親会社等とみなす。

6　公開会社でない最終完全親会社等における第一項の規定の適用については、同項中「六箇月（これを下回る期間を定款で定めた場合にあっては、その期間）前から引き続き株式会社」とあるのは、「株式会社」とする。

7　株式会社が第一項の規定による請求の日から六十日以内に特定責任追及の訴えを提起しないときは、当該請求をした最終完全親会社等の株主は、株式会社のために、特定責任追及の訴えを提起することができる。

8　株式会社は、第一項の規定による請求の日から六十日以内に特定責任追及の訴えを提起しない場合において、当該請求をした最終完全親会社等の株主又は当該請求に係る特定責任追及の訴えの被告となることとなる発起人等から請求を受けたときは、当該請求をした者に対し、遅滞なく、特定責任追及の訴えを提起しない理由を書面その他の法務省令で定める方法により通知しなければならない。

9　第一項及び第七項の規定にかかわらず、同項の期間の経過により株式会社に回復することができない損害が生ずるおそれがある場合には、第一項に規定する株主は、株式会社のために、直ちに特定責任追及の訴えを提起することができる。ただし、同項ただし書に規定する場合は、この限りでない。

10　株式会社に最終完全親会社等がある場合において、特定責任を免除するときにおける第五十五条、第百三条第三項、第百二十条第五項、第四百二十四条（第四百八十六条第四項において準用する場合を含む。）、第四百六十二条第三項ただし書、第四百六十四条第二項及び第四百六十五条第二項の規定の適用については、これらの規定中「総株主」とあるのは、「総株主及び株式会社の第八百四十七条の三第一項に規定する最終完全親会社等の総株主」とする。

【会社法施行規則】

（特定責任追及の訴えの提起の請求方法）

第二百十八条の五　法第八百四十七条の三第一項の法務省令で定める方法は、次に掲げる事項を記載した書面の提出又は当該事項の電磁的方法による提供とする。
一　被告となるべき者
二　請求の趣旨及び請求を特定するのに必要な事実
三　最終完全親会社等の名称及び住所並びに当該最終完全親会社等の株主である旨

（総資産額）

第二百十八条の六　法第八百四十七条の三第四項に規定する法務省

令で定める方法は、同項の日（以下この条において「算定基準日」という。）における株式会社の最終完全親会社等の第一号から第九号までに掲げる額の合計額から第十号に掲げる額を減じて得た額をもって当該最終完全親会社等の総資産額とする方法とする。
一　資本金の額
二　資本準備金の額
三　利益準備金の額
四　法第四百四十六条に規定する剰余金の額
五　最終事業年度（法第四百六十一条第二項第二号に規定する場合にあっては、法第四百四十一条第一項第二号の期間（当該期間が二以上ある場合にあっては、その末日が最も遅いもの）。以下この項において同じ。）の末日（最終事業年度がない場合にあっては、当該最終完全親会社等の成立の日。以下この条において同じ。）における評価・換算差額等に係る額
六　株式引受権の帳簿価額
七　新株予約権の帳簿価額
八　最終事業年度の末日において負債の部に計上した額
九　最終事業年度の末日後に吸収合併、吸収分割による他の会社の事業に係る権利義務の承継又は他の会社（外国会社を含む。）の事業の全部の譲受けをしたときは、これらの行為により承継又は譲受けをした負債の額
十　自己株式及び自己新株予約権の帳簿価額の合計額

2　前項の規定にかかわらず、算定基準日において当該最終完全親会社等が清算株式会社である場合における法第八百四十七条の三第四項に規定する法務省令で定める方法は、法第四百九十二条第一項の規定により作成した貸借対照表の資産の部に計上した額をもって株式会社の総資産額とする方法とする。

（株式会社が特定責任追及の訴えを提起しない理由の通知方法）

第二百十八条の七　法第八百四十七条の三第八項の法務省令で定める方法は、次に掲げる事項を記載した書面の提出又は当該事項の電磁的方法による提供とする。
一　株式会社が行った調査の内容（次号の判断の基礎とした資料を含む。）
二　法第八百四十七条の三第一項の規定による請求に係る訴えについての第二百十八条の五第一号に掲げる者の責任又は義務の有無についての判断及びその理由
三　前号の者に責任又は義務があると判断した場合において、特定責任追及の訴えを提起しないときは、その理由

（責任追及等の訴えに係る訴訟費用等）

第八百四十七条の四　第八百四十七条第三項若しくは第五項、第八百四十七条の二第六項若しくは第八項又は前条第七項若しくは第九項の責任追及等の訴えは、訴訟の目的の価額の算定については、財産権上の請求でない請求に係る訴えとみなす。

2　株主等（株主、適格旧株主又は最終完全親会社等の株主をいう。以下この節において同じ。）が責任追及等の訴えを提起したときは、裁判所は、被告の申立てにより、当該株主等に対し、相当の担保を立てるべきことを命ずることができる。

3　被告が前項の申立てをするには、責任追及等の訴えの提起が悪意によるものであることを疎明しなければならない。

（訴えの管轄）

第八百四十八条　責任追及等の訴えは、株式会社又は株式交換等完全子会社（以下この節において「株式会社等」という。）の本店の所在地を管轄する地方裁判所の管轄に専属する。

（訴訟参加）

第八百四十九条　株主等又は株式会社等は、共同訴訟人として、又は当事者の一方を補助するため、責任追及等の訴え（適格旧株主にあっては第八百四十七条の二第一項各号に掲げる行為の効力が生じた時までにその原因となった事実が生じた責任又は義務に係るものに限り、最終完全親会社等の株主にあっては特定責任追及の訴えに限る。）に係る

第七編
雑則

訴訟に参加することができる。ただし、不当に訴訟手続を遅延させることとなるとき、又は裁判所に対し過大な事務負担を及ぼすこととなるときは、この限りでない。

2　次の各号に掲げる者は、株式会社等の株主でない場合であっても、当事者の一方を補助するため、当該各号に定める者が提起した責任追及等の訴えに係る訴訟に参加することができる。ただし、前項ただし書に規定するときは、この限りでない。

一　株式交換等完全親会社（第八百四十七条の二第一項各号に定める場合又は同条第三項第一号（同条第四項及び第五項において準用する場合を含む。以下この号において同じ。）若しくは第二号（同条第四項及び第五項において準用する場合を含む。以下この号において同じ。）に掲げる場合における株式交換等完全子会社の完全親会社（同条第一項各号に掲げる行為又は同条第三項第一号の株式交換若しくは株式移転若しくは同項第二号の合併の効力が生じた時においてその完全親会社があるものを除く。）であって、当該完全親会社の株式交換若しくは株式移転又は当該完全親会社が合併により消滅する会社となる合併によりその完全親会社となった株式会社がないものをいう。以下この条において同じ。）　適格旧株主

二　最終完全親会社等　当該最終完全親会社等の株主

3　株式会社等、株式交換等完全親会社又は最終完全親会社等が、当該株式会社等、当該株式交換等完全親会社の株式交換等完全子会社又は当該最終完全親会社等の完全子会社等である株式会社の取締役（監査等委員及び監査委員を除く。）、執行役及び清算人並びにこれらの者であった者を補助するため、責任追及等の訴えに係る訴訟に参加するには、次の各号に掲げる株式会社の区分に応じ、当該各号に定める者の同意を得なければならない。

一　監査役設置会社　監査役（監査役が二人以上ある場合にあっては、各監査役）

二　監査等委員会設置会社　各監査等委員

三　指名委員会等設置会社　各監査委員

4　株主等は、責任追及等の訴えを提起したときは、遅滞なく、当該株式会社等に対し、訴訟告知をしなければならない。

5　株式会社等は、責任追及等の訴えを提起したとき、又は前項の訴訟告知を受けたときは、遅滞なく、その旨を公告し、又は株主に通知しなければならない。

6　株式会社等に株式交換等完全親会社がある場合であって、前項の責任追及等の訴え又は訴訟告知が第八百四十七条の二第一項各号に掲げる行為の効力が生じた時までにその原因となった事実が生じた責任又は義務に係るものであるときは、当該株式会社等は、前項の規定による公告又は通知のほか、当該株式交換等完全親会社に対し、遅滞なく、当該責任追及等の訴えを提起し、又は当該訴訟告知を受けた旨を通知しなければならない。

7　株式会社等に最終完全親会社等がある場合であって、第五項の責任追及等の訴え又は訴訟告知が特定責任に係るものであるときは、当該株式会社等は、同項の規定による公告又は通知のほか、当該最終完全親会社等に対し、遅滞なく、当該責任追及等の訴えを提起し、又は当該訴訟告知を受けた旨を通知しなければならない。

8　第六項の株式交換等完全親会社が株式交換等完全子会社の発行済株式の全部を有する場合における同項の規定及び前項の最終完全親会社等が株式会社の発行済株式の全部を有する場合における同項の規定の適用については、これらの規定中「のほか」とあるのは、「に代えて」とする。

9　公開会社でない株式会社等における第五項から第七項までの規定の適用については、第五項中「公告し、又は株主に通知し」とあるのは「株主に通知し」と、第六項及び第七項中「公告又は通知」とあるのは「通知」とする。

10　次の各号に掲げる場合には、当該各号に規定する株式会社は、遅滞なく、その旨を公告し、又は当該各号に定める者に通知しなければならない。

一　株式交換等完全親会社が第六項の規定による通知を受けた場合

適格旧株主

二　最終完全親会社等が第七項の規定による通知を受けた場合　当該最終完全親会社等の株主

11　前項各号に規定する株式会社が公開会社でない場合における同項の規定の適用については、同項中「公告し、又は当該各号に定める者に通知し」とあるのは、「当該各号に定める者に通知し」とする。

（和解）

第八百四十九条の二　株式会社等が、当該株式会社等の取締役（監査等委員及び監査委員を除く。）、執行役及び清算人並びにこれらの者であった者の責任を追及する訴えに係る訴訟における和解をするには、次の各号に掲げる株式会社の区分に応じ、当該各号に定める者の同意を得なければならない。

一　監査役設置会社　監査役（監査役が二人以上ある場合にあっては、各監査役）

二　監査等委員会設置会社　各監査等委員

三　指名委員会等設置会社　各監査委員

第八百五十条　民事訴訟法第二百六十七条の規定は、株式会社等が責任追及等の訴えに係る訴訟における和解の当事者でない場合には、当該訴訟における訴訟の目的については、適用しない。ただし、当該株式会社等の承認がある場合は、この限りでない。

2　前項に規定する場合において、裁判所は、株式会社等に対し、和解の内容を通知し、かつ、当該和解に異議があるときは二週間以内に異議を述べるべき旨を催告しなければならない。

3　株式会社等が前項の期間内に書面により異議を述べなかったときは、同項の規定による通知の内容で株主等が和解をすることを承認したものとみなす。

4　第五十五条、第百二条の二第二項、第百三条第三項、第百二十条第五項、第二百十三条の二第二項、第二百八十六条の二第二項、第四百二十四条（第四百八十六条第四項において準用する場合を含む。）、第四百六十二条第三項（同項ただし書に規定する分配可能額を超えない部分について負う義務に係る部分に限る。）、第四百六十四条第二項及び第四百六十五条第二項の規定は、責任追及等の訴えに係る訴訟における和解をする場合には、適用しない。

（株主でなくなった者の訴訟追行）

第八百五十一条　責任追及等の訴えを提起した株主又は第八百四十九条第一項の規定により共同訴訟人として当該責任追及等の訴えに係る訴訟に参加した株主が当該訴訟の係属中に株主でなくなった場合であっても、次に掲げるときは、その者が、訴訟を追行することができる。

一　その者が当該株式会社の株式交換又は株式移転により当該株式会社の完全親会社の株式を取得したとき。

二　その者が当該株式会社が合併により消滅する会社となる合併により、合併により設立する株式会社又は合併後存続する株式会社若しくはその完全親会社の株式を取得したとき。

2　前項の規定は、同項第一号（この項又は次項において準用する場合を含む。）に掲げる場合において、前項の株主が同項の訴訟の係属中に当該株式会社の完全親会社の株式の株主でなくなったときについて準用する。この場合において、同項（この項又は次項において準用する場合を含む。）中「当該株式会社」とあるのは、「当該完全親会社」と読み替えるものとする。

3　第一項の規定は、同項第二号（前項又はこの項において準用する場合を含む。）に掲げる場合において、第一項の株主が同項の訴訟の係属中に合併により設立する株式会社又は合併後存続する株式会社若しくはその完全親会社の株式の株主でなくなったときについて準用する。この場合において、同項（前項又はこの項において準用する場合を含む。）中「当該株式会社」とあるのは、「合併により設立する株式会社又は合併後存続する株式会社若しくはその完全親会社」と読み替えるものとする。

（費用等の請求）

第八百五十二条　責任追及等の訴えを提起した株主等が勝訴（一部勝訴を含む。）した場合において、当該責任追及等の訴えに係る訴訟に関し、必要な費用（訴訟費用を除く。）を支出したとき又は弁護士若しくは弁護士法人に報酬を支払うべきときは、当該株式会社等に対し、その費用の額の範囲内又はその報酬額の範囲内で相当と認められる額の支払を請求することができる。

2　責任追及等の訴えを提起した株主等が敗訴した場合であっても、悪意があったときを除き、当該株主等は、当該株式会社等に対し、これによって生じた損害を賠償する義務を負わない。

3　前二項の規定は、第八百四十九条第一項の規定により同項の訴訟に参加した株主等について準用する。

〔施行　**外国弁護士による法律事務の取扱いに関する特別措置法の一部を改正する法律**（令和二年法律第三十三号）**の施行の日**（令和二年五月二十九日から二年六月を超えない範囲内において政令で定める日）〕［傍線部分は改正部分］

（費用等の請求）

第八百五十二条　責任追及等の訴えを提起した株主等が勝訴（一部勝訴を含む。）した場合において、当該責任追及等の訴えに係る訴訟に関し、必要な費用（訴訟費用を除く。）を支出したとき又は弁護士、弁護士法人若しくは弁護士・外国法事務弁護士共同法人に報酬を支払うべきときは、当該株式会社等に対し、その費用の額の範囲内又はその報酬額の範囲内で相当と認められる額の支払を請求することができる。

2・3　（省略）

（再審の訴え）

第八百五十三条　責任追及等の訴えが提起された場合において、原告及び被告が共謀して責任追及等の訴えに係る訴訟の目的である株式会社等の権利を害する目的をもって判決をさせたときは、次の各号に掲げる者は、当該各号に定める訴えに係る確定した終局判決に対し、再審の訴えをもって、不服を申し立てることができる。

一　株主又は株式会社等　責任追及等の訴え

二　適格旧株主　責任追及等の訴え（第八百四十七条の二第一項各号に掲げる行為の効力が生じた時までにその原因となった事実が生じた責任又は義務に係るものに限る。）

三　最終完全親会社等の株主　特定責任追及の訴え

2　前条の規定は、前項の再審の訴えについて準用する。

第三節　株式会社の役員の解任の訴え

（株式会社の役員の解任の訴え）

第八百五十四条　役員（第三百二十九条第一項に規定する役員をいう。以下この節において同じ。）の職務の執行に関し不正の行為又は法令若しくは定款に違反する重大な事実があったにもかかわらず、当該役員を解任する旨の議案が株主総会において否決されたとき又は当該役員を解任する旨の株主総会の決議が第三百二十三条の規定によりその効力を生じないときは、次に掲げる株主は、当該株主総会の日から三十日以内に、訴えをもって当該役員の解任を請求することができる。

一　総株主（次に掲げる株主を除く。）の議決権の百分の三（これを下回る割合を定款で定めた場合にあっては、その割合）以上の議決権を六箇月（これを下回る期間を定款で定めた場合にあっては、その期間）前から引き続き有する株主（次に掲げる株主を除く。）

イ　当該役員を解任する旨の議案について議決権を行使することができない株主

ロ　当該請求に係る役員である株主

二　発行済株式（次に掲げる株主の有する株式を除く。）の百分の三（これを下回る割合を定款で定めた場合にあっては、その割合）以上の数の株式を六箇月（これを下回る期間を定款で定めた場合にあっては、その期間）前から引き続き有する株主（次に掲げる株主を除く。）

イ　当該株式会社である株主

ロ　当該請求に係る役員である株主

2　公開会社でない株式会社における前項各号の規定の適用については、これらの規定中「六箇月（これを下回る期間を定款で定めた場合にあっては、その期間）前から引き続き有する」とあるのは、「有する」

とする。

3　第百八条第一項第九号に掲げる事項（取締役（監査等委員会設置会社にあっては、監査等委員である取締役又はそれ以外の取締役）に関するものに限る。）についての定めがある種類の株式を発行している場合における第一項の規定の適用については、同項中「株主総会」とあるのは、「株主総会（第三百四十七条第一項の規定により読み替えて適用する第三百三十九条第一項の種類株主総会を含む。）」とする。

4　第百八条第一項第九号に掲げる事項（監査役に関するものに限る。）についての定めがある種類の株式を発行している場合における第一項の規定の適用については、同項中「株主総会」とあるのは、「株主総会（第三百四十七条第二項の規定により読み替えて適用する第三百三十九条第一項の種類株主総会を含む。）」とする。

（被告）

第八百五十五条　前条第一項の訴え（次条及び第九百三十七条第一項第一号ヌにおいて「株式会社の役員の解任の訴え」という。）については、当該株式会社及び前条第一項の役員を被告とする。

（訴えの管轄）

第八百五十六条　株式会社の役員の解任の訴えは、当該株式会社の本店の所在地を管轄する地方裁判所の管轄に専属する。

第四節　特別清算に関する訴え

（役員等の責任の免除の取消しの訴えの管轄）

第八百五十七条　第五百四十四条第二項の訴えは、特別清算裁判所（第八百八十条第一項に規定する特別清算裁判所をいう。次条第三項において同じ。）の管轄に専属する。

（役員等責任査定決定に対する異議の訴え）

第八百五十八条　役員等責任査定決定（第五百四十五条第一項に規定する役員等責任査定決定をいう。以下この条において同じ。）に不服がある者は、第八百九十九条第四項の規定による送達を受けた日から一箇月の不変期間内に、異議の訴えを提起することができる。

2　前項の訴えは、これを提起する者が、対象役員等（第五百四十二条第一項に規定する対象役員等をいう。以下この項において同じ。）であるときは清算株式会社を、清算株式会社であるときは対象役員等を、それぞれ被告としなければならない。

3　第一項の訴えは、特別清算裁判所の管轄に専属する。

4　第一項の訴えについての判決においては、訴えを不適法として却下する場合を除き、役員等責任査定決定を認可し、変更し、又は取り消す。

5　役員等責任査定決定を認可し、又は変更した判決は、強制執行に関しては、給付を命ずる判決と同一の効力を有する。

6　役員等責任査定決定を認可し、又は変更した判決については、受訴裁判所は、民事訴訟法第二百五十九条第一項の定めるところにより、仮執行の宣言をすることができる。

第五節　持分会社の社員の除名の訴え等

（持分会社の社員の除名の訴え）

第八百五十九条　持分会社の社員（以下この条及び第八百六十一条第一号において「対象社員」という。）について次に掲げる事由があるときは、当該持分会社は、対象社員以外の社員の過半数の決議に基づき、訴えをもって対象社員の除名を請求することができる。

一　出資の義務を履行しないこと。

二　第五百九十四条第一項（第五百九十八条第二項において準用する場合を含む。）の規定に違反したこと。

三　業務を執行するに当たって不正の行為をし、又は業務を執行する権利がないのに業務の執行に関与したこと。

四　持分会社を代表するに当たって不正の行為をし、又は代表権がないのに持分会社を代表して行為をしたこと。

五　前各号に掲げるもののほか、重要な義務を尽くさないこと。

（持分会社の業務を執行する社員の業務執行権又は代表権の消滅の訴え）

第八百六十条　持分会社の業務を執行する社員（以下この条及び次条第二号において「対象業務執行社員」という。）について次に掲げる事由があるときは、当該持分会社は、対象業務執行社員以外の社員の過半数の決議に基づき、訴えをもって対象業務執行社員の業務を執行する権利又は代表権の消滅を請求することができる。

一　前条各号に掲げる事由があるとき。

二　持分会社の業務を執行し、又は持分会社を代表することに著しく不適任なとき。

（被告）

第八百六十一条　次の各号に掲げる訴えについては、当該各号に定める者を被告とする。

一　第八百五十九条の訴え（次条及び第九百三十七条第一項第一号ルにおいて「持分会社の社員の除名の訴え」という。）　対象社員

二　前条の訴え（次条及び第九百三十七条第一項第一号ヲにおいて「持分会社の業務を執行する社員の業務執行権又は代表権の消滅の訴え」という。）　対象業務執行社員

（訴えの管轄）

第八百六十二条　持分会社の社員の除名の訴え及び持分会社の業務を執行する社員の業務執行権又は代表権の消滅の訴えは、当該持分会社の本店の所在地を管轄する地方裁判所の管轄に専属する。

第六節　清算持分会社の財産処分の取消しの訴え

（清算持分会社の財産処分の取消しの訴え）

第八百六十三条　清算持分会社（合名会社及び合資会社に限る。以下この項において同じ。）が次の各号に掲げる行為をしたときは、当該各号に定める者は、訴えをもって当該行為の取消しを請求することができる。ただし、当該行為がその者を害しないものであるときは、この限りでない。

一　第六百七十条の規定に違反して行った清算持分会社の財産の処分　清算持分会社の債権者

二　第六百七十一条第一項の規定に違反して行った清算持分会社の財産の処分　清算持分会社の社員の持分を差し押さえた債権者

2　民法第四百二十四条第一項ただし書、第四百二十四条の五、第四百二十四条の七第二項及び第四百二十五条から第四百二十六条までの規定は、前項の場合について準用する。この場合において、同法第四百二十四条第一項ただし書中「その行為によって」とあるのは「会社法（平成十七年法律第八十六号）第八百六十三条第一項各号に掲げる行為によって」と、同法第四百二十四条の五第一号中「債務者」とあるのは「清算持分会社（会社法第六百四十五条に規定する清算持分会社をいい、合名会社及び合資会社に限る。以下同じ。）」と、同条第二号並びに同法第四百二十四条の七第二項及び第四百二十五条から第四百二十六条までの規定中「債務者」とあるのは「清算持分会社」と読み替えるものとする。

（被告）

第八百六十四条　前条第一項の訴えについては、同項各号に掲げる行為の相手方又は転得者を被告とする。

第七節　社債発行会社の弁済等の取消しの訴え

（社債発行会社の弁済等の取消しの訴え）

第八百六十五条　社債を発行した会社が社債権者に対してした弁済、社債権者との間でした和解その他の社債権者に対してし、又は社債権者との間でした行為が著しく不公正であるときは、社債管理者は、訴えをもって当該行為の取消しを請求することができる。

2　前項の訴えは、社債管理者が同項の行為の取消しの原因となる事実を知った時から六箇月を経過したときは、提起することができない。同項の行為の時から一年を経過したときも、同様とする。

3　第一項に規定する場合において、社債権者集会の決議があるときは、代表社債権者又は決議執行者（第七百三十七条第二項に規定する決議執行者をいう。）も、訴えをもって第一項の行為の取消しを請求することができる。ただし、同項の行為の時から一年を経過したときは、こ

の限りでない。

4　民法第四百二十四条第一項ただし書、第四百二十四条の五、第四百二十四条の七第二項及び第四百二十五条から第四百二十五条の四までの規定は、第一項及び前項本文の場合について準用する。この場合において、同法第四百二十四条第一項ただし書中「その行為によって」とあるのは「会社法第八百六十五条第一項に規定する行為によって」と、「債権者を害すること」とあるのは「その行為が著しく不公正であること」と、同法第四百二十四条の五各号中「債権者を害すること」とあるのは「著しく不公正であること」と、同法第四百二十五条中「債権者」とあるのは「社債権者」と読み替えるものとする。

（被告）

第八百六十六条　前条第一項又は第三項の訴えについては、同条第一項の行為の相手方又は転得者を被告とする。

（訴えの管轄）

第八百六十七条　第八百六十五条第一項又は第三項の訴えは、社債を発行した会社の本店の所在地を管轄する地方裁判所の管轄に専属する。

第三章　非訟

第一節　総則

（非訟事件の管轄）

第八百六十八条　この法律の規定による非訟事件（次項から第六項までに規定する事件を除く。）は、会社の本店の所在地を管轄する地方裁判所の管轄に属する。

2　親会社社員（会社である親会社の株主又は社員に限る。）によるこの法律の規定により株式会社が作成し、又は備え置いた書面又は電磁的記録についての次に掲げる閲覧等（閲覧、謄写、謄本若しくは抄本の交付、事項の提供又は事項を記載した書面の交付をいう。第八百七十条第二項第一号において同じ。）の許可の申立てに係る事件は、当該株式会社の本店の所在地を管轄する地方裁判所の管轄に属する。

一　当該書面の閲覧若しくは謄写又はその謄本若しくは抄本の交付

二　当該電磁的記録に記録された事項を表示したものの閲覧若しくは謄写又は電磁的方法による当該事項の提供若しくは当該事項を記載した書面の交付

3　第百七十九条の八第一項の規定による売渡株式等の売買価格の決定の申立てに係る事件は、対象会社の本店の所在地を管轄する地方裁判所の管轄に属する。

4　第七百五条第四項及び第七百六条第四項の規定、第七百七条、第七百十一条第三項、第七百十三条並びに第七百十四条第一項及び第三項（これらの規定を第七百十四条の七において準用する場合を含む。）の規定並びに第七百十八条第三項、第七百三十二条、第七百四十条第一項及び第七百四十一条第一項の規定による裁判の申立てに係る事件は、社債を発行した会社の本店の所在地を管轄する地方裁判所の管轄に属する。

5　第八百二十二条第一項の規定による外国会社の清算に係る事件並びに第八百二十七条第一項の規定による裁判及び同条第二項において準用する第八百二十五条第一項の規定による保全処分に係る事件は、当該外国会社の日本における営業所の所在地（日本に営業所を設けていない場合にあっては、日本における代表者の住所地）を管轄する地方裁判所の管轄に属する。

6　第八百四十三条第四項の申立てに係る事件は、同条第一項各号に掲げる行為の無効の訴えの第一審の受訴裁判所の管轄に属する。

（疎明）

第八百六十九条　この法律の規定による許可の申立てをする場合には、その原因となる事実を疎明しなければならない。

（陳述の聴取）

第八百七十条　裁判所は、この法律の規定（第二編第九章第二節を除く。）による非訟事件についての裁判のうち、次の各号に掲げる裁判をする場合には、当該各号に定める者の陳述を聴かなければならない。ただし、不適法又は理由がないことが明らかであるとして申立てを却下する裁判をするときは、この限りでない。

一　第三百四十六条第二項、第三百五十一条第二項若しくは第四百一条第三項（第四百三条第三項及び第四百二十条第三項において準用する場合を含む。）の規定により選任された一時取締役（監査等委員会設置会社にあっては、監査等委員である取締役又はそれ以外の取締役）、会計参与、監査役、代表取締役、委員（指名委員会、監査委員会又は報酬委員会の委員をいう。第八百七十四条第一号において同じ。）、執行役若しくは代表執行役の職務を行うべき者、清算人、第四百七十九条第四項において準用する第三百四十六条第二項若しくは第四百八十三条第六項において準用する第三百五十一条第二項の規定により選任された一時清算人若しくは代表清算人の職務を行うべき者、検査役又は第八百二十五条第二項（第八百二十七条第二項において準用する場合を含む。）の管理人の報酬の額の決定　当該会社（第八百二十七条第二項において準用する第八百二十五条第二項の管理人の報酬の額の決定にあっては、当該外国会社）及び報酬を受ける者

二　清算人、社債管理者又は社債管理補助者の解任についての裁判　当該清算人、社債管理者又は社債管理補助者

三　第三十三条第七項の規定による裁判　設立時取締役、第二十八条第一号の金銭以外の財産を出資する者及び同条第二号の譲渡人

四　第二百七条第七項又は第二百八十四条第七項の規定による裁判　当該株式会社及び第百九十九条第一項第三号又は第二百三十六条第一項第三号の規定により金銭以外の財産を出資する者

五　第四百五十五条第二項第二号又は第五百五条第三項第二号の規定による裁判　当該株主

六　第四百五十六条又は第五百六条の規定による裁判　当該株主

七　第七百三十二条の規定による裁判　利害関係人

八　第七百四十条第一項の規定による申立てを認容する裁判　社債を発行した会社

九　第七百四十一条第一項の許可の申立てについての裁判　社債を発行した会社

十　第八百二十四条第一項の規定による裁判　当該会社

十一　第八百二十七条第一項の規定による裁判　当該外国会社

2　裁判所は、次の各号に掲げる裁判をする場合には、審問の期日を開いて、申立人及び当該各号に定める者の陳述を聴かなければならない。ただし、不適法又は理由がないことが明らかであるとして申立てを却下する裁判をするときは、この限りでない。

一　この法律の規定により株式会社が作成し、又は備え置いた書面又は電磁的記録についての閲覧等の許可の申立てについての裁判　当該株式会社

二　第百十七条第二項、第百十九条第二項、第百八十二条の五第二項、第百九十三条第二項（第百九十四条第四項において準用する場合を含む。）、第四百七十条第二項、第七百七十八条第二項、第七百八十六条第二項、第七百八十八条第二項、第七百九十八条第二項、第八百七条第二項、第八百九条第二項又は第八百十六条の七第二項の規定による株式又は新株予約権（当該新株予約権が新株予約権付社債に付されたものである場合において、当該新株予約権付社債についての社債の買取りの請求があったときは、当該社債を含む。）の価格の決定　価格の決定の申立てをすることができる者（申立人を除く。）

三　第百四十四条第二項（同条第七項において準用する場合を含む。）又は第百七十七条第二項の規定による株式の売買価格の決定　売買価格の決定の申立てをすることができる者（申立人を除く。）

四　第百七十二条第一項の規定による株式の価格の決定　当該株式会社

五　第百七十九条の八第一項の規定による売渡株式等の売買価格の決定　特別支配株主

六　第八百四十三条第四項の申立てについての裁判　同項に規定する行為をした会社

（申立書の写しの送付等）

第八百七十条の二　裁判所は、前条第二項各号に掲げる裁判の申立てがあったときは、当該各号に定める者に対し、申立書の写しを送付しなければならない。

2　前項の規定により申立書の写しを送付することができない場合には、裁判長は、相当の期間を定め、その期間内に不備を補正すべきことを命じなければならない。申立書の写しの送付に必要な費用を予納しない場合も、同様とする。

3　前項の場合において、申立人が不備を補正しないときは、裁判長は、命令で、申立書を却下しなければならない。

4　前項の命令に対しては、即時抗告をすることができる。

5　裁判所は、第一項の申立てがあった場合において、当該申立てについての裁判をするときは、相当の猶予期間を置いて、審理を終結する日を定め、申立人及び前条第二項各号に定める者に告知しなければならない。ただし、これらの者が立ち会うことができる期日においては、直ちに審理を終結する旨を宣言することができる。

6　裁判所は、前項の規定により審理を終結したときは、裁判をする日を定め、これを同項の者に告知しなければならない。

7　裁判所は、第一項の申立てが不適法であるとき、又は申立てに理由がないことが明らかなときは、同項及び前二項の規定にかかわらず、直ちに申立てを却下することができる。

8　前項の規定は、前条第二項各号に掲げる裁判の申立てがあった裁判所が民事訴訟費用等に関する法律（昭和四十六年法律第四十号）の規定に従い当該各号に定める者に対する期日の呼出しに必要な費用の予納を相当の期間を定めて申立人に命じた場合において、その予納がないときについて準用する。

（理由の付記）

第八百七十一条　この法律の規定による非訟事件についての裁判には、理由を付さなければならない。ただし、次に掲げる裁判については、この限りでない。

一　第八百七十条第一項第一号に掲げる裁判

二　第八百七十四条各号に掲げる裁判

（即時抗告）

第八百七十二条　次の各号に掲げる裁判に対しては、当該各号に定める者に限り、即時抗告をすることができる。

一　第六百九条第三項又は第八百二十五条第一項（第八百二十七条第二項において準用する場合を含む。）の規定による保全処分についての裁判　利害関係人

二　第八百四十条第二項（第八百四十一条第二項において準用する場合を含む。）の規定による申立てについての裁判　申立人、株主及び株式会社

三　第八百四十二条第二項において準用する第八百四十条第二項の規定による申立てについての裁判　申立人、新株予約権者及び株式会社

四　第八百七十条第一項各号に掲げる裁判　申立人及び当該各号に定める者（同項第一号、第三号及び第四号に掲げる裁判にあっては、当該各号に定める者）

五　第八百七十条第二項各号に掲げる裁判　申立人及び当該各号に定める者

（抗告状の写しの送付等）

第八百七十二条の二　裁判所は、第八百七十条第二項各号に掲げる裁判に対する即時抗告があったときは、申立人及び当該各号に定める者（抗告人を除く。）に対し、抗告状の写しを送付しなければならない。この場合においては、第八百七十条の二第二項及び第三項の規定を準用する。

2　第八百七十条の二第五項から第八項までの規定は、前項の即時抗告があった場合について準用する。

（原裁判の執行停止）

第八百七十三条　第八百七十二条の即時抗告は、執行停止の効力を有する。ただし、第八百七十条第一項第一号から第四号まで及び第八号に

掲げる裁判に対するものについては、この限りでない。

（不服申立ての制限）

第八百七十四条　次に掲げる裁判に対しては、不服を申し立てることができない。

一　第八百七十条第一項第一号に規定する一時取締役、会計参与、監査役、代表取締役、委員、執行役若しくは代表執行役の職務を行うべき者、清算人、代表清算人、清算持分会社を代表する清算人、同号に規定する一時清算人若しくは代表清算人の職務を行うべき者、検査役、第五百一条第一項（第八百二十二条第三項において準用する場合を含む。）若しくは第六百六十二条第一項の鑑定人、第五百八条第二項（第八百二十二条第三項において準用する場合を含む。）若しくは第六百七十二条第三項の帳簿資料の保存をする者、社債管理者若しくは社債管理補助者の特別代理人又は第七百十四条第三項（第七百十四条の七において準用する場合を含む。）の事務を承継する社債管理者若しくは社債管理補助者の選任又は選定の裁判

二　第八百二十五条第二項（第八百二十七条第二項において準用する場合を含む。）の管理人の選任又は解任についての裁判

三　第八百二十五条第六項（第八百二十七条第二項において準用する場合を含む。）の規定による裁判

四　この法律の規定による許可の申立てを認容する裁判（第八百七十条第一項第九号及び第二項第一号に掲げる裁判を除く。）

（非訟事件手続法の規定の適用除外）

第八百七十五条　この法律の規定による非訟事件については、非訟事件手続法第四十条及び第五十七条第二項第二号の規定は、適用しない。

（最高裁判所規則）

第八百七十六条　この法律に定めるもののほか、この法律の規定による非訟事件の手続に関し必要な事項は、最高裁判所規則で定める。

第二節　新株発行の無効判決後の払戻金増減の手続に関する特則

（審問等の必要的併合）

第八百七十七条　第八百四十条第二項（第八百四十一条第二項及び第八百四十二条第二項において準用する場合を含む。）の申立てに係る事件が数個同時に係属するときは、審問及び裁判は、併合してしなければならない。

（裁判の効力）

第八百七十八条　第八百四十条第二項（第八百四十一条第二項において準用する場合を含む。）の申立てについての裁判は、総株主に対してその効力を生ずる。

2　第八百四十二条第二項において準用する第八百四十条第二項の申立てについての裁判は、総新株予約権者に対してその効力を生ずる。

第三節　特別清算の手続に関する特則

第一款　通則

（特別清算事件の管轄）

第八百七十九条　第八百六十八条第一項の規定にかかわらず、法人が株式会社の総株主（株主総会において決議をすることができる事項の全部につき議決権を行使することができない株主を除く。次項において同じ。）の議決権の過半数を有する場合には、当該法人（以下この条において「親法人」という。）について特別清算事件、破産事件、再生事件又は更生事件（以下この条において「特別清算事件等」という。）が係属しているときにおける当該株式会社についての特別清算開始の申立ては、親法人の特別清算事件等が係属している地方裁判所にもすることができる。

2　前項に規定する株式会社又は親法人及び同項に規定する株式会社が他の株式会社の総株主の議決権の過半数を有する場合には、当該他の株式会社についての特別清算開始の申立ては、親法人の特別清算事件等が係属している地方裁判所にもすることができる。

3　前二項の規定の適用については、第三百八条第一項の法務省令で定

める株主は、その有する株式について、議決権を有するものとみなす。

4　第八百六十八条第一項の規定にかかわらず、株式会社が最終事業年度について第四百四十四条の規定により当該株式会社及び他の株式会社に係る連結計算書類を作成し、かつ、当該株式会社の定時株主総会においてその内容が報告された場合には、当該株式会社について特別清算事件等が係属しているときにおける当該他の株式会社についての特別清算開始の申立ては、当該株式会社の特別清算事件等が係属している地方裁判所にもすることができる。

（特別清算開始後の通常清算事件の管轄及び移送）

第八百八十条　第八百六十八条第一項の規定にかかわらず、清算株式会社について特別清算開始の命令があったときは、当該清算株式会社についての第二編第九章第一節（第五百八条を除く。）の規定による申立てに係る事件（次項において「通常清算事件」という。）は、当該清算株式会社の特別清算事件が係属する地方裁判所（以下この節において「特別清算裁判所」という。）が管轄する。

2　通常清算事件が係属する地方裁判所以外の地方裁判所に同一の清算株式会社について特別清算事件が係属し、かつ、特別清算開始の命令があった場合において、当該通常清算事件を処理するために相当と認めるときは、裁判所（通常清算事件を取り扱う一人の裁判官又は裁判官の合議体をいう。）は、職権で、当該通常清算事件を特別清算裁判所に移送することができる。

（疎明）

第八百八十一条　第二編第九章第二節（第五百四十七条第三項を除く。）の規定による許可の申立てについては、第八百六十九条の規定は、適用しない。

（理由の付記）

第八百八十二条　特別清算の手続に関する決定で即時抗告をすることができるものには、理由を付さなければならない。ただし、第五百二十六条第一項（同条第二項において準用する場合を含む。）及び第五百三十二条第一項（第五百三十四条において準用する場合を含む。）の規定による決定については、この限りでない。

2　特別清算の手続に関する決定については、第八百七十一条の規定は、適用しない。

（裁判書の送達）

第八百八十三条　この節の規定による裁判書の送達については、民事訴訟法第一編第五章第四節（第百四条を除く。）の規定を準用する。

（不服申立て）

第八百八十四条　特別清算の手続に関する裁判につき利害関係を有する者は、この節に特別の定めがある場合に限り、当該裁判に対し即時抗告をすることができる。

2　前項の即時抗告は、この節に特別の定めがある場合を除き、執行停止の効力を有する。

（公告）

第八百八十五条　この節の規定による公告は、官報に掲載してする。

2　前項の公告は、掲載があった日の翌日に、その効力を生ずる。

（事件に関する文書の閲覧等）

第八百八十六条　利害関係人は、裁判所書記官に対し、第二編第九章第二節若しくはこの節又は非訟事件手続法第二編（特別清算開始の命令があった場合にあっては、同章第一節若しくは第二節若しくは第一節（同章第一節の規定による申立てに係る事件に係る部分に限る。）若しくはこの節又は非訟事件手続法第二編）の規定（これらの規定において準用するこの法律その他の法律の規定を含む。）に基づき、裁判所に提出され、又は裁判所が作成した文書その他の物件（以下この条及び次条第一項において「文書等」という。）の閲覧を請求することができる。

2　利害関係人は、裁判所書記官に対し、文書等の謄写、その正本、謄本若しくは抄本の交付又は事件に関する事項の証明書の交付を請求することができる。

3　前項の規定は、文書等のうち録音テープ又はビデオテープ（これらに準ずる方法により一定の事項を記録した物を含む。）に関しては、適用しない。この場合において、これらの物について利害関係人の請求があるときは、裁判所書記官は、その複製を許さなければならない。

4　前三項の規定にかかわらず、次の各号に掲げる者は、当該各号に定める命令、保全処分、処分又は裁判のいずれかがあるまでの間は、前三項の規定による請求をすることができない。ただし、当該者が特別清算開始の申立人である場合は、この限りでない。

一　清算株式会社以外の利害関係人　第五百十二条の規定による中止の命令、第五百四十条第二項の規定による保全処分、第五百四十一条第二項の規定による処分又は特別清算開始の申立てについての裁判

二　清算株式会社　特別清算開始の申立てに関する清算株式会社を呼び出す審問の期日の指定の裁判又は前号に定める命令、保全処分、処分若しくは裁判

5　非訟事件手続法第三十二条第一項から第四項までの規定は、特別清算の手続には、適用しない。

（支障部分の閲覧等の制限）

第八百八十七条　次に掲げる文書等について、利害関係人がその閲覧若しくは謄写、その正本、謄本若しくは抄本の交付又はその複製（以下この条において「閲覧等」という。）を行うことにより、清算株式会社の清算の遂行に著しい支障を生ずるおそれがある部分（以下この条において「支障部分」という。）があることにつき疎明があった場合には、裁判所は、当該文書等を提出した清算株式会社又は調査委員の申立てにより、支障部分の閲覧等の請求をすることができる者を、当該申立てをした者及び清算株式会社に限ることができる。

一　第五百二十条の規定による報告又は第五百二十二条第一項に規定する調査の結果の報告に係る文書等

二　第五百三十五条第一項又は第五百三十六条第一項の許可を得るために裁判所に提出された文書等

2　前項の申立てがあったときは、その申立てについての裁判が確定するまで、利害関係人（同項の申立てをした者及び清算株式会社を除く。次項において同じ。）は、支障部分の閲覧等の請求をすることができない。

3　支障部分の閲覧等の請求をしようとする利害関係人は、特別清算裁判所に対し、第一項に規定する要件を欠くこと又はこれを欠くに至ったことを理由として、同項の規定による決定の取消しの申立てをすることができる。

4　第一項の申立てを却下する決定及び前項の申立てについての裁判に対しては、即時抗告をすることができる。

5　第一項の規定による決定を取り消す決定は、確定しなければその効力を生じない。

第二款　特別清算の開始の手続に関する特則

（特別清算開始の申立て）

第八百八十八条　債権者又は株主が特別清算開始の申立てをするときは、特別清算開始の原因となる事由を疎明しなければならない。

2　債権者が特別清算開始の申立てをするときは、その有する債権の存在をも疎明しなければならない。

3　特別清算開始の申立てをするときは、申立人は、第五百十四条第一号に規定する特別清算の手続の費用として裁判所の定める金額を予納しなければならない。

4　前項の費用の予納に関する決定に対しては、即時抗告をすることができる。

（他の手続の中止命令）

第八百八十九条　裁判所は、第五百十二条の規定による中止の命令を変更し、又は取り消すことができる。

2　前項の中止の命令及び同項の規定による決定に対しては、即時抗告をすることができる。

3　前項の即時抗告は、執行停止の効力を有しない。

4　第二項に規定する裁判及び同項の即時抗告についての裁判があった場合には、その裁判書を当事者に送達しなければならない。

（特別清算開始の命令）

第八百九十条　裁判所は、特別清算開始の命令をしたときは、直ちに、その旨を公告し、かつ、特別清算開始の命令の裁判書を清算株式会社に送達しなければならない。

2　特別清算開始の命令は、清算株式会社に対する裁判書の送達がされた時から、効力を生ずる。

3　特別清算開始の命令があったときは、特別清算の手続の費用は、清算株式会社の負担とする。

4　特別清算開始の命令に対しては、清算株式会社に限り、即時抗告をすることができる。

5　特別清算開始の申立てを却下した裁判に対しては、申立人に限り、即時抗告をすることができる。

6　特別清算開始の命令をした裁判所は、第四項の即時抗告があった場合において、当該命令を取り消す決定が確定したときは、直ちに、その旨を公告しなければならない。

（担保権の実行の手続等の中止命令）

第八百九十一条　裁判所は、第五百十六条の規定による中止の命令を発する場合には、同条に規定する担保権の実行の手続等の申立人の陳述を聴かなければならない。

2　裁判所は、前項の中止の命令を変更し、又は取り消すことができる。

3　第一項の中止の命令及び前項の規定による変更の決定に対しては、第一項の申立人に限り、即時抗告をすることができる。

4　前項の即時抗告は、執行停止の効力を有しない。

5　第三項に規定する裁判及び同項の即時抗告についての裁判があった場合には、その裁判書を当事者に送達しなければならない。

第三款　特別清算の実行の手続に関する特則

（調査命令）

第八百九十二条　裁判所は、調査命令（第五百二十二条第一項に規定する調査命令をいう。次項において同じ。）を変更し、又は取り消すことができる。

2　調査命令及び前項の規定による決定に対しては、即時抗告をすることができる。

3　前項の即時抗告は、執行停止の効力を有しない。

4　第二項に規定する裁判及び同項の即時抗告についての裁判があった場合には、その裁判書を当事者に送達しなければならない。

（清算人の解任及び報酬等）

第八百九十三条　裁判所は、第五百二十四条第一項の規定により清算人を解任する場合には、当該清算人の陳述を聴かなければならない。

2　第五百二十四条第一項の規定による解任の裁判に対しては、即時抗告をすることができる。

3　前項の即時抗告は、執行停止の効力を有しない。

4　第五百二十六条第一項（同条第二項において準用する場合を含む。）の規定による決定に対しては、即時抗告をすることができる。

（監督委員の解任及び報酬等）

第八百九十四条　裁判所は、監督委員を解任する場合には、当該監督委員の陳述を聴かなければならない。

2　第五百三十二条第一項の規定による決定に対しては、即時抗告をすることができる。

（調査委員の解任及び報酬等）

第八百九十五条　前条の規定は、調査委員について準用する。

（事業の譲渡の許可の申立て）

第八百九十六条　清算人は、第五百三十六条第一項の許可の申立てをする場合には、知れている債権者の意見を聴き、その内容を裁判所に報告しなければならない。

2　裁判所は、第五百三十六条第一項の許可をする場合には、労働組合等（清算株式会社の使用人その他の従業者の過半数で組織する労働組合があるときはその労働組合、清算株式会社の使用人その他の従業者の過半数で組織する労働組合がないときは清算株式会社の使用人その他の従業者の過半数を代表する者をいう。）の意見を聴かなければなら

第七編　雑則

ない。

（担保権者が処分をすべき期間の指定）

第八百九十七条　第五百三十九条第一項の申立てについての裁判に対しては、即時抗告をすることができる。

2　前項の裁判及び同項の即時抗告についての裁判があった場合には、その裁判書を当事者に送達しなければならない。

（清算株式会社の財産に関する保全処分等）

第八百九十八条　裁判所は、次に掲げる裁判を変更し、又は取り消すことができる。

一　第五百四十条第一項又は第二項の規定による保全処分

二　第五百四十一条第一項又は第二項の規定による処分

三　第五百四十二条第一項又は第二項の規定による保全処分

四　第五百四十三条の規定による処分

2　前項各号に掲げる裁判及び同項の規定による決定に対しては、即時抗告をすることができる。

3　前項の即時抗告は、執行停止の効力を有しない。

4　第二項に規定する裁判及び同項の即時抗告についての裁判があった場合には、その裁判書を当事者に送達しなければならない。

5　裁判所は、第一項第二号に掲げる裁判をしたときは、直ちに、その旨を公告しなければならない。当該裁判を変更し、又は取り消す決定があったときも、同様とする。

（役員等責任査定決定）

第八百九十九条　清算株式会社は、第五百四十五条第一項の申立てをするときは、その原因となる事実を疎明しなければならない。

2　役員等責任査定決定（第五百四十五条第一項に規定する役員等責任査定決定をいう。以下この条において同じ。）及び前項の申立てを却下する決定には、理由を付さなければならない。

3　裁判所は、前項に規定する裁判をする場合には、対象役員等（第五百四十二条第一項に規定する対象役員等をいう。）の陳述を聴かなければならない。

4　役員等責任査定決定があった場合には、その裁判書を当事者に送達しなければならない。

5　第八百五十八条第一項の訴えが、同項の期間内に提起されなかったとき、又は却下されたときは、役員等責任査定決定は、給付を命ずる確定判決と同一の効力を有する。

（債権者集会の招集の許可の申立てについての裁判）

第九百条　第五百四十七条第三項の許可の申立てを却下する決定に対しては、即時抗告をすることができる。

（協定の認可又は不認可の決定）

第九百一条　利害関係人は、第五百六十八条の申立てに係る協定を認可すべきかどうかについて、意見を述べることができる。

2　共助対象外国租税の請求権について、協定において減免その他権利に影響を及ぼす定めをする場合には、徴収の権限を有する者の意見を聴かなければならない。

3　第五百六十九条第一項の協定の認可の決定をしたときは、裁判所は、直ちに、その旨を公告しなければならない。

4　第五百六十八条の申立てについての裁判に対しては、即時抗告をすることができる。この場合において、前項の協定の認可の決定に対する即時抗告の期間は、同項の規定による公告が効力を生じた日から起算して二週間とする。

5　前各項の規定は、第五百七十二条の規定により協定の内容を変更する場合について準用する。

第四款　特別清算の終了の手続に関する特則

（特別清算終結の申立てについての裁判）

第九百二条　特別清算終結の決定をしたときは、裁判所は、直ちに、その旨を公告しなければならない。

2　特別清算終結の申立てについての裁判に対しては、即時抗告をすることができる。この場合において、特別清算終結の決定に対する即時抗告の期間は、前項の規定による公告が効力を生じた日から起算して二週間とする。
3 特別清算終結の決定は、確定しなければその効力を生じない。
4 特別清算終結の決定をした裁判所は、第二項の即時抗告があった場合において、当該決定を取り消す決定が確定したときは、直ちに、その旨を公告しなければならない。

第四節　外国会社の清算の手続に関する特則

（特別清算の手続に関する規定の準用）
第九百三条　前節の規定は、その性質上許されないものを除き、第八百二十二条第一項の規定による日本にある外国会社の財産についての清算について準用する。

第五節　会社の解散命令等の手続に関する特則

（法務大臣の関与）
第九百四条　裁判所は、第八百二十四条第一項又は第八百二十七条第一項の申立てについての裁判をする場合には、法務大臣に対し、意見を求めなければならない。
2 法務大臣は、裁判所が前項の申立てに係る事件について審問をするときは、当該審問に立ち会うことができる。
3 裁判所は、法務大臣に対し、第一項の申立てに係る事件が係属したこと及び前項の審問の期日を通知しなければならない。
4 第一項の申立てを却下する裁判に対しては、第八百七十二条第四号に定める者のほか、法務大臣も、即時抗告をすることができる。

（会社の財産に関する保全処分についての特則）
第九百五条　裁判所が第八百二十五条第一項（第八百二十七条第二項において準用する場合を含む。）の保全処分をした場合には、非訟事件の手続の費用は、会社又は外国会社の負担とする。当該保全処分について必要な費用も、同様とする。
2 前項の保全処分又は第八百二十五条第一項（第八百二十七条第二項において準用する場合を含む。）の規定による申立てを却下する裁判に対して即時抗告があった場合において、抗告裁判所が当該即時抗告を理由があると認めて原裁判を取り消したときは、その抗告審における手続に要する裁判費用及び抗告人が負担した前審における手続に要する裁判費用は、会社又は外国会社の負担とする。
第九百六条　利害関係人は、裁判所書記官に対し、第八百二十五条第六項（第八百二十七条第二項において準用する場合を含む。）の報告又は計算に関する資料の閲覧を請求することができる。
2 利害関係人は、裁判所書記官に対し、前項の資料の謄写又はその正本、謄本若しくは抄本の交付を請求することができる。
3 前項の規定は、第一項の資料のうち録音テープ又はビデオテープ（これらに準ずる方法により一定の事項を記録した物を含む。）に関しては、適用しない。この場合において、これらの物について利害関係人の請求があるときは、裁判所書記官は、その複製を許さなければならない。
4 法務大臣は、裁判所書記官に対し、第一項の資料の閲覧を請求することができる。
5 民事訴訟法第九十一条第五項の規定は、第一項の資料について準用する。

第四章　登記

第一節　総則

（通則）
第九百七条　この法律の規定により登記すべき事項（第九百三十八条第三項の保全処分の登記に係る事項を除く。）は、当事者の申請又は裁判所書記官の嘱託により、商業登記法（昭和三十八年法律第百二十五号）の定めるところに従い、商業登記簿にこれを登記する。

（登記の効力）
第九百八条　この法律の規定により登記すべき事項は、登記の後でなければ、これをもって善意の第三者に対抗することができない。登記の後であっても、第三者が正当な事由によってその登記があることを知らなかったときは、同様とする。

2　故意又は過失によって不実の事項を登記した者は、その事項が不実であることをもって善意の第三者に対抗することができない。

（変更の登記及び消滅の登記）

第九百九条　この法律の規定により登記した事項に変更が生じ、又はその事項が消滅したときは、当事者は、遅滞なく、変更の登記又は消滅の登記をしなければならない。

（登記の期間）

第九百十条　この法律の規定により登記すべき事項のうち官庁の許可を要するものの登記の期間については、その許可書の到達した日から起算する。

第二節　会社の登記

第一款　本店の所在地における登記

〔施行　会社法の一部を改正する法律（令和元年法律第七十号）の施行の日（令和元年十二月十一日から三年六月を超えない範囲内において政令で定める日）〕［第一款の款名を削る］

~~第一款　本店の所在地における登記~~

（株式会社の設立の登記）

第九百十一条　株式会社の設立の登記は、その本店の所在地において、次に掲げる日のいずれか遅い日から二週間以内にしなければならない。

一　第四十六条第一項の規定による調査が終了した日（設立しようとする株式会社が指名委員会等設置会社である場合にあっては、設立時代表執行役が同条第三項の規定による通知を受けた日）

二　発起人が定めた日

2　前項の規定にかかわらず、第五十七条第一項の募集をする場合には、前項の登記は、次に掲げる日のいずれか遅い日から二週間以内にしなければならない。

一　創立総会の終結の日

二　第八十四条の種類創立総会の決議をしたときは、当該決議の日

三　第九十七条の創立総会の決議をしたときは、当該決議の日から二週間を経過した日

四　第百条第一項の種類創立総会の決議をしたときは、当該決議の日から二週間を経過した日

五　第百一条第一項の種類創立総会の決議をしたときは、当該決議の日

3　第一項の登記においては、次に掲げる事項を登記しなければならない。

一　目的

二　商号

三　本店及び支店の所在場所

四　株式会社の存続期間又は解散の事由についての定款の定めがあるときは、その定め

五　資本金の額

六　発行可能株式総数

七　発行する株式の内容（種類株式発行会社にあっては、発行可能種類株式総数及び発行する各種類の株式の内容）

八　単元株式数についての定款の定めがあるときは、その単元株式数

九　発行済株式の総数並びにその種類及び種類ごとの数

十　株券発行会社であるときは、その旨

十一　株主名簿管理人を置いたときは、その氏名又は名称及び住所並びに営業所

十二　新株予約権を発行したときは、次に掲げる事項

イ　新株予約権の数

ロ　第二百三十六条第一項第一号から第四号まで（ハに規定する場合にあっては、第二号を除く。）に掲げる事項

ハ　第二百三十六条第三項各号に掲げる事項を定めたときは、その定め

ニ　ロ及びハに掲げる事項のほか、新株予約権の行使の条件を定めたときは、その条件

ホ　第二百三十六条第一項第七号及び第二百三十八条第一項第二号に掲げる事項

ヘ　第二百三十八条第一項第三号に掲げる事項を定めたときは、募集新株予約権（同項に規定する募集新株予約権をいう。以下ヘにおいて同じ。）の払込金額（同号に規定する払込金額をいう。以下ヘにおいて同じ。）（同号に掲げる事項として募集新株予約権の払込金額の算定方法を定めた場合において、登記の申請の時までに募集新株予約権の払込金額が確定していないときは、当該算定方法）

十三　取締役（監査等委員会設置会社の取締役を除く。）の氏名

十四　代表取締役の氏名及び住所（第二十三号に規定する場合を除く。）

十五　取締役会設置会社であるときは、その旨

十六　会計参与設置会社であるときは、その旨並びに会計参与の氏名又は名称及び第三百七十八条第一項の場所

十七　監査役設置会社（監査役の監査の範囲を会計に関するものに限定する旨の定款の定めがある株式会社を含む。）であるときは、その旨及び次に掲げる事項

イ　監査役の監査の範囲を会計に関するものに限定する旨の定款の定めがある株式会社であるときは、その旨

ロ　監査役の氏名

十八　監査役会設置会社であるときは、その旨及び監査役のうち社外監査役であるものについて社外監査役である旨

十九　会計監査人設置会社であるときは、その旨及び会計監査人の氏名又は名称

二十　第三百四十六条第四項の規定により選任された一時会計監査人の職務を行うべき者を置いたときは、その氏名又は名称

二十一　第三百七十三条第一項の規定による特別取締役による議決の定めがあるときは、次に掲げる事項

イ　第三百七十三条第一項の規定による特別取締役による議決の定めがある旨

ロ　特別取締役の氏名

ハ　取締役のうち社外取締役であるものについて、社外取締役である旨

二十二　監査等委員会設置会社であるときは、その旨及び次に掲げる事項

イ　監査等委員である取締役及びそれ以外の取締役の氏名

ロ　取締役のうち社外取締役であるものについて、社外取締役である旨

ハ　第三百九十九条の十三第六項の規定による重要な業務執行の決定の取締役への委任についての定款の定めがあるときは、その旨

二十三　指名委員会等設置会社であるときは、その旨及び次に掲げる事項

イ　取締役のうち社外取締役であるものについて、社外取締役である旨

ロ　各委員会の委員及び執行役の氏名

ハ　代表執行役の氏名及び住所

二十四　第四百二十六条第一項の規定による取締役、会計参与、監査役、執行役又は会計監査人の責任の免除についての定款の定めがあるときは、その定め

二十五　第四百二十七条第一項の規定による非業務執行取締役等が負う責任の限度に関する契約の締結についての定款の定めがあるときは、その定め

二十六　第四百四十条第三項の規定による措置をとることとするとき

は、同条第一項に規定する貸借対照表の内容である情報について不特定多数の者がその提供を受けるために必要な事項であって法務省令で定めるもの

二十七　第九百三十九条第一項の規定による公告方法についての定款の定めがあるときは、その定め

二十八　前号の定款の定めが電子公告を公告方法とする旨のものであるときは、次に掲げる事項

イ　電子公告により公告すべき内容である情報について不特定多数の者がその提供を受けるために必要な事項であって法務省令で定めるもの

ロ　第九百三十九条第三項後段の規定による定款の定めがあるときは、その定め

二十九　第二十七号の定款の定めがないときは、第九百三十九条第四項の規定により官報に掲載する方法を公告方法とする旨

〔施行　**会社法の一部を改正する法律**（令和元年法律第七十号）の施行の日（令和元年十二月十一日から三年六月を超えない範囲内において政令で定める日）〕［第三項に第十二号の二を加える］

（株式会社の設立の登記）

第九百十一条　（省略）

2　（省略）

3　第一項の登記においては、次に掲げる事項を登記しなければならない。

一～十二　（省略）

十二の二　第三百二十五条の二の規定による電子提供措置をとる旨の定款の定めがあるときは、その定め

十三～二十九　（省略）

【会社法施行規則】

第二百二十条　次の各号に掲げる規定に規定する法務省令で定めるものは、当該各号に定める行為をするために使用する自動公衆送信装置のうち当該行為をするための用に供する部分をインターネットにおいて識別するための文字、記号その他の符号又はこれらの結合であって、情報の提供を受ける者がその使用に係る電子計算機に入力することによって当該情報の内容を閲覧し、当該電子計算機に備えられたファイルに当該情報を記録することができるものとする。

一　法第九百十一条第三項第二十六号　法第四百四十条第三項の規定による措置

二　法第九百十一条第三項第二十八号イ　株式会社が行う電子公告

三～七　（略）

2　法第九百十一条第三項第二十八号に規定する場合には、同号イに掲げる事項であって、決算公告（法第四百四十条第一項の規定による公告をいう。以下この項において同じ。）の内容である情報の提供を受けるためのものを、当該事項であって決算公告以外の公告の内容である情報の提供を受けるためのものと別に登記することができる。

（合名会社の設立の登記）

第九百十二条　合名会社の設立の登記は、その本店の所在地において、次に掲げる事項を登記してしなければならない。

一　目的

二　商号

三　本店及び支店の所在場所

四　合名会社の存続期間又は解散の事由についての定款の定めがあるときは、その定め

五　社員の氏名又は名称及び住所

六　合名会社を代表する社員の氏名又は名称（合名会社を代表しない社員がある場合に限る。）

七　合名会社を代表する社員が法人であるときは、当該社員の職務を行うべき者の氏名及び住所

八　第九百三十九条第一項の規定による公告方法についての定款の定めがあるときは、その定め

九　前号の定款の定めが電子公告を公告方法とする旨のものであるときは、次に掲げる事項

イ　電子公告により公告すべき内容である情報について不特定多数の者がその提供を受けるために必要な事項であって法務省令で定めるもの

ロ　第九百三十九条第三項後段の規定による定款の定めがあるときは、その定め

十　第八号の定款の定めがないときは、第九百三十九条第四項の規定により官報に掲載する方法を公告方法とする旨

【会社法施行規則】

第二百二十条　次の各号に掲げる規定に規定する法務省令で定めるものは、当該各号に定める行為をするために使用する自動公衆送信装置のうち当該行為をするための用に供する部分をインターネットにおいて識別するための文字、記号その他の符号又はこれらの結合であって、情報の提供を受ける者がその使用に係る電子計算機に入力することによって当該情報の内容を閲覧し、当該電子計算機に備えられたファイルに当該情報を記録することができるものとする。

一・二　（略）

三　法第九百十二条第九号イ　合名会社が行う電子公告

四〜七　（略）

2　（略）

（合資会社の設立の登記）

第九百十三条　合資会社の設立の登記は、その本店の所在地において、次に掲げる事項を登記してしなければならない。

一　目的

二　商号

三　本店及び支店の所在場所

四　合資会社の存続期間又は解散の事由についての定款の定めがあるときは、その定め

五　社員の氏名又は名称及び住所

六　社員が有限責任社員又は無限責任社員のいずれであるかの別

七　有限責任社員の出資の目的及びその価額並びに既に履行した出資の価額

八　合資会社を代表する社員の氏名又は名称（合資会社を代表しない社員がある場合に限る。）

九　合資会社を代表する社員が法人であるときは、当該社員の職務を行うべき者の氏名及び住所

十　第九百三十九条第一項の規定による公告方法についての定款の定めがあるときは、その定め

十一　前号の定款の定めが電子公告を公告方法とする旨のものであるときは、次に掲げる事項

イ　電子公告により公告すべき内容である情報について不特定多数の者がその提供を受けるために必要な事項であって法務省令で定めるもの

ロ　第九百三十九条第三項後段の規定による定款の定めがあるときは、その定め

十二　第十号の定款の定めがないときは、第九百三十九条第四項の規定により官報に掲載する方法を公告方法とする旨

【会社法施行規則】

第二百二十条　次の各号に掲げる規定に規定する法務省令で定めるものは、当該各号に定める行為をするために使用する自動公衆送信装置のうち当該行為をするための用に供する部分をインター

第七編　雑則

ネットにおいて識別するための文字、記号その他の符号又はこれらの結合であって、情報の提供を受ける者がその使用に係る電子計算機に入力することによって当該情報の内容を閲覧し、当該電子計算機に備えられたファイルに当該情報を記録することができるものとする。

一～三（略）

四　法第九百十三条第十一号イ　合資会社が行う電子公告

五～七（略）

2（略）

（合同会社の設立の登記）

第九百十四条　合同会社の設立の登記は、その本店の所在地において、次に掲げる事項を登記してしなければならない。

一　目的

二　商号

三　本店及び支店の所在場所

四　合同会社の存続期間又は解散の事由についての定款の定めがあるときは、その定め

五　資本金の額

六　合同会社の業務を執行する社員の氏名又は名称

七　合同会社を代表する社員の氏名又は名称及び住所

八　合同会社を代表する社員が法人であるときは、当該社員の職務を行うべき者の氏名及び住所

九　第九百三十九条第一項の規定による公告方法についての定款の定めがあるときは、その定め

十　前号の定款の定めが電子公告を公告方法とする旨のものであるときは、次に掲げる事項

イ　電子公告により公告すべき内容である情報について不特定多数の者がその提供を受けるために必要な事項であって法務省令で定めるもの

ロ　第九百三十九条第三項後段の規定による定款の定めがあるときは、その定め

十一　第九号の定款の定めがないときは、第九百三十九条第四項の規定により官報に掲載する方法を公告方法とする旨

【会社法施行規則】

第二百二十条　次の各号に掲げる規定に規定する法務省令で定めるものは、当該各号に定める行為をするために使用する自動公衆送信装置のうち当該行為をするための用に供する部分をインターネットにおいて識別するための文字、記号その他の符号又はこれらの結合であって、情報の提供を受ける者がその使用に係る電子計算機に入力することによって当該情報の内容を閲覧し、当該電子計算機に備えられたファイルに当該情報を記録することができるものとする。

一～四（略）

五　法第九百十四条第十号イ　合同会社が行う電子公告

六・七（略）

2（略）

（変更の登記）

第九百十五条　会社において第九百十一条第三項各号又は前三条各号に掲げる事項に変更が生じたときは、二週間以内に、その本店の所在地において、変更の登記をしなければならない。

2　前項の規定にかかわらず、第百九十九条第一項第四号の期間を定めた場合における株式の発行による変更の登記は、当該期間の末日現在により、当該末日から二週間以内にすれば足りる。

3　第一項の規定にかかわらず、次に掲げる事由による変更の登記は、毎月末日現在により、当該末日から二週間以内にすれば足りる。

一　新株予約権の行使

二　第百六十六条第一項の規定による請求（株式の内容として第百七

条第三号ハ若しくはニ又は第百八条第二項第五号ロに掲げる事項についての定めがある場合に限る。）

（他の登記所の管轄区域内への本店の移転の登記）

第九百十六条　会社がその本店を他の登記所の管轄区域内に移転したときは、二週間以内に、旧所在地においては移転の登記をし、新所在地においては次の各号に掲げる会社の区分に応じ当該各号に定める事項を登記しなければならない。

一　株式会社　第九百十一条第三項各号に掲げる事項

二　合名会社　第九百十二条各号に掲げる事項

三　合資会社　第九百十三条各号に掲げる事項

四　合同会社　第九百十四条各号に掲げる事項

（職務執行停止の仮処分等の登記）

第九百十七条　次の各号に掲げる会社の区分に応じ、当該各号に定める者の職務の執行を停止し、若しくはその職務を代行する者を選任する仮処分命令又はその仮処分命令を変更し、若しくは取り消す決定がされたときは、その本店の所在地において、その登記をしなければならない。

一　株式会社　取締役（監査等委員会設置会社にあっては、監査等委員である取締役又はそれ以外の取締役）、会計参与、監査役、代表取締役、委員（指名委員会、監査委員会又は報酬委員会の委員をいう。）、執行役又は代表執行役

二　合名会社　社員

三　合資会社　社員

四　合同会社　業務を執行する社員

（支配人の登記）

第九百十八条　会社が支配人を選任し、又はその代理権が消滅したときは、その本店の所在地において、その登記をしなければならない。

（持分会社の種類の変更の登記）

第九百十九条　持分会社が第六百三十八条の規定により他の種類の持分会社となったときは、同条に規定する定款の変更の効力が生じた日から二週間以内に、その本店の所在地において、種類の変更前の持分会社については解散の登記をし、種類の変更後の持分会社については設立の登記をしなければならない。

（組織変更の登記）

第九百二十条　会社が組織変更をしたときは、その効力が生じた日から二週間以内に、その本店の所在地において、組織変更前の会社については解散の登記をし、組織変更後の会社については設立の登記をしなければならない。

（吸収合併の登記）

第九百二十一条　会社が吸収合併をしたときは、その効力が生じた日から二週間以内に、その本店の所在地において、吸収合併により消滅する会社については解散の登記をし、吸収合併後存続する会社については変更の登記をしなければならない。

（新設合併の登記）

第九百二十二条　二以上の会社が新設合併をする場合において、新設合併により設立する会社が株式会社であるときは、次の各号に掲げる場合の区分に応じ、当該各号に定める日から二週間以内に、その本店の所在地において、新設合併により消滅する会社については解散の登記をし、新設合併により設立する会社については設立の登記をしなければならない。

一　新設合併により消滅する会社が株式会社のみである場合　次に掲げる日のいずれか遅い日

イ　第八百四条第一項の株主総会の決議の日

ロ　新設合併をするために種類株主総会の決議を要するときは、当該決議の日

ハ　第八百六条第三項の規定による通知又は同条第四項の公告をした日から二十日を経過した日

ニ　新設合併により消滅する会社が新株予約権を発行しているときは、第八百八条第三項の規定による通知又は同条第四項の公告をした日から二十日を経過した日

ホ　第八百十条の規定による手続が終了した日
ヘ　新設合併により消滅する会社が合意により定めた日
二　新設合併により消滅する会社が持分会社のみである場合　次に掲げる日のいずれか遅い日
イ　第八百十三条第一項の総社員の同意を得た日（同項ただし書に規定する場合にあっては、定款の定めによる手続を終了した日）
ロ　第八百十三条第二項において準用する第八百十条の規定による手続が終了した日
ハ　新設合併により消滅する会社が合意により定めた日
三　新設合併により消滅する会社が株式会社及び持分会社である場合　前二号に定める日のいずれか遅い日

2　二以上の会社が新設合併をする場合において、新設合併により設立する会社が持分会社であるときは、次の各号に掲げる場合の区分に応じ、当該各号に定める日から二週間以内に、その本店の所在地において、新設合併により消滅する会社については解散の登記をし、新設合併により設立する会社については設立の登記をしなければならない。
一　新設合併により消滅する会社が株式会社のみである場合　次に掲げる日のいずれか遅い日
イ　第八百四条第二項の総株主の同意を得た日
ロ　新設合併により消滅する会社が新株予約権を発行しているときは、第八百八条第三項の規定による通知又は同条第四項の公告をした日から二十日を経過した日
ハ　第八百十条の規定による手続が終了した日
ニ　新設合併により消滅する会社が合意により定めた日
二　新設合併により消滅する会社が持分会社のみである場合　次に掲げる日のいずれか遅い日
イ　第八百十三条第一項の総社員の同意を得た日（同項ただし書に規定する場合にあっては、定款の定めによる手続を終了した日）
ロ　第八百十三条第二項において準用する第八百十条の規定による手続が終了した日
ハ　新設合併により消滅する会社が合意により定めた日
三　新設合併により消滅する会社が株式会社及び持分会社である場合　前二号に定める日のいずれか遅い日

（吸収分割の登記）

第九百二十三条　会社が吸収分割をしたときは、その効力が生じた日から二週間以内に、その本店の所在地において、吸収分割をする会社及び当該会社がその事業に関して有する権利義務の全部又は一部を当該会社から承継する会社についての変更の登記をしなければならない。

（新設分割の登記）

第九百二十四条　一又は二以上の株式会社又は合同会社が新設分割をする場合において、新設分割により設立する会社が株式会社であるときは、次の各号に掲げる場合の区分に応じ、当該各号に定める日から二週間以内に、その本店の所在地において、新設分割をする会社については変更の登記をし、新設分割により設立する会社については設立の登記をしなければならない。
一　新設分割をする会社が株式会社のみである場合　次に掲げる日のいずれか遅い日
イ　第八百五条に規定する場合以外の場合には、第八百四条第一項の株主総会の決議の日
ロ　新設分割をするために種類株主総会の決議を要するときは、当該決議の日
ハ　第八百五条に規定する場合以外の場合には、第八百六条第三項の規定による通知又は同条第四項の公告をした日から二十日を経過した日
ニ　第八百八条第三項の規定による通知を受けるべき新株予約権者があるときは、同項の規定による通知又は同条第四項の公告をした日から二十日を経過した日
ホ　第八百十条の規定による手続をしなければならないときは、当該手続が終了した日
ヘ　新設分割をする株式会社が定めた日（二以上の株式会社が共同

して新設分割をする場合にあっては、当該二以上の新設分割をする株式会社が合意により定めた日）

二　新設分割をする会社が合同会社のみである場合　次に掲げる日のいずれか遅い日

イ　第八百十三条第一項の総社員の同意を得た日（同項ただし書の場合にあっては、定款の定めによる手続を終了した日）

ロ　第八百十三条第二項において準用する第八百十条の規定による手続をしなければならないときは、当該手続が終了した日

ハ　新設分割をする合同会社が定めた日（二以上の合同会社が共同して新設分割をする場合にあっては、当該二以上の新設分割をする合同会社が合意により定めた日）

三　新設分割をする会社が株式会社及び合同会社である場合　前二号に定める日のいずれか遅い日

2　一又は二以上の株式会社又は合同会社が新設分割をする場合において、新設分割により設立する会社が持分会社であるときは、次の各号に掲げる場合の区分に応じ、当該各号に定める日から二週間以内に、その本店の所在地において、新設分割をする会社については変更の登記をし、新設分割により設立する会社については設立の登記をしなければならない。

一　新設分割をする会社が株式会社のみである場合　次に掲げる日のいずれか遅い日

イ　第八百五条に規定する場合以外の場合には、第八百四条第一項の株主総会の決議の日

ロ　新設分割をするために種類株主総会の決議を要するときは、当該決議の日

ハ　第八百五条に規定する場合以外の場合には、第八百六条第三項の規定による通知又は同条第四項の公告をした日から二十日を経過した日

ニ　第八百十条の規定による手続をしなければならないときは、当該手続が終了した日

ホ　新設分割をする株式会社が定めた日（二以上の株式会社が共同して新設分割をする場合にあっては、当該二以上の新設分割をする株式会社が合意により定めた日）

二　新設分割をする会社が合同会社のみである場合　次に掲げる日のいずれか遅い日

イ　第八百十三条第一項の総社員の同意を得た日（同項ただし書の場合にあっては、定款の定めによる手続を終了した日）

ロ　第八百十三条第二項において準用する第八百十条の規定による手続をしなければならないときは、当該手続が終了した日

ハ　新設分割をする合同会社が定めた日（二以上の合同会社が共同して新設分割をする場合にあっては、当該二以上の新設分割をする合同会社が合意により定めた日）

三　新設分割をする会社が株式会社及び合同会社である場合　前二号に定める日のいずれか遅い日

（株式移転の登記）

第九百二十五条　一又は二以上の株式会社が株式移転をする場合には、次に掲げる日のいずれか遅い日から二週間以内に、株式移転により設立する株式会社について、その本店の所在地において、設立の登記をしなければならない。

一　第八百四条第一項の株主総会の決議の日

二　株式移転をするために種類株主総会の決議を要するときは、当該決議の日

三　第八百六条第三項の規定による通知又は同条第四項の公告をした日から二十日を経過した日

四　第八百八条第三項の規定による通知を受けるべき新株予約権者があるときは、同項の規定による通知をした日又は同条第四項の公告をした日から二十日を経過した日

五　第八百十条の規定による手続をしなければならないときは、当該手続が終了した日

六　株式移転をする株式会社が定めた日（二以上の株式会社が共同し

て株式移転をする場合にあっては、当該二以上の株式移転をする株式会社が合意により定めた日）

（解散の登記）

第九百二十六条　第四百七十一条第一号から第三号まで又は第六百四十一条第一号から第四号までの規定により会社が解散したときは、二週間以内に、その本店の所在地において、解散の登記をしなければならない。

（継続の登記）

第九百二十七条　第四百七十三条、第六百四十二条第一項又は第八百四十五条の規定により会社が継続したときは、二週間以内に、その本店の所在地において、継続の登記をしなければならない。

（清算人の登記）

第九百二十八条　第四百七十八条第一項第一号に掲げる者が清算株式会社の清算人となったときは、解散の日から二週間以内に、その本店の所在地において、次に掲げる事項を登記しなければならない。

一　清算人の氏名
二　代表清算人の氏名及び住所
三　清算株式会社が清算人会設置会社であるときは、その旨

2　第六百四十七条第一項第一号に掲げる者が清算持分会社の清算人となったときは、解散の日から二週間以内に、その本店の所在地において、次に掲げる事項を登記しなければならない。

一　清算人の氏名又は名称及び住所
二　清算持分会社を代表する清算人の氏名又は名称（清算持分会社を代表しない清算人がある場合に限る。）
三　清算持分会社を代表する清算人が法人であるときは、清算人の職務を行うべき者の氏名及び住所

3　清算人が選任されたときは、二週間以内に、その本店の所在地において、清算株式会社にあっては第一項各号に掲げる事項を、清算持分会社にあっては前項各号に掲げる事項を登記しなければならない。

4　第九百十五条第一項の規定は前三項の規定による登記について、第九百十七条の規定は清算人、代表清算人又は清算持分会社を代表する清算人について、それぞれ準用する。

（清算結了の登記）

第九百二十九条　清算が結了したときは、次の各号に掲げる会社の区分に応じ、当該各号に定める日から二週間以内に、その本店の所在地において、清算結了の登記をしなければならない。

一　清算株式会社　第五百七条第三項の承認の日
二　清算持分会社（合名会社及び合資会社に限る。）　第六百六十七条第一項の承認の日（第六百六十八条第一項の財産の処分の方法を定めた場合にあっては、その財産の処分を完了した日）
三　清算持分会社（合同会社に限る。）　第六百六十七条第一項の承認の日

第二款　支店の所在地における登記

〔施行　会社法の一部を改正する法律（令和元年法律第七十号）の施行の日（令和元年十二月十一日から三年六月を超えない範囲内において政令で定める日）〕［第二款の款名を削る］

~~第二款　支店の所在地における登記~~

（支店の所在地における登記）

第九百三十条　次の各号に掲げる場合（当該各号に規定する支店が本店の所在地を管轄する登記所の管轄区域内にある場合を除く。）には、当該各号に定める期間内に、当該支店の所在地において、支店の所在地における登記をしなければならない。

一　会社の設立に際して支店を設けた場合（次号から第四号までに規定する場合を除く。）　本店の所在地における設立の登記をした日から二週間以内
二　新設合併により設立する会社が新設合併に際して支店を設けた場合　第九百二十二条第一項各号又は第二項各号に定める日から三週

間以内

三　新設分割により設立する会社が新設分割に際して支店を設けた場合　第九百二十四条第一項各号又は第二項各号に定める日から三週間以内

四　株式移転により設立する株式会社が株式移転に際して支店を設けた場合　第九百二十五条各号に掲げる日のいずれか遅い日から三週間以内

五　会社の成立後に支店を設けた場合　支店を設けた日から三週間以内

2　支店の所在地における登記においては、次に掲げる事項を登記しなければならない。ただし、支店の所在地を管轄する登記所の管轄区域内に新たに支店を設けたときは、第三号に掲げる事項を登記すれば足りる。

一　商号

二　本店の所在場所

三　支店（その所在地を管轄する登記所の管轄区域内にあるものに限る。）の所在場所

3　前項各号に掲げる事項に変更が生じたときは、三週間以内に、当該支店の所在地において、変更の登記をしなければならない。

〔施行　会社法の一部を改正する法律（令和元年法律第七十号）の施行の日（令和元年十二月十一日から三年六月を超えない範囲内において政令で定める日）〕［傍線部分は改正部分］

第九百三十条から第九百三十二条まで　削除

（他の登記所の管轄区域内への支店の移転の登記）

第九百三十一条　会社がその支店を他の登記所の管轄区域内に移転したときは、旧所在地（本店の所在地を管轄する登記所の管轄区域内にある場合を除く。）においては三週間以内に移転の登記をし、新所在地（本店の所在地を管轄する登記所の管轄区域内にある場合を除く。以下この条において同じ。）においては四週間以内に前条第二項各号に掲げる事項を登記しなければならない。ただし、支店の所在地を管轄する登記所の管轄区域内に新たに支店を移転したときは、新所在地においては、同項第三号に掲げる事項を登記すれば足りる。

（支店における変更の登記等）

第九百三十二条　第九百十九条から第九百二十五条まで及び第九百二十九条に規定する場合には、これらの規定に規定する日から三週間以内に、支店の所在地においても、これらの規定に規定する登記をしなければならない。ただし、第九百二十一条、第九百二十三条又は第九百二十四条に規定する変更の登記は、第九百三十条第二項各号に掲げる事項に変更が生じた場合に限り、するものとする。

第三節　外国会社の登記

（外国会社の登記）

第九百三十三条　外国会社が第八百十七条第一項の規定により初めて日本における代表者を定めたときは、三週間以内に、次の各号に掲げる場合の区分に応じ、当該各号に定める地において、外国会社の登記をしなければならない。

一　日本に営業所を設けていない場合　日本における代表者（日本に住所を有するものに限る。以下この節において同じ。）の住所地

二　日本に営業所を設けた場合　当該営業所の所在地

2　外国会社の登記においては、日本における同種の会社又は最も類似する会社の種類に従い、第九百十一条第三項各号又は第九百十二条から第九百十四条までの各号に掲げる事項を登記するほか、次に掲げる事項を登記しなければならない。

一　外国会社の設立の準拠法

二　日本における代表者の氏名及び住所

三　日本における同種の会社又は最も類似する会社が株式会社であるときは、第一号に規定する準拠法の規定による公告をする方法

四　前号に規定する場合において、第八百十九条第三項に規定する措

置をとることとするときは、同条第一項に規定する貸借対照表に相当するものの内容である情報について不特定多数の者がその提供を受けるために必要な事項であって法務省令で定めるもの

五　第九百三十九条第二項の規定による公告方法についての定めがあるときは、その定め

六　前号の定めが電子公告を公告方法とする旨のものであるときは、次に掲げる事項

イ　電子公告により公告すべき内容である情報について不特定多数の者がその提供を受けるために必要な事項であって法務省令で定めるもの

ロ　第九百三十九条第三項後段の規定による定めがあるときは、その定め

七　第五号の定めがないときは、第九百三十九条第四項の規定により官報に掲載する方法を公告方法とする旨

3　外国会社が日本に設けた営業所に関する前項の規定の適用については、当該営業所を第九百十一条第三項第三号、第九百十二条第三号、第九百十三条第三号又は第九百十四条第三号に規定する支店とみなす。

4　第九百十五条及び第九百十八条から第九百二十九条までの規定は、外国会社について準用する。この場合において、これらの規定中「二週間」とあるのは「三週間」と、「本店の所在地」とあるのは「日本における代表者（日本に住所を有するものに限る。）の住所地（日本に営業所を設けた外国会社にあっては、当該営業所の所在地）」と読み替えるものとする。

5　前各項の規定により登記すべき事項が外国において生じたときは、登記の期間は、その通知が日本における代表者に到達した日から起算する。

【会社法施行規則】
第二百二十条　次の各号に掲げる規定に規定する法務省令で定めるものは、当該各号に定める行為をするために使用する自動公衆送信装置のうち当該行為をするための用に供する部分をインターネットにおいて識別するための文字、記号その他の符号又はこれらの結合であって、情報の提供を受ける者がその使用に係る電子計算機に入力することによって当該情報の内容を閲覧し、当該電子計算機に備えられたファイルに当該情報を記録することができるものとする。

一～五　（略）

六　法第九百三十三条第二項第四号　法第八百十九条第三項に規定する措置

七　法第九百三十三条第二項第六号イ　外国会社が行う電子公告

2　（略）

（日本における代表者の選任の登記等）

第九百三十四条　日本に営業所を設けていない外国会社が外国会社の登記後に日本における代表者を新たに定めた場合（その住所地が登記がされた他の登記所の管轄区域内にある場合を除く。）には、三週間以内に、その新たに定めた日本における代表者の住所地においても、外国会社の登記をしなければならない。

2　日本に営業所を設けた外国会社が外国会社の登記後に日本に営業所を新たに設けた場合（その所在地が登記がされた他の営業所の所在地を管轄する登記所の管轄区域内にある場合を除く。）には、三週間以内に、その新たに設けた日本における営業所の所在地においても、外国会社の登記をしなければならない。

（日本における代表者の住所の移転の登記等）

第九百三十五条　日本に営業所を設けていない外国会社の日本における代表者が外国会社の登記後にその住所を他の登記所の管轄区域内に移転したときは、旧住所地においては三週間以内に移転の登記をし、新住所地においては四週間以内に外国会社の登記をしなければならな

い。ただし、登記がされた他の日本における代表者の住所地を管轄する登記所の管轄区域内に住所を移転したときは、新住所地においては、その住所を移転したことを登記すれば足りる。

2　日本に営業所を設けた外国会社が外国会社の登記後に営業所を他の登記所の管轄区域内に移転したときは、旧所在地においては三週間以内に移転の登記をし、新所在地においては四週間以内に外国会社の登記をしなければならない。ただし、登記がされた他の営業所の所在地を管轄する登記所の管轄区域内に営業所を移転したときは、新所在地においては、その営業所を移転したことを登記すれば足りる。

（日本における営業所の設置の登記等）

第九百三十六条　日本に営業所を設けていない外国会社が外国会社の登記後に日本に営業所を設けたときは、日本における代表者の住所地においては三週間以内に営業所を設けたことを登記し、その営業所の所在地においては四週間以内に外国会社の登記をしなければならない。ただし、登記がされた日本における代表者の住所地を管轄する登記所の管轄区域内に営業所を設けたときは、その営業所を設けたことを登記すれば足りる。

2　日本に営業所を設けた外国会社が外国会社の登記後にすべての営業所を閉鎖した場合には、その外国会社の日本における代表者の全員が退任しようとするときを除き、その営業所の所在地においては三週間以内に営業所を閉鎖したことを登記し、日本における代表者の住所地においては四週間以内に外国会社の登記をしなければならない。ただし、登記がされた営業所の所在地を管轄する登記所の管轄区域内に日本における代表者の住所地があるときは、すべての営業所を閉鎖したことを登記すれば足りる。

第四節　登記の嘱託

（裁判による登記の嘱託）

第九百三十七条　次に掲げる場合には、裁判所書記官は、職権で、遅滞なく、会社の本店（第一号トに規定する場合であって当該決議によって第九百三十条第二項各号に掲げる事項についての登記がされているときにあっては、本店及び当該登記に係る支店）の所在地を管轄する登記所にその登記を嘱託しなければならない。

一　次に掲げる訴えに係る請求を認容する判決が確定したとき。

イ　会社の設立の無効の訴え

ロ　株式会社の成立後における株式の発行の無効の訴え

ハ　新株予約権（当該新株予約権が新株予約権付社債に付されたものである場合にあっては、当該新株予約権付社債についての社債を含む。以下この節において同じ。）の発行の無効の訴え

ニ　株式会社における資本金の額の減少の無効の訴え

ホ　株式会社の成立後における株式の発行が存在しないことの確認の訴え

ヘ　新株予約権の発行が存在しないことの確認の訴え

ト　株主総会等の決議した事項についての登記があった場合における次に掲げる訴え

(1)　株主総会等の決議が存在しないこと又は株主総会等の決議の内容が法令に違反することを理由として当該決議が無効であることの確認の訴え

(2)　株主総会等の決議の取消しの訴え

チ　持分会社の設立の取消しの訴え

リ　会社の解散の訴え

ヌ　株式会社の役員の解任の訴え

ル　持分会社の社員の除名の訴え

ヲ　持分会社の業務を執行する社員の業務執行権又は代表権の消滅の訴え

二　次に掲げる裁判があったとき。

イ　第三百四十六条第二項、第三百五十一条第二項又は第四百一条第三項（第四百三条第三項及び第四百二十条第三項において準用する場合を含む。）の規定による一時取締役（監査等委員会設置会社にあっては、監査等委員である取締役又はそれ以外の取締役）、

第七編　雑則

会計参与、監査役、代表取締役、委員（指名委員会、監査委員会又は報酬委員会の委員をいう。）、執行役又は代表執行役の職務を行うべき者の選任の裁判

ロ　第四百七十九条第四項において準用する第三百四十六条第二項又は第四百八十三条第六項において準用する第三百五十一条第二項の規定による一時清算人又は代表清算人の職務を行うべき者の選任の裁判（次条第二項第一号に規定する裁判を除く。）

ハ　イ又はロに掲げる裁判を取り消す裁判（次条第二項第二号に規定する裁判を除く。）

ニ　清算人又は代表清算人若しくは清算持分会社を代表する清算人の選任又は選定の裁判を取り消す裁判（次条第二項第三号に規定する裁判を除く。）

ホ　清算人の解任の裁判（次条第二項第四号に規定する裁判を除く。）

三　次に掲げる裁判が確定したとき。

イ　前号ホに掲げる裁判を取り消す裁判

ロ　第八百二十四条第一項の規定による会社の解散を命ずる裁判

2　第八百二十七条第一項の規定による外国会社の日本における取引の継続の禁止又は営業所の閉鎖を命ずる裁判が確定したときは、裁判所書記官は、職権で、遅滞なく、次の各号に掲げる外国会社の区分に応じ、当該各号に定める地を管轄する登記所にその登記を嘱託しなければならない。

一　日本に営業所を設けていない外国会社　日本における代表者（日本に住所を有するものに限る。）の住所地

二　日本に営業所を設けている外国会社　当該営業所の所在地

3　次の各号に掲げる訴えに係る請求を認容する判決が確定した場合には、裁判所書記官は、職権で、遅滞なく、各会社の本店の所在地を管轄する登記所に当該各号に定める登記を嘱託しなければならない。

一　会社の組織変更の無効の訴え　組織変更後の会社についての解散の登記及び組織変更をする会社についての回復の登記

二　会社の吸収合併の無効の訴え　吸収合併後存続する会社についての変更の登記及び吸収合併により消滅する会社についての回復の登記

三　会社の新設合併の無効の訴え　新設合併により設立する会社についての解散の登記及び新設合併により消滅する会社についての回復の登記

四　会社の吸収分割の無効の訴え　吸収分割をする会社及び当該会社がその事業に関して有する権利義務の全部又は一部を当該会社から承継する会社についての変更の登記

五　会社の新設分割の無効の訴え　新設分割をする会社についての変更の登記及び新設分割により設立する会社についての解散の登記

六　株式会社の株式交換の無効の訴え　株式交換をする株式会社（第七百六十八条第一項第四号に掲げる事項についての定めがある場合に限る。）及び株式交換をする株式会社の発行済株式の全部を取得する会社についての変更の登記

七　株式会社の株式移転の無効の訴え　株式移転をする株式会社（第七百七十三条第一項第九号に掲げる事項についての定めがある場合に限る。）についての変更の登記及び株式移転により設立する株式会社についての解散の登記

八　株式会社の株式交付の無効の訴え　株式交付親会社についての変更の登記

4　前項に規定する場合において、同項各号に掲げる訴えに係る請求の目的に係る組織変更、合併又は会社分割により第九百三十条第二項各号に掲げる事項についての登記がされているときは、各会社の支店の所在地を管轄する登記所にも前項各号に定める登記を嘱託しなければならない。

〔施行　**会社法の一部を改正する法律**（令和元年法律第七十号）**の施行の日**（令和元年十二月十一日から三年六月を超えない範囲内において政令で定める日）〕〔第一項を改正、第四項を削る〕

（裁判による登記の嘱託）
第九百三十七条　次に掲げる場合には、裁判所書記官は、職権で、遅滞なく、会社の本店の所在地を管轄する登記所にその登記を嘱託しなければならない。
一～三　（省略）
2・3　（省略）
（4　削る）

（特別清算に関する裁判による登記の嘱託）
第九百三十八条　次の各号に掲げる場合には、裁判所書記官は、職権で、遅滞なく、清算株式会社の本店（第三号に掲げる場合であって特別清算の結了により特別清算終結の決定がされたときにあっては、本店及び支店）の所在地を管轄する登記所に当該各号に定める登記を嘱託しなければならない。
一　特別清算開始の命令があったとき　特別清算開始の登記
二　特別清算開始の命令を取り消す決定が確定したとき　特別清算開始の取消しの登記
三　特別清算終結の決定が確定したとき　特別清算終結の登記
2　次に掲げる場合には、裁判所書記官は、職権で、遅滞なく、清算株式会社の本店の所在地を管轄する登記所にその登記を嘱託しなければならない。
一　特別清算開始後における第四百七十九条第四項において準用する第三百四十六条第二項又は第四百八十三条第六項において準用する第三百五十一条第二項の規定による一時清算人又は代表清算人の職務を行うべき者の選任の裁判があったとき。
二　前号の裁判を取り消す裁判があったとき。
三　特別清算開始後における清算人又は代表清算人の選任又は選定の裁判を取り消す裁判があったとき。
四　特別清算開始後における清算人の解任の裁判があったとき。
五　前号の裁判を取り消す裁判が確定したとき。
3　次に掲げる場合には、裁判所書記官は、職権で、遅滞なく、当該保全処分の登記を嘱託しなければならない。
一　清算株式会社の財産に属する権利で登記されたものに関し第五百四十条第一項又は第二項の規定による保全処分があったとき。
二　登記のある権利に関し第五百四十二条第一項又は第二項の規定による保全処分があったとき。
4　前項の規定は、同項に規定する保全処分の変更若しくは取消しがあった場合又は当該保全処分が効力を失った場合について準用する。
5　前二項の規定は、登録のある権利について準用する。
6　前各項の規定は、その性質上許されないものを除き、第八百二十二条第一項の規定による日本にある外国会社の財産についての清算について準用する。

（施行　会社法の一部を改正する法律（令和元年法律第七十号）の施行の日（令和元年十二月十一日から三年六月を超えない範囲内において政令で定める日）［第一項を改正］
（特別清算に関する裁判による登記の嘱託）
第九百三十八条　次の各号に掲げる場合には、裁判所書記官は、職権で、遅滞なく、清算株式会社の本店の所在地を管轄する登記所に当該各号に定める登記を嘱託しなければならない。
一～三　（省略）
2～6　（省略）

第五章　公告

第一節　総則

（会社の公告方法）
第九百三十九条　会社は、公告方法として、次に掲げる方法のいずれかを定款で定めることができる。

一　官報に掲載する方法
二　時事に関する事項を掲載する日刊新聞紙に掲載する方法
三　電子公告

2　外国会社は、公告方法として、前項各号に掲げる方法のいずれかを定めることができる。

3　会社又は外国会社が第一項第三号に掲げる方法を公告方法とする旨を定める場合には、電子公告を公告方法とする旨を定めれば足りる。この場合においては、事故その他やむを得ない事由によって電子公告による公告をすることができない場合の公告方法として、同項第一号又は第二号に掲げる方法のいずれかを定めることができる。

4　第一項又は第二項の規定による定めがない会社又は外国会社の公告方法は、第一項第一号の方法とする。

（電子公告の公告期間等）

第九百四十条　株式会社又は持分会社が電子公告によりこの法律の規定による公告をする場合には、次の各号に掲げる公告の区分に応じ、当該各号に定める日までの間、継続して電子公告による公告をしなければならない。

一　この法律の規定により特定の日の一定の期間前に公告しなければならない場合における当該公告　当該特定の日
二　第四百四十条第一項の規定による公告　同項の定時株主総会の終結の日後五年を経過する日
三　公告に定める期間内に異議を述べることができる旨の公告　当該期間を経過する日
四　前三号に掲げる公告以外の公告　当該公告の開始後一箇月を経過する日

2　外国会社が電子公告により第八百十九条第一項の規定による公告をする場合には、同項の手続の終結の日後五年を経過する日までの間、継続して電子公告による公告をしなければならない。

3　前二項の規定にかかわらず、これらの規定により電子公告による公告をしなければならない期間（以下この章において「公告期間」という。）中公告の中断（不特定多数の者が提供を受けることができる状態に置かれた情報がその状態に置かれないこととなったこと又はその情報がその状態に置かれた後改変されたことをいう。以下この項において同じ。）が生じた場合において、次のいずれにも該当するときは、その公告の中断は、当該公告の効力に影響を及ぼさない。

一　公告の中断が生ずることにつき会社が善意でかつ重大な過失がないこと又は会社に正当な事由があること。
二　公告の中断が生じた時間の合計が公告期間の十分の一を超えないこと。
三　会社が公告の中断が生じたことを知った後速やかにその旨、公告の中断が生じた時間及び公告の中断の内容を当該公告に付して公告したこと。

第二節　電子公告調査機関

（電子公告調査）

第九百四十一条　この法律又は他の法律の規定による公告（第四百四十条第一項の規定による公告を除く。以下この節において同じ。）を電子公告によりしようとする会社は、公告期間中、当該公告の内容である情報が不特定多数の者が提供を受けることができる状態に置かれているかどうかについて、法務省令で定めるところにより、法務大臣の登録を受けた者（以下この節において「調査機関」という。）に対し、調査を行うことを求めなければならない。

【会社法施行規則】
第二百二十一条　次に掲げる規定に規定する法務省令で定めるべき事項は、電子公告規則（平成十八年法務省令第十四号）の定めるところによる。
一　法第九百四十一条
二～十　（略）

【電子公告規則】

（電子公告調査を求める方法）

第三条　法第九百四十一条の規定により電子公告調査を求めようとする者（以下この条において「調査申請者」という。）は、調査機関に対し、当該調査機関が業務規程で定めるところにより、第六条第二項の規定により当該調査機関が法務大臣への報告をしなければならない日の二営業日前までに、次に掲げる事項を示して、電子公告調査を求めなければならない。

一　当該調査申請者の氏名又は商号若しくは名称、住所又は本店若しくは主たる事務所の所在場所及び代表者の氏名（当該代表者が法人である場合にあっては、当該法人の名称及びその職務を行うべき者の氏名）

二　当該調査申請者に係る登記アドレス。ただし、法第四百四十条第一項の規定による公告のためのものを除く。

三　当該電子公告調査の求めに係る電子公告についての事項であって、次に掲げるもの

イ　公告アドレス

ロ　公告期間

ハ　公告しようとする内容である情報

ニ　公告すべき内容を規定した法令の条項

2　前項第三号ハに掲げる情報は、調査機関が業務規程で定める電磁的方法（法第二条第三十四号に規定する電磁的方法をいう。）により示さなければならない。

（登録）

第九百四十二条　前条の登録（以下この節において単に「登録」という。）は、同条の規定による調査（以下この節において「電子公告調査」という。）を行おうとする者の申請により行う。

2　登録を受けようとする者は、実費を勘案して政令で定める額の手数料を納付しなければならない。

【会社法施行令】

（電子公告調査機関の登録及びその更新の申請に係る手数料の額）

第三条　法第九百四十二条第二項（法第九百四十五条第二項において準用する場合を含む。）の政令で定める手数料の額は、四十二万六百円とする。

（欠格事由）

第九百四十三条　次のいずれかに該当する者は、登録を受けることができない。

一　この節の規定若しくは農業協同組合法（昭和二十二年法律第百三十二号）第九十七条の四第五項、金融商品取引法第五十条の二第十項及び第六十六条の四十第六項、公認会計士法第三十四条の二十第六項及び第三十四条の二十三第四項、消費生活協同組合法（昭和二十三年法律第二百号）第二十六条第六項、水産業協同組合法（昭和二十三年法律第二百四十二号）第百二十六条の四第五項、中小企業等協同組合法（昭和二十四年法律第百八十一号）第三十三条第七項（輸出水産業の振興に関する法律（昭和二十九年法律第百五十四号）第二十条並びに中小企業団体の組織に関する法律（昭和三十二年法律第百八十五号）第五条の二十三第三項及び第四十七条第二項において準用する場合を含む。）、弁護士法（昭和二十四年法律第二百五号）第三十条の二十八第六項（同法第四十三条第三項及び外国弁護士による法律事務の取扱いに関する特別措置法（昭和六十一年法律第六十六号）第五十条の十三第二項において準用する場合を含む。）、船主相互保険組合法（昭和二十五年法律第百七十七号）第五十五条第三項、司法書士法（昭和二十五年法律第百九十七号）第四十五条の二第六項、土地家屋調査士法（昭和二十五年法律第二百二十八号）第四十条の二第六項、商品先物取引法（昭和二十五年法律第二百三十九号）第十一条第九項、行政書士法（昭和二十六年法律第四号）

第十三条の二十の二第六項、投資信託及び投資法人に関する法律（昭和二十六年法律第百九十八号）第二十五条第二項（同法第五十九条において準用する場合を含む。）及び第百八十六条の二第四項、税理士法第四十八条の十九の二第六項（同法第四十九条の十二第三項において準用する場合を含む。）、信用金庫法（昭和二十六年法律第二百三十八号）第八十七条の四第四項、輸出入取引法（昭和二十七年法律第二百九十九号）第十五条第六項（同法第十九条の六において準用する場合を含む。）、中小漁業融資保証法（昭和二十七年法律第三百四十六号）第五十五条第五項、労働金庫法（昭和二十八年法律第二百二十七号）第九十一条の四第四項、技術研究組合法（昭和三十六年法律第八十一号）第十六条第八項、農業信用保証保険法（昭和三十六年法律第二百四号）第四十八条の三第五項（同法第四十八条の九第七項において準用する場合を含む。）、社会保険労務士法（昭和四十三年法律第八十九号）第二十五条の二十三の二第六項、森林組合法（昭和五十三年法律第三十六号）第八条の二第五項、銀行法第四十九条の二第二項、保険業法（平成七年法律第百五号）第六十七条の二及び第二百十七条第三項、資産の流動化に関する法律（平成十年法律第百五号）第百九十四条第四項、弁理士法（平成十二年法律第四十九号）第五十三条の二第六項、農林中央金庫法（平成十三年法律第九十三号）第九十六条の二第四項、信託業法第五十七条第六項、一般社団法人及び一般財団法人に関する法律第三百三十三条並びに資金決済に関する法律（平成二十一年法律第五十九号）第二十条第四項、第六十一条第七項及び第六十三条の二十第七項（以下この節において「電子公告関係規定」と総称する。）において準用する第九百五十五条第一項の規定又はこの節の規定に基づく命令に違反し、罰金以上の刑に処せられ、その執行を終わり、又は執行を受けることがなくなった日から二年を経過しない者

二　第九百五十四条の規定により登録を取り消され、その取消しの日から二年を経過しない者

三　法人であって、その業務を行う理事等（理事、取締役、執行役、業務を執行する社員、監事若しくは監査役又はこれらに準ずる者をいう。第九百四十七条において同じ。）のうちに前二号のいずれかに該当する者があるもの

〔施行　外国弁護士による法律事務の取扱いに関する特別措置法の一部を改正する法律（令和二年法律第三十三号）の施行の日（令和二年五月二十九日から二年六月を超えない範囲内において政令で定める日）〕［傍線部分は改正部分］

（欠格事由）

第九百四十三条　次のいずれかに該当する者は、登録を受けることができない。

一　この節の規定若しくは農業協同組合法（昭和二十二年法律第百三十二号）第九十七条の四第五項、金融商品取引法第五十条の二第十項及び第六十六条の四十第六項、公認会計士法第三十四条の二十第六項及び第三十四条の二十三第四項、消費生活協同組合法（昭和二十三年法律第二百号）第二十六条第六項、水産業協同組合法（昭和二十三年法律第二百四十二号）第百二十六条の四第五項、中小企業等協同組合法（昭和二十四年法律第百八十一号）第三十三条第七項（輸出水産業の振興に関する法律（昭和二十九年法律第百五十四号）第二十条並びに中小企業団体の組織に関する法律（昭和三十二年法律第百八十五号）第五条の二十三第三項及び第四十七条第二項において準用する場合を含む。）、弁護士法（昭和二十四年法律第二百五号）第三十条の二十八第六項（同法第四十三条第三項並びに外国弁護士による法律事務の取扱い等に関する法律（昭和六十一年法律第六十六号）第六十七条第二項、第八十条第一項及び第八十二条第三項において準用する場合を含む。）、船主相互保険組合法（昭和二十五年法律第百七十七号）第五十五条第三項、司法書士法（昭和二十五年法律第百九十七号）第四十五条の二第六項、土地家屋調査士法（昭和二十五年法律第二百二十八号）第四十条の二第六項、商品先物取引法（昭和二十五年法律第二百三十九号）第十一条第九項、行政書士法（昭和二十六年法律第四号）第十三条の二十の二第六項、投資信託及び投資法人に関する法律（昭和二十六年法律第百九十八号）第二十五条第二項（同法第五十九条において準用する場合を含む。）及び第百八十六条の二第四項、税理士法第四

十八条の十九の二第六項（同法第四十九条の十二第三項において準用する場合を含む。）、信用金庫法（昭和二十六年法律第二百三十八号）第八十七条の四第四項、輸出入取引法（昭和二十七年法律第二百九十九号）第十五条第六項（同法第十九条の六において準用する場合を含む。）、中小漁業融資保証法（昭和二十七年法律第三百四十六号）第五十五条第五項、労働金庫法（昭和二十八年法律第二百二十七号）第九十一条の四第四項、技術研究組合法（昭和三十六年法律第八十一号）第十六条第八項、農業信用保証保険法（昭和三十六年法律第二百四号）第四十八条の三第五項（同法第四十八条の九第七項において準用する場合を含む。）、社会保険労務士法（昭和四十三年法律第八十九号）第二十五条の二十三の二第六項、森林組合法（昭和五十三年法律第三十六号）第八条の二第五項、銀行法第四十九条の二第二項、保険業法（平成七年法律第百五号）第六十七条の二及び第二百十七条第三項、資産の流動化に関する法律（平成十年法律第百五号）第百九十四条第四項、弁理士法（平成十二年法律第四十九号）第五十三条の二第六項、農林中央金庫法（平成十三年法律第九十三号）第九十六条の二第四項、信託業法第五十七条第六項、一般社団法人及び一般財団法人に関する法律第三百三十三条並びに資金決済に関する法律（平成二十一年法律第五十九号）第二十条第四項、第六十一条第七項及び第六十三条の二十第七項（以下この節において「電子公告関係規定」と総称する。）において準用する第九百五十五条第一項の規定又はこの節の規定に基づく命令に違反し、罰金以上の刑に処せられ、その執行を終わり、又は執行を受けることがなくなった日から二年を経過しない者

二・三（省略）

（施行　労働者協同組合法（令和二年法律第七十八号）の施行の日（令和二年十二月十一日から二年を超えない範囲内において政令で定める日））［傍線部分は改正部分］

（欠格事由）

第九百四十三条　次のいずれかに該当する者は、登録を受けることができない。

一　この節の規定若しくは農業協同組合法（昭和二十二年法律第百三十二号）第九十七条の四第五項、金融商品取引法第五十条の二第十項及び第六十六条の四十第六項、公認会計士法第三十四条の二十第六項及び第三十四条の二十三第四項、消費生活協同組合法（昭和二十三年法律第二百号）第二十六条第六項、水産業協同組合法（昭和二十三年法律第二百四十二号）第百二十六条の四第五項、中小企業等協同組合法（昭和二十四年法律第百八十一号）第三十三条第七項（輸出水産業の振興に関する法律（昭和二十九年法律第百五十四号）第二十条並びに中小企業団体の組織に関する法律（昭和三十二年法律第百八十五号）第五条の二十三第三項及び第四十七条第二項において準用する場合を含む。）、弁護士法（昭和二十四年法律第二百五号）第三十条の二十八第六項（同法第四十三条第三項並びに外国弁護士による法律事務の取扱い等に関する法律（昭和六十一年法律第六十六号）第六十七条第二項、第八十条第一項及び第八十二条第三項において準用する場合を含む。）、船主相互保険組合法（昭和二十五年法律第百七十七号）第五十五条第三項、司法書士法（昭和二十五年法律第百九十七号）第四十五条の二第六項、土地家屋調査士法（昭和二十五年法律第二百二十八号）第四十条の二第六項、商品先物取引法（昭和二十五年法律第二百三十九号）第十一条第九項、行政書士法（昭和二十六年法律第四号）第十三条の二十の二第六項、投資信託及び投資法人に関する法律（昭和二十六年法律第百九十八号）第二十五条第二項（同法第五十九条において準用する場合を含む。）及び第百八十六条の二第四項、税理士法第四十八条の十九の二第六項（同法第四十九条の十二第三項において準用する場合を含む。）、信用金庫法（昭和二十六年法律第二百三十八号）第八十七条の四第四項、輸出入取引法（昭和二十七年法律第二百九十九号）第十五条第六項（同法第十九条の六において準用する場合を含む。）、中小漁業融資保証法（昭和二十七年法律第三百四十六号）第五十五条第五項、労働金庫法（昭和二十八年法律第二百二十七号）第九十一条の四第四項、技術研究組合法（昭和三十六年法律第八十一号）第十六条第八項、農業信用保証保険法（昭和三十六年法律第二百四号）第四十八条の三第五項（同法第四十八条の九第七項において準用する場合を含む。）、社会保険労務士法（昭和四十三年法律第八十九号）第二十五条の二十三の二第六項、森林組合法（昭和五十三年法律第三十六号）第八条の二第五項、銀行法第四十九条の二第二項、保険業法（平成七年法律第百五号）第六十七条の二及び第二百十七条第三項、資産の流動化に関する法律（平成十年法律第百五号）第百九十四条第四項、

第七編　雑則

弁理士法（平成十二年法律第四十九号）第五十三条の二第六項、農林中央金庫法（平成十三年法律第九十三号）第九十六条の二第四項、信託業法第五十七条第六項、一般社団法人及び一般財団法人に関する法律第三百三十三条、資金決済に関する法律（平成二十一年法律第五十九号）第二十条第四項、第六十一条第七項及び第六十三条の二十第七項並びに労働者協同組合法（令和二年法律第七十八号）第二十九条第六項（同法第百十一条第二項において準用する場合を含む。）（以下この節において「電子公告関係規定」と総称する。）において準用する第九百五十五条第一項の規定又はこの節の規定に基づく命令に違反し、罰金以上の刑に処せられ、その執行を終わり、又は執行を受けることがなくなった日から二年を経過しない者

二・三　（省略）

（登録基準）

第九百四十四条　法務大臣は、第九百四十二条第一項の規定により登録を申請した者が、次に掲げる要件のすべてに適合しているときは、その登録をしなければならない。この場合において、登録に関して必要な手続は、法務省令で定める。

一　電子公告調査に必要な電子計算機（入出力装置を含む。以下この号において同じ。）及びプログラム（電子計算機に対する指令であって、一の結果を得ることができるように組み合わされたものをいう。以下この号において同じ。）であって次に掲げる要件のすべてに適合するものを用いて電子公告調査を行うものであること。

イ　当該電子計算機及びプログラムが電子公告により公告されている情報をインターネットを利用して閲覧することができるものであること。

ロ　当該電子計算機若しくはその用に供する電磁的記録を損壊し、若しくは当該電子計算機に虚偽の情報若しくは不正な指令を与え、又はその他の方法により、当該電子計算機に使用目的に沿うべき動作をさせず、又は使用目的に反する動作をさせることを防ぐために必要な措置が講じられていること。

ハ　当該電子計算機及びプログラムがその電子公告調査を行う期間を通じて当該電子計算機に入力された情報及び指令並びにインターネットを利用して提供を受けた情報を保存する機能を有していること。

二　電子公告調査を適正に行うために必要な実施方法が定められていること。

2　登録は、調査機関登録簿に次に掲げる事項を記載し、又は記録してするものとする。

一　登録年月日及び登録番号

二　登録を受けた者の氏名又は名称及び住所並びに法人にあっては、その代表者の氏名

三　登録を受けた者が電子公告調査を行う事業所の所在地

【会社法施行規則】

第二百二十一条　次に掲げる規定に規定する法務省令で定めるべき事項は、電子公告規則（平成十八年法務省令第十四号）の定めるところによる。

一　（略）

二　法第九百四十四条第一項（法第九百四十五条第二項において準用する場合を含む。）

三〜十　（略）

【電子公告規則】

（登録手続）

第四条　法第九百四十一条の規定による登録を受けようとする者は、別紙様式第一号による申請書を法務大臣に提出しなければならない。

2　前項の申請書には、次に掲げる書面を添付しなければならない。

一　登記事項証明書又はこれに準ずるもの

二 登録を受けようとする者が法第九百四十三条各号のいずれにも該当しないことを説明する書面
三 電子計算機及びプログラムが次条に定める方法により電子公告調査を行う機能を有することを説明する書面
四 登録を受けようとする者が電子公告調査の業務を適正に行うために必要な情報セキュリティ対策を講じていることを説明する書面
五 電子計算機及びプログラムがその電子公告調査を行う期間を通じて当該電子計算機に入力された情報及び指令並びにインターネットを利用して提供を受けた情報を保存する機能を有していることを説明する書面
六 登録を受けようとする者が電子公告調査の業務を適正に行うために必要な人的構成を有していることを説明する書面
七 法第九百四十四条第一項第二号の実施方法に係る次に掲げる事項を記載した書面
イ 電子公告調査の業務の手順に関する事項
ロ 電子公告調査の業務に従事する者の責任及び権限並びに指揮命令系統に関する事項
ハ 電子公告調査の業務に従事する者に対する教育及び訓練に関する事項
ニ 電子公告調査の業務の監査に関する事項
ホ その他電子公告調査の業務の実施方法に関し必要な事項
3 法第九百四十二条第二項の手数料は、第一項の申請書に手数料の額に相当する額の収入印紙を貼って納めなければならない。
4 （略）

（登録の更新）
第九百四十五条 登録は、三年を下らない政令で定める期間ごとにその更新を受けなければ、その期間の経過によって、その効力を失う。
2 前三条の規定は、前項の登録の更新について準用する。

【会社法施行令】
（電子公告調査機関の登録の有効期間）
第四条 法第九百四十五条第一項の政令で定める期間は、三年とする。

【電子公告規則】
（登録手続）
第四条 （略）
2・3 （略）
4 前三項の規定は、法第九百四十五条第一項の登録の更新について準用する。

（調査の義務等）
第九百四十六条 調査機関は、電子公告調査を行うことを求められたときは、正当な理由がある場合を除き、電子公告調査を行わなければならない。
2 調査機関は、公正に、かつ、法務省令で定める方法により電子公告調査を行わなければならない。
3 調査機関は、電子公告調査を行う場合には、法務省令で定めるところにより、電子公告調査を行うことを求めた者（以下この節において「調査委託者」という。）の商号その他の法務省令で定める事項を法務大臣に報告しなければならない。
4 調査機関は、電子公告調査の後遅滞なく、調査委託者に対して、法務省令で定めるところにより、当該電子公告調査の結果を通知しなければならない。

【会社法施行規則】
第二百二十一条 次に掲げる規定に規定する法務省令で定めるべき

事項は、電子公告規則（平成十八年法務省令第十四号）の定めるところによる。

一・二　（略）

三　法第九百四十六条第二項から第四項まで

四〜十　（略）

【電子公告規則】

（電子公告調査を行う方法）

第五条　法第九百四十六条第二項（電子公告関係規定において準用する場合を含む。）に規定する法務省令で定める方法は、次に掲げる方法とする。

一　次に掲げる作業を電子計算機に自動的に行わせること。

イ　電子公告調査の求めに係る電子公告による公告の公告期間中、六時間に一回以上の頻度で、次項に定めるところにより情報入手作業をした上、次に掲げる作業を行うこと。

(1)　公告サーバから情報を受信することができた場合には、その日時、受信情報及び情報入手作業の際に電子計算機に入力した公告アドレスを電磁的記録として記録すること。

(2)　公告サーバから情報を受信することができなかった場合には、その旨、その日時及び情報入手作業の際に電子計算機に入力した公告アドレスを電磁的記録として記録すること。

ロ　イ(1)に規定する場合には、受信情報と公告情報とを比較して、両者が同一であるかどうかを判定した上、その判定の結果及び日時を電磁的記録として記録すること。

二　前号ロの規定による判定の結果が、受信情報が公告情報と相違する旨の結果であった場合又は当該判定をすることができなかった場合には、調査機関の職員が、受信情報内容と公告情報内容とが同一であるかどうかを判定した上、その判定の結果及び日時を電磁的記録として記録すること。

三　第一号イ(2)に規定する場合又は電子計算機が次項に定めるところによる情報入手作業を自動的に行うことができなかった場合には、調査機関の職員が、電子計算機を手動により操作して、同号イ及び前号に掲げる作業を行うこと。

四　登記アドレスと公告アドレスとが異なる場合には、公告ページが、登記アドレスを電子計算機に入力することにより当該電子計算機の映像面に表示される指示（料金の徴収又は識別符号の入力に係る指示を除く。）に従った操作を行うことによって当該映像面に表示されるかどうかを、公告期間中任意の時期に、同一の公告アドレスについて一回以上調査した上、その調査の結果及び日時を電磁的記録として記録すること。

五　第二号若しくは第三号に掲げる作業を行った場合又は前号に規定する作業を調査機関の職員が電子計算機を手動により操作して行った場合には、当該作業を行った調査機関の職員の氏名を電磁的記録として記録すること。

2　情報入手作業は、電子計算機に第三条第一項第三号イの規定により調査委託者から示された公告アドレスを入力することにより、三回（一回又は二回で情報を受信することができた場合にあっては、その回数）にわたってプロバイダ（二回以上にわたる場合にあっては、それぞれ異なるプロバイダ）を経由して公告サーバに対し情報を送信するように求めることによって行わなければならない。この場合において、調査委託者から、調査機関が業務規程で定めるところにより、当該公告アドレスを変更する旨の通知がされ、かつ、当該変更後の公告アドレスが示されたときは、その時（当該調査委託者が、当該変更の予定日時をも示したときは、当該予定日時）以後の電子公告調査については、当該変更後の公告アドレスを電子計算機に入力しなければならない。

3　電子公告調査の求めに係る電子公告による公告の公告期間中、公告の中断が生じた場合であって、調査委託者が調査機関に対し、当該調査機関が業務規程で定めるところにより、追加公告において公告し、又は公告しようとする内容である情報を示したときは、その時（当該調査委託者が、追加公告の開始の予定日時をも示したときは、当該予定日時）以後の電子公告調査に関する第一項第一号ロ及び第二号の規定の適用については、同項第一号ロ及び第二号中「公告情報と」とあるのは「公告情報及び追加公告情報と」と、同号中「公告情報内容」とあるのは「公告情報内容及び追加公告情報内容」とする。

4　調査機関は、電子計算機の故障その他の事由により、第一項（第四号を除く。）に掲げる作業のいずれかをすることができなかった場合には、その旨及びその日時を電磁的記録として記録（当該記録をすることができないときは、書面に記載）しなければならない。

（法務大臣への報告事項及び報告方法）

第六条　法第九百四十六条第三項の法務省令で定める事項は、第三条第一項第一号並びに第三号イ、ロ及びニに掲げる事項（同項第一号に掲げる事項については、代表者の氏名（当該代表者が法人である場合にあっては、当該法人の名称及びその職務を行うべき者の氏名）を除く。）とする。

2　調査機関は、前項に規定する事項を、電子公告調査の求めに係る電子公告による公告の公告期間の始期の二日（行政機関の休日に関する法律（昭和六十三年法律第九十一号）第一条第一項各号に掲げる日の日数は、算入しない。）前までに、情報通信技術を活用した行政の推進等に関する法律（平成十四年法律第百五十一号。以下「情報通信技術活用法」という。）第六条第一項に規定する電子情報処理組織を使用して法務大臣に報告しなければならない。

3　調査機関は、電子公告調査の求めに係る電子公告による公告の公告期間中に、調査委託者から、当該調査機関が業務規程で定めるところにより、第一項に規定する事項のいずれかを変更する旨の通知があった場合には、法務大臣に対し、速やかに、当該通知に係る変更の時期及び内容を情報通信技術活用法第六条第一項に規定する電子情報処理組織を使用して報告しなければならない。

4　法務省の所管する法令の規定に基づく情報通信技術を活用した行政の推進等に関する規則（平成十五年法務省令第十一号）第四条第二項及び第三項の規定は、前二項の規定により報告をする調査機関について準用する。

（調査結果通知の方法等）

第七条　調査結果通知は、次に掲げる事項を記載した書面を交付し、又は当該事項を内容とする情報（以下「調査結果情報」という。）を電磁的方法により提供してしなければならない。ただし、調査委託者が、調査結果通知をこれらの方法のいずれかにより行うことを求めたときは、当該方法によって行わなければならない。

一　第三条第一項第一号、第二号並びに第三号イ、ロ及びニに掲げる事項（調査機関が業務規程で定めるところにより、これらの事項のいずれかを変更する旨の通知がされた場合にあっては、当該通知に係る変更後のもの及び変更の日時を含む。）

二　公告情報内容（第五条第三項に規定する場合にあっては、公告情報内容及び追加公告情報内容）

三　第五条の規定により記録し、又は記載した事項のうち、次に掲げるもの

イ　受信情報を受信した日時、情報入手作業の際に電子計算機に入力した公告アドレス及び次に掲げる事項

(1)　第五条第一項第一号ロの規定による判定の結果が、受信情報と公告情報（同条第三項に規定する場合にあっては、公告情報及び追加公告情報）とが同一である旨の結果であった場合には、当該結果及び当該判定の日時

(2)　第五条第一項第一号ロの規定による判定の結果が(1)に規定する結果でなかった場合には、同項第二号の規定による判定の結果及びその日時

ロ　第五条第一項第三号の規定により同項第一号イに規定する

情報入手作業をしたにもかかわらず、公告サーバから情報を受信することができなかった場合には、その旨、その日時及び当該情報入手作業の際に電子計算機に入力した公告アドレス

ハ　第五条第一項第四号及び第五号の規定により記録した事項

四　調査結果通知に、受信情報内容が公告情報内容（第五条第三項に規定する場合にあっては、公告情報内容及び追加公告情報内容）と相違する旨の記載若しくは記録又は前号ロの規定による記載若しくは記録をすべき場合には、これらの記載又は記録から推計されることになる公告の中断が生じた可能性のある時間の合計

五　第五条第一項第一号イに規定する頻度で同条第二項に定めるところによる情報入手作業をすることができなかった場合には、その旨、その時期及びその理由

2　前項に規定する電磁的方法は、次に掲げる方法とする。ただし、調査委託者がそのいずれかの方法により調査結果通知をすることを求めた場合には、当該方法とする。

一　会社法施行規則（平成十八年法務省令第十二号）第二百二十二条第一項第一号イ又はロに規定する方法

二　商業登記規則（昭和三十九年法務省令第二十三号）第三十三条の六第四項各号のいずれかに該当する構造の電磁的記録媒体をもって調製するファイルに情報を記録したものを交付する方法

3　調査機関は、調査委託者から求められたときは、その求めに応じ、商業登記法（昭和三十八年法律第百二十五号）第十九条の二に規定する登記の申請書に添付すべき電磁的記録にその内容を記録することができる調査結果情報又は商業登記規則第百二条第二項及び第五項第二号の規定により送信することができる調査結果情報を提供しなければならない。

（電子公告調査を行うことができない場合）

第九百四十七条　調査機関は、次に掲げる者の電子公告による公告又はその者若しくはその理事等が電子公告による公告に関与した場合として法務省令で定める場合における当該公告については、電子公告調査を行うことができない。

一　当該調査機関

二　当該調査機関が株式会社である場合における親株式会社（当該調査機関を子会社とする株式会社をいう。）

三　理事等又は職員（過去二年間にそのいずれかであった者を含む。次号において同じ。）が当該調査機関の理事等に占める割合が二分の一を超える法人

四　理事等又は職員のうちに当該調査機関（法人であるものを除く。）又は当該調査機関の代表権を有する理事等が含まれている法人

【会社法施行規則】

第二百二十一条　次に掲げる規定に規定する法務省令で定めるべき事項は、電子公告規則（平成十八年法務省令第十四号）の定めるところによる。

一～三（略）

四　法第九百四十七条

五～十　（略）

【電子公告規則】

（電子公告調査を行うことができない場合）

第八条　法第九百四十七条（電子公告関係規定において準用する場合を含む。以下この条において同じ。）の法務省令で定める場合は、次に掲げる場合とする。

一　法第九百四十七条各号に掲げる者又はその理事等（理事、取締役、執行役、業務を執行する社員、監事若しくは監査役又は

これらに準ずる者をいう。以下この条において同じ。）が、公告を電子公告により行う者から、自己の使用するサーバを公告サーバとすることの委託を受けたとき。

二　公告を電子公告により行う者が当該公告につき第三者に対してその者の使用するサーバを公告サーバとすることを委託した場合において、法第九百四十七条各号に掲げる者又はその理事等が当該委託契約の締結の代理又は媒介をしたとき。

三　法第九百四十七条各号に掲げる者又はその理事等が、公告サーバの賃貸人であるとき（第一号に規定する場合を除く。）。

四　法第九百四十七条各号に掲げる者又はその理事等が、公告を電子公告により行う者の委託を受けて公告情報を作成したとき。

（事業所の変更の届出）

第九百四十八条　調査機関は、電子公告調査を行う事業所の所在地を変更しようとするときは、変更しようとする日の二週間前までに、法務大臣に届け出なければならない。

【電子公告規則】

（事業所の変更の届出）

第九条　調査機関は、法第九百四十八条の規定による届出をしようとするときは、別紙様式第二号による届出書を法務大臣に提出しなければならない。

（業務規程）

第九百四十九条　調査機関は、電子公告調査の業務に関する規程（次項において「業務規程」という。）を定め、電子公告調査の業務の開始前に、法務大臣に届け出なければならない。これを変更しようとするときも、同様とする。

2　業務規程には、電子公告の実施方法、電子公告調査に関する料金その他の法務省令で定める事項を定めておかなければならない。

【会社法施行規則】

第二百二十一条　次に掲げる規定に規定する法務省令で定めるべき事項は、電子公告規則（平成十八年法務省令第十四号）の定めるところによる。

一～四　（略）

五　法第九百四十九条第二項

六～十　（略）

【電子公告規則】

（業務規程）

第十条　調査機関は、法第九百四十九条第一項の規定による届出をしようとするときは、別紙様式第三号による届出書を法務大臣に提出しなければならない。

2　法第九百四十九条第二項の法務省令で定める事項は、次に掲げるものとする。

一　電子公告調査の求めの受付の時間及び休日に関する事項

二　電子公告調査を求める方法に関する事項

三　電子公告調査の業務に係る事業所（当該事業所の所在地以外の場所に電子計算機を設置する施設があるときは、当該施設を含む。）に関する事項

四　電子公告調査の料金に関する事項

五　法第九百五十一条第二項（電子公告関係規定において準用する場合を含む。）及び第九百五十五条第二項（電子公告関係規定において準用する場合を含む。）に規定する費用に関する事項

六　電子公告調査の業務に係る情報セキュリティ対策に関する事項

七　電子公告調査の実施方法に係る次に掲げる事項

第七編　雑則

イ　電子公告調査の業務の手順に関する事項
ロ　電子公告調査の業務に従事する者の責任及び権限並びに指揮命令系統に関する事項
ハ　電子公告調査の業務に従事する者に対する教育及び訓練に関する事項
ニ　電子公告調査の業務の監査に関する事項
ホ　その他電子公告調査の業務の実施方法に関し必要な事項
八　調査結果通知に関する事項
九　調査記録簿等の管理及び保存に関する事項
十　次に掲げる記録の作成及び保存に関する事項
イ　第四条第二項第四号に掲げる書面の変更記録
ロ　電子計算機が設置された区域への立入りに関する記録（映像によるものを除く。）
ハ　電子計算機の操作に関する許諾及び当該許諾に係る識別符号に関する記録
ニ　電子計算機の動作に関する記録
ホ　電子計算機及びプログラムについて、不正アクセス行為（不正アクセス行為の禁止等に関する法律第三条に規定する不正アクセス行為をいう。）を受けたときにおける当該不正アクセス行為に係る記録
ヘ　電子計算機その他の設備の維持管理に関する記録
ト　電子公告調査の業務に従事する者に対する教育及び訓練の実施結果に関する記録
チ　電子公告調査の業務に係る事故に関する記録
リ　電子公告調査の業務の監査の実施結果に関する記録
ヌ　イからリまでに掲げる記録の管理に関する記録
十一　その他電子公告調査の業務の実施に関し必要な事項
3　前項第十号に規定する事項は、同号イ、ハ及びホからヌまでに掲げる記録にあってはその作成の日から三年間、同号ロ及びニに掲げる記録にあってはその作成の日から一年間保存する旨を含むものでなければならない。

（業務の休廃止）
第九百五十条　調査機関は、電子公告調査の業務の全部又は一部を休止し、又は廃止しようとするときは、法務省令で定めるところにより、あらかじめ、その旨を法務大臣に届け出なければならない。

【会社法施行規則】
第二百二十一条　次に掲げる規定に規定する法務省令で定めるべき事項は、電子公告規則（平成十八年法務省令第十四号）の定めるところによる。
一～五　（略）
六　法第九百五十条
七～十　（略）

【電子公告規則】

（電子公告調査の業務の休廃止の届出）

第十一条　調査機関は、法第九百五十条の規定による届出をしようとするときは、別紙様式第四号による届出書を法務大臣に提出しなければならない。
2　調査機関が電子公告調査の業務の全部を廃止しようとする場合には、他の調査機関への調査記録簿等の引継ぎをしたことを証する書面を前項の届出書に添付しなければならない。

（財務諸表等の備置き及び閲覧等）
第九百五十一条　調査機関は、毎事業年度経過後三箇月以内に、その事業年度の財産目録、貸借対照表及び損益計算書又は収支計算書並びに事業報告書（これらの作成に代えて電磁的記録の作成がされている場合における当該電磁的記録を含む。次項において「財務諸表等」とい

う。）を作成し、五年間事業所に備え置かなければならない。

2　調査委託者その他の利害関係人は、調査機関に対し、その業務時間内は、いつでも、次に掲げる請求をすることができる。ただし、第二号又は第四号に掲げる請求をするには、当該調査機関の定めた費用を支払わなければならない。

一　財務諸表等が書面をもって作成されているときは、当該書面の閲覧又は謄写の請求

二　前号の書面の謄本又は抄本の交付の請求

三　財務諸表等が電磁的記録をもって作成されているときは、当該電磁的記録に記録された事項を法務省令で定める方法により表示したものの閲覧又は謄写の請求

四　前号の電磁的記録に記録された事項を電磁的方法であって調査機関の定めたものにより提供することの請求又は当該事項を記載した書面の交付の請求

【会社法施行規則】

第二百二十一条　次に掲げる規定に規定する法務省令で定めるべき事項は、電子公告規則（平成十八年法務省令第十四号）の定めるところによる。

一〜六　（略）

七　法第九百五十一条第二項第三号

八〜十　（略）

【電子公告規則】

（財務諸表等の開示の方法）

第十二条　法第九百五十一条第二項第三号（電子公告関係規定において準用する場合を含む。）の法務省令で定める方法は、同号の電磁的記録に記録された事項を紙面又は映像面に表示する方法とする。

（適合命令）

第九百五十二条　法務大臣は、調査機関が第九百四十四条第一項各号のいずれかに適合しなくなったと認めるときは、その調査機関に対し、これらの規定に適合するため必要な措置をとるべきことを命ずることができる。

（改善命令）

第九百五十三条　法務大臣は、調査機関が第九百四十六条の規定に違反していると認めるときは、その調査機関に対し、電子公告調査を行うべきこと又は電子公告調査の方法その他の業務の方法の改善に関し必要な措置をとるべきことを命ずることができる。

（登録の取消し等）

第九百五十四条　法務大臣は、調査機関が次のいずれかに該当するときは、その登録を取り消し、又は期間を定めて電子公告調査の業務の全部若しくは一部の停止を命ずることができる。

一　第九百四十三条第一号又は第三号に該当するに至ったとき。

二　第九百四十七条（電子公告関係規定において準用する場合を含む。）から第九百五十条まで、第九百五十一条第一項又は次条第一項（電子公告関係規定において準用する場合を含む。）の規定に違反したとき。

三　正当な理由がないのに第九百五十一条第二項各号又は次条第二項各号（電子公告関係規定において準用する場合を含む。）の規定による請求を拒んだとき。

四　第九百五十二条又は前条（電子公告関係規定において準用する場合を含む。）の命令に違反したとき。

五　不正の手段により第九百四十一条の登録を受けたとき。

（調査記録簿等の記載等）

第九百五十五条　調査機関は、法務省令で定めるところにより、調査記録又はこれに準ずるものとして法務省令で定めるもの（以下この条に

第七編　雑則

おいて「調査記録簿等」という。）を備え、電子公告調査に関し法務省令で定めるものを記載し、又は記録し、及び当該調査記録簿等を保存しなければならない。

2　調査委託者その他の利害関係人は、調査機関に対し、その業務時間内は、いつでも、当該調査機関が前項又は次条第二項の規定により保存している調査記録簿等（利害関係がある部分に限る。）について、次に掲げる請求をすることができる。ただし、当該請求をするには、当該調査機関の定めた費用を支払わなければならない。

一　調査記録簿等が書面をもって作成されているときは、当該書面の写しの交付の請求

二　調査記録簿等が電磁的記録をもって作成されているときは、当該電磁的記録に記録された事項を電磁的方法であって調査機関の定めたものにより提供することの請求又は当該事項を記載した書面の交付の請求

【会社法施行規則】

第二百二十一条　次に掲げる規定に規定する法務省令で定めるべき事項は、電子公告規則（平成十八年法務省令第十四号）の定めるところによる。

一〜七　（略）

八　法第九百五十五条第一項

九・十　（略）

【電子公告規則】

（調査記録簿等の記載等）

第十三条　法第九百五十五条第一項の調査記録に準ずるものとして法務省令で定めるものは、磁気ディスク（これに準ずる方法により一定の事項を確実に記録することができる物を含む。）とする。

2　法第九百五十五条第一項の電子公告調査に関し法務省令で定めるものは、次に掲げるものとする。

一　第三条第一項各号に掲げる事項（調査機関が業務規程で定めるところにより、これらの事項のいずれかを変更する旨の通知がされた場合にあっては、当該通知に係る変更後のもの及び変更の日時を含む。）

二　電子公告調査を求められた年月日

三　電子公告調査の業務を行った事業所の所在地

四　電子公告調査を行った職員の氏名（第五条第一項第五号に規定するものを除く。）

五　第五条第一項各号の規定により電磁的記録として記録した事項

六　第五条第四項の規定により電磁的記録として記録（当該記録をすることができなかった場合にあっては、書面に記載）した事項

3　調査記録簿等への前項に掲げる事項の記載又は記録は、電子公告調査の求めごとにしなければならない。

4　調査機関は、第二項に掲げる事項を記載し、又は記録した調査記録簿等を、電子公告調査の求めに係る電子公告による公告の公告期間の満了後十年間保存しなければならない。法第九百五十六条第一項の規定により調査記録簿等の引継ぎを受けた調査機関についても、同様とする。

（調査記録簿等の引継ぎ）

第九百五十六条　調査機関は、電子公告調査の業務の全部の廃止をしようとするとき、又は第九百五十四条の規定により登録が取り消されたときは、その保存に係る前条第一項（電子公告関係規定において準用する場合を含む。）の調査記録簿等を他の調査機関に引き継がなければならない。

2　前項の規定により同項の調査記録簿等の引継ぎを受けた調査機関は、法務省令で定めるところにより、その調査記録簿等を保存しなけ

ればならない。

【会社法施行規則】
第二百二十一条　次に掲げる規定に規定する法務省令で定めるべき事項は、電子公告規則（平成十八年法務省令第十四号）の定めるところによる。
一〜八　（略）
九　法第九百五十六条第二項
十　（略）

【電子公告規則】
（調査記録簿等の記載等）
第十三条　（略）
2・3　（略）
4　調査機関は、第二項に掲げる事項を記載し、又は記録した調査記録簿等を、電子公告調査の求めに係る電子公告による公告の公告期間の満了後十年間保存しなければならない。法第九百五十六条第一項の規定により調査記録簿等の引継ぎを受けた調査機関についても、同様とする。

（法務大臣による電子公告調査の業務の実施）
第九百五十七条　法務大臣は、登録を受ける者がないとき、第九百五十条の規定による電子公告調査の業務の全部又は一部の休止又は廃止の届出があったとき、第九百五十四条の規定により登録を取り消し、又は調査機関に対し電子公告調査の業務の全部若しくは一部の停止を命じたとき、調査機関が天災その他の事由によって電子公告調査の業務の全部又は一部を実施することが困難となったとき、その他必要があると認めるときは、当該電子公告調査の業務の全部又は一部を自ら行うことができる。

2　法務大臣が前項の規定により電子公告調査の業務の全部又は一部を自ら行う場合における電子公告調査の業務の引継ぎその他の必要な事項については、法務省令で定める。
3　第一項の規定により法務大臣が行う電子公告調査を求める者は、実費を勘案して政令で定める額の手数料を納付しなければならない。

【会社法施行規則】
第二百二十一条　次に掲げる規定に規定する法務省令で定めるべき事項は、電子公告規則（平成十八年法務省令第十四号）の定めるところによる。
一〜九　（略）
十　法第九百五十七条第二項

（報告及び検査）
第九百五十八条　法務大臣は、この法律の施行に必要な限度において、調査機関に対し、その業務若しくは経理の状況に関し報告をさせ、又はその職員に、調査機関の事務所若しくは事業所に立ち入り、業務の状況若しくは帳簿、書類その他の物件を検査させることができる。
2　前項の規定により職員が立入検査をする場合には、その身分を示す証明書を携帯し、関係人にこれを提示しなければならない。
3　第一項の規定による立入検査の権限は、犯罪捜査のために認められたものと解釈してはならない。

【電子公告規則】
（立入検査の証明書）
第十四条　法第九百五十八条第二項の証明書は、別紙様式第五号によるものとする。

（公示）
第九百五十九条　法務大臣は、次に掲げる場合には、その旨を官報に公示しなければならない。
一　登録をしたとき。
二　第九百四十五条第一項の規定により登録が効力を失ったことを確認したとき。
三　第九百四十八条又は第九百五十条の届出があったとき。
四　第九百五十四条の規定により登録を取り消し、又は電子公告調査の業務の全部若しくは一部の停止を命じたとき。
五　第九百五十七条第一項の規定により法務大臣が電子公告調査の業務の全部若しくは一部を自ら行うものとするとき、又は自ら行っていた電子公告調査の業務の全部若しくは一部を行わないこととするとき。

第八編

罰　則

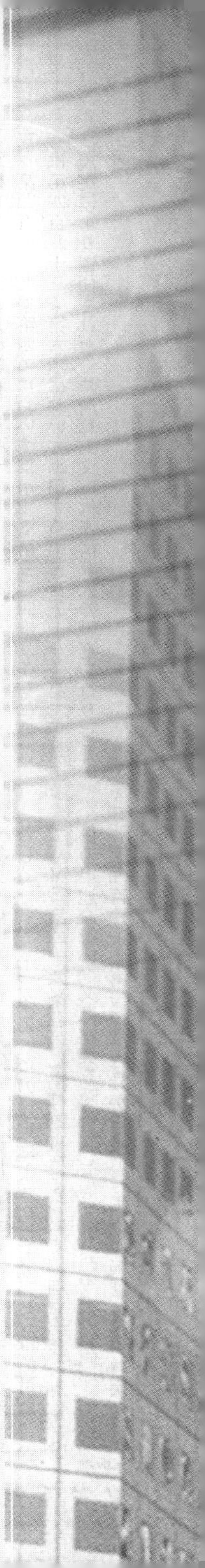

（取締役等の特別背任罪）
第九百六十条　次に掲げる者が、自己若しくは第三者の利益を図り又は株式会社に損害を加える目的で、その任務に背く行為をし、当該株式会社に財産上の損害を加えたときは、十年以下の懲役若しくは千万円以下の罰金に処し、又はこれを併科する。
一　発起人
二　設立時取締役又は設立時監査役
三　取締役、会計参与、監査役又は執行役
四　民事保全法第五十六条に規定する仮処分命令により選任された取締役、監査役又は執行役の職務を代行する者
五　第三百四十六条第二項、第三百五十一条第二項又は第四百一条第三項（第四百三条第三項及び第四百二十条第三項において準用する場合を含む。）の規定により選任された一時取締役（監査等委員会設置会社にあっては、監査等委員である取締役又はそれ以外の取締役）、会計参与、監査役、代表取締役、委員（指名委員会、監査委員会又は報酬委員会の委員をいう。）、執行役又は代表執行役の職務を行うべき者
六　支配人
七　事業に関するある種類又は特定の事項の委任を受けた使用人
八　検査役
2　次に掲げる者が、自己若しくは第三者の利益を図り又は清算株式会社に損害を加える目的で、その任務に背く行為をし、当該清算株式会社に財産上の損害を加えたときも、前項と同様とする。
一　清算株式会社の清算人
二　民事保全法第五十六条に規定する仮処分命令により選任された清算株式会社の清算人の職務を代行する者
三　第四百七十九条第四項において準用する第三百四十六条第二項又は第四百八十三条第六項において準用する第三百五十一条第二項の規定により選任された一時清算人又は代表清算人の職務を行うべき者
四　清算人代理
五　監督委員
六　調査委員

（代表社債権者等の特別背任罪）
第九百六十一条　代表社債権者又は決議執行者（第七百三十七条第二項に規定する決議執行者をいう。以下同じ。）が、自己若しくは第三者の利益を図り又は社債権者に損害を加える目的で、その任務に背く行為をし、社債権者に財産上の損害を加えたときは、五年以下の懲役若しくは五百万円以下の罰金に処し、又はこれを併科する。

（未遂罪）
第九百六十二条　前二条の罪の未遂は、罰する。

（会社財産を危うくする罪）
第九百六十三条　第九百六十条第一項第一号又は第二号に掲げる者が、第三十四条第一項若しくは第六十三条第一項の規定による払込み若しくは給付について、又は第二十八条各号に掲げる事項について、裁判所又は創立総会若しくは種類創立総会に対し、虚偽の申述を行い、又は事実を隠ぺいしたときは、五年以下の懲役若しくは五百万円以下の罰金に処し、又はこれを併科する。
2　第九百六十条第一項第三号から第五号までに掲げる者が、第百九十九条第一項第三号又は第二百三十六条第一項第三号に掲げる事項について、裁判所又は株主総会若しくは種類株主総会に対し、虚偽の申述を行い、又は事実を隠ぺいしたときも、前項と同様とする。
3　検査役が、第二十八条各号、第百九十九条第一項第三号又は第二百三十六条第一項第三号に掲げる事項について、裁判所に対し、虚偽の申述を行い、又は事実を隠ぺいしたときも、第一項と同様とする。
4　第九十四条第一項の規定により選任された者が、第三十四条第一項若しくは第六十三条第一項の規定による払込み若しくは給付について、又は第二十八条各号に掲げる事項について、創立総会に対し、虚偽の申述を行い、又は事実を隠ぺいしたときも、第一項と同様とする。
5　第九百六十条第一項第三号から第七号までに掲げる者が、次のいず

第八編　罰則

れかに該当する場合にも、第一項と同様とする。
一　何人の名義をもってするかを問わず、株式会社の計算において不正にその株式を取得したとき。
二　法令又は定款の規定に違反して、剰余金の配当をしたとき。
三　株式会社の目的の範囲外において、投機取引のために株式会社の財産を処分したとき。

（虚偽文書行使等の罪）

第九百六十四条　次に掲げる者が、株式、新株予約権、社債又は新株予約権付社債を引き受ける者の募集をするに当たり、会社の事業その他の事項に関する説明を記載した資料若しくは当該募集の広告その他の当該募集に関する文書であって重要な事項について虚偽の記載のあるものを行使し、又はこれらの書類の作成に代えて電磁的記録の作成がされている場合における当該電磁的記録であって重要な事項について虚偽の記録のあるものをその募集の事務の用に供したときは、五年以下の懲役若しくは五百万円以下の罰金に処し、又はこれを併科する。
一　第九百六十条第一項第一号から第七号までに掲げる者
二　持分会社の業務を執行する社員
三　民事保全法第五十六条に規定する仮処分命令により選任された持分会社の業務を執行する社員の職務を代行する者
四　株式、新株予約権、社債又は新株予約権付社債を引き受ける者の募集の委託を受けた者

2　株式、新株予約権、社債又は新株予約権付社債の売出しを行う者が、その売出しに関する文書であって重要な事項について虚偽の記載のあるものを行使し、又は当該文書の作成に代えて電磁的記録の作成がされている場合における当該電磁的記録であって重要な事項について虚偽の記録のあるものをその売出しの事務の用に供したときも、前項と同様とする。

（預合いの罪）

第九百六十五条　第九百六十条第一項第一号から第七号までに掲げる者が、株式の発行に係る払込みを仮装するため預合いを行ったときは、五年以下の懲役若しくは五百万円以下の罰金に処し、又はこれを併科する。預合いに応じた者も、同様とする。

（株式の超過発行の罪）

第九百六十六条　次に掲げる者が、株式会社が発行することができる株式の総数を超えて株式を発行したときは、五年以下の懲役又は五百万円以下の罰金に処する。
一　発起人
二　設立時取締役又は設立時執行役
三　取締役、執行役又は清算株式会社の清算人
四　民事保全法第五十六条に規定する仮処分命令により選任された取締役、執行役又は清算株式会社の清算人の職務を代行する者
五　第三百四十六条第二項（第四百七十九条第四項において準用する場合を含む。）又は第四百三条第三項において準用する第四百一条第三項の規定により選任された一時取締役（監査等委員会設置会社にあっては、監査等委員である取締役又はそれ以外の取締役）、執行役又は清算株式会社の清算人の職務を行うべき者

（取締役等の贈収賄罪）

第九百六十七条　次に掲げる者が、その職務に関し、不正の請託を受けて、財産上の利益を収受し、又はその要求若しくは約束をしたときは、五年以下の懲役又は五百万円以下の罰金に処する。
一　第九百六十条第一項各号又は第二項各号に掲げる者
二　第九百六十一条に規定する者
三　会計監査人又は第三百四十六条第四項の規定により選任された一時会計監査人の職務を行うべき者

2　前項の利益を供与し、又はその申込み若しくは約束をした者は、三年以下の懲役又は三百万円以下の罰金に処する。

（株主等の権利の行使に関する贈収賄罪）

第九百六十八条　次に掲げる事項に関し、不正の請託を受けて、財産上の利益を収受し、又はその要求若しくは約束をした者は、五年以下の懲役又は五百万円以下の罰金に処する。

一　株主総会若しくは種類株主総会、創立総会若しくは種類創立総会、社債権者集会又は債権者集会における発言又は議決権の行使

二　第二百十条若しくは第二百四十七条、第二百九十七条第一項若しくは第四項、第三百三条第一項若しくは第二項、第三百四条、第三百五条第一項若しくは第三百六条第一項若しくは第二項（これらの規定を第三百二十五条において準用する場合を含む。）、第三百五十八条第一項、第三百六十条第一項若しくは第二項（これらの規定を第四百八十二条第四項において準用する場合を含む。）、第四百二十二条第一項若しくは第二項、第四百二十六条第七項、第四百三十三条第一項若しくは第四百七十九条第二項に規定する株主の権利の行使、第五百十一条第一項若しくは第五百二十二条第一項に規定する株主若しくは債権者の権利の行使又は第五百四十七条第一項若しくは第三項に規定する債権者の権利の行使

三　社債の総額（償還済みの額を除く。）の十分の一以上に当たる社債を有する社債権者の権利の行使

四　第八百二十八条第一項、第八百二十九条から第八百三十一条まで、第八百三十三条第一項、第八百四十七条第三項若しくは第五項、第八百四十七条の二第六項若しくは第八項、第八百四十七条の三第七項若しくは第九項、第八百五十三条、第八百五十四条又は第八百五十八条に規定する訴えの提起（株主等（第八百四十七条の四第二項に規定する株主等をいう。次号において同じ。）、株式会社の債権者又は新株予約権若しくは新株予約権付社債を有する者がするものに限る。）

五　第八百四十九条第一項の規定による株主等の訴訟参加

２　前項の利益を供与し、又はその申込み若しくは約束をした者も、同項と同様とする。

（没収及び追徴）

第九百六十九条　第九百六十七条第一項又は前条第一項の場合において、犯人の収受した利益は、没収する。その全部又は一部を没収することができないときは、その価額を追徴する。

（株主等の権利の行使に関する利益供与の罪）

第九百七十条　第九百六十条第一項第三号から第六号までに掲げる者又はその他の株式会社の使用人が、株主の権利、当該株式会社に係る適格旧株主（第八百四十七条の二第九項に規定する適格旧株主をいう。第三項において同じ。）の権利又は当該株式会社の最終完全親会社等（第八百四十七条の三第一項に規定する最終完全親会社等をいう。第三項において同じ。）の株主の権利の行使に関し、当該株式会社又はその子会社の計算において財産上の利益を供与したときは、三年以下の懲役又は三百万円以下の罰金に処する。

２　情を知って、前項の利益の供与を受け、又は第三者にこれを供与させた者も、同項と同様とする。

３　株主の権利、株式会社に係る適格旧株主の権利又は株式会社の最終完全親会社等の株主の権利の行使に関し、当該株式会社又はその子会社の計算において第一項の利益を自己又は第三者に供与することを同項に規定する者に要求した者も、同項と同様とする。

４　前二項の罪を犯した者が、その実行について第一項に規定する者に対し威迫の行為をしたときは、五年以下の懲役又は五百万円以下の罰金に処する。

５　前三項の罪を犯した者には、情状により、懲役及び罰金を併科することができる。

６　第一項の罪を犯した者が自首したときは、その刑を減軽し、又は免除することができる。

（国外犯）

第九百七十一条　第九百六十条から第九百六十三条まで、第九百六十五条、第九百六十六条、第九百六十七条第一項、第九百六十八条第一項及び前条第一項の罪は、日本国外においてこれらの罪を犯した者にも適用する。

２　第九百六十七条第二項、第九百六十八条第二項及び前条第二項から第四項までの罪は、刑法（明治四十年法律第四十五号）第二条の例に従う。

（法人における罰則の適用）

第九百七十二条　第九百六十条、第九百六十一条、第九百六十三条から第九百六十六条まで、第九百六十七条第一項又は第九百七十条第一項に規定する者が法人であるときは、これらの規定及び第九百六十二条の規定は、その行為をした取締役、執行役その他業務を執行する役員又は支配人に対してそれぞれ適用する。

（業務停止命令違反の罪）

第九百七十三条　第九百五十四条の規定による電子公告調査（第九百四十二条第一項に規定する電子公告調査をいう。以下同じ。）の業務の全部又は一部の停止の命令に違反した者は、一年以下の懲役若しくは百万円以下の罰金に処し、又はこれを併科する。

（虚偽届出等の罪）

第九百七十四条　次のいずれかに該当する者は、三十万円以下の罰金に処する。

一　第九百五十条の規定による届出をせず、又は虚偽の届出をした者

二　第九百五十五条第一項の規定に違反して、調査記録簿等（同項に規定する調査記録簿等をいう。以下この号において同じ。）に同項に規定する電子公告調査に関し法務省令で定めるものを記載せず、若しくは記録せず、若しくは虚偽の記載若しくは記録をし、又は同項若しくは第九百五十六条第二項の規定に違反して調査記録簿等を保存しなかった者

三　第九百五十八条第一項の規定による報告をせず、若しくは虚偽の報告をし、又は同項の規定による検査を拒み、妨げ、若しくは忌避した者

（両罰規定）

第九百七十五条　法人の代表者又は法人若しくは人の代理人、使用人その他の従業者が、その法人又は人の業務に関し、前二条の違反行為をしたときは、行為者を罰するほか、その法人又は人に対しても、各本条の罰金刑を科する。

（過料に処すべき行為）

第九百七十六条　発起人、設立時取締役、設立時監査役、設立時執行役、取締役、会計参与若しくはその職務を行うべき社員、監査役、執行役、会計監査人若しくはその職務を行うべき社員、清算人、清算人代理、持分会社の業務を執行する社員、民事保全法第五十六条に規定する仮処分命令により選任された取締役、監査役、執行役、清算人若しくは持分会社の業務を執行する社員の職務を代行する者、第九百六十条第一項第五号に規定する一時取締役、会計参与、監査役、代表取締役、委員、執行役若しくは代表執行役の職務を行うべき者、同条第二項第三号に規定する一時清算人若しくは代表清算人の職務を行うべき者、第九百六十七条第一項第三号に規定する一時会計監査人の職務を行うべき者、検査役、監督委員、調査委員、株主名簿管理人、社債原簿管理人、社債管理者、事務を承継する社債管理者、社債管理補助者、事務を承継する社債管理補助者、代表社債権者、決議執行者、外国会社の日本における代表者又は支配人は、次のいずれかに該当する場合には、百万円以下の過料に処する。ただし、その行為について刑を科すべきときは、この限りでない。

一　この法律の規定による登記をすることを怠ったとき。

二　この法律の規定による公告若しくは通知をすることを怠ったとき、又は不正の公告若しくは通知をしたとき。

三　この法律の規定による開示をすることを怠ったとき。

四　この法律の規定に違反して、正当な理由がないのに、書類若しくは電磁的記録に記録された事項を法務省令で定める方法により表示したものの閲覧若しくは謄写又は書類の謄本若しくは抄本の交付、電磁的記録に記録された事項を電磁的方法により提供すること若しくはその事項を記載した書面の交付を拒んだとき。

五　この法律の規定による調査を妨げたとき。

六　官庁、株主総会若しくは種類株主総会、創立総会若しくは種類創立総会、社債権者集会又は債権者集会に対し、虚偽の申述を行い、又は事実を隠蔽したとき。

七　定款、株主名簿、株券喪失登録簿、新株予約権原簿、社債原簿、議事録、財産目録、会計帳簿、貸借対照表、損益計算書、事業報告、事務報告、第四百三十五条第二項若しくは第四百九十四条第一項の附属明細書、会計参与報告、監査報告、会計監査報告、決算報告又は第百二十二条第一項、第百四十九条第一項、第百七十一条の二第一項、第百七十三条の二第一項、第百七十九条の五第一項、第百七十九条の十第一項、第百八十二条の二第一項、第百八十二条の六第一項、第二百五十条第一項、第二百七十条第一項、第六百八十二条第一項、第六百九十五条第一項、第七百八十二条第一項、第七百九十一条第一項、第七百九十四条第一項、第八百一条第一項若しくは第二項、第八百三条第一項、第八百十一条第一項、第八百十五条第一項若しくは第二項、第八百十六条の二第一項若しくは第八百十六条の十第一項の書面若しくは電磁的記録に記載し、若しくは記録すべき事項を記載せず、若しくは記録せず、又は虚偽の記載若しくは記録をしたとき。

八　第三十一条第一項の規定、第七十四条第六項、第七十五条第三項、第七十六条第四項、第八十一条第二項若しくは第八十二条第二項（これらの規定を第八十六条において準用する場合を含む。）、第百二十五条第一項、第百七十一条の二第二項、第百七十三条の二第二項、第百七十九条の五第一項、第百七十九条の十第二項、第百八十二条の二第一項、第百八十二条の六第二項、第二百三十一条第一項若しくは第二百五十二条第一項、第三百十条第六項、第三百十一条第三項、第三百十二条第四項、第三百十八条第二項若しくは第三項若しくは第三百十九条第二項（これらの規定を第三百二十五条において準用する場合を含む。）、第三百七十一条第一項（第四百九十条第五項において準用する場合を含む。）、第三百七十八条第一項、第三百九十四条第一項、第三百九十九条の十一第一項、第四百十三条第一項、第四百四十二条第一項若しくは第二項、第四百九十六条第一項、第六百八十四条第一項、第七百三十一条第二項、第七百八十二条第一項、第七百九十一条第二項、第七百九十四条第一項、第八百一条第三項、第八百三条第一項、第八百十一条第二項、第八百十五条第三項、第八百十六条の二第一項又は第八百十六条の十第二項の規定に違反して、帳簿又は書類若しくは電磁的記録を備え置かなかったとき。

九　正当な理由がないのに、株主総会若しくは種類株主総会又は創立総会若しくは種類創立総会において、株主又は設立時株主の求めた事項について説明をしなかったとき。

十　第百三十五条第一項の規定に違反して株式を取得したとき、又は同条第三項の規定に違反して株式の処分をすることを怠ったとき。

十一　第百七十八条第一項又は第二項の規定に違反して、株式の消却をしたとき。

十二　第百九十七条第一項又は第二項の規定に違反して、株式の競売又は売却をしたとき。

十三　株式、新株予約権又は社債の発行の日前に株券、新株予約権証券又は社債券を発行したとき。

十四　第二百十五条第一項、第二百八十八条第一項又は第六百九十六条の規定に違反して、遅滞なく、株券、新株予約権証券又は社債券を発行しなかったとき。

十五　株券、新株予約権証券又は社債券に記載すべき事項を記載せず、又は虚偽の記載をしたとき。

十六　第二百二十五条第四項、第二百二十六条第二項、第二百二十七条又は第二百二十九条第二項の規定に違反して、株券喪失登録を抹消しなかったとき。

十七　第二百三十条第一項の規定に違反して、株主名簿に記載し、又は記録したとき。

十八　第二百九十六条第一項の規定又は第三百七条第一項第一号（第三百二十五条において準用する場合を含む。）若しくは第三百五十九条第一項第一号の規定による裁判所の命令に違反して、株主総会を招集しなかったとき。

十九　第三百三条第一項又は第二項（これらの規定を第三百二十五条

において準用する場合を含む。）の規定による請求があった場合において、その請求に係る事項を株主総会又は種類株主総会の目的としなかったとき。
十九の二　第三百二十七条の二の規定に違反して、社外取締役を選任しなかったとき。
十九の三　第三百三十一条第六項の規定に違反して、社外取締役を監査等委員である取締役の過半数に選任しなかったとき。
二十　第三百三十五条第三項の規定に違反して、社外監査役を監査役の半数以上に選任しなかったとき。
二十一　第三百四十三条第二項（第三百四十七条第二項の規定により読み替えて適用する場合を含む。）又は第三百四十四条の二第二項（第三百四十七条第一項の規定により読み替えて適用する場合を含む。）の規定による請求があった場合において、その請求に係る事項を株主総会若しくは種類株主総会の目的とせず、又はその請求に係る議案を株主総会若しくは種類株主総会に提出しなかったとき。
二十二　取締役（監査等委員会設置会社にあっては、監査等委員である取締役又はそれ以外の取締役）、会計参与、監査役、執行役又は会計監査人がこの法律又は定款で定めたその員数を欠くこととなった場合において、その選任（一時会計監査人の職務を行うべき者の選任を含む。）の手続をすることを怠ったとき。
二十三　第三百六十五条第二項（第四百十九条第二項及び第四百八十九条第八項において準用する場合を含む。）又は第四百三十条の二第四項（同条第五項において準用する場合を含む。）の規定に違反して、取締役会又は清算人会に報告せず、又は虚偽の報告をしたとき。
二十四　第三百九十条第三項の規定に違反して、常勤の監査役を選定しなかったとき。
二十五　第四百四十五条第三項若しくは第四項の規定に違反して資本準備金若しくは準備金を計上せず、又は第四百四十八条の規定に違反して準備金の額の減少をしたとき。
二十六　第四百四十九条第二項若しくは第五項、第六百二十七条第二項若しくは第五項、第六百三十五条第二項若しくは第五項、第六百七十条第二項若しくは第五項（これらの規定を第七百八十一条第二項において準用する場合を含む。）、第七百七十九条第二項若しくは第五項（これらの規定を第七百八十一条第二項において準用する場合を含む。）、第七百八十九条第二項若しくは第五項（これらの規定を第七百九十三条第二項において準用する場合を含む。）、第七百九十九条第二項若しくは第五項（これらの規定を第八百二条第二項において準用する場合を含む。）、第八百十条第二項若しくは第五項（これらの規定を第八百十三条第二項において準用する場合を含む。）、第八百十六条の八第二項若しくは第五項又は第八百二十条第一項若しくは第二項の規定に違反して、資本金若しくは準備金の額の減少、持分の払戻し、持分会社の財産の処分、組織変更、吸収合併、新設合併、吸収分割、新設分割、株式交換、株式移転、株式交付又は外国会社の日本における代表者の全員の退任をしたとき。
二十七　第四百八十四条第一項若しくは第六百五十六条第一項の規定に違反して破産手続開始の申立てを怠ったとき、又は第五百十一条第二項の規定に違反して特別清算開始の申立てをすることを怠ったとき。
二十八　清算の結了を遅延させる目的で、第四百九十九条第一項、第六百六十条第一項又は第六百七十条第二項の期間を不当に定めたとき。
二十九　第五百条第一項、第五百三十七条第一項又は第六百六十一条第一項の規定に違反して、債務の弁済をしたとき。
三十　第五百二条又は第六百六十四条の規定に違反して、清算株式会社又は清算持分会社の財産を分配したとき。
三十一　第五百三十五条第一項又は第五百三十六条第一項の規定に違反したとき。
三十二　第五百四十条第一項若しくは第二項又は第五百四十二条第一項若しくは第二項の規定による保全処分に違反したとき。
三十三　第七百二条の規定に違反して社債を発行し、又は第七百十四条第一項（第七百十四条の七において準用する場合を含む。）の規定に違反して事務を承継する社債管理者若しくは社債管理補助者を定めなかったとき。
三十四　第八百二十七条第一項の規定による裁判所の命令に違反したとき。
三十五　第九百四十一条の規定に違反して、電子公告調査を求めなかったとき。

〔施行　会社法の一部を改正する法律（令和元年法律第七十号）の施行の日（令和元年十二月十一日から三年六月を超えない範囲内において政令で定める日）〕〔第十九号を第十八号の二とし、第十九号を加える〕

（過料に処すべき行為）
第九百七十六条　発起人、設立時取締役、設立時監査役、設立時執行役、取締役、会計参与若しくはその職務を行うべき社員、監査役、執行役、会計監査人若しくはその職務を行うべき社員、清算人、清算人代理、持分会社の業務を執行する社員、民事保全法第五十六条に規定する仮処分命令により選任された取締役、監査役、執行役、清算人若しくは持分会社の業務を執行する社員の職務を代行する者、第九百六十条第一項第五号に規定する一時取締役、会計参与、監査役、代表取締役、委員、執行役若しくは代表執行役の職務を行うべき者、同条第二項第三号に規定する一時清算人若しくは代表清算人の職務を行うべき者、第九百六十七条第一項第三号に規定する一時会計監査人の職務を行うべき者、検査役、監督委員、調査委員、株主名簿管理人、社債原簿管理人、社債管理者、事務を承継する社債管理者、社債管理補助者、事務を承継する社債管理補助者、代表社債権者、決議執行者、外国会社の日本における代表者又は支配人は、次のいずれかに該当する場合には、百万円以下の過料に処する。ただし、その行為について刑を科すべきときは、この限りでない。
一〜一八　（省略）
十八の二　第三百三条第一項又は第二項（これらの規定を第三百二十五条において準用する場合を含む。）の規定による請求があった場合において、その請求に係る事項を株主総会又は種類株主総会の目的としなかったとき。
十九　第三百二十五条の三第一項（第三百二十五条の七において準用する場合を含む。）の規定に違反して、電子提供措置をとらなかったとき。
十九の二〜三十五　（省略）

第九百七十七条　次のいずれかに該当する者は、百万円以下の過料に処する。
一　第九百四十六条第三項の規定に違反して、報告をせず、又は虚偽の報告をした者
二　第九百五十一条第一項の規定に違反して、財務諸表等（同項に規定する財務諸表等をいう。以下同じ。）を備え置かず、又は財務諸表等に記載し、若しくは記録すべき事項を記載せず、若しくは記録せず、若しくは虚偽の記載若しくは記録をした者
三　正当な理由がないのに、第九百五十一条第二項各号又は第九百五十五条第二項各号に掲げる請求を拒んだ者

第九百七十八条　次のいずれかに該当する者は、百万円以下の過料に処する。
一　第六条第三項の規定に違反して、他の種類の会社であると誤認されるおそれのある文字をその商号中に用いた者
二　第七条の規定に違反して、会社であると誤認されるおそれのある文字をその名称又は商号中に使用した者
三　第八条第一項の規定に違反して、他の会社（外国会社を含む。）であると誤認されるおそれのある名称又は商号を使用した者

第九百七十九条　会社の成立前に当該会社の名義を使用して事業をした者は、会社の設立の登録免許税の額に相当する過料に処する。
2　第八百十八条第一項又は第八百二十一条第一項の規定に違反して取引をした者も、前項と同様とする。

附　則

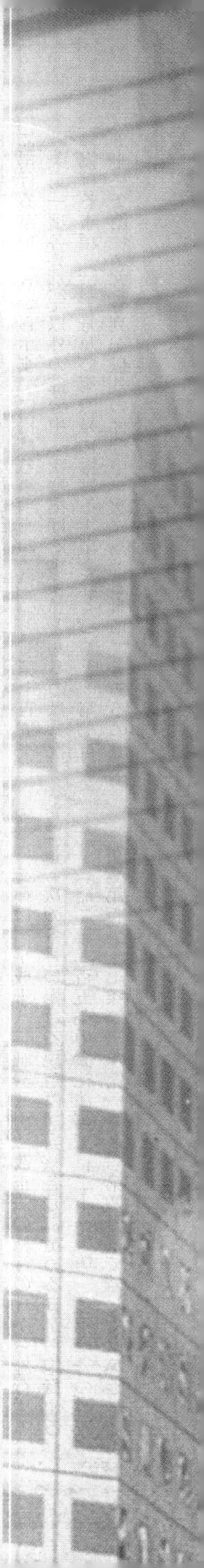

（施行期日）

1　この法律は、公布の日から起算して一年六月を超えない範囲内において政令で定める日から施行する。

（経過措置の原則）

2　この法律の規定（罰則を除く。）は、他の法律に特別の定めがある場合を除き、この法律の施行前に生じた事項にも適用する。

（商号の使用に関する経過措置）

3　第六条第三項の規定は、この法律の施行の際現にその商号中に合同会社であると誤認されるおそれのある文字を用いている場合における会社法の施行に伴う関係法律の整備等に関する法律（平成十七年法律第八十七号）第三条第二項に規定する特例有限会社、同法第六十六条第一項前段の規定により存続する株式会社又は同条第三項前段の規定により存続する合名会社若しくは合資会社については、この法律の施行の日から起算して六月間（これらの会社が当該期間内に商号の変更をした場合にあっては、当該商号の変更をするまでの期間）は、適用しない。

（合併等に際して株主等に対して交付する金銭等に関する経過措置）

4　この法律の施行の日から一年を経過する日までの間において合併契約が締結される合併、吸収分割契約が締結される吸収分割若しくは新設分割計画が作成される新設分割、株式交換契約が締結される株式交換又は株式移転計画が作成される株式移転の手続に関する第七百四十九条第一項第二号、第七百五十一条第一項、第七百五十三条第一項、第七百五十五条第一項、第七百五十八条第四号、第七百六十条、第七百六十三条、第七百六十五条第一項、第七百六十八条第一項第二号、第七百七十条第一項及び第七百七十三条第一項の規定の適用については、第七百四十九条第一項第二号中「次に掲げる事項」とあるのは「次に掲げる事項（ロからホまでに掲げる事項を除く。）」と、第七百五十一条第一項各号列記以外の部分中「次に掲げる事項」とあるのは「次に掲げる事項（第三号及び第四号に掲げる事項を除く。）」と、第七百五十三条第一項各号列記以外の部分中「次に掲げる事項」とあるのは「次に掲げる事項（第八号及び第九号に掲げる事項を除く。）」と、第七百五十五条第一項各号列記以外の部分中「次に掲げる事項」とあるのは「次に掲げる事項（第六号及び第七号に掲げる事項を除く。）」と、第七百五十八条第四号中「次に掲げる事項」とあるのは「次に掲げる事項（ロからホまでに掲げる事項を除く。）」と、第七百六十条各号列記以外の部分中「次に掲げる事項」とあるのは「次に掲げる事項（第五号に掲げる事項を除く。）」と、第七百六十三条各号列記以外の部分中「次に掲げる事項」とあるのは「次に掲げる事項（第八号及び第九号に掲げる事項を除く。）」と、第七百六十五条第一項各号列記以外の部分中「次に掲げる事項」とあるのは「次に掲げる事項（第六号及び第七号に掲げる事項を除く。）」と、第七百六十八条第一項第二号中「次に掲げる事項」とあるのは「次に掲げる事項（ロからホまでに掲げる事項を除く。）」と、第七百七十条第一項各号列記以外の部分中「次に掲げる事項」とあるのは「次に掲げる事項（第三号及び第四号に掲げる事項を除く。）」と、第七百七十三条第一項各号列記以外の部分中「次に掲げる事項」とあるのは「次に掲げる事項（第七号及び第八号に掲げる事項を除く。）」とする。

附　則〔平成十八年六月二日法律第五十号　一般社団法人及び一般財団法人に関する法律及び公益社団法人及び公益財団法人の認定等に関する法律の施行に伴う関係法律の整備等に関する法律〕（抄）

（施行期日）

1　この法律は、一般社団・財団法人法の施行の日から施行する。

附　則〔平成十八年六月十四日法律第六十六号　証券取引法等の一部を改正する法律の施行に伴う関係法律の整備等に関する法律〕（抄）

この法律は、平成十八年証券取引法改正法の施行の日から施行する。ただし、次の各号に掲げる規定は、当該各号に定める日から施行する。

一　（略）第二百五条中会社法第三百三十一条第一項第三号の改正規定（「第百九十七条第一項第一号から第四号まで若しくは第七号若し

くは第二項、第百九十八条第一号から第十号まで、第十八号若しくは第十九号」を「第百九十七条、第百九十七条の二第一号から第十号まで若しくは第十三号、第百九十八条第八号」に改める部分に限る。）、第二百六条第一項の規定（略）　平成十八年証券取引法改正法附則第一条第一号に掲げる規定の施行の日

二〜四　（略）

（会社法の一部改正に伴う経過措置）

第二百六条　前条の規定（第三百三十一条第一項第三号の改正規定（「第百九十七条第一項第一号から第四号まで若しくは第七号若しくは第二項、第百九十八条第一号から第十号まで、第十八号若しくは第十九号」を「第百九十七条、第百九十七条の二第一号から第十号まで若しくは第十三号、第百九十八条第八号」に改める部分に限る。）に限る。）による改正後の会社法（以下この条において「新会社法」という。）第三百三十一条第一項第三号（新会社法第三百三十五条第一項、第四百二条第四項及び第四百七十八条第八項において準用する場合を含む。）の規定の適用については、平成十八年証券取引法改正法第一条の規定による改正前の証券取引法第百九十七条第一項第一号から第四号まで若しくは第七号若しくは第二項又は第百九十八条第一号から第十号まで、第十八号若しくは第十九号の規定（平成十八年証券取引法改正法附則第二百十八条の規定によりなお従前の例によることとされる場合におけるこれらの規定を含む。）に違反し、刑に処せられた者は、平成十八年証券取引法改正法第一条の規定による改正後の証券取引法第百九十七条、第百九十七条の二第一号から第十号まで若しくは第十三号又は第百九十八条第八号の規定に違反し、刑に処せられたものとみなす。

2　前条の規定（第三百三十一条第一項第三号の改正規定（「証券取引法」を「金融商品取引法」に、「第二十一号若しくは第二十二号」を「第二十号若しくは第二十一号」に、「第十五号若しくは第十六号」を「第十九号若しくは第二十号」に改める部分に限る。）に限る。）による改正後の会社法（以下この条において「新々会社法」という。）第三百三十一条第一項第三号（新々会社法第三百三十五条第一項、第四百二条第四項及び第四百七十八条第八項において準用する場合を含む。）の規定の適用については、旧証券取引法第百九十七条、第百九十七条の二第一号から第十号まで若しくは第十三号、第百九十八条第八号、第百九十九条、第二百条第一号から第十二号まで、第二十一号若しくは第二十二号、第二百三条第三項又は第二百五条第一号から第六号まで、第十五号若しくは第十六号の規定（平成十八年証券取引法改正法附則第二百十八条の規定によりなお従前の例によることとされる場合におけるこれらの規定を含む。）に違反し、刑に処せられた者は、新金融商品取引法第百九十七条、第百九十七条の二第一号から第十号まで若しくは第十三号、第百九十八条第八号、第百九十九条、第二百条第一号から第十二号まで、第二十号若しくは第二十一号、第二百三条第三項又は第二百五条第一号から第六号まで、第十九号若しくは第二十号の規定に違反し、刑に処せられたものとみなす。

附　則〔平成十八年十二月十五日法律第百九号　信託法の施行に伴う関係法律の整備等に関する法律〕（抄）

この法律は、新信託法の施行の日から施行する。ただし、次の各号に掲げる規定は、当該各号に定める日から施行する。

一　（略）第七十七条（会社法目次の改正規定、同法第百三十二条に二項を加える改正規定、同法第二編第三章第三節中第百五十四条の次に一款を加える改正規定、同法第二編第三章第四節中第二百七十二条の次に一款を加える改正規定、同法第六百九十五条の次に一条を加える改正規定及び同法第九百四十三条第一号の改正規定を除く。）の規定　公布の日

二・三　（略）

附　則〔平成十九年五月十六日法律第四十七号　消費生活協同組合法の一部を改正する等の法律〕（抄）

（施行期日）

第一条　この法律は、平成二十年四月一日から施行する。ただし、次の

各号に掲げる規定は、当該各号に定める日から施行する。

一・二　（略）

附　則〔平成十九年六月二十七日法律第九十九号　公認会計士法等の一部を改正する法律〕（抄）

（施行期日）

第一条　この法律は、公布の日から起算して一年を超えない範囲内において政令で定める日（以下「施行日」という。）から施行する。ただし、次の各号に掲げる規定は、当該各号に定める日から施行する。

一・二　（略）

附　則〔平成二十年六月十三日法律第六十五号　金融商品取引法等の一部を改正する法律〕（抄）

（施行期日）

第一条　この法律は、公布の日から起算して六月を超えない範囲内において政令で定める日から施行する。（以下略）

附　則〔平成二十一年四月三十日法律第二十九号　我が国における産業活動の革新等を図るための産業活力再生特別措置法等の一部を改正する法律〕（抄）

（施行期日）

第一条　この法律は、公布の日から起算して三月を超えない範囲内において政令で定める日から施行する。（以下略）

附　則〔平成二十一年六月二十四日法律第五十八号　金融商品取引法等の一部を改正する法律〕（抄）

（施行期日）

第一条　この法律は、公布の日から起算して一年を超えない範囲内において政令で定める日から施行する。（以下略）

附　則〔平成二十一年七月十日法律第七十四号　商品取引所法及び商品投資に係る事業の規制に関する法律の一部を改正する法律〕（抄）

（施行期日）

第一条　この法律は、公布の日から起算して一年六月を超えない範囲内において政令で定める日（以下「施行日」という。）から施行する。

（罰則の適用に関する経過措置）

第十九条　この法律（附則第一条各号に掲げる規定にあっては、当該規定。以下この条において同じ。）の施行前にした行為及びこの附則の規定によりなお従前の例によることとされる場合におけるこの法律の施行後にした行為に対する罰則の適用については、なお従前の例による。

（政令への委任）

第二十条　附則第二条から第五条まで及び前条に定めるもののほか、この法律の施行に関し必要な経過措置は、政令で定める。

（検討）

第二十一条　政府は、この法律の施行後三年以内に、この法律による改正後のそれぞれの法律（以下「改正後の各法律」という。）に規定する指定紛争解決機関（以下単に「指定紛争解決機関」という。）の指定状況及び改正後の各法律に規定する紛争解決等業務の遂行状況その他経済社会情勢等を勘案し、消費者庁及び消費者委員会設置法（平成二十一年法律第四十八号）附則第三項に係る検討状況も踏まえ、消費者庁の関与の在り方及び業態横断的かつ包括的な紛争解決体制の在り方も含めた指定紛争解決機関による裁判外紛争解決手続に係る制度の在り方について検討を加え、必要があると認めるときは、その結果に基づいて所要の措置を講ずるものとする。

2　政府は、前項に定める事項のほか、この法律の施行後五年以内に、この法律による改正後の規定の実施状況について検討を加え、必要があると認めるときは、その結果に基づいて所要の措置を講ずるものとする。

附　則〔平成二十三年五月二十五日法律第五十三号　非訟事件手続法及び家事事件手続法の施行に伴う関係法律の整備等に関する法律〕

この法律は、新非訟事件手続法の施行の日から施行する。

（会社法の一部改正に伴う経過措置）

第百五十五条 前条の規定による改正後の会社法第二百九十一条及び第六百九十九条の規定の適用については、旧非訟事件手続法第百四十二条に規定する公示催告手続（第二条の規定によりなお従前の例によることとされる場合におけるものを含む。）を新非訟事件手続法第百条に規定する公示催告手続と、旧非訟事件手続法第百四十八条第一項に規定する除権決定（第二条の規定によりなお従前の例によることとされる場合におけるものを含む。）を新非訟事件手続法第百六条第一項に規定する除権決定と、それぞれみなす。

附　則〔平成二十三年六月二十四日法律第七十四号 情報処理の高度化等に対処するための刑法等の一部を改正する法律〕（抄）

（施行期日）

第一条 この法律は、公布の日から起算して二十日を経過した日から施行する。（以下略）

附　則〔平成二十四年三月三十一日法律第十六号 租税特別措置法等の一部を改正する法律〕（抄）

（施行期日）

第一条 この法律は、平成二十四年四月一日から施行する。ただし、次の各号に掲げる規定は、当該各号に定める日から施行する。

一～五　（略）

六　次に掲げる規定　平成二十五年七月一日

イ・ロ　（略）

ハ　第七条の規定及び附則第七十二条から第七十八条までの規定

七～十四　（略）

（罰則の適用に関する経過措置）

第七十九条 この法律（附則第一条各号に掲げる規定にあっては、当該規定。以下この条において同じ。）の施行前にした行為及びこの附則の規定によりなお従前の例によることとされる場合におけるこの法律の施行後にした行為に対する罰則の適用については、なお従前の例による。

（政令への委任）

第八十条 この附則に規定するもののほか、この法律の施行に関し必要な経過措置は、政令で定める。

附　則〔平成二十五年六月十九日法律第四十五号 金融商品取引法等の一部を改正する法律〕（抄）

（施行期日）

第一条 この法律は、公布の日から起算して一年を超えない範囲内において政令で定める日から施行する。ただし、次の各号に掲げる規定は、当該各号に定める日から施行する。

一　（略）附則第三十条（略）、第三十六条及び第三十七条の規定　公布の日から起算して二十日を経過した日

二・三　（略）

（罰則の適用に関する経過措置）

第三十六条 この法律（附則第一条各号に掲げる規定にあっては、当該規定。以下この条において同じ。）の施行前にした行為及びこの附則の規定によりなお従前の例によることとされる場合におけるこの法律の施行後にした行為に対する罰則の適用については、なお従前の例による。

（政令への委任）

第三十七条 附則第二条から第十五条まで及び前条に定めるもののほか、この法律の施行に関し必要な経過措置（罰則に関する経過措置を含む。）は、政令で定める。

（検討）

第三十八条 政府は、この法律の施行後五年を目途として、この法律による改正後のそれぞれの法律（以下この条において「改正後の各法律」という。）の施行の状況等を勘案し、必要があると認めるときは、改正後の各法律の規定について検討を加え、その結果に基づいて所要の措置を講ずるものとする。

附　則〔平成二十六年五月三十日法律第四十二号〕（抄）
〔地方自治法の一部を改正する法律〕

（施行期日）
第一条　この法律は、公布の日から起算して二年を超えない範囲内において政令で定める日から施行する。（以下略）

附　則〔平成二十六年六月二十七日法律第九十号〕
〔会社法の一部を改正する法律〕

（施行期日）
第一条　この法律は、公布の日から起算して一年六月を超えない範囲内において政令で定める日から施行する。

（経過措置の原則）
第二条　この法律による改正後の会社法（以下「新会社法」という。）の規定（罰則を除く。）は、この附則に特別の定めがある場合を除き、この法律の施行の日（以下「施行日」という。）前に生じた事項にも適用する。ただし、この法律による改正前の会社法（以下「旧会社法」という。）の規定によって生じた効力を妨げない。

（委員会設置会社に関する経過措置）
第三条　この法律の施行の際現に委員会設置会社（旧会社法第二条第十二号に規定する委員会設置会社をいう。次項において同じ。）である株式会社又は施行日前に旧会社法第三十条第一項の規定による定款（同号に規定する委員会を置く旨の定めがあるものに限る。）の認証を受け、この法律の施行後に成立する株式会社の定款には、新会社法第二条第十二号に規定する指名委員会等を置く旨の定めがあるものとみなす。

2　旧会社法の規定による委員会設置会社の登記は、新会社法第九百十一条第三項第二十三号に掲げる事項の登記とみなす。

（社外取締役及び社外監査役の要件に関する経過措置）
第四条　この法律の施行の際現に旧会社法第二条第十五号に規定する社外取締役又は同条第十六号に規定する社外監査役を置く株式会社の社外取締役又は社外監査役については、この法律の施行後最初に終了する事業年度に関する定時株主総会の終結の時までは、新会社法第二条第十五号又は第十六号の規定にかかわらず、なお従前の例による。

（詐害事業譲渡等に関する経過措置）
第五条　施行日前に会社の他の会社に対する事業の譲渡に係る契約が締結された場合におけるその事業の譲渡については、新会社法第二十三条の二の規定は、適用しない。

2　施行日前に会社の商人（会社を除く。以下この項において同じ。）に対する事業の譲渡又は商人の営業の譲受けに係る契約が締結された場合におけるその事業の譲渡又は営業の譲受けについては、新会社法第二十四条の規定にかかわらず、なお従前の例による。

（設立時発行株式に関する経過措置）
第六条　施行日前に旧会社法第三十条第一項の認証を受けた定款に係る株式会社の設立に際して発行する設立時発行株式については、新会社法第五十二条の二、第百二条第三項及び第四項、第百二条の二並びに第百三条第二項及び第三項の規定は、適用しない。

（公開会社となる場合における発行可能株式総数に関する経過措置）
第七条　施行日前に公開会社でない株式会社が公開会社となる旨の定款の変更に係る決議をするための株主総会の招集手続が開始された場合におけるその定款の変更後の発行可能株式総数については、新会社法第百十三条第三項の規定にかかわらず、なお従前の例による。

（定款の変更等に係る株式買取請求に関する経過措置）
第八条　施行日前に旧会社法第百十六条第一項各号の行為に係る決議をするための株主総会の招集手続が開始された場合（同項各号の行為をするために株主総会の決議を要しない場合にあっては、当該行為に係る取締役会の決議又は取締役若しくは執行役の決定が行われたとき）におけるその行為に係る株式買取請求については、なお従前の例による。

（定款の変更に係る新株予約権買取請求に関する経過措置）
第九条　施行日前に旧会社法第百十八条第一項各号に掲げる定款の変更

に係る決議をするための株主総会の招集手続が開始された場合における定款の変更に係る新株予約権買取請求については、なお従前の例による。

（全部取得条項付種類株式の取得に関する経過措置）

第十条　施行日前に旧会社法第百七十一条第一項の決議をするための株主総会の招集手続が開始された場合におけるその全部取得条項付種類株式の取得については、なお従前の例による。

（株式の併合に関する経過措置）

第十一条　施行日前に旧会社法第百八十条第二項の決議をするための株主総会の招集手続が開始された場合におけるその株式の併合については、なお従前の例による。

（募集株式に関する経過措置）

第十二条　施行日前に旧会社法第百九十九条第二項に規定する募集事項の決定があった場合におけるその募集株式については、新会社法第二百五条第二項、第二百六条の二、第二百九条第二項及び第三項、第二百十三条の二並びに第二百十三条の三の規定は、適用しない。

（新株予約権に関する経過措置）

第十三条　施行日前に旧会社法第二百三十八条第一項に規定する募集事項の決定があった場合におけるその募集新株予約権については、新会社法第二百四十四条第三項、第二百四十四条の二、第二百八十二条第二項及び第三項、第二百八十六条の二並びに第二百八十六条の三の規定は、適用しない。

2　施行日前に発行された新株予約権（募集新株予約権を除く。）については、新会社法第二百八十二条第二項及び第三項、第二百八十六条の二並びに第二百八十六条の三の規定は、適用しない。

（新株予約権無償割当てに関する経過措置）

第十四条　施行日前に旧会社法第二百七十八条第一項各号に掲げる事項の決定があった場合におけるその新株予約権無償割当てについては、なお従前の例による。

（会計監査人の選任等に関する議案の内容の決定に関する経過措置）

第十五条　施行日前に会計監査人の選任若しくは解任又は会計監査人を再任しないことに関する決議をするための株主総会の招集手続が開始された場合における会計監査人の選任若しくは解任又は会計監査人を再任しないことに係る手続については、新会社法第三百四十四条の規定にかかわらず、なお従前の例による。

（取締役等の責任の一部の免除等に関する経過措置）

第十六条　取締役、会計参与、監査役、執行役又は会計監査人の施行日前の行為に基づく責任の一部の免除及び当該責任の限度に関する契約については、新会社法第四百二十五条から第四百二十七条までの規定にかかわらず、なお従前の例による。この場合において、当該責任の一部の免除をしようとする時に監査等委員会設置会社（新会社法第二条第十一号の二に規定する監査等委員会設置会社をいう。）である株式会社についての旧会社法第四百二十五条第三項（旧会社法第四百二十六条第二項及び第四百二十七条第三項において準用する場合を含む。以下この条において同じ。）の規定の適用については、旧会社法第四百二十五条第三項中「監査役設置会社又は委員会設置会社」とあるのは「監査等委員会設置会社（会社法の一部を改正する法律（平成二十五年法律第九十号）による改正後の会社法（以下この項において「新会社法」という。）第二条第十一号の二に規定する監査等委員会設置会社をいう。）」と、「次の各号に掲げる株式会社の区分に応じ、当該各号に定める者」とあるのは「各監査等委員（新会社法第三十八条第二項に規定する監査等委員をいう。）」とする。

（子会社の株式又は持分の譲渡に関する経過措置）

第十七条　施行日前に子会社の株式又は持分の全部又は一部の譲渡に係る契約が締結された場合におけるその譲渡については、新会社法第四百六十七条第一項及び第五百三十六条第一項の規定にかかわらず、なお従前の例による。

（事業譲渡等に関する経過措置）

第十八条　施行日前に旧会社法第四百六十八条第一項に規定する事業譲

渡等に係る契約が締結された場合におけるその事業譲渡等については、新会社法第四百六十九条及び第四百七十条の規定にかかわらず、なお従前の例による。

（株式会社の清算に関する経過措置）

第十九条　施行日前に旧会社法第四百七十五条各号に掲げる場合に該当することとなった清算株式会社の監査役については、新会社法第四百七十八条第六項及び第七項の規定にかかわらず、なお従前の例による。

（株式会社の合併等に関する経過措置）

第二十条　施行日前に合併契約、吸収分割契約若しくは株式交換契約が締結され、又は組織変更計画、新設分割計画若しくは株式移転計画が作成された組織変更、合併、吸収分割、新設分割、株式交換又は株式移転については、なお従前の例による。

（責任追及等の訴えに関する経過措置）

第二十一条　施行日前に旧会社法第八百四十七条第一項に規定する責任追及等の訴えが提起された場合における当該責任追及等の訴えについては、なお従前の例による。

2　施行日前に新会社法第八百四十七条の二第一項各号に掲げる行為の効力が生じた場合については、同条の規定は、適用しない。

3　施行日前にその原因となった事実が生じた特定責任（新会社法第八百四十七条の三第四項に規定する特定責任をいう。）については、同条の規定は、適用しない。

（監査役の監査の範囲の限定等に係る登記に関する経過措置）

第二十二条　この法律の施行の際現に監査役の監査の範囲を会計に関するものに限定する旨の定款の定めがある株式会社は、この法律の施行後最初に監査役が就任し、又は退任するまでの間は、新会社法第九百十一条第三項第十七号イに掲げる事項の登記をすることを要しない。

2　株式会社についてこの法律の施行の際現に旧会社法第九百十一条第三項第二十五号又は第二十六号の規定による登記がある場合は、当該株式会社は、当該登記に係る取締役又は監査役の任期中に限り、当該登記の抹消をすることを要しない。

（罰則に関する経過措置）

第二十三条　施行日前にした行為及びこの附則の規定によりなお従前の例によることとされる場合における施行日以後にした行為に対する罰則の適用については、なお従前の例による。

（政令への委任）

第二十四条　この附則に規定するもののほか、この法律の施行に関し必要な経過措置は、政令で定める。

（検討）

第二十五条　政府は、この法律の施行後二年を経過した場合において、社外取締役の選任状況その他の社会経済情勢の変化等を勘案し、企業統治に係る制度の在り方について検討を加え、必要があると認めるときは、その結果に基づいて、社外取締役を置くことの義務付け等所要の措置を講ずるものとする。

附　則〔平成二十六年六月二十七日法律第九十一号　会社法の一部を改正する法律の施行に伴う関係法律の整備等に関する法律〕

この法律は、会社法の一部を改正する法律の施行の日から施行する。

（以下略）

附　則〔平成二十七年九月四日法律第六十三号　農業協同組合法等の一部を改正する等の法律〕（抄）

（施行期日）

第一条　この法律は、平成二十八年四月一日から施行する。ただし、次の各号に掲げる規定は、当該各号に定める日から施行する。

一　附則第二十八条、（略）第百十五条の規定　公布の日（以下「公布日」という。）

二・三　（略）

（会社法の一部改正に伴う経過措置）

第九十六条　前条の規定による改正後の会社法（以下この条において「新会社法」という。）第九百四十三条の規定の適用については、旧農協法

第九十二条第五項（附則第十条の規定によりなおその効力を有することとされる場合を含む。）において準用する前条の規定による改正前の会社法第九百五十五条第一項の規定に違反し、刑に処せられた者は、新農協法第九十七条の四第五項において準用する新会社法第九百五十五条第一項の規定に違反し、刑に処せられたものとみなす。

（罰則に関する経過措置）

第百十四条　この法律の施行前にした行為並びにこの附則の規定によりなお従前の例によることとされる場合及びこの附則の規定によりなおその効力を有することとされる場合におけるこの法律の施行後にした行為に対する罰則の適用については、なお従前の例による。

（政令への委任）

第百十五条　この附則に定めるもののほか、この法律の施行に関し必要な経過措置（罰則に関する経過措置を含む。）は、政令で定める。

附　則〔平成二十八年六月三日法律第六十二号　情報通信技術の進展等の環境変化に対応するための銀行法等の一部を改正する法律〕（抄）

（施行期日）

第一条　この法律は、公布の日から起算して一年を超えない範囲内において政令で定める日から施行する。

（罰則に関する経過措置）

第十八条　この法律の施行前にした行為に対する罰則の適用については、なお従前の例による。

（その他の経過措置の政令への委任）

第十九条　附則第二条から第八条まで及び前条に定めるもののほか、この法律の施行に関し必要な経過措置（罰則に関する経過措置を含む。）は、政令で定める。

（検討）

第二十条　政府は、この法律の施行後五年を目途として、この法律による改正後のそれぞれの法律（以下この条において「改正後の各法律」という。）の施行の状況等を勘案し、必要があると認めるときは、改正後の各法律の規定について検討を加え、その結果に基づいて所要の措置を講ずるものとする。

附　則〔平成二十九年六月二日法律第四十五号　民法の一部を改正する法律の施行に伴う関係法律の整備等に関する法律〕

この法律は、民法改正法の施行の日から施行する。ただし、第百三条の二、第百三条の三、第二百六十七条の二、第二百六十七条の三及び第三百六十二条の規定は、公布の日から施行する。

（会社法の一部改正に伴う経過措置）

第四十七条　施行日前に会社の他の会社に対する事業の譲渡に係る契約が締結された場合におけるその事業の譲渡については、前条の規定による改正後の会社法（以下この条において「新会社法」という。）第二十三条の二第一項及び第二項の規定にかかわらず、なお従前の例による。

2　施行日前にされた意思表示に係る設立時発行株式（前条の規定による改正前の会社法（以下この条において「旧会社法」という。）第二十五条第一項第一号に規定する設立時発行株式をいう。）の引受けについては、新会社法第五十一条並びに第百二条第五項及び第六項の規定にかかわらず、なお従前の例による。

3　次の各号に掲げる裁判所が決定した価格に対する利息については、当該各号に定める規定にかかわらず、なお従前の例による。

一　施行日前に旧会社法第百十六条第一項各号の行為に係る決議をするための株主総会の招集手続が開始された場合（同項各号の行為をするために株主総会の決議を要しない場合にあっては、当該行為に係る取締役会の決議又は取締役若しくは執行役の決定が行われたとき）におけるその行為に係る株式買取請求について裁判所が決定した価格　新会社法第百十七条第四項

二　施行日前に旧会社法第百十八条第一項各号に掲げる定款の変更に係る決議をするための株主総会の招集手続が開始された場合におけるその定款の変更に係る新株予約権買取請求について裁判所が決定

した価格　新会社法第百十九条第四項
三　施行日前に旧会社法第百七十一条第一項の決議をするための株主総会の招集手続が開始された場合におけるその全部取得条項付種類株式の取得について裁判所が決定した価格　新会社法第百七十二条第四項
四　施行日前に旧会社法第百七十九条の三第一項の規定による通知がされた場合におけるその株式等売渡請求について裁判所が決定した価格　新会社法第百七十九条の八第二項
五　施行日前に旧会社法第百八十条第二項の決議をするための株主総会の招集手続が開始された場合におけるその株式の併合に係る株式買取請求について裁判所が決定した価格　新会社法第百八十二条の五第四項
六　施行日前に事業譲渡等（旧会社法第四百六十八条第一項に規定する事業譲渡等をいう。以下この号において同じ。）に係る契約が締結された場合におけるその事業譲渡等に係る株式買取請求について裁判所が決定した価格　新会社法第四百七十条第四項

4　施行日前にされた意思表示に係る募集株式（旧会社法第百九十九条第一項に規定する募集株式をいう。）の引受けについては、新会社法第二百十一条の規定にかかわらず、なお従前の例による。

5　施行日前に取締役、執行役又は清算株式会社（旧会社法第四百七十六条に規定する清算株式会社をいう。）の清算人となった者の利益相反取引については、新会社法第三百五十六条第二項（新会社法第四百十九条第二項及び第四百八十二条第四項において準用する場合を含む。）の規定にかかわらず、なお従前の例による。

6　施行日前に旧会社法第五百四十五条第三項に規定する時効の中断の事由が生じた場合におけるその事由の効力については、なお従前の例による。

7　施行日前に持分会社（旧会社法第五百七十五条第一項に規定する持分会社をいう。以下この条において同じ。）の社員となった者の当該持分会社の債務を弁済する責任については、新会社法第五百八十一条第二項の規定にかかわらず、なお従前の例による。

8　施行日前に持分会社の業務を執行する社員又は旧会社法第五百九十八条第一項の規定により選任された社員の職務を行うべき者（次項において単に「社員の職務を行うべき者」という。）となった者の報酬については、新会社法第五百九十三条第四項（新会社法第五百九十八条第二項において準用する場合を含む。）において準用する民法改正法による改正後の民法（以下「新民法」という。）第六百四十八条第三項及び第六百四十八条の二の規定にかかわらず、なお従前の例による。

9　施行日前に持分会社の業務を執行する社員、社員の職務を行うべき者又は清算持分会社（旧会社法第六百四十五条に規定する清算持分会社をいう。）の清算人となった者の利益相反取引については、新会社法第五百九十五条第二項（新会社法第五百九十八条第二項及び第六百五十一条第二項において準用する場合を含む。）の規定にかかわらず、なお従前の例による。

10　施行日前に提起された除名の訴えに係る退社に伴う持分の払戻しについては、新会社法第六百十一条第六項の規定にかかわらず、なお従前の例による。

11　施行日前に合併契約、吸収分割契約若しくは株式交換契約が締結され、又は組織変更計画、新設分割計画若しくは株式移転計画が作成された組織変更、合併、吸収分割、新設分割、株式交換又は株式移転については、なお従前の例による。

12　施行日前に旧会社法第八百六十三条第一項各号に掲げる行為がされた場合におけるその行為に係る取消しの請求については、新会社法第八百六十三条第二項の規定にかかわらず、なお従前の例による。

13　施行日前に旧会社法第八百六十五条第一項に規定する行為がされた場合におけるその行為に係る取消しの請求については、新会社法第八百六十五条第四項の規定にかかわらず、なお従前の例による。

（罰則に関する経過措置）
第三百六十一条　施行日前にした行為及びこの法律の規定によりなお従前の例によることとされる場合における施行日以後にした行為に対す

附則

る罰則の適用については、なお従前の例による。

（政令への委任）

第三百六十二条　この法律に定めるもののほか、この法律の施行に伴い必要な経過措置は、政令で定める。

附　則〔平成三十年十二月十四日法律第九十五号　漁業法等の一部を改正する等の法律〕（抄）

（施行期日）

第一条　この法律は、公布の日から起算して二年を超えない範囲内において政令で定める日から施行する。（以下略）

（会社法の一部改正に伴う経過措置）

第七十一条　前条の規定による改正後の会社法第九百四十三条の規定の適用については、旧水協法第百二十一条第五項において準用する会社法第九百五十五条第一項の規定に違反し、刑に処せられた者は、新水協法第百二十六条の四第五項において準用する会社法第九百五十五条第一項の規定に違反し、刑に処せられたものとみなす。

附　則〔令和元年五月十七日法律第二号　民事執行法及び国際的な子の奪取の民事上の側面に関する条約の実施に関する法律の一部を改正する法律〕（抄）

（施行期日）

第一条　この法律は、公布の日から起算して一年を超えない範囲内において政令で定める日から施行する。ただし、次の各号に掲げる規定は、当該各号に定める日から施行する。

一　附則第二十条の規定　公布の日

二・三　（略）

（政令への委任）

第二十条　この附則に規定するもののほか、この法律の施行に関し必要な経過措置は、政令で定める。

附　則〔令和元年十二月十一日法律第七十号　会社法の一部を改正する法律〕

（施行期日）

第一条　この法律は、公布の日から起算して一年六月を超えない範囲内において政令で定める日から施行する。ただし、目次の改正規定（「株主総会及び種類株主総会」を「株主総会及び種類株主総会等」に、「第二款　種類株主総会（第三百二十一条―第三百二十五条）」を「第二款　種類株主総会（第三百二十一条―第三百二十五条）　第三款　電子提供措置（第三百二十五条の二―第三百二十五条の七）」に、「第二節　会社の登記　第一款　本店の所在地における登記（第九百十一条―第九百二十九条）　第二款　支店の所在地における登記（第九百三十条―第九百三十二条）」を「第二節　会社の登記（第九百十一条―第九百三十二条）」に改める部分に限る。）、第二編第四章第一節の節名の改正規定、第三百一条第一項の改正規定、同節に一款を加える改正規定、第七編第四章第二節第一款の款名を削る改正規定、第九百十一条第三項第十二号の次に一号を加える改正規定、同節第二款の款名を削る改正規定、第九百三十条から第九百三十二条までの改正規定、第九百三十七条第一項の改正規定、同条第四項を削る改正規定、第九百三十八条第一項の改正規定及び第九百七十六条中第十九号を第十八号の二とし、同号の次に一号を加える改正規定は、公布の日から起算して三年六月を超えない範囲内において政令で定める日から施行する。

（経過措置の原則）

第二条　この法律による改正後の会社法（以下「新法」という。）の規定（罰則を除く。）は、この附則に特別の定めがある場合を除き、この法律（前条ただし書に規定する規定については、当該規定。附則第十条において同じ。）の施行前に生じた事項にも適用する。ただし、この法律による改正前の会社法（以下「旧法」という。）の規定によって生じた効力を妨げない。

（株主提案権に関する経過措置）
第三条 この法律の施行前にされた会社法第三百五条第一項の規定による請求については、なお従前の例による。

（代理権を証明する書面等に関する経過措置）
第四条 この法律の施行前にされた旧法第三百十条第七項、第三百十一条第四項又は第三百十二条第五項の請求については、なお従前の例による。

（社外取締役の設置義務等に関する経過措置）
第五条 この法律の施行の際現に監査役会設置会社（会社法第二条第五号に規定する公開会社であり、かつ、同条第六号に規定する大会社であるものに限る。）であって金融商品取引法（昭和二十三年法律第二十五号）第二十四条第一項の規定によりその発行する株式について有価証券報告書を内閣総理大臣に提出しなければならないものについては、新法第三百二十七条の二の規定は、この法律の施行後最初に終了する事業年度に関する定時株主総会の終結の時までは、適用しない。この場合において、旧法第三百二十七条の二に規定する場合における理由の開示については、なお従前の例による。

（補償契約に関する経過措置）
第六条 新法第四百三十条の二の規定は、この法律の施行後に締結された補償契約（同条第一項に規定する補償契約をいう。）について適用する。

（役員等のために締結される保険契約に関する経過措置）
第七条 この法律の施行前に株式会社と保険者との間で締結された保険契約のうち役員等（旧法第四百二十三条第一項に規定する役員等をいう。以下この条において同じ。）がその職務の執行に関し責任を負うこと又は当該責任の追及に係る請求を受けることによって生ずることのある損害を保険者が塡補することを約するものであって、役員等を被保険者とするものについては、新法第四百三十条の三の規定は、適用しない。

（社債に関する経過措置）
第八条 この法律の施行前に旧法第六百七十六条に規定する事項の決定があった場合におけるその募集社債及びこの法律の施行前に会社法第二百三十八条第一項に規定する募集事項の決定があった場合におけるその新株予約権付社債の発行の手続については、新法第六百七十六条第七号の二及び第八号の二の規定にかかわらず、なお従前の例による。
2 この法律の施行の際現に存する社債であって、社債管理者を定めていないもの（この法律の施行の日以後に前項の規定によりなお従前の例により社債管理者を定めないで発行された社債を含む。）には、新法第六百七十六条第七号の二に掲げる事項についての定めがあるものとみなす。
3 この法律の施行の際現に存する社債券の記載事項については、なお従前の例による。
4 この法律の施行前に社債発行会社、社債管理者又は社債権者が社債権者集会の目的である事項について提案をした場合については、新法第七百三十五条の二の規定は、適用しない。

（新株予約権に係る登記に関する経過措置）
第九条 この法律の施行前に登記の申請がされた新株予約権の発行に関する登記の登記事項については、新法第九百十一条第三項第十二号の規定にかかわらず、なお従前の例による。

（罰則に関する経過措置）
第十条 この法律の施行前にした行為及びこの附則の規定によりなお従前の例によることとされる場合におけるこの法律の施行後にした行為に対する罰則の適用については、なお従前の例による。

（政令への委任）
第十一条 この附則に規定するもののほか、この法律の施行に関し必要な経過措置は、政令で定める。

附　則〔令和二年五月二十九日法律第三十三号 外国弁護士による法律事務の取扱いに関する特別措置法の一部を改正する法律〕（抄）

（施行期日）

第一条　この法律は、公布の日から起算して二年六月を超えない範囲内において政令で定める日から施行する。ただし、第一条並びに次条から附則第五条まで及び附則第二十六条の規定は、公布の日から起算して三月を経過した日から施行する。

附　則〔令和二年十二月十一日法律第七十八号 労働者協同組合法〕（抄）

（施行期日）

第一条　この法律は、公布の日から起算して二年を超えない範囲内において政令で定める日から施行する。（以下略）

【会社法施行令】

附　則（抄）

（施行期日）

1　この政令は、法の施行の日から施行する。

附　則〔平成二十年三月三十一日政令第百号〕

この政令は、平成二十年四月一日より施行する。

附　則〔令和二年十一月二十日政令第三百二十七号〕

この政令は、会社法の一部を改正する法律（令和元年法律第七十号）の施行の日（令和三年三月一日）から施行する。（以下略）

【会社法施行規則】

附　則（抄）

（施行期日）

第一条　この省令は、法の施行の日から施行する。

（子会社に関する経過措置）

第二条　この省令の施行の際現に旧株式会社（会社法の施行に伴う関係法律の整備等に関する法律（以下「会社法整備法」という。）第四十七条に規定する旧株式会社をいう。以下同じ。）の取締役であるもの（会社法整備法第六十四条の規定による改正前の商法（明治三十二年法律第四十八号。以下「旧商法」という。）第百八十八条第二項第七号ノ二に規定する者（執行役を除く。）に限る。）は、第五項の規定により読み替えて適用する第三条又は第四条の規定により社外取締役に該当しないものであっても、この省令の施行後最初に開催される定時株主総会の終結の時までの間は、社外取締役であるものとみなす。

2　この省令の施行の際現に会社法整備法第五十二条に規定する旧大会社及び会社法整備法施行の際現に会社法の施行に伴う関係法律の整備等に関する法律の施行に伴う経過措置を定める政令第八条第一項の規定の適用を受けている旧株式会社の監査役であるもの（会社法整備法第一条第八号の規定による廃止前の株式会社の監査等に関する商法の特例に関する法律（昭和四十九年法律第二十二号）第十八条第一項に規定する者に限る。）は、第五項の規定により読み替えて適用する第三条又は第四条の規定により社外監査役に該当しないものであっても、この省令の施行後最初に開催される定時株主総会の終結の時までの間は、社外監査役であるものとみなす。

3　この省令の施行の際現に旧株式会社の監査役であるものであって、旧子会社（旧商法第二百十一条ノ二第一項に規定するその株式会社又は有限会社に相当する株式会社（同条第三項の規定によりこれらの株式会社とみなされるものを含む。）をいう。）以外の子会社の取締役若しくは執行役又は支配人その他の使用人（以下この条において「子会社取締役等」という。）を兼ねているものは、第三条又は第四条の規定にかかわらず、当該監査役の任期が終了するまでの間は、この省令の施行の日以後も当該子会社取締役等を兼ねることができる。
4　前項の規定は、この省令の施行の際現に旧有限会社（会社法整備法第二条第一項に規定する旧有限会社をいう。）の監査役であるものについて準用する。
5　社外取締役及び社外監査役についての第三条第一項の規定の適用については、同項中「当該他の会社等」とあるのは、「当該他の会社等（法第二条第十五号イ及びロ並びに第十六号イ及びロに規定する子会社並びに法第四百七十八条第七項第一号及び第二号に規定する子会社のうち、この省令の施行前のものについては、旧子会社（附則第二条第三項に規定する旧子会社をいう。））」とする。
6　株主総会において議決権を行使することができる者を定めるための旧商法第二百二十四条ノ三第一項の一定の日がこの省令の施行の日前である場合における当該株主総会についての第六十七条第一項の規定の適用については、同項中「子会社」とあるのは、「旧子会社（附則第二条第三項に規定する旧子会社をいう。以下この条において同じ。）」とする。

（株式等に関する経過措置）

第三条　この省令の施行の際現に商法等の一部を改正する等の法律（平成十三年法律第七十九号）附則第九条第二項後段に規定する株式会社についての第三十四条の規定の適用については、同条中「千」とあるのは、「千（商法等の一部を改正する等の法律（平成十三年法律第七十九号）附則第九条第二項後段に規定する株式会社（当該株式会社の発行する全部の種類の株式についての単元株式数が千以下のものを除く。）にあっては、同項前段の規定により定めたものとみなされた数（法の施行後単元株式数を変更する場合にあっては、千））」とする。
2　第三十一条第二号ロ、第三十二条第二号ロ、第三十六条第二号、第三十七条第二号及び第五十八条第二号の規定は、当分の間、適用しない。

（旧商法の規定に基づく株主総会の議案の提案に関する経過措置）

第四条　取締役が次の各号に掲げる議案を提出する場合には、株主総会参考書類には、当該各号に定める事項を記載しなければならない。
一　会社法整備法第九十二条第二項の規定によりなお従前の例によることとされた旧商法第二百四十五条第一項第三号に掲げる行為に関する議案　当該行為を必要とする理由、当該行為に関する契約書の内容及び最近の事業年度の損益の状況
二　会社法整備法第九十九条の規定によりなお従前の例によることとされた貸借対照表及び損益計算書の承認に関する議案　次のイ及びロに掲げる株式会社の区分に応じ、当該イ及びロに定める事項
イ　大株式会社及びみなし大株式会社　取締役会及び会計監査人の意見並びに監査役会の意見（各監査役の意見の付記を含む。）の内容の概要
ロ　イに掲げる株式会社以外の株式会社　取締役会及び監査役の意見の内容の概要
三　会社法整備法第九十九条の規定によりなお従前の例によることとされた利益の処分又は損失の処理に関する議案　議案の作成の方針
四　会社法整備法第百五条の規定によりなお従前の例によることとされた合併契約書（旧商法第四百九条に規定する合併契約書に限る。以下この号において同じ。）の承認に関する議案の場合次に掲げる事項
イ　当該合併契約書に係る合併を必要とする理由
ロ　旧商法第四百八条ノ二第一項各号に掲げるものの内容
ハ　当該合併契約書に旧商法第四百九条第一号の規定により定款の変更の規定を記載したときは、その変更の理由
ニ　当該合併契約書に旧商法第四百九条第八号の規定により取締役の氏名を記載したときは、当該取締役となる者についての第七十四条に規定する事項

ホ　当該合併契約書に旧商法第四百九条第八号の規定により監査役の氏名を記載したときは、当該監査役となる者についての第七十六条に規定する事項

五　会社法整備法第百五条の規定によりなお従前の例によることとされた合併契約書（旧商法第四百十条に規定する合併契約書に限る。以下この号において同じ。）の承認に関する議案の場合　次に掲げる事項

イ　当該合併契約書に係る合併を必要とする理由

ロ　旧商法第四百八条ノ二第一項各号に掲げるものの内容

ハ　当該合併契約書に旧商法第四百十条第六号の規定により取締役の氏名を記載したときは、当該取締役となる者についての第七十四条に規定する事項

ニ　当該合併契約書に旧商法第四百十条第六号の規定により監査役の氏名を記載したときは、当該監査役となる者についての第七十六条に規定する事項

ホ　当該合併契約書に係る合併により設立される株式会社が会計監査人設置会社であるときは、当該株式会社の会計監査人となる者についての第七十七条に規定する事項

六　会社法整備法第百五条の規定によりなお従前の例によることとされた分割契約書の承認に関する議案の場合　次に掲げる事項

イ　当該分割契約書に係る分割を必要とする理由

ロ　旧商法第三百七十四条ノ十八第一項各号に掲げるものの内容（旧商法第三百七十四条ノ十七第二項第五号に掲げる事項にあっては、当該分割契約書に係る分割によって営業を承継する会社が承継する営業の内容及び主要な権利義務）

ハ　当該分割契約書に旧商法第三百七十四条ノ十七第二項第一号の規定により定款の変更の規定を記載したときは、その変更の理由

ニ　当該分割契約書に旧商法第三百七十四条ノ十七第二項第十一号の規定により取締役の氏名を記載したときは、当該取締役となる者についての第七十四条に規定する事項

ホ　当該分割契約書に旧商法第三百七十四条ノ十七第二項第十一号の規定により監査役の氏名を記載したときは、当該監査役となる者についての第七十六条に規定する事項

七　会社法整備法第百五条の規定によりなお従前の例によることとされた分割計画書の承認に関する議案の場合　次に掲げる事項

イ　当該分割計画書に係る分割を必要とする理由

ロ　旧商法第三百七十四条ノ二第一項各号に掲げるものの内容（旧商法第三百七十四条第二項第五号に掲げる事項にあっては、当該分割計画書に係る分割によって設立する会社が承継する営業の内容及び承継する主要な権利義務）

ハ　当該分割計画書に係る分割により設立される株式会社の取締役となる者についての第七十四条に規定する事項

ニ　当該分割計画書に係る分割により設立される株式会社が監査役設置会社（監査役の監査の範囲を会計に関するものに限定する旨の定款の定めがある株式会社を含む。）であるときは、当該株式会社の監査役となる者についての第七十六条に規定する事項

ホ　当該分割計画書に係る分割により設立される株式会社が会計監査人設置会社であるときは、当該株式会社の会計監査人となる者についての第七十七条に規定する事項

八　会社法整備法第百五条の規定によりなお従前の例によることとされた株式交換契約書の承認に関する議案の場合　次に掲げる事項

イ　当該株式交換契約書に係る株式交換を必要とする理由

ロ　旧商法第三百五十四条第一項各号に掲げるものの内容

ハ　当該株式交換契約書に旧商法第三百五十三条第二項第一号の規定により定款の変更の規定を記載したときは、その変更

の理由

九　会社法整備法第百五条の規定によりなお従前の例によることとされた株式移転に係る事項の承認に関する議案の場合　次に掲げる事項

イ　当該株式移転を必要とする理由

ロ　旧商法第三百六十六条第一項各号に掲げるものの内容

ハ　当該株式移転により設立される株式会社の取締役となる者について第七十四条に規定する事項

ニ　当該株式移転により設立される株式会社が監査役設置会社（監査役の監査の範囲を会計に関するものに限定する旨の定款の定めがある株式会社を含む。）であるときは、当該株式会社の監査役となる者についての第七十六条に規定する事項

ホ　当該株式移転により設立される株式会社が会計監査人設置会社であるときは、当該株式会社の会計監査人となる者についての第七十七条に規定する事項

2　前項の規定は、種類株主総会の株主総会参考書類について準用する。

3　第百三十三条第六項の規定は、会社法整備法第二十七条第二項又は第九十九条の規定によりなお従前の例によるものとされた営業報告書を定時株主総会に提出する場合について準用する。

（株主総会参考書類の記載等に関する経過措置）

第五条　次に掲げる規定（これらの規定を第九十五条において準用する場合を含む。）は、この省令の施行後最初に開催する株主総会に係る株主総会参考書類については、適用しない。

一　第七十四条第三項及び第四項

二　第七十五条第四号

三　第七十六条第三項及び第四項

四　第七十七条第五号から第七号まで

五　第八十二条第三項

2　前項の株主総会参考書類に係る第八十九条及び第九十一条（これらの規定を第九十五条において準用する場合を含む。）並びに前条第一項第四号、第五号、第六号、第七号及び第九号（これらの規定を同条第二項において準用する場合を含む。）の規定の適用については、これらの規定中「第七十四条」とあるのは「第七十四条第一項及び第二項」と、「第七十五条」とあるのは「第七十五条第一号から第三号まで」と、「第七十六条」とあるのは「第七十六条第一項及び第二項」と、「第七十七条」とあるのは「第七十七条第一号から第四号まで」とする。

3　第一項の株主総会参考書類に係る第九十三条第一項（第九十五条において準用する場合を含む。以下この項において同じ。）の規定の適用については、第九十三条第一項中「超える場合」とあるのは、「超える場合（四百字を超える場合を含む。）」とする。

（事業報告に関する経過措置）

第六条　次に掲げる規定は、この省令の施行後最初に到来する事業年度の末日に係る事業報告であって、この省令の施行後最初に開催する株主総会において報告すべきものについては、適用しない。

一　第百十八条第二号

二　第百二十一条第七号及び第八号

三　第百二十四条

四　第百二十五条

五　第百二十六条第三号から第七号まで

六　第百二十七条

2　前項の事業年度の末日において委員会設置会社である場合における前項の規定の適用については、同項中「次に」とあるのは、「第二号から第六号までに」とする。

（旧商法の規定に基づき付与した新株予約権に関する経過措置）

第七条　取締役又は監査役が旧商法第二百八十条ノ二十一第一項の決議に基づき発行を受けた旧商法第二百八十条ノ十九第一項の権利がある場合における第百十三条及び第百十四条の規定の適用については、当該権利（当該取締役又は監査役が職務執行の対価と

して株式会社から受けたものに限る。）を同条第一号に規定する新株予約権とみなす。

（旧商法第二百十一条ノ三第二項第二号の規定により取得した自己株式に関する経過措置）

第八条　当該事業年度中に旧商法第二百十一条ノ三第一項の決議により買い受けた当該株式会社の株式（同項第一号に掲げる場合において取得した株式を除く。）がある場合には、同条第四項の規定により報告しなければならない事項を、第百二十二条第一項第三号に掲げる事項に含むものとする。

第九条　削除

附　則（平成十八年三月二十九日法務省令第二十八号　非訟事件手続法による財産管理の報告及び計算に関する書類並びに財産目録の謄本又は株主表の抄本の交付に関する手数料の件の廃止等をする省令）（抄）

（施行期日）

第一条　この省令は、会社法（平成十七年法律第八十六号）の施行の日から施行する。ただし、附則第二条及び第三条の規定は、公布の日から施行する。

（会社法施行規則の一部改正）

第二条　会社法施行規則（平成十八年法務省令第十二号）の一部を次のように改正する。（以下略）

附　則（平成十八年四月十四日法務省令第四十九号　会社法施行規則等の一部を改正する省令）

この省令は、公布の日から施行する。

附　則（平成十八年十二月十五日法務省令第八十四号　会社法施行規則及び会社計算規則の一部を改正する省令）

この省令は、公布の日から施行する。

附　則（平成十八年十二月二十二日法務省令第八十七号　会社法施行規則及び会社計算規則の一部を改正する省令）（抄）

（施行期日）

第一条　この省令は、平成十九年一月二十日から施行する。

（創立総会等に関する経過措置）

第三条　この省令の施行の日（以下「施行日」という。）前に創立総会若しくは種類創立総会、株主総会若しくは種類株主総会、債権者集会又は社債権者集会の招集の決定があった場合におけるその創立総会若しくは種類創立総会、株主総会若しくは種類株主総会、債権者集会又は社債権者集会については、なお従前の例による。

（事業報告に関する経過措置）

第四条　施行日前にその末日が到来した事業年度のうち最終のものに係る事業報告については、なお従前の例による。

附　則（平成十九年四月二十五日法務省令第三十号　会社法施行規則の一部を改正する省令）

（施行期日）

1　この省令は、平成十九年五月一日から施行する。

（吸収合併及び株式交換に関する経過措置）

2　この省令の施行の日前に吸収合併契約又は株式交換契約が締結された場合におけるその吸収合併又は株式交換に係る吸収合併消滅株式会社又は株式交換完全子会社の株主総会参考書類の記載事項及び法第七百八十二条第一項に規定する書面又は電磁的記録の記載又は記録事項については、なお従前の例による。

附　則（平成十九年七月四日法務省令第三十八号　会社法施行規則及び電子公告規則の一部を改正する省令）（抄）

（施行期日）

第一条　この省令は、信託法（平成十八年法律第百八号）の施行の日から施行する。

附　則〔平成十九年七月四日法務省令第三十九号 会社法施行規則及び会社計算規則の一部を改正する省令〕

この省令は、証券取引法等の一部を改正する法律（平成十八年法律第六十五号）の施行の日から施行する。

附　則〔平成二十年三月十九日法務省令第十二号 会社法施行規則及び会社計算規則の一部を改正する省令〕（抄）

（施行期日）

第一条　この省令は、平成二十年四月一日から施行する。

（事業報告に関する経過措置）

第二条　この省令の施行の日（以下「施行日という。）前にその末日が到来した事業年度のうち最終のものに係る事業報告については、なお従前の例による。

（組織変更計画に関する経過措置）

第三条　施行日前に組織変更計画が作成された場合における組織変更については、なお従前の例による。

附　則〔平成二十年九月二十九日法務省令第五十三号 会社法施行規則の一部を改正する省令〕

この省令は、株式会社商工組合中央金庫法（平成十九年法律第七十四号）の施行の日から施行する。

附　則〔平成二十年十一月二十八日法務省令第六十七号 会社法施行規則の一部を改正する省令〕

この省令は、一般社団法人及び一般財団法人に関する法律及び公益社団法人及び公益財団法人の認定等に関する法律の施行に伴う関係法律の整備等に関する法律（平成十八年法律第五十号）の施行の日（平成二十年十二月一日）から施行する。

附　則〔平成二十年十一月二十八日法務省令第六十八号 会社法施行規則の一部を改正する省令〕

この省令は、金融商品取引法等の一部を改正する法律（平成二十年法律第六十五号）の施行の日（平成二十年十二月十二日）から施行する。

附　則〔平成二十一年三月十六日法務省令第五号 商業登記規則等の一部を改正する省令〕

この省令は、公布の日から施行する。

附　則〔平成二十一年三月二十七日法務省令第七号 会社法施行規則、会社計算規則等の一部を改正する省令〕（抄）

（施行期日）

第一条　この省令は、平成二十一年四月一日から施行する。

（議案の追加の請求の時期に関する経過措置）

第二条　この省令の施行の日（以下「施行日」という。）前に会社法（平成十七年法律第八十六号）第百六十条第二項の通知がされた場合における当該通知に係る同条第三項に規定する法務省令で定める時については、なお従前の例による。

（単元株式数に関する経過措置）

第三条　施行日前に定められた単元株式数に関する定款の定めは、なお効力を有する。

2　会社法施行規則附則第三条第一項の適用を受ける株式会社が施行日以後に単元株式数を変更する場合における同項の規定の適用については、同項中「（法の施行後単元株式数を変更する場合にあっては、千）」とあるのは、「（法の施行後単元株式数を変更する場合にあっては、千及び発行済株式総数の二百分の一に当たる数）」とする。

（創立総会参考書類に関する経過措置）

第四条　施行日前に招集の手続が開始された創立総会に係る創立総

会参考書類については、なお従前の例による。

（株主総会参考書類に関する経過措置）

第五条　施行日以後にその末日が到来する事業年度のうち最初のものに係る定時株主総会より前に開催される株主総会又は種類株主総会に係る株主総会参考書類については、なお従前の例による。

（事業報告等に関する経過措置）

第六条　施行日前にその末日が到来した事業年度のうち最終のものに係る事業報告及びその附属明細書については、なお従前の例による。

（社債権者集会参考書類に関する経過措置）

第七条　施行日前に招集の手続が開始された社債権者集会に係る社債権者集会参考書類については、なお従前の例による。

附　則〔平成二十一年十二月十一日法務省令第四十六号　会社計算規則の一部を改正する省令〕（抄）

（施行期日）

第一条　この省令は、公布の日から施行する。

（会社法施行規則の一部改正）

第四条　会社法施行規則（平成十八年法務省令第十二号）の一部を次のように改正する。（以下略）

附　則〔平成二十二年九月三十日法務省令第三十三号　会社計算規則の一部を改正する省令〕（抄）

（施行期日）

第一条　この省令は、公布の日から施行する。

（会社法施行規則の一部改正）

第三条　会社法施行規則（平成十八年法務省令第十二号）の一部を次のように改正する。（以下略）

附　則〔平成二十三年三月三十一日法務省令第六号　会社計算規則の一部を改正する省令〕（抄）

（施行期日）

第一条　この省令は、公布の日から施行する。

（会社法施行規則の一部改正）

第三条　会社法施行規則（平成十八年法務省令第十二号）の一部を次のように改正する。（以下略）

（会社法施行規則の一部改正に伴う経過措置）

第四条　前条による改正後の会社法施行規則第百二条（第三号に係る部分に限る。）の規定は、平成二十三年四月一日以後に開始する事業年度に係る計算書類及び連結計算書類についての会計参与報告について適用し、同日前に開始する事業年度に係る計算書類及び連結計算書類についての会計参与報告については、なお従前の例による。

附　則〔平成二十三年十一月十六日法務省令第三十三号　会社法施行規則等の一部を改正する省令〕（抄）

（施行期日）

第一条　この省令は、公布の日から施行する。ただし、第一条の規定（会社法施行規則第四条第一号の改正規定に限る。）は、資本市場及び金融業の基盤強化のための金融商品取引法等の一部を改正する法律（平成二十三年法律第四十九号）附則第一条第二号に掲げる規定の施行の日（平成二十三年十一月二十四日）から施行する。

（会社法施行規則の一部改正に伴う経過措置）

第二条　第一条の規定（会社法施行規則第四条第一号の改正規定を除く。次項において同じ。）による改正後の会社法施行規則（以下「新会社法施行規則」という。）の規定は、平成二十五年四月一日以後に開始する事業年度の初日から適用し、同月一日前に開始する事業年度については、なお従前の例による。ただし、平成二十三年四月一日以後に開始する事業年度の初日（同月一日からこの省令の施行の日の前日までに開始した事業年度については、この省令の施行の日）から、新会社法施行規則の規定を適用することができる。

2　第一条の規定による改正前の会社法施行規則（以下「旧会社法施行規則」という。）第四条の規定により子会社に該当しないものとされた特別目的会社を前項ただし書の規定により新会社法施行規則の規定を適用することにより連結の範囲に含めた事業年度（平成二十三年四月一日からこの省令の施行の日の前日までに開始した事業年度に限る。以下この項において同じ。）に係る計算書類及び連結計算書類は、当該特別目的会社が当該事業年度の初日に子会社であったと仮定して作成することができる。

3　旧会社法施行規則第四条の規定により子会社に該当しないものとされた特別目的会社を初めて連結の範囲に含めた事業年度における当該連結の範囲の変更は、会計方針（会社計算規則第二条第三項第五十八号に規定する会計方針をいう。）の変更とみなして、会社計算規則第百二条の二第一項（第三号並びに第四号イ及びハを除く。）の規定を適用する。この場合において、同項中「次に掲げる事項（重要性の乏しいものを除く。）」とあるのは、「次に掲げる事項及び当該事業年度の期首における利益剰余金に対する影響額（これらのうち重要性の乏しいものを除く。）」とする。

附　則〔平成二十四年十二月二十八日法務省令第四十七号　会社法施行規則の一部を改正する省令〕

この省令は、非訟事件手続法及び家事事件手続法の施行に伴う関係法律の整備等に関する法律の施行の日（平成二十五年一月一日）から施行する。

附　則〔平成二十七年二月六日法務省令第六号　会社法施行規則等の一部を改正する省令〕（抄）

（施行期日）

第一条　この省令は、会社法の一部を改正する法律の施行の日（平成二十七年五月一日）から施行する。ただし、次の各号に掲げる規定は、当該各号に定める日から施行する。

一　第二条中会社計算規則第七十六条第一項、第九十三条第一項、第九十四条、第九十六条第二項、第七項及び第八項、第百二条第一項並びに第百十三条の改正規定　公布の日

二　第一条中会社法施行規則第百三条第二項の改正規定　平成二十七年四月一日

（会社法施行規則の一部改正に伴う経過措置）

第二条　この省令の施行の日（以下「施行日」という。）前に招集の手続が開始された創立総会又は種類創立総会に係る創立総会参考書類の記載については、なお従前の例による。

2　施行日以後にその末日が到来する事業年度のうち最初のものに係る定時株主総会より前に開催される株主総会又は種類株主総会に係る株主総会参考書類の記載については、第一条の規定による改正後の会社法施行規則（以下「新会社法施行規則」という。）第七十四条第三項、第七十六条第三項及び第七十七条第八号（これらの規定を新会社法施行規則第九十五条第三号において準用する場合を含む。）の規定にかかわらず、なお従前の例による。

3　前項の株主総会参考書類に係る新会社法施行規則第七十四条の三第三項（新会社法施行規則第九十五条第三号において準用する場合を含む。）の規定の適用については、同項中「他の者」とあるのは「他の会社」と、「子会社等」とあるのは「子会社」とする。

4　第二項の株主総会参考書類の記載に係る特定関係事業者については、新会社法施行規則第二条第三項第十九号の規定にかかわらず、なお従前の例による。

5　前三項に定めるもののほか、施行日前に招集の手続が開始された株主総会又は種類株主総会に係る株主総会参考書類の記載については、なお従前の例による。

6　施行日前にその末日が到来した事業年度のうち最後のものに係る株式会社の事業報告及びその附属明細書の記載又は記録につい

ては、なお従前の例による。ただし、施行日以後に監査役の監査を受ける事業報告については、新会社法施行規則第百二十四条第二項及び第三項の規定を適用する。

7　施行日以後にその末日が到来する事業年度のうち最初のものに係る株式会社の事業報告に係る新会社法施行規則第百十八条第二号の規定の適用については、同号中「運用状況」とあるのは、「運用状況（会社法の一部を改正する法律（平成二十六年法律第九十号）の施行の日以後のものに限る。）」とする。

8　前項の事業報告及びその附属明細書に係る新会社法施行規則第百十八条第五号及び第百二十八条第三項の規定の適用については、これらの規定中「含む」とあるのは、「含み、会社法の一部を改正する法律（平成二十六年法律第九十号）の施行の日以後にされたものに限る」とする。

附　則〔平成二十七年十二月二十八日法務省令第六十一号 商業登記規則等の一部を改正する省令〕（抄）

（施行期日）

第一条　この省令は、平成二十八年三月一日から施行する。

附　則〔平成二十八年一月八日法務省令第一号 会社法施行規則及び会社計算規則の一部を改正する省令〕（抄）

（施行期日）

第一条　この省令は、公布の日から施行する。

（会社法施行規則の一部改正に伴う経過措置）

第二条　この省令の施行の日（以下「施行日」という。）前に招集の手続が開始された創立総会、種類創立総会、株主総会又は種類株主総会に係る創立総会参考書類又は株主総会参考書類の記載については、なお従前の例による。

2　施行日前にその末日が到来した事業年度のうち最終のものに係る株式会社の事業報告の記載又は記録については、なお従前の例による。

附　則〔平成三十年三月二十六日法務省令第五号 会社法施行規則及び会社計算規則の一部を改正する省令〕（抄）

（施行期日）

第一条　この省令は、公布の日から施行する。

（会社法施行規則の一部改正に伴う経過措置）

第二条　この省令による改正後の会社法施行規則の規定は、平成三十年三月三十一日以後に終了する事業年度に係る事業報告について適用し、同日前にその末日が到来した事業年度のうち最終のものに係る事業報告については、なお従前の例による。

附　則〔令和二年五月十五日法務省令第三十七号 会社法施行規則及び会社計算規則の一部を改正する省令〕

（施行期日）

第一条　この省令は、公布の日から施行する。

（失効）

第二条　この省令による改正後の会社法施行規則の目次（この省令により改めた部分に限る。）並びに第百三十三条（この省令により改めた部分に限る。）及び第百三十三条の二の規定並びにこの省令による改正後の会社計算規則の目次（この省令により改めた部分に限る。）及び第百三十三条の二の規定は、この省令の施行の日から起算して六月を経過した日に、その効力を失う。ただし、同日前に招集の手続が開始された定時株主総会に係る提供事業報告（会社法施行規則第百三十三条第一項に規定する提供事業報告をいう。）及び提供計算書類（会社計算規則第百三十三条第一項に規定する提供計算書類をいう。）の提供については、これらの規定は、なおその効力を有する。

附則〔令和二年十一月二十七日法務省令第五十二号 会社法施行規則等の一部を改正する省令〕

（施行期日）

第一条 この省令は、会社法の一部を改正する法律（令和元年法律第七十号。以下この条及び次条第十三項において「会社法改正法」という。）の施行の日（令和三年三月一日。以下「施行日」という。）から施行する。ただし、第一条第二表に係る改正規定、第二条中会社計算規則第二条第二項第十五号の次に一号を加える改正規定及び第百三十四条の改正規定並びに第三条中一般社団法人及び一般財団法人に関する法律施行規則第七条の次に二条を加える改正規定及び第五十一条の改正規定は、会社法改正法附則第一条ただし書に規定する規定の施行の日（次条第四項及び第五項において「一部施行日」という。）から施行する。

（会社法施行規則の一部改正に伴う経過措置）

第二条 施行日前に招集の手続が開始された創立総会又は種類創立総会に係る創立総会参考書類の記載については、なお従前の例による。

2 施行日前に会社法（以下「法」という。）第百七十一条第一項の株主総会の決議がされた場合におけるその全部取得条項付種類株式の取得に係る法第百七十一条の二第一項に規定する書面又は電磁的記録の記載又は記録については、なお従前の例による。

3 施行日前に法第百八十条第二項の株主総会（株式の併合をするために種類株主総会の決議を要する場合にあっては、当該種類株主総会を含む。）の決議がされた場合におけるその株式の併合に係る法第百八十二条の二第一項に規定する書面又は電磁的記録の記載又は記録については、なお従前の例による。

4 一部施行日前に法第百九十九条第二項に規定する募集事項の決定があった場合におけるその募集に応じて募集株式の引受けの申込みをしようとする者に対して通知すべき事項については、なお従前の例による。

5 一部施行日前に法第二百三十八条第一項に規定する募集事項の決定があった場合におけるその募集に応じて募集新株予約権の引受けの申込みをしようとする者に対して通知すべき事項については、なお従前の例による。

6 第一条の規定（同条第一表に係る改正規定に限る。）による改正後の会社法施行規則（以下「新会社法施行規則」という。）第七十四条第一項第五号及び第六号、第七十四条の三第一項第七号及び第八号、第七十五条第五号及び第六号、第七十六条第一項第七号及び第八号並びに第七十七条第六号及び第七号の規定は、施行日以後に締結される補償契約及び役員等賠償責任保険契約について適用する。

7 施行日以後にその末日が到来する事業年度のうち最初のものに係る定時株主総会より前に開催される株主総会又は種類株主総会に係る株主総会参考書類の記載については、新会社法施行規則第七十四条第三項第三号並びに第四項第七号ロ及びハ、第七十四条の二、第七十四条の三第三項第三号並びに第四項第七号ロ及びハ並びに第七十六条第三項第三号並びに第四項第六号ロ及びハ（これらの規定を会社法施行規則第九十五条第三号において準用する場合を含む。）の規定にかかわらず、なお従前の例による。

8 前項の株主総会参考書類の記載に係る社外役員及び社外取締役候補者については、新会社法施行規則第二条第三項第五号及び第七号の規定にかかわらず、なお従前の例による。

9 前三項に定めるもののほか、施行日前に招集の手続が開始された株主総会又は種類株主総会に係る株主総会参考書類の記載については、なお従前の例による。

10 新会社法施行規則第百十九条第二号の二、第百二十一条第三号の二から第三号の四まで、第百二十一条の二、第百二十五条第二号から第四号まで及び第百二十六条第七号の二から第七号の四までの規定は、施行日以後に締結された補償契約及び役員等賠償責任保険契約について適用する。
11　前項に定めるもののほか、施行日前にその末日が到来した事業年度のうち最終のものに係る株式会社の事業報告の記載又は記録及び施行日以後にその末日が到来する事業年度のうち最初のものに係る株式会社の事業報告における第一条（同条第一表に係る改正規定に限る。）の規定による改正前の会社法施行規則第百二十四条第二項の理由の記載又は記録については、なお従前の例による。
12　前項の事業報告の記載又は記録に係る社外役員については、新会社法施行規則第二条第三項第五号の規定にかかわらず、なお従前の例による。
13　施行日前に会社法改正法による改正前の法第六百七十六条に規定する事項の決定があった場合におけるその募集社債及び施行日前に法第二百三十八条第一項に規定する募集事項の決定があった場合におけるその新株予約権付社債の発行の手続については、新会社法施行規則第百六十二条及び第百六十三条の規定にかかわらず、なお従前の例による。
14　施行日前に招集の手続が開始された社債権者集会に係る社債権者集会参考書類及び議決権行使書面の記載については、なお従前の例による。

【会社計算規則】

附　則

（施行期日）
第一条　この省令は、法の施行の日から施行する。
（法施行前の株式の交付に伴う義務が履行された場合に関する経過措置）
第二条　第二十一条の規定は、会社法の施行に伴う関係法律の整備等に関する法律（以下「会社法整備法」という。）第六十四条の規定による改正前の商法（明治三十二年法律第四十八号。以下「旧商法」という。）第二百八十条ノ十一第一項（旧商法第二百十一条第三項において準用する場合並びに旧商法第二百八十条ノ三十九第四項及び第三百四十一条ノ十五第四項において準用する場合（新株予約権が行使された場合に限る。）を含む。以下この条において同じ。）の規定により旧商法第二百八十条ノ十一第一項の差額に相当する金額を支払う義務が履行された場合について準用する。
（委員会設置会社の作成すべき計算書類等に関する経過措置）
第三条　法の施行の日前に到来した最終の決算期に係る委員会設置会社の各事業年度に係る計算書類及びその附属明細書並びに連結決算書類は、この省令の規定にかかわらず、会社法施行規則附則第十条の規定による改正前の商法施行規則（平成十四年法務省令第二十二号。以下「旧商法施行規則」という。）の定めるところにより作成するものとする。この場合において、旧商法施行規則に基づき作成する計算書類には、利益の処分又は損失の処理に関する議案を含むものとする。
2　法の施行の日前に到来した最終の決算期に係る委員会設置会社の各事業年度に係る事業報告書及びその附属明細書は、この省令の規定にかかわらず、営業報告書及びその附属明細書として旧商法施行規則の定めるところにより作成するものとする。
3　前二項の規定により作成されるものについての監査は、この省令の規定にかかわらず、会社法整備法第一条第八号の規定による廃止前の株式会社の監査等に関する商法の特例に関する法律（昭和四十九年法律第二十二号。以下「旧商法特例法」という。）及び旧商法施行規則の定めるところによる。
4　前項の場合において、次のいずれにも該当するときは、第百六十三条各号のいずれにも該当するものとみなす。この場合において、同条に規定する承認特則規定に規定する計算書類には、第一項後段の利益の処分又は損失の処理に関する議案を含むものとする。

一　各会計監査人の監査報告書が、第一項の規定により作成されるもの（連結計算書類を除く。）が法令及び定款に従い委員会設置会社の財産及び損益の状況を正しく表示したものである旨を内容とするものであること。

二　監査委員会の監査報告書（各監査委員の意見の付記を含む。）が前号についての会計監査人の監査の結果を相当でないと認めた旨を内容とするものでないこと。

5　第百六十一条第七項の規定は、第一項の規定により作成する計算書類を定時株主総会に提出する場合について準用する。

6　第百六十二条第七項の規定は、第一項の規定により作成する連結計算書類を定時株主総会に提出する場合について準用する。

7　会社法施行規則第百三十三条第六項の規定は、第二項の規定により作成する営業報告書を定時株主総会に提出する場合について準用する。

（貸借対照表等の公告に関する経過措置）

第四条　法の施行の日前に到来した決算期に係る貸借対照表又は損益計算書に記載又は記録がされた情報につき法の施行の日前に旧商法第二百八十三条第七項若しくは旧商法特例法第十六条第五項（旧商法特例法第二十一条の三十一第三項において準用する場合を含む。）の規定による措置をとる場合又は旧商法第二百八十三条第四項若しくは旧商法特例法第十六条第二項の規定による公告（旧電子公告（旧商法第百六十六条第六項の措置をとることをいう。）によるものに限る。）をする場合における貸借対照表又は損益計算書については、この省令の規定にかかわらず、旧商法施行規則の定めるところによる。

2　法第四百四十条第一項又は第二項の規定による公告（同条第三項の規定による措置を含む。以下この項において同じ。）をする場合において、これらの規定に規定する貸借対照表又は損益計算書が法の施行の日前に到来した決算期に係るものであるときは、当該公告において明らかにしなければならない事項は、この省令の規定にかかわらず、旧商法施行規則の定めるところによる。

（剰余金の額に関する経過措置）

第五条　株式会社が最終事業年度の末日後に次の各号に掲げる行為をした場合には、第一号から第七号までに定める額の合計額から第八号から第十二号までに定める額の合計額を減じて得た額をも法第四百六十六条第七号に規定する法務省令で定める各勘定科目に計上した額の合計額に含むものとする。

一　会社法整備法第十三条又は第八十三条第一項本文の規定によりなお従前の例によることとされる株式又は持分の消却　当該株式又は持分の消却により株主又は社員に交付した財産の帳簿価額の総額

二　会社法整備法第二十七条第二項又は第九十九条の規定によりなお従前の例によることとされる旧有限会社法（会社法整備法第一条第三号の規定による廃止前の有限会社法（昭和十三年法律第七十四号）をいう。以下同じ。）第四十三条第一項第四号又は旧商法第二百八十一条第一項第四号に掲げるものの承認　次に掲げる額の合計額

イ　旧有限会社法第四十三条第一項第四号又は旧商法第二百八十一条第一項第四号に掲げるものの承認により処分された財産の帳簿価額の総額（次号に定めるものを除く。）

ロ　旧商法第二百八十八条（旧有限会社法第四十六条第一項において準用する場合を含む。）の規定により利益準備金に積み立てた額

ハ　旧商法第二百九十三条ノ二の規定により資本に組み入れた額

三　会社法整備法第三十条又は第百条の規定によりなお従前の例によることとされる剰余金の配当　当該剰余金の配当により株主に交付した財産の帳簿価額の総額

四　会社法整備法第百一条の規定によりなお従前の例によることとされる金銭の分配　次に掲げる額の合計額

イ 当該金銭の分配により株主に交付した金銭の総額
ロ 当該金銭の分配に際して旧商法第二百八十八条の規定により利益準備金に積み立てた額
五 会社法整備法第百五条の規定によりなお従前の例によることとされる新設分割（当該新設分割により設立する会社にその営業を承継させる会社となる場合における当該新設分割に限る。第七号において同じ。）当該新設分割に際して減少することとしたその他利益剰余金の額及びその他資本剰余金の額の合計額
六 会社法整備法第三十六条又は第百五条の規定によりなお従前の例によることとされる吸収分割（他の会社にその営業を承継させる会社となる場合における当該吸収分割に限る。次号において同じ。）当該吸収分割に際して減少することとしたその他利益剰余金の額及びその他資本剰余金の額の合計額
七 この省令の施行前に効力が生じた新設分割又は吸収分割（前二号に掲げるものを除く。）当該新設分割又は吸収分割に際して減少することとしたその他利益剰余金の額及びその他資本剰余金の額の合計額
八 会社法整備法第二十九条又は第百六条の規定によりなお従前の例によることとされる資本の減少 当該資本の減少により減少した資本の額から当該資本の減少に際して株主又は社員に交付した財産の帳簿価額の総額を減じて得た額
九 会社法整備法第二十九条又は第百六条の規定によりなお従前の例によることとされる準備金の減少 当該準備金の減少により減少した準備金の額から当該準備金の減少に際して株主又は社員に交付した財産の帳簿価額の総額を減じて得た額
十 会社法整備法第二十七条第二項又は第九十九条の規定によりなお従前の例によることとされる旧有限会社法第四十三条第一項第四号又は旧商法第二百八十一条第一項第四号に掲げるものの承認に際しての旧商法第二百八十九条第一項（旧有限会社法第四十六条第一項において準用する場合を含む。）の規定による準備金の減少 当該準備金の減少により減少した準備金の額
十一 旧商法第二百八十八条ノ二第二項又は第四項（旧有限会社法第四十六条第一項において準用する場合を含む。）の規定により資本準備金としなかった額の決定 当該額からこれらの規定する新設分割又は吸収分割に際して増加させた利益準備金の額を減じて得た額
十二 旧商法第二百八十八条ノ二第五項前段（旧有限会社法第四十六条第一項において準用する場合を含む。）の規定により資本準備金としなかった額の決定 当該額から旧商法第二百八十八条ノ二第五項後段（旧有限会社法第四十六条第一項において準用する場合を含む。）の規定により利益準備金とした額を減じて得た額

（剰余金の分配を決定する機関の特則に関する要件）

第六条 法第四百五十九条第二項及び第四百六十条第二項に規定する計算書類が法の施行の日前に到来した決算期に係るものである場合において、次のいずれにも該当するときは、第百八十三条各号のいずれにも該当するものとみなす。
一 各会計監査人の監査報告書が、当該計算書類が法令及び定款に従い株式会社の財産及び損益の状況を正しく表示したものである旨を内容とするものであること。
二 監査役会又は監査委員会の監査報告書（各監査役又は監査委員の意見の付記を含む。）が前号についての会計監査人の監査の結果を相当でないと認めた旨を内容とするものでないこと。

（提供計算書類の提供等に関する経過措置）

第七条 第百二十九条第一項第八号の規定は、この省令の施行後最初に到来する事業年度の末日に係る個別注記表であって、この省令の施行後最初に開催する株主総会の招集の通知に併せてその内容を通知すべきものについては、適用しない。

（連結配当規制適用会社に関する注記に関する経過措置）

第八条 第二条第三項第七十二号のある事業年度が法の施行の日前

に到来した最終の決算期に係る事業年度として定めた株式会社が作成する当該決算期に係る貸借対照表には、当該決算期に係る事業年度の末日が最終事業年度の末日となる時後、連結配当規制適用会社となる旨を注記しなければならない。

（計算書類の提供方法に関する経過措置）

第九条　第百六十一条第七項の規定は、会社法整備法第二十七条第二項又は第九十九条の規定によりなお従前の例によるものとされた計算書類を定時株主総会に提出する場合について準用する。

（連結計算書類の提供方法に関する経過措置）

第十条　第百六十二条第七項の規定は、会社法整備法第五十六条の規定によりなお従前の例によるものとされた連結計算書類を定時株主総会に提出する場合について準用する。

（募集株式の交付に係る費用等に関する特則）

第十一条　次に掲げる規定に掲げる額は、当分の間、零とする。

一　第十四条第一項第三号
二　第十七条第一項第四号
三　第十八条第一項第二号
四　第三十条第一項第一号ハ
五　第四十二条の二第一項第二号
六　第四十二条の三第一項第二号
七　第四十三条第一項第三号
八　第四十四条第一項第二号

附　則〔平成十八年三月二十九日法務省令第二十八号　非訟事件手続法による財産管理の報告及び計算に関する書類並びに財産目録の謄本又は株主表の抄本の交付に関する手数料の件の廃止等をする省令〕（抄）

（施行期日）

第一条　この省令は、会社法（平成十七年法律第八十六号）の施行の日から施行する。ただし、附則第二条及び第三条の規定は、公布の日から施行する。

（会社計算規則の一部改正）

第三条　会社計算規則（平成十八年法務省令第十三号）の一部を次のように改正する。（以下略）

附　則〔平成十八年四月十四日法務省令第四十九号　会社法施行規則等の一部を改正する省令〕

この省令は、公布の日から施行する。

附　則〔平成十八年十二月十五日法務省令第八十四号　会社法施行規則及び会社計算規則の一部を改正する省令〕

この省令は、公布の日から施行する。

附　則〔平成十八年十二月二十二日法務省令第八十七号　会社法施行規則及び会社計算規則の一部を改正する省令〕（抄）

（施行期日）

第一条　この省令は、平成十九年一月二十日から施行する。

（募集株式の交付に係る費用等に関する経過措置）

第五条　施行日前に会社法（平成十七年法律第八十六号。以下「法」という。）第百九十九条第一項の決定（同項第五号に掲げる事項として募集株式の交付に係る費用の額のうち株式会社が資本金等増加限度額から減ずるべき額を定めた場合における当該決定に限る。）があった場合における会社計算規則第十四条第一項第三号に掲げる額については、なお従前の例による。

2　施行日前に発行された新株予約権（法第二百三十六条第一項第五号に掲げる事項として新株予約権の行使に応じて行う株式の交付に係る費用の額のうち株式会社が資本金等増加限度額から減ずるべき額を定めたものに限る。）の行使があった場合における会社計算規則第十七条第一項第四号に掲げる額については、なお従前の例による。

3　次に掲げる場合における会社計算規則第四十三条第一項第三号に掲げる額については、なお従前の例による。
一　施行日前に法第三十二条第一項の決定（同項第三号に掲げる事項として設立に要した費用の額のうち設立に際して資本金又は資本準備金の額として計上すべき額から減ずるべき額（次号において「設立費用控除額」という。）を定めた場合における当該決定に限る。）があった場合
二　施行日前に設立費用控除額を定款で定めた場合

（吸収合併等に際しての計算に関する経過措置）
第六条　施行日前に吸収合併契約、新設合併契約、吸収分割契約又は株式交換契約が締結された吸収合併、新設合併、吸収分割又は株式交換に際しての計算については、なお従前の例による。
2　施行日前に新設分割計画又は株式移転計画が作成された場合における新設分割又は株式移転に際しての計算については、なお従前の例による。

附　則〔平成十九年七月四日法務省令第三十九号　会社法施行規則及び会社計算規則の一部を改正する省令〕

この省令は、証券取引法等の一部を改正する法律（平成十八年法律第六十五号）の施行の日から施行する。

附　則〔平成二十年三月十九日法務省令第十二号　会社法施行規則及び会社計算規則の一部を改正する省令〕（抄）

（施行期日）
第一条　この省令は、平成二十年四月一日から施行する。

（計算書類等に関する経過措置）
第四条　施行日前に開始した事業年度に係る計算書類及び事業報告の附属明細書については、なお従前の例による。

（株式交換等に際しての計算に関する経過措置）
第五条　施行日前に株式交換契約が締結された場合又は株式移転計画が作成された場合における株式交換又は株式移転に際しての計算については、なお従前の例による。

附　則〔平成二十一年三月二十七日法務省令第七号　会社法施行規則、会社計算規則等の一部を改正する省令〕（抄）

（施行期日）
第一条　この省令は、平成二十一年四月一日から施行する。

（計算関係書類に関する経過措置）
第八条　この省令による改正後の会社計算規則（以下「新会社計算規則」という。）第二条第三項第五十六号、第七十五条第二項第一号ヌ及び同項第二号ト並びに第九十三条第一項第三号の規定は、平成二十二年四月一日前に開始する事業年度に係る計算関係書類については、適用しない。ただし、同日前に開始する事業年度に係る計算関係書類のうち、施行日以後に作成されるものについては、これらのすべての規定により作成することができる。
2　新会社計算規則第二条第三項第五十七号及び第七十七条の規定は、施行日前に開始する事業年度に係る計算関係書類については、適用しない。ただし、施行日前に開始する事業年度に係る計算関係書類のうち、施行日以後に作成されるものについては、これらのすべての規定により作成することができる。
3　新会社計算規則第二条第三項第五十八号及び第五十九号、第九十八条第一項第八号及び第九号、第百九条並びに第百十条の規定は、平成二十二年三月三十一日前に終了する事業年度に係る計算関係書類については、適用しない。ただし、同日前に終了する事業年度に係る計算関係書類のうち、施行日以後に作成されるものについては、これらのすべての規定により作成することができる。
4　新会社計算規則第九十八条第一項第十号、第百二条第一号ホ及び第百十一条の規定は、平成二十年四月一日前に開始する事業年度に係る計算関係書類については、適用しない。
5　平成二十二年四月一日前に開始する事業年度に係る連結計算書

類のうち、連結計算書類の作成のための基本となる重要な事項に関する注記については、連結子会社の資産及び負債の評価に関する事項を含むものとする。

（募集株式の発行等に際しての計算に関する経過措置）

第九条　施行日前に会社法第百九十九条第二項に規定する募集事項の決定があった場合における株式の発行又は自己株式の処分に際しての計算については、なお従前の例による。

2　施行日前に新株予約権の行使があった場合における株式の発行又は自己株式の処分に際しての計算については、なお従前の例による。

（吸収合併等に際しての計算に関する経過措置）

第十条　施行日前に吸収合併契約、新設合併契約、吸収分割契約又は株式交換契約が締結された吸収合併、新設合併、吸収分割又は株式交換に際しての計算については、なお従前の例による。

2　施行日前に新設分割計画又は株式移転計画が作成された場合における新設分割又は株式移転に際しての計算については、なお従前の例による。

（会社の設立に際しての計算に関する経過措置）

第十一条　施行日前に定款の認証を受けた定款に係る株式会社の設立に際しての計算については、なお従前の例による。

2　施行日前に作成された定款に係る持分会社の設立に際しての計算については、なお従前の例による。

附　則〔平成二十一年四月二十日法務省令第二十二号　会社計算規則の一部を改正する省令〕

（施行期日）

1　この省令は、公布の日から施行する。

（経過措置）

2　平成二十一年三月三十一日前に終了する事業年度に係る個別注記表及び連結注記表については、なお従前の例による。

附　則〔平成二十一年十二月十一日法務省令第四十六号　会社計算規則の一部を改正する省令〕（抄）

（施行期日）

第一条　この省令は、公布の日から施行する。

（国際会計基準で作成する連結計算書類に関する経過措置）

第二条　この省令による改正後の会社計算規則（以下「新会社計算規則」という。）第百二十条の規定は、平成二十二年三月三十一日以後に終了する連結会計年度に係る連結計算書類について適用し、同日前に終了する連結会計年度に係るものについては、なお従前の例による。

（米国基準で作成する連結計算書類に関する経過措置）

第三条　連結財務諸表の用語、様式及び作成方法に関する規則等の一部を改正する内閣府令（平成二十一年内閣府令第七十三号）附則第二条第二項の規定により連結財務諸表の用語、様式及び作成方法について米国預託証券の発行等に関して要請されている用語、様式及び作成方法によることができるものとされた株式会社の作成すべき連結計算書類については、米国預託証券の発行等に関して要請されている用語、様式及び作成方法によることができる。この場合においては、新会社計算規則第三編第一章から第五章までの規定により連結計算書類において表示すべき事項に相当するものを除くその他の事項は、省略することができる。

2　前項の規定による連結計算書類には、当該連結計算書類が準拠している用語、様式及び作成方法を注記しなければならない。

附　則〔平成二十二年九月三十日法務省令第三十三号　会社計算規則の一部を改正する省令〕（抄）

（施行期日）

第一条　この省令は、公布の日から施行する。

（経過措置）

第二条　この省令の施行の日前に終了する事業年度に係る連結計算

書類については、なお従前の例による。

附　則〔平成二十二年十一月二十五日法務省令第三十七号　会社計算規則及び電子公告に関する登記事項を定める省令の一部を改正する省令〕

この省令は、商品取引所法及び商品投資に係る事業の規制に関する法律の一部を改正する法律の施行の日（平成二十三年一月一日）から施行する。

附　則〔平成二十三年三月三十一日法務省令第六号　会社計算規則の一部を改正する省令〕（抄）

（施行期日）

第一条　この省令は、公布の日から施行する。

（経過措置）

第二条　この省令による改正後の会社計算規則第二条第三項（第五十八号から第六十四号までに係る部分に限る。）、第九十六条第七項（第一号に係る部分に限る。）及び第八項、第九十八条第一項（第二号から第六号までに係る部分に限る。）及び第二項、第百二条、第百二条第二項、第百二条の二から第百二条の五まで、第百十三条、第百二十二条第二項（第一号に係る部分に限る。）並びに第百二十六条第二項（第二号に係る部分に限る。）の規定は、平成二十三年四月一日以後に開始する事業年度に係る計算書類及び連結計算書類並びにこれらについての監査報告及び会計監査報告について適用し、同日前に開始する事業年度に係る計算書類及び連結計算書類並びにこれらについての監査報告及び会計監査報告については、なお従前の例による。

2　平成二十年十二月五日から平成二十二年三月三十一日までに満期保有目的の債券（この省令による改正前の会社計算規則第二条第三項第二十七号に規定する満期保有目的の債券をいう。以下この項において同じ。）以外の債券を満期保有目的の債券に変更した場合における当該変更後の満期保有目的の債券についての会社計算規則第五条第六項（第二号に係る部分に限る。）の規定の適用については、なお従前の例による。

附　則〔平成二十三年十一月十六日法務省令第三十三号　会社法施行規則等の一部を改正する省令〕（抄）

（施行期日）

第一条　この省令は、公布の日から施行する。ただし、第一条の規定（会社法施行規則第四条第一号の改正規定に限る。）は、資本市場及び金融業の基盤強化のための金融商品取引法等の一部を改正する法律（平成二十三年法律第四十九号）附則第一条第二号に掲げる規定の施行の日（平成二十三年十一月二十四日）から施行する。

（会社計算規則の一部改正に伴う経過措置）

第三条　第二条の規定による改正後の会社計算規則（以下「新会社計算規則」という。）第百二条第一項第一号の規定は、平成二十五年四月一日以後に開始する事業年度に係る計算書類及び連結計算書類について適用し、同日前に開始する事業年度に係るものについては、なお従前の例による。ただし、平成二十三年四月一日以後に開始する事業年度に係るものについては、新会社計算規則の規定を適用することができる。

附　則〔平成二十五年五月二十日法務省令第十六号　会社計算規則の一部を改正する省令〕

（施行期日）

1　この省令は、公布の日から施行する。

（経過措置）

2　平成二十五年四月一日前に開始した事業年度に係る計算関係書類については、なお従前の例による。

附　則〔平成二十七年二月六日法務省令第六号　会社法施行規則等の一部を改正する省令〕（抄）

（施行期日）

第一条　この省令は、会社法の一部を改正する法律の施行の日（平成二十七年五月一日）から施行する。ただし、次の各号に掲げる規定は、当該各号に定める日から施行する。

一　第二条中会社計算規則第七十六条第一項、第九十三条第一項、第九十四条、第九十六条第二項、第七項及び第八項、第百二条第一項並びに第百十三条の改正規定　公布の日

二　（略）

（会社計算規則の一部改正に伴う経過措置）

第三条　第二条の規定による改正後の会社計算規則（以下「新会社計算規則」という。）第七十六条第一項、第九十三条第一項、第九十四条第一項及び第三項から第五項まで、第九十六条第二項及び第八項、第百二条第一項並びに第百十三条の規定は、平成二十七年四月一日以後に開始する事業年度に係る連結計算書類について適用し、同日前に開始する事業年度に係るものについては、なお従前の例による。

2　新会社計算規則第九十六条第七項の規定は、平成二十八年四月一日以後に開始する事業年度に係る計算書類及び連結計算書類について適用し、同日前に開始する事業年度に係るものについては、なお従前の例による。ただし、平成二十七年四月一日以後に開始する事業年度に係るものについては、同項の規定を適用することができる。

附　則〔平成二十八年一月八日法務省令第一号　会社法施行規則及び会社計算規則の一部を改正する省令〕（抄）

（施行期日）

第一条　この省令は、公布の日から施行する。

（会社計算規則の一部改正に伴う経過措置）

第三条　第二条の規定による改正後の会社計算規則第百二十条の二の規定は、平成二十八年三月三十一日以後に終了する連結会計年度に係る連結計算書類について適用し、同日前に終了する連結会計年度に係るものについては、なお従前の例による。

附　則〔平成三十年三月二十六日法務省令第五号　会社法施行規則及び会社計算規則の一部を改正する省令〕（抄）

（施行期日）

第一条　この省令は、公布の日から施行する。

（会社計算規則の一部改正に伴う経過措置）

第三条　この省令による改正後の会社計算規則（以下「新会社計算規則」という。）の規定は、平成三十年四月一日以後開始する事業年度に係る計算書類及び連結計算書類について適用し、同日前に開始する事業年度に係るものについては、なお従前の例による。ただし、同年三月三十一日以後最初に終了する事業年度に係るものについては、新会社計算規則の規定を適用することができる。

附　則〔平成三十年十月十五日法務省令第二十七号　会社計算規則の一部を改正する省令〕

（施行期日）

第一条　この省令は、公布の日から施行する。

（経過措置）

第二条　この省令による改正後の会社計算規則（以下「新会社計算規則」という。）の規定は、平成三十三年四月一日以後に開始する事業年度に係る会計帳簿、計算書類及び連結計算書類について適用し、同日前に開始する事業年度に係るものについては、なお従前の例による。ただし、平成三十年四月一日以後に開始する事業年度に係るもの又は同年十二月三十一日から平成三十一年三月三十日までの間に終了する事業年度に係るものについては、新会社計算規則の規定を適用することができる。

附　則〔令和元年十二月二十七日法務省令第五十四号　会社計算規則の一部を改正する省令〕

（施行期日）

第一条　この省令は、公布の日から施行する。

（経過措置）

第二条　この省令による改正後の会社計算規則（以下「新会社計算規則」という。）の規定は、令和二年三月三十一日以後に終了する事業年度に係る計算関係書類についての会計監査報告について適用し、同日前に終了する事業年度に係る計算関係書類についての会計監査報告については、なお従前の例による。ただし、連結財務諸表の用語、様式及び作成方法に関する規則（昭和五十一年大蔵省令第二十八号。以下「連結財務諸表規則」という。）第九十三条に規定する国際会計基準に基づいて作成した連結財務諸表を米国証券取引委員会に登録している連結財務諸表規則第一条の二に規定する指定国際会計基準特定会社又は米国預託証券の発行等に関して要請されている用語、様式及び作成方法により作成した連結財務諸表を米国証券取引委員会に登録している連結財務諸表規則第二条第一号に規定する連結財務諸表提出会社の令和元年十二月三十一日以後に終了する事業年度に係る連結計算書類についての会計監査報告については、新会社計算規則の規定（新会社計算規則第百二十六条第一項第二号ロの規定を除く。）を適用することができる。

附　則〔令和二年三月三十一日法務省令第二十七号　会社計算規則の一部を改正する省令〕

（施行期日）

第一条　この省令は、公布の日から施行する。

（経過措置）

第二条　この省令による改正後の会社計算規則（以下「新会社計算規則」という。）の規定は、令和三年四月一日以後に開始する事業年度に係る計算書類及び連結計算書類について適用し、同日前に開始する事業年度に係るものについては、なお従前の例による。ただし、令和二年三月三十一日以後に終了する事業年度に係るものについては、新会社計算規則の規定を適用することができる。

附　則〔令和二年五月十五日法務省令第三十七号　会社法施行規則及び会社計算規則の一部を改正する省令〕

（施行期日）

第一条　この省令は、公布の日から施行する。

（失効）

第二条　この省令による改正後の会社法施行規則の目次（この省令により改めた部分に限る。）並びに第百三十三条（この省令により加えた部分に限る。）及び第百三十三条の二の規定並びにこの省令による改正後の会社計算規則の目次（この省令により改めた部分に限る。）及び第百三十三条の二の規定は、この省令の施行の日から起算して六月を経過した日に、その効力を失う。ただし、同日前に招集の手続が開始された定時株主総会に係る提供事業報告（会社法施行規則第百三十三条第一項に規定する提供事業報告をいう。）及び提供計算書類（会社計算規則第百三十三条第一項に規定する提供計算書類をいう。）の提供については、これらの規定は、なおその効力を有する。

附　則〔令和二年八月十二日法務省令第四十五号　会社計算規則の一部を改正する省令〕

（施行期日）

第一条　この省令は、公布の日から施行する。

（経過措置）

第二条　この省令による改正後の会社計算規則（以下「新会社計算規則」という。）第八十八条第一項第一号、第百一条第二項及び第百十五条の二の規定は、令和三年四月一日以後に開始する事業年度に係る計算書類及び連結計算書類について適用し、同日前に開始する事業年度に係るものについては、なお従前の例による。ただし、令和二年四月一日以後に終了する事業年度に係るものについては、これらの規定を適用することができる。

2　新会社計算規則第九十八条第一項第四号の二並びに第二項第一号、第二号及び第五号並びに第百二条の三の二の規定は、令和三年三月三十一日以後に終了する事業年度に係る計算書類及び連結計算書類について適用し、同日前に終了する事業年度に係るものについては、なお従前の例による。ただし、令和二年三月三十一日以後に終了する事業年度に係るものについては、これらの規定を適用することができる。

附　則〔令和二年十一月二十七日法務省令第五十二号　会社法施行規則等の一部を改正する省令〕（抄）

（施行期日）

第一条　この省令は、会社法の一部を改正する法律（令和元年法律第七十号。以下この条及び次条第十三項において「会社法改正法」という。）の施行の日（令和三年三月一日。以下「施行日」という。）から施行する。ただし、第一条第二表に係る改正規定、第二条中会社計算規則第二条第二項第十五号の次に一号を加える改正規定及び第百三十四条の改正規定並びに第三条中一般社団法人及び一般財団法人に関する法律施行規則第七条の次に二条を加える改正規定及び第五十一条の改正規定は、会社法改正法附則第一条ただし書に規定する規定の施行の日（次条第四項及び第五項において「一部施行日」という。）から施行する。

【電子公告規則】

附　則（抄）

（施行期日）

1　この省令は、法の施行の日から施行する。

附　則〔平成十九年法務省令第三十八号　会社法施行規則及び電子公告規則の一部を改正する省令〕（抄）

（施行期日）

第一条　この省令は、信託法（平成十八年法律第百八号）の施行の日から施行する。

附　則〔平成二十一年一月二十六日法務省令第一号　電子公告規則の一部を改正する省令〕

この省令は、公布の日から施行する。

附　則〔平成二十一年三月十六日法務省令第五号　商業登記規則等の一部を改正する省令〕

この省令は、公布の日から施行する。

附　則〔平成二十三年十二月二十一日法務省令第三十九号　法務省の所管する法令の規定に基づく行政手続等における情報通信の技術の利用に関する規則及び法務省の所管する法令の規定に基づく行政手続等における情報通信の技術の利用に関する規則及び法務省の所管する法令の規定に基づく民間事業者等が行う書面の保存等における情報通信の技術の利用に関する規則の一部を改正する省令〕（抄）

（施行期日）

第一条　この省令は、平成二十四年一月七日から施行する。ただし、第二条及び附則第四条の規定は、平成二十四年二月一日から施行する。

附　則〔平成二十七年二月六日法務省令第六号　会社法施行規則等の一部を改正する省令〕（抄）

（施行期日）

第一条　この省令は、会社法の一部を改正する法律の施行の日（平成二十七年五月一日）から施行する。

附　則〔平成二十七年十二月二十八日法務省令第六十一号　商業登記規則等の一部を改正する省令〕（抄）

（施行期日）

第一条　この省令は、平成二十八年三月一日から施行する。

附　則〔令和元年六月二十八日法務省令第十四号　電子公告規則の一部を改正する省令〕

この省令は、令和元年七月一日から施行する。

附　則〔令和元年十二月十三日法務省令第四十九号　電子公告規則の一部を改正する省令〕

この省令は、情報通信技術の活用による行政手続等に係る関係者の利便性の向上並びに行政運営の簡素化及び効率化を図るための行政手続等における情報通信の技術の利用に関する法律等の一部を改正する法律（令和元年法律第十六号）の施行の日から施行する。

附　則〔令和二年十二月二十一日法務省令第五十七号　電子公告規則の一部を改正する省令〕

（施行期日）

1　この省令は、公布の日から施行する。

（様式の用紙の使用に関する経過措置）

2　この省令の施行の際現に存するこの省令による改正前の様式の用紙については、当分の間、これを取り繕って使用することができる。

電子公告規則

（注）＊印は未施行

会社計算規則

省令索引

省令索引

会社法施行規則

織込版　会社法関係法令全条文［全訂第２版］

2006年４月25日　初　版第１刷発行
2015年３月31日　全訂版第１刷発行
2021年３月28日　全訂第２版第１刷発行

編　　者　商　事　法　務

発 行 者　石　川　雅　規

発 行 所　株式会社 商 事 法 務

〒103-0025 東京都中央区日本橋茅場町3-9-10
TEL 03-5614-5643・FAX 03-3664-8844〔営業〕
TEL 03-5614-5649〔編集〕
https://www.shojihomu.co.jp/

落丁・乱丁本はお取替えいたします。　印刷／三英グラフィック・アーツ㈱

Shojihomu Co., Ltd.
ISBN978-4-7857-2858-8
＊定価はカバーに表示してあります。